“小而全”系列

# 智趣多功能
# 小学生字典

主　编：万　森
副主编：刘东胜　樊春亭
编　委：（以姓氏笔画为序）
王利亚　王建功　刘晓红
刘海明　李丽华　李志祥
陈　仲　赵爱民　戚国存

ZHIQU DUOGONGNENG
XIAOXUESHENG ZIDIAN

知识出版社

**图书在版编目（CIP）数据**

智趣多功能小学生字典/万森主编．—北京：知识出版社，2009.6
（小而全系列）
ISBN 978－7－5015－5711－0
Ⅰ．智…　Ⅱ．万…　Ⅲ．汉语—小学—字典　Ⅳ．G624.203
中国版本图书馆 CIP 数据核字（2009）第 084788 号

责任编辑：柯　凌
责任印制：张新民

知识出版社出版发行
（北京阜成门北大街 17 号　邮政编码：100037　电话：010－88390732）
http：//www. ecph. com. cn
北京飞达印刷有限责任公司印刷　新华书店经销
开本：880 毫米×1230 毫米　1/64　印张：19　字数：1100 千字
2009 年 6 月第 1 版　2009 年 6 月第 1 次印刷
印数：1－5000 册
ISBN 978－7－5015－5711－0
定价：25.00 元

# 总目录

# 前言

本字典主要供小学生使用,规范标准实用,“一书在手”就可以满足小学生对多方面、多层次文化知识的需求,迅速达到提高综合素质的目的。

本字典依据教育部《语文课程标准》编写,共收单字约4200个,其中包括《现代汉语常用字表》的全部常用字和大部分次常用字,教育部制定的《全日制义务教育语文课程标准》所要求掌握的汉字。考虑到学生课外阅读的需要,并酌情增收单字近1000个,还收录了见于小学课本中的常用词语及近年产生的新词600多个。

本字典是一部小学生必备的中型工具书,也适合教师和中等文化程度的读者参考使用,特点如下:

一、正文中的字头以大正楷字排印,字头上方标注汉语拼音,并附笔画、部首、结构、五笔字型、造字法、笔顺等,有助于小学生掌握正确的汉字书写及电脑录入汉字。

二、结合小学生学习阶段的实际需要,附有最常用、实用的词语,并附造句,从而帮助小学生提高构词和用词的能力。

三、正确地运用同音字、形近字、近义词、反义词,是小学生必须具备的基本功。为此,本字典收录常用、通俗易懂的相应字词,以帮助小学生理解和运用。

四、收录部分脍炙人口、广泛使用的成语、歇后语和谚语,以提高小学生的语言表达能力。

五、收入一定数量的对应英语单词,使本字典具备了汉英对照的功能。

本字典的编写工作得到了多位著名语言学家和辞书学家的指导和支持,在此一并致谢。不足之处,敬请广大读者多提宝贵意见。

《智趣多功能小学生字典》编写组

# 使用说明

一、本字典的字头按汉语拼音字母顺序排列。同音字按笔画排列，笔画少的在前，多的在后。笔画相同的，按起笔笔形横(一)、竖(丨)、撇(丿)、点(丶)、折(乛)的顺序排列。

二、若遇写不出来的字，可以按《汉语拼音音节索引》查，此表注明某个音节在字典某一页，按右边的页码就能查到。若不熟悉汉语拼音字母，可以借助《汉语拼音方案》及《拼音字母歌》了解字母名称和字母顺序。

三、若遇不认识的字，可以按《部首检字表》查，此表注明某个字在字典某一页，按右边的页码就可查到。为便于按部首查字，《部首检字表》的开头有《部首目录》，先熟悉部首，查字就很容易了。

部首不明显的字，在《部首检字表》里的《难检字笔画索引》里可以查到。本字典部首与一般字典的部首相同。笔画数、笔顺以1997年4月7日国家语言文字工作委员会、中华人民共和国新闻出版总署发布的《现代汉语通用字笔顺规范》为准。

四、为帮助学生认清字形，本字典每个字头后都注明该字头的所属部首、笔画数、结构、笔顺。一些字头下列有【形近字】，以防写错。

五、本字典每个字头上方用拼音字母注音，为了帮助同学更好地读准字音，一些字头下列有【辨音】，以防读错。

六、本字典释义简明确切，通俗易懂。一个字有多个义项的，排列方法是：较容易的在前，较难的在后；较浅的在前，较深的在后；较具体的在前，较抽象的在后；本义在最前面。标(方)的表示方言词语，标(书)的表示书面上的文言词语，标(古)的表示古代用法的词语。(方)、(书)等标记适用于整个条目各个义项的，标在第一义项之前；只适用于个别义项的，标在有关义项数码之后。

# 功能列示表

| | 基础功能 |
|---|---|
| 1 | 音序排列,例:大、小写 Aa Bb |
| 2 | 音节排序,例:āng áng |
| 3 | 汉字读音,例:挨 āi |
| 4 | 汉字笔画,例:胞 9 画 |
| 5 | 汉字部首,例:傍 亻 |
| 6 | 汉字结构,例:汉 左右 |
| 7 | 五笔字型,例:壶 FPOG |
| 8 | 汉字笔顺,例:<br>伴(′ 亻 亻 亻′ 亻″ 亻䒑 伴) |
| 9 | 汉字释义,例:虎,哺乳动物…… |
| 10 | 组词,例:光,光明 |
| 11 | 造句,例:规劝——尽管校方多次规劝,他仍无悔改之意。 |
| 12 | 辨音,例:衷,不读“āi”(容易读错的字) |
| 13 | 同音字,例:规,归(归纳) |
| 14 | 形近字,例:规,观(观察)(容易写错的字) |
| 15 | 成语,例:古,古道热肠 |
| 16 | 反义词,例:悲伤/快乐 |
| 17 | 近义词,例:规劝/劝告 |
| 18 | 歇后语,例:芝麻开花——节节高。 |
| 19 | 谚语,例:挨着大树不长苗。 |
| 20 | 英语,例:龟 tortoise[ˈtɔːtəs] |
| 21 | 多音字,例:阿 ā,另读 ē(见 187 页) |

| | 辅助功能 |
|---|---|
| 22 | 西文字母开头的词语 |
| 23 | 造字法(怎样识字 汉字的特点) |
| 24 | 汉语拼音方案(附:拼音字母歌) |
| 25 | 汉字笔画名称表 |
| 26 | 汉字笔顺规则表 |
| 27 | 常见部首名称和笔顺 |
| 28 | 常用标点符号用法简表 |
| 29 | 第一批异形词整理表 |
| 30 | 汉语词类表(实词) |
| 31 | 我国法定计量单位简表(含 6 种) |
| 32 | 小学生数学名词术语解释 |
| 33 | 小学生数学图形计算公式 |
| 34 | 常见别字举例 |
| 35 | 五笔字型输入法(字根助记词及排序) |
| 36 | 国际音标简介 |
| 37 | 国际音标发音简表 |
| 38 | 英语字母 |
| 39 | 我国历史朝代公元对照简表(附:我国历史朝代顺序歌) |
| 40 | 我国省、自治区、特别行政区、直辖市简表(附:我国省级行政区简称别称歌) |
| 41 | 我国的主要山脉、河流、湖泊 |
| 42 | 世界各大洲 |
| 43 | 世界各大洋 |

续表

| 辅助功能 | | | |
|---|---|---|---|
| 44 | 世界各大海 | 49 | 小学生日常行为规范(修订) |
| 45 | 我国少数民族名称表 | 50 | 三字经(节选) |
| 46 | 二十四节气表(附:二十四节气歌) | 51 | 百家姓 |
| 47 | 中外重要节日简表 | 52 | 千字文 |
| 48 | 八荣八耻 | 53 | 小学生必背古诗词 80 首 |
| | | 54 | 插图(为了更好地了解字义,有些词语还加了插图) |

# 汉语拼音音节索引

（音节右边的号码指字典正文的页码）

汉语拼音音节索引

汉语拼音音节索引

## O



## P

汉语拼音音节索引

# 部首检字表

【说明】1. 本表采用的部首依据《汉字统一部首表（草案）》，共201部；编排次序依据《GB13000.1字符集汉字笔顺规范》和《GB13000.1字符集汉字字序（笔画序）规范》，按笔画数由少到多顺序排列，同画数的，按起笔笔形横（一）、竖（丨）、撇（丿）、点（丶）、折（乛）顺序排列，第一笔相同的，按第二笔，依次类推。2. 检字时先查被查的字的部首在《部首目录》内的页码，然后查《检字表》；《检字表》内同一部首的字按除去部首笔画以外的画数排列。3. 为方便读者查检，有些字分别在几个部首内。4. 分不清部首的字，按起笔的笔形，收入横（一）、竖（丨）、撇（丿）、点（丶）、折（乛）五个单笔部首内。

## （一）部首目录

（部首右边的号码指检字表的页码）

# (二)检字表

(字右边的号码指字典正文的页码)

部首检字表

部首检字表

## 勹部

**一至四画**

[士]部



艹部

部首检字表

部首检字表



辶部

部首检字表

部首检字表

部首检字表

部首检字表

部首检字表

部首检字表

部首检字表

部首检字表

部首检字表

麦部



走部



赤部



豆部



酉部



辰部



豕部

部首检字表

# （三）难检字笔画索引

（字右边的号码指字典正文的页码）

# A

## A Y

| ā | 笔画 | 部首 | 结构 | 五笔 | 造字法 |
|---|---|---|---|---|---|
| 阿 | 7 | 阝 | 左右 | BSKG | 形声 |
| 笔顺 | ㇇ 阝 阝一 阝丅 阝可 阝可 阿 | | | | |

【解　释】❶加在排行、小名或姓的前面。❷用在某些亲属称谓的前面。
【组　词】阿妈　阿公　阿飞　阿姨
【造　句】阿姨——幼儿园的阿姨照顾小朋友十分周到。
【同音字】啊
【形近字】呵(呵气)
【英　语】阿姨　aunt [ɑːnt]
【多音字】ē(见 187 页)

| ā | 笔画 | 部首 | 结构 | 五笔 | 造字法 |
|---|---|---|---|---|---|
| 啊 | 10 | 口 | 左右 | KBSK | 形声 |
| 笔顺 | 丨 ㄇ 口 口㇇ 口阝 口阝一 口阝丅 口阝可 口阝可 啊 | | | | |

【解　释】叹词。表示赞叹或惊异。
【造　句】啊——啊,我忘带课本了!
【同音字】阿
【形近字】阿(阿哥)
【英　语】啊　ah [ɑː]
【多音字】á(见 1 页)
【多音字】ǎ(见 1 页)
【多音字】à(见 2 页)
【多音字】a(见 2 页)

| ā | 笔画 | 部首 | 结构 | 五笔 | 造字法 |
|---|---|---|---|---|---|
| 腌 | 12 | 月 | 左右 | EDJN | 形声 |
| 笔顺 | 丿 刀 月 月 月一 月ナ 月大 月大 月奄 月奄 月奄 腌 | | | | |

【解　释】腌臜(zā),不干净。
【造　句】腌臜——这房子太腌臜了,哪里能住人呢!
【同音字】啊(啊呀)
【形近字】淹(淹没)
【反义词】腌臜/干净
【英　语】腌臜　dirty [ˈdəːti]
【多音字】yān(见 817 页)

| á | 笔画 | 部首 | 结构 | 五笔 | 造字法 |
|---|---|---|---|---|---|
| 啊 | 10 | 口 | 左右 | KBSK | 形声 |
| 笔顺 | 丨 ㄇ 口 口㇇ 口阝 口阝一 口阝丅 口阝可 口阝可 啊 | | | | |

【解　释】叹词。表示追问。
【造　句】啊——啊,你明天不在。
【多音字】ā(见 1 页)
【多音字】ǎ(见 1 页)
【多音字】à(见 2 页)
【多音字】a(见 2 页)

| ǎ | 笔画 | 部首 | 结构 | 五笔 | 造字法 |
|---|---|---|---|---|---|
| 啊 | 10 | 口 | 左右 | KBSK | 形声 |
| 笔顺 | 丨 ㄇ 口 口㇇ 口阝 口阝一 口阝丅 口阝可 口阝可 啊 | | | | |

【解　释】叹词。表示疑惑。
【造　句】啊——啊,这是怎么回事?
【多音字】ā(见 1 页)
【多音字】á(见 1 页)
【多音字】à(见 2 页)

A

【多音字】ɑ(见2页)

| à | 笔画 | 部首 | 结构 | 五笔 | 造字法 |
|---|---|---|---|---|---|
| 啊 | 10 | 口 | 左右 | KBSK | 形声 |
| 笔顺 | 丨 ㄇ 口 口⁷ 吓 吓一 吓ㄇ 吓可 吓可 啊 | | | | |

【解　释】叹词。❶表示答应。❷表示明白、醒悟。❸表示赞叹、赞美。
【造　句】啊——啊！台湾，美丽的宝岛。
【多音字】ā(见1页)
【多音字】á(见1页)
【多音字】ǎ(见1页)
【多音字】ɑ(见2页)

| ɑ | 笔画 | 部首 | 结构 | 五笔 | 造字法 |
|---|---|---|---|---|---|
| 啊 | 10 | 口 | 左右 | KBSK | 形声 |
| 笔顺 | 丨 ㄇ 口 口⁷ 吓 吓一 吓ㄇ 吓可 吓可 啊 | | | | |

【解　释】助词。用在句末或句中，表语气，常常受前一个字收尾音的影响，连读成别的音，也可用别的字代替。
【多音字】ā(见1页)
【多音字】á(见1页)
【多音字】ǎ(见1页)
【多音字】à(见2页)

## AI　ㄞ

| āi | 笔画 | 部首 | 结构 | 五笔 | 造字法 |
|---|---|---|---|---|---|
| 哎 | 8 | 口 | 左右 | KAQY | 形声 |
| 笔顺 | 丨 ㄇ 口 口一 口十 口艹 口艾 哎 | | | | |

【解　释】叹词。❶表示不满或提醒。❷表示惊讶。
【组　词】哎呀　哎哟
【造　句】哎哟——哎哟，疼死我了。
【辨　音】不读 ēi。
【同音字】哀(哀求)
【英　语】哎　hey [hei]

| āi | 笔画 | 部首 | 结构 | 五笔 | 造字法 |
|---|---|---|---|---|---|
| 哀 | 9 | 亠 | 上中下 | YEU | 形声 |
| 笔顺 | 丶 亠 亠 亡 亩 声 亨 亨 哀 | | | | |

【解　释】❶悲痛。❷悼念。❸怜悯。
【组　词】哀悼　哀思　哀愁　哀求　哀号　哀鸣　哀叹　哀怨　哀乐
【造　句】哀求——狼苦苦哀求东郭先生。
【辨　音】不读 zhōng。
【同音字】哎(哎哟)
【形近字】衷(衷心)
【成　语】哀兵必胜　哀而不伤　哀鸿遍野
【反义词】悲哀/高兴
【近义词】哀伤/悲哀
【谚　语】哀莫大于心死。
【英　语】哀求　entreat [in'triːt]

| āi | 笔画 | 部首 | 结构 | 五笔 | 造字法 |
|---|---|---|---|---|---|
| 埃 | 10 | 土 | 左右 | FCTD | 形声 |
| 笔顺 | 一 十 土 圠 圵 圹 垶 垶 垵 埃 | | | | |

【解　释】灰尘，飞扬的或附在物体上的细土。
【组　词】涓埃　尘埃
【造　句】尘埃——因为长年无人居住，故乡的老屋里已经落满了尘埃。

【同音字】哎(哎哟)
【形近字】挨(挨着)
【近义词】尘埃/尘土
【英　语】尘埃　dust [dʌst]

| āi | 笔画 | 部首 | 结构 | 五笔 | 造字法 |
|---|---|---|---|---|---|
| 挨 | 10 | 扌 | 左右 | RCTD | 形声 |
| 笔顺 | 一 十 扌 扌 扌 扌 扌 扌 挨 挨 | | | | |

【解　释】❶依次;顺次。❷靠近。
【组　词】挨近　挨边　挨次　挨肩
【造　句】挨着——他紧紧挨着我,就像怕我跑了似的。
【同音字】哀(哀伤)　哎(哎哟)
【形近字】唉(唉声叹气)　埃(埃及)
【成　语】挨肩擦背　挨门挨户　挨家挨户
【近义词】挨着/靠着
【歇后语】挨霜打的狗尾巴草——蔫了|夏天的火炉——挨不得。
【谚　语】挨着大树不长苗。
【英　语】挨近　be near to [biː niə tuː]
【多音字】ái(见3页)

| āi | 笔画 | 部首 | 结构 | 五笔 | 造字法 |
|---|---|---|---|---|---|
| 唉 | 10 | 口 | 左右 | KCTD | 形声 |
| 笔顺 | 丨 口 口 口 口 口 口 口 唉 唉 | | | | |

【解　释】❶答应的声音。❷叹息的声音。
【组　词】唉声叹气
【造　句】唉声叹气——他期末考试没及格,整天唉声叹气。
【同音字】哀(哀叹)
【形近字】挨(挨着)　埃(尘埃)

【成　语】唉声叹气
【英　语】唉声叹气　moan and groan [məun ænd grəun]
【多音字】ài(见5页)

| ái | 笔画 | 部首 | 结构 | 五笔 | 造字法 |
|---|---|---|---|---|---|
| 挨 | 10 | 扌 | 左右 | RCTD | 形声 |
| 笔顺 | 一 十 扌 扌 扌 扌 扌 扌 挨 挨 | | | | |

【解　释】❶遭受。❷拖延。
【组　词】挨打　挨饿　挨整　挨板子
【造　句】挨打——小表弟因为淘气挨打了。
【同音字】皑(白雪皑皑)
【多音字】āi(见3页)

| ái | 笔画 | 部首 | 结构 | 五笔 | 造字法 |
|---|---|---|---|---|---|
| 皑 | 11 | 白 | 左右 | RMNN | 形声 |
| 笔顺 | ノ 亻 白 白 白 白 白 白 皑 皑 皑 | | | | |

【解　释】形容霜、雪非常白。
【组　词】皑皑
【造　句】皑皑——白雪皑皑的路上,行人艰难地走着。
【辨　音】不读 ǎi。
【同音字】挨(挨打)　癌(癌症)
【形近字】凯(凯歌)
【英　语】皑皑　pure white [pjuə wait]

| ái | 笔画 | 部首 | 结构 | 五笔 | 造字法 |
|---|---|---|---|---|---|
| 癌 | 17 | 疒 | 半包围 | UKKM | 形声 |
| 笔顺 | 丶 亠 广 广 疒 疒 疒 疒 疒 疒 疒 疒 疒 疒 疒 癌 癌 | | | | |

【解　释】生物体细胞恶化,变成

恶性增生细胞,从而形成的恶性肿瘤。
【组　词】癌症　肝癌　胃癌
【造　句】癌症——癌症患者应该树立信心,勇敢地与病魔作斗争。
【辨　音】不读 ǎi。
【同音字】皑(皑皑)
【形近字】症(症状)
【英　语】癌症　cancer [ˈkænsə]

| ǎi | 笔画 | 部首 | 结构 | 五笔 | 造字法 |
|---|---|---|---|---|---|
| 矮 | 13 | 矢 | 左右 | TDTV | 形声 |
| 笔顺 | 丿 𠂉 𠂉 手 矢 矢 矢 矢 矢 矢 矮 矮 矮 | | | | |

【解　释】❶人的身材短。❷形容高度低的东西。❸等级低;地位低。
【组　词】矮凳　矮小　矮子　矮墙　矮个儿　矮半截　矮墩墩　矮胖子
【造　句】矮小——他虽然个子很矮小,但力气却很大。
【辨　音】不读 wěi。
【同音字】蔼(和蔼)
【形近字】委(委托)　矫(矫健)
【反义词】矮/高
【近义词】矮/低
【歇后语】矮树杈子——不成材。
【谚　语】矮人面前,莫说短话。
【英　语】矮　short [ʃɔːt]

| ǎi | 笔画 | 部首 | 结构 | 五笔 | 造字法 |
|---|---|---|---|---|---|
| 蔼 | 14 | 艹 | 上下 | AYJN | 形声 |
| 笔顺 | 一 十 艹 艹 艹 艹 艹 艹 艹 艹 蔼 蔼 蔼 蔼 | | | | |

【解　释】和气;和善。
【组　词】蔼然　和蔼
【造　句】和蔼——李校长是个和蔼可亲的人。
【辨　音】不读 ài。
【同音字】矮(矮小)
【形近字】霭(暮霭)　渴(口渴)
【成　语】和蔼可亲
【反义词】和蔼/严肃
【近义词】和蔼/和善
【英　语】和蔼　kindly [ˈkaindli]

| ǎi | 笔画 | 部首 | 结构 | 五笔 | 造字法 |
|---|---|---|---|---|---|
| 霭 | 19 | 雨 | 上下 | FYJN | 形声 |
| 笔顺 | 一 ㇐ 冖 币 币 雨 雨 雨 雨 雨 雨 雨 雨 雨 雨 霭 霭 霭 霭 | | | | |

【解　释】形容云气、雾气。
【组　词】云霭　暮霭
【造　句】暮霭——森林被暮霭笼罩着,黄昏降临了。
【辨　音】不读 ài。
【同音字】蔼(和蔼)　矮(高矮)
【形近字】蔼(和蔼)
【英　语】霭　mist [mist]

| ài | 笔画 | 部首 | 结构 | 五笔 | 造字法 |
|---|---|---|---|---|---|
| 艾 | 5 | 艹 | 上下 | AQU | 形声 |
| 笔顺 | 一 十 艹 艾 艾 | | | | |

【解　释】❶多年生草本植物,开黄色小花,叶可做药用。❷停止。❸漂亮。❹姓。
【组　词】艾草　艾绒
【造　句】艾草——我爷爷治病的药方里有艾草。
【辨　音】不读 āi。
【同音字】爱(爱国)　隘(险隘)
【形近字】艺(文艺)
【成　语】方兴未艾
【谚　语】艾焙子灸骨,疼到脚跟。

【英　语】艾绒 moxa [ˈmɔksə]
【多音字】yì(见 842 页)

| ài | 笔画 | 部首 | 结构 | 五笔 | 造字法 |
|---|---|---|---|---|---|
| 唉 | 10 | 口 | 左右 | KCTD | 形声 |
| 笔顺 | 丨 ㄇ 口 口' 口厶 口厶 口厶 口厶 唉 唉 | | | | |

【解　释】叹词。表示失望或可惜。
【造　句】唉——唉,病了这么久,学习成绩都下降了。
【同音字】爱(爱心)
【多音字】āi(见 3 页)

| ài | 笔画 | 部首 | 结构 | 五笔 | 造字法 |
|---|---|---|---|---|---|
| 爱 | 10 | 爫 | 上下 | EP | 形声 |
| 笔顺 | 一 ⺈ ⺈ 爫 爫 爫 爫 爫 爱 爱 | | | | |

【解　释】❶喜欢;对人或事物有深挚的感情。❷爱好。❸爱惜;爱护。
【组　词】爱惜　爱心　爱护
【造　句】爱惜——他非常爱惜粮食。
【同音字】艾(艾草)
【形近字】受(接受)
【成　语】爱不释手　爱莫能助
【反义词】爱/恨
【近义词】爱好/嗜好
【谚　语】爱而不教,禽犊之爱。
【英　语】爱 love [lʌv]

| ài | 笔画 | 部首 | 结构 | 五笔 | 造字法 |
|---|---|---|---|---|---|
| 隘 | 12 | 阝 | 左右 | BUWL | 形声 |
| 笔顺 | ⁷ 阝 阝 阝 阝 阝 阝 阝 隘 隘 隘 隘 | | | | |

【解　释】❶险要的地方。❷狭小。
【组　词】隘口　险隘　要隘
【造　句】险隘——这是一个险隘,我们一定要守住。
【辨　音】不读 ǎi 或 yì。
【同音字】爱(爱心)
【形近字】溢(溢出)
【反义词】狭隘/宽广
【近义词】狭隘/狭小
【英　语】险隘 defile [diˈfail]

| ài | 笔画 | 部首 | 结构 | 五笔 | 造字法 |
|---|---|---|---|---|---|
| 碍 | 13 | 石 | 左右 | DJGF | 形声 |
| 笔顺 | 一 丆 𠂇 石 石 石 石 石 碍 碍 碍 碍 碍 | | | | |

【解　释】妨碍;阻拦。
【组　词】碍事　碍眼
【造　句】碍事——走开,别站在这儿碍事。
【辨　音】不读 dé。
【同音字】隘(隘口)
【形近字】得(得心应手)
【成　语】碍手碍脚
【英　语】碍事 be in the way [biː in ðə wei]

| ài | 笔画 | 部首 | 结构 | 五笔 | 造字法 |
|---|---|---|---|---|---|
| 嫒 | 13 | 女 | 左右 | VEPC | 形声 |
| 笔顺 | ㄑ 女 女 女 女 女 女 女 嫒 嫒 嫒 嫒 嫒 | | | | |

【解　释】对对方女儿的尊称。
【组　词】令嫒
【造　句】令嫒——令嫒今年几岁了?
【同音字】艾(艾草)　爱(爱惜)
【形近字】瑷(瑷珲)

【英　语】令嫒 your daughter [jɔː ˈdɔːtə]

| ài | 笔画 | 部首 | 结构 | 五笔 | 造字法 |
|---|---|---|---|---|---|
| 瑷 | 14 | 王 | 左右 | GEPC | 形声 |
| 笔顺 | 一 二 干 王 王 玊 玊 玊 玊 玊 玊 瑗 瑷 瑷 | | | | |

【解　释】瑷珲，地名，在黑龙江省。今作爱辉。
【同音字】爱（爱好）
【形近字】嫒（令嫒）

| ài | 笔画 | 部首 | 结构 | 五笔 | 造字法 |
|---|---|---|---|---|---|
| 暧 | 14 | 日 | 左右 | JEPC | 形声 |
| 笔顺 | 丨 冂 日 日 日 日 日 日 日 日 日 日 暧 暧 | | | | |

【解　释】❶日光昏暗。❷（态度）不明朗，（行为）不光明。
【组　词】暧昧
【造　句】暧昧——他俩关系暧昧。
【同音字】爱（爱惜）
【形近字】瑷（瑷珲）
【英　语】暧昧 ambiguous [æmˈbigjuəs]

## AN ㄢ

| ān | 笔画 | 部首 | 结构 | 五笔 | 造字法 |
|---|---|---|---|---|---|
| 安 | 6 | 宀 | 上下 | PVF | 会意 |
| 笔顺 | 丶 丶 宀 㝉 安 安 | | | | |

【解　释】❶安全；平安。❷平静；稳定。❸使平静；使安定（多指心情）。❹安置；装设。❺存着；怀着。❻电流强度单位安培的简称。❼姓。

【字源释义】表示在一间屋内，一位女子安详地坐着。本义是“安定”、“安全”、“舒适”。
【组　词】安静　安心　安全
【造　句】安静——教室里非常安静。
【同音字】氨（氨气）
【形近字】妥（妥当）
【成　语】安邦定国　安步当车　安分守己　安家落户　安居乐业
【反义词】安/危
【近义词】安静/宁静
【歇后语】军队搭帐篷——安营扎寨。
【谚　语】安危相易，祸福相生。
【英　语】安心 feel at ease [fiːl æt iːz]

| ān | 笔画 | 部首 | 结构 | 五笔 | 造字法 |
|---|---|---|---|---|---|
| 庵 | 11 | 广 | 半包围 | YDJN | 形声 |
| 笔顺 | 丶 亠 广 庀 庀 庆 庆 庵 庵 庵 庵 | | | | |

【解　释】❶指简单的小草屋。❷小庙（多指尼姑居住的地方）。
【组　词】庵堂　庵子
【辨　音】不读 yān。

【同音字】鞍(马鞍) 安(安心)
【形近字】俺(俺们)
【英　语】庵 hut [hʌt]

| ān | 笔画 | 部首 | 结构 | 五笔 | 造字法 |
|---|---|---|---|---|---|
| 谙 | 11 | 讠 | 左右 | YUJ | 形声 |
| 笔顺 | 丶 讠 讠 讠 讠 讠 访 谙 谙 谙 谙 | | | | |

【解　释】熟悉。
【组　词】谙练 谙熟 谙达
【造　句】谙达——他是一位谙达世情的人。
【辨　音】不读 àn。
【同音字】安(安全) 鹌(鹌鹑)
【形近字】暗(暗淡)
【英　语】谙练 conversant [kən'vəːsənt]

| ān | 笔画 | 部首 | 结构 | 五笔 | 造字法 |
|---|---|---|---|---|---|
| 鞍 | 15 | 革 | 左右 | AFPV | 形声 |
| 笔顺 | 一 十 廿 廿 廿 苫 苫 苫 革 革 革 靯 鞍 鞍 鞍 | | | | |

【解　释】放在骡马等牲口背上承载重物或供人骑坐的器具。
【组　词】马鞍 鞍子
【同音字】安(安静) 氨(氨气)
【形近字】按(按照)
【成　语】鞍前马后
【谚　语】鞍不离马背,甲不离将身。
【英　语】鞍子 saddle ['sædl]

| ǎn | 笔画 | 部首 | 结构 | 五笔 | 造字法 |
|---|---|---|---|---|---|
| 俺 | 10 | 亻 | 左右 | WDJN | 形声 |
| 笔顺 | 丿 亻 亻 仛 伏 佽 俗 俗 俺 俺 | | | | |

【解　释】代词。我;我们。
【组　词】俺娘 俺村
【辨　音】不读 yān。
【形近字】淹(淹死)
【英　语】俺 I [ai]

| àn | 笔画 | 部首 | 结构 | 五笔 | 造字法 |
|---|---|---|---|---|---|
| 岸 | 8 | 山 | 上下 | MDFJ | 形声 |
| 笔顺 | 丨 山 山 屵 岸 岸 岸 岸 | | | | |

【解　释】❶江、河、湖、海等水边的陆地。❷高大。
【组　词】海岸 沿岸 伟岸
【同音字】案(案件)
【形近字】崖(山崖)
【谚　语】岸上修船易,江心补漏难。
【英　语】海岸 coast [kəust]

| àn | 笔画 | 部首 | 结构 | 五笔 | 造字法 |
|---|---|---|---|---|---|
| 按 | 9 | 扌 | 左右 | RPVG | 形声 |
| 笔顺 | 一 十 扌 扌 扌 扩 拧 按 按 | | | | |

【解　释】❶压;摁。❷止住;抑制。❸依照。❹经过考核研究后下论断。
【组　词】按摩 按期 按钮
【造　句】按期——这个活儿必须按期完成。
【辨　音】不读 ān。
【同音字】岸(岸边) 案(案件)
【形近字】鞍(马鞍)
【成　语】按部就班 按兵不动
【近义词】按照/依照
【歇后语】按下葫芦浮起瓢——此起彼落。
【谚　语】按人做饭,量体裁衣。

A

【英　语】按期 on time [ɔn taim]

| àn | 笔画 | 部首 | 结构 | 五笔 | 造字法 |
|---|---|---|---|---|---|
| 案 | 10 | 木 | 上下 | PVSU | 形声 |
| 笔顺 | 丶 丶 宀 它 安 安 安 宰 案 案 | | | | |

【解　释】❶长形的桌子。❷机关或团体中记事的案卷。❸提出计划、办法的文件。❹事件。❺古时候端饭用的木盘。

【组　词】长案　方案　案件

【造　句】方案——我们正在研究解决这个问题的方案。

【同音字】按(按时)

【形近字】安(安全)

【英　语】案件　case [keis]

| àn | 笔画 | 部首 | 结构 | 五笔 | 造字法 |
|---|---|---|---|---|---|
| 暗 | 13 | 日 | 左右 | JUJG | 形声 |
| 笔顺 | 丨 冂 日 日 日丶 日亠 日立 日立 暗 暗 暗 暗 暗 | | | | |

【解　释】❶不亮;没有光(跟"明"相对)。❷秘密的;隐藏不露的。❸愚昧;糊涂。

【组　词】阴暗　黑暗

【造　句】阴暗——这里阴暗潮湿,不能住人。

【同音字】岸(海岸)　按(按钮)

【形近字】黯(黯然)

【成　语】暗度陈仓　暗箭伤人

【反义词】暗/明

【近义词】暗/黑

【歇后语】暗中染布——照料不到。

【英　语】黑暗　dark [daːk]

| àn | 笔画 | 部首 | 结构 | 五笔 | 造字法 |
|---|---|---|---|---|---|
| 黯 | 21 | 黑 | 左右 | LFOJ | 形声 |
| 笔顺 | 丨 冂 冂 冋 甲 里 里 里 里 黑 黑 黑 黑 黑 黑 黯 黯 黯 黯 黯 黯 | | | | |

【解　释】❶昏暗。❷比喻神情沮丧。

【组　词】黯淡　黯黑

【造　句】黯淡——这幅画的色彩十分黯淡。

【同音字】按(按照)　岸(海岸)

【形近字】暗(黑暗)

【成　语】黯然泪下　黯然失色

【反义词】黯淡/明亮

【近义词】黯淡/昏暗

【英　语】黯然　dim [dim]

## ANG　尢

| āng | 笔画 | 部首 | 结构 | 五笔 | 造字法 |
|---|---|---|---|---|---|
| 肮 | 8 | 月 | 左右 | EYMN | 形声 |
| 笔顺 | 丿 刀 月 月 月丶 月亠 肮 肮 | | | | |

【解　释】肮脏,不干净。有时比喻行为卑鄙、丑恶。

【组　词】肮脏

【造　句】肮脏——他是一个灵魂肮脏的家伙。

【辨　音】不读 kàng。

【形近字】杭(杭州)　抗(抗争)

【反义词】肮脏/干净

【近义词】肮脏/龌龊

【英　语】肮脏　dirty [ˈdəːti]

| áng | 笔画 | 部首 | 结构 | 五笔 | 造字法 |
|---|---|---|---|---|---|
| 昂 | 8 | 日 | 上下 | JQBJ | 形声 |
| 笔顺 | 丨 冂 日 日 旦 昂 昂 昂 | | | | |

【解　释】❶仰着;高抬。❷高;贵。❸情绪高。
【组　词】高昂　昂贵
【造　句】昂贵——这件衣服太昂贵了,我没那么多钱买。
【辨　音】不读 āng 或 ǎng。
【形近字】仰(瞻仰)
【成　语】斗志昂扬　昂首挺胸
【反义词】昂贵/便宜
【近义词】昂贵/珍贵
【英　语】昂贵　expensive [iks'pensiv]

| àng | 笔画 | 部首 | 结构 | 五笔 | 造字法 |
|---|---|---|---|---|---|
| 盎 | 10 | 皿 | 上下 | MDLF | 指事 |
| 笔顺 | 丶 冂 冖 央 央 央 岙 盎 岙 盎 | | | | |

【解　释】❶古代的一种盆,腹大口小。❷洋溢。
【组　词】盎然
【造　句】盎然——这里春意盎然,很适合踏青。
【形近字】央(中央)
【成　语】春意盎然
【英　语】盎然　abundant [ə'bʌndənt]

## AO 幺

| āo | 笔画 | 部首 | 结构 | 五笔 | 造字法 |
|---|---|---|---|---|---|
| 凹 | 5 | 丨 | 独体 | MMGD | 形声 |
| 笔顺 | 丨 ㄏ 卩 凹 凹 | | | | |

【解　释】周围高,中间低。
【组　词】凹透镜　凹凸不平
【造　句】凹凸不平——这段路凹凸不平,坐在车上颠簸得很。
【辨　音】不读 ǎo。
【同音字】熬(熬汤)
【英　语】凹透镜　concave lens ['kɔn'keiv lenz]

| āo | 笔画 | 部首 | 结构 | 五笔 | 造字法 |
|---|---|---|---|---|---|
| 熬 | 14 | 灬 | 上下 | GQTO | 形声 |
| 笔顺 | 一 二 ＋ 丰 专 考 考 考 敖 敖 敖 敖 熬 熬 | | | | |

【解　释】烹调方法,把蔬菜等放在水里煮。
【组　词】熬菜　熬汤
【同音字】凹(凹凸不平)
【形近字】遨(遨游)
【谚　语】熬过冬就是夏。
【英　语】熬　boil [bɔil]
【多音字】áo(见 10 页)

| áo | 笔画 | 部首 | 结构 | 五笔 | 造字法 |
|---|---|---|---|---|---|
| 敖 | 10 | 攵 | 左右 | GQTY | 形声 |
| 笔顺 | 一 二 ＋ 丰 专 考 考 考 敖 敖 | | | | |

【解　释】❶同"遨",游逛。❷姓。
【同音字】遨(遨游)
【形近字】嗷(嗷嗷大叫)

| áo | 笔画 | 部首 | 结构 | 五笔 | 造字法 |
|---|---|---|---|---|---|
| 遨 | 13 | 辶 | 半包围 | GQTP | 形声 |
| 笔顺 | 一 二 ＋ 丰 专 考 考 考 敖 敖 敖 遨 遨 | | | | |

【解　释】遨游;游逛。
【组　词】遨游
【造　句】遨游——李明昨天晚上

做了个梦,梦中他遨游了太空。

【同音字】翱(翱翔)

【形近字】敖(敖药)

【英　语】遨游　roam [rəum]

| áo | 笔画 | 部首 | 结构 | 五笔 | 造字法 |
|---|---|---|---|---|---|
| 嗷 | 13 | 口 | 左右 | KGQT | 形声 |
| 笔顺 | 丨 ㄇ 口 口一 口二 口+ 口圭 口声 口夫 口夫ノ 口夫ケ 口敖ノ 嗷 | | | | |

【解　释】象声词。嘈杂声;喊叫声。

【组　词】嗷嗷待哺

【造　句】嗷嗷待哺——隔壁张阿姨去世了,留下一个嗷嗷待哺的孩子。

【形近字】遨(遨游)

【成　语】嗷嗷待哺

【谚　语】嗷食勿吃四面肉,贫贱不买灌水鱼。

【英　语】嗷嗷待哺　cry piteously for food [krai ˈpitiəsli fɔː fuːd]

| áo | 笔画 | 部首 | 结构 | 五笔 | 造字法 |
|---|---|---|---|---|---|
| 熬 | 14 | 灬 | 上下 | GQTO | 形声 |
| 笔顺 | 一 二 丰 丰 考 夫 夫 夫 敖 敖 敖 敖 熬 熬 | | | | |

【解　释】❶长时间地煮。❷忍受;勉强支持。

【组　词】煎熬　熬药　熬夜

【造　句】煎熬——他在生活中受尽了种种煎熬。

【同音字】敖(敖包)

【英　语】熬夜　stay up late [stei ʌp leit]

【多音字】āo(见9页)

| áo | 笔画 | 部首 | 结构 | 五笔 | 造字法 |
|---|---|---|---|---|---|
| 謷 | 16 | 耳 | 上下 | GQTB | 形声 |
| 笔顺 | 一 二 丰 丰 考 夫 夫 夫 敖 敖 敖 敖 謷 謷 謷 謷 | | | | |

【解　释】见317页“佶”。

| áo | 笔画 | 部首 | 结构 | 五笔 | 造字法 |
|---|---|---|---|---|---|
| 翱 | 16 | 羽 | 左右 | RDFN | 形声 |
| 笔顺 | ノ ノ 白 白 白 皁 皁 皋 皋 皋 翱 翱 翱 翱 翱 翱 | | | | |

【解　释】翱翔,回旋地飞。

【组　词】翱翔

【造　句】翱翔——老鹰在天空翱翔。

【同音字】遨(遨游)

【形近字】翔(翱翔)

【英　语】翱翔　hover [ˈhɔvə]

| ǎo | 笔画 | 部首 | 结构 | 五笔 | 造字法 |
|---|---|---|---|---|---|
| 拗 | 8 | 扌 | 左右 | RXLN | 形声 |
| 笔顺 | 一 丁 扌 扌 扌 扌 拗 拗 | | | | |

【解　释】弯曲;折断。

【组　词】拗断

【造　句】拗断——他把竹竿拗断了。

【同音字】袄(棉袄)

【多音字】ào(见11页)

【多音字】niù(见525页)

| ǎo | 笔画 | 部首 | 结构 | 五笔 | 造字法 |
|---|---|---|---|---|---|
| 袄 | 9 | 衤 | 左右 | PUTD | 形声 |
| 笔顺 | 丶 ㇇ 才 衤 衤 衤 衤 袄 袄 | | | | |

【解　释】有衬里的上衣。
【组　词】袄子　棉袄　夹袄
【辨　音】不读 yāo。
【同音字】拗(拗断)
【形近字】妖(妖精)　沃(肥沃)
【英　语】棉袄　a cotton-padded jacket [ə 'kɔtn pæ'did 'dʒækit]

| ào | 笔画 | 部首 | 结构 | 五笔 | 造字法 |
|---|---|---|---|---|---|
| 坳 | 8 | 土 | 左右 | FXLT | 形声 |
| 笔顺 | 一 十 土 圹 圿 坳 坳 坳 | | | | |

【解　释】山间平地。
【组　词】山坳
【同音字】傲(骄傲)
【形近字】拗(拗断)

| ào | 笔画 | 部首 | 结构 | 五笔 | 造字法 |
|---|---|---|---|---|---|
| 拗 | 8 | 扌 | 左右 | RXLN | 形声 |
| 笔顺 | 一 十 扌 扌 扌 拗 拗 拗 | | | | |

【解　释】不顺口;不依从。
【组　词】拗口　违拗　倔拗
【形近字】坳(山坳)
【英　语】拗口令　tongue twister [tʌŋ 'twistə]
【多音字】ǎo(见10页)
【多音字】niù(见525页)

| ào | 笔画 | 部首 | 结构 | 五笔 | 造字法 |
|---|---|---|---|---|---|
| 傲 | 12 | 亻 | 左右 | WGQT | 形声 |
| 笔顺 | 丿 亻 亻 亻 亻 亻 亻 亻 亻 傲 傲 傲 | | | | |

【解　释】❶自高自大。❷藐视;不屈服。
【组　词】骄傲　傲慢　傲然
【造　句】骄傲——我们为祖国的日益强大而感到骄傲。
【同音字】坳(山坳)
【形近字】敖(敖包)
【成　语】傲然屹立　傲雪凌霜
【反义词】傲慢/谦虚
【近义词】傲慢/高傲
【谚　语】傲不可长,志不可满,乐不可极。
【英　语】傲慢　arrogant ['ærəgənt]

| ào | 笔画 | 部首 | 结构 | 五笔 | 造字法 |
|---|---|---|---|---|---|
| 奥 | 12 | 大 | 上下 | TMON | 形声 |
| 笔顺 | 丿 亻 门 白 白 白 甪 甪 甪 奥 奥 奥 | | | | |

【解　释】❶含义深;不容易懂。❷泛指房屋深处。❸奥林匹克的简称。❹姓。
【组　词】奥秘　奥妙　奥义　奥运会
【造　句】奥秘——我们要立志探索宇宙的奥秘。
【同音字】傲(骄傲)
【形近字】粤(粤语)
【英　语】奥秘　profound mystery [prə'faund 'mistəri]

| ào | 笔画 | 部首 | 结构 | 五笔 | 造字法 |
|---|---|---|---|---|---|
| 懊 | 15 | 忄 | 左右 | NTMD | 形声 |
| 笔顺 | 丶 丷 忄 忄 忄 忄 忄 忄 忄 忄 忄 忄 忄 懊 懊 | | | | |

【解　释】烦恼;悔恨。
【组　词】懊恼　懊恨　懊丧　懊悔
【造　句】懊悔——事情已经这样了,再懊悔也没用了。
【同音字】傲(骄傲)

A

【形近字】奥(奥秘)
【反义词】懊丧/欣喜
【近义词】懊悔/后悔
【英　语】懊悔　regret [ri'gret]

| ào | 笔画 | 部首 | 结构 | 五笔 | 造字法 |
|---|---|---|---|---|---|
| 澳 | 15 | 氵 | 左右 | ITMD | 形声 |
| 笔顺 | 丶 氵 氵 氵' 氵' 泊 泊 泊 泊 泊 淠 淠 澳 澳 澳 | | | | |

【解　释】❶可以停船的海湾。❷指澳门。❸指澳洲(现称大洋洲),世界七大洲之一。❹澳大利亚的简称。
【组　词】澳毛 澳门 澳大利亚
【造　句】澳毛——我新买了一件澳毛织的毛衣。
【同音字】傲(骄傲)
【形近字】奥(奥秘)　懊(懊丧)
【英　语】澳大利亚　Australia [ɔs'treiljə]

# B

## BA ㄅㄚ

| bā | 笔画 | 部首 | 结构 | 五笔 | 造字法 |
|---|---|---|---|---|---|
| 八 | 2 | 八 | 独体 | WTY | 指事 |
| 笔顺 | 丿 八 | | | | |

【解　释】数词。七加一的得数。

甲骨文　金文　小篆　隶书　楷书

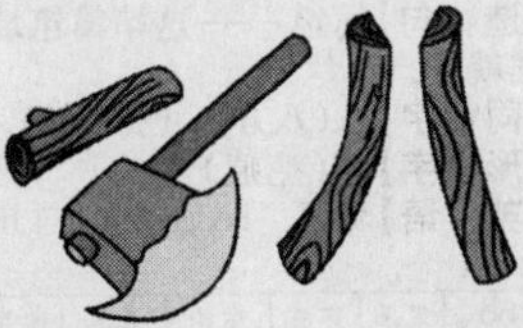

【字源释义】一件物品被分为两半，这就是“八”字的本义。后来假借为数目字。
【组　词】八哥　八卦　八股　八方
【造　句】八方——我们的社会主义祖国是个大家庭，一方有难，八方支援。
【同音字】扒(扒开)　巴(泥巴)
【形近字】入(进入)　人(人们)
【成　语】八面玲珑　八面威风
【谚　语】八仙过海，各显神通。
【英　语】八月 August [ˈɔːgəst]

| bā | 笔画 | 部首 | 结构 | 五笔 | 造字法 |
|---|---|---|---|---|---|
| 巴 | 4 | 乛 | 独体 | CNHN | 象形 |
| 笔顺 | 乛 ㇆ 㔾 巴 | | | | |

【解　释】❶盼望。❷紧贴。❸粘住。❹粘在别的东西上的东西。
【组　词】巴望　尾巴　巴不得
【造　句】巴不得——小东巴不得快点下雪，他好堆雪人去。
【同音字】八(八路军)
【形近字】芭(芭蕉)
【近义词】巴结/讨好
【歇后语】巴掌上长毛——老手。
【谚　语】巴掌不及拳头，单丝不及麻绳。
【英　语】尾巴 tail [teil]

| bā | 笔画 | 部首 | 结构 | 五笔 | 造字法 |
|---|---|---|---|---|---|
| 扒 | 5 | 扌 | 左右 | RWY | 形声 |
| 笔顺 | 一 十 扌 扌 扒 | | | | |

【解　释】❶刨开；挖开。❷抓着可依附的东西。❸剥；脱。
【组　词】扒车　扒拉　扒皮　扒钉
【造　句】扒拉——阿姨在熟练地扒拉着算盘。
【同音字】巴(巴结)
【形近字】叭
【反义词】扒开/合上
【近义词】扒光/剥光
【谚　语】扒了东墙补西墙，结果还是住破房。
【英　语】扒钉 cramp [kræmp]
【多音字】pá(见533页)

| bā | 笔画 | 部首 | 结构 | 五笔 | 造字法 |
|---|---|---|---|---|---|
| 芭 | 7 | 艹 | 上下 | ACB | 形声 |
| 笔顺 | 一 十 艹 艹 节 节 芭 | | | | |

【解　释】多年生草本植物，原产亚热带，果实跟香蕉相似，可以吃。也叫芭蕉。

B

【组　词】芭蕉　芭蕉扇　芭蕾舞
【同音字】八(八哥)　巴(巴结)
【形近字】疤(疤痕)
【歇后语】芭蕉结果——一条心。
【英　语】芭蕾舞 ballet [ˈbælei]

B

| bā | 笔画 | 部首 | 结构 | 五笔 | 造字法 |
|---|---|---|---|---|---|
| 吧 | 7 | 口 | 左右 | KCN | 形声 |
| 笔顺 | 丨 口 口 口¬ 叩 吧 吧 | | | | |

【解　释】❶象声词。形容枪声、物体断裂声。❷出售酒水、食品或供人从事某些休闲活动的场所。
【组　词】吧台　吧嗒
【造　句】吧嗒——只听"吧嗒"一声，他把树枝折断了。
【同音字】扒(扒开)　疤(疤痕)
【形近字】粑(糍粑)
【多音字】ba(见17页)

| bā | 笔画 | 部首 | 结构 | 五笔 | 造字法 |
|---|---|---|---|---|---|
| 疤 | 9 | 疒 | 半包围 | UCV | 形声 |
| 笔顺 | 丶 亠 广 疒 疒 疒 疒 疒 疤 | | | | |

【解　释】❶疮口或伤口长好后留下的痕迹。❷像疤的痕迹。
【组　词】疤痕　伤疤
【造　句】疤痕——树干上疤痕累累。
【同音字】扒(扒开)　巴(巴结)
【形近字】粑(糍粑)
【英　语】疤痕　scar [skɑː]

| bā | 笔画 | 部首 | 结构 | 五笔 | 造字法 |
|---|---|---|---|---|---|
| 捌 | 10 | 扌 | 左右 | RKLJ | 形声 |
| 笔顺 | 一 十 扌 扌 扌 扌 扌 捌 捌 捌 | | | | |

【解　释】"八"字的大写。
【辨　音】不读 bié。
【同音字】扒(扒开)　疤(疤痕)
【形近字】别(别走)
【英　语】捌　eight [eit]

| bā | 笔画 | 部首 | 结构 | 五笔 | 造字法 |
|---|---|---|---|---|---|
| 笆 | 10 | ⺮ | 上下 | TCB | 形声 |
| 笔顺 | ノ 𠂉 𠂉 ⺮ ⺮ ⺮ 笆 笆 笆 笆 | | | | |

【解　释】用竹片或树的枝条编成的片状器物。
【组　词】篱笆　笆斗　笆篓
【造　句】篱笆——这堵篱笆墙一推就倒。
【同音字】八(八方)　巴(巴结)
【形近字】疤(疤痕)
【英　语】篱笆　hedge fence [hedʒ fens]

| bā | 笔画 | 部首 | 结构 | 五笔 | 造字法 |
|---|---|---|---|---|---|
| 粑 | 10 | 米 | 左右 | OCN | 形声 |
| 笔顺 | 丶 丷 丷 半 米 米 米 粑 粑 粑 | | | | |

【解　释】饼类食物。
【组　词】糍粑　糖粑
【造　句】糍粑——一到过年，我们就能吃上香香的糍粑了。
【同音字】八(八路军)
【形近字】疤(疤痕)　笆(篱笆)
【英　语】糖粑 glutinous rice cake [ˈgluːtinəs rais keik]

| bá | 笔画 | 部首 | 结构 | 五笔 | 造字法 |
|---|---|---|---|---|---|
| 拔 | 8 | 扌 | 左右 | RDCY | 形声 |
| 笔顺 | 一 十 扌 扌 扌 扌 拔 拔 | | | | |

【解 释】❶把固定或隐藏在其他物体里的东西往外拉；抽出。❷吸出。❸挑选。❹向高提。❺超出；高出。❻夺取；攻克。❼(方)把东西放在凉水里使变凉。
【组 词】拔高 拔河 拔线 拔营 拔腿 拔除 拔尖
【造 句】拔腿——他答应了一声后，拔腿就跑。
【辨 音】不读 bō。
【同音字】跋(跋涉)
【形近字】拨(挑拨离间)
【成 语】拔刀相助 拔地而起 拔苗助长
【反义词】拔除/保留
【近义词】拔尖/优秀
【歇后语】拔节的竹笋——天天向上。
【谚 语】拔出脓来才是好膏药|拔草不如挖根。
【英 语】拔河 tug of war [tʌg əv wɔː]

| bá | 笔画 | 部首 | 结构 | 五笔 | 造字法 |
| --- | --- | --- | --- | --- | --- |
| 跋 | 12 | ⻊ | 左右 | KHDC | 形声 |
| 笔顺 | 丨 ㄇ 口 ㄗ ㄗ 𠯑 ⻊ ⻊一 趴 趵 跋 跋 | | | | |

【解 释】❶走山路。❷文体的一种，多为评价、考释等内容，印在书籍或文章的后面。
【组 词】跋涉 跋文
【造 句】跋山涉水——地质考察队队员要跋山涉水才能考察出地质情况。
【同音字】拔(拔河)
【形近字】拔(拔河)
【成 语】跋山涉水
【英 语】跋涉 trudge [trʌdʒ]

| bǎ | 笔画 | 部首 | 结构 | 五笔 | 造字法 |
| --- | --- | --- | --- | --- | --- |
| 把 | 7 | 扌 | 左右 | RCN | 形声 |
| 笔顺 | 一 十 扌 扌' 扌ㄱ 扌ㄱ 把 | | | | |

【解 释】❶拿；抓住。❷控制；掌握。❸把守，看守。❹手推车、自行车等的柄。❺可以用手拿的小捆儿。❻介词。和“将”相当。❼量词。用于有手柄的器具、一手可以抓起的数量或某些抽象事物。❽旧时指结为异姓兄弟的关系。
【组 词】把舵 把守 把关 把稳
【造 句】把舵——他爷爷以前是船上把舵的。
【同音字】钯(钯元素)
【形近字】吧(酒吧)
【近义词】把守/守卫
【谚 语】把你捧得高的人，正是害你的人|把困难留给自己，把方便让给别人。
【英 语】把守 guard [gaːd]
【多音字】bà(见 16 页)

| bǎ | 笔画 | 部首 | 结构 | 五笔 | 造字法 |
| --- | --- | --- | --- | --- | --- |
| 靶 | 13 | 革 | 左右 | AFCN | 形声 |
| 笔顺 | 一 十 廾 廿 廿 𠀍 苎 革 革 革ㄱ 靶ㄱ 靶ㄱ 靶 | | | | |

【解 释】练习射击用的目标。
【组 词】打靶 靶子 靶场
【同音字】把(把门)
【形近字】把(把关)
【英 语】靶场 range [reindʒ]

| bà | 笔画 | 部首 | 结构 | 五笔 | 造字法 |
| --- | --- | --- | --- | --- | --- |
| 坝 | 7 | 土 | 左右 | FMY | 形声 |
| 笔顺 | 一 十 土 圠 圳 坝 坝 | | | | |

【解　释】❶截住河流的建筑物。❷建在河滩险要的地方，用来加固堤防的建筑体。❸有些地区称沙洲或沙滩为坝。
【组　词】坝基　坝塘　河坝
【同音字】爸（爸爸）
【形近字】现（现在）
【近义词】坝/堤
【英　语】坝　dam ［dæm］

| bà | 笔画 | 部首 | 结构 | 五笔 | 造字法 |
|---|---|---|---|---|---|
| 把 | 7 | 扌 | 左右 | RCN | 形声 |
| 笔顺 | 一 十 扌 扌 扌 扣 把 | | | | |

【解　释】器具上的柄。
【组　词】刀把　枪把　把子
【同音字】坝（河坝）
【英　语】把子 handle ［'hændl］
【多音字】bǎ（见 15 页）

| bà | 笔画 | 部首 | 结构 | 五笔 | 造字法 |
|---|---|---|---|---|---|
| 爸 | 8 | 父 | 上下 | WQCB | 形声 |
| 笔顺 | 丿 八 ク 父 父 父 爷 爸 | | | | |

【解　释】父亲。
【组　词】爸爸
【同音字】坝（坝上）
【形近字】斧（斧子）
【近义词】爸爸/父亲
【英　语】爸爸 father ［'fɑːðə］

| bà | 笔画 | 部首 | 结构 | 五笔 | 造字法 |
|---|---|---|---|---|---|
| 耙 | 10 | 耒 | 左右 | DICN | 形声 |
| 笔顺 | 一 二 三 丰 耒 耒 耙 耙 耙 耙 | | | | |

【解　释】❶碎土、平地的农具。❷把土块弄碎。
【组　词】耙田　三犁三耙
【造　句】耙田——春耕时节，农民伯伯在田地里辛勤地耙田。
【同音字】爸（爸爸）
【形近字】耕（耕田）
【英　语】耙　harrow ［'hærəu］
【多音字】pá（见 533 页）

| bà | 笔画 | 部首 | 结构 | 五笔 | 造字法 |
|---|---|---|---|---|---|
| 罢 | 10 | 罒 | 上下 | LFCU | 会意 |
| 笔顺 | 丨 冂 冂 罒 罒 罒 罕 罡 罢 罢 | | | | |

【解　释】❶免去；解除。❷停止。❸完毕。
【组　词】罢休　罢免　善罢甘休
【造　句】罢休——不达目的，我们绝不罢休。
【同音字】爸（爸爸）
【形近字】摆（摆动）
【反义词】善罢甘休/没完没了
【近义词】罢休/甘休
【英　语】罢休　give up ［gɪv ʌp］

| bà | 笔画 | 部首 | 结构 | 五笔 | 造字法 |
|---|---|---|---|---|---|
| 霸 | 21 | 雨 | 上下 | FAFE | 形声 |
| 笔顺 | 一 丆 冖 帀 雨 雨 雨 雨 雨 雨 雫 雫 雫 雫 雫 覀 霸 霸 霸 霸 | | | | |

【解　释】❶古代诸侯联盟的首领。❷强横无理、依仗权势压迫人民的人。❸强占。❹姓。
【组　词】霸王　霸道　霸主　霸权　霸业
【造　句】霸权——霸权主义越来越不得人心。
【同音字】罢（罢免）　爸（爸爸）
【形近字】震（震动）

【反义词】霸道/公平
【歇后语】霸王请客——去也得去,不去也得去。
【英 语】霸权 hegemony [hi'gemәni]

| ba | 笔画 | 部首 | 结构 | 五笔 | 造字法 |
|---|---|---|---|---|---|
| 吧 | 7 | 口 | 左右 | KCN | 形声 |
| 笔顺 | 丨 ㄇ 口 口ᄀ 口ᄏ 口ᄑ 吧 | | | | |

【解 释】助词。用在句末或句中停顿。
【多音字】bā(见 14 页)

## BAI ㄅㄞ

| bāi | 笔画 | 部首 | 结构 | 五笔 | 造字法 |
|---|---|---|---|---|---|
| 掰 | 12 | 手 | 左右 | RWVR | 会意 |
| 笔顺 | ˊ ﹍ 三 手 手 手' 手分 手分 手分ˊ 手分⺈ 手分𠂉 掰 | | | | |

【解 释】❶把东西分开或折断。❷(方)情谊破裂。❸(方)分析;说。
【组 词】掰手 胡掰 掰开
【造 句】胡掰——他胡掰了半天,也没说出个所以然。
【形近字】拜(拜年)
【反义词】掰开/合拢
【近义词】掰开/打开
【英 语】掰开 break off with the fingers and thumb [breik ɔːf wið ðә 'fiŋgәz ænd θʌm]

| bái | 笔画 | 部首 | 结构 | 五笔 | 造字法 |
|---|---|---|---|---|---|
| 白 | 5 | 白 | 独体 | RRRR | 象形 |
| 笔顺 | ˊ 亻 白 白 白 | | | | |

【解 释】❶像雪或霜的颜色(跟"黑"相对)。❷光亮;明亮。❸清楚明白。❹没有加上什么东西。❺没有效果。❻无代价;无报偿。❼指丧事。❽用白眼珠子看人,表示轻视或不满。❾错误。❿姓。

甲骨文 金文 小篆 隶书 楷书

【字源释义】这是一个象形字,原来是烛火的形状,中心是烛芯或灯芯。最初的意义是"明亮"、"清楚"。
【组 词】白色 白字 白费
【形近字】百(百姓)
【成 语】白头偕老 白璧微瑕
【反义词】白/黑
【近义词】白净/干净
【谚 语】白日莫闲过,青春难再回|白天逍遥走四方,黑夜熬油补衣裳。
【英 语】白色 white [wait]

| bǎi | 笔画 | 部首 | 结构 | 五笔 | 造字法 |
|---|---|---|---|---|---|
| 百 | 6 | 白 | 独体 | DJF | 指事 |
| 笔顺 | 一 ㄧ 丆 百 百 百 | | | | |

【解 释】❶数词,十个十。❷比喻很多。

B

【组　词】百货　百倍
【造　句】百花齐放——春天来了，花园里百花齐放，漂亮极了。
【同音字】柏(柏树)
【形近字】白(白色)
【成　语】百废俱兴　百感交集　百花凋零　百花争艳　百家争鸣
【歇后语】神枪手打靶——百发百中|百年老树——腰粗腹空。
【谚　语】百密总有一疏|百病从口入，百祸从口出。
【英　语】百倍　a hundred times [ə 'hʌndrəd taimz]

| bǎi | 笔画 | 部首 | 结构 | 五笔 | 造字法 |
|---|---|---|---|---|---|
| 伯 | 7 | 亻 | 左右 | WRG | 形声 |
| 笔顺 | 丿 亻 亻′ 亻𠂇 伯 伯 伯 | | | | |

【解　释】大伯子，丈夫的哥哥。
【组　词】大伯子
【同音字】摆(摆钟)
【多音字】bó(见59页)

| bǎi | 笔画 | 部首 | 结构 | 五笔 | 造字法 |
|---|---|---|---|---|---|
| 佰 | 8 | 亻 | 左右 | WDJG | 形声 |
| 笔顺 | 丿 亻 亻一 亻𠂇 佰 佰 佰 佰 | | | | |

【解　释】"百"字的大写。
【组　词】壹佰
【同音字】摆(摆手)
【形近字】陌(陌生)

| bǎi | 笔画 | 部首 | 结构 | 五笔 | 造字法 |
|---|---|---|---|---|---|
| 柏 | 9 | 木 | 左右 | SRG | 形声 |
| 笔顺 | 一 十 才 木 木′ 杉 柏 柏 柏 | | | | |

【解　释】一种常绿乔木，可用来造防风林，做建筑材料。
【组　词】柏树　柏油
【同音字】摆(摆手)
【形近字】陌(陌生)
【歇后语】柏油路上赛摩托——道平车快。
【谚　语】柏树不开花，石磙不发芽。
【英　语】柏树　cypress ['saipris]
【多音字】bó(见60页)

| bǎi | 笔画 | 部首 | 结构 | 五笔 | 造字法 |
|---|---|---|---|---|---|
| 摆 | 13 | 扌 | 左右 | RLFC | 形声 |
| 笔顺 | 一 扌 扌 扌 扌′ 扌罒 扌罒 扌罒 扌罒 摆 摆 摆 摆 | | | | |

【解　释】❶分开；脱离。❷陈列；安放。❸摆动；摇摆。❹陈述；列举。❺衣裙的下边。
【组　词】摆动　摆布
【造　句】摆动——树叶儿迎风摆动。
【辨　音】不读 bà。
【同音字】柏(柏树)
【形近字】罢(罢休)
【反义词】摇摆/静止
【近义词】摆动/摇摆
【歇后语】摆渡的不在翻了船——两头误。
【谚　语】摆渡摆到江边，造塔造到塔尖。
【英　语】摆动　swing [swiŋ]

| bài | 笔画 | 部首 | 结构 | 五笔 | 造字法 |
|---|---|---|---|---|---|
| 败 | 8 | 贝 | 左右 | MTY | 会意 |
| 笔顺 | 丨 冂 贝 贝 贝′ 贝𠂇 败 败 | | | | |

【解　释】❶毁坏；搞坏。❷在战争或竞赛中失败。❸事情失败。❹解除；消除。❺破旧；败落；腐烂；凋谢。

甲骨文　金文　小篆　隶书　楷书

【字源释义】甲骨文中的"败"字像一只手拿着棍棒击打宝"鼎"；金文把"鼎"旁换成"贝"，本义是"毁坏"。
【组　词】失败　胜败　败坏
【造　句】失败——这次比赛，我们虽然失败了，但不能气馁，要振作精神，继续努力。
【同音字】拜(拜年)
【形近字】则(原则)
【成　语】败柳残花　败军之将
【反义词】败/胜　败兴/高兴
【近义词】败落/破落
【谚　语】败棋有胜招。
【英　语】败坏 undermine [ʌndə'main]

| bài | 笔画 | 部首 | 结构 | 五笔 | 造字法 |
|---|---|---|---|---|---|
| 拜 | 9 | 手 | 左右 | RDFH | 会意 |
| 笔顺 | 丿 二 三 手 手 手 手 手 拜 | | | | |

【解　释】❶一种表示敬意的礼节。❷见面行礼，表示祝贺。❸会见；访问。❹用一定的礼节授予某种名位或官职。❺结成某种关系。❻姓。
【组　词】拜见　拜年　拜堂
【造　句】拜见——他昨天拜见了恩师。
【同音字】败(败家子)
【形近字】掰(掰开)
【近义词】拜访/探望
【谚　语】拜师如投胎。
【英　语】拜访 visit ['vizit]

| bài | 笔画 | 部首 | 结构 | 五笔 | 造字法 |
|---|---|---|---|---|---|
| 稗 | 13 | 禾 | 左右 | TRTF | 形声 |
| 笔顺 | 丿 二 千 禾 禾 禾 禾 禾 稗 稗 稗 稗 稗 | | | | |

【解　释】❶一年生草本植物，长在稻田里或低湿的地方。❷微小的；琐碎的。
【组　词】稗子
【造　句】稗子——稗子是稻田里的杂草。
【同音字】败(失败)　拜(拜年)
【形近字】脾(脾气)
【成　语】稗官野史
【谚　语】稗子再好，也长不出稻米。
【英　语】稗子 paddyfield grass ['pædifi:ld grɑ:s]

## BAN ㄅㄢ

| bān | 笔画 | 部首 | 结构 | 五笔 | 造字法 |
|---|---|---|---|---|---|
| 扳 | 7 | 扌 | 左右 | RRCY | 形声 |
| 笔顺 | 一 十 扌 扌 扩 扳 扳 | | | | |

【解　释】❶使位置固定的东西改变方向或转动。❷扭转;挽救。
【组　词】扳道　扳机　扳手
【同音字】班(上班)　颁(颁布)
【形近字】板(板车)
【歇后语】扳手拧螺母——顺着转。
【英　语】扳手　spanner [ˈspænə]

| bān | 笔画 | 部首 | 结构 | 五笔 | 造字法 |
|---|---|---|---|---|---|
| 班 | 10 | 王 | 左中右 | GYTG | 会意 |
| 笔顺 | 一 二 千 王 王 玎 玎 玝 班 班 | | | | |

【解　释】❶一群人按次序排成的行列。❷工作或学习的组织。❸工作按时间分成的段落;也指工作或学习的场所。❹军队编制的基层单位。
【组　词】班机　班车　班级
【造　句】班车——爸爸每天坐班车上下班。
【同音字】颁(颁布)
【形近字】斑(斑马)
【成　语】班门弄斧
【歇后语】鲁班门前夸手艺——班门弄斧。
【英　语】班长　class monitor [klɑːs ˈmɔnitə]

| bān | 笔画 | 部首 | 结构 | 五笔 | 造字法 |
|---|---|---|---|---|---|
| 般 | 10 | 舟 | 左右 | TEMC | 会意 |
| 笔顺 | ノ 亻 介 舟 舟 舟 舟 舡 船 般 | | | | |

【解　释】❶种类。❷同样。

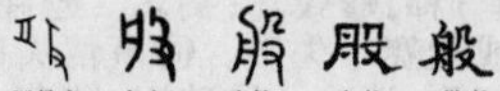

甲骨文　金文　小篆　隶书　楷书

【字源释义】"般"是"盘"的本字。甲骨文的"般"字像一只手拿着勺子往盘子里舀取东西。后来盘形转变为"舟"旁,就很难看出这个字的本义了。
【组　词】般配　一般　百般
【造　句】百般——小金总是百般刁难小梁。
【同音字】斑(斑马)　班(班级)
【形近字】船(渔船)
【反义词】一般/特殊
【近义词】一般/普通
【谚　语】般般皆会,件件不精。
【英　语】一般　commonly [ˈkɔmənli]

| bān | 笔画 | 部首 | 结构 | 五笔 | 造字法 |
|---|---|---|---|---|---|
| 颁 | 10 | 页 | 左右 | WVDM | 形声 |
| 笔顺 | ノ 八 分 分 分 分 分 颁 颁 颁 | | | | |

【解　释】❶发给;分给。❷发布;公布。
【组　词】颁布　颁发　颁奖
【造　句】颁奖——昨天,学校领导为三好学生颁奖。
【同音字】扳(扳动)　班(班级)
【形近字】频(频道)

【近义词】颁奖/发奖
【英　语】颁布　promulgate ['prɔməlgeit]

| bān | 笔画 | 部首 | 结构 | 五笔 | 造字法 |
|---|---|---|---|---|---|
| 斑 | 12 | 王 | 左中右 | GYGG | 形声 |
| 笔顺 | 一 二 千 王 王 王 玎 玟 玟 玟 玟 斑 | | | | |

【解　释】❶斑点或斑纹。❷一种颜色中夹杂的别种颜色的点子或条纹。
【组　词】斑马　斑竹　斑鸠　斑白　斑点　斑痕
【造　句】斑白——我们的老师已年过半百，两鬓都斑白了。
【辨　音】韵母是an，不是ang。
【同音字】扳（扳动）　颁（颁布）
【形近字】班（班级）
【成　语】斑驳陆离
【反义词】斑白/乌黑
【近义词】斑白/花白
【歇后语】斑鸠吃萤火虫——肚中明。
【谚　语】斑鸠叫来雨，喜鹊报来晴。
【英　语】斑马　zebra ['zebrə]

| bān | 笔画 | 部首 | 结构 | 五笔 | 造字法 |
|---|---|---|---|---|---|
| 搬 | 13 | 扌 | 左右 | RTEC | 形声 |
| 笔顺 | 一 十 扌 扌 扌 抈 抈 抈 抈 抈 搬 搬 搬 | | | | |

【解　释】移动；迁移。
【组　词】搬家　搬运　搬弄
【造　句】搬弄是非——搬弄是非是一种令人讨厌的行为。
【同音字】班（班级）　扳（扳倒）
【形近字】般（一般）
【成　语】搬弄是非
【近义词】搬弄/摆弄
【歇后语】搬楼梯摘星星——没靠头｜搬起楼梯上天——没门。
【谚　语】搬起石头砸自己的脚。
【英　语】搬运　carry ['kæri]

| bǎn | 笔画 | 部首 | 结构 | 五笔 | 造字法 |
|---|---|---|---|---|---|
| 坂 | 7 | 土 | 左右 | FRCY | 形声 |
| 笔顺 | 一 十 土 圹 圹 坜 坂 | | | | |

【解　释】山坡；斜坡。
【组　词】长坂坡（地名）
【同音字】版（出版）　板（板车）
【形近字】板（板车）　扳（扳动）
【英　语】坂　slope [sləup]

| bǎn | 笔画 | 部首 | 结构 | 五笔 | 造字法 |
|---|---|---|---|---|---|
| 板 | 8 | 木 | 左右 | SRCY | 形声 |
| 笔顺 | 一 十 才 木 木 朾 板 板 | | | | |

【解　释】❶成片的较硬的物体。❷演奏民族音乐或戏曲时打节拍的乐器。❸不灵活；少变化。❹老板。
【组　词】板车　板凳　板结
【同音字】坂（长坂坡）
【形近字】版（版权）
【成　语】板上钉钉
【反义词】呆板/灵活
【近义词】呆板/死板
【歇后语】板凳倒地——四脚朝天。
【英　语】板凳　wooden bench ['wudn bentʃ]

| bǎn | 笔画 | 部首 | 结构 | 五笔 | 造字法 |
|---|---|---|---|---|---|
| 版 | 8 | 片 | 左右 | THGC | 形声 |
| 笔顺 | 丿 丿 ┌ 片 片 片 版 版 | | | | |

B

B

【解　释】❶上面有文字或图形，用木板或金属等制成供印刷用的东西。❷印刷物排印的次数。❸报纸的一面叫一版。❹打土墙用的夹板。
【组　词】出版　版本　版式　版税　版图　版心　版面　版权
【造　句】出版——陈明的作文集已于七月份出版了。
【同音字】坂(长坂坡)
【形近字】叛(叛徒)
【近义词】出版/发表
【英　语】版式　format [ˈfɔːmæt]

| bàn | 笔画 | 部首 | 结构 | 五笔 | 造字法 |
|---|---|---|---|---|---|
| 办 | 4 | 力 | 独体 | LWI | 形声 |
| 笔顺 | ㇆ 力 办 办 | | | | |

【解　释】❶办理；处理。❷创设；经营。❸采购；置备。❹惩治。
【组　词】办理　办事　办法
【造　句】办事——明天，小王要出门办事。
【同音字】半(半边)　伴(伙伴)
【形近字】力(力气)
【近义词】办法/方法
【谚　语】办事要上见得官，下见得民。
【英　语】办理　handle [ˈhændl]

| bàn | 笔画 | 部首 | 结构 | 五笔 | 造字法 |
|---|---|---|---|---|---|
| 半 | 5 | 丷 | 独体 | UFK | 会意 |
| 笔顺 | 丶 丷 䒑 兰 半 | | | | |

【解　释】❶二分之一。❷在中间。❸不完全的。
【组　词】半价　半岛
【造　句】半途而废——做事要坚持到底，不能半途而废。
【同音字】办(办公室)
【形近字】伴(伙伴)
【成　语】深更半夜　半壁河山　半途而废　半推半就　半信半疑
【反义词】半信半疑/深信不疑
【近义词】半夜/深夜
【歇后语】半边鼻孔出气——一窍不通|半边铜钱——不成方圆。
【谚　语】半年辛苦半年粮。
【英　语】半价　half price [hɑːf prais]

| bàn | 笔画 | 部首 | 结构 | 五笔 | 造字法 |
|---|---|---|---|---|---|
| 扮 | 7 | 扌 | 左右 | RWVN | 形声 |
| 笔顺 | 一 十 扌 扌 扒 扮 扮 | | | | |

【解　释】❶化装成某种人物。❷装饰。❸面部表情装成某种样子。
【组　词】装扮　打扮　扮演
【造　句】扮演——陈道明扮演的那个角色深入人心。
【同音字】拌(拌匀)　绊(绊脚)
【形近字】汾(汾水)
【近义词】装扮/化装
【歇后语】扮关公的不卸装——谁不知道红脸大汉。
【英　语】扮演　act [ækt]

| bàn | 笔画 | 部首 | 结构 | 五笔 | 造字法 |
|---|---|---|---|---|---|
| 伴 | 7 | 亻 | 左右 | WUFH | 形声 |
| 笔顺 | 丿 亻 亻 仁 仁 佯 伴 | | | | |

【解　释】❶同在一起生活而能互助的人。❷陪着；伴随。
【组　词】伴唱　伴娘　伴随　陪伴　同伴　伴侣　伴舞

【造　句】伴唱——我们三个人为他伴唱。
【同音字】办(办法)
【形近字】拌(搅拌)　畔(湖畔)
【近义词】伴随/随同
【谚　语】伴君如伴虎。
【英　语】伴侣　companion [kəm'pænjən]

| bàn | 笔画 | 部首 | 结构 | 五笔 | 造字法 |
| --- | --- | --- | --- | --- | --- |
| 拌 | 8 | 扌 | 左右 | RUFH | 形声 |
| 笔顺 | 一 十 扌 扌 扌 扌 拦 拌 | | | | |

【解　释】❶搅和。❷争吵。
【组　词】拌和　拌匀　拌嘴
【造　句】拌嘴——我和我的同桌老是拌嘴。
【同音字】办(办法)　半(半边)
【形近字】伴(伙伴)　畔(湖畔)
【近义词】拌匀/搅匀
【英　语】拌嘴　bicker ['bikə]

| bàn | 笔画 | 部首 | 结构 | 五笔 | 造字法 |
| --- | --- | --- | --- | --- | --- |
| 绊 | 8 | 纟 | 左右 | XUFH | 形声 |
| 笔顺 | 乙 纟 纟 纟 纟 纟 纟 绊 | | | | |

【解　释】行走时被别的东西拦住或缠住。
【组　词】绊脚石　绊手绊脚
【造　句】绊手绊脚——我做作业时,小妹妹总爱在旁边绊手绊脚。
【辨　音】韵母是 an,不是 ang。
【同音字】办(办法)
【形近字】伴(伙伴)　拌(搅拌)
【谚　语】绊人的树桩不在高。
【英　语】绊脚石　obstacle ['ɔbstəkl]

| bàn | 笔画 | 部首 | 结构 | 五笔 | 造字法 |
| --- | --- | --- | --- | --- | --- |
| 瓣 | 19 | 辛 | 左中右 | URCU | 形声 |
| 笔顺 | 丶 亠 立 立 辛 辛 辛 … 瓣 | | | | |

【解　释】❶花瓣,组成花冠的各片。❷植物的种子、果实或球茎可以分开的片状物。❸人或动物器官里可以开闭的膜状物。
【组　词】花瓣　豆瓣儿　蒜瓣儿
【辨　音】不读 biàn。
【同音字】绊(绊脚)　拌(拌嘴)
【形近字】辫(辫子)　辩(辩论)
【英　语】花瓣　petal ['petl]

## BANG　ㄅㄤ

| bāng | 笔画 | 部首 | 结构 | 五笔 | 造字法 |
| --- | --- | --- | --- | --- | --- |
| 邦 | 6 | 阝 | 左右 | DTBH | 形声 |
| 笔顺 | 一 二 三 丰 邦 邦 | | | | |

【解　释】国家。

甲骨文　金文　小篆　隶书　楷书

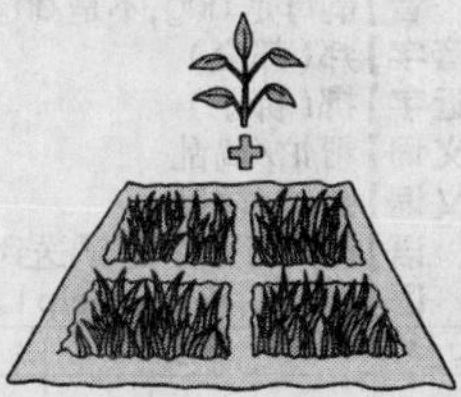

【字源释义】"邦"字的本义是"国"。甲骨文"邦"字由"田"、"丰"组成:"田"表示人们赖以生存的地方,"丰"表声。金文把"田"换成"邑",

B

"邑"是人们的聚居地。
【组　词】邦交　邦联　邻邦　友邦　邦国　兴国安邦
【造　句】邻邦——我国与邻邦建立了友好关系。
【同音字】浜(河浜)　帮(帮助)
【形近字】帮(帮助)
【反义词】兴国安邦/祸国殃民
【近义词】兴国安邦/治国安邦
【谚　语】邦之不藏,邻之福也。
【英　语】友邦　friendly country [ˈfrendli ˈkʌntri]

| bāng | 笔画 | 部首 | 结构 | 五笔 | 造字法 |
|---|---|---|---|---|---|
| 帮 | 9 | 巾 | 上下 | DTBH | 形声 |
| 笔顺 | 一 = 三 丰 邦 邦 邦 帮 帮 | | | | |

【解　释】❶辅助。❷集团;团伙。❸旁边的部分。❹量词。相当于"群"、"伙"。
【组　词】帮助　帮忙　船帮　帮手　帮主　帮腔　帮工
【造　句】帮忙——他家盖房子,左邻右舍都来帮忙。
【辨　音】韵母是ang,不是an。
【同音字】邦(邦交)
【形近字】梆(梆子)
【反义词】帮忙/捣乱
【近义词】帮忙/协助
【谚　语】帮人帮到底,送佛送到西。
【英　语】帮助　help [help]

| bāng | 笔画 | 部首 | 结构 | 五笔 | 造字法 |
|---|---|---|---|---|---|
| 梆 | 10 | 木 | 左右 | SDTB | 形声 |
| 笔顺 | 一 十 才 木 木 村 村 栟 梆 梆 | | | | |

【解　释】❶打更用的器具。❷象声词。敲打木头的声音。❸一种打击乐器。
【组　词】梆子　梆子腔
【同音字】帮(帮助)
【英　语】梆子　watchman's clapper [ˈwɔtʃmənz ˈklæpə]

| bǎng | 笔画 | 部首 | 结构 | 五笔 | 造字法 |
|---|---|---|---|---|---|
| 绑 | 9 | 纟 | 左右 | XDTB | 形声 |
| 笔顺 | ㄥ 纟 纟 纟 纟 纟 绑 绑 绑 | | | | |

【解　释】捆;缚。
【组　词】绑匪　绑架　绑腿
【造　句】绑匪——那帮绑匪绑架了一个小女孩。
【辨　音】不读bāng。
【同音字】榜(榜样)　膀(膀子)
【形近字】帮(帮助)　梆(梆子)
【反义词】捆绑/松解
【近义词】绑腿/绑带
【歇后语】绑在线上的蚱蜢——跑不了。
【英　语】绑匪　kidnapper [ˈkidnæpə]

| bǎng | 笔画 | 部首 | 结构 | 五笔 | 造字法 |
|---|---|---|---|---|---|
| 榜 | 14 | 木 | 左右 | SUPY | 形声 |
| 笔顺 | 一 十 才 木 木 栏 栏 栏 栏 栏 栏 梓 榜 榜 | | | | |

【解　释】❶张贴的名单。❷古代指文告。❸匾额。
【组　词】张榜　榜样　榜文
【造　句】榜样——榜样的力量是

无穷的。
【辨　音】不读 páng。
【同音字】绑(绑架)
【形近字】膀(翅膀)
【近义词】榜文/文告
【谚　语】榜有姓名，还是学生。
【英　语】榜 样　example [ig'-zaːmpl]

| bǎng | 笔画 | 部首 | 结构 | 五笔 | 造字法 |
| --- | --- | --- | --- | --- | --- |
| 膀 | 14 | 月 | 左右 | EUPY | 形声 |
| 笔顺 | 丿 月 月 月 月' 月亠 月亠 月亠 月亠 月亠 月亠 月立 膀 膀 | | | | |

【解　释】❶胳膊上近肩的部分。❷鸟类等的翅膀。
【组　词】膀子　膀臂　翅膀
【造　句】膀臂——你来得正好，又给我添了个膀臂。
【辨　音】不读 páng。
【同音字】绑(绑匪)
【形近字】傍(傍晚)
【近义词】肩膀/肩头
【谚　语】膀粗腰细，必定有力。
【英　语】膀子　upper arm [ˈʌpə aːm]
【多音字】páng(见 539 页)

| bàng | 笔画 | 部首 | 结构 | 五笔 | 造字法 |
| --- | --- | --- | --- | --- | --- |
| 蚌 | 10 | 虫 | 左右 | JDHH | 形声 |
| 笔顺 | 丶 口 口 中 虫 虫 虫 虫 虫 蚌 | | | | |

【解　释】一种软体动物，生活在淡水中，有的种类产珍珠。
【组　词】河蚌
【同音字】棒(棒子)
【形近字】丰(丰收)
【成　语】鹬蚌相争，渔人得利。
【英　语】蚌　clam [klæm]
【多音字】bèng(见 38 页)

| bàng | 笔画 | 部首 | 结构 | 五笔 | 造字法 |
| --- | --- | --- | --- | --- | --- |
| 棒 | 12 | 木 | 左右 | SDWH | 形声 |
| 笔顺 | 一 十 才 木 木 木 木 栲 栲 栲 棒 棒 | | | | |

【解　释】❶棍子。❷(体力或能力)强；(水平)高；(成绩)好。
【组　词】棒子　冰棒　棒操
【同音字】蚌(河蚌)
【形近字】捧(捧着)
【反义词】棒/孬
【近义词】棒/好
【歇后语】棒槌吹火——一窍不通。
【英　语】棒 球　baseball [ˈbeisbɔːl]

| bàng | 笔画 | 部首 | 结构 | 五笔 | 造字法 |
| --- | --- | --- | --- | --- | --- |
| 傍 | 12 | 亻 | 左右 | WUPY | 形声 |
| 笔顺 | 丿 亻 亻 亻 亻 亻 亻 亻 亻 亻 傍 傍 | | | | |

【解　释】❶靠；靠近。❷临近(指时间)。❸(方)跟随。
【组　词】傍晚　傍午　依傍
【造　句】傍晚——傍晚时分，我和小明约好到河边散步。
【同音字】蚌(河蚌)　棒(冰棒)
【形近字】膀(膀子)

【成　语】傍人门户
【近义词】傍晚/黄昏
【谚　语】傍山吃山，靠海吃海。
【英　语】傍晚　nightfall　[ 'naitfɔːl]

| bàng | 笔画 | 部首 | 结构 | 五笔 | 造字法 |
|---|---|---|---|---|---|
| 谤 | 12 | 讠 | 左右 | YUPY | 形声 |
| 笔顺 | 丶 讠 讠 讠 讠 讠 讠 讠 讠 讠 谤 谤 | | | | |

【解　释】说别人坏话。
【组　词】诽谤　毁谤
【英　语】诽谤　slander　['slɑːndə]

| bàng | 笔画 | 部首 | 结构 | 五笔 | 造字法 |
|---|---|---|---|---|---|
| 磅 | 15 | 石 | 左右 | DUPY | 形声 |
| 笔顺 | 一 丆 丆 石 石 石 石 石 石 石 石 石 石 磅 磅 | | | | |

【解　释】❶英美制重量单位。❷秤的一种。❸用磅秤称轻重。
【组　词】磅秤　过磅
【同音字】傍(傍晚)
【形近字】膀(膀子)
【英　语】磅　pound　[paund]
【多音字】páng(见539页)

| bàng | 笔画 | 部首 | 结构 | 五笔 | 造字法 |
|---|---|---|---|---|---|
| 镑 | 15 | 钅 | 左右 | QUPY | 形声 |
| 笔顺 | ノ ㇉ 𠂉 ⺧ 钅 钅 钅 钅 钅 钅 钅 钅 钅 镑 镑 | | | | |

【解　释】英国、埃及等国的本位货币。
【同音字】磅(磅秤)　傍(傍晚)
【形近字】磅(磅秤)　傍(傍晚)
【英　语】镑　pound　[paund]

## BAO　ㄅㄠ

| bāo | 笔画 | 部首 | 结构 | 五笔 | 造字法 |
|---|---|---|---|---|---|
| 包 | 5 | 勹 | 半包围 | QNV | 会意 |
| 笔顺 | ノ 勹 勹 匀 包 | | | | |

【解　释】❶用纸、布等把东西裹起来。❷包好了的东西。❸装东西的口袋。❹量词。用于成包的东西。❺物体或身体上鼓起来的疙瘩。❻毡制的圆顶帐篷。❼围绕；包围。❽容纳在内；总括在一起。❾承担整个任务，负责完成。❿担保。⓫约定专用。⓬姓。
【组　词】包办　包庇　包藏　包袱
【造　句】包庇——我们对坏人坏事不能包庇。
【同音字】苞(花苞)
【形近字】苞(含苞未放)
【成　语】包藏祸心　包罗万象
【反义词】包围/分散
【近义词】包括/包含
【谚　语】包子有肉不在褶上。
【英　语】包围　surround　[sə'raund]

| bāo | 笔画 | 部首 | 结构 | 五笔 | 造字法 |
|---|---|---|---|---|---|
| 苞 | 8 | 艹 | 上下 | AQNB | 形声 |
| 笔顺 | 一 十 廾 艹 艻 苟 苟 苞 | | | | |

【解　释】❶花没开时包着花骨朵的小叶片。❷丛生而茂密。
【组　词】花苞　含苞待放
【造　句】含苞待放——这些含苞待放的花朵过几天就会开放。
【同音字】包(包括)
【形近字】苟(苟同)
【英　语】花苞　bud　[bʌd]

| bāo | 笔画 | 部首 | 结构 | 五笔 | 造字法 |
|---|---|---|---|---|---|
| 孢 | 8 | 子 | 左右 | BQNN | 形声 |
| 笔顺 | ㇇ 了 子 孑 孑𠂊 孑㔾 孢 孢 | | | | |

【解　释】植物和某些低等动物在无性繁殖或有性生殖中所产生的生殖细胞。
【组　词】孢子
【造　句】孢子——我在生物课上认识了孢子植物。
【同音字】包(包括)　胞(同胞)
【形近字】胞(同胞)
【英　语】孢子　spore [spɔː]

| bāo | 笔画 | 部首 | 结构 | 五笔 | 造字法 |
|---|---|---|---|---|---|
| 胞 | 9 | 月 | 左右 | EQNN | 形声 |
| 笔顺 | 丿 刀 月 月 月' 肑 肑 胞 胞 | | | | |

【解　释】❶胞衣。❷同父母所生的；嫡亲的。❸同一个国家或民族的人。
【组　词】胞衣　同胞　胞兄
【造　句】同胞——同胞们，让我们为民族振兴而努力吧！
【辨　音】不读 pāo。
【同音字】包(包括)
【形近字】孢(孢子)
【近义词】侨胞/华侨
【英　语】同胞　compatriot [kəm'pætriət]

| bāo | 笔画 | 部首 | 结构 | 五笔 | 造字法 |
|---|---|---|---|---|---|
| 炮 | 9 | 火 | 左右 | OQNN | 形声 |
| 笔顺 | 丶 丷 丬 火 火' 灼 灼 炮 炮 | | | | |

【解　释】❶烘烤。❷用猛火快速炒。
【组　词】炮干　炮肉
【同音字】包(包括)
【多音字】páo(见 540 页)
【多音字】pào(见 541 页)

| bāo | 笔画 | 部首 | 结构 | 五笔 | 造字法 |
|---|---|---|---|---|---|
| 剥 | 10 | 刂 | 左右 | VIJH | 会意 |
| 笔顺 | ㇇ ㇕ 彐 寻 寻 寻 寻 录 录 剥 | | | | |

【解　释】去掉外面的皮或壳。
【组　词】剥皮　剥花生
【造　句】剥皮——吃花生要先剥皮。
【同音字】包(包括)　孢(孢子)
【形近字】录(录取)
【英　语】剥皮　skin [skin]
【多音字】bō(见 59 页)

| bāo | 笔画 | 部首 | 结构 | 五笔 | 造字法 |
|---|---|---|---|---|---|
| 煲 | 13 | 火 | 上下 | WKSO | 形声 |
| 笔顺 | 丿 亻 亻 伓 伓 保 保 保 保 保 保 煲 煲 | | | | |

【解　释】❶壁较陡直的锅。❷用煲煮或熬。
【组　词】瓦煲　沙煲　铜煲
【同音字】包(包括)　孢(孢子)
【形近字】保(保卫)

| bāo | 笔画 | 部首 | 结构 | 五笔 | 造字法 |
|---|---|---|---|---|---|
| 褒 | 15 | 亠 | 上中下 | YWKE | 形声 |
| 笔顺 | 丶 亠 广 疒 疒 疒 疒 疒 疒 疒 疒 褒 褒 褒 褒 | | | | |

【解　释】❶赞扬；夸奖。❷衣服肥大。
【组　词】褒贬　褒奖　褒义
【造　句】褒奖——在大桥落成庆典上，许多先进工作者受到了褒奖。
【同音字】包（包括）　胞（细胞）
【形近字】衷（热衷）
【反义词】褒义/贬义
【英　语】褒义　commendatory [kɔˈmendətəri]

| báo | 笔画 | 部首 | 结构 | 五笔 | 造字法 |
|---|---|---|---|---|---|
| 雹 | 13 | 雨 | 上下 | FQNB | 形声 |
| 笔顺 | 一 ㄏ 冖 ㄕ 币 币 雨 雨 雨 雩 雩 雹 雹 | | | | |

【解　释】冰雹，空中水蒸气遇冷而结成的冰粒、冰块。
【组　词】冰雹　雹子　雹灾
【辨　音】不读 bāo。
【同音字】薄（单薄）
【形近字】霞（霞光）
【谚　语】雹打一条线，水淹一大片。
【英　语】雹子　hail [heil]

| báo | 笔画 | 部首 | 结构 | 五笔 | 造字法 |
|---|---|---|---|---|---|
| 薄 | 16 | 艹 | 上下 | AIGF | 形声 |
| 笔顺 | 一 十 艹 艹 艹 艹 艹 艹 艹 艹 艹 萡 蒲 蒲 薄 薄 | | | | |

【解　释】❶扁平物上下两面之间的距离小（跟"厚"相对）。❷（感情）冷淡；不深厚。❸（味道）不浓；淡。❹不肥沃。
【组　词】薄饼　薄脆　薄板
【同音字】雹（冰雹）
【形近字】簿（账簿）
【反义词】薄/厚　单薄/厚实
【谚　语】薄铁刀，转口快。
【英　语】薄板　sheet metal [ʃiːt ˈmetl]
【多音字】bó（见 62 页）
【多音字】bò（见 63 页）

| bǎo | 笔画 | 部首 | 结构 | 五笔 | 造字法 |
|---|---|---|---|---|---|
| 饱 | 8 | 饣 | 左右 | QNQN | 形声 |
| 笔顺 | ノ ㇒ 饣 饣 饣 饣 饣 饱 | | | | |

【解　释】❶满足了食量（跟"饿"相对）。❷饱满。❸充足；充分。❹满足。
【组　词】饱满　饱和
【造　句】饱和——市场上电视机的需求已接近饱和。
【同音字】宝（宝贝）
【形近字】抱（拥抱）
【成　语】饱经风霜　饱食终日　饱经忧患
【反义词】饱/饿　饱暖/饥寒
【近义词】饱满/丰满
【谚　语】饱食伤身，忠言逆耳。
【英　语】饱满　full [ful]

| bǎo | 笔画 | 部首 | 结构 | 五笔 | 造字法 |
|---|---|---|---|---|---|
| 宝 | 8 | 宀 | 上下 | PGYU | 会意 |
| 笔顺 | 丶 丶 宀 宀 宀 宇 宝 宝 | | | | |

【解　释】❶珍贵的东西。❷珍贵的。❸旧时的一种赌具，方形。❹敬辞，用于称对方的家眷、铺子。

甲骨文 金文 小篆 隶书 楷书

【字源释义】在一间屋子里既有“贝”又有“玉”，表示藏在屋内的财富。有的字形中还有“缶”（表示器皿），这些都是宝贵的东西。本义是“珍贵之物”，即宝贝。

【组　词】宝贝　宝藏　宝刀　宝库　宝地　宝座　宝贵　宝塔

【同音字】饱（饱和）　保（保卫）

【形近字】莹（晶莹）

【成　语】宝刀不老

【反义词】宝贝/废物

【近义词】稀世之宝/无价之宝

【谚　语】宝剑送勇士，红粉赠佳人。

【英　语】宝贵　valuable [ˈvæljuəbl]

| bǎo | 笔画 | 部首 | 结构 | 五笔 | 造字法 |
|---|---|---|---|---|---|
| 保 | 9 | 亻 | 左右 | WKSY | 会意 |
| 笔顺 | 丿 亻 亻 伫 伫 伻 伻 俘 保 | | | | |

【解　释】❶看守住，不让受损害或丧失。❷负责；保证。❸旧社会户口的一种编制，若干户为一甲，若干甲为一保。❹姓。

甲骨文 金文 小篆 隶书 楷书

【字源释义】甲骨文和金文“保”字都是一个大人手抱着襁褓里的婴儿的形状。本义是“养育”、“抚养”。引申为“保护”、“保佑”等义。古书又通“褓”、“堡”。

【组　词】保护　保密　保守　保送　保卫　保温　保安　保健

【造　句】保送——他哥哥成绩好，被保送到清华大学。

【同音字】宝（宝贝）

【形近字】呆（呆着）

【反义词】保守/开放

【近义词】保守/守旧

【歇后语】保姆抱孩子——人家的。

【谚　语】保守保守，寸步难走｜保苗如保命，无苗一场空。

【英　语】保护　protect [prəˈtekt]

| bǎo | 笔画 | 部首 | 结构 | 五笔 | 造字法 |
|---|---|---|---|---|---|
| 葆 | 12 | 艹 | 上下 | AWKS | 形声 |
| 笔顺 | 一 十 艹 艹 芢 芢 芢 芢 葆 葆 葆 葆 | | | | |

【解　释】❶草木繁盛。❷保持；保护。❸姓。
【组　词】永葆青春
【同音字】保(保护)　宝(宝贝)
【英　语】永葆青春　keep alive the fervor of youth [kiːp əˈlaiv ðə ˈfəːvə əv juːθ]

| bǎo | 笔画 | 部首 | 结构 | 五笔 | 造字法 |
|---|---|---|---|---|---|
| 堡 | 12 | 土 | 上下 | WKSF | 形声 |
| 笔顺 | 丿 亻 亻 亻 亻 亻 保 保 保 堡 堡 堡 | | | | |

【解　释】土筑的小城、工事。
【组　词】堡垒　堡寨　碉堡
【造　句】堡垒——我们要努力攻克科学堡垒。
【同音字】宝(宝贝)　保(保护)
【形近字】保(保护)
【近义词】堡垒/碉堡
【多音字】bǔ(见 64 页)
【多音字】pù(见 562 页)

| bǎo | 笔画 | 部首 | 结构 | 五笔 | 造字法 |
|---|---|---|---|---|---|
| 褓 | 14 | 衤 | 左右 | PUWS | 形声 |
| 笔顺 | 丶 ㇇ 衤 衤 衤 衤 衤 衤 衤 衤 衤 衤 褓 褓 | | | | |

【解　释】包婴儿用的被子。
【组　词】襁褓
【同音字】宝(宝贝)　保(保护)
【形近字】被(被子)

| bào | 笔画 | 部首 | 结构 | 五笔 | 造字法 |
|---|---|---|---|---|---|
| 报 | 7 | 扌 | 左右 | RBCY | 会意 |
| 笔顺 | 一 十 扌 扌 扌 报 报 | | | | |

【解　释】❶传达；告知。❷传达消息和言论的文件或信号。❸报纸；刊物。❹回答。
【组　词】报案　报摊　报怨　报纸
【造　句】报道——这篇报道写得非常及时，非常精彩。
【同音字】豹(豹子)
【形近字】服(舒服)
【成　语】报仇雪恨　报仇雪耻
【英　语】报摊　news stand [njuːz stænd]

| bào | 笔画 | 部首 | 结构 | 五笔 | 造字法 |
|---|---|---|---|---|---|
| 刨 | 7 | 刂 | 左右 | QNJH | 形声 |
| 笔顺 | 丿 勹 勹 勺 包 包 刨 | | | | |

【解　释】❶推刮木料等使平滑的工具。❷用刨子或刨床推刮。
【组　词】刨平　刨床
【造　句】刨平——木工师傅说要把这块木料刨平。
【多音字】páo(见 540 页)

| bào | 笔画 | 部首 | 结构 | 五笔 | 造字法 |
|---|---|---|---|---|---|
| 抱 | 8 | 扌 | 左右 | RQNN | 形声 |
| 笔顺 | 一 十 扌 扌 扚 扚 抱 抱 | | | | |

【解　释】❶用手臂围住。❷心里存着。❸孵。
【组　词】抱歉　抱怨　抱窝　抱负　抱恨　抱屈　怀抱　搂抱　拥抱　抱不平　抱佛脚
【造　句】抱窝——韩伟放假回奶奶家时，仔细观察了母鸡抱窝的情况，回来后写了篇作文。
【同音字】刨(刨子)　鲍(鲍鱼)
【形近字】跑(跑步)
【成　语】抱头鼠窜　抱薪救火
【近义词】抱负/志向

【英　语】抱歉　regret［ri'gret］

| bào | 笔画 | 部首 | 结构 | 五笔 | 造字法 |
|---|---|---|---|---|---|
| 趵 | 10 | ⻊ | 左右 | KHQY | 形声 |
| 笔顺 | 丨 口 口 𠯑 𠯑 𧾷 𧾷 𧾷 趵 趵 | | | | |

【解　释】跳跃。
【组　词】趵突泉

| bào | 笔画 | 部首 | 结构 | 五笔 | 造字法 |
|---|---|---|---|---|---|
| 豹 | 10 | 豸 | 左右 | EEQY | 形声 |
| 笔顺 | 丿 ⺈ 𠂊 乡 豸 豸 豸 豹 豹 豹 | | | | |

【解　释】哺乳动物，性凶猛，能上树，捕食其他兽类，伤害人畜。
【组　词】云豹　金钱豹
【同音字】抱（拥抱）
【形近字】约（大约）
【谚　语】豹死留皮，人死留名。
【英　语】豹　leopard［'lepəd］

| bào | 笔画 | 部首 | 结构 | 五笔 | 造字法 |
|---|---|---|---|---|---|
| 鲍 | 13 | 鱼 | 左右 | QGQN | 形声 |
| 笔顺 | 丿 ⺈ 𠂊 角 角 角 鱼 鱼 鱼 鲄 鲄 鲍 鲍 | | | | |

【解　释】❶鲍鱼。❷姓。
【同音字】抱（拥抱）
【形近字】刨（刨子）
【英　语】鲍鱼　abalone［ˌæbə'ləuni］

| bào | 笔画 | 部首 | 结构 | 五笔 | 造字法 |
|---|---|---|---|---|---|
| 暴 | 15 | 日 | 上中下 | JAWI | 会意 |
| 笔顺 | 丨 冂 日 日 旦 早 早 昌 昪 異 暴 暴 暴 暴 暴 | | | | |

【解　释】❶强大而突然来的；又猛又急的。❷过分急躁的；容易冲动的。❸凶恶残酷的。❹糟蹋；损害。❺姓。
【组　词】暴动　暴烈　暴露
【造　句】暴跳如雷——父亲知道他在学校的不良行为后，气得暴跳如雷。
【同音字】抱（抱着）
【成　语】暴跳如雷　暴风骤雨
【反义词】暴躁/温柔
【近义词】暴躁/粗暴
【谚　语】暴雨能够穿通屋顶，细雨能够穿通岩石|暴饮暴食易生病，定时定量保安宁。
【英　语】暴雨　torrential rain［tɔ'renʃəl rein］
【多音字】pù（见562页）

| bào | 笔画 | 部首 | 结构 | 五笔 | 造字法 |
|---|---|---|---|---|---|
| 瀑 | 18 | 氵 | 左右 | IJA | 形声 |
| 笔顺 | 丶 丶 氵 氵 氵 沪 淠 渭 渭 渭 渭 渭 瀑 瀑 瀑 瀑 瀑 瀑 | | | | |

【解　释】瀑河，水名，在河北省。
【组　词】瀑河
【同音字】抱（拥抱）　豹（金钱豹）
【多音字】pù（见562页）

| bào | 笔画 | 部首 | 结构 | 五笔 | 造字法 |
|---|---|---|---|---|---|
| 曝 | 19 | 日 | 左右 | JJAI | 形声 |
| 笔顺 | 丨 冂 日 日 旷 旷 旷 旷 旷 旷 旷 暍 暍 暍 曝 曝 曝 曝 曝 | | | | |

【解　释】❶使感光纸或摄影胶片感光。❷有时比喻隐蔽的事情暴露出来，被众人知道。
【组　词】曝光

【造　句】曝光——我们昨天拍的那卷胶卷曝光了，真是太可惜了。
【同音字】报（报纸）　抱（拥抱）
【形近字】瀑（瀑布）
【英　语】曝光　exposure [ik'spəuʒə]
【多音字】pù（见 562 页）

| bào | 笔画 | 部首 | 结构 | 五笔 | 造字法 |
|---|---|---|---|---|---|
| 爆 | 19 | 火 | 左右 | OJAI | 形声 |
| 笔顺 | 丶 丷 少 火 火 炉 炉 炉 焊 焊 焊 焊 焊 焊 焊 煤 爆 爆 爆 | | | | |

【解　释】❶猛然破裂或迸出。❷出人意料地出现；突然发生。❸烹调方法，用滚油稍微一炸或用滚水稍微一煮。
【组　词】爆炸　爆裂　爆发　爆炒　爆竹　爆满　爆破筒
【造　句】爆发——这座沉寂了多年的火山近来爆发了。
【辨　音】不读 pù。
【同音字】报（报纸）
【形近字】曝（曝光）
【近义词】爆炸/爆破
【歇后语】爆竹脾气——一点就着。
【英　语】爆炸　explode [ik'spləud]

## BEI　ㄅㄟ

| bēi | 笔画 | 部首 | 结构 | 五笔 | 造字法 |
|---|---|---|---|---|---|
| 杯 | 8 | 木 | 左右 | SGIY | 形声 |
| 笔顺 | 一 十 才 木 木 杠 杯 杯 | | | | |

【解　释】❶盛水、酒、茶等的器皿。❷杯状的锦标。
【组　词】杯子　酒杯　奖杯
【同音字】卑（卑鄙）
【形近字】怀（怀抱）
【成　语】杯弓蛇影　杯盘狼藉
【近义词】杯弓蛇影/风声鹤唳
【谚　语】杯水难胜烈焰多。
【英　语】杯子　cup [kʌp]

| bēi | 笔画 | 部首 | 结构 | 五笔 | 造字法 |
|---|---|---|---|---|---|
| 卑 | 8 | 十 | 上下 | RTFJ | 会意 |
| 笔顺 | ノ 亻 白 白 白 由 曳 卑 | | | | |

【解　释】❶（书）（位置）低。❷低下。❸低劣；下流。❹谦恭。
【组　词】卑职　卑微　卑鄙
【造　句】卑鄙——造谣生事是一种卑鄙的行为。
【成　语】卑躬屈膝　卑鄙无耻
【同音字】杯（杯水车薪）
【反义词】卑贱/高贵
【近义词】卑鄙/卑劣
【谚　语】卑贱者最聪明，高贵者最愚蠢。
【英　语】卑鄙　mean [miːn]

| bēi | 笔画 | 部首 | 结构 | 五笔 | 造字法 |
|---|---|---|---|---|---|
| 背 | 9 | 月 | 上下 | UXEF | 形声 |
| 笔顺 | 丨 亅 ㇕ 丬 北 北 背 背 背 | | | | |

【解　释】用脊背驮，引申为担负。
【组　词】背负
【造　句】背负——他家为了让两个儿子上大学，背负了不少债务。
【同音字】卑（卑鄙）
【英　语】背包　knapsack ['næpsæk]
【多音字】bèi（见 34 页）

| bēi | 笔画 | 部首 | 结构 | 五笔 | 造字法 |
|---|---|---|---|---|---|
| 悲 | 12 | 心 | 上下 | DJDN | 形声 |
| 笔顺 | 丨 ㇆ ㇆ ㇆ ㇆ 非 非 非 非 悲 悲 悲 | | | | |

【解　释】❶伤心;哀痛。❷怜悯。
【组　词】悲哀　悲惨　悲壮
【造　句】悲壮——这个故事很悲壮,催人泪下。
【同音字】背(背负)　碑(石碑)
【形近字】韭(韭菜)
【成　语】悲喜交集　悲欢离合
【反义词】悲伤/快乐
【近义词】悲伤/伤心
【谚　语】悲伤忧愁,不如握紧拳头。
【英　语】悲哀　sorrowful [ˈsɔrəuful]

| bēi | 笔画 | 部首 | 结构 | 五笔 | 造字法 |
|---|---|---|---|---|---|
| 碑 | 13 | 石 | 左右 | DRTF | 形声 |
| 笔顺 | 一 ㇆ 丆 石 石 石′ 矿 砷 砷 砷 砷 碑 碑 | | | | |

【解　释】刻上文字或图画以纪念事业、功勋或作为标记而立起的石头。
【组　词】碑记　碑刻　石碑
【同音字】杯(水杯)　卑(卑鄙)
【近义词】碑刻/碑铭
【英　语】石碑　stone tablet [stəun ˈtæblit]

| běi | 笔画 | 部首 | 结构 | 五笔 | 造字法 |
|---|---|---|---|---|---|
| 北 | 5 | 丨 | 左右 | UXN | 会意 |
| 笔顺 | 丨 ㇀ 丬 北 北 | | | | |

【解　释】❶方向,早晨面对太阳时左手的一边(跟"南"相对)。❷(书)打败仗。

甲骨文　金文　小篆　隶书　楷书

【字源释义】"北"是"背"的本字。甲骨文的字形是两个人背靠背站着。"北"字被假借为表示"北方"义以后,就另造"背"字了。
【组　词】北边　北方　北京
【形近字】比(比方)
【反义词】北方/南方
【近义词】北边/北方
【英　语】北方　north [nɔːθ]

| bèi | 笔画 | 部首 | 结构 | 五笔 | 造字法 |
|---|---|---|---|---|---|
| 贝 | 4 | 贝 | 独体 | MHNY | 象形 |
| 笔顺 | 丨 冂 贝 贝 | | | | |

【解　释】❶有介壳的软体动物。现是软体动物的统称。❷古代用贝壳做的货币。❸姓。
【组　词】贝壳　宝贝　拷贝
【同音字】背(背后)
【形近字】见(相见)
【英　语】贝壳　shell [ʃel]

| bèi | 笔画 | 部首 | 结构 | 五笔 | 造字法 |
|---|---|---|---|---|---|
| 狈 | 7 | 犭 | 左右 | QTMY | 形声 |
| 笔顺 | 丿 犭 犭 犭 犭 狈 狈 | | | | |

【解　释】传说中一种像狼的野兽,走路时要趴在狼身上。
【组　词】狼狈
【造　句】狼狈——突然一场大雨,他被淋得像落汤鸡一样,十分狼狈。
【同音字】贝(贝壳)　背(背上)
【形近字】钡(钡餐)
【成　语】狼狈为奸
【英　语】狼狈　in a difficult position [in ə ˈdifikəlt pəˈziʃən]

| bèi | 笔画 | 部首 | 结构 | 五笔 | 造字法 |
|---|---|---|---|---|---|
| 备 | 8 | 夂 | 上下 | TLF | 会意 |
| 笔顺 | 丿 ク 夂 夂 各 各 备 备 | | | | |

【解　释】❶预备;防备。❷具有;完备。❸设备。
【组　词】备案　备份　准备　备用　备注　备述　备战　备货
【造　句】准备——每天晚上,我们都必须准备第二天上课的资料。
【同音字】背(后背)　贝(宝贝)
【形近字】各(各就各位)
【近义词】齐备/齐全
【英　语】备用　reserve [riˈzəːv]

| bèi | 笔画 | 部首 | 结构 | 五笔 | 造字法 |
|---|---|---|---|---|---|
| 背 | 9 | 月 | 上下 | UXEF | 形声 |
| 笔顺 | 丨 亅 ⺾ 北 北 北 背 背 背 | | | | |

【解　释】❶自肩至后腰的部分。❷物体的反面或后面。❸用背部对着(跟"向"相对)。❹凭记忆读出。❺违背;违反。❻不顺。❼偏僻而清静。❽听觉不灵。
【组　词】背后　背影　背光　背书　耳背　背地　背诵
【造　句】耳背——我爷爷耳背,和他说话要大点声。
【同音字】贝(贝壳)　倍(双倍)
【形近字】脊(脊梁)
【成　语】背道而驰　背井离乡　背水一战　背信弃义
【反义词】背后/胸前
【近义词】背叛/背离
【谚　语】背得烂熟,还不等于掌握知识。
【英　语】背诵　recite [riˈsait]
【多音字】bēi(见32页)

| bèi | 笔画 | 部首 | 结构 | 五笔 | 造字法 |
|---|---|---|---|---|---|
| 倍 | 10 | 亻 | 左右 | WUKG | 形声 |
| 笔顺 | 丿 亻 亻 亻 亻 倍 倍 倍 倍 倍 | | | | |

【解　释】❶跟原数相等的数,某数的几倍就是用几乘某数。❷加倍。
【组　词】倍加　倍增　倍数
【造　句】倍加——老师对成绩差的同学倍加关心。
【同音字】背(背上)　贝(宝贝)
【形近字】陪(陪伴)
【成　语】事半功倍　事倍功半　倍道兼程
【反义词】事半功倍/事倍功半
【近义词】加倍/翻番
【英　语】倍数　multiple [ˈmʌltipl]

| bèi | 笔画 | 部首 | 结构 | 五笔 | 造字法 |
|---|---|---|---|---|---|
| 被 | 10 | 衤 | 左右 | PUHC | 形声 |
| 笔顺 | 丶 ⺈ 衤 衤 衤 衤 衤 衤 衤 被 | | | | |

【解 释】❶睡觉时覆盖身体的东西。❷盖;遮盖。❸介词。引进动作的施事并使动词含有受动的意义。❹放在动词前,表示受动。
【组 词】被单 被动 被子
【造 句】被动——前段时间的松懈造成了当前被动的局面。
【同音字】倍(加倍) 辈(长辈)
【形近字】披(披着)
【反义词】被动/主动
【近义词】被覆/遮盖
【歇后语】被窝里眨眼睛——自己哄自己。
【谚 语】被酒醉倒总会醒,被财醉倒永昏迷。
【英 语】被子 quilt [kwilt]

| bèi | 笔画 | 部首 | 结构 | 五笔 | 造字法 |
|---|---|---|---|---|---|
| 辈 | 12 | 车 | 上下 | DJDL | 会意 |
| 笔顺 | 丨 ⺊ ⺊ ⺊ 非 非 非 非 非 非 辈 辈 | | | | |

【解 释】❶代;辈分。❷类(指人)。❸一生。
【组 词】长辈 前辈 辈分
【同音字】倍(加倍) 背(背面)
【形近字】晕(晕车)
【成 语】人才辈出
【近义词】同辈/同代
【英 语】辈分 seniority in the family or clan [siːni'ɔriti in ðə 'fæmili ɔː klæn]

| bèi | 笔画 | 部首 | 结构 | 五笔 | 造字法 |
|---|---|---|---|---|---|
| 惫 | 12 | 心 | 上下 | TLNU | 形声 |
| 笔顺 | 丿 ク 夂 夂 各 各 备 备 惫 惫 惫 惫 | | | | |

【解 释】极度疲乏。
【组 词】疲惫 惫倦
【造 句】疲惫——妈妈劳累了一天很疲惫,我们不应该惹她生气。
【同音字】背(背上) 贝(宝贝)
【形近字】备(准备)
【近义词】疲惫/疲劳
【英 语】疲惫 tired out ['taiəd aut]

| bèi | 笔画 | 部首 | 结构 | 五笔 | 造字法 |
|---|---|---|---|---|---|
| 蓓 | 13 | 艹 | 上下 | AWUK | 形声 |
| 笔顺 | 一 十 艹 艹 艹 艹 艹 艹 艹 蓓 蓓 蓓 蓓 | | | | |

【解 释】蓓蕾,还没有完全开放的花。
【组 词】蓓蕾
【造 句】蓓蕾——院子里的这棵桃树蓓蕾满枝。
【辨 音】不读 péi。
【同音字】贝(贝壳) 倍(加倍)
【形近字】菩(菩萨)
【英 语】蓓蕾 bud [bʌd]

| bei | 笔画 | 部首 | 结构 | 五笔 | 造字法 |
|---|---|---|---|---|---|
| 呗 | 7 | 口 | 左右 | KMY | 形声 |
| 笔顺 | 丨 ㄇ 口 叫 叩 呗 呗 | | | | |

【解 释】❶助词。表示"罢了"、"不过如此"的意思。❷表示事实或道理明显,很容易了解。

【同音字】臂(胳臂)
【形近字】吹(吹牛)

| bei | 笔画 | 部首 | 结构 | 五笔 | 造字法 |
|---|---|---|---|---|---|
| 臂 | 17 | 月 | 上下 | NKUE | 形声 |
| 笔顺 | ㇇ ㇇ 尸 尸 吊 启 启 启 启 启 启 辟 辟 辟 臂 臂 臂 | | | | |

【解　释】胳臂，从手腕到肩膀的部分。
【组　词】胳臂
【同音字】呗(去呗)
【英　语】胳臂　arm [ɑːm]
【多音字】bì(见 45 页)

## BEN　ㄅㄣ

| bēn | 笔画 | 部首 | 结构 | 五笔 | 造字法 |
|---|---|---|---|---|---|
| 奔 | 8 | 大 | 上下 | DFAJ | 会意 |
| 笔顺 | 一 ナ 大 太 本 夲 奔 奔 | | | | |

【解　释】急走；跑；紧赶。
【组　词】奔驰　奔跑　飞奔　奔赴
【造　句】奔驰——汽车在高速公路上奔驰。
【形近字】莽(鲁莽)
【成　语】奔流不息　奔走相告
【反义词】奔放/拘谨
【近义词】奔走/奔跑
【英　语】奔跑　run [rʌn]
【多音字】bèn(见 37 页)

| běn | 笔画 | 部首 | 结构 | 五笔 | 造字法 |
|---|---|---|---|---|---|
| 本 | 5 | 木 | 独体 | SGD | 指事 |
| 笔顺 | 一 十 才 木 本 | | | | |

【解　释】❶草木的茎或根。❷量词。用于花木。❸事物的根本、根源。❹本钱；本金。❺主要的；中心的。❻本来；原来。❼自己方面的。❽现今的。❾按照；根据。❿本子。⓫版本。⓬封建时代指奏章。⓭量词。用于书籍、戏剧等。
【组　词】草本　赔本　本部
【造　句】赔本——赔本的生意谁也不愿意做。
【形近字】木(木头)
【成　语】本末倒置　本性难移
【反义词】本地/外地
【近义词】本人/自己
【谚　语】江山易改，本性难移。
【英　语】本子　notebook ['nəutbuk]

| běn | 笔画 | 部首 | 结构 | 五笔 | 造字法 |
|---|---|---|---|---|---|
| 苯 | 8 | 艹 | 上下 | ASGF | 形声 |
| 笔顺 | 一 十 廾 艹 芊 芓 苯 苯 | | | | |

【解　释】有机化合物，无色液体，有芳香气味，容易挥发和燃烧。有毒。
【同音字】本(本色)
【形近字】茶(茶花)　笨(笨蛋)
【英　语】苯　benzene ['benziːn]

| běn | 笔画 | 部首 | 结构 | 五笔 | 造字法 |
|---|---|---|---|---|---|
| 畚 | 10 | 厶 | 上下 | CDLF | 形声 |
| 笔顺 | ㇀ 厶 厶 仒 夨 夵 畚 畚 畚 畚 | | | | |

【解　释】❶簸箕。❷(方)用簸箕撮。
【组　词】畚土　畚斗　畚箕
【同音字】本(本色)
【形近字】奋(奋斗)

【英 语】畚箕 dustpan ['dʌst-pæn]

| bèn | 笔画 | 部首 | 结构 | 五笔 | 造字法 |
| --- | --- | --- | --- | --- | --- |
| 奔 | 8 | 大 | 上下 | DFAJ | 会意 |
| 笔顺 | 一 ナ 大 太 本 夲 奔 奔 | | | | |

【解 释】❶直往。❷介词。朝向。
【组 词】投奔 奔向 奔头
【造 句】投奔——他家被一场无情的火烧了，他只好投奔亲戚朋友。
【辨 音】不读 bèng。
【同音字】笨(笨蛋)
【近义词】投奔/投靠
【英 语】奔头 prospect ['prɔspekt]
【多音字】bēn(见 36 页)

| bèn | 笔画 | 部首 | 结构 | 五笔 | 造字法 |
| --- | --- | --- | --- | --- | --- |
| 笨 | 11 | ⺮ | 上下 | TSGF | 形声 |
| 笔顺 | ノ 𠂉 𥫗 𥫗 竹 竹 笁 笨 笨 笨 笨 | | | | |

【解 释】❶不聪明；理解能力和记忆能力差。❷不灵活；不灵巧。❸粗重；费力气的。
【组 词】笨重 笨拙
【造 句】笨重——这个大箱子太笨重了，我们两个人抬不动。
【辨 音】不读 běn。
【形近字】苯(苯甲基)
【成 语】笨口拙舌 笨手笨脚
【反义词】笨重/轻巧
【近义词】笨/拙 笨重/沉重
【谚 语】笨工出巧匠|笨鸟先飞。
【英 语】笨拙 stupid ['stju:pid]

## BENG ㄅㄥ

| bēng | 笔画 | 部首 | 结构 | 五笔 | 造字法 |
| --- | --- | --- | --- | --- | --- |
| 崩 | 11 | 山 | 上下 | MEEF | 形声 |
| 笔顺 | 丨 山 屮 屵 岸 岸 崩 崩 崩 崩 崩 | | | | |

【解 释】❶倒塌。❷破裂。❸被弹射飞出的东西击中。❹枪毙。❺君主时代称帝王死。
【组 词】崩溃 崩裂 崩塌
【造 句】崩塌——在洪水的冲击下，江堤崩塌了。
【同音字】绷(绷带)
【近义词】崩裂/裂开
【歇后语】崩牙婆穿针——不咬线。
【英 语】崩塌 crumble ['krʌmbl]

| bēng | 笔画 | 部首 | 结构 | 五笔 | 造字法 |
| --- | --- | --- | --- | --- | --- |
| 绷 | 11 | 纟 | 左右 | XEEG | 形声 |
| 笔顺 | 𠃋 纟 纟 纠 纠 纲 绷 绷 绷 绷 绷 | | | | |

【解 释】❶拉紧。❷衣服、布、绸等张紧。❸物体猛然弹起。❹缝纫的方法，稀疏地缝住或用别针别上。❺勉强支撑。❻用藤皮、棕绳等编织成的床屉子。
【组 词】绷直 绷紧 绷带
【辨 音】不读 péng。
【同音字】崩(山崩地裂)
【反义词】绷紧/放松
【近义词】绷紧/拉紧
【英 语】绷带 bandage ['bændidʒ]

【多音字】běng(见38页)
【多音字】bèng(见39页)

| bēng | 笔画 | 部首 | 结构 | 五笔 | 造字法 |
|---|---|---|---|---|---|
| 嘣 | 14 | 口 | 左右 | KMEE | 形声 |
| 笔顺 | 丨 ㄇ 口 口' 口山 口屮 口岸 口岃 口岃 口崩 口崩 嘣 嘣 嘣 | | | | |

【解　释】象声词。形容跳动或爆裂的声音。
【组　词】嘣嘣直跳
【造　句】嘣嘣直跳——轮到我上台领奖了，我的心激动得嘣嘣直跳。
【同音字】崩(山崩地裂)
【形近字】崩(崩裂)

| béng | 笔画 | 部首 | 结构 | 五笔 | 造字法 |
|---|---|---|---|---|---|
| 甭 | 9 | 一 | 上下 | GIE | 形声 |
| 笔顺 | 一 ア 不 不 不 甭 甭 甭 甭 | | | | |

【解　释】(方)表示劝阻或不需要("不用"的合音)。

| běng | 笔画 | 部首 | 结构 | 五笔 | 造字法 |
|---|---|---|---|---|---|
| 绷 | 11 | 纟 | 左右 | XEEG | 形声 |
| 笔顺 | ㄥ 纟 纟 纠 纲 纲 纲 绷 绷 绷 绷 | | | | |

【解　释】❶脸板着。❷勉强支撑。
【组　词】绷着脸
【造　句】绷着脸——他在一旁绷着脸，一声不吭。
【多音字】bēng(见37页)
【多音字】bèng(见39页)

| bèng | 笔画 | 部首 | 结构 | 五笔 | 造字法 |
|---|---|---|---|---|---|
| 泵 | 9 | 石 | 上下 | DIU | 会意 |
| 笔顺 | 一 ア 不 石 石 石 砅 泵 泵 | | | | |

【解　释】吸入和排出液体的机械，能把液体抽出或压入容器，也能把液体送到高处。
【组　词】水泵　油泵
【同音字】迸(迸裂)
【形近字】岩(岩石)
【英　语】泵　pump［'pʌmp］

| bèng | 笔画 | 部首 | 结构 | 五笔 | 造字法 |
|---|---|---|---|---|---|
| 迸 | 9 | 辶 | 半包围 | UAPK | 形声 |
| 笔顺 | 丶 丷 丷 兰 并 并 进 迸 迸 | | | | |

【解　释】❶向外溅出或喷射。❷突然碎裂。
【组　词】迸发　迸溅　迸裂
【造　句】迸发——笑声从房间里迸发出来。
【同音字】泵(水泵)
【形近字】拼(拼音)
【近义词】迸裂/炸裂
【英　语】迸发　burst forth［bəːst fɔːθ］

| bèng | 笔画 | 部首 | 结构 | 五笔 | 造字法 |
|---|---|---|---|---|---|
| 蚌 | 10 | 虫 | 左右 | JDHH | 形声 |
| 笔顺 | 丨 ㄇ 口 中 虫 虫 虫一 虫二 虫三 蚌 | | | | |

【解　释】蚌埠，地名，在安徽省。
【同音字】泵(水泵)　迸(迸裂)
【形近字】丰(丰富)
【多音字】bàng(见25页)

| bèng | 笔画 | 部首 | 结构 | 五笔 | 造字法 |
|---|---|---|---|---|---|
| 绷 | 11 | 纟 | 左右 | XEEG | 形声 |
| 笔顺 | ㇀ 纟 纟 纠 纫 纫 纫 绷 绷 绷 绷 | | | | |

【解　释】❶裂开。❷用在"脆"、"亮"、"直"等形容词前,表示程度深。
【组　词】绷瓷　绷脆　绷亮　绷直
【多音字】bēng(见37页)
【多音字】běng(见38页)

| bèng | 笔画 | 部首 | 结构 | 五笔 | 造字法 |
|---|---|---|---|---|---|
| 蹦 | 18 | 足 | 左右 | KHME | 形声 |
| 笔顺 | 丶 ㄇ 口 早 早 足 足 足' 足𠂉 足山 足山 蹦 蹦 蹦 蹦 蹦 蹦 蹦 | | | | |

【解　释】两脚并着跳。
【组　词】蹦极　蹦高　蹦蹦跳跳
【造　句】蹦蹦跳跳——他做完作业后蹦蹦跳跳地出去玩了。
【同音字】迸(迸裂)
【形近字】嘣(嘣嘣直跳)
【英　语】蹦　leap [liːp]

## BI ㄅㄧ

| bī | 笔画 | 部首 | 结构 | 五笔 | 造字法 |
|---|---|---|---|---|---|
| 逼 | 12 | 辶 | 半包围 | GKLP | 形声 |
| 笔顺 | 一 𠃌 𠮛 𠮛 畐 畐 畐 畐 畐 畐 逼 逼 | | | | |

【解　释】❶强迫;威胁。❷迫近;接近。❸狭窄。
【组　词】逼迫　逼债　逼问　逼供　逼近　逼真
【造　句】逼迫——在环境的逼迫下,他开始变得勤奋了。
【形近字】副(副食)
【成　语】逼上梁山
【反义词】逼真/虚幻
【近义词】逼迫/强迫
【英　语】逼迫　force [fɔːs]

| bí | 笔画 | 部首 | 结构 | 五笔 | 造字法 |
|---|---|---|---|---|---|
| 鼻 | 14 | 鼻 | 上中下 | THLJ | 形声 |
| 笔顺 | ′ 亻 白 白 自 自 自 鼻 鼻 鼻 鼻 鼻 鼻 鼻 | | | | |

【解　释】❶嗅觉器官,也是呼吸的孔道。❷器物上面突出带孔的部分或带孔的零件。❸开创。
【组　词】鼻子　鼻孔　鼻尖　鼻音　鼻涕　鼻祖
【造　句】鼻祖——鲁班被认为是中国建筑业的鼻祖。
【同音字】荸(荸荠)
【形近字】鼾(打鼾)
【成　语】鼻青脸肿　鼻息雷鸣
【歇后语】猪鼻子插大葱——装相(象)。
【英　语】鼻子　nose [nəuz]

| bǐ | 笔画 | 部首 | 结构 | 五笔 | 造字法 |
|---|---|---|---|---|---|
| 匕 | 2 | 匕 | 独体 | XTN | 象形 |
| 笔顺 | ノ 匕 | | | | |

【解　释】❶古人取食的器具,后代的羹匙由它演变而来。❷指匕首。
【组　词】匕首
【同音字】比(比较)
【形近字】七(七个)
【成　语】图穷匕首见
【英　语】匕首 dagger ['dægə]

| bǐ | 笔画 | 部首 | 结构 | 五笔 | 造字法 |
|---|---|---|---|---|---|
| 比 | 4 | 比 | 左右 | XXN | 会意 |
| 笔顺 | 一 ⺊ ⺊⺊ 比 | | | | |

【解　释】❶比较;较量。❷表示比赛双方得分的对比。❸两个数相比较,前项和后项的关系是被除数和除数的关系。❹比方;模拟。❺介词。用来比较程度或性状的差别。❻靠近;挨着。

甲骨文　金文　小篆　隶书　楷书

【字源释义】这个字形是两个人一前一后并靠着。本义是“并列”,引申为“紧靠”。

【组　词】比较　比喻　比分　比例　比配　比赛　比拼

【造　句】比赛——陈晓参加了学校的象棋比赛,得了第一名。

【同音字】匕(匕首)

【形近字】北(北风)

【成　语】比比皆是　比翼双飞

【近义词】对比/比较

【歇后语】比着铁箍买鸭蛋——哪有这样合适的。

【谚　语】比赛必有一胜,苦学必有一成。

【英　语】比较　compare [kəm'pεə]

| bǐ | 笔画 | 部首 | 结构 | 五笔 | 造字法 |
|---|---|---|---|---|---|
| 彼 | 8 | 彳 | 左右 | THCY | 形声 |
| 笔顺 | 丿 彡 彳 彳 彳 彳 彷 彼 | | | | |

【解　释】❶那;那个。❷对方。

【组　词】彼此　彼岸

【造　句】彼此——同学之间应该彼此关怀。

【同音字】比(比较)　匕(匕首)

【形近字】披(披着)

【成　语】知己知彼

【反义词】彼/此

【近义词】彼岸/对岸

【谚　语】此一时,彼一时。

【英　语】彼此　each other [iːtʃ'ʌðə]

| bǐ | 笔画 | 部首 | 结构 | 五笔 | 造字法 |
|---|---|---|---|---|---|
| 秕 | 9 | 禾 | 左右 | TXXN | 形声 |
| 笔顺 | 丿 二 千 禾 禾 禾 秆 秕 秕 | | | | |

【解　释】内空或不饱满的谷粒。

【组　词】秕谷　秕糠　秕子

【同音字】比(比较)

【形近字】批(批评)

【英　语】秕糠　chaff [tʃɑːf]

| bǐ | 笔画 | 部首 | 结构 | 五笔 | 造字法 |
|---|---|---|---|---|---|
| 笔 | 10 | ⺮ | 上下 | TTFN | 会意 |
| 笔顺 | 丿 𠂉 ⺈ ⺮ 竹 竺 竺 笁 笁 笔 | | | | |

【解　释】❶写字画图的用具。

❷(写字、画画、作文的)笔法。❸用笔写出。❹手迹。❺笔画。❻量词。
【组　词】铅笔　毛笔　伏笔　笔误　遗笔　笔法　笔友　一笔钱
【造　句】笔误——因为精神不集中，他写东西常有笔误。
【同音字】比(比较)
【形近字】竿(竹竿)
【近义词】笔者/作者
【成　语】笔扫千军　笔下春风
【歇后语】笔筒吹火——小气。
【谚　语】笔勤能使手快，多练能使手巧。
【英　语】钢笔　pen [pen]

| bǐ | 笔画 | 部首 | 结构 | 五笔 | 造字法 |
|---|---|---|---|---|---|
| 鄙 | 13 | 阝 | 左右 | KFLB | 形声 |
| 笔顺 | … 鄙 | | | | |

【解　释】❶粗俗；低下。❷谦辞，旧时用于自称。❸轻视；看不起。❹边远的地方。

甲骨文　金文　小篆　隶书　楷书

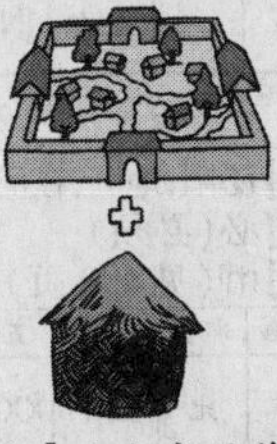

【字源释义】这个字原作"啚"字。上面的方形表示人们生活居住的地方；下面的"亩"是一个仓廪。本义是"边邑"。
【组　词】鄙薄　鄙称　鄙视
【辨　音】不读 bì 或 pǐ。
【同音字】比(比较)　彼(彼此)
【形近字】郎(邮寄)
【反义词】鄙视/重视
【近义词】鄙视/藐视
【谚　语】鄙儒不如都士。
【英　语】鄙视　despise [di'spaiz]

| bì | 笔画 | 部首 | 结构 | 五笔 | 造字法 |
|---|---|---|---|---|---|
| 币 | 4 | 巾 | 独体 | TMHK | 形声 |
| 笔顺 | 一 丆 巿 币 | | | | |

【解　释】货币；钱。
【组　词】硬币　纸币　银币
【造　句】硬币——现在市面上很少能见到一分的硬币。
【同音字】必(必须)
【形近字】巾(巾帼)
【英　语】币　currency ['kʌrənsi]

| bì | 笔画 | 部首 | 结构 | 五笔 | 造字法 |
|---|---|---|---|---|---|
| 必 | 5 | 心 | 独体 | NT | 会意 |
| 笔顺 | 丶 心 心 必 必 | | | | |

【解　释】❶一定；必然。❷必须；一定要。

甲骨文　金文　小篆　隶书　楷书

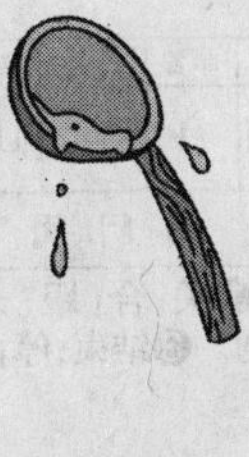

【字源释义】“必”是“柲”的本字。甲骨文“必”字像一把长柄的舀水勺子，旁边还滴着水滴。
【组　词】必然　必定　必修
【造　句】必定——有全组同学的共同努力，这项任务必定能顺利完成。
【同音字】币(人民币)
【形近字】心(心情)
【成　语】必由之路
【反义词】必要/多余
【近义词】必定/必然
【谚　语】必欲长生，常服山精。
【英　语】必须　must [mʌst]

| bì | 笔画 | 部首 | 结构 | 五笔 | 造字法 |
|---|---|---|---|---|---|
| 毕 | 6 | 比 | 上下 | XXFJ | 形声 |
| 笔顺 | 一 ト ⺊ 比 毕 毕 | | | | |

【解　释】❶完结；完成。❷全；完全。❸二十八宿之一。❹姓。
【组　词】毕命　毕生　毕业
【造　句】毕业——他哥哥大学毕业后就参加工作了。
【同音字】必(必须)
【形近字】华(中华)
【成　语】毕恭毕敬
【反义词】毕恭毕敬/趾高气扬
【近义词】毕竟/到底
【英　语】毕业　graduate [ˈgrædjueit]

| bì | 笔画 | 部首 | 结构 | 五笔 | 造字法 |
|---|---|---|---|---|---|
| 闭 | 6 | 门 | 半包围 | UFT | 会意 |
| 笔顺 | 丶 丨 门 闩 闭 闭 | | | | |

【解　释】❶关；合(跟“开”相对)。❷堵塞不通。❸结束；停止。❹姓。
【组　词】闭门　闭气　闭塞
【造　句】闭塞——他住在偏远闭塞的山区。
【辨　音】不读 bèi。
【同音字】必(必须)　毕(毕业)
【形近字】闲(空闲)
【成　语】闭关自守　闭门思过
【反义词】闭/开
【近义词】闭/关
【谚　语】闭门雨，开门晴。
【英　语】关闭　shut [ʃʌt]

| bì | 笔画 | 部首 | 结构 | 五笔 | 造字法 |
|---|---|---|---|---|---|
| 庇 | 7 | 广 | 半包围 | YXXV | 形声 |
| 笔顺 | 丶 亠 广 广 庀 庀 庇 | | | | |

【解　释】遮蔽；掩护；保护。
【组　词】包庇　庇护　庇佑
【造　句】庇护——小国寻求大国的庇护，大国理当伸张正义。
【辨　音】不读 pì。
【同音字】必(必须)　毕(毕业)
【形近字】庄(庄子)
【英　语】庇护　shelter [ˈʃeltə]

| bì | 笔画 | 部首 | 结构 | 五笔 | 造字法 |
|---|---|---|---|---|---|
| 泌 | 8 | 氵 | 左右 | INTT | 形声 |
| 笔顺 | 丶 丶 氵 氵 沁 沁 泌 泌 | | | | |

【解　释】泌阳，地名，在河南省。
【同音字】必(必须)
【多音字】mì(见 490 页)

| bì | 笔画 | 部首 | 结构 | 五笔 | 造字法 |
|---|---|---|---|---|---|
| 毖 | 9 | 比 | 上下 | XXNT | 形声 |
| 笔顺 | 一 ト ⺊ 比 比 毕 毖 毖 毖 | | | | |

【解　释】谨慎小心。
【组　词】惩前毖后
【造　句】惩前毖后——我们的原则是:惩前毖后,治病救人。
【同音字】必(必须)
【形近字】瑟(瑟瑟)
【成　语】惩前毖后

| bì | 笔画 | 部首 | 结构 | 五笔 | 造字法 |
| --- | --- | --- | --- | --- | --- |
| 陛 | 9 | 阝 | 左右 | BXXF | 形声 |
| 笔顺 | ㇋ 阝 阝 阝 阝 阝比 阝比 阝比 陛 | | | | |

【解　释】(书)宫殿的台阶。
【组　词】陛下
【同音字】必(必须)　毕(毕业)
【形近字】陆(陆地)

| bì | 笔画 | 部首 | 结构 | 五笔 | 造字法 |
| --- | --- | --- | --- | --- | --- |
| 毙 | 10 | 比 | 上下 | XXGX | 形声 |
| 笔顺 | 一 ⺊ 𠂒 比 毕 毕 毕 毕 毙 毙 | | | | |

【解　释】❶死(用于人时多含贬义)。❷击杀人或动物。
【组　词】毙命　枪毙　毙伤
【同音字】必(必须)　毕(毕业)
【形近字】毖(惩前毖后)
【成　语】束手待毙
【近义词】毙命/丧命
【英　语】毙命　get killed [get 'kild]

| bì | 笔画 | 部首 | 结构 | 五笔 | 造字法 |
| --- | --- | --- | --- | --- | --- |
| 秘 | 10 | 禾 | 左右 | TNTT | 形声 |
| 笔顺 | 丿 二 千 禾 禾 禾 私 秘 秘 秘 | | | | |

【解　释】❶译音用字,如秘鲁(国名)。❷姓。
【组　词】秘鲁
【同音字】必(必须)　毕(毕业)
【英　语】秘鲁　Peru [pə'ru:]
【多音字】mì(见 490 页)

| bì | 笔画 | 部首 | 结构 | 五笔 | 造字法 |
| --- | --- | --- | --- | --- | --- |
| 敝 | 11 | 攵 | 左右 | UMIT | 会意 |
| 笔顺 | 丶 丷 䒑 㡀 㡀 㡀 㡀 㡀 敝 敝 敝 | | | | |

【解　释】❶破旧;破烂。❷谦辞,旧时用于跟自己有关的事物。❸衰败。

甲骨文　金文　小篆　隶书　楷书

【字源释义】这个字的左旁是一块布,上面沾有灰尘和脏物;右旁一只手正拿着棍子在扑打。本义是“坏”、“破旧”。
【组　词】敝衣　敝人　凋敝　敝旧
【造　句】凋敝——战后,这一带民生凋敝,一派惨状。
【同音字】毕(毕业)　闭(闭门)
【形近字】敞(敞开)
【成　语】敝帚自珍
【英　语】凋敝　shabby ['ʃæbi]

B

| bì | 笔画 | 部首 | 结构 | 五笔 | 造字法 |
|---|---|---|---|---|---|
| 婢 | 11 | 女 | 左右 | VRTF | 形声 |
| 笔顺 | ㄑ 女 女 女′ 女′ 如 如 妒 婢 婢 婢 | | | | |

【解　释】婢女。
【组　词】奴婢 婢女 奴颜婢膝
【造　句】奴颜婢膝——他那一番奴颜婢膝的言论，让人对其顿生厌恶之情。
【同音字】必(必须)　陛(陛下)
【形近字】脾(脾气)
【成　语】奴颜婢膝
【英　语】婢女　slave girl [sleiv gəːl]

| bì | 笔画 | 部首 | 结构 | 五笔 | 造字法 |
|---|---|---|---|---|---|
| 蓖 | 13 | 艹 | 上中下 | ATLX | 形声 |
| 笔顺 | 一 十 艹 艹 芇 芇 苎 苗 苗 苗 蓖 蓖 蓖 | | | | |

【解　释】蓖麻，一年生或多年生草本植物，叶子大。种子可榨油，工业上用作润滑油。
【组　词】蓖麻 蓖麻油 蓖麻子
【同音字】毕(毕业)　闭(闭门)
【英　语】蓖麻　castor oil plant [ˈkɑːstə ɔil plɑːnt]

| bì | 笔画 | 部首 | 结构 | 五笔 | 造字法 |
|---|---|---|---|---|---|
| 痹 | 13 | 疒 | 半包围 | ULGJ | 形声 |
| 笔顺 | 丶 亠 广 广 疒 疒 疒 疒 疒 疒 痹 痹 痹 | | | | |

【解　释】中医指由风、寒、湿等引起的肢体疼痛或麻木的病。
【组　词】寒痹 麻痹
【同音字】蓖(蓖麻)
【英　语】麻痹　paralyse [ˈpærəlaiz]

| bì | 笔画 | 部首 | 结构 | 五笔 | 造字法 |
|---|---|---|---|---|---|
| 裨 | 13 | 衤 | 左右 | PURF | 形声 |
| 笔顺 | 丶 ㇇ 衤 衤 衤 衤′ 衤′ 衤′ 衤′ 衤′ 裨 裨 裨 | | | | |

【解　释】益处。
【组　词】裨益
【造　句】裨益——多看多读范文，对写作大有裨益。
【同音字】必(必须)　陛(陛下)
【形近字】脾(脾气)
【英　语】裨益　benefit [ˈbenifit]
【多音字】pí(见548页)

| bì | 笔画 | 部首 | 结构 | 五笔 | 造字法 |
|---|---|---|---|---|---|
| 辟 | 13 | 辛 | 左右 | NKUH | 会意 |
| 笔顺 | ㇇ ㇆ 尸 尸 启 启 启 启 辟 辟 辟 辟 辟 | | | | |

【解　释】❶君主。❷排除。❸帝王召见或授予官职。
【组　词】复辟 明辟 辟邪 辟谷
【造　句】辟邪——奶奶告诉我的辟邪方法都是迷信。
【辨　音】不读 bī。
【同音字】必(必须)　毕(毕业)
【英　语】复辟　restore a monarchy [riˈstɔː ə ˈmɔnəki]
【多音字】pì(见549页)

| bì | 笔画 | 部首 | 结构 | 五笔 | 造字法 |
|---|---|---|---|---|---|
| 碧 | 14 | 石 | 上下 | GRDF | 形声 |
| 笔顺 | 一 二 干 王 王′ 玏 珀 珀 珀 珀 珀 珀 碧 碧 | | | | |

【解　释】❶青绿色的玉石。❷青

绿色。
【组　词】碧草　碧波　碧玉
【造　句】碧波——湖面上碧波荡漾。
【同音字】毕(毕业)　必(必须)
【形近字】磐(磐石)
【成　语】碧血丹心
【英　语】碧玉 jasper [ˈdʒæspə]

| bì | 笔画 | 部首 | 结构 | 五笔 | 造字法 |
|---|---|---|---|---|---|
| 蔽 | 14 | 艹 | 上下 | AUMT | 形声 |
| 笔顺 | 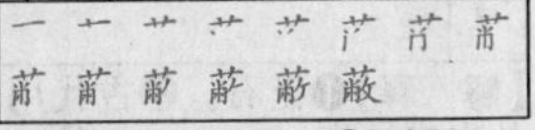 | | | | |

【解　释】❶遮盖;拦住。❷概括。
【组　词】蒙蔽　遮蔽　掩蔽　隐蔽
【造　句】遮蔽——大榕树枝多叶茂,遮蔽了阳光。
【同音字】毕(毕业)
【形近字】敝(敞开)
【成　语】浮云蔽日
【反义词】隐蔽/暴露
【近义词】隐蔽/遮蔽
【英　语】蔽 shelter [ˈʃeltə]

| bì | 笔画 | 部首 | 结构 | 五笔 | 造字法 |
|---|---|---|---|---|---|
| 弊 | 14 | 廾 | 上下 | UMIA | 形声 |
| 笔顺 | 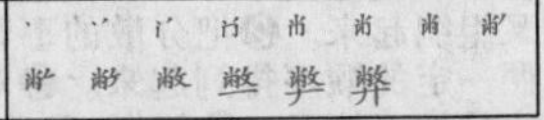 | | | | |

【解　释】❶欺诈蒙骗,图占便宜的行为。❷害处;毛病(跟"弊"相对)。
【组　词】弊病　弊端　作弊　私弊
【造　句】弊病——在这个组织里,制度不健全的弊病越来越突出。
【同音字】毕(毕业)　必(必须)
【形近字】蔽(隐蔽)
【近义词】弊病/毛病
【英　语】弊端 abuse [əˈbjuːz]

| bì | 笔画 | 部首 | 结构 | 五笔 | 造字法 |
|---|---|---|---|---|---|
| 壁 | 16 | 土 | 上下 | NKUF | 形声 |
| 笔顺 | 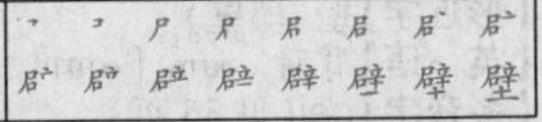 | | | | |

【解　释】❶墙。❷某些类似墙并起墙的作用的东西。❸像墙那样直立的山石。❹营垒。
【组　词】壁报　壁橱　壁灯
【同音字】必(必须)
【形近字】璧(璧玉)
【成　语】壁垒森严　作壁上观
【歇后语】壁缝里的风——到处钻。
【英　语】墙壁 wall [wɔːl]

| bì | 笔画 | 部首 | 结构 | 五笔 | 造字法 |
|---|---|---|---|---|---|
| 避 | 16 | 辶 | 半包围 | NKUP | 形声 |
| 笔顺 | 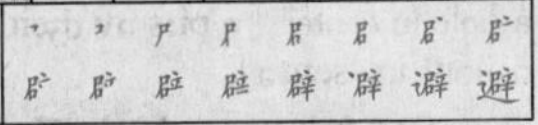 | | | | |

【解　释】❶躲开;回避。❷防止。
【组　词】避雨　避暑　退避
【造　句】避雨——在上学的路上,车站是一个避雨的好地方。
【同音字】毕(毕业)　必(必须)
【形近字】僻(偏僻)
【成　语】避坑落井
【反义词】回避/正视
【近义词】避免/防止
【谚　语】避风港捕不到大鲨鱼。
【英　语】回避 evade [iˈveid]

| bì | 笔画 | 部首 | 结构 | 五笔 | 造字法 |
|---|---|---|---|---|---|
| 臂 | 17 | 月 | 上下 | NKUE | 形声 |
| 笔顺 | 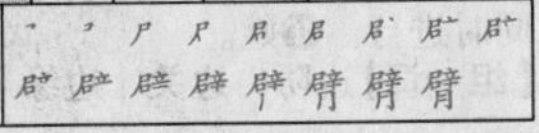 | | | | |

【解　释】胳膊。
【组　词】臂膀　臂力　臂章
【辨　音】不读 bèi。
【同音字】毕(毕业)　必(必须)
【形近字】壁(墙壁)
【英　语】臂膀　arm [ɑːm]
【多音字】bei(见 36 页)

| bì | 笔画 | 部首 | 结构 | 五笔 | 造字法 |
|---|---|---|---|---|---|
| 璧 | 18 | 玉 | 上下 | NKUY | 形声 |
| 笔顺 | ㇇ ㇇ 尸 尸 吊 启 启 启 启 启 辟 辟 辟 辟 辟 璧 璧 璧 | | | | |

【解　释】古代的一种玉器。扁平,圆形,中间有小孔。
【组　词】璧玉
【同音字】毕(毕业)
【形近字】壁(墙壁)
【英　语】璧玉　a piece of jade with a hole in center [ə piːs əv dʒeid wið ə həul in 'sentə]

## BIAN　ㄅㄧㄢ

| biān | 笔画 | 部首 | 结构 | 五笔 | 造字法 |
|---|---|---|---|---|---|
| 边 | 5 | 辶 | 半包围 | LP | 形声 |
| 笔顺 | ㇇ 力 力 边 边 | | | | |

【解　释】❶边界;边境。❷几何图形上夹成角的射线或围成多边形的线段。❸边缘。❹镶在或画在边缘上的条状装饰。❺界限。❻靠近物体的地方。❼方面。❽用在时间词或数词后,表示接近某个数目。❾两个或几个"边"字分别用在动词前面,表示动作同时进行。❿姓。
【组　词】边防　边关　边缘　边远
【同音字】编(编辑)　鞭(鞭子)
【形近字】过(过去)
【反义词】边缘/中心
【近义词】边际/边缘
【谚　语】边学边问,才有学问。
【英　语】边境　border ['bɔːdə]

| biān | 笔画 | 部首 | 结构 | 五笔 | 造字法 |
|---|---|---|---|---|---|
| 砭 | 9 | 石 | 左右 | DTPY | 形声 |
| 笔顺 | 一 丆 丆 石 石 石 石 砭 砭 | | | | |

【解　释】❶砭石。❷古代用石针扎皮肉治病。
【组　词】砭骨　砭石
【造　句】针砭时弊——鲁迅的杂文起到了强烈的针砭时弊的作用。
【同音字】边(靠边)　编(编写)
【形近字】泛(泛指)
【成　语】针砭时弊

| biān | 笔画 | 部首 | 结构 | 五笔 | 造字法 |
|---|---|---|---|---|---|
| 编 | 12 | 纟 | 左右 | XYNA | 形声 |
| 笔顺 | 纟 纟 纟 纟 纟 纟 纟 纟 编 编 编 编 | | | | |

【解　释】❶把细长条状的东西交叉组织起来。❷把分散的事物按照一定的顺序排列起来。❸对文字的加工整理。❹创作(歌曲、剧本等)。❺捏造。❻书籍按内容划分的单位,大于"章"。
【组　词】编次　编导　编订　编号　编辑　编校　编码　编造
【造　句】编号——图书馆的图书上面都有编号。
【辨　音】不读 piān。

【同音字】边(靠边)　蝙(蝙蝠)
【形近字】蝙(蝙蝠)
【近义词】编写/编著
【谚　语】编筐编篓,全在收口;描龙画凤,难在点睛。
【英　语】编者　editor [ˈeditə]

| biān | 笔画 | 部首 | 结构 | 五笔 | 造字法 |
|---|---|---|---|---|---|
| 蝙 | 15 | 虫 | 左右 | JYNA | 形声 |
| 笔顺 | 丶 冖 口 中 虫 虫 虫 虫 虫 虫 虫 虫 蝙 蝙 蝙 | | | | |

【解　释】[蝙蝠]哺乳动物,头部和躯干像老鼠,四肢和尾部之间有皮质的膜,夜间在空中飞翔,吃蚊、蛾等昆虫。视力很弱,靠本身发出的超声波来引导飞行。
【组　词】蝙蝠
【辨　音】不读 biǎn。
【同音字】边(边防)
【形近字】编(编写)
【英　语】蝙蝠　bat [bæt]

| biān | 笔画 | 部首 | 结构 | 五笔 | 造字法 |
|---|---|---|---|---|---|
| 鞭 | 18 | 革 | 左右 | AFWQ | 形声 |
| 笔顺 | 一 十 廿 廿 廿 廿 苦 革 革 革 革 革 革 革 鞭 鞭 鞭 鞭 | | | | |

【解　释】❶一种长索。❷古代兵器,用铁做成,有节,没有锋刃。❸形状细长类似鞭子的东西。❹成串的小爆竹,放起来响声连续不断。❺打。
【组　词】鞭策　鞭笞　鞭子
【造　句】鞭策——我们要经常鞭策自己,努力学习。
【辨　音】不读 biàn。
【同音字】边(边远)　编(编写)
【形近字】靴(靴子)
【成　语】鞭长莫及
【歇后语】鞭炮插在烂泥里放——有气响不出。
【谚　语】鞭子伤肉,恶语伤心。
【英　语】鞭子　whip [wip]

| biǎn | 笔画 | 部首 | 结构 | 五笔 | 造字法 |
|---|---|---|---|---|---|
| 贬 | 8 | 贝 | 左右 | MTPY | 会意 |
| 笔顺 | 丨 冂 贝 贝 贝 贝 贬 贬 | | | | |

【解　释】❶降低(封建时代多指官职,现多指价值)。❷指出缺点,给予不好的评价。
【组　词】贬斥　贬词　贬低　贬责　贬值　贬职　贬义
【造　句】贬低——对这部电影的任何贬低都是不客观的。
【同音字】扁(扁平)　匾(横匾)
【形近字】泛(泛指)
【英　语】贬值　devalue [diːˈvæljuː]

| biǎn | 笔画 | 部首 | 结构 | 五笔 | 造字法 |
|---|---|---|---|---|---|
| 扁 | 9 | 户 | 半包围 | YNMA | 会意 |
| 笔顺 | 丶 ㇇ 彐 户 户 扁 扁 扁 扁 | | | | |

【解　释】图形或字体上下的距离比左右的距离小,物体的厚度比长度、宽度小。
【组　词】扁担　扁豆　扁平　扁鹊　扁桃体
【同音字】贬(贬低)
【形近字】编(编写)
【反义词】扁/圆
【歇后语】扁担吹火——不通。
【谚　语】扁担横起有吃,扁担立

起无吃。
【英　语】扁平　flat ［flæt］
【多音字】piān（见 549 页）

| biǎn | 笔画 | 部首 | 结构 | 五笔 | 造字法 |
| --- | --- | --- | --- | --- | --- |
| 匾 | 11 | 匸 | 半包围 | AYNA | 形声 |
| 笔顺 | 一 二 亍 亓 戸 戸 扁 扁 扁 扁 匾 | | | | |

【解　释】❶上面题着作为标记或表示赞扬文字的长方形木牌（也有用绸布做成的）。❷用竹篾编成的器具，圆形平底，边框很浅，用来养蚕或盛粮食。
【组　词】匾额　横匾　竹匾
【造　句】竹匾——我奶奶把以前养蚕的竹匾留作纪念。
【同音字】扁（扁平）
【形近字】匡（匡正）
【英　语】匾额　a horizontal inscribed board ［ə hɔri'zɔntl in'skraibd bɔːd］

| biàn | 笔画 | 部首 | 结构 | 五笔 | 造字法 |
| --- | --- | --- | --- | --- | --- |
| 卞 | 4 | 亠 | 上下 | YHU | 形声 |
| 笔顺 | 丶 亠 亍 卞 | | | | |

【解　释】❶（书）急躁。❷姓。
【组　词】卞急
【同音字】变（变脸）
【形近字】下（下水）

| biàn | 笔画 | 部首 | 结构 | 五笔 | 造字法 |
| --- | --- | --- | --- | --- | --- |
| 汴 | 7 | 氵 | 左右 | IYHY | 形声 |
| 笔顺 | 丶 丶 氵 氵 汁 汴 汴 | | | | |

【解　释】河南开封的别称。
【同音字】遍（遍地）
【形近字】沐（沐浴）

| biàn | 笔画 | 部首 | 结构 | 五笔 | 造字法 |
| --- | --- | --- | --- | --- | --- |
| 变 | 8 | 又 | 上下 | YOCU | 形声 |
| 笔顺 | 丶 亠 亣 亦 亦 亦 变 变 | | | | |

【解　释】❶和原来的不同。❷改变（性质、状态）。❸使改变。❹能变化的；已变化的。❺变卖。❻变通。❼有重大影响的突然变化。❽指变文。
【组　词】变换　变化　变色　变频
【造　句】变化——几年没回乡下了，乡下变化可真大啊！
【同音字】遍（三遍）
【形近字】弯（弯腰）
【成　语】变本加厉　变化多端
【反义词】千变万化/一成不变
【近义词】改变/变化
【英　语】变换　vary ［'vɛəri］

| biàn | 笔画 | 部首 | 结构 | 五笔 | 造字法 |
| --- | --- | --- | --- | --- | --- |
| 便 | 9 | 亻 | 左右 | WGJQ | 会意 |
| 笔顺 | 丿 亻 亻 仁 佰 佰 佰 便 便 | | | | |

【解　释】❶方便；顺利。❷方便的时候或顺便的机会。❸非正式的；简单平常的。❹屎或尿。❺排泄屎、尿。
【组　词】方便　轻便　便饭
【造　句】方便——骑自行车上学比搭公交车更方便。
【辨　音】不读 piān。
【同音字】遍（遍数）
【形近字】硬（硬度）
【成　语】便宜行事
【近义词】便利/便当

【谚　语】便后洗手，菌不入口。
【英　语】便利 convenient [kən'viːnjənt]
【多音字】pián（见 550 页）

| biàn | 笔画 | 部首 | 结构 | 五笔 | 造字法 |
|---|---|---|---|---|---|
| 遍 | 12 | 辶 | 半包围 | YNMP | 形声 |
| 笔顺 | 丶 亠 亠 户 户 肩 扁 扁 扁 扁 谝 遍 | | | | |

【解　释】❶普遍；全面。❷量词。一个动作从开始到结束的整个过程为一遍。
【组　词】遍野　遍及　遍布
【造　句】遍野——春天来了，遍野绿色。
【同音字】变（变化）
【形近字】编（编写）
【成　语】遍体鳞伤
【反义词】普遍/局部
【近义词】普遍/普通
【谚　语】遍地有黄金，单等勤劳人。
【英　语】遍地 everywhere ['evriweə]

| biàn | 笔画 | 部首 | 结构 | 五笔 | 造字法 |
|---|---|---|---|---|---|
| 辨 | 16 | 辛 | 左中右 | UYTU | 形声 |
| 笔顺 | 丶 亠 亠 立 立 辛 辛 辛 剌 剌 剌 剌 辨 辨 辨 辨 | | | | |

【解　释】区别；分析。
【组　词】辨别　辨认　辨析　辨识
【造　句】辨认——照片已模糊不清，无法辨认。
【同音字】变(变化)　遍(遍地)
【形近字】辩(辩论)
【成　语】明辨是非
【反义词】辨别/混淆
【近义词】辨别/区别
【英　语】辨别 differentiate [difə'renʃieit]

| biàn | 笔画 | 部首 | 结构 | 五笔 | 造字法 |
|---|---|---|---|---|---|
| 辩 | 16 | 辛 | 左中右 | UYUH | 形声 |
| 笔顺 | 丶 亠 亠 立 立 辛 辛 辛 辛 辛 辛 辛 辛 辩 辩 辩 | | | | |

【解　释】辩解；争论。
【组　词】争辩　辩驳　辩护　辩论
【造　句】辩驳——他说的话句句在理，我无法辩驳。
【同音字】遍（遍地开花）
【形近字】辨（分辨）
【成　语】辩口利辞
【近义词】辩论/争论
【英　语】辩论 debate [di'beit]

| biàn | 笔画 | 部首 | 结构 | 五笔 | 造字法 |
|---|---|---|---|---|---|
| 辫 | 17 | 辛 | 左中右 | UXUH | 形声 |
| 笔顺 | 丶 亠 亠 立 立 辛 辛 辛 辛 辛 辛 辛 辛 辛 辫 辫 辫 | | | | |

【解　释】把头发或丝缕等分股交织成的条状物。
【组　词】辫子
【同音字】变（变化）
【形近字】辩（辩论）
【英　语】辫子 braid [breid]

## BIAO ㄅㄧㄠ

| biāo | 笔画 | 部首 | 结构 | 五笔 | 造字法 |
|---|---|---|---|---|---|
| 标 | 9 | 木 | 左右 | SFIY | 形声 |
| 笔顺 | 一 十 才 木 木 朩 朾 杤 标 | | | | |

【解　释】❶树木的末梢。❷事物的枝节或表面。❸标记；记号。❹标准；指标。❺用文字或其他事物表明。❻给竞争优胜者的奖品。❼用比价的方式承包工程或买卖货物时各竞争厂商所开出的价格。❽清末陆军编制之一，相当于后来的团。❾量词。用于队伍。
【组　词】标榜　标本　标记
【造　句】标记——他把文章中需要修改的地方都做了标记。
【同音字】彪(彪形大汉)
【形近字】杯(水杯)
【成　语】标新立异
【近义词】标志/标记
【英　语】标记　mark [mɑːk]

| biāo | 笔画 | 部首 | 结构 | 五笔 | 造字法 |
|---|---|---|---|---|---|
| 彪 | 11 | 虎 | 半包围 | HAME | 会意 |
| 笔顺 | 丨 ⺊ 𠂉 广 卢 卢 虍 虎 虎 彪 彪 | | | | |

【解　释】❶小老虎，比喻身材高大。❷虎身上的斑纹，借指文采。❸量词。❹姓。
【组　词】彪炳　彪形大汉
【造　句】彪形大汉——小晓的叔叔是个彪形大汉。
【同音字】标(标点)　膘(长膘)
【形近字】虎(老虎)
【英　语】彪炳　shining [ˈʃainiŋ]

| biāo | 笔画 | 部首 | 结构 | 五笔 | 造字法 |
|---|---|---|---|---|---|
| 膘 | 15 | 月 | 左右 | ESFI | 形声 |
| 笔顺 | 丿 刀 月 月 月 肘 肘 肘 肘 肼 肼 膘 膘 膘 膘 | | | | |

【解　释】肥肉(多用于牲畜，用于人时带贬义或戏谑意)。
【组　词】长膘　跌膘　膘肥体壮
【造　句】长膘——这头猪最近长膘了。
【同音字】标(标准)　彪(彪形)
【形近字】漂(漂亮)
【英　语】长膘　get fat [get fæt]

| biāo | 笔画 | 部首 | 结构 | 五笔 | 造字法 |
|---|---|---|---|---|---|
| 镖 | 16 | 钅 | 左右 | QSFI | 形声 |
| 笔顺 | 丿 𠂉 𠂉 乍 钅 钉 钉 钉 钉 钾 钾 钾 镖 镖 镖 镖 | | | | |

【解　释】旧式武器，形状像矛的头，古时用于投掷伤人。
【组　词】飞镖　镖局
【同音字】标(标准)　彪(彪形)
【形近字】漂(漂亮)　膘(长膘)
【英　语】保镖　bodyguard [ˈbɔdigɑːd]

| biǎo | 笔画 | 部首 | 结构 | 五笔 | 造字法 |
|---|---|---|---|---|---|
| 表 | 8 | 一 | 上下 | GEU | 会意 |
| 笔顺 | 一 二 キ 丰 声 表 表 表 | | | | |

【解　释】❶外面；外部。❷亲戚关系中的一种。❸把思想感情显示出来。❹俗称用药物把受到的风寒发散出来。❺榜样；模范。❻古代文体奏章的一种，用于较重大的事件。❼用表格形式排列事项的书籍或文件。❽测量某种量的器具。
【组　词】表面　表格　表情　表示
【造　句】表面——我家有一对小瓷鹅，表面特别光滑。

【同音字】裱(装裱)
【形近字】青(青年)
【成　语】表里如一
【谚　语】表壮不如里壮。
【英　语】表达　show [ʃəu]

| biǎo | 笔画 | 部首 | 结构 | 五笔 | 造字法 |
|---|---|---|---|---|---|
| 裱 | 13 | 衤 | 左右 | PUGE | 形声 |
| 笔顺 | 丶 ㇇ 礻 礻 衤 衤 衤 衤 衤 衤 衤 衤 裱 | | | | |

【解　释】❶用纸或丝织品把字画、古书等衬托粘贴起来,使美观耐久。❷用纸糊屋子的墙壁或顶棚。
【组　词】裱褙　裱糊　装裱
【造　句】裱褙——这幅字经过裱褙后,更显古朴了。
【同音字】表(表面)
【英　语】裱褙　mount [maunt]

## BIE ㄅㄧㄝ

| biē | 笔画 | 部首 | 结构 | 五笔 | 造字法 |
|---|---|---|---|---|---|
| 瘪 | 15 | 疒 | 半包围 | UTHX | 形声 |
| 笔顺 | 丶 亠 广 疒 疒 疒 疒 疒 疒 疒 疒 疒 疒 疒 瘪 | | | | |

【解　释】瘪三,旧时上海人对靠乞讨或偷窃生活的无业游民的称呼。
【多音字】biě(见52页)

| biē | 笔画 | 部首 | 结构 | 五笔 | 造字法 |
|---|---|---|---|---|---|
| 憋 | 15 | 心 | 上下 | UMIN | 形声 |
| 笔顺 | 丶 丷 丬 㡀 㡀 㡀 㡀 㡀 㡀 敝 敝 敝 憋 憋 憋 | | | | |

【解　释】❶抑制或堵住不让出来。❷闷。
【组　词】憋闷　憋气
【造　句】憋闷——在地下室里时间长了,会觉得憋闷。
【同音字】鳖(大鳖)
【形近字】鳖(鳖鱼)
【英　语】憋气　feel suffocated [fiːl ˌsʌfəˈkeitid]

| biē | 笔画 | 部首 | 结构 | 五笔 | 造字法 |
|---|---|---|---|---|---|
| 鳖 | 19 | 鱼 | 上下 | UMIG | 形声 |
| 笔顺 | 丶 丷 丬 㡀 㡀 㡀 㡀 㡀 㡀 敝 敝 敝 敝 敝 鳖 鳖 鳖 鳖 鳖 | | | | |

【解　释】爬行动物,生活在水里,形状像龟,背甲上有软皮。也叫甲鱼或团鱼,俗称王八。
【同音字】憋(憋气)
【形近字】憋(憋闷)
【英　语】鳖　turtle [ˈtəːtl]

| bié | 笔画 | 部首 | 结构 | 五笔 | 造字法 |
|---|---|---|---|---|---|
| 别 | 7 | 刂 | 左右 | KLJH | 会意 |
| 笔顺 | 丨 ㄇ 口 号 另 别 别 | | | | |

【解　释】❶分离。❷分辨;区分。❸类别;分类。❹另外的。❺副词。即不要,表示禁止或劝阻。❻绷住或卡住。
【组　词】分别　别号　别称
【造　句】别提——他那个高兴劲儿啊,就别提了。
【同音字】蹩(蹩脚)
【形近字】捌(捌个)
【成　语】别具一格　别开生面
【反义词】别致/寻常
【近义词】别致/新奇

B

【歇后语】鲁班皱眉头——别具匠心。
【谚　语】别看衣衫,要看心灵。
【英　语】离别　leave [liːv]
【多音字】biè(见52页)

| biě | 笔画 | 部首 | 结构 | 五笔 | 造字法 |
| --- | --- | --- | --- | --- | --- |
| 瘪 | 15 | 疒 | 半包围 | UTHX | 形声 |
| 笔顺 | 丶 亠 广 疒 疒 疒 疒 疒 疒 疒 疒 疒 疒 瘪 瘪 | | | | |

【解　释】❶物体表面凹下去,不饱满。❷(方)为难;使为难。
【组　词】干瘪　瘪子
【造　句】瘪子——把种子放在水中,没长成的瘪子自然就浮在水面上了。
【形近字】病(病人)
【歇后语】瘪瓜子儿——不诚(成)实|瘪芝麻榨油——没多大油水|瘪嘴吹萧——走漏风声。
【英　语】瘪　shrunk [ʃrʌŋk]
【多音字】biē(见51页)

| biè | 笔画 | 部首 | 结构 | 五笔 | 造字法 |
| --- | --- | --- | --- | --- | --- |
| 别 | 7 | 刂 | 左右 | KLJH | 会意 |
| 笔顺 | 丶 口 口 号 另 别 别 | | | | |

【解　释】不顺;不和。
【组　词】别扭　别嘴
【造　句】别扭——你这话怎么听着这么别扭。
【形近字】捌(捌个)
【反义词】别嘴/绕嘴
【近义词】别扭/投契
【英　语】别扭　awkward [ˈɔːkwəd]
【多音字】bié(见52页)

## BIN　ㄅㄧㄣ

| bīn | 笔画 | 部首 | 结构 | 五笔 | 造字法 |
| --- | --- | --- | --- | --- | --- |
| 宾 | 10 | 宀 | 上下 | PRGW | 形声 |
| 笔顺 | 丶 丶 宀 宀 宀 宀 宀 宀 宾 宾 | | | | |

【解　释】❶客人。❷姓。

甲骨文　金文　小篆　隶书　楷书

【字源释义】甲骨文的"宾"字如同一个人从屋外走进屋内的情状,金文加上"贝"或"鼎",表示带来礼物的就是"宾客"。
【组　词】宾客　宾白　宾语
【造　句】宾白——我查了词典,才知道"宾白"是指戏曲中的对白。
【同音字】彬(彬彬有礼)
【形近字】室(室内)
【成　语】宾至如归
【英　语】宾客　guest [gest]

| bīn | 笔画 | 部首 | 结构 | 五笔 | 造字法 |
| --- | --- | --- | --- | --- | --- |
| 彬 | 11 | 彡 | 左右 | SSET | 形声 |
| 笔顺 | 一 十 才 木 木 村 林 林 彬 彬 彬 | | | | |

【解　释】彬彬,形容文雅。

【造 句】彬彬有礼——小强到我家来总是彬彬有礼的,我爸爸妈妈很喜欢他。
【辨 音】不读 shān。
【同音字】宾(宾客) 缤(缤纷)
【形近字】衫(衬衫)
【成 语】彬彬有礼 文质彬彬
【英 语】彬彬有礼 courteous [ˈkəːtiəs]

| bīn | 笔画 | 部首 | 结构 | 五笔 | 造字法 |
|---|---|---|---|---|---|
| 斌 | 12 | 文 | 左右 | YGAH | 形声 |

笔顺 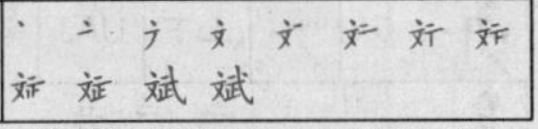

【解 释】同“彬”。多用于人名。
【同音字】宾(宾客) 缤(缤纷)
【形近字】武(武艺)

| bīn | 笔画 | 部首 | 结构 | 五笔 | 造字法 |
|---|---|---|---|---|---|
| 滨 | 13 | 氵 | 左右 | IPRW | 形声 |

笔顺 

【解 释】❶水边;近水的地方。❷靠近(水边)。
【组 词】海滨 湖滨
【造 句】海滨——我外婆家住在海滨。
【同音字】彬(彬彬有礼)
【形近字】傧(傧相)
【英 语】海滨 seaside [ˈsiːsaid]

| bīn | 笔画 | 部首 | 结构 | 五笔 | 造字法 |
|---|---|---|---|---|---|
| 缤 | 13 | 纟 | 左右 | XPRW | 形声 |

笔顺 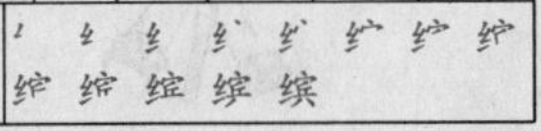

【解 释】缤纷,繁多而凌乱的样子。
【组 词】缤纷
【造 句】缤纷——国庆节的时候,街上到处都是五彩缤纷的旗帜。
【同音字】彬(彬彬有礼)
【成 语】五彩缤纷 落英缤纷
【英 语】缤纷 in riotous profusion [in ˈraiətəs prəˈfjuːʒən]

| bīn | 笔画 | 部首 | 结构 | 五笔 | 造字法 |
|---|---|---|---|---|---|
| 槟 | 14 | 木 | 左右 | SPRW | 形声 |

笔顺 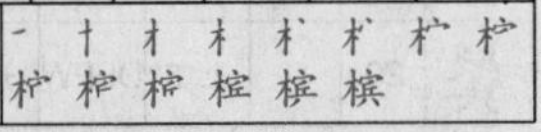

【解 释】槟子树,苹果树的一种。果实比苹果小,红色,熟后转紫红。也指这种植物的果实。
【同音字】宾(宾客) 濒(濒临)
【形近字】傧(女傧)
【多音字】bīng(见 55 页)

| bīn | 笔画 | 部首 | 结构 | 五笔 | 造字法 |
|---|---|---|---|---|---|
| 濒 | 16 | 氵 | 左右 | IHIM | 会意 |

笔顺 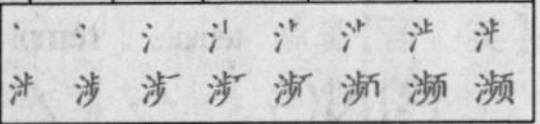

【解 释】❶紧靠(水边)。❷临近;接近。
【组 词】濒临 濒于 濒危
【造 句】濒临——这家餐馆濒临倒闭。
【辨 音】不读 pín。
【同音字】宾(宾客) 滨(海滨)
【形近字】频(频道)
【英 语】濒临 be close to [biː kləuz tuː]

| bìn | 笔画 | 部首 | 结构 | 五笔 | 造字法 |
|---|---|---|---|---|---|
| 殡 | 14 | 歹 | 左右 | GQPW | 形声 |
| 笔顺 | 一 ア 歹 歹 歹 歹 歹 歹 歹 歹 歹 歹 殡 殡 | | | | |

【解　释】停放灵柩；把灵柩送到埋葬或火化的地方去。
【组　词】出殡　殡车　殡殓
【造　句】出殡——村子里有家办丧事的，明天出殡。
【形近字】槟（槟子）
【英　语】殡车　hearse ［həːs］

| bìn | 笔画 | 部首 | 结构 | 五笔 | 造字法 |
|---|---|---|---|---|---|
| 鬓 | 20 | 髟 | 上下 | DEPW | 形声 |
| 笔顺 | 一 ㄏ ㄏ ㄏ 镸 镸 镸 镸 髟 髟 髟 髟 髟 髟 髟 髟 髟 髟 鬓 鬓 | | | | |

【解　释】❶面颊两侧近耳的头发。❷耳朵前边长头发的部位。
【组　词】鬓角　鬓发
【造　句】鬓角——爷爷的鬓角已经斑白了。
【同音字】摈（摈弃）
【形近字】鬃（鬃毛）
【英　语】鬓角　temple ［'templ］

## BING　ㄅㄧㄥ

| bīng | 笔画 | 部首 | 结构 | 五笔 | 造字法 |
|---|---|---|---|---|---|
| 冰 | 6 | 冫 | 左右 | UIY | 会意 |
| 笔顺 | 丶 冫 冫 冫 冫 冰 | | | | |

【解　释】❶水受冷凝结成的固体。❷因接触凉的东西而感到寒冷。❸把东西和冰放在一起使变凉。❹洁白；晶莹。
【组　词】冰棒　冰雹　冰床　冰花　冰凉　冰糖
【造　句】冰雹——冰雹给农作物带来很大危害。
【辨　音】不读 bīn。
【同音字】兵（当兵）　槟（槟榔）
【形近字】泳（游泳）
【成　语】冰天雪地　冰消瓦解　冰雪聪明　玉洁冰清
【谚　语】冰冻三尺，非一日之寒｜冰旺来年收成好。
【英　语】冰　ice ［ais］

| bīng | 笔画 | 部首 | 结构 | 五笔 | 造字法 |
|---|---|---|---|---|---|
| 并 | 6 | 丷 | 上下 | UAJ | 会意 |
| 笔顺 | 丶 丷 䒑 兰 𠔉 并 | | | | |

【解　释】山西太原的别称。
【多音字】bìng（见 57 页）

| bīng | 笔画 | 部首 | 结构 | 五笔 | 造字法 |
|---|---|---|---|---|---|
| 兵 | 7 | 八 | 上下 | RGWU | 会意 |
| 笔顺 | 一 厂 F 斤 丘 乒 兵 | | | | |

【解　释】❶武器。❷军人；军队。❸军队中的最基层成员。❹关于军事或战争的。

甲骨文　金文　小篆　隶书　楷书

【字源释义】“兵”字的本义是“兵器”，后来才引申为“兵士”。字的上部是“斤”字，像一把斧状的武器；下部是两只握武器的手。
【组　词】兵法　兵家　兵员　当兵
【造　句】当兵——去年12月，我表哥当兵去了。
【同音字】槟（槟榔）
【形近字】丘（山丘）
【成　语】兵不血刃　兵不厌诈　兵荒马乱
【谚　语】兵不离队，鸟不离群。
【英　语】兵器　weapon　[ˈwepən]

| bīng | 笔画 | 部首 | 结构 | 五笔 | 造字法 |
|---|---|---|---|---|---|
| 槟 | 14 | 木 | 左右 | SPRW | 形声 |
| 笔顺 | 一 十 才 木 木 杧 栌 栌 栌 栌 梓 梓 梹 槟 | | | | |

【解　释】槟榔，常绿乔木，树干很高，羽状复叶。果实也叫槟榔，可以吃，也供药用。
【组　词】槟榔
【同音字】兵（当兵）
【英　语】槟榔　areca　[æˈriːkə]
【谚　语】槟榔扶留，可以忘忧。
【多音字】bīn（见53页）

| bǐng | 笔画 | 部首 | 结构 | 五笔 | 造字法 |
|---|---|---|---|---|---|
| 丙 | 5 | 一 | 独体 | GMW | 象形 |
| 笔顺 | 一 丅 冂 丙 丙 | | | | |

【解　释】天干的第三位，也表示顺序第三。

甲骨文　金文　小篆　隶书　楷书

【字源释义】这个字最早是指“鱼尾”，但是这个本义早已不存在了，一般借指天干第三位的名称。
【组　词】丙部　丙纶　丙丁
【辨　音】不读bǐn。
【同音字】柄（把柄）
【形近字】两（两人）

| bǐng | 笔画 | 部首 | 结构 | 五笔 | 造字法 |
|---|---|---|---|---|---|
| 秉 | 8 | 丿 | 独体 | TGVI | 会意 |
| 笔顺 | 一 二 キ 乓 臿 垂 秉 秉 | | | | |

【解　释】❶拿着；握着。❷掌握；主持。❸性格。
【组　词】秉承　秉公　秉性
【造　句】秉性——我哥哥秉性淳朴。
【同音字】柄（把柄）
【形近字】乘（乘法）
【成　语】秉烛夜谈　秉公无私　秉烛待旦
【反义词】秉公/徇私
【近义词】秉性/本性
【英　语】秉性　nature　[ˈneitʃə]

| bǐng | 笔画 | 部首 | 结构 | 五笔 | 造字法 |
|---|---|---|---|---|---|
| 柄 | 9 | 木 | 左右 | SGMW | 形声 |
| 笔顺 | 一 十 才 木 朾 杄 枥 柄 柄 | | | | |

【解　释】❶器物上的把儿。❷植物的花、叶或果实跟茎或枝连着的部分。❸比喻在言行上被人抓住的材料。❹权力。❺量词。用于某些带把儿的东西。

【组　词】笑柄　话柄　把柄　花柄　叶柄　国柄

【造　句】笑柄——他错把麦苗当韭菜,成为了别人的笑柄。

【辨　音】不读 bǐn。

【同音字】丙(丙丁)

【形近字】栖(栖息)

【英　语】把柄 handle [ˈhændl]

| bǐng | 笔画 | 部首 | 结构 | 五笔 | 造字法 |
|---|---|---|---|---|---|
| 饼 | 9 | 饣 | 左右 | QNUA | 形声 |
| 笔顺 | 丿 𠂉 饣 饣 饣 饣 饣 饼 饼 | | | | |

【解　释】❶泛指烤熟或蒸熟的面食,形状大多扁而圆。❷形状像饼的东西。

【组　词】饼干　月饼　烧饼

【同音字】柄(把柄)　秉(秉性)

【形近字】拼(拼音)

【歇后语】饼铺里的灶王爷——独坐。

【谚　语】饼再大也大不过烤饼的锅。

【英　语】饼干 biscuit [ˈbiskit]

| bǐng | 笔画 | 部首 | 结构 | 五笔 | 造字法 |
|---|---|---|---|---|---|
| 炳 | 9 | 火 | 左右 | OGMW | 形声 |
| 笔顺 | 丶 丷 火 火 灯 灯 炳 炳 炳 | | | | |

【解　释】光明;显著。

【组　词】彪炳　炳蔚　炳耀

【同音字】丙(丙丁)

【形近字】烟(烟火)

【英　语】炳 bright [brait]

| bǐng | 笔画 | 部首 | 结构 | 五笔 | 造字法 |
|---|---|---|---|---|---|
| 屏 | 9 | 尸 | 半包围 | NUAK | 形声 |
| 笔顺 | 乛 コ 尸 尸 尸 层 屃 屏 屏 | | | | |

【解　释】❶抑制(呼吸)。❷除去;排除。

【组　词】屏除　屏气　屏弃　屏退

【造　句】屏气——他放轻脚步,屏气向病房走去。

【同音字】丙(丙丁)　柄(把柄)

【成　语】屏气凝神　屏息凝视

【近义词】屏息/屏气

【英　语】屏弃 discard [disˈkaːd]

【多音字】píng(见 556 页)

| bǐng | 笔画 | 部首 | 结构 | 五笔 | 造字法 |
|---|---|---|---|---|---|
| 禀 | 13 | 亠 | 上中下 | YLKI | 会意 |
| 笔顺 | 丶 亠 亠 亩 亩 亩 亩 亩 亩 亶 禀 禀 禀 | | | | |

【解　释】❶汇报;报告。❷旧时呈报的文件。❸承受。

【组　词】禀报　回禀　禀赋　禀性　禀帖　禀告

【造　句】禀报——我应该向老师

禀报这件事，让老师来处理。
【同音字】丙（丙丁） 饼（饼干）
【形近字】凛（凛冽）
【成　语】禀性难移
【英　语】禀告 report [ri'pɔːt]

| bìng | 笔画 | 部首 | 结构 | 五笔 | 造字法 |
|---|---|---|---|---|---|
| 并 | 6 | 丷 | 上下 | UAJ | 会意 |
| 笔顺 | 丶 丷 䒑 兰 并 并 | | | | |

【解　释】❶合；合在一起。❷一齐；平排着。❸连词。表示更进一层的意思（相当于并且）。❹副词。放在否定词前，表示不像预料的那样。❺副词。表示同时存在，同时进行或同等对待。

甲骨文　金文　小篆　隶书　楷书

【字源释义】“并”为简化字，它合并了两个字：一个原作“並”，意思是“并立”、“在一起”，字形是两个人并肩站在地上；一个原作“併”，意思是“合并”、“兼并”。
【组　词】并存　并发　并列　并购　并轨　并且　并行　并重　合并
【造　句】并重——优秀学生的标准应是德、智、体并重。
【辨　音】不读 bìn。
【同音字】病（治病）
【形近字】开（开水）
【成　语】并驾齐驱
【反义词】合并/分开
【近义词】并列/并行
【英　语】并列 stand side by side [stænd said bai said]
【多音字】bīng（见 54 页）

| bìng | 笔画 | 部首 | 结构 | 五笔 | 造字法 |
|---|---|---|---|---|---|
| 病 | 10 | 疒 | 半包围 | UGMW | 形声 |
| 笔顺 | 丶 亠 广 广 疒 疒 疒 疒 病 病 | | | | |

【解　释】❶生理上或心理上失去健康的状态。❷心病；私弊。❸缺点；错误。❹祸害；损害。❺责备；不满。
【组　词】生病　疾病　病床　语病　病人　病句　病毒　病症
【造　句】生病——李老师生病住院了，我们都很难过。
【同音字】并（并且）
【形近字】疾（疾病）
【成　语】病入膏肓
【谚　语】病从口入，祸从口出。
【英　语】疾病 illness ['ilnis]

| bìng | 笔画 | 部首 | 结构 | 五笔 | 造字法 |
|---|---|---|---|---|---|
| 摒 | 12 | 扌 | 左右 | RNUA | 形声 |
| 笔顺 | 一 十 扌 扌 扌 护 护 护 护 摒 摒 摒 | | | | |

【解　释】排除；除去。
【组　词】摒除　摒绝　摒弃
【造　句】摒弃——我们应该摒弃

一切杂念，专心学习。
【辨　音】不读 píng
【同音字】并(并且)
【形近字】屏(屏气)
【英　语】摒弃 renounce [ri'nauns]

## BO ㄅㄛ

| bō | 笔画 | 部首 | 结构 | 五笔 | 造字法 |
| --- | --- | --- | --- | --- | --- |
| 拨 | 8 | 扌 | 左右 | RNTY | 形声 |
| 笔顺 | 一 十 扌 扌 扐 扐 拨 拨 | | | | |

【解　释】❶手指或棍棒等横着用力，使东西移动。❷分一部分给别人。❸掉转。
【组　词】拨门　拨发　拨付　拨号　拨弄　拨打
【造　句】拨弄——他用小棍儿小心翼翼地拨弄火盆里的炭。
【同音字】波(波浪)　玻(玻璃)
【形近字】拔(拔出)
【成　语】拨乱反正　拨云见日
【谚　语】拨亮一盏灯，照红一大片。
【英　语】拨正 correct [kə'rekt]

| bō | 笔画 | 部首 | 结构 | 五笔 | 造字法 |
| --- | --- | --- | --- | --- | --- |
| 波 | 8 | 氵 | 左右 | IHCY | 形声 |
| 笔顺 | 丶 冫 氵 氵 沪 沪 波 波 | | | | |

【解　释】❶水纹起伏的状态。❷振动在物质中的传播过程。❸事物的意外变化。
【组　词】波浪　波动　波及　波纹　波涛　波折
【造　句】波及——这场水灾波及好几个省。
【辨　音】不读 pō。
【同音字】拨(拨号)　剥(剥削)
【形近字】玻(玻璃)　坡(下坡)
【成　语】波澜壮阔　波光粼粼
【反义词】波折/顺利
【近义词】波折/挫折
【英　语】波浪 wave [weiv]

| bō | 笔画 | 部首 | 结构 | 五笔 | 造字法 |
| --- | --- | --- | --- | --- | --- |
| 玻 | 9 | 王 | 左右 | GHCY | 形声 |
| 笔顺 | 一 二 千 王 王 玎 玎 玻 玻 | | | | |

【解　释】[玻璃]❶一种质地硬而脆的透明物体。主要成分是二氧化硅、氧化钠和氧化钙。❷指某些像玻璃的塑料。
【组　词】玻璃　玻璃丝　玻璃钢
【造　句】玻璃钢——这种玻璃钢非常坚固。
【同音字】波(波浪)　播(广播)
【形近字】坡(下坡)
【歇后语】玻璃观音——神明。
【英　语】玻璃 glass [glɑːs]

| bō | 笔画 | 部首 | 结构 | 五笔 | 造字法 |
| --- | --- | --- | --- | --- | --- |
| 钵 | 10 | 钅 | 左右 | QSGG | 形声 |
| 笔顺 | 丿 𠂉 𠂉 乍 钅 钅 针 钋 钵 钵 | | | | |

【解　释】陶制的器具，形状像盆而较小。
【组　词】钵子　饭钵　乳钵
【造　句】乳钵——我爷爷病了，奶奶在一旁用乳钵为他研药。
【同音字】玻(玻璃)　播(播音)
【形近字】体(体育)

| bō | 笔画 | 部首 | 结构 | 五笔 | 造字法 |
|---|---|---|---|---|---|
| 剥 | 10 | 刂 | 左右 | VIJH | 会意 |
| 笔顺 | ㇕ ㇕ 彐 ⺕ 寻 寻 录 录 录 剥 | | | | |

【解　释】去掉外面的皮或壳。专用于成语或合成词。
【组　词】剥夺　剥削　剥落
【造　句】剥落——我们家的房子已经住了很多年，门上的油漆在慢慢剥落。
【同音字】波(波浪)　播(播音)
【反义词】剥夺/给予
【近义词】剥落/脱落
【英　语】剥削　exploit ［ik'splɔit］
【多音字】bāo(见 27 页)

| bō | 笔画 | 部首 | 结构 | 五笔 | 造字法 |
|---|---|---|---|---|---|
| 菠 | 11 | 艹 | 上下 | AIHC | 形声 |
| 笔顺 | 一 十 艹 艹 艹 茳 茳 茳 菠 菠 菠 | | | | |

【解　释】菠菜，一年生或二年生草本植物，是普通蔬菜。
【组　词】菠菜　菠萝
【辨　音】不读 bó 或 pō。
【同音字】波(波浪)　播(播音)
【形近字】坡(下坡)　玻(玻璃)
【歇后语】菠菜煮豆腐——清清(青青)白白。
【英　语】菠菜　spinach ［'spinidʒ］

| bō | 笔画 | 部首 | 结构 | 五笔 | 造字法 |
|---|---|---|---|---|---|
| 播 | 15 | 扌 | 左右 | RTOL | 形声 |
| 笔顺 | 一 十 扌 扌 扌 扌 护 抨 抨 採 採 播 播 播 播 | | | | |

【解　释】❶撒种子。❷传递；传扬。
【组　词】播种　夏播　播放　播音　播映　播弄　播撒　播报
【造　句】播种——播种小麦的季节到了，农民伯伯都在地里劳作着。
【同音字】玻(玻璃)　剥(剥削)
【形近字】潘(姓潘)
【近义词】剥落/脱落
【谚　语】播种德行者，必载名望归。
【英　语】播音　broadcast ［'brɔːdkɑːst］

| bó | 笔画 | 部首 | 结构 | 五笔 | 造字法 |
|---|---|---|---|---|---|
| 伯 | 7 | 亻 | 左右 | WRG | 形声 |
| 笔顺 | ノ 亻 亻' 亻' 伯 伯 伯 | | | | |

【解　释】❶父亲的哥哥。在兄弟排行的次序里代表老大。❷封建五等爵位的第三等。
【组　词】伯父　伯伯　伯兄　伯爵　伯乐　伯母　伯仲
【造　句】伯父——我长这么大还没见过我的伯父，爸爸说他在很远的地方当军官。
【同音字】舶(船舶)　帛(布帛)
【形近字】泊(停泊)
【成　语】伯仲之间
【谚　语】伯乐一顾，马价十倍。
【英　语】伯　uncle ［'ʌŋkl］
【多音字】bǎi(见 18 页)

| bó | 笔画 | 部首 | 结构 | 五笔 | 造字法 |
|---|---|---|---|---|---|
| 驳 | 7 | 马 | 左右 | CQQY | 会意 |
| 笔顺 | ㇇ 马 马 马' 马ˣ 驳 驳 | | | | |

【解　释】❶指出对方的意见不合

事实或没有道理；提出自己的意见，否定别人的意见。❷一种颜色夹杂着几种颜色。❸用船转运货物。❹运货的船。
【组　词】驳倒　反驳　驳斥
【造　句】驳倒——要驳倒他的论点非下一番工夫不可。
【同音字】伯(伯母)　泊(停泊)
【形近字】驭(驾驭)
【反义词】驳斥/赞同
【近义词】驳斥/反驳
【英　语】驳斥　refute [riˈfjuːt]

| bó | 笔画 | 部首 | 结构 | 五笔 | 造字法 |
|---|---|---|---|---|---|
| 帛 | 8 | 白 | 上下 | RMHJ | 形声 |
| 笔顺 | ノ 亻 白 白 白 白 帛 帛 | | | | |

【解　释】古代对丝织物的总称。
【组　词】布帛　财帛　玉帛
【造　句】玉帛——每个人都应为化干戈为玉帛出力。
【同音字】泊(泊船)　伯(伯父)
【形近字】绵(绵羊)　棉(棉花)
【英　语】帛　silk [silk]

| bó | 笔画 | 部首 | 结构 | 五笔 | 造字法 |
|---|---|---|---|---|---|
| 泊 | 8 | 氵 | 左右 | IRG | 形声 |
| 笔顺 | 丶 冫 氵 氵′ 氵亻 泊 泊 泊 | | | | |

【解　释】❶船靠岸。❷停留。
【组　词】停泊　漂泊　泊位
【造　句】停泊——即将出海的远洋考察船停泊在大连港。
【辨　音】不读 bái。
【同音字】伯(伯父)　帛(玉帛)
【形近字】伯(伯父)　汩(汩汩)
【英　语】泊位　berth [bəːθ]
【多音字】pō(见 557 页)

| bó | 笔画 | 部首 | 结构 | 五笔 | 造字法 |
|---|---|---|---|---|---|
| 柏 | 9 | 木 | 左右 | SRG | 形声 |
| 笔顺 | 一 十 才 木 木′ 木亻 柏 柏 柏 | | | | |

【解　释】柏林，德国的城市。
【组　词】柏林
【同音字】帛(衣帛)
【多音字】bǎi(见 18 页)

| bó | 笔画 | 部首 | 结构 | 五笔 | 造字法 |
|---|---|---|---|---|---|
| 勃 | 9 | 力 | 左右 | FPBL | 形声 |
| 笔顺 | 一 十 十 声 声 孛 孛 勃 勃 | | | | |

【解　释】旺盛。
【组　词】勃发　勃兴　勃然
【造　句】勃然——他勃然大怒，抬手就把桌子掀了。
【辨　音】不读 bé。
【同音字】伯(伯父)　驳(驳回)
【形近字】脖(脖子)
【成　语】朝气蓬勃　勃然大怒
【反义词】勃勃/衰败
【英　语】生气勃勃　full of vigor [ful əv ˈvigə]

| bó | 笔画 | 部首 | 结构 | 五笔 | 造字法 |
|---|---|---|---|---|---|
| 舶 | 11 | 舟 | 左右 | TERG | 形声 |
| 笔顺 | ノ 丿 月 ⺼ 舟 舟 舟′ 舟亻 舶 舶 舶 | | | | |

【解　释】航海的大船，也指一般的船。
【组　词】船舶
【造　句】船舶——深圳港停放着来自世界各地的大型船舶。
【同音字】泊(停泊)

【形近字】船(船厂)
【英　语】船舶 shipping [ˈʃipiŋ]

| bó | 笔画 | 部首 | 结构 | 五笔 | 造字法 |
|---|---|---|---|---|---|
| 脖 | 11 | 月 | 左右 | EFPB | 形声 |
| 笔顺 | 丿 刀 月 月 月一 月十 月古 月古 脖 脖 脖 | | | | |

【解　释】❶脖子、头和躯干相连的部分。❷器物上像脖子的部分。
【组　词】脖子　脖颈
【同音字】泊(停泊)　驳(驳斥)　伯(伯母)
【形近字】勃(勃然大怒)
【英　语】脖子　neck [nek]

| bó | 笔画 | 部首 | 结构 | 五笔 | 造字法 |
|---|---|---|---|---|---|
| 博 | 12 | 十 | 左右 | FGEF | 会意 |
| 笔顺 | 一 十 十 十 十 十 十 十 十 博 博 博 | | | | |

【解　释】❶量多;丰富。❷古代的一种棋戏,后泛指赌博。❸博取;换取。
【组　词】渊博　赌博　博士　博得　博物　博学
【造　句】渊博——王老师知识很渊博。
【同音字】伯(伯父)　驳(驳斥)
【形近字】搏(搏斗)
【成　语】博览群书
【反义词】渊博/肤浅
【近义词】广博/广大
【谚　语】博爱失爱,夸功没功|博得人家信任全凭真诚,改正自己错误全凭忠诚。
【英　语】博士　doctor [ˈdɔktə]

| bó | 笔画 | 部首 | 结构 | 五笔 | 造字法 |
|---|---|---|---|---|---|
| 渤 | 12 | 氵 | 左右 | IFPL | 形声 |
| 笔顺 | 丶 丶 氵 氵 汁 汁 汁 沣 浡 浡 渤 渤 | | | | |

【解　释】渤海,在山东半岛和辽东半岛之间。
【同音字】伯(伯父)　驳(驳斥)
【形近字】勃(朝气蓬勃)

| bó | 笔画 | 部首 | 结构 | 五笔 | 造字法 |
|---|---|---|---|---|---|
| 搏 | 13 | 扌 | 左右 | RGEF | 形声 |
| 笔顺 | 一 十 扌 扌 扌 扌 扌 扌 抻 搏 搏 搏 搏 | | | | |

【解　释】❶激烈地对打;拼打。❷扑上去抓。❸跳动。
【组　词】搏动　搏斗　搏击　脉搏　搏杀　搏战
【造　句】搏杀——瞧,我们班的两位象棋高手正激烈搏杀呢!
【辨　音】不读 bō。
【同音字】伯(伯母)　驳(批驳)
【形近字】膊(胳膊)
【成　语】搏牛之虻
【近义词】搏杀/搏斗
【英　语】搏斗　fight [fait]

| bó | 笔画 | 部首 | 结构 | 五笔 | 造字法 |
|---|---|---|---|---|---|
| 箔 | 14 | ⺮ | 上下 | TIRF | 形声 |
| 笔顺 | 丿 𠂉 ⺮ ⺮ ⺮ ⺮ 竺 竺 笁 笁 箔 箔 箔 箔 | | | | |

【解　释】❶用苇子、高粱秆等编的帘子。❷蚕箔,用竹篾编的养蚕的器具。❸金属薄片。
【组　词】金箔　铝箔　蚕箔
【同音字】柏(柏林)　帛(玉帛)

【形近字】简(简单)
【英　语】箔　tinsel [ˈtinsəl]

| bó | 笔画 | 部首 | 结构 | 五笔 | 造字法 |
|---|---|---|---|---|---|
| 膊 | 14 | 月 | 左右 | EGEF | 形声 |
| 笔顺 | 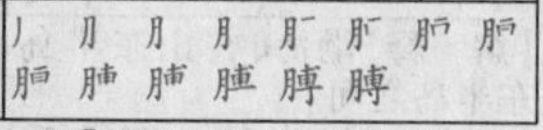 | | | | |

【解　释】肩膀以下手腕以上的部分。
【组　词】赤膊
【造　句】赤膊——农民伯伯赤膊在田里插秧。
【辨　音】不读 bō。
【同音字】伯(伯母)　驳(批驳)
【形近字】搏(搏斗)
【英　语】胳膊　arm [ɑːm]

| bó | 笔画 | 部首 | 结构 | 五笔 | 造字法 |
|---|---|---|---|---|---|
| 薄 | 16 | 艹 | 上下 | AIGF | 形声 |
| 笔顺 |  | | | | |

【解　释】❶轻微;少。❷不强壮;不结实。❸不庄重;不厚道。❹轻视;看不起。❺(书)迫近;靠近。❻姓。
【组　词】单薄　轻薄　鄙薄
【造　句】单薄——他穿得太单薄了,抵挡不住寒风。
【同音字】泊(停泊)
【反义词】单薄/厚实
【近义词】薄弱/脆弱
【谚　语】薄地怕勤汉,肥地怕懒蛋。
【英　语】薄弱　weak [wiːk]
【多音字】báo(见 28 页)
【多音字】bò(见 63 页)

| bó | 笔画 | 部首 | 结构 | 五笔 | 造字法 |
|---|---|---|---|---|---|
| 礴 | 21 | 石 | 左右 | DAIF | 形声 |
| 笔顺 | 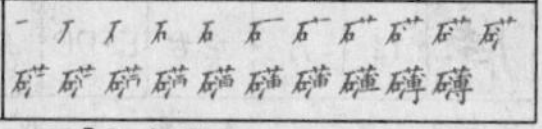 | | | | |

【解　释】[磅礴](pángbó)❶气势盛大。❷充满气势。
【组　词】气势磅礴
【造　句】气势磅礴——庐山瀑布气势磅礴。
【同音字】泊(停泊)　柏(柏林)
【形近字】薄(单薄)

| bǒ | 笔画 | 部首 | 结构 | 五笔 | 造字法 |
|---|---|---|---|---|---|
| 跛 | 12 | 𧾷 | 左右 | KHHC | 形声 |
| 笔顺 | 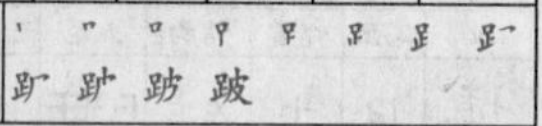 | | | | |

【解　释】腿或脚有毛病,走起路来身体不平衡。
【组　词】跛脚　跛子　跛行
【辨　音】不读 bō。
【同音字】簸(颠簸)
【形近字】坡(下坡)　玻(玻璃)　波(波浪)
【成　语】跛鳖千里
【谚　语】跛者不忘履,盲者不忘视。
【英　语】跛　lame [leim]

| bǒ | 笔画 | 部首 | 结构 | 五笔 | 造字法 |
|---|---|---|---|---|---|
| 簸 | 19 | ⺮ | 上下 | TADC | 形声 |
| 笔顺 |  | | | | |

【解　释】❶把谷物等放在簸箕里上下颠动,扬去糠秕和尘土。❷泛指上下颠动。

【组　词】簸荡　簸谷　簸弄
【造　句】簸谷——奶奶一边簸谷一边给我讲故事。
【同音字】跛(跛腿)
【形近字】箕(簸箕)
【英　语】簸谷　winnow away the chaff [ˈwinəu əˈwei ðə tʃɑːf]
【多音字】bò(见 63 页)

| bò | 笔画 | 部首 | 结构 | 五笔 | 造字法 |
|---|---|---|---|---|---|
| 薄 | 16 | 艹 | 上下 | AIGF | 形声 |
| 笔顺 | 一 十 艹 艹 艹 芦 芦 芦 茫 茫 菹 蒲 蒲 蒲 薄 薄 | | | | |

【解　释】薄荷，草本植物，茎和叶有清凉的香味，可制成药或香料。
【英　语】薄荷　peppermint [ˈpepəmint]
【多音字】báo(见 28 页)
【多音字】bó(见 62 页)

| bò | 笔画 | 部首 | 结构 | 五笔 | 造字法 |
|---|---|---|---|---|---|
| 簸 | 19 | ⺮ | 上下 | TADC | 形声 |
| 笔顺 | ノ ト 大 竹 竺 竺 笁 笁 笹 筸 筸 筸 筸 筸 筸 箥 簸 簸 | | | | |

【解　释】簸箕，用竹篾、柳条或铁皮做的扬糠或撮垃圾的用具。
【组　词】簸箕
【英　语】簸箕　dustpan [ˈdʌstpæn]
【多音字】bǒ(见 62 页)

| bo | 笔画 | 部首 | 结构 | 五笔 | 造字法 |
|---|---|---|---|---|---|
| 卜 | 2 | 卜 | 独体 | HHY | 象形 |
| 笔顺 | 丨 卜 | | | | |

【解　释】用于“萝卜”等词。
【多音字】bǔ(见 63 页)

## BU ㄅㄨ

| bǔ | 笔画 | 部首 | 结构 | 五笔 | 造字法 |
|---|---|---|---|---|---|
| 卜 | 2 | 卜 | 独体 | HHY | 象形 |
| 笔顺 | 丨 卜 | | | | |

【解　释】❶占卜，旧时预测吉凶的一种迷信活动。❷预料；猜测。❸选择。❹姓。

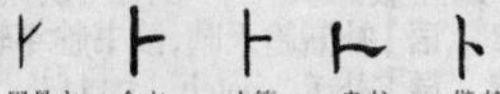

甲骨文　金文　小篆　隶书　楷书

【字源释义】古人用火在龟甲上烧出裂纹，用以预测吉凶，叫做“卜”。后来引申为“猜测”、“估计”。
【组　词】占卜　卜辞　卜居
【辨　音】不读 bù。
【同音字】补(补丁)
【形近字】下(下面)
【英　语】占卜　divine [diˈvain]
【多音字】bo(见 63 页)

| bǔ | 笔画 | 部首 | 结构 | 五笔 | 造字法 |
|---|---|---|---|---|---|
| 补 | 7 | 衤 | 左右 | PUHY | 形声 |
| 笔顺 | 丶 ㇇ 衤 衤 衤 补 补 | | | | |

【解　释】❶修理破损的东西。❷补充；补足；填补。❸补养。❹利益；用处。
【组　词】缝补　补救　弥补　补白

B

补办 补丁 补充 补习

【造　句】补丁——张雯家里穷，上三年级了，还穿着那条打补丁的裤子。

【同音字】卜(未卜先知)

【形近字】朴(朴素)

【近义词】补救/挽救

【反义词】补充/缩减

【歇后语】补锅的戴眼镜——找岔|补锅匠栽跟头——倒贴(铁)。

【谚　语】补漏趁天晴，读书趁年轻。

【英　语】补丁 patch [pætʃ]

| bǔ | 笔画 | 部首 | 结构 | 五笔 | 造字法 |
|---|---|---|---|---|---|
| 捕 | 10 | 扌 | 左右 | RGEY | 形声 |
| 笔顺 | 一 十 扌 扌 扌 扌 扌 扌 捕 捕 | | | | |

【解　释】❶捉住；逮住。❷以缉捕为职业的人。

【组　词】捕鱼 追捕 捕获 捕猎 捕捉 捕食 捕杀

【造　句】捕猎——我们应该保护野生动物，严禁捕猎。

【辨　音】不读 pǔ。

【同音字】补(补丁)

【形近字】逋(逋逃) 哺(哺育)

【成　语】捕风捉影

【近义词】捕/捉

【反义词】捕获/释放

【谚　语】捕风捉影，掩耳盗铃。

【英　语】捕获 catch [kætʃ]

| bǔ | 笔画 | 部首 | 结构 | 五笔 | 造字法 |
|---|---|---|---|---|---|
| 哺 | 10 | 口 | 左右 | KGEY | 形声 |
| 笔顺 | 丨 口 口 口 口 口 口 口 哺 哺 | | | | |

【解　释】❶喂。❷咀嚼着的食物。

【组　词】哺育 哺乳 哺养

【造　句】哺育——我们在父母的哺育下茁壮成长。

【辨　音】不读 fǔ。

【同音字】卜(未卜先知)

【形近字】捕(捕捉)

【近义词】哺/喂

【英　语】哺育 feed [fiːd]

| bǔ | 笔画 | 部首 | 结构 | 五笔 | 造字法 |
|---|---|---|---|---|---|
| 堡 | 12 | 土 | 上下 | WKSF | 形声 |
| 笔顺 | 丿 亻 亻 亻 亻 亻 保 保 保 保 保 堡 | | | | |

【解　释】堡子，多用于地名。

【同音字】卜(未卜先知)

【多音字】bǎo(见 30 页)

【多音字】pù(见 562 页)

| bù | 笔画 | 部首 | 结构 | 五笔 | 造字法 |
|---|---|---|---|---|---|
| 不 | 4 | 一 | 独体 | I | 象形 |
| 笔顺 | 一 ア 不 不 | | | | |

【解　释】副词。❶表示否定，用在动词、形容词和其他副词前。❷加在名词或名词性词素前面，构成形容词。❸单用，做否定性的回答。❹用在句末表示疑问，跟反复问句的作用相等。❺跟"就"配合用，表示非此即彼。

【组　词】不愧 不去 不测 不济 不朽 不争

【造　句】不愧——他不愧是首都市民。

【同音字】布(布匹) 步(步子)

【成　语】不白之冤 不卑不亢 不耻下问 不辞辛苦 不打自招

【形近字】小(小河)
【歇后语】孔夫子拜师——不耻下问。
【谚　语】不懂装懂，永世饭桶。
【英　语】不曾　never [ˈnevə]

| bù | 笔画 | 部首 | 结构 | 五笔 | 造字法 |
|---|---|---|---|---|---|
| 布 | 5 | 巾 | 半包围 | DMHJ | 形声 |
| 笔顺 | 一 ナ 才 右 布 | | | | |

【解　释】❶用棉、麻织成的，可以做衣服或其他物件的材料。❷宣告；宣布。❸陈列；展开。❹分别安排。❺古代的一种钱币。
【组　词】布告　宣布　布置　布展　布点　布网　布艺　布道
【造　句】布置——今天下午，我留下来布置教室，准备明天的元旦晚会。
【同音字】不(不会)　步(步子)
【形近字】存(存在)
【反义词】公布/保密
【近义词】公布/公开
【歇后语】布袋里装钉子——一个个想出头 | 白布掉进染缸里——总也洗不清。
【谚　语】布用线缝，木用胶粘，心用诚连。
【英　语】布告　notice [ˈnəutis]

| bù | 笔画 | 部首 | 结构 | 五笔 | 造字法 |
|---|---|---|---|---|---|
| 步 | 7 | 止 | 上下 | HI | 会意 |
| 笔顺 | 丨 卜 卝 止 𣥂 𣥂 步 | | | | |

【解　释】❶迈一脚叫一步；行走。❷阶段。❸地步；境地。❹旧制长度单位。❺同"埠"，多用于地名。
【组　词】步子　健步　步兵　步调　步伐　步行　步道
【同音字】不(不是)　部(部队)
【形近字】涉(跋涉)
【成　语】步步为营　步人后尘
【英　语】步伐　step [step]

| bù | 笔画 | 部首 | 结构 | 五笔 | 造字法 |
|---|---|---|---|---|---|
| 怖 | 8 | 忄 | 左右 | NDMH | 形声 |
| 笔顺 | 丶 丷 忄 忄 忙 忙 怖 怖 | | | | |

【解　释】害怕。
【组　词】恐怖
【造　句】恐怖——昨天晚上，我做了一个恐怖的梦，吓出一身汗。
【同音字】不(不是)　布(布匹)
【形近字】饰(装饰)
【近义词】恐怖/恐惧

| bù | 笔画 | 部首 | 结构 | 五笔 | 造字法 |
|---|---|---|---|---|---|
| 部 | 10 | 阝 | 左右 | UKB | 形声 |
| 笔顺 | 丶 亠 亠 立 立 产 咅 咅 部 部 | | | | |

【解　释】❶整体中的一些个体。❷某些机关的名称或按业务而分的单位。❸指军队。❹统率。❺量词。
【组　词】部分　部队　部门　部署　部位　部下　部首　部落
【同音字】不(不好)　布(布料)
【形近字】培(栽培)　陪(陪伴)
【反义词】部分/全部
【近义词】部分/局部
【英　语】部分　part [pa:t]

| bù | 笔画 | 部首 | 结构 | 五笔 | 造字法 |
|---|---|---|---|---|---|
| 埠 | 11 | 土 | 左右 | FWNF | 形声 |
| 笔顺 | 一 十 土 圵 圵 圵 坾 坾 埠 埠 埠 | | | | |

【解　释】❶码头，多指有码头的

城镇。❷大城市。

【组　词】埠头　开埠　商埠

【同音字】怖(恐怖)　部(部队)

【形近字】追(追击)

【英　语】商埠　port [pɔːt]

B

| bù | 笔画 | 部首 | 结构 | 五笔 | 造字法 |
|---|---|---|---|---|---|
| 簿 | 19 | 竹 | 上下 | TIGF | 形声 |
| 笔顺 | ノ ト ⺮ ⺮ 竹 竹 笁 笁 笁 笁 笁 笁 笁 笁 笁 簿 簿 簿 簿 | | | | |

【解　释】书写用的本子。

【组　词】账簿　练习簿　记录簿

【造　句】练习簿——我这次考试得了第一名,老师奖给我一个练习簿。

【辨　音】不读 báo。

【同音字】布(布置)　部(部队)

【形近字】薄(单薄)

【英　语】练习簿　exercise book ['eksəsaiz buk]

# C

## CA ㄘㄚ

| cā | 笔画 | 部首 | 结构 | 五笔 | 造字法 |
|---|---|---|---|---|---|
| 拆 | 8 | 扌 | 左右 | RRY | 形声 |
| 笔顺 | 一 ㇀ 扌 扌 扩 扩 拆 拆 | | | | |

【解　释】(方)排泄(大小便);拉(稀屎)。
【组　词】拆烂污
【同音字】擦(摩拳擦掌)
【多音字】chāi(见 83 页)

| cā | 笔画 | 部首 | 结构 | 五笔 | 造字法 |
|---|---|---|---|---|---|
| 擦 | 17 | 扌 | 左右 | RPWI | 形声 |
| 笔顺 | 一 亅 扌 扌 扌 扩 扩 扩 扩 扩 护 扨 擦 擦 擦 擦 擦 | | | | |

【解　释】❶抹;揩拭。❷摩擦。❸贴近。❹几乎接触;差点儿碰上。
【组　词】擦拭　擦脸　擦洗　擦音　擦边球
【造　句】擦洗——小明每天早晨来校后总是先把老师的杯子擦洗干净。
【辨　音】不读 chā。
【同音字】拆(拆烂污)
【形近字】嚓(咔嚓)
【近义词】擦/揩　擦油/上油
【谚　语】擦脚石滑倒人。
【英　语】擦肩而过　brush past sb. [brʌʃ pɑːst ˈsʌmbədi]

| cā | 笔画 | 部首 | 结构 | 五笔 | 造字法 |
|---|---|---|---|---|---|
| 嚓 | 17 | 口 | 左右 | KPWI | 形声 |
| 笔顺 | 丨 口 口 口 口 吖 吖 咴 咴 咴 咴 嗘 嗘 嚓 嚓 嚓 嚓 | | | | |

【解　释】象声词。形容(车等)急刹车的摩擦声。
【造　句】嚓——公交车"嚓"的一声停住了。
【同音字】拆(拆烂污)
【形近字】擦(擦亮)
【多音字】chā(见 80 页)

## CAI ㄘㄞ

| cāi | 笔画 | 部首 | 结构 | 五笔 | 造字法 |
|---|---|---|---|---|---|
| 猜 | 11 | 犭 | 左右 | QTGE | 形声 |
| 笔顺 | ノ 犭 犭 犭 犭 犭 犭 犭 猜 猜 猜 | | | | |

【解　释】❶推测;推想。❷疑心;怀疑。
【组　词】猜谜　猜忌　猜奖　猜疑　猜测　猜想
【造　句】猜疑——他每遇到什么事情总爱胡乱猜疑。
【形近字】倩(倩影)　清(清冷)
【成　语】两小无猜
【反义词】猜疑/信任
【近义词】猜测/猜想
【英　语】猜想　guess [ges]

| cái | 笔画 | 部首 | 结构 | 五笔 | 造字法 |
|---|---|---|---|---|---|
| 才 | 3 | 一 | 独体 | FT | 指事 |
| 笔顺 | 一 亅 才 | | | | |

【解　释】❶能力;知识;技艺。❷从才能方面指称某类人。❸副词。

C

刚刚;仅仅。❹终于。

甲骨文　金文　小篆　隶书　楷书

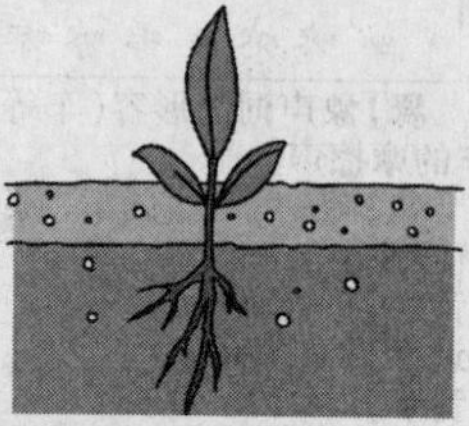

【字源释义】这个字的横画表示地面,草木的嫩芽正从地下向上萌发,本义是草木初生。甲骨文和金文通常借"才"为"在"。有时也通"材"字。

【组　词】才能　才华　才气　才子　才干　才识　才思　才智

【造　句】才气——老师说:"孙少波很有才气。"

【同音字】财(财主)　裁(裁缝)

【形近字】寸(尺寸)

【成　语】才貌双全　德才兼备　才高八斗　才华横溢

【近义词】才气/才华

【谚　语】才华是快刀,勤奋是磨石。

【英　语】才能　ability [ə'biliti]

| cái | 笔画 | 部首 | 结构 | 五笔 | 造字法 |
|---|---|---|---|---|---|
| 材 | 7 | 木 | 左右 | SFT | 形声 |
| 笔顺 | 一 十 才 木 木一 村 材 | | | | |

【解　释】❶木料。❷指具有某种资质、能力的人。❸棺木的简称。❹资料。❺经过加工可直接制成成品的原料。

【组　词】教材　材料　钢材　药材　木材

【造　句】教材——老师今天开始按照新教材讲课。

【同音字】才(才气)　财(财会)

【形近字】财(财经)　村(村庄)

【成　语】因材施教

【近义词】木材/木料

【英　语】材料　material [mə'tiəriəl]

| cái | 笔画 | 部首 | 结构 | 五笔 | 造字法 |
|---|---|---|---|---|---|
| 财 | 7 | 贝 | 左右 | MFTT | 形声 |
| 笔顺 | 丨 冂 贝 贝 贝一 财 财 | | | | |

【解　释】金钱或物资的总称。

【组　词】财宝　财富　财务　钱财　财经　财产　财迷

【造　句】财富——财富不是朋友,朋友才是财富。

【辨　音】不读 chái。

【同音字】才(才能)　材(材料)

【形近字】材(木材)

【成　语】财竭力尽

【近义词】财物/财宝

【谚　语】财多惹祸,树大招风。

【英　语】财产　property ['prɔpəti]

| cái | 笔画 | 部首 | 结构 | 五笔 | 造字法 |
|---|---|---|---|---|---|
| 裁 | 12 | 戈 | 半包围 | FAYE | 形声 |
| 笔顺 | 一 十 土 土 圭 丰 丰 丰 表 裁 裁 裁 | | | | |

【解　释】❶用剪子剪或用刀子割片状物。❷削减;去掉一部分。❸衡量;判断。❹安排取舍。❺文章的体制、格式。❻控制;抑制。

【组　词】裁员　裁判　裁兵　裁定　裁缝　裁决　裁减
【造　句】独出心裁——他的这篇作文独出心裁，与众不同，很值得一读。
【辨　音】不读 zāi。
【同音字】才(刚才)　材(素材)
【形近字】载(记载)　栽(栽树)
【成　语】独出心裁
【反义词】裁减/增加
【近义词】裁决/裁定
【歇后语】裁缝的家当——真(针)正(挣)的|裁缝的尺子——量人不量己。
【英　语】裁缝　tailor [ˈteilə]

| cǎi | 笔画 | 部首 | 结构 | 五笔 | 造字法 |
|---|---|---|---|---|---|
| 采 | 8 | 爫 | 上下 | ESU | 会意 |
| 笔顺 | ′ ⺈ 𠂊 爫 乎 平 采 采 | | | | |

【解　释】❶摘取。❷选取。❸神态；神色。❹同"彩"。❺开掘。❻搜集。

甲骨文　金文　小篆　隶书　楷书

【字源释义】"采"是"採"的本字。甲骨文的字形像一只手在树上采摘果实。古籍也通"彩"。

【组　词】采茶　采访　采纳　采认　采信　采摘
【造　句】采访——她幸运地采访到一位专家。
【辨　音】不读 chǎi。
【同音字】踩(踩着)　彩(色彩)
【形近字】菜(菜谱)
【成　语】兴高采烈
【反义词】采用/拒绝
【近义词】采办/采购
【谚　语】采动荷花牵动藕。
【英　语】采集　gather [ˈgæðə]
【多音字】cài(见70页)

| cǎi | 笔画 | 部首 | 结构 | 五笔 | 造字法 |
|---|---|---|---|---|---|
| 彩 | 11 | 彡 | 左右 | ESET | 形声 |
| 笔顺 | ′ ⺈ 𠂊 爫 乎 采 采 采′ 采彡 彩 | | | | |

【解　释】❶各种颜色。❷彩色的丝绸。❸指赌博或某种竞赛中赢得财物。❹大声呼喊、夸奖。❺受伤流血。❻花样；精彩的部分。
【组　词】彩排　彩虹　彩券
【造　句】彩虹——不经历风雨，怎能见彩虹？
【同音字】采(采取)　睬(理睬)
【形近字】踩(踩踏)　睬(理睬)
【成　语】五彩缤纷
【反义词】彩色/黑白
【近义词】彩票/奖券
【英　语】彩虹　rainbow [ˈreinbəu]

| cǎi | 笔画 | 部首 | 结构 | 五笔 | 造字法 |
|---|---|---|---|---|---|
| 睬 | 13 | 目 | 左右 | HESY | 形声 |
| 笔顺 | 丨 冂 月 月 目 目′ 目⺈ 目𠂊 目爫 目乎 目平 目采 睬 | | | | |

【解　释】理会；答理。
【组　词】不理不睬　无人理睬
【造　句】不理不睬——对于有困难的人，我们不应采取不理不睬的态度，而是要热心地帮助他们。
【同音字】采(采用)　踩(踩点)
【形近字】踩(踩点)　彩(彩排)
【近义词】理睬/答理
【英　语】理睬　pay attention to [peiə'tenʃən tuː]

| cǎi | 笔画 | 部首 | 结构 | 五笔 | 造字法 |
|---|---|---|---|---|---|
| 踩 | 15 | ⻊ | 左右 | KHES | 形声 |
| 笔顺 | 丨 口 口 ⻊ ⻊ ⻊ ⻊ ⻊ 𧾷 𧾷 𧾷 𧾷 踩 踩 踩 | | | | |

【解　释】❶用脚蹬在某种物体上面；踏。❷脚底用力往下压。
【组　词】踩踏　踩线　踩水
【造　句】踩踏——别踩踏禾苗。
【同音字】采(采访)　睬(理睬)
【形近字】彩(彩排)　睬(理睬)
【近义词】踩/蹬
【英　语】踩　step on [step ɔn]

| cài | 笔画 | 部首 | 结构 | 五笔 | 造字法 |
|---|---|---|---|---|---|
| 采 | 8 | 爫 | 上下 | ESU | 会意 |
| 笔顺 | 丿 ⺈ ⺈ 爫 爫 平 采 采 | | | | |

【解　释】采地，古代卿大夫的封地。也叫采邑。
【同音字】菜(菜花)
【多音字】cǎi(见69页)

| cài | 笔画 | 部首 | 结构 | 五笔 | 造字法 |
|---|---|---|---|---|---|
| 菜 | 11 | 艹 | 上下 | AESU | 形声 |
| 笔顺 | 一 十 艹 艹 艹 芓 芓 苎 苹 莱 菜 | | | | |

【解　释】❶蔬菜；能做副食品的植物。❷经过烹调的食物总称。
【组　词】菜种　菜单　菜花　菜饭　菜苗　菜地　菜品　菜市
【造　句】菜市——小红放学后常帮妈妈到菜市买菜。
【同音字】蔡(姓蔡)
【形近字】彩(喝彩)
【歇后语】菜刀切藕——片片有眼｜菜篮子装泥鳅——爬的爬，溜的溜｜菜籽中的黄豆——数它大。
【谚　语】菜没盐无味，话没理无力。
【英　语】蔬菜　vegetable ['vedʒitəbl]

## CAN　ㄘㄢ

| cān | 笔画 | 部首 | 结构 | 五笔 | 造字法 |
|---|---|---|---|---|---|
| 参 | 8 | 厶 | 上下 | CDER | 形声 |
| 笔顺 | 𠫓 厶 厽 乒 夫 矣 叄 参 | | | | |

【解　释】❶参加；加入。❷旧指进见；谒见。❸封建时代指弹劾。❹参考。❺探究；领会。

甲骨文　金文　小篆　隶书　楷书

【字源释义】"参"最初是星宿的名称。字形是在人的头上有几颗星；后来又加上三道斜线，表示星光。
【组　词】参军　参观　参加　参与　参谋　参考　参赛　参数
【造　句】参观——在老师的带领下，我们参观了故宫博物院。
【同音字】餐（餐厅）
【形近字】惨（悲惨）
【反义词】参与/旁观
【近义词】参加/参与
【歇后语】参天的大树——高不可攀｜参谋皱眉头——一筹莫展。
【谚　语】参天大树从种子开始。
【英　语】参加　join [dʒɔin]
【多音字】cēn（见 77 页）
【多音字】shēn（见 638 页）

| cān | 笔画 | 部首 | 结构 | 五笔 | 造字法 |
|---|---|---|---|---|---|
| 餐 | 16 | 食 | 上下 | HQCE | 形声 |
| 笔顺 | 丶 ⺊ ⺊ ⺊ ⺊ ⺊ ⺊ ⺊ ⺊ ⺊ ⺊ ⺊ ⺊ 餐 餐 餐 | | | | |

【解　释】❶吃。❷饭食；饮食；食物。
【组　词】餐馆　餐饮　餐厅
【造　句】餐厅——餐车分厨房和餐厅两部分。
【同音字】参（参赛）
【形近字】粲（粲然）
【成　语】餐风宿露
【近义词】餐厅/饭厅
【英　语】早餐　breakfast [ˈbrekfəst]

| cán | 笔画 | 部首 | 结构 | 五笔 | 造字法 |
|---|---|---|---|---|---|
| 残 | 9 | 歹 | 左右 | GQGT | 形声 |
| 笔顺 | 一 ア 万 歹 歹 歼 残 残 残 | | | | |

【解　释】❶缺损；不完整。❷毁坏；伤害。❸凶暴。❹最后；剩余的。
【组　词】摧残　残留　残障　残疾
【造　句】残留——街道两旁堆积着残留的积雪。
【辨　音】不读 cǎn 或 chán。
【同音字】蚕（蚕床）　惭（惭愧）
【形近字】贱（低贱）　浅（浅水）
【成　语】残兵败将　残破不堪　残缺不全　残渣余孽　残垣断壁　残山剩水　残茶剩饭
【反义词】残暴/仁慈
【近义词】残暴/凶残
【英　语】残酷　cruel [ˈkruəl]

| cán | 笔画 | 部首 | 结构 | 五笔 | 造字法 |
|---|---|---|---|---|---|
| 蚕 | 10 | 虫 | 上下 | GDJU | 形声 |
| 笔顺 | 一 二 チ 天 天 吞 吞 吞 蚕 蚕 | | | | |

【解　释】家蚕、柞蚕的统称，又叫"桑蚕"。昆虫，吃桑叶长大，蜕皮时不食不动，俗叫"眠"。蜕皮后吐丝做茧，变成蛹，蛹变成蚕蛾。
【组　词】蚕蛹　蚕茧　蚕豆
【造　句】蚕蛹——张大宁把一个活蚕蛹带到学校。
【同音字】残（残害）
【形近字】蠢（愚蠢）
【成　语】蚕食鲸吞
【近义词】蚕食/侵吞
【歇后语】蚕茧掉进开水锅——受尽煎熬｜蚕豆开花——黑白分明。
【谚　语】蚕老不中留｜蚕豆，种不过重阳，收不过端午。
【英　语】蚕　silkworm [ˈsilkwəːm]

| cán | 笔画 | 部首 | 结构 | 五笔 | 造字法 |
|---|---|---|---|---|---|
| 惭 | 11 | 忄 | 左右 | NLRH | 形声 |
| 笔顺 | … 惭 | | | | |

【解　释】羞愧，因有缺点、错误或没有尽到责任而感到不安。
【组　词】惭愧　惭怍
【造　句】惭愧——感觉到自己做错了事，小华惭愧地低下了头。
【辨　音】不读 cǎn 或 chán。
【同音字】残（残忍）　蚕（蚕丝）
【形近字】渐（逐渐）
【成　语】大言不惭
【反义词】惭愧/无愧
【近义词】惭愧/羞愧
【英　语】惭愧　be ashamed [biː əˈʃeimd]

| cǎn | 笔画 | 部首 | 结构 | 五笔 | 造字法 |
|---|---|---|---|---|---|
| 惨 | 11 | 忄 | 左右 | NCDE | 形声 |
| 笔顺 | … 惨 | | | | |

【解　释】❶使人悲伤难受；凄切。❷残酷；狠毒。❸程度严重；厉害。❹暗淡。
【组　词】悲惨　凄惨　惨无人道
【造　句】惨无人道——侵略者惨无人道的行为引起了国际舆论的强烈谴责。
【辨　音】不读 cān。
【形近字】参（参加）
【成　语】惨绝人寰
【反义词】悲惨/快乐
【近义词】悲惨/悲痛
【英　语】悲惨　miserable [ˈmizərəbl]

| càn | 笔画 | 部首 | 结构 | 五笔 | 造字法 |
|---|---|---|---|---|---|
| 灿 | 7 | 火 | 左右 | OMH | 形声 |
| 笔顺 | … 灿 | | | | |

【解　释】鲜明；光彩耀眼。
【组　词】灿烂　灿亮
【造　句】灿烂——得知自己的成绩大有进步，小妹露出了灿烂的笑容。
【辨　音】不读 shàn。
【同音字】粲（粲然一笑）
【形近字】汕（汕头）
【反义词】灿烂/暗淡
【近义词】灿烂/绚烂
【英　语】灿烂　bright [brait]

| càn | 笔画 | 部首 | 结构 | 五笔 | 造字法 |
|---|---|---|---|---|---|
| 粲 | 13 | 米 | 上下 | HQCO | 形声 |
| 笔顺 | … 粲 | | | | |

【解　释】鲜明；光亮。
【组　词】粲然
【造　句】粲然——今夜星光粲然，适宜观测狮子座流星雨。
【同音字】璨（璀璨）
【形近字】璨（璀璨）
【英　语】粲然　bright [brait]

| càn | 笔画 | 部首 | 结构 | 五笔 | 造字法 |
|---|---|---|---|---|---|
| 璨 | 17 | 王 | 左右 | GHQO | 形声 |
| 笔顺 | … 璨 | | | | |

【解　释】❶美玉。❷同"粲"。
【组　词】璀璨
【造　句】璀璨——当今的中国是

屹立在世界的一颗璀璨明珠。
【同音字】灿(灿丽) 粲(粲然)
【形近字】粲(粲然)
【英 语】璀璨 bright [brait]

## CANG ㄘㄤ

| cāng | 笔画 | 部首 | 结构 | 五笔 | 造字法 |
|---|---|---|---|---|---|
| 仓 | 4 | 人 | 上下 | WBB | 象形 |
| 笔顺 | 丿 人 今 仓 | | | | |

【解 释】❶收藏粮食的建筑物。❷急迫;匆忙。❸投资者持有的证券金额占其资金总量的比例。

甲骨文 金文 小篆 隶书 楷书

【字源释义】本义为"粮仓"。字的上半部是粮仓的顶部,中间是门,下面是门口的基石。古书常借为"舱"、"苍"、"沧"等。
【组 词】米仓 仓促 谷仓 仓库 仓容 仓房 仓储 减仓
【造 句】仓促——他走得很仓促,没来得及把工作安排一下。
【辨 音】不读 chāng。
【同音字】苍(苍茫)
【形近字】仑(昆仑)
【成 语】仓皇失措
【反义词】仓促/从容
【近义词】仓促/急促
【谚 语】仓里无粮稗子贵。
【英 语】仓库 warehouse ['wɛə-haus]

| cāng | 笔画 | 部首 | 结构 | 五笔 | 造字法 |
|---|---|---|---|---|---|
| 苍 | 7 | 艹 | 上下 | AWBB | 形声 |
| 笔顺 | 一 十 艹 艹 芢 苍 苍 | | | | |

【解 释】❶青色。❷草色,即深绿色。❸灰白色。❹瘦且有力。
【组 词】苍天 苍松 苍老 苍翠
【造 句】苍翠——道旁古木参天,苍翠欲滴,似乎飘着的雨丝儿也都是绿的。
【辨 音】不读 chāng。
【同音字】仓(仓皇失措)
【形近字】伧(伧俗) 沧(沧海)
【反义词】苍老/幼嫩
【歇后语】苍蝇采花——装疯(蜂)|苍蝇给牛抓痒痒——无济于事。
【近义词】苍翠/苍绿
【谚 语】苍山雪,洱海月,上关花,下关风。
【英 语】苍白 pale [peil]

| cāng | 笔画 | 部首 | 结构 | 五笔 | 造字法 |
|---|---|---|---|---|---|
| 沧 | 7 | 氵 | 左右 | IWBN | 形声 |
| 笔顺 | 丶 冫 氵 氵 汄 沦 沧 | | | | |

【解 释】同"苍",暗绿色(指水)。
【组 词】沧桑 沧海
【造 句】沧海一粟——群众的智慧无穷无尽,个人的才能只不过是沧海一粟。

C

【辨　音】不读 chāng。
【同音字】仓(仓皇)
【形近字】舱(底舱)　伧(伧促)
【成　语】沧海桑田　沧海一粟　沧海横流
【近义词】沧海/海洋
【歇后语】麦粒掉到太平洋里——沧海一粟。
【英　语】沧海　the blue sea [ðə bluː siː]

| cāng | 笔画 | 部首 | 结构 | 五笔 | 造字法 |
|---|---|---|---|---|---|
| 舱 | 10 | 舟 | 左右 | TEWB | 形声 |
| 笔顺 | ′ 丿 ⺆ 月 舟 舟 舟 舟 舲 舱 | | | | |

【解　释】船或飞机中分隔开来的空间，用于载人或物。
【组　词】船舱　机舱　舱位　舱口　货舱
【造　句】舱位——舱位上已经坐满了人，他只好坐在自己的行李箱上。
【辨　音】不读 chāng。
【同音字】沧(沧海横流)
【形近字】沧(沧江)
【英　语】舱口　hatchway [ˈhætʃwei]

| cáng | 笔画 | 部首 | 结构 | 五笔 | 造字法 |
|---|---|---|---|---|---|
| 藏 | 17 | 艹 | 上下 | ADNT | 形声 |
| 笔顺 | 一 艹 艹 芦 芦 芦 芦 芦 芦 芦 芦 芦 芦 芦 藏 藏 藏 | | | | |

【解　释】❶隐蔽；不让人知道。❷收存。❸怀有。
【组　词】藏身　藏富　藏品　藏拙　藏书　隐藏　珍藏　躲藏
【造　句】珍藏——这张照片，他多年来一直珍藏着。
【形近字】臧(臧否)
【成　语】藏龙卧虎　藏头露尾　藏污纳垢
【反义词】埋藏/挖掘
【近义词】躲藏/躲避
【谚　语】藏着乖的卖傻的。
【英　语】躲藏　hide [haid]
【多音字】zàng(见 889 页)

## CAO　ㄘㄠ

| cāo | 笔画 | 部首 | 结构 | 五笔 | 造字法 |
|---|---|---|---|---|---|
| 操 | 16 | 扌 | 左右 | RKKS | 形声 |
| 笔顺 | 一 十 扌 扌 扌 扌 扌 扌 扌 扌 揾 揾 揾 搡 搡 操 | | | | |

【解　释】❶拿；握在手里。❷拿出力量来做。❸从事或做某种工作。❹品行。❺用某种语言或方言说话。❻演练，指体力上的锻炼、军事演习等。
【组　词】操刀　操纵　操劳　体操　节操　操控
【造　句】操劳——他把在农村操劳了大半辈子的父母接到了城里。
【辨　音】不读 chāo。
【同音字】糙(粗糙)
【形近字】澡(洗澡)
【成　语】操之过急
【反义词】操心/省心
【近义词】节操/贞操
【英　语】操场　playground [ˈpleigraund]

| cāo | 笔画 | 部首 | 结构 | 五笔 | 造字法 |
|---|---|---|---|---|---|
| 糙 | 16 | 米 | 左右 | OTFP | 形声 |
| 笔顺 | 丶 丷 䒑 半 米 米 米 米 粆 粆 粆 糙 糙 糙 糙 糙 | | | | |

【解　释】❶糙米；脱壳未去皮的谷。❷不细致。
【组　词】糙纸　糙米　粗糙
【造　句】粗糙——这件工艺品制作得太粗糙了，一点也不漂亮。
【辨　音】不读 zào。
【同音字】操（操作）
【形近字】造（造句）
【反义词】粗糙/细致
【近义词】粗糙/粗劣
【英　语】粗糙　roughness［ˈrʌfnis］

| cáo | 笔画 | 部首 | 结构 | 五笔 | 造字法 |
|---|---|---|---|---|---|
| 曹 | 11 | 日 | 上下 | GMAJ | 会意 |
| 笔顺 | 一 𠃍 冂 冂 冋 曲 曲 曲 曹 曹 曹 | | | | |

【解　释】❶辈，相当于现代汉语中的“们”。❷古代分科办事的官署或部门。❸姓。
【组　词】尔曹　部曹　功曹　曹司
【造　句】曹司——这件事由曹司负责办理。
【同音字】嘈（嘈杂）　槽（马槽）
【形近字】曾（曾几何时）
【歇后语】曹操吃鸡肋——食之无味，弃之可惜。

| cáo | 笔画 | 部首 | 结构 | 五笔 | 造字法 |
|---|---|---|---|---|---|
| 嘈 | 14 | 口 | 左右 | KGMJ | 形声 |
| 笔顺 | 丨 口 口 吖 吖 哂 哂 哂 嘈 嘈 嘈 嘈 嘈 嘈 | | | | |

【解　释】形容声音杂乱。
【组　词】嘈音　嘈乱　嘈杂
【造　句】嘈杂——自由市场内，人声嘈杂。
【同音字】漕（漕水）
【形近字】槽（槽床）
【反义词】嘈杂/安静
【近义词】嘈音/噪音
【英　语】嘈杂　noisy［ˈnɔizi］

| cáo | 笔画 | 部首 | 结构 | 五笔 | 造字法 |
|---|---|---|---|---|---|
| 槽 | 15 | 木 | 左右 | SGMJ | 形声 |
| 笔顺 | 一 十 才 木 朩 杧 柄 柄 槽 槽 槽 槽 槽 槽 槽 | | | | |

【解　释】❶一种长方形或正方形的中间凹陷的容器或物体。❷水流流过的水道。
【组　词】石槽　水槽　河槽　牙槽
【造　句】牙槽——刷牙时要仔细清理牙槽中的残留食物。
【辨　音】不读 zāo。
【同音字】嘈（嘈乱）
【形近字】糟（糟糕）
【近义词】食槽/料盆
【谚　语】槽头买马看母子。
【英　语】槽　trough［trɔf］

| cǎo | 笔画 | 部首 | 结构 | 五笔 | 造字法 |
|---|---|---|---|---|---|
| 草 | 9 | 艹 | 上下 | AJJ | 形声 |
| 笔顺 | 一 十 艹 艹 芇 苩 苩 荁 草 | | | | |

【解　释】❶对高等植物中除了树木、庄稼、蔬菜以外茎干柔软的植物的统称。❷轻率；粗劣。❸文字书写的名称。❹文书的初稿。❺雌性的（指某些家禽、家畜）。

C

【组　词】草包　起草　草拟
【造　句】草长莺飞——鸟语花香，草长莺飞，这是春天美好的景致。
【形近字】革(革命)　早(早晨)
【成　语】草菅人命　草长莺飞　草木皆兵
【反义词】草率/细心
【近义词】草草了事/敷衍了事
【谚　语】草上露水瓦上霜，风里点灯不久长|草场好了牛羊肥，墨汁好了字迹美。
【英　语】草　grass [grɑːs]

## CE　ㄘㄜ

| cè | 笔画 | 部首 | 结构 | 五笔 | 造字法 |
|---|---|---|---|---|---|
| 册 | 5 | 丿 | 独体 | MMGD | 象形 |
| 笔顺 | 丿 ⺆ 𠂢 冊 册 | | | | |

【解　释】❶指古代文书用的竹简，编简成册。现在指装订好的纸本子。❷量词。用于书籍。

甲骨文　金文　小篆　隶书　楷书

【字源释义】古人多将文字写在竹片或木片上，用皮绳编串起来，称为"简册"。甲骨文和金文"册"字的几条竖线表示竹简，横向的曲线表示把竹简编串成册的皮绳。
【组　词】史册　册封　画册　名册　书册　纪念册
【造　句】纪念册——每到快毕业的时候，同学们就互相在纪念册上留言。
【辨　音】不读 shān。
【同音字】恻(恻隐)　侧(侧面)
【形近字】朋(朋友)
【英　语】书册　volume [ˈvɔljuːm]

| cè | 笔画 | 部首 | 结构 | 五笔 | 造字法 |
|---|---|---|---|---|---|
| 厕 | 8 | 厂 | 半包围 | DMJK | 形声 |
| 笔顺 | 一 厂 厂 厕 厕 厕 厕 厕 | | | | |

【解　释】❶厕所。❷参与；置身。
【组　词】公厕　女厕　男厕
【同音字】册(手册)　侧(侧重)
【形近字】恻(恻隐之心)
【英　语】厕所　toilet [ˈtɔilit]

| cè | 笔画 | 部首 | 结构 | 五笔 | 造字法 |
|---|---|---|---|---|---|
| 侧 | 8 | 亻 | 左右 | WMJH | 形声 |
| 笔顺 | 丿 亻 亻 们 侧 侧 侧 侧 | | | | |

【解　释】❶旁边。❷向旁边斜着。
【组　词】侧重　侧面　侧目
【造　句】侧耳细听——学生们被老师讲的童话故事吸引住了，全都睁大眼睛侧耳细听。
【同音字】测(测绘)　策(策略)
【形近字】铡(铡刀)
【成　语】侧目而视　侧耳倾听　旁敲侧击

【反义词】侧面/正面
【近义词】侧重/偏重
【英 语】侧面 side [said]

| cè | 笔画 | 部首 | 结构 | 五笔 | 造字法 |
|---|---|---|---|---|---|
| 恻 | 9 | 忄 | 左右 | NMJH | 形声 |
| 笔顺 | 丶 丷 忄 忄𠃌 忄冂 忄贝 恻 恻 恻 | | | | |

【解 释】❶悲痛。❷恻隐，指对别人的苦难表示同情。
【组 词】恻隐
【造 句】恻隐——他这个人怎么没有恻隐之心呢！
【同音字】测（测验）
【形近字】侧（侧面）
【成 语】恻隐之心
【近义词】恻隐/同情
【反义词】恻隐之心/铁石心肠
【谚 语】恻隐之心，人皆有之。
【英 语】恻隐 compassion [kəm'pæʃən]

| cè | 笔画 | 部首 | 结构 | 五笔 | 造字法 |
|---|---|---|---|---|---|
| 测 | 9 | 氵 | 左右 | IMJH | 形声 |
| 笔顺 | 丶 氵 氵 氵𠃌 氵冂 氵贝 测 测 测 | | | | |

【解 释】❶泛指测量；利用仪器来度量。❷推想；猜想。
【组 词】测试 推测 猜测 测评 测量 测验
【造 句】测试——本次测试的结果表明，大家的学习有所长进。
【同音字】策（对策） 册（账册）
【形近字】侧（侧门）
【近义词】预测/预计

【英 语】测量 survey [səː'vei]

| cè | 笔画 | 部首 | 结构 | 五笔 | 造字法 |
|---|---|---|---|---|---|
| 策 | 12 | ⺮ | 上下 | TGMI | 形声 |
| 笔顺 | 丿 𠂉 𠂉 ⺮ ⺮ ⺮ 竺 竺 笞 笻 笫 策 | | | | |

【解 释】❶古代写字用的竹片或木片。❷计谋；主意。❸古代的一种竹鞭子，头上有尖刺。❹鞭打。❺古代考试的一种文体。
【组 词】决策 策划 鞭策
【造 句】束手无策——对于掉进竖井里的这个孩子，人们一时束手无策。
【同音字】测（预测）
【形近字】笨（笨蛋）
【成 语】出谋划策 束手无策
【近义词】策划/谋划
【英 语】策划 plan [plæn]

## CEN ㄘㄣ

| cēn | 笔画 | 部首 | 结构 | 五笔 | 造字法 |
|---|---|---|---|---|---|
| 参 | 8 | 厶 | 上下 | CDER | 形声 |
| 笔顺 | 厶 厶 厽 叁 叁 叁 参 参 | | | | |

【解 释】参差；不整齐；不一致。
【组 词】参错 参差不齐
【造 句】参差不齐——马路两旁的树木参差不齐。
【反义词】参差不齐/整齐划一
【近义词】参差不齐/犬牙交错
【英 语】参差 irregular [i'regjulə]
【多音字】cān（见 70 页）
【多音字】shēn（见 638 页）

| cén | 笔画 | 部首 | 结构 | 五笔 | 造字法 |
|---|---|---|---|---|---|
| 岑 | 7 | 山 | 上下 | MWYN | 形声 |
| 笔顺 | 丨 山 山 屮 岕 岑 岑 | | | | |

【解　释】❶小而高的山。❷山石峻峭。

【组　词】岑寂　岑峭

【造　句】岑寂——奥运火炬的到来，使这座岑寂的小城顿时热闹起来。

【同音字】涔（涔涔）

【形近字】岩（岩石）

| cén | 笔画 | 部首 | 结构 | 五笔 | 造字法 |
|---|---|---|---|---|---|
| 涔 | 10 | 氵 | 左右 | IMWN | 形声 |
| 笔顺 | 丶 冫 氵 氵 汁 汁 汾 汾 涔 涔 | | | | |

【解　释】❶连续下雨，积水成涝。❷流泪不止的样子。

【组　词】涔旱　涔涔

【造　句】涔涔——见到久别的父母，她的眼泪涔涔而下。

【同音字】岑（岑峭）

【形近字】岑（岑寂）

## CENG　ㄘㄥ

| cēng | 笔画 | 部首 | 结构 | 五笔 | 造字法 |
|---|---|---|---|---|---|
| 噌 | 15 | 口 | 左右 | KULJ | 形声 |
| 笔顺 | 丨 冂 口 口 口' 口'' 口' 口' 口' 口' 噌 噌 噌 噌 噌 | | | | |

【解　释】象声词。形容带动周围空气而发出的声音。

【造　句】噌——乌鸦“噌”地一声飞走了。

【形近字】僧（僧人）　增（增加）

| céng | 笔画 | 部首 | 结构 | 五笔 | 造字法 |
|---|---|---|---|---|---|
| 层 | 7 | 尸 | 半包围 | NFCI | 形声 |
| 笔顺 | ㇕ ㇇ 尸 尸 层 层 层 | | | | |

【解　释】❶重复；重叠起来的东西及其一部分。❷量词。

【组　词】层次　下层　顶层　云层

【造　句】层次——请大家思考一下，本文可分为几个层次？

【辨　音】不读 cén。

【同音字】曾（曾经）

【形近字】屋（房屋）

【成　语】层出不穷　层次分明　层峦叠嶂

【反义词】层出不穷/屈指可数

【英　语】层层　layer upon layer [ˈleiə əˈpɔn ˈleiə]

| céng | 笔画 | 部首 | 结构 | 五笔 | 造字法 |
|---|---|---|---|---|---|
| 曾 | 12 | 丷 | 上下 | ULJF | 会意 |
| 笔顺 | 丶 丷 丷 并 并 并 并 曾 曾 曾 曾 曾 | | | | |

【解　释】曾经，表示以前经历过。

【组　词】未曾　何曾

【造　句】曾几何时——曾几何时，他们的预言全部落空了。

【辨　音】不读 cén。

【同音字】层（层次）

【形近字】曹（曹操）

【成　语】曾几何时　曾经沧海

【反义词】曾经/不曾

【近义词】不曾/没有

【谚　语】曾经沧海难为水，除却巫山不是云。

【英　语】曾经　once [wʌns]

【多音字】zēng（见 893 页）

| cèng | 笔画 | 部首 | 结构 | 五笔 | 造字法 |
|---|---|---|---|---|---|
| 蹭 | 19 | 𧾷 | 左右 | KHUJ | 形声 |
| 笔顺 | 丶 丷 口 早 早 𧾷 𧾷 𧾷 𧾷 𧾷 蹭 蹭 蹭 蹭 蹭 蹭 蹭 蹭 蹭 | | | | |

【解　释】❶摩擦。❷拖延。❸用脚蹬。❹擦；抹。❺蹭蹬；遭遇挫折。
【组　词】蹭破　磨蹭　蹭蹬
【造　句】磨蹭——我们得抓紧时间做事儿,别磨蹭了。
【辨　音】不读 zēng。
【形近字】赠(赠给)　增(增加)
【反义词】磨蹭/迅速
【近义词】磨蹭/拖延
【英　语】蹭　rub [rʌb]

## CHA　ㄔㄚ

| chā | 笔画 | 部首 | 结构 | 五笔 | 造字法 |
|---|---|---|---|---|---|
| 叉 | 3 | 又 | 独体 | CYI | 指事 |
| 笔顺 | ㇇ 又 叉 | | | | |

【解　释】❶一头有两个以上长齿可以扎取东西的器具。❷用叉子扎取。❸泛指一般的交错。❹叉形符号“×”。
【组　词】鱼叉　叉鱼　交叉
钢叉　叉腰　叉车　叉烧　叉子
【造　句】叉腰——她叉腰站在那里,脸上是愤怒的表情。
【同音字】差(差别)　插(插秧)
【形近字】又(又一次)
【反义词】交叉/平行
【近义词】交叉/交错
【谚　语】叉手求人难。
【英　语】叉子　fork [fɔːk]

【多音字】chá(见 80 页)
【多音字】chǎ(见 82 页)
【多音字】chà(见 82 页)

| chā | 笔画 | 部首 | 结构 | 五笔 | 造字法 |
|---|---|---|---|---|---|
| 杈 | 7 | 木 | 左右 | SCYY | 形声 |
| 笔顺 | 一 十 才 木 杈 杈 杈 | | | | |

【解　释】一种用来挑柴草等的叉状农具。
【组　词】粪杈　木杈
【辨　音】不读 chāi。
【同音字】差(差别)　叉(叉子)
【形近字】权(权力)　衩(裤衩)
【英　语】杈　wooden fork ['wudn fɔːk]
【多音字】chà(见 82 页)

| chā | 笔画 | 部首 | 结构 | 五笔 | 造字法 |
|---|---|---|---|---|---|
| 差 | 9 | 𦍌 | 半包围 | UDAF | 会意 |
| 笔顺 | 丶 丷 䒑 𦍌 𦍌 差 差 差 差 | | | | |

【解　释】❶不同;不相合。❷大致还可以。❸过失;错误。❹差数;两数相减的余数。
【组　词】差别　差错　差异　误差
【造　句】差强人意——这个考分还差强人意。
【同音字】杈(杈子)　插(插足)
【形近字】羞(害羞)
【成　语】差强人意
【反义词】差别/相同
【近义词】差别/差异
【谚　语】差之毫厘,谬以千里。
【英　语】差别　difference ['difərəns]
【多音字】chà(见 82 页)

【多音字】chāi（见 84 页）
【多音字】cī（见 124 页）

| chā | 笔画 | 部首 | 结构 | 五笔 | 造字法 |
|---|---|---|---|---|---|
| 插 | 12 | 扌 | 左右 | RTFV | 形声 |
| 笔顺 | 一 十 扌 扌 扌 扦 扦 扦 扦 插 插 插 | | | | |

【解　释】❶把物体放进去或把细长或薄的东西扎进、放入。❷加入；参与。
【组　词】插班　插手　插曲　插队
【造　句】插嘴——大人说话小孩儿别插嘴。
【同音字】差（差距）
【形近字】搜（搜查）　播（广播）
【成　语】插翅难逃　插科打诨
【反义词】插入/拔出
【近义词】插手/参与
【英　语】插入　insert ［in'səːt］

| chā | 笔画 | 部首 | 结构 | 五笔 | 造字法 |
|---|---|---|---|---|---|
| 喳 | 12 | 口 | 左右 | KSJG | 形声 |
| 笔顺 | 丨 ㄇ 口 口一 叶 吋 咻 咻 咻 喳 喳 喳 | | | | |

【解　释】［喳喳］象声词。形容说话声。
【组　词】喳喳　喳咕
【同音字】插（插入）　差（时差）
【多音字】zhā（见 895 页）

| chā | 笔画 | 部首 | 结构 | 五笔 | 造字法 |
|---|---|---|---|---|---|
| 嚓 | 17 | 口 | 左右 | KPWI | 形声 |
| 笔顺 | 丨 ㄇ 口 口丶 口丶 咛 咛 咛 咛 咛 咛 嘹 嘹 嚓 嚓 嚓 嚓 | | | | |

【解　释】象声词。形容物体猛然断裂的声音。
【组　词】咔嚓
【造　句】咔嚓——"咔嚓"一声，树枝断了。
【同音字】差（差异）
【多音字】cā（见 67 页）

| chá | 笔画 | 部首 | 结构 | 五笔 | 造字法 |
|---|---|---|---|---|---|
| 叉 | 3 | 又 | 独体 | CYI | 指事 |
| 笔顺 | フ 又 叉 | | | | |

【解　释】拦住，互相卡住。
【同音字】查（检查）
【多音字】chā（见 79 页）
【多音字】chǎ（见 82 页）
【多音字】chà（见 82 页）

| chá | 笔画 | 部首 | 结构 | 五笔 | 造字法 |
|---|---|---|---|---|---|
| 茬 | 9 | 艹 | 上下 | ADHF | 形声 |
| 笔顺 | 一 十 廾 艹 艿 芢 茌 茬 茬 | | | | |

【解　释】❶庄稼收割后余留在地上的根和短茎。❷在同一块土地上庄稼种植或生长的次数。❸短而硬的头发或胡子。
【组　词】麦茬　豆茬　换茬
【造　句】麦茬——农民将麦子收割后留了一截麦茬，作为肥料。
【同音字】查（查收）
【形近字】荐（推荐）
【英　语】麦茬　wheat stubble ［wiːt 'stʌbl］

| chá | 笔画 | 部首 | 结构 | 五笔 | 造字法 |
|---|---|---|---|---|---|
| 茶 | 9 | 艹 | 上中下 | AWSU | 形声 |
| 笔顺 | 一 十 廾 艾 苂 茶 茶 茶 茶 | | | | |

【解　释】❶茶树，常绿灌木，开白

花,嫩叶采下经过加工,即成茶叶。❷用茶叶沏成的饮料。❸某些饮料的名称。❹像茶似的颜色。
【组　词】茶叶　茶杯　茶几　茶馆
【同音字】查(查考)　茬(茬子)
【形近字】荼(如火如荼)
【成　语】茶余饭后
【近义词】茶食/点心
【反义词】早茶/晚餐
【歇后语】茶馆搬家——另起炉灶。
【英　语】茶　tea [tiː]

| chá | 笔画 | 部首 | 结构 | 五笔 | 造字法 |
|---|---|---|---|---|---|
| 查 | 9 | 木 | 上下 | SJGF | 形声 |
| 笔顺 | 一 十 才 木 木 杏 杳 杳 查 | | | | |

【解　释】❶仔细地验看。❷翻检着看。❸详细地了解某些情况。
【组　词】查案　查办　检查　查对　查无实据
【造　句】查对——凡数据必须一一查对。
【同音字】搽(搽药)　茶(茶水)
【形近字】杳(杳无音讯)
【近义词】查办/查处
【英　语】检查　check [tʃek]
【多音字】zhā(见895页)

| chá | 笔画 | 部首 | 结构 | 五笔 | 造字法 |
|---|---|---|---|---|---|
| 搽 | 12 | 扌 | 左右 | RAWS | 形声 |
| 笔顺 | 一 丨 扌 扌 扌 扌 扌 扌 扌 搽 搽 搽 | | | | |

【解　释】涂抹(在皮肤上)。
【组　词】搽药　搽粉
【辨　音】不读chā。
【同音字】茶(茶道)
【形近字】擦(擦澡)
【近义词】搽粉/擦粉
【英　语】搽　apply [ə'plai]

| chá | 笔画 | 部首 | 结构 | 五笔 | 造字法 |
|---|---|---|---|---|---|
| 楂 | 13 | 木 | 左右 | SSJG | 形声 |
| 笔顺 | 一 十 才 木 木 朩 朩 朩 朩 朩 楂 楂 楂 | | | | |

【解　释】❶短而硬的头发或胡子。❷同"茬",树木砍伐后留下的根株。
【组　词】树楂　胡楂
【同音字】茶(茶树)　查(查收)
【形近字】渣(渣子)
【英　语】楂　short bristly hair or beard [ʃɔːt 'brisli hɛə ɔː biəd]
【多音字】zhā(见895页)

| chá | 笔画 | 部首 | 结构 | 五笔 | 造字法 |
|---|---|---|---|---|---|
| 察 | 14 | 宀 | 上下 | PWFI | 会意 |
| 笔顺 | 丶 丶 宀 宀 宀 宀 宀 宀 宀 宀 宀 宀 察 察 | | | | |

【解　释】仔细看;调查研究。
【组　词】侦察　观察　察访　察觉
【造　句】察言观色——作为一名空姐,她最擅长察言观色,往往能在旅客需要的时候出现。
【同音字】查(检查)
【形近字】蔡(姓蔡)　祭(祭祀)
【成　语】明察秋毫　察言观色
【谚　语】察言观色,见机而作。
【英　语】察看　watch [wɔtʃ]

C

| chǎ | 笔画 | 部首 | 结构 | 五笔 | 造字法 |
|---|---|---|---|---|---|
| 叉 | 3 | 又 | 独体 | CYI | 指事 |
| 笔顺 | ㇇ 又 叉 | | | | |

【解　释】分开，张开。
【多音字】chā（见 79 页）
【多音字】chá（见 80 页）
【多音字】chà（见 82 页）

| chǎ | 笔画 | 部首 | 结构 | 五笔 | 造字法 |
|---|---|---|---|---|---|
| 衩 | 8 | 衤 | 左右 | PUCY | 形声 |
| 笔顺 | 丶 ⺈ 礻 衤 衤 衩 衩 衩 | | | | |

【解　释】裤衩；短裤。
【组　词】裤衩
【多音字】chà（见 82 页）

| chà | 笔画 | 部首 | 结构 | 五笔 | 造字法 |
|---|---|---|---|---|---|
| 叉 | 3 | 又 | 独体 | CYI | 指事 |
| 笔顺 | ㇇ 又 叉 | | | | |

【解　释】劈叉，两腿向相反方向分开，臀部着地。
【同音字】诧（惊诧）
【多音字】chā（见 79 页）
【多音字】chá（见 80 页）
【多音字】chǎ（见 82 页）

| chà | 笔画 | 部首 | 结构 | 五笔 | 造字法 |
|---|---|---|---|---|---|
| 杈 | 7 | 木 | 左右 | SCYY | 形声 |
| 笔顺 | 一 十 才 木 杈 杈 杈 | | | | |

【解　释】植物的枝干。
【组　词】树杈　枝杈　棉杈
【同音字】岔（岔道）
【多音字】chā（见 79 页）

| chà | 笔画 | 部首 | 结构 | 五笔 | 造字法 |
|---|---|---|---|---|---|
| 岔 | 7 | 山 | 上下 | WVMJ | 会意 |
| 笔顺 | ノ 八 分 分 分 岔 岔 | | | | |

【解　释】❶分歧的或由主干分出的地方。❷转移主题。❸互相错开（多指时间）。❹乱子；事故。
【组　词】岔道　打岔　岔口
【造　句】打岔——奶奶耳朵背，和她说话她总给你打岔。
【同音字】姹（姹紫嫣红）
【形近字】忿（忿然）
【近义词】岔子/事故
【英　语】岔口　fork [fɔːk]

| chà | 笔画 | 部首 | 结构 | 五笔 | 造字法 |
|---|---|---|---|---|---|
| 衩 | 8 | 衤 | 左右 | PUCY | 形声 |
| 笔顺 | 丶 ⺈ 礻 衤 衤 衩 衩 衩 | | | | |

【解　释】❶衣服旁边开口的地方。❷裙子正中分开的地方。
【组　词】开衩
【造　句】开衩——现在流行裤脚旁边开衩的裤子。
【同音字】诧（诧异）　岔（岔路）
【形近字】汊（汊流）　杈（树杈）
【英　语】衩　vent in the sides of garment [vent in ðə saidz əv ˈgɑːmənt]
【多音字】chǎ（见 82 页）

| chà | 笔画 | 部首 | 结构 | 五笔 | 造字法 |
|---|---|---|---|---|---|
| 差 | 9 | 𦍌 | 半包围 | UDAF | 会意 |
| 笔顺 | 丶 丷 䒑 𦍌 𦍌 𦍌 差 差 差 | | | | |

【解　释】❶不好；不够标准。❷缺欠；不足。❸不相当。❹错。
【组　词】差劲　相差　差点儿
【造　句】相差——他俩的考分相差 20 多分。
【同音字】诧（诧异）
【英　语】差不多　almost [ˈɔːlməust]
【多音字】chā（见 79 页）
【多音字】chāi（见 84 页）
【多音字】cī（见 124 页）

| chà | 笔画 | 部首 | 结构 | 五笔 | 造字法 |
|---|---|---|---|---|---|
| 刹 | 8 | 刂 | 左右 | QSJH | 形声 |
| 笔顺 | 丿 乂 㐅 ⺌ 杀 杀 刹 刹 | | | | |

【解　释】❶梵语，原意是土或田，转为佛寺。❷极短促的瞬间。
【组　词】刹那　刹院　梵刹
【造　句】刹那——火箭一刹那就飞上了天。
【辨　音】不读 shà。
【同音字】杈（树杈）　岔（岔口）
【近义词】刹那/霎时
【反义词】刹那/永恒
【英　语】刹那　instant [ˈinstənt]
【多音字】shā（见 623 页）

| chà | 笔画 | 部首 | 结构 | 五笔 | 造字法 |
|---|---|---|---|---|---|
| 诧 | 8 | 讠 | 左右 | YPTA | 形声 |
| 笔顺 | 丶 讠 讠 讠 讠 诧 诧 诧 | | | | |

【解　释】惊讶；惊奇。
【组　词】诧异　诧然
【造　句】诧异——他听了我的话，更感诧异。
【同音字】刹（刹那）　岔（出岔）
【形近字】姹（姹紫嫣红）
【英　语】诧异　be surprised [biː səˈpraizd]

| chà | 笔画 | 部首 | 结构 | 五笔 | 造字法 |
|---|---|---|---|---|---|
| 姹 | 9 | 女 | 左右 | VPTA | 形声 |
| 笔顺 | ㄑ 女 女 女 女 女 妒 姹 姹 | | | | |

【解　释】艳丽。
【造　句】姹紫嫣红——春天，公园里的花姹紫嫣红，煞是好看。
【同音字】刹（刹那）
【形近字】诧（诧异）
【英　语】姹紫嫣红　very beautiful flowers [ˈveri ˈbjuːtəful ˈflauəz]

## CHAI　ㄔㄞ

| chāi | 笔画 | 部首 | 结构 | 五笔 | 造字法 |
|---|---|---|---|---|---|
| 拆 | 8 | 扌 | 左右 | RRYY | 形声 |
| 笔顺 | 一 十 扌 扌 扩 扩 折 拆 | | | | |

【解　释】❶把合在一起的弄开，卸下来；弄散。❷毁坏。
【组　词】拆卸　拆毁　拆迁
【造　句】拆迁——根据规划，城中村必须拆迁。
【同音字】差（出差）　钗（金钗）
【形近字】折（折磨）
【成　语】过河拆桥
【反义词】拆毁/修建
【近义词】拆除/拆毁
【谚　语】拆东墙，补西墙，掀了瓦屋盖土房。
【英　语】拆除　demolish [diˈmɔliʃ]
【多音字】cā（见 67 页）

| chāi | 笔画 | 部首 | 结构 | 五笔 | 造字法 |
| --- | --- | --- | --- | --- | --- |
| 钗 | 8 | 钅 | 左右 | QCYY | 形声 |
| 笔顺 | 丿 𠂉 𠂉 乍 钅 钌 钗 钗 | | | | |

【解　释】旧时妇女插在发髻上的一种首饰。
【组　词】钗环　银钗　金钗
【同音字】差(差事)　拆(拆穿)
【形近字】杈(树杈)　衩(裤衩)
【英　语】钗 hairpin ['hɛəpin]

| chāi | 笔画 | 部首 | 结构 | 五笔 | 造字法 |
| --- | --- | --- | --- | --- | --- |
| 差 | 9 | 𢀖 | 半包围 | UDAF | 会意 |
| 笔顺 | 丶 丷 䒑 䒑 兰 羊 差 差 差 | | | | |

【解　释】❶派遣去做事。❷旧时称被派遣的人。❸被派遣去做的事。
【组　词】差遣　差役　差事
【造　句】差遣——他受人差遣去外地办事。
【同音字】拆(拆散)　钗(宝钗)
【近义词】差遣/派遣
【英　语】差事 errand ['erənd]
【多音字】chā(见 79 页)
【多音字】chà(见 82 页)
【多音字】cī(见 124 页)

| chái | 笔画 | 部首 | 结构 | 五笔 | 造字法 |
| --- | --- | --- | --- | --- | --- |
| 柴 | 10 | 木 | 上下 | HXSU | 形声 |
| 笔顺 | 丨 卜 ⺊ 止 止 此 此 坒 柴 柴 | | | | |

【解　释】❶泛指做燃料的草木。❷干瘦;干枯。❸姓。
【组　词】柴草　柴门　柴油　柴火
【辨　音】不读 cái。
【同音字】豺(豺狼)
【形近字】些(些许)　紫(紫色)
【近义词】柴火/柴草
【谚　语】柴多火焰高,人齐山也倒。
【英　语】柴 firewood ['faiəwud]

| chái | 笔画 | 部首 | 结构 | 五笔 | 造字法 |
| --- | --- | --- | --- | --- | --- |
| 豺 | 10 | 豸 | 左右 | EEFT | 形声 |
| 笔顺 | 丿 ⺈ 𠂆 乡 豸 豸 豸 豸 豺 豺 | | | | |

【解　释】一种像狼的野兽,比狼小,毛色较黄,耳朵比狼的短而圆。性残暴,常成群侵袭家畜。也叫豺狗。
【组　词】豺狗
【辨　音】不读 cái。
【同音字】柴(柴胡)
【形近字】豹(豹子)
【成　语】豺狼当道
【反义词】豺狼成性/慈悲为怀
【近义词】豺狼成性/穷凶极恶
【谚　语】豺狼当道,不问狐狸。

## CHAN　ㄔㄢ

| chān | 笔画 | 部首 | 结构 | 五笔 | 造字法 |
| --- | --- | --- | --- | --- | --- |
| 掺 | 11 | 扌 | 左右 | RCDE | 形声 |
| 笔顺 | 一 十 扌 扌 扌 扌 护 挨 挨 掺 掺 | | | | |

【解　释】混合;掺和;混杂。
【组　词】掺和　掺杂
【造　句】掺和——我和他之间的事情,你最好不要掺和。
【同音字】搀(搀扶)
【形近字】渗(渗透)

【英 语】掺杂 adulterate [ə'dʌl-təreit]

| chān | 笔画 | 部首 | 结构 | 五笔 | 造字法 |
|---|---|---|---|---|---|
| 搀 | 12 | 扌 | 左右 | RQKU | 形声 |
| 笔顺 | 一 亅 扌 扌 扌 扌 扌 扌 搀 搀 搀 搀 | | | | |

【解 释】❶用手轻轻架住对方的手或胳膊；扶；牵挽。❷混合；混杂。
【组 词】搀扶 搀手
【辨 音】不读 cān。
【同音字】掺（掺杂）
【形近字】谗（谗言） 馋（嘴馋）
【近义词】搀扶/扶持
【英 语】搀扶 support sb. with hand [sə'pɔːt 'sʌmbədi wið hænd]

| chán | 笔画 | 部首 | 结构 | 五笔 | 造字法 |
|---|---|---|---|---|---|
| 单 | 8 | 丷 | 上下 | UJFJ | 象形 |
| 笔顺 | 丶 丷 丷 丷 丷 丷 丷 单 | | | | |

【解 释】单于，古代匈奴君主的称号。
【同音字】婵（婵娟） 禅（禅师）
【多音字】dān（见 142 页）
【多音字】shàn（见 628 页）

| chán | 笔画 | 部首 | 结构 | 五笔 | 造字法 |
|---|---|---|---|---|---|
| 谗 | 11 | 讠 | 左右 | YQKU | 形声 |
| 笔顺 | 丶 讠 讠 讠 讠 讠 讠 讠 谗 谗 谗 | | | | |

【解 释】说陷害别人的坏话。
【组 词】谗言 谗害 进谗
【造 句】谗言——我们应该相信他，不能听信别人的谗言。
【同音字】缠（缠足）
【形近字】馋（馋猫）
【近义词】谗言/诬蔑
【谚 语】谗言误国，妒妇乱家。
【英 语】谗言 slanderous talk ['slaːndərəs tɔːk]

| chán | 笔画 | 部首 | 结构 | 五笔 | 造字法 |
|---|---|---|---|---|---|
| 婵 | 11 | 女 | 左右 | VUJF | 形声 |
| 笔顺 | 𡿨 女 女 女 女 女 女 女 婵 婵 婵 | | | | |

【解 释】❶（姿态）美好的样子。❷旧时借称美人。❸指月亮。
【组 词】婵娟
【同音字】禅（坐禅） 蝉（蝉蜕）
【形近字】弹（子弹）

| chán | 笔画 | 部首 | 结构 | 五笔 | 造字法 |
|---|---|---|---|---|---|
| 馋 | 12 | 饣 | 左右 | QNQU | 形声 |
| 笔顺 | 丿 𠂉 饣 饣 饣 饣 饣 饣 馋 馋 馋 馋 | | | | |

【解 释】❶贪吃；贪食；专爱吃好的。❷贪；羡慕别人好的东西或待遇。
【组 词】嘴馋 眼馋
【造 句】馋涎欲滴——看着满桌子好吃的东西，小华早已馋涎欲滴了。
【形近字】谗（谗言）
【成 语】馋涎欲滴
【近义词】馋嘴/贪吃
【歇后语】馋猫吃老鼠——生吞活剥。
【英 语】馋嘴 gluttonous ['glʌtənəs]

C

| chán | 笔画 | 部首 | 结构 | 五笔 | 造字法 |
|---|---|---|---|---|---|
| 禅 | 12 | 礻 | 左右 | PYUF | 形声 |
| 笔顺 | 丶 ㇇ 礻 礻 礻 礻 礻 礻 礻 礻 禅 禅 | | | | |

【解 释】❶梵语“禅那”的简称，佛教指静思。❷表示关于佛教的事物。
【组 词】坐禅 禅杖 禅师
【同音字】婵(婵娟) 缠(纠缠)
【形近字】殚(殚力) 掸(掸掉)
【近义词】禅院/佛寺
【英 语】禅房 meditation abode [medi'teiʃən ə'bəud]
【多音字】shàn(见 629 页)

| chán | 笔画 | 部首 | 结构 | 五笔 | 造字法 |
|---|---|---|---|---|---|
| 缠 | 13 | 纟 | 左右 | XYJF | 形声 |
| 笔顺 | 𠃋 纟 纟 纟 纟 纩 纩 纩 纩 纩 缠 缠 缠 | | | | |

【解 释】❶盘绕；围绕。❷搅扰；困扰别人。❸应付；对付。❹转。
【组 词】缠绕 缠身 缠手 难缠
【造 句】缠手——这件事真缠手，的确不好办。
【同音字】蝉(蝉蜕)
【形近字】喱(咖喱)
【成 语】胡搅蛮缠 缠绵悱恻
【反义词】缠绵悱恻/超然物外
【近义词】缠手/棘手
【英 语】缠绵 be lingering [biː'liŋgəriŋ]

| chán | 笔画 | 部首 | 结构 | 五笔 | 造字法 |
|---|---|---|---|---|---|
| 蝉 | 14 | 虫 | 左右 | JUJF | 形声 |
| 笔顺 | 丶 冂 口 中 虫 虫 虫 虫 虫 虫 虫 虫 蝉 蝉 | | | | |

【解 释】❶蝉科昆虫的总称，也叫知了。雄的腹面有发声器，叫的声音很大。❷连续不断。
【组 词】蝉蜕 蝉鸣 蝉虫
【造 句】蝉鸣——夏天睡午觉时被一阵阵蝉鸣声搅醒的滋味真不好受。
【辨 音】不读 dān。
【同音字】缠(缠绕)
【形近字】禅(禅院)
【谚 语】蝉声犹为断，孤雁早成行。
【英 语】蝉 cicada [si'kaːdə]

| chǎn | 笔画 | 部首 | 结构 | 五笔 | 造字法 |
|---|---|---|---|---|---|
| 产 | 6 | 亠 | 独体 | U | 形声 |
| 笔顺 | 丶 亠 亠 立 立 产 | | | | |

【解 释】❶人或动物从母体排出幼体。❷创造；生产。❸财物。❹物品；产品。
【组 词】产生 产业 增产 资产
【造 句】增产——今年是一个丰收年，粮食大大增产。
【辨 音】不读 cǎn。
【同音字】铲(铲除) 阐(阐述)
【形近字】严(严格)
【反义词】增产/减产
【英 语】产物 outcome ['autkʌm]

| chǎn | 笔画 | 部首 | 结构 | 五笔 | 造字法 |
|---|---|---|---|---|---|
| 谄 | 10 | 讠 | 左右 | YQVG | 形声 |
| 笔顺 | 丶 讠 讠 讠 讠 讠 讠 谄 谄 谄 | | | | |

【解 释】奉承讨好；献媚。
【组 词】谄媚 谄笑 谄谀

【造　句】谄媚——为了升职，他经常谄媚上司。
【同音字】产（产生）
【英　语】谄媚 blarney [ˈblɑːni]

| chǎn | 笔画 | 部首 | 结构 | 五笔 | 造字法 |
| --- | --- | --- | --- | --- | --- |
| 铲 | 11 | 钅 | 左右 | QUTT | 形声 |
| 笔顺 | ノ ト 𠂉 乍 钅 钅 铲 铲 铲 铲 铲 | | | | |

【解　释】❶削平东西或把东西取上来的用具。❷用铲子除去；消灭。❸用锹或铲子削平或取上来。
【组　词】铁铲　铲除　铲平
【造　句】铲除——政府正加大力度铲除腐败。
【辨　音】不读 cǎn。
【同音字】产（生产）
【形近字】锌（补锌）
【反义词】铲除/保留
【近义词】铲除/根除
【谚　语】铲草不除根，春风吹又生。
【英　语】铲子 shovel [ˈʃʌvl]

| chǎn | 笔画 | 部首 | 结构 | 五笔 | 造字法 |
| --- | --- | --- | --- | --- | --- |
| 阐 | 11 | 门 | 半包围 | UUJF | 形声 |
| 笔顺 | 丶 亻 门 门 门 门 闩 闩 闩 闩 阐 | | | | |

【解　释】说明；讲明白。
【组　词】阐述　阐明　阐发　阐释
【造　句】阐述——他将事件的始末和经过阐述得非常清楚。
【辨　音】不读 shàn 或 cǎn。
【同音字】产（遗产）　铲（铲菜）
【形近字】间（房间）　闸（开闸）
【近义词】阐述/表述
【英　语】阐述 expound [ikˈspaund]

| chàn | 笔画 | 部首 | 结构 | 五笔 | 造字法 |
| --- | --- | --- | --- | --- | --- |
| 忏 | 6 | 忄 | 左右 | NTFH | 形声 |
| 笔顺 | 丶 丶 忄 忄 忏 忏 | | | | |

【解　释】［忏悔］因为认识到过去的错误或罪行而感到痛心。
【组　词】忏悔
【造　句】忏悔——他为自己所犯的罪行而感到忏悔。
【同音字】颤（颤动）
【英　语】忏悔 repent [riˈpent]

| chàn | 笔画 | 部首 | 结构 | 五笔 | 造字法 |
| --- | --- | --- | --- | --- | --- |
| 颤 | 19 | 页 | 左右 | YLKM | 形声 |
| 笔顺 | 丶 亠 亠 宀 宀 亩 亩 亩 亶 亶 亶 亶 亶 亶 亶 亶 颤 颤 颤 | | | | |

【解　释】物体轻微而连续地振动、抖动。
【组　词】颤动　颤抖　颤悠
【造　句】颤抖——他不小心踩到水塘里，冻得全身颤抖。
【辨　音】不读 càn。
【同音字】忏（忏悔）
【形近字】檀（檀树）
【反义词】颤悠/平稳
【近义词】颤动/振动
【英　语】颤动 vibrate [vaiˈbreit]
【多音字】zhàn（见 903 页）

## CHANG　彳尢

| chāng | 笔画 | 部首 | 结构 | 五笔 | 造字法 |
| --- | --- | --- | --- | --- | --- |
| 伥 | 6 | 亻 | 左右 | WTAY | 形声 |
| 笔顺 | ノ 亻 亻 仁 伫 伥 | | | | |

【解　释】传说被老虎咬死的人变

成鬼,这种鬼又引导老虎伤人,称为伥鬼。
【组　词】伥鬼
【造　句】为虎作伥——我们应该相信,那种为虎作伥的人毕竟是少数。
【同音字】昌(昌盛)　猖(猖狂)
【形近字】账(账务)
【成　语】为虎作伥
【近义词】为虎作伥/助纣为虐

| chāng | 笔画 | 部首 | 结构 | 五笔 | 造字法 |
|---|---|---|---|---|---|
| 昌 | 8 | 曰 | 上下 | JJF | 会意 |
| 笔顺 | 丶 冂 日 日 旦 昌 昌 昌 | | | | |

【解　释】❶兴旺;兴盛。❷美好。
【组　词】昌盛　昌明　昌言　昌隆
【造　句】繁荣昌盛——国家的繁荣昌盛,离不开每个公民的努力。
【同音字】伥(为虎作伥)
【形近字】冒(感冒)
【反义词】昌盛/衰落
【近义词】昌盛/兴盛
【英　语】昌盛　prosperous　[ˈprɔspərəs]

| chāng | 笔画 | 部首 | 结构 | 五笔 | 造字法 |
|---|---|---|---|---|---|
| 猖 | 11 | 犭 | 左右 | QTJJ | 形声 |
| 笔顺 | 丿 犭 犭 犭 犭 犭 犭 犭 猖 猖 猖 | | | | |

【解　释】❶狂妄;放肆。❷凶猛;气焰嚣张。
【组　词】猖獗　猖狂
【造　句】猖獗——这里走私猖獗,要严厉打击。
【同音字】昌(昌盛)
【形近字】倡(提倡)　娼(娼妓)

【近义词】猖獗/猖狂
【英　语】猖狂　savage　[ˈsævidʒ]

| cháng | 笔画 | 部首 | 结构 | 五笔 | 造字法 |
|---|---|---|---|---|---|
| 长 | 4 | 丿 | 独体 | TA | 指事 |
| 笔顺 | 丿 ⺊ 长 长 | | | | |

【解　释】❶长度,两点间的距离。❷多余;剩余。❸指长度大(跟"短"相对)。❹长处;擅长。❺在某方面做得特别好。

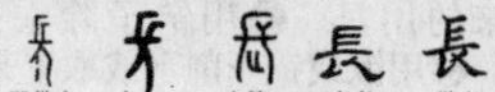
甲骨文　金文　小篆　隶书　楷书

【字源释义】甲骨文"长"字像一个长着很长的头发的人。为了刻写的方便,头部用短横来表示。
【组　词】长江　长城　长处　擅长
【造　句】取长补短——同学之间应该互相取长补短,共同提高。
【同音字】肠(肠胃)　偿(补偿)
【形近字】卡(贺卡)
【成　语】取长补短　天长地久
【反义词】长处/短处
【近义词】取长补短/扬长避短
【谚　语】长江后浪推前浪,一代

新人胜旧人|长江都有回头水,石头也有翻身日。
【英 语】长 long [lɔŋ]
【多音字】zhǎng(见904页)

| cháng | 笔画 | 部首 | 结构 | 五笔 | 造字法 |
|---|---|---|---|---|---|
| 场 | 6 | 土 | 左右 | FNRT | 形声 |
| 笔顺 | 一 十 土 场 场 场 | | | | |

【解 释】❶用来收打谷物的平坦的空地。❷集市。❸量词。用于一件事情的经过。
【组 词】场院 打场 场屋 晒场
【同音字】长(长江)
【多音字】chǎng(见90页)

| cháng | 笔画 | 部首 | 结构 | 五笔 | 造字法 |
|---|---|---|---|---|---|
| 肠 | 7 | 月 | 左右 | ENRT | 形声 |
| 笔顺 | 丿 刀 月 月 肠 肠 肠 | | | | |

【解 释】❶人或动物的内脏之一,上端连胃,下端通肛门的管状消化道。❷喻指情怀等。
【组 词】肠胃 香肠 心肠 断肠
【造 句】肠胃——肠胃不好的人,忌吃生冷食物。
【辨 音】不读 tāng。
【同音字】长(长短) 尝(尝试)
【形近字】汤(喝汤) 杨(杨柳)
【成 语】牵肠挂肚
【歇后语】肠子不打弯——直性子。
【英 语】肠 intestine [in'testin]

| cháng | 笔画 | 部首 | 结构 | 五笔 | 造字法 |
|---|---|---|---|---|---|
| 尝 | 9 | ⺌ | 上下 | IPFC | 形声 |
| 笔顺 | 丨 ⺌ ⺌ 尚 尚 尝 尝 尝 尝 | | | | |

【解 释】❶品尝,辨别滋味。❷经历。❸试。❹曾经。
【组 词】尝试 尝新 何尝 品尝
【造 句】品尝——中秋之夜,我们全家坐在小院里边品尝月饼边赏月。
【辨 音】不读 chāng。
【同音字】常(经常) 肠(肠液)
【形近字】偿(偿还)
【近义词】品尝/品味
【谚 语】尝试总有益,多问不吃亏。
【英 语】尝试 attempt [ə'tempt]

| cháng | 笔画 | 部首 | 结构 | 五笔 | 造字法 |
|---|---|---|---|---|---|
| 偿 | 11 | 亻 | 左右 | WIPC | 形声 |
| 笔顺 | 丿 亻 亻 亻 亻 亻 亻 偿 偿 偿 偿 | | | | |

【解 释】❶归还。❷补还;抵当。❸指某种报酬。❹满足;实现。
【组 词】无偿 偿还 补偿 赔偿
【造 句】补偿——经过多年的努力,他终于得到了补偿。
【同音字】长(长途) 常(正常)
【形近字】尝(尝试)
【成 语】得不偿失 如愿以偿
【反义词】偿还/欠债
【近义词】赔偿/补偿
【英 语】偿还 repay [ri'pei]

| cháng | 笔画 | 部首 | 结构 | 五笔 | 造字法 |
|---|---|---|---|---|---|
| 徜 | 11 | 彳 | 左右 | TIMK | 形声 |
| 笔顺 | 丿 彡 彳 彳 彳 彳 彳 徜 徜 徜 徜 | | | | |

【解 释】[徜徉]安闲自在地来回走。
【组 词】徜徉

C

【造　句】徜徉——我们来到湖边，徜徉在大自然的美好景色中。
【同音字】常(常识)　偿(偿命)
【形近字】倘(倘若)
【近义词】徜徉/徘徊
【英　语】徜徉　pace up and down [peis ʌp ænd daun]

| cháng | 笔画 | 部首 | 结构 | 五笔 | 造字法 |
|---|---|---|---|---|---|
| 常 | 11 | ⺌ | 上下 | IPKH | 形声 |
| 笔顺 | 丨 ⺌ ⺌ 𰀁 ⺍ 𫩏 常 常 常 常 常 | | | | |

【解　释】❶一般的；普通的。❷平常；经常；常常。❸永久；固定的。❹(书)指伦常。❺姓。
【组　词】常常　常规　常识　日常
【造　句】常识——每天都抽出一定时间看一看科普书，这样就会了解更多的科学常识。
【谚　语】常说口里顺，常做手不笨。

| cháng | 笔画 | 部首 | 结构 | 五笔 | 造字法 |
|---|---|---|---|---|---|
| 裳 | 14 | ⺌ | 上下 | IPKE | 形声 |
| 笔顺 | 丨 ⺌ ⺌ 𰀁 ⺍ 𫩏 𫩏 𫩏 𫩏 堂 𫩏 裳 裳 裳 | | | | |

【解　释】古代指裙子。
【同音字】偿(偿还)
【形近字】党(党员)
【多音字】shang (见 632 页)

| cháng | 笔画 | 部首 | 结构 | 五笔 | 造字法 |
|---|---|---|---|---|---|
| 嫦 | 14 | 女 | 左右 | VIPH | 形声 |
| 笔顺 | 𡿨 女 女 女' 女'' 女⺌ 女⺍ 女𫩏 ... 嫦 嫦 | | | | |

【解　释】嫦娥，神话传说中后羿(yì)的妻子，偷吃了丈夫的不老丹，遂奔月宫，成为仙女。
【同音字】常(经常)　偿(偿还)
【形近字】常(平常)

| chǎng | 笔画 | 部首 | 结构 | 五笔 | 造字法 |
|---|---|---|---|---|---|
| 厂 | 2 | 厂 | 独体 | DGT | 象形 |
| 笔顺 | 一 厂 | | | | |

【解　释】❶工厂。❷跟棚子类似的房屋。❸可以加工商品或可堆放商品的场所。
【组　词】钢厂　厂房　纱厂　厂矿　煤厂　厂商　船厂　厂家
【同音字】场(场所)　敞(宽敞)
【形近字】广(广阔)
【英　语】工厂　factory [ˈfæktəri]

| chǎng | 笔画 | 部首 | 结构 | 五笔 | 造字法 |
|---|---|---|---|---|---|
| 场 | 6 | 土 | 左右 | FNRT | 形声 |
| 笔顺 | 一 十 土 圴 场 场 | | | | |

【解　释】❶公众聚集的地方。❷戏剧或比赛的次序。❸某一个特别的时间、地点或范围。❹有一定生产规模的单位。❺量词。用于文娱体育活动。❻舞台。
【组　词】广场　剧场　现场　市场
【造　句】广场——天安门广场是世界上面积最大的城市广场。
【同音字】厂(工厂)　敞(敞开)
【形近字】汤(炖汤)　畅(畅通)
【成　语】逢场作戏
【近义词】赶场/赶集
【英　语】广场　square [skwɛə]
【多音字】cháng(见 89 页)

| chǎng | 笔画 | 部首 | 结构 | 五笔 | 造字法 |
|---|---|---|---|---|---|
| 敞 | 12 | 攵 | 左右 | IMKT | 形声 |
| 笔顺 | 丨 ⺌ 𭕄 ⺌ 尚 尚 尚 尚 尚 敞 敞 敞 | | | | |

【解　释】❶没有遮蔽；宽绰。❷张开；打开；放开；无所顾忌。

【组　词】敞亮　宽敞　敞快　敞篷车

【造　句】宽敞——改革春风吹遍祖国各个角落，农村里的孩子也坐进了宽敞的教室。

【辨　音】不读 bì。

【同音字】场(当场)　厂(厂纪)

【形近字】敝(敝帚自珍)

【反义词】宽敞/狭窄

【近义词】宽敞/宽大

【英　语】宽敞　spacious [ˈspeiʃəs]

| chàng | 笔画 | 部首 | 结构 | 五笔 | 造字法 |
|---|---|---|---|---|---|
| 怅 | 7 | 忄 | 左右 | NTAY | 形声 |
| 笔顺 | 丶 丶 忄 忄 忙 怅 怅 | | | | |

【解　释】失意；不痛快；不如意。

【组　词】怅惘　怅怅　怅然

【造　句】怅然——好朋友去了远方，她不禁怅然若失。

【辨　音】不读 cháng。

【同音字】唱(唱腔)　倡(提倡)

【形近字】胀(膨胀)　账(账本)

【成　语】怅然若失

【反义词】怅怅/得意

【近义词】怅然/惆怅

【英　语】怅然　disappointed [disəˈpɔintid]

| chàng | 笔画 | 部首 | 结构 | 五笔 | 造字法 |
|---|---|---|---|---|---|
| 畅 | 8 | 丨 | 左右 | JHNR | 形声 |
| 笔顺 | 丨 冂 日 日 申 畅 畅 畅 | | | | |

【解　释】❶无阻碍；通达。❷尽情；痛快。

【组　词】流畅　舒畅　畅销

【造　句】畅所欲言——今天的班会是民主会，希望大家畅所欲言，有什么意见、建议都请提出来。

【同音字】怅(怅然)　唱(唱片)

【形近字】汤(米汤)　扬(表扬)

【成　语】畅所欲言　畅行无阻

【反义词】畅行无阻/寸步难行

【近义词】流畅/顺畅

【英　语】畅通　expedite [ˈekspidait]

| chàng | 笔画 | 部首 | 结构 | 五笔 | 造字法 |
|---|---|---|---|---|---|
| 倡 | 10 | 亻 | 左右 | WJJG | 形声 |
| 笔顺 | 丿 亻 亻 们 伹 倡 倡 倡 倡 倡 | | | | |

【解　释】先导；发动；首先提出。

【组　词】倡议　倡导　提倡

【造　句】倡议——班长的倡议得到了班上大多数人的拥护。

【同音字】畅(畅饮)

【形近字】唱(唱和)　猖(猖狂)

【反义词】提倡/反对

【近义词】提倡/倡议

【英　语】倡议　propose [prəˈpəuz]

| chàng | 笔画 | 部首 | 结构 | 五笔 | 造字法 |
|---|---|---|---|---|---|
| 唱 | 11 | 口 | 左右 | KJJG | 形声 |
| 笔顺 | 丨 口 口 叩 叩 吅 唱 唱 唱 唱 唱 | | | | |

C

【解 释】❶口中依照乐律发出的声音。❷呼喊；叫。❸歌曲。
【组 词】唱歌 唱腔 唱戏
【造 句】唱腔——这位艺术家的唱腔很优美。
【同音字】畅(畅谈) 倡(倡导)
【形近字】喝(喝茶) 倡(倡议)
【成 语】一唱一和
【近义词】唱歌/演唱
【歇后语】唱戏的吹胡子——假生气。
【谚 语】唱的比说的好听。
【英 语】唱歌 sing [siŋ]

C

# CHAO ㄔㄠ

| chāo | 笔画 | 部首 | 结构 | 五笔 | 造字法 |
|---|---|---|---|---|---|
| 抄 | 7 | 扌 | 左右 | RITT | 形声 |
| 笔顺 | 一 十 扌 扌 扌 扌 抄 | | | | |

【解 释】❶誊写；根据原文抄录。❷将别人的文章或作品照着写下来当做自己的。❸搜查并没收。❹迅速拿起。❺为近便而从侧面小道穿过去。
【组 词】抄书 抄袭 抄家 摘抄 抄录 抄道
【造 句】抄袭——小学生必须独立完成作业，不能抄袭别人的。
【同音字】超(超越)
【形近字】沙(沙石)
【成 语】满门抄斩
【反义词】抄袭/创作
【近义词】抄写/誊写
【英 语】抄写 copy [ˈkɔpi]

| chāo | 笔画 | 部首 | 结构 | 五笔 | 造字法 |
|---|---|---|---|---|---|
| 吵 | 7 | 口 | 左右 | KITT | 形声 |
| 笔顺 | 丨 口 口 叫 叫 叫 吵 | | | | |

【解 释】吵吵，形容许多人乱说话。
【组 词】吵吵嚷嚷
【同音字】抄(抄写)
【多音字】chǎo(见94页)

| chāo | 笔画 | 部首 | 结构 | 五笔 | 造字法 |
|---|---|---|---|---|---|
| 钞 | 9 | 钅 | 左右 | QITT | 形声 |
| 笔顺 | 丿 𠂉 𠂉 乍 钅 钊 钊 钞 钞 | | | | |

【解 释】❶纸币名，钞票。❷誊写，同“抄”。
【组 词】钞本 美钞 钞票
【辨 音】不读 cāo。
【同音字】抄(摘抄)
【形近字】纱(纱巾)
【近义词】美钞/美元
【英 语】钞票 bank note [bæŋk nəut]

| chāo | 笔画 | 部首 | 结构 | 五笔 | 造字法 |
|---|---|---|---|---|---|
| 绰 | 11 | 纟 | 左右 | XHJH | 形声 |
| 笔顺 | 𠃋 纟 纟 纟 纟 纟 纟 纟 纟 纟 绰 | | | | |

【解 释】❶迅速抓起。❷把蔬菜放在开水里略微煮一会儿就拿出来。
【组 词】绰起 绰菜
【造 句】绰起——他绰起一根扁担就打。
【同音字】抄(抄录)
【形近字】掉(掉头)

【多音字】chuò（见 123 页）

| chāo | 笔画 | 部首 | 结构 | 五笔 | 造字法 |
|---|---|---|---|---|---|
| 超 | 12 | 走 | 半包围 | FHVK | 形声 |
| 笔顺 | 一 十 土 丰 丰 去 走 起 起 超 超 超 | | | | |

【解　释】❶越过；高出。❷胜过。❸越过某种范围；不受限制。
【组　词】超常　超产　超额　高超
【造　句】超额——截至今年 10 月份，我们厂超额完成了全年的生产任务。
【同音字】抄（查抄）
【形近字】越（越过）　起（起床）
【成　语】超然物外
【反义词】超等/低级
【近义词】超产/增产
【谚　语】超出三界外，不在五行中。
【英　语】超出　overstep [ˈəuvəstep]

| cháo | 笔画 | 部首 | 结构 | 五笔 | 造字法 |
|---|---|---|---|---|---|
| 巢 | 11 | 巛 | 上下 | VJSU | 会意 |
| 笔顺 | ＜ 巜 巛 巛 巛 巛 巛 巛 巢 巢 巢 | | | | |

【解　释】❶鸟窝。❷泛指蜂、蚁、兽等动物的窝。❸指敌人或坏人藏身的地方。
【组　词】蚁巢　匪巢　巢穴
【造　句】鸟巢——大树上有许多鸟巢。
【辨　音】不读 cáo。
【同音字】朝（朝拜）
【形近字】剿（剿灭）
【近义词】鸟巢/鸟窝
【英　语】巢穴　lair [lɛə]

| cháo | 笔画 | 部首 | 结构 | 五笔 | 造字法 |
|---|---|---|---|---|---|
| 朝 | 12 | 月 | 左右 | FJEG | 会意 |
| 笔顺 | 一 十 十 古 古 古 直 卓 朝 朝 朝 朝 | | | | |

【解　释】❶朝廷，帝王听政的地方。❷面对；向着。❸朝代，某一帝王所统治的时期。❹指封建时代臣子见君主。
【组　词】唐朝　朝政　朝拜　朝鲜族
【造　句】朝拜——这座清真寺每天都有成千上万的人前来朝拜。
【辨　音】不读 cáo。
【同音字】嘲（嘲笑）　潮（涨潮）
【近义词】朝见/朝觐
【英　语】朝代　dynasty [ˈdinəsti]
【多音字】zhāo（见 907 页）

| cháo | 笔画 | 部首 | 结构 | 五笔 | 造字法 |
|---|---|---|---|---|---|
| 嘲 | 15 | 口 | 左右 | KFJE | 形声 |
| 笔顺 | 丨 冂 口 口一 口十 口十 咕 咕 咭 嘻 啅 嘲 嘲 嘲 嘲 | | | | |

【解　释】讥笑；取笑。
【组　词】嘲讽　嘲弄　解嘲　嘲笑　讥嘲
【造　句】嘲笑——同学们嘲笑他不会打球。
【辨　音】不读 cáo。
【同音字】朝（朝廷）
【形近字】潮（潮流）
【成　语】冷嘲热讽
【反义词】嘲讽/赞美
【近义词】嘲讽/嘲笑
【英　语】嘲笑　ridicule [ˈridikjuːl]

| cháo | 笔画 | 部首 | 结构 | 五笔 | 造字法 |
|---|---|---|---|---|---|
| 潮 | 15 | 氵 | 左右 | IFJE | 形声 |
| 笔顺 | 丶 冫 氵 氵 汁 沽 沽 沽 渣 淖 淖 潮 潮 潮 | | | | |

【解　释】❶海水涨落的现象。❷像潮水似的汹涌而起的样子。❸湿，但程度比较浅。❹成色不好；质量差；技术低。❺时髦。
【组　词】潮水　潮湿　潮流
【造　句】潮湿——我闻到一股潮湿的泥土香气。
【辨　音】不读 cáo。
【同音字】朝（朝代）
【形近字】嘲（嘲笑）
【反义词】潮湿/干燥
【近义词】寒潮/寒流
【谚　语】潮落船低，水涨船高。
【英　语】潮水　tidewater [taidˈwɔːtə]

| chǎo | 笔画 | 部首 | 结构 | 五笔 | 造字法 |
|---|---|---|---|---|---|
| 吵 | 7 | 口 | 左右 | KITT | 形声 |
| 笔顺 | 丨 ㄇ 口 口丨 叫 吵 吵 | | | | |

【解　释】❶指声音嘈杂打搅人；喧闹。❷拌嘴。
【组　词】吵闹　吵嘴　吵架　争吵　吵嚷
【造　句】吵闹——她们吵闹了一夜，彼此都不认输。
【辨　音】不读 cǎo。
【同音字】炒（炒菜）
【形近字】砂（砂石）
【反义词】吵闹/安静
【近义词】吵扰/打搅
【英　语】吵架　quarrel [ˈkwɔrəl]

【多音字】chāo（见 92 页）

| chǎo | 笔画 | 部首 | 结构 | 五笔 | 造字法 |
|---|---|---|---|---|---|
| 炒 | 8 | 火 | 左右 | OITT | 形声 |
| 笔顺 | 丶 丷 少 火 灯 灯 炒 炒 | | | | |

【解　释】❶一种烹调方法，把食物放在锅里用锅铲翻动加热弄熟。❷借指买进卖出。❸开除；辞退。
【组　词】炒菜　炒面　炒热　爆炒　炒股　炒作　炒米　炒鱿鱼
【造　句】炒米——到大草原上的蒙古包里做客，主人会奉上炒米、奶茶招待客人。
【辨　音】不读 cǎo。
【同音字】吵（吵闹）
【形近字】沙（沙土）
【歇后语】炒面捏的娃娃——熟人｜炒冷饭——不新鲜。
【谚　语】炒豆大伙吃，炸锅一人担｜炒菜要油，耕田要牛。
【英　语】炒饭　fried rice [fraid rais]

## CHE　ㄔㄜ

| chē | 笔画 | 部首 | 结构 | 五笔 | 造字法 |
|---|---|---|---|---|---|
| 车 | 4 | 车 | 独体 | LGNH | 象形 |
| 笔顺 | 一 七 亡 车 | | | | |

【解　释】❶陆地上有轮子的交通运输工具。❷利用轮轴使之转动的机器。❸用旋床旋东西。❹用水车使水升高。❺转动。

甲骨文　金文　小篆　隶书　楷书

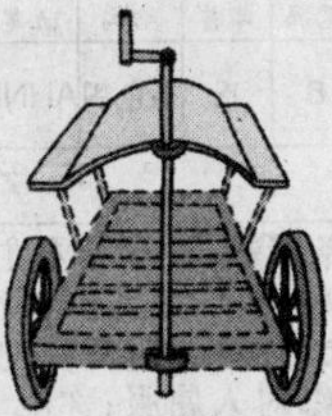

【字源释义】这个字为象形字：甲骨文和金文的写法是车厢、车辕和两个车轮俱全，极其形象；后来车轮逐渐简化为一个。
【组　词】汽车　火车　车站　车程
【造　句】车站——爸爸出差回来了，我和妈妈都去车站接他。
【成　语】车水马龙
【近义词】车胎/轮胎
【谚　语】车到山前必有路，船到桥头自然直。
【英　语】车辆　vehicle [ˈviːikl]
【多音字】jū（见377页）

| chě | 笔画 | 部首 | 结构 | 五笔 | 造字法 |
|---|---|---|---|---|---|
| 扯 | 7 | 扌 | 左右 | RHG | 形声 |
| 笔顺 | 一 十 扌 扎 扑 扯 扯 | | | | |

【解　释】❶拉；拽。❷不拘形式和不拘内容、漫无边际的谈话。❸撕下。
【组　词】扯淡　扯皮　拉扯　瞎扯
【造　句】瞎扯——不要瞎扯了，我们言归正传吧。
【形近字】拉（拉着）　址（住址）
【近义词】扯碎/撕碎
【英　语】扯　pull [pul]

| chè | 笔画 | 部首 | 结构 | 五笔 | 造字法 |
|---|---|---|---|---|---|
| 彻 | 7 | 彳 | 左右 | TAVN | 形声 |
| 笔顺 | 丿 ㇒ 彳 彳 彳 彻 彻 | | | | |

【解　释】贯通；穿透。
【组　词】彻底　透彻　彻骨
【造　句】彻底——你真的上当了，这件事是一个彻底的骗局，摆好了让你往里钻。
【辨　音】不读 qì。
【同音字】澈（清澈）
【形近字】砌（砌炕）
【成　语】彻头彻尾
【反义词】彻底/残余
【近义词】彻头彻尾/不折不扣
【英　语】彻底　thorough [ˈθʌrə]

| chè | 笔画 | 部首 | 结构 | 五笔 | 造字法 |
|---|---|---|---|---|---|
| 撤 | 15 | 扌 | 左中右 | RYCT | 形声 |
| 笔顺 | 一 十 扌 扌 扌 扌 扌 扌 撤 撤 撤 撤 撤 撤 撤 | | | | |

【解　释】❶除掉；免去。❷退；向后转移；抽回。
【组　词】撤职　撤换　撤离　撤资
【造　句】撤掉——经理决定撤掉一些多余的设备。
【辨　音】不读 shǎ 或 sǎ。
【同音字】彻（彻底）
【形近字】澈（清澈）　撒（撒种）
【反义词】后撤/前进
【近义词】撤离/撤走
【歇后语】撤了火的钢筋锅——立时冷了下来。
【英　语】撤退　withdraw from [wiðˈdrɔː frɔm]

| chè | 笔画 | 部首 | 结构 | 五笔 | 造字法 |
|---|---|---|---|---|---|
| 澈 | 15 | 氵 | 左中右 | IYCT | 形声 |
| 笔顺 | 丶 冫 氵 氵 氵 沪 浐 浐 渧 渧 渧 澈 澈 澈 澈 | | | | |

【解　释】❶水清。❷同"彻"。
【组　词】清澈　澄澈
【造　句】清澈——小溪清澈见底,我们还看见有小鱼在里边自由自在地游来游去呢。
【同音字】彻(透彻)
【形近字】撤(撤离)
【反义词】清澈/浑浊
【近义词】清澈/澄澈
【英　语】清澈　crystal clear [ˈkristl kliə]

## CHEN　彳㇉

| chēn | 笔画 | 部首 | 结构 | 五笔 | 造字法 |
|---|---|---|---|---|---|
| 嗔 | 13 | 口 | 左右 | KFHW | 形声 |
| 笔顺 | 丨 冂 口 口一 口十 吖 咕 咭 咭 咭 嗔 嗔 嗔 | | | | |

【解　释】❶生气;发怒。❷嫌弃;埋怨。
【组　词】嗔怒　嗔斥　转嗔为喜
【造　句】转嗔为喜——得知孩子这次考试名列前茅,她转嗔为喜。
【同音字】瞋(瞋目)
【形近字】填(填空)
【近义词】嗔怒/发怒
【谚　语】嗔掌不打笑面。
【英　语】嗔怒　get angry [get ˈæŋgri]

| chén | 笔画 | 部首 | 结构 | 五笔 | 造字法 |
|---|---|---|---|---|---|
| 臣 | 6 | 臣 | 半包围 | AHNH | 指事 |
| 笔顺 | 一 丅 工 五 手 臣 | | | | |

【解　释】❶奴隶社会君主制时的奴隶。❷协助皇帝进行统治的官吏。❸封建社会时官吏对君主的自称。❹对人屈服;称臣。

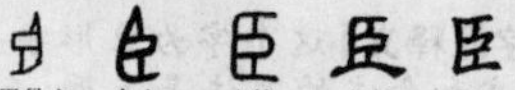

甲骨文　金文　小篆　隶书　楷书

【字源释义】"臣"的本义是奴隶。奴隶在主人面前往往不敢抬头。当低下头的时候,眼睛所处的角度便成了竖立的样子,古人就用这个状态造了"臣"字。
【组　词】臣服　功臣　君臣　忠臣
【辨　音】不读 chéng。
【同音字】沉(沉着)　尘(灰尘)
【形近字】巨(艰巨)
【反义词】功臣/奸臣
【近义词】大臣/大官
【英　语】臣子　official in feudal times [əˈfiʃəl in ˈfjuːdl taimz]

| chén | 笔画 | 部首 | 结构 | 五笔 | 造字法 |
|---|---|---|---|---|---|
| 尘 | 6 | 土 | 上下 | IFF | 会意 |
| 笔顺 | 丨 ⺌ 小 尘 尘 尘 | | | | |

【解　释】❶呈粉末状飞扬的灰土。❷佛家、道家指的人世间，与他们所想象的理想世界相对。❸踪迹。
【组　词】灰尘　尘埃　尘土　烟尘
【造　句】尘土——教室里怎么弄得尘土飞扬的？
【近义词】尘埃/尘土

| chén | 笔画 | 部首 | 结构 | 五笔 | 造字法 |
| --- | --- | --- | --- | --- | --- |
| 辰 | 7 | 辰 | 独体 | DFEI | 象形 |
| 笔顺 | 一 厂 厂 厂 尼 辰 辰 | | | | |

【解　释】❶排在十二地支的第五位。❷古代用来计时，辰时，指上午七点至九点。❸日子；时光。❹日、月、星的总称。
【组　词】辰时　生辰　时辰　星辰
【辨　音】不读 chéng。
【同音字】晨(清晨)　尘(灰尘)
【形近字】唇(唇线)　展(展示)
【英　语】星辰　star [stɑː]

| chén | 笔画 | 部首 | 结构 | 五笔 | 造字法 |
| --- | --- | --- | --- | --- | --- |
| 沉 | 7 | 氵 | 左右 | IPMN | 形声 |
| 笔顺 | 丶 丶 氵 氵 沪 沪 沉 | | | | |

【解　释】❶没入水中；陷入；落下。❷沉迷某一事物。❸重；分量大。❹程度深。❺稳定；镇定。
【组　词】沉没　沉溺　沉重　沉着　沉思　深沉　下沉　沉稳
【造　句】沉着——考试时不要紧张，要保持平静，沉着应考。
【辨　音】不读 chéng。
【同音字】陈(陈列)
【形近字】忱(热忱)　况(情况)
【成　语】破釜沉舟　沉默寡言
【反义词】沉着/慌张
【近义词】沉着/镇定
【歇后语】沉香当柴烧——不识好货。
【英　语】沉积　deposit [di'pɔzit]

| chén | 笔画 | 部首 | 结构 | 五笔 | 造字法 |
| --- | --- | --- | --- | --- | --- |
| 忱 | 7 | 忄 | 左右 | NPQN | 形声 |
| 笔顺 | 丶 丶 忄 忄 忙 忱 忱 | | | | |

【解　释】❶情意。❷姓。
【组　词】赤忱　热忱　略表微忱
【形近字】沈(沈阳)

| chén | 笔画 | 部首 | 结构 | 五笔 | 造字法 |
| --- | --- | --- | --- | --- | --- |
| 陈 | 7 | 阝 | 左右 | BAIY | 形声 |
| 笔顺 | 丨 阝 阝 阡 阵 陈 陈 | | | | |

【解　释】❶排列；摆设；铺陈。❷周代诸侯国名，在今河南省。❸陈述；述说。❹时间长的；旧的。❺朝代名，南朝陈霸先所建。❻姓。
【组　词】陈列　陈设　陈述　陈旧　陈酒
【造　句】陈述——我们听他细细陈述事情的经过。
【辨　音】不读 chéng。
【同音字】尘(浮尘)
【形近字】阵(阵地)　冻(冰冻)
【成　语】陈词滥调　陈陈相因　陈规陋习
【反义词】陈旧/新鲜
【近义词】陈述/说明
【歇后语】陈年的皇历——无用。
【英　语】陈列　display [di'splei]

| chén | 笔画 | 部首 | 结构 | 五笔 | 造字法 |
| --- | --- | --- | --- | --- | --- |
| 晨 | 11 | 日 | 上下 | JDFE | 形声 |
| 笔顺 | 丨 冂 日 日 旦 尸 尸 尸 尸 尸 晨 | | | | |

【解　释】清早,天亮的时候。
【组　词】清晨　晨光　晨风
【造　句】晨光——早上睁开睡眼,看见一缕晨光照进我的房间。
【辨　音】不读 chéng。
【同音字】尘(尘世)
【形近字】辰(诞辰)
【反义词】清晨/傍晚
【近义词】清晨/清早
【英　语】晨风　matinal [ˈmætinəl]

| chèn | 笔画 | 部首 | 结构 | 五笔 | 造字法 |
| --- | --- | --- | --- | --- | --- |
| 衬 | 8 | 衤 | 左右 | PUFY | 形声 |
| 笔顺 | 丶 ㇇ 礻 衤 衤 衤 衬 衬 | | | | |

【解　释】❶附在里面的一层。❷穿在里面的。❸映衬、搭配别的东西。
【组　词】衬布　衬衣　映衬
衬纸　衬托　陪衬　烘衬　衬衫
【造　句】陪衬——红花在绿叶的陪衬下显得更加漂亮。
【辨　音】不读 chèng。
【同音字】称(称意)
【形近字】村(村庄)
【近义词】衬托/映衬
【英　语】衬衣　underclothes [ˈʌndəkləuðz]

| chèn | 笔画 | 部首 | 结构 | 五笔 | 造字法 |
| --- | --- | --- | --- | --- | --- |
| 称 | 10 | 禾 | 左右 | TQIY | 会意 |
| 笔顺 | 丿 二 千 禾 禾 禾 和 秎 称 称 | | | | |

【解　释】相当;适合。
【组　词】对称　称心　称职　匀称
【造　句】称心——她费了好大的劲儿才找到这份称心的工作。
【同音字】趁(趁机)
【反义词】称心/失意
【近义词】匀称/均匀
【英　语】称心　find sth. satisfactory [faind ˈsʌmθiŋ sætisˈfæktəri]
【多音字】chēng(见 99 页)

| chèn | 笔画 | 部首 | 结构 | 五笔 | 造字法 |
| --- | --- | --- | --- | --- | --- |
| 趁 | 12 | 走 | 半包围 | FHWE | 形声 |
| 笔顺 | 一 十 土 卡 卡 走 走 走 赱 赱 趁 趁 | | | | |

【解　释】❶利用时间、机会。❷(方)拥有;富有。❸(书)追逐,追赶。❹顺便乘坐;搭乘。
【组　词】趁机　趁势　趁钱
【造　句】趁热——大家趁热打铁,把剩下的活儿都干完吧,别拖到明天了。
【辨　音】不读 chèng。
【同音字】衬(衬衣)
【形近字】趟(趟水)
【成　语】趁火打劫
【反义词】趁热打铁/坐失良机
【近义词】趁势/乘机
【谚　语】趁热打铁,趁水和泥。
【英　语】趁机　seize the chance [siːz ðə tʃɑːns]

# CHENG ㄔㄥ

| chēng | 笔画 | 部首 | 结构 | 五笔 | 造字法 |
|---|---|---|---|---|---|
| 称 | 10 | 禾 | 左右 | TQIY | 会意 |
| 笔顺 | ノ 二 千 禾 禾 禾' 禾" 秎 称 称 | | | | |

【解　释】❶测量轻重。❷叫做；号称。❸名号；名字。❹说。❺赞扬；称赞。❻举事；造反。

甲骨文 金文 小篆 隶书 楷书

【字源释义】“称”字原作“爯”。本义是称重量。字形像一只手提起一条鱼，正在估它的重量。
【组　词】称绝　称呼　简称　别称　称名道姓
【造　句】称呼——请问，怎么称呼你呢？
【辨　音】不读 chēn。
【同音字】瞠（瞠目结舌）
【形近字】弥（弥补）
【成　语】称王称霸　称兄道弟
【反义词】称颂/贬低
【近义词】称王称霸/独霸一方
【英　语】称赞　praise ［preiz］

【多音字】chèn（见 98 页）

| chēng | 笔画 | 部首 | 结构 | 五笔 | 造字法 |
|---|---|---|---|---|---|
| 撑 | 15 | 扌 | 左右 | RIPR | 形声 |
| 笔顺 | 一 扌 扌 扌' 扌" 扌'' 扌ᐟ 扌⺌ 扌⺌ 扌⺍ 扌⺍ 撑 撑 撑 撑 | | | | |

【解　释】❶支住；支持。❷用篙抵住水底使船前进。❸充满；塞满；容不下了。❹使张开。
【组　词】撑腰　撑船　撑破　撑伞　撑杆　硬撑　支撑
【造　句】支撑——求生的信念一直支撑着他直到救援队赶来。
【辨　音】不读 zhǎng。
【同音字】瞠（瞠目结舌）
【形近字】掌（鼓掌）
【反义词】撑开/收拢
【近义词】撑持/支持
【歇后语】撑排下滩——顺便｜撑船竹篙——提起泪流。
【谚　语】撑了雨伞湿不了身。
【英　语】撑腰　support ［sə'pɔːt］

| chéng | 笔画 | 部首 | 结构 | 五笔 | 造字法 |
|---|---|---|---|---|---|
| 成 | 6 | 戈 | 独体 | DN | 形声 |
| 笔顺 | 一 厂 万 成 成 成 | | | | |

【解　释】❶实现；做好；办好。❷变成；成为。❸事物发展或生长到一定的形状或状态。❹成果；成就。❺可以；能行得通；许可。❻称赞人能力强。❼够；表示达到了一定的数量。❽定型的；现成的。❾表示十分之一。❿姓。

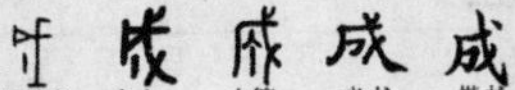
甲骨文 金文 小篆 隶书 楷书

C

【字源释义】"成"的本义是"平定",又有"讲和"义。因为和战事有关,故以"戊"为形旁;"丁"是声旁。
【组　词】完成　成语　成绩　成功
【造　句】成群结队——同学们成群结队去食堂打饭。
【同音字】诚(诚实)　程(程序)
【形近字】戌(戊戌变法)
【成　语】成千上万　成竹在胸
【反义词】成熟/幼稚
【近义词】成千上万/不计其数
【歇后语】成天想蚕茧——顾私(丝)。
【谚　语】成由勤俭败由奢。
【英　语】成功　succeed [sək'si:d]

| chéng | 笔画 | 部首 | 结构 | 五笔 | 造字法 |
|---|---|---|---|---|---|
| 丞 | 6 | 一 | 上下 | BIG | 会意 |
| 笔顺 | ㇇ 了 孑 孓 丞 丞 | | | | |

【解　释】❶古代辅助主要官员的官吏。❷辅佐;帮助。
【组　词】丞相

| chéng | 笔画 | 部首 | 结构 | 五笔 | 造字法 |
|---|---|---|---|---|---|
| 呈 | 7 | 口 | 上下 | KGF | 形声 |
| 笔顺 | 丶 ㄇ 口 ㅁ 呈 呈 呈 | | | | |

【解　释】❶显露;显出。❷很恭敬地送上;呈上。❸称下级报告上级的公文。
【组　词】呈现　呈报　辞呈
【造　句】呈献——他把军功章呈献给了母校的老师。
【辨　音】不读 chēng。
【同音字】乘(乘机)
【形近字】皇(皇帝)
【反义词】呈现/消失
【近义词】呈报/上报
【英　语】呈现　present [pri'zent]

| chéng | 笔画 | 部首 | 结构 | 五笔 | 造字法 |
|---|---|---|---|---|---|
| 诚 | 8 | 讠 | 左右 | YDNT | 形声 |
| 笔顺 | 丶 讠 讠 讠 诉 试 诚 诚 | | | | |

【解　释】❶真实的感情;真实。❷确实;实在。
【组　词】诚实　诚恳　诚然
【造　句】诚恳——我们应该从小培养诚恳待人的好品质。
【辨　音】不读 chēng。
【同音字】承(承担)
【形近字】城(长城)
【成　语】诚惶诚恐　诚心诚意
【反义词】诚实/虚伪
【近义词】诚心/诚意
【谚　语】诚实贵于珠宝。
【英　语】诚恳　sincere [sin'siə]

| chéng | 笔画 | 部首 | 结构 | 五笔 | 造字法 |
|---|---|---|---|---|---|
| 承 | 8 | ㇇ | 独体 | BDII | 会意 |
| 笔顺 | ㇇ 了 了 孑 孑 承 承 承 | | | | |

【解　释】❶捧着;托着。❷负责;担负;担当。❸接受;受到。❹招认;认可。❺继续;接连。

【字源释义】“承”的本义是“奉”、“捧起”。甲骨文和金文的字形是两只手从下面托起一个人；小篆又增加了一只手。引申为“顺从”、“接受”、“继承”之义。
【组　词】承印　继承　奉承　轴承　承包　承担　承蒙　承认
【造　句】承上启下——在这篇课文中，这句话起承上启下的作用，一定要认真领会。
【同音字】呈（呈现）
【形近字】秉（秉烛夜谈）
【成　语】承上启下
【反义词】承担/推卸
【近义词】承上启下/承前启后
【英　语】承认　admit ［əd'mit］

| chéng | 笔画 | 部首 | 结构 | 五笔 | 造字法 |
|---|---|---|---|---|---|
| 城 | 9 | 土 | 左右 | FDNT | 形声 |
| 笔顺 | 一 十 土 圹 圻 坊 城 城 城 | | | | |

【解　释】❶城墙，指用墙围成的范围。❷都市。❸心机。
【组　词】长城　城市　城府
【造　句】众志成城——抗洪救灾中，战士们众志成城，筑起一道道防水堤。
【同音字】承（承诺）
【形近字】诚（真诚）
【成　语】城下之盟　众志成城
【反义词】城市/农村
【近义词】城市/都市
【歇后语】城头上栽花——高中（种）。
【谚　语】城门起火，殃及池鱼。
【英　语】城镇　town ［taun］

| chéng | 笔画 | 部首 | 结构 | 五笔 | 造字法 |
|---|---|---|---|---|---|
| 乘 | 10 | 丿 | 独体 | TUXV | 会意 |
| 笔顺 | 丿 二 千 千 千 千 乖 乖 乘 乘 | | | | |

【解　释】❶骑；坐（马、车等）。❷趁机；利用。❸算术中用一个数使另一个数变成若干倍。

【字源释义】甲骨文的“乘”字表示一个人高高地跨登在一棵树上，本义是“登上”，后来多用于“坐”、“驾”义。
【组　词】乘车　乘法　乘便

C

【造　句】乘虚而入——我们应该把守好海关，防止不法之徒乘虚而入。
【辨　音】不读chèng或chēng。
【同音字】呈(呈报)
【形近字】乖(乖巧)
【成　语】乘人之危　乘兴而来　乘虚而入　乘风破浪
【反义词】乘人之危/雪中送炭
【近义词】乘虚而入/有机可乘
【谚　语】乘长风破万里浪|乘火热补漏锅。
【英　语】乘客　passenger [ˈpæsindʒə]
【多音字】shèng(见644页)

| chéng | 笔画 | 部首 | 结构 | 五笔 | 造字法 |
|---|---|---|---|---|---|
| 盛 | 11 | 皿 | 上下 | DNNL | 形声 |
| 笔顺 | 一 厂 万 成 成 成 成 成 成 盛 盛 | | | | |

【解　释】❶把东西放进器具里。❷容纳。
【组　词】盛饭　盛汤
【造　句】盛饭——在家里，每次吃饭都是我给爸妈盛饭。
【同音字】程(路程)　乘(乘车)
【多音字】shèng(见644页)

| chéng | 笔画 | 部首 | 结构 | 五笔 | 造字法 |
|---|---|---|---|---|---|
| 程 | 12 | 禾 | 左右 | TKGG | 形声 |
| 笔顺 | ˊ 二 千 禾 禾 禾 和 和 和 程 程 程 | | | | |

【解　释】❶标准；规则。❷里程；一段路。❸进度；程序。❹衡量；计算。

【组　词】起程　过程　进程　程序
【辨　音】不读chén。
【同音字】成(成败)
【形近字】逞(逞能)
【成　语】程门立雪
【近义词】历程/经历
【谚　语】程咬金三斧头。
【英　语】程度　level [ˈlevəl]

| chéng | 笔画 | 部首 | 结构 | 五笔 | 造字法 |
|---|---|---|---|---|---|
| 惩 | 12 | 心 | 上下 | TGHN | 形声 |
| 笔顺 | ˊ 彡 彳 彳 彳 征 征 征 征 惩 惩 惩 | | | | |

【解　释】❶处罚。❷警戒。
【组　词】惩罚　惩戒　惩治
【同音字】成(成功)
【成　语】惩前毖后　惩一儆百
【英　语】惩罚　punish [ˈpʌniʃ]

| chéng | 笔画 | 部首 | 结构 | 五笔 | 造字法 |
|---|---|---|---|---|---|
| 澄 | 15 | 氵 | 左右 | IWGU | 形声 |
| 笔顺 | ˋ ˋ 氵 氵 氵 氵 氵 氵 氵 氵 澄 澄 澄 澄 澄 | | | | |

【解　释】❶水清而净。❷弄清楚；弄明白。
【组　词】澄碧　澄净　澄清　澄澈　澄莹
【造　句】澄清——关于这个问题，我认为有必要澄清一下。
【同音字】乘(乘兴而来)
【形近字】橙(橙汁)
【反义词】澄清/浑浊
【近义词】澄澈/澄明
【英　语】澄清　clear [kliə]
【多音字】dèng(见154页)

| chéng | 笔画 | 部首 | 结构 | 五笔 | 造字法 |
|---|---|---|---|---|---|
| 橙 | 16 | 木 | 左右 | SWGU | 形声 |
| 笔顺 | 一 十 才 木 木' 木'' 木'' 木'' 木' 木' 桜 桜 橙 橙 橙 橙 | | | | |

【解　释】❶常绿乔木，果实叫橙子，品种多，呈球形。味甜略酸，果皮可入药。❷红和黄合成的颜色。
【组　词】橙色　橙子　橙皮
【辨　音】不读 chén。
【同音字】呈（呈现）　承（继承）
【形近字】澄（澄清）
【英　语】橙子　orange [ˈɔrindʒ]

| chěng | 笔画 | 部首 | 结构 | 五笔 | 造字法 |
|---|---|---|---|---|---|
| 逞 | 10 | 辶 | 半包围 | KGP | 形声 |
| 笔顺 | 丨 口 口 旦 旱 呈 呈 呈 逞 逞 | | | | |

【解　释】❶显示；炫耀。❷实现（多指坏事）。❸放纵。
【组　词】逞能　得逞　逞性子
【造　句】逞能——做事一定要量力而行，千万别逞能。
【英　语】逞能　show off one's ability [ʃəu ɔːf wʌnz əˈbiliti]

| chěng | 笔画 | 部首 | 结构 | 五笔 | 造字法 |
|---|---|---|---|---|---|
| 骋 | 10 | 马 | 左右 | CMGN | 形声 |
| 笔顺 | 𠃍 马 马 马 驴 驴 驴 驴 骋 骋 | | | | |

【解　释】❶纵马奔驰；奔跑。❷放任；尽量展开。
【组　词】驰骋　骋马　骋目
【造　句】驰骋——我梦想有一天能骑马驰骋在内蒙古大草原上。
【辨　音】不读 pìn。
【同音字】逞（逞强）
【形近字】聘（招聘）
【英　语】驰骋　gallop [ˈgæləp]

| chèng | 笔画 | 部首 | 结构 | 五笔 | 造字法 |
|---|---|---|---|---|---|
| 秤 | 10 | 禾 | 左右 | TGUH | 形声 |
| 笔顺 | 一 二 千 禾 禾 禾 禾 禾 秤 秤 | | | | |

【解　释】称（chēng）物体重量的器具。
【组　词】秤杆　秤盘　秤不离砣
【造　句】秤不离砣——明明和小龙天天一起上学，一起回家，同学们说他俩秤不离砣。
【形近字】秆（麦秆）
【谚　语】秤砣虽小压千斤。
【英　语】秤　scale [skeil]

## CHI　彳

| chī | 笔画 | 部首 | 结构 | 五笔 | 造字法 |
|---|---|---|---|---|---|
| 吃 | 6 | 口 | 左右 | KTNN | 形声 |
| 笔顺 | 丨 口 口 口' 口' 吃 | | | | |

【解　释】❶咀嚼食物后咽下。❷饮；喝。❸指依靠某种事物生活。❹吸收。❺感受。❻承受；忍受；支持。❼歼灭；消灭。❽吃的东西。❾说话结巴。❿打麻将等游戏的术语之一。
【组　词】吃饭　吃惊　吃力
【造　句】吃苦——中华民族是勤劳勇敢、吃苦耐劳的民族。
【同音字】哧（扑哧）
【形近字】讫（收讫）
【成　语】吃里爬外

C

【反义词】吃紧/松弛
【近义词】吃惊/受惊
【歇后语】吃米的鸡——点头哈腰。
【谚　语】吃了冬至饭，一天长一线。
【英　语】吃　eat [iːt]

| chī | 笔画 | 部首 | 结构 | 五笔 | 造字法 |
|---|---|---|---|---|---|
| 嗤 | 13 | 口 | 左右 | KBHJ | 形声 |
| 笔顺 | 丨 ㄇ 口 口ㄴ 口屮 口屮 口业 口业 口业 口业 嗤 嗤 嗤 | | | | |

【解　释】讥笑；嘲笑。
【组　词】嗤笑
【造　句】嗤笑——我们不应该嗤笑别人。
【形近字】蚩（蚩尤）
【成　语】嗤之以鼻
【反义词】嗤笑/赞美
【英　语】嗤笑　laugh at [lɑːf æt]

| chī | 笔画 | 部首 | 结构 | 五笔 | 造字法 |
|---|---|---|---|---|---|
| 痴 | 13 | 疒 | 半包围 | UTDK | 形声 |
| 笔顺 | 丶 亠 广 广 疒 疒 疒 疒 疒 疒 疒 痴 痴 | | | | |

【解　释】❶不聪明；傻。❷极度迷恋。
【组　词】痴心　痴迷　痴狂
【造　句】痴狂——他对篮球运动有股痴狂的爱。
【同音字】吃（吃香）
【形近字】蜘（蜘蛛）
【成　语】痴心妄想
【反义词】痴心妄想/心想事成
【近义词】痴人说梦/痴心妄想
【谚　语】痴人说梦，不屑一听。
【英　语】痴心　infatuation [infætjuˈeiʃən]

| chí | 笔画 | 部首 | 结构 | 五笔 | 造字法 |
|---|---|---|---|---|---|
| 池 | 6 | 氵 | 左右 | IBN | 形声 |
| 笔顺 | 丶 ⺀ 氵 氵𠃌 氵也 池 | | | | |

【解　释】❶存水的坑、水塘，多指人工挖的。❷像水池形状的。❸（书）护城河。
【组　词】池塘　池沼　浴池　城池
【同音字】持（坚持）
【形近字】地（地域）
【成　语】金城汤池
【歇后语】池塘里的浮萍——随风飘。
【谚　语】池塘起泡天要变。
【英　语】池塘　pool [puːl]

| chí | 笔画 | 部首 | 结构 | 五笔 | 造字法 |
|---|---|---|---|---|---|
| 弛 | 6 | 弓 | 左右 | XBN | 形声 |
| 笔顺 | ㄱ ㄱ 弓 弓𠃌 弓也 弛 | | | | |

【解　释】❶松散；放松；松懈。❷（书）废除；解除；毁坏。
【组　词】松弛　废弛
【造　句】松弛——他们平常自由散漫，纪律松弛。
【同音字】迟（迟钝）
【形近字】驰（奔驰）
【反义词】松弛/紧张
【近义词】松弛/松懈
【英　语】弛缓　relax [riˈlæks]

| chí | 笔画 | 部首 | 结构 | 五笔 | 造字法 |
|---|---|---|---|---|---|
| 驰 | 6 | 马 | 左右 | CBN | 形声 |
| 笔顺 | ㄱ 马 马 马𠃌 马也 驰 | | | | |

【解　释】❶车马等跑得很快；快跑。❷（书）向往。❸传播。
【组　词】驰骋　奔驰　驰名中外
【造　句】驰名中外——李连杰是驰名中外的功夫明星。
【形近字】弛（松弛）
【反义词】驰名中外/默默无闻
【近义词】驰名中外/举世闻名
【英　语】驰名　well-known [wel nəun]

| chí | 笔画 | 部首 | 结构 | 五笔 | 造字法 |
|---|---|---|---|---|---|
| 迟 | 7 | 辶 | 半包围 | NYPI | 形声 |
| 笔顺 | ㇇ ㇇ 尸 尺 尺 识 迟 | | | | |

【解　释】❶慢；缓。❷不灵敏；犹豫。❸晚。❹姓。
【组　词】迟缓　迟钝　推迟　迟到
【造　句】迟缓——他年纪大了，动作难免迟缓些。
【同音字】持（主持）
【形近字】这（这边）
【成　语】事不宜迟　姗姗来迟
【反义词】迟缓/迅速
【近义词】迟钝/愚钝
【谚　语】迟不如早，早不如快|迟花慢发，大器晚成。
【英　语】迟到　be late [biː leit]

| chí | 笔画 | 部首 | 结构 | 五笔 | 造字法 |
|---|---|---|---|---|---|
| 持 | 9 | 扌 | 左右 | RFFY | 形声 |
| 笔顺 | 一 十 扌 扌 扌 扗 拝 持 持 | | | | |

【解　释】❶拿着；握着；捏着。❷遵守不变。❸掌握；管理；治理。❹对抗。
【组　词】坚持　保持　支持　维持　劫持　僵持　支持　主持
【造　句】支持——哥哥准备考研，我们全家人都支持他。
【同音字】池（浴池）
【形近字】特（特殊）
【成　语】持之以恒
【反义词】持之以恒/半途而废
【近义词】持之以恒/坚持不懈
【英　语】持久　lasting [ˈlɑːstiŋ]

| chí | 笔画 | 部首 | 结构 | 五笔 | 造字法 |
|---|---|---|---|---|---|
| 匙 | 11 | 日 | 半包围 | JGHX | 形声 |
| 笔顺 | 丨 冂 日 日 旦 早 早 是 是 是 匙 | | | | |

【解　释】舀汤水用的小勺子。
【组　词】匙子　汤匙　茶匙
【同音字】持（维持）
【形近字】题（难题）
【近义词】匙子/勺子
【英　语】匙子　spoon [spuːn]
【多音字】shi（见656页）

| chǐ | 笔画 | 部首 | 结构 | 五笔 | 造字法 |
|---|---|---|---|---|---|
| 尺 | 4 | 尸 | 独体 | NYI | 指事 |
| 笔顺 | ㇇ ㇇ 尸 尺 | | | | |

【解　释】❶市制长度单位，1尺等于10寸，1丈等于10尺，1米等于3尺。❷尺子，一种有刻度的测量长度的工具。❸画图的器具。❹像尺的东西。
【组　词】尺寸　尺码　折尺
【同音字】齿（牙齿）
【形近字】尸（尸体）
【成　语】尺寸之功
【反义词】咫尺/天涯
【近义词】尺度/标准

【谚　语】尺璧非宝，寸阴是金。
【英　语】尺子　ruler [ruːlə]

| chǐ | 笔画 | 部首 | 结构 | 五笔 | 造字法 |
|---|---|---|---|---|---|
| 齿 | 8 | 齿 | 上下 | HWBJ | 形声 |
| 笔顺 | 丨 ⺊ 𠂇 止 屮 𭕄 齿 齿 | | | | |

C

【解　释】❶人和高等动物嘴里咀嚼食物的器官，牙齿。❷排列如牙齿形状的东西。❸（书）指年龄。❹（书）谈及；提及。❺（书）并列；引为同类。

甲骨文　金文　小篆　隶书　楷书

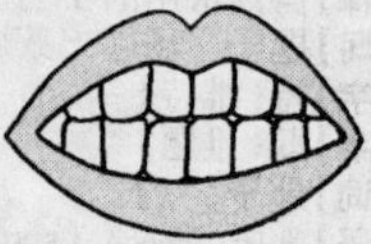

【字源释义】甲骨文的“齿”字是象形字，像人口内上下两排牙齿。金文以后加了“止”作为声旁。由于牛马幼小者每年生一齿，所以“齿”也喻人的“岁数”、“年龄”。
【组　词】牙齿　齿轮　挂齿
【造　句】不足挂齿——这不过是一件不足挂齿的小事，不必计较。
【辨　音】不读 cǐ。
【同音字】耻（羞耻）
【形近字】步（步伐）
【成　语】咬牙切齿　不足挂齿
【近义词】启齿/开口
【谚　语】齿痛方知痛齿人。
【英　语】牙齿　tooth [tuːθ]

| chǐ | 笔画 | 部首 | 结构 | 五笔 | 造字法 |
|---|---|---|---|---|---|
| 侈 | 8 | 亻 | 左右 | WQQ | 形声 |
| 笔顺 | ノ 亻 亻 伃 伃 侈 侈 侈 | | | | |

【解　释】❶浪费。❷夸大。
【组　词】侈靡　侈谈　奢侈
【造　句】奢侈——我们提倡勤俭节约，反对奢侈浪费。
【英　语】奢侈　luxury [ˈlʌkʃəri]

| chǐ | 笔画 | 部首 | 结构 | 五笔 | 造字法 |
|---|---|---|---|---|---|
| 耻 | 10 | 耳 | 左右 | BHG | 形声 |
| 笔顺 | 一 丅 丌 丌 FF 耳 耳丨 耳⺊ 耳卜 耻 | | | | |

【解　释】❶羞愧。❷耻辱；羞辱。
【组　词】耻笑　耻辱　国耻
【造　句】国耻——我们不能忘了“九一八”国耻。
【辨　音】不读 zhǐ。
【同音字】齿（牙齿）
【形近字】职（职务）
【成　语】恬不知耻　厚颜无耻
【反义词】恬不知耻/无地自容
【近义词】恬不知耻/厚颜无耻
【英　语】耻辱　shame [ʃeim]

| chì | 笔画 | 部首 | 结构 | 五笔 | 造字法 |
|---|---|---|---|---|---|
| 叱 | 5 | 口 | 左右 | KXN | 形声 |
| 笔顺 | 丨 冂 口 口ノ 叱 | | | | |

【解　释】大声责骂。
【组　词】叱喝　叱骂　叱责
【造　句】叱责——当着客人的面叱责孩子是一种不礼貌的行为。
【英　语】叱责　upbraid [ʌpˈbreid]

| chì | 笔画 | 部首 | 结构 | 五笔 | 造字法 |
|---|---|---|---|---|---|
| 斥 | 5 | 斤 | 独体 | RYI | 形声 |
| 笔顺 | ㇒ 厂 𠂆 斤 斥 | | | | |

【解　释】❶责备。❷使离开。❸扩展。
【组　词】斥责　排斥　驳斥　训斥
【造　句】训斥——他上课时老睡觉，受到了老师的训斥。
【同音字】翅（翅膀）
【形近字】斤（斤两）
【反义词】斥骂/表扬
【近义词】斥责/训斥
【英　语】斥责　scold [skəuld]

| chì | 笔画 | 部首 | 结构 | 五笔 | 造字法 |
|---|---|---|---|---|---|
| 赤 | 7 | 赤 | 上下 | FOU | 会意 |
| 笔顺 | 一 十 土 产 方 赤 赤 | | | | |

【解　释】❶红色；比朱红稍浅的颜色。❷一无所有。❸祖露；光着（身体）。❹真诚。
【组　词】赤脚　赤裸　赤诚　赤潮
【同音字】炽（炽热）
【形近字】亦（亦步亦趋）
【成　语】赤手空拳　赤胆忠心
【反义词】赤诚/虚伪
【近义词】赤诚/赤忱
【谚　语】赤金难买赤子心。
【英　语】赤脚　barefoot [ˈbeəfut]

| chì | 笔画 | 部首 | 结构 | 五笔 | 造字法 |
|---|---|---|---|---|---|
| 炽 | 9 | 火 | 左右 | OKWY | 形声 |
| 笔顺 | 丶 丷 少 火 火 灯 炉 炉 炽 | | | | |

【解　释】火旺；旺盛。
【组　词】炽烈　炽热　炽旺
【造　句】炽热——夏天炽热的太阳烤得人难受。
【辨　音】不读 zhī。
【同音字】赤（赤诚）
【形近字】识（认识）
【反义词】炽热/冰冷
【近义词】炽烈/炽热
【英　语】炽热　redhot [red hɔt]

| chì | 笔画 | 部首 | 结构 | 五笔 | 造字法 |
|---|---|---|---|---|---|
| 翅 | 10 | 羽 | 半包围 | FCND | 形声 |
| 笔顺 | 一 十 扌 支 翅 翅 翅 翅 翅 翅 | | | | |

【解　释】❶鸟类、昆虫等的飞行器官，其作用是用来飞行。❷鱼翅，指一些鱼类的鳍，是珍贵的食品。❸物体像翅膀形状的部分。
【组　词】翅膀　鱼翅　翅脉
【同音字】赤（赤脚）
【形近字】翘（翘嘴）
【谚　语】翅膀不是鸟的负担。
【英　语】翅膀　wing [wiŋ]

| chì | 笔画 | 部首 | 结构 | 五笔 | 造字法 |
|---|---|---|---|---|---|
| 敕 | 11 | 攵 | 左右 | GKIT | 会意 |
| 笔顺 | 一 𠃍 𠮛 𠮛 申 束 束 束 敕 敕 敕 | | | | |

【解　释】皇帝的诏令。
【组　词】敕造

## CHONG　ㄔㄨㄥ

| chōng | 笔画 | 部首 | 结构 | 五笔 | 造字法 |
|---|---|---|---|---|---|
| 充 | 6 | 亠 | 上下 | YC | 会意 |
| 笔顺 | 丶 亠 𠫔 𠫔 产 充 | | | | |

【解　释】❶满；足。❷填满；装满；塞满。❸任职；担任。❹假装；假冒。❺姓。
【组　词】充满　充实　充分　充其量
【造　句】充实——今天忙了一天，但感觉很充实。
【辨　音】不读 chǒng。
【同音字】冲（冲击）
【形近字】允（允许）
【成　语】充耳不闻
【反义词】充实/空虚
【近义词】充任/充当
【歇后语】充了氢气的气球——飘得高。
【英　语】充实　substantial [səb'stænʃəl]

| chōng | 笔画 | 部首 | 结构 | 五笔 | 造字法 |
|---|---|---|---|---|---|
| 冲 | 6 | 冫 | 左右 | UKHH | 形声 |
| 笔顺 | 丶 冫 冫 冲 冲 冲 | | | | |

【解　释】❶通行的交通要道。❷猛烈地撞击。❸迅速向前闯。❹相互抵消；扯平。❺用开水等浇。
【组　词】要冲　冲突　冲账　冲动
【造　句】冲动——请你坐下慢慢说，不要冲动，你的困难，我们会妥善解决的。
【同音字】充（假充）
【形近字】忡（忧心忡忡）
【成　语】冲锋陷阵
【反义词】冲动/控制
【近义词】冲锋陷阵/出生入死
【英　语】冲动　impulse ['impʌls]
【多音字】chòng（见 110 页）

| chōng | 笔画 | 部首 | 结构 | 五笔 | 造字法 |
|---|---|---|---|---|---|
| 忡 | 7 | 忄 | 左右 | NKHH | 形声 |
| 笔顺 | 丶 丷 忄 忄 忉 忉 忡 | | | | |

【解　释】忧愁；忧虑不安。
【组　词】忡忡
【造　句】忡忡——这次考试没考好，你要认真总结原因，不要忧心忡忡了。
【同音字】充（充足）
【成　语】忧心忡忡
【英　语】忡忡　worried ['wʌrid]

| chōng | 笔画 | 部首 | 结构 | 五笔 | 造字法 |
|---|---|---|---|---|---|
| 憧 | 15 | 忄 | 左右 | NUJF | 形声 |
| 笔顺 | 丶 丷 忄 忄 忙 忙 忙 忙 忙 恃 憧 憧 憧 憧 憧 | | | | |

【解　释】❶[憧憬]向往。❷形容往来不定或摇曳不定。
【组　词】憧憬
【造　句】憧憬——她心中充满着对幸福生活的憧憬。
【同音字】充（充满）
【成　语】人影憧憧　灯影憧憧
【英　语】憧憬　long for [lɔŋ fɔː]

| chóng | 笔画 | 部首 | 结构 | 五笔 | 造字法 |
|---|---|---|---|---|---|
| 虫 | 6 | 虫 | 独体 | JHNY | 象形 |
| 笔顺 | 丨 冂 口 中 虫 虫 | | | | |

【解　释】❶昆虫的统称。❷泛指动物。禽为羽虫，兽为毛虫。

【字源释义】“虫”是“虺”(音 huǐ)的本字,本义指毒蛇。字形是一条虫的样子,字的上端尖尖的像头,有的字形还有两只眼睛,下面是弯曲的身体。后来指一般的虫类。
【组　词】蚜虫　害虫　甲虫　蚊虫
【造　句】虫灾——亚洲中部发生了虫灾。
【同音字】重(重复)
【形近字】中(中央)
【反义词】害虫/益虫
【近义词】虫牙/龋齿
【谚　语】虫凭蠕动寻食,人凭劳动养身。
【英　语】虫子　insect [ˈinsekt]

| chóng | 笔画 | 部首 | 结构 | 五笔 | 造字法 |
|---|---|---|---|---|---|
| 重 | 9 | 丿 | 独体 | TGJF | 形声 |
| 笔顺 | 丿 二 千 亍 育 亩 亩 重 重 | | | | |

【解　释】❶重复。❷重新;再。❸量词。层。
【组　词】重复　重叠　重合　重逢
【造　句】重逢——昨天重逢少年时代的挚友,我的喜悦之情难以言表。
【同音字】崇(崇高)
【反义词】重蹈覆辙/独辟蹊径
【近义词】重现/再现
【谚　语】重复是学习知识的母亲。
【英　语】重复　repeat [riˈpiːt]
【多音字】zhòng(见 933 页)

| chóng | 笔画 | 部首 | 结构 | 五笔 | 造字法 |
|---|---|---|---|---|---|
| 崇 | 11 | 山 | 上下 | MPFI | 形声 |
| 笔顺 | 丨 ⺊ 山 屮 屵 峃 峃 峃 崇 崇 崇 | | | | |

【解　释】❶山高且大。❷尊重;敬重。❸姓。
【组　词】崇高　推崇　崇拜　崇尚
【造　句】崇山峻岭——红军翻越崇山峻岭,终于到达了陕北。
【辨　音】不读 chún。
【同音字】虫(昆虫)
【形近字】祟(鬼祟)
【成　语】崇山峻岭
【反义词】崇高/卑下
【近义词】崇高/高尚
【英　语】崇拜　worship [ˈwəːʃip]

| chǒng | 笔画 | 部首 | 结构 | 五笔 | 造字法 |
|---|---|---|---|---|---|
| 宠 | 8 | 宀 | 上下 | PDXB | 形声 |
| 笔顺 | 丶 丶 宀 宀 宁 宄 宠 宠 | | | | |

【解　释】❶偏爱;喜爱。❷骄纵。
【组　词】宠爱　宠物　宠幸　宠信
【造　句】宠爱——我们不能因父母的宠爱而过分任性。
【形近字】庞(庞大)
【成　语】宠辱不惊
【反义词】受宠/失宠
【近义词】宠爱/溺爱
【英　语】宠儿　pet [pet]

C

| chòng | 笔画 | 部首 | 结构 | 五笔 | 造字法 |
|---|---|---|---|---|---|
| 冲 | 6 | 冫 | 左右 | UKHH | 形声 |
| 笔顺 | 丶 冫 冫 冲 冲 冲 | | | | |

【解　释】❶有劲；猛烈。❷朝着；对着。❸用机器冲压。

【组　词】冲着　冲压　冲子

【造　句】冲着——他这句话是冲着我来的。

【歇后语】冲着窗户吹喇叭——名(鸣)声在外。

【多音字】chōng(见 108 页)

C

## CHOU　ㄔㄡ

| chōu | 笔画 | 部首 | 结构 | 五笔 | 造字法 |
|---|---|---|---|---|---|
| 抽 | 8 | 扌 | 左右 | RMG | 形声 |
| 笔顺 | 一 十 扌 扌 扣 扣 抽 抽 | | | | |

【解　释】❶从事物中取出一部分。❷长出；生长。❸收缩；减缩。❹吸。❺打。❻提取；腾出。

【组　词】抽象　抽水　抽打　抽屉

【造　句】抽空——下个月我想抽空回一趟家。

【形近字】油(菜油)

【成　语】抽薪止沸

【反义词】抽象/具体

【近义词】抽象/笼统

【英　语】抽动　twitch [twitʃ]

| chóu | 笔画 | 部首 | 结构 | 五笔 | 造字法 |
|---|---|---|---|---|---|
| 仇 | 4 | 亻 | 左右 | WVN | 形声 |
| 笔顺 | ノ 亻 仉 仇 | | | | |

【解　释】深切的怨恨。

【组　词】仇人　仇恨　仇敌　报仇

【造　句】疾恶如仇——小林为人耿直，疾恶如仇，敢于和不法分子作斗争。

【同音字】绸(绸带)

【形近字】亿(亿万)

【成　语】疾恶如仇　恩将仇报　仇深似海

【反义词】仇恨/热爱

【近义词】仇恨/仇视

【英　语】仇敌　foe [fəu]

【多音字】qiú(见 592 页)

| chóu | 笔画 | 部首 | 结构 | 五笔 | 造字法 |
|---|---|---|---|---|---|
| 惆 | 11 | 忄 | 左右 | NMFK | 形声 |
| 笔顺 | 丶 丶 忄 忄 忛 忛 悯 悯 惆 惆 惆 | | | | |

【解　释】[惆怅]失意；伤感。

【组　词】惆怅

【造　句】惆怅——想到即将离别，他心中十分惆怅。

【同音字】仇(仇恨)

【英　语】惆怅　disconsolate [dis'kɔnsəlit]

| chóu | 笔画 | 部首 | 结构 | 五笔 | 造字法 |
|---|---|---|---|---|---|
| 绸 | 11 | 纟 | 左右 | XMFK | 形声 |
| 笔顺 | ㄥ 纟 纟 纠 纫 纫 纲 纲 绸 绸 绸 | | | | |

【解　释】❶一种又薄又软的丝织品。❷缠绵；依恋。

【组　词】绸缎　绸子　纺绸　丝绸

【同音字】仇(仇恨)

【形近字】稠(稠密)

【英　语】绸子　silk [silk]

| chóu | 笔画 | 部首 | 结构 | 五笔 | 造字法 |
|---|---|---|---|---|---|
| 畴 | 12 | 田 | 左右 | LDTF | 形声 |
| 笔顺 | 丨 冂 日 田 田 田一 田二 田三 畦 畦 畴 畴 | | | | |

【解　释】❶种类。❷田地。
【组　词】范畴　田畴　畴昔
【造　句】范畴——世界观属于哲学的范畴。
【同音字】绸(丝绸)
【英　语】范畴　category ['kætigəri]

| chóu | 笔画 | 部首 | 结构 | 五笔 | 造字法 |
|---|---|---|---|---|---|
| 酬 | 13 | 酉 | 左右 | SGYH | 形声 |
| 笔顺 | 一 厂 冂 丙 丙 丙 酉 酉 酌 酌 酬 酬 酬 | | | | |

【解　释】❶向客人敬酒;泛指交际往来。❷报偿;回报。❸用财物报答。❹实现。
【组　词】稿酬　应酬　酬劳　酬谢
【造　句】稿酬——他的稿子发表了,得了1500元稿酬。
【辨　音】不读 zhōu。
【同音字】惆(惆怅)　稠(稠密)
【形近字】配(分配)
【成　语】壮志未酬
【英　语】酬劳　recompense ['rekəmpens]

| chóu | 笔画 | 部首 | 结构 | 五笔 | 造字法 |
|---|---|---|---|---|---|
| 稠 | 13 | 禾 | 左右 | TMFK | 形声 |
| 笔顺 | 丿 二 千 禾 禾 利 利 稍 稍 稍 稠 稠 稠 | | | | |

【解　释】❶多而密。❷液体的浓度大。
【组　词】稠糊　稠密
【造　句】稠密——北京是一个人口稠密的城市。
【同音字】仇(仇敌)
【英　语】稠密　dense [dens]

| chóu | 笔画 | 部首 | 结构 | 五笔 | 造字法 |
|---|---|---|---|---|---|
| 愁 | 13 | 心 | 上下 | TONU | 形声 |
| 笔顺 | 丿 二 千 禾 禾 禾 禾' 秋 秋 秋 愁 愁 愁 | | | | |

【解　释】❶忧虑;忧愁。❷形容景象凄惨;惨淡。
【组　词】忧愁　发愁　愁苦　愁闷
【造　句】发愁——以前每到开学的时候,爸妈总为我们兄妹的学费发愁。
【同音字】仇(报仇)　酬(酬金)
【形近字】虑(忧虑)
【成　语】愁眉不展　愁眉苦脸
【反义词】发愁/快乐
【近义词】愁苦/苦恼
【谚　语】愁人苦夜长,志士惜日短。
【英　语】愁苦　anxiety [æŋ'zaiəti]

| chóu | 笔画 | 部首 | 结构 | 五笔 | 造字法 |
|---|---|---|---|---|---|
| 筹 | 13 | ⺮ | 上下 | TDTF | 形声 |
| 笔顺 | 丿 𠂉 𠂉 𥫗 𥫗 𥫗 竺 竺 竺 笋 笋 筹 筹 | | | | |

【解　释】❶计数的用具,多用竹、木或象牙制成。❷策划;谋划。❸古时指饮酒、游戏或赌博用来计数的用具、代币。
【组　词】筹划　统筹　筹备　筹办
【造　句】筹办——表姐过几天就

要出嫁了,现在正筹办婚事。
【同音字】酬(报酬)
【形近字】寿(寿命)
【成　语】觥筹交错
【反义词】一筹莫展/急中生智
【近义词】筹备/筹划
【英　语】筹备 prepare [pri'peə]

| chóu | 笔画 | 部首 | 结构 | 五笔 | 造字法 |
|---|---|---|---|---|---|
| 踌 | 14 | 𧾷 | 左右 | KHDF | 形声 |
| 笔顺 | 丶 口 口 早 早 𧾷 𧾷 𧾷 跱 跱 跱 跱 踌 踌 | | | | |

【解　释】[踌躇]❶犹豫;拿不定主意。❷得意的样子。
【组　词】踌躇
【造　句】踌躇——他在那儿踌躇了半天,终于直说了。
【同音字】筹(筹办)
【英　语】踌躇　hesitate [ 'heziteit]

| chǒu | 笔画 | 部首 | 结构 | 五笔 | 造字法 |
|---|---|---|---|---|---|
| 丑 | 4 | 一 | 独体 | NFD | 指事 |
| 笔顺 | ㇆ 㓁 丑 丑 | | | | |

【解　释】❶地支的第二位。❷丑时,指夜里一时至三时。❸戏剧里扮演滑稽角色的人物。❹长相难看。❺让人厌恶的;可耻的。
【组　词】丑恶　丑化　丑剧　丑角　丢丑　遮丑　献丑　丑陋
【造　句】丑化——这本书丑化了中国人民,美化了侵略者。
【同音字】瞅(瞅见)
【形近字】纽(纽扣)
【成　语】丑态百出
【反义词】丑化/美化
【近义词】丑恶/恶劣
【谚　语】丑话说到头里。
【英　语】丑恶　ugly [ 'ʌgli]

| chǒu | 笔画 | 部首 | 结构 | 五笔 | 造字法 |
|---|---|---|---|---|---|
| 瞅 | 14 | 目 | 左右 | HTOY | 形声 |
| 笔顺 | 丨 冂 冃 月 目 盰 盰 盰 盰 盰 盰 盰 瞅 瞅 | | | | |

【解　释】(方)看。
【组　词】瞅见　瞅准　瞅人
【造　句】瞅见——我往屋里瞅了一眼,没瞅见他。
【辨　音】不读 qiū。
【同音字】丑(跳梁小丑)
【形近字】锹(铁锹)
【近义词】瞅见/看见
【英　语】瞅见 look at [luk æt]

| chòu | 笔画 | 部首 | 结构 | 五笔 | 造字法 |
|---|---|---|---|---|---|
| 臭 | 10 | 犬 | 上下 | THDU | 会意 |
| 笔顺 | ノ 亻 白 白 自 自 自 臬 臭 臭 | | | | |

【解　释】❶一种难闻的气味(跟"香"相对)。❷使人厌恶的。❸狠狠地;厉害地。❹(方)坏的;失效的。
【组　词】臭美　臭氧　臭味
【造　句】臭味相投——你们俩可真是臭味相投啊,一聊起来就没完。
【形近字】奥(深奥)
【成　语】臭名远扬　臭味相投
【反义词】臭/香
【英　语】臭气　bad smell [bæd smel]
【多音字】xiù(见 798 页)

## CHU ㄔㄨ

| chū | 笔画 | 部首 | 结构 | 五笔 | 造字法 |
|---|---|---|---|---|---|
| 出 | 5 | 凵 | 独体 | BMK | 指事 |
| 笔顺 | 𠃊 凵 屮 出 出 | | | | |

【解　释】❶出去；出来（跟“入”、“进”相对）。❷来到。❸出产；生长。❹离开。❺发生。❻出现；显露。❼显得分量多。❽超过；超出。❾用在动词后，表示趋向或效果。❿戏曲中的一个独立剧目；传奇中的一回。

甲骨文　金文　小篆　隶书　楷书

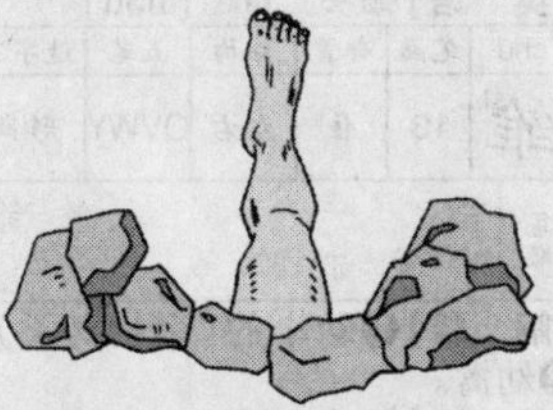

【字源释义】上古的人们穴居在山洞里，一只脚从洞口走出来，就是“出”的本义。后引申为“支出”、“超过”等。

【组　词】出列　出事　出席　出纳　出名　出警　出镜　出局

【造　句】出列——军训时，教官叫李林出列给大家做示范。

【同音字】初（初级）

【形近字】击（击败）

【成　语】出口成章　出神入化　出尔反尔　出奇制胜　出生入死

【反义词】出/入　出勤/缺勤

【近义词】出奇/特别

【谚　语】出其不意，攻其不备｜出门三分低，礼多人不怪。

【英　语】出名 famous [ˈfeiməs]

| chū | 笔画 | 部首 | 结构 | 五笔 | 造字法 |
|---|---|---|---|---|---|
| 初 | 7 | 衤 | 左右 | PUVN | 会意 |
| 笔顺 | 丶 ㇇ 礻 衤 衤 初 初 | | | | |

【解　释】❶开头；开始；表示时间、等级、次序等都在前面的。❷本来的、原来的情况。❸第一次。❹最低的。

甲骨文　金文　小篆　隶书　楷书

【字源释义】“初”字由“衣”、“刀”组成，表示要用刀一类的工具开始剪裁衣服的时候，本义是“开始”，后引申为“本原”、“从前”等。

【组　词】初次　初伏　初级　初衷

【造　句】初次——小姑娘初次与这么多人见面，难免害羞。

【同音字】出（出其不意）

【形近字】衬（衬衣）　切（切记）

【成　语】初出茅庐

【反义词】月初/月末

【近义词】年初/年头
【歇后语】初升的太阳——光芒四射。
【谚　语】初交凭衣冠，久交凭学识。
【英　语】初步　initial [i'niʃəl]

| chú | 笔画 | 部首 | 结构 | 五笔 | 造字法 |
|---|---|---|---|---|---|
| 除 | 9 | 阝 | 左右 | BWTY | 形声 |
| 笔顺 | ㇌ 阝 阝丿 阝𠆢 阝亼 阝亼 阝全 阝余 除 | | | | |

【解　释】❶消掉；去掉。❷不计算在内。❸算术中用一个数去分另一个数。❹宫殿的台阶。❺拜官位。
【组　词】除外　除非　除数　除夕
【同音字】厨（厨房）
【形近字】涂（糊涂）
【成　语】除旧布新　斩草除根
【反义词】废除/建立
【近义词】废除/铲除
【谚　语】除匪不尽，遗祸无穷。
【英　语】除外　except [ik'sept]

| chú | 笔画 | 部首 | 结构 | 五笔 | 造字法 |
|---|---|---|---|---|---|
| 厨 | 12 | 厂 | 半包围 | DGKF | 形声 |
| 笔顺 | 一 厂 厂 厂 厂 厅 厉 后 后 㕑 厨 厨 | | | | |

【解　释】❶准备饭菜的地方。❷以烹饪为职业的人。
【组　词】厨具　帮厨　厨房　厨师
【造　句】帮厨——妈妈做饭的时候，我经常去帮厨。
【同音字】除（除夕）
【形近字】橱（橱窗）
【近义词】厨房/伙房
【谚　语】不经厨子手，难得五味香。
【英　语】厨房　kitchen ['kitʃin]

| chú | 笔画 | 部首 | 结构 | 五笔 | 造字法 |
|---|---|---|---|---|---|
| 锄 | 12 | 钅 | 左右 | QEGL | 形声 |
| 笔顺 | ノ ト 𠂉 𠂇 钅 钊 钔 钔 钼 钼 锄 锄 | | | | |

【解　释】❶弄松土地及除草的农具。❷弄松土地；整理土地；除草。❸铲除。
【组　词】锄地　锄头　锄田　锄草
【辨　音】不读 zhù。
【同音字】除（除却）
【形近字】助（帮助）
【歇后语】锄头钩月亮——够不着。
【英　语】锄头　hoe [həu]

| chú | 笔画 | 部首 | 结构 | 五笔 | 造字法 |
|---|---|---|---|---|---|
| 雏 | 13 | 隹 | 左右 | QVWY | 形声 |
| 笔顺 | ノ ㇇ 㔾 刍 刍 刍 刍 刍 刍 刍 刍 刍 雏 | | | | |

【解　释】❶幼小的（多指鸟类）。❷幼禽。
【组　词】雏鸡　雏形
【造　句】雏形——这座建筑物的雏形都这么精美，建成后肯定更加壮观。
【同音字】厨（厨房）
【英　语】雏形　rudiment ['ru:diment]

| chú | 笔画 | 部首 | 结构 | 五笔 | 造字法 |
|---|---|---|---|---|---|
| 橱 | 16 | 木 | 左右 | SDGF | 形声 |
| 笔顺 | 一 十 才 木 木 木 木 木 木 木 木 木 木 木 橱 橱 | | | | |

【解　释】❶一种放置东西的家具,前面有门。❷展示物品的玻璃柜。
【组　词】橱窗　橱柜　壁橱
【同音字】锄(锄草)
【形近字】厨(厨房)
【英　语】橱柜　cupboard [ˈkʌbəd]

| chú | 笔画 | 部首 | 结构 | 五笔 | 造字法 |
|---|---|---|---|---|---|
| 躇 | 18 | 足 | 左右 | KHAJ | 形声 |
| 笔顺 | 丨 ㇆ 口 ⻊ … 躇 | | | | |

【解　释】见112页“踌”。

| chǔ | 笔画 | 部首 | 结构 | 五笔 | 造字法 |
|---|---|---|---|---|---|
| 处 | 5 | 夂 | 半包围 | THI | 会意 |
| 笔顺 | 丿 ク 夂 处 处 | | | | |

【解　释】❶居住。❷相处,与别人在一起。❸在;置身。❹惩罚。
【组　词】相处　处分　处罚　处境
【造　句】相处——他与班里每个人都相处得很好。
【同音字】楚(清楚)
【形近字】外(外面)
【成　语】处心积虑
【英　语】处理　handle [ˈhændl]
【多音字】chù(见116页)

| chǔ | 笔画 | 部首 | 结构 | 五笔 | 造字法 |
|---|---|---|---|---|---|
| 础 | 10 | 石 | 左右 | DBMH | 形声 |
| 笔顺 | 一 丆 不 石 石 矿 矿 砷 础 础 | | | | |

【解　释】❶柱脚石,垫在房屋柱子底下的石头。❷事物的根基或起点。
【组　词】基础　础石
【造　句】基础——我们应好好学习,为将来建设国家打下基础。
【辨　音】不读 chū。
【同音字】处(相处)
【形近字】拙(笨拙)
【近义词】基础/根基
【英　语】基础　foundation [faunˈdeiʃən]

| chǔ | 笔画 | 部首 | 结构 | 五笔 | 造字法 |
|---|---|---|---|---|---|
| 储 | 12 | 亻 | 左右 | WYFJ | 形声 |
| 笔顺 | 丿 亻 亻 仡 仡 付 佳 佬 佬 储 储 储 | | | | |

【解　释】❶存放起来;积蓄。❷已经确定为继承皇位等最高统治权的人。❸副手。
【组　词】储备　储蓄　储存　储藏
【造　句】储存——我把爸妈给的压岁钱储存起来,准备买小提琴。
【同音字】处(处心积虑)
【形近字】诸(诸多)
【反义词】储存/消耗
【近义词】储蓄/储存
【英　语】储蓄　save [seiv]

| chǔ | 笔画 | 部首 | 结构 | 五笔 | 造字法 |
|---|---|---|---|---|---|
| 楚 | 13 | 木 | 上下 | SSNH | 形声 |
| 笔顺 | 一 十 才 木 木 村 材 林 林 梺 梺 楚 楚 | | | | |

【解　释】❶酸痛;痛苦。❷战国七雄之一。疆域在今湖北,后来扩展到湖南北部、河南南部及江西、安徽、江苏、浙江等省。❸鲜明;整洁。❹娇美。
【组　词】楚辞　清楚　酸楚　凄楚
【同音字】础(基础)

【形近字】焚(焚烧)
【成　语】楚楚动人
【反义词】清楚/模糊
【近义词】清楚/清晰
【歇后语】楚霸王被困垓下——四面楚歌。
【英　语】清楚 clear [kliə]

| chù | 笔画 | 部首 | 结构 | 五笔 | 造字法 |
|---|---|---|---|---|---|
| 处 | 5 | 夂 | 半包围 | THI | 会意 |
| 笔顺 | 丿 ク 夂 处 处 | | | | |

【解　释】❶地方。❷部分;方面;点。❸机关或机关、团体里的部门。
【组　词】住处 好处 益处 出处 办事处
【造　句】益处——每晚睡觉前刷牙对牙齿很有益处。
【同音字】触(接触)
【形近字】外(外面)
【反义词】益处/害处
【近义词】益处/好处
【谚　语】处处留心皆学问。
【英　语】益处 profit ['prɔfit]
【多音字】chǔ(见 115 页)

| chù | 笔画 | 部首 | 结构 | 五笔 | 造字法 |
|---|---|---|---|---|---|
| 畜 | 10 | 田 | 上下 | YXLF | 会意 |
| 笔顺 | 丶 亠 亡 玄 玄 玄 斉 斉 畜 畜 | | | | |

【解　释】泛指禽兽;有时专指被人类驯服豢养的兽类。
【组　词】家畜 牲畜 畜力 畜生
【造　句】家畜——农村里几乎每户人家都养了家畜。
【同音字】触(触犯)
【形近字】蓄(积蓄)
【英　语】畜牲 domestic animal [də'mestik 'æniməl]
【多音字】xù(见 802 页)

| chù | 笔画 | 部首 | 结构 | 五笔 | 造字法 |
|---|---|---|---|---|---|
| 触 | 13 | 角 | 左右 | QEJY | 形声 |
| 笔顺 | 丿 ⺈ 𠂊 角 角 角 角 角 角 角 触 触 触 | | | | |

【解　释】❶用某物去顶;抵。❷撞;碰;遇着。❸冒犯。
【组　词】抵触 触动 触目 感触
【造　句】感触——通过这件事,同学们感触良多。
【辨　音】不读 zhù。
【同音字】处(到处)
【形近字】解(解释) 确(正确)
【成　语】触目惊心
【近义词】触动/碰撞
【英　语】接触 touch [tʌtʃ]

| chù | 笔画 | 部首 | 结构 | 五笔 | 造字法 |
|---|---|---|---|---|---|
| 矗 | 24 | 十 | 上下 | FHFH | 会意 |
| 笔顺 | 一 十 [illegible] 直 [illegible] 矗 | | | | |

【解　释】直立;高耸。
【组　词】矗立 高矗 矗然
【造　句】矗立——马路两旁高楼矗立。
【辨　音】不读 zhù 或 cù。
【同音字】触(感触)
【形近字】聂(姓)
【反义词】矗立/倒塌
【近义词】矗立/屹立
【英　语】矗立 tower over [tauə əuvə]

## CHUAI ㄔㄨㄞ

| chuāi | 笔画 | 部首 | 结构 | 五笔 | 造字法 |
|---|---|---|---|---|---|
| 揣 | 12 | 扌 | 左右 | RMDJ | 形声 |
| 笔顺 | 一 十 扌 扌 扌 扌 扌 扌 扌 揣 揣 揣 | | | | |

【解　释】藏在衣服里。
【组　词】揣着
【造　句】揣着——他怀里揣着的书不小心掉在了地上。
【多音字】chuǎi(见 117 页)
【多音字】chuài(见 117 页)

| chuǎi | 笔画 | 部首 | 结构 | 五笔 | 造字法 |
|---|---|---|---|---|---|
| 揣 | 12 | 扌 | 左右 | RMDJ | 形声 |
| 笔顺 | 一 十 扌 扌 扌 扌 扌 扌 扌 揣 揣 揣 | | | | |

【解　释】估量;猜想;推测。
【组　词】揣测　揣度　揣摩
【造　句】揣摩——我揣摩了好久,终于把这篇文章的中心思想弄清楚了。
【辨　音】不读 duān。
【近义词】揣测/推测
【英　语】揣测　guess [ges]
【多音字】chuāi(见 117 页)
【多音字】chuài(见 117 页)

| chuài | 笔画 | 部首 | 结构 | 五笔 | 造字法 |
|---|---|---|---|---|---|
| 揣 | 12 | 扌 | 左右 | RMDJ | 形声 |
| 笔顺 | 一 十 扌 扌 扌 扌 扌 扌 扌 揣 揣 揣 | | | | |

【解　释】[挣揣]用力支撑或摆脱。
【多音字】chuāi(见 117 页)
【多音字】chuǎi(见 117 页)

| chuài | 笔画 | 部首 | 结构 | 五笔 | 造字法 |
|---|---|---|---|---|---|
| 踹 | 16 | ⻊ | 左右 | KHMJ | 形声 |
| 笔顺 | 丨 口 口 ⻊ ⻊ ⻊ ⻊ ⻊ 踹 踹 踹 踹 踹 踹 踹 踹 | | | | |

【解　释】❶用脚底踢。❷用脚踩。
【组　词】踹开
【形近字】喘(喘息)
【近义词】踹/踢
【英　语】踹　kick [kik]

## CHUAN ㄔㄨㄢ

| chuān | 笔画 | 部首 | 结构 | 五笔 | 造字法 |
|---|---|---|---|---|---|
| 川 | 3 | 丿 | 独体 | KTHH | 象形 |
| 笔顺 | 丿 川 川 | | | | |

【解　释】❶河流。❷平地;平原。❸四川省的简称。❹旅费。

甲骨文　金文　小篆　隶书　楷书

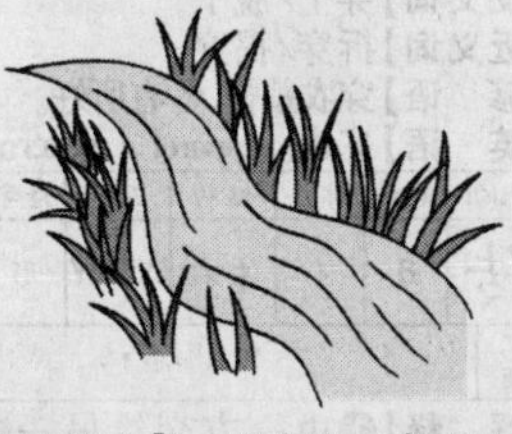

【字源释义】"川"字像一条弯曲的河流,有的甲骨文字形在水流间有类似波浪的条纹。本义指河流,后引申指山间或高原间平坦而低的地带。

C

【组　词】冰川　山川
【造　句】川流不息——每到节假日，马路上人来人往，川流不息。
【同音字】穿（穿行）
【形近字】州（杭州）
【成　语】川流不息　百川归海
【反义词】一马平川/崇山峻岭
【英　语】川　river [ˈrivə]

| chuān | 笔画 | 部首 | 结构 | 五笔 | 造字法 |
|---|---|---|---|---|---|
| 穿 | 9 | 穴 | 上下 | PWAT | 会意 |
| 笔顺 | 丶 丷 宀 宀 穴 穵 穵 穿 穿 | | | | |

【解　释】❶破；捅透。❷用在动词后，表示捅透或揭开。❸通过孔洞。❹通过。❺把衣服、鞋、袜等套在身体相应部位上。
【组　词】穿透　穿梭　穿插　拆穿
【造　句】穿过——再穿过一条胡同就到学校了。
【同音字】川（川流）
【形近字】窜（窜出）　芽（发芽）
【成　语】穿针引线　穿云裂石
【反义词】穿上/脱下
【近义词】拆穿/揭穿
【谚　语】穿衣戴帽，各有所好。
【英　语】穿戴　apparel [əˈpærəl]

| chuán | 笔画 | 部首 | 结构 | 五笔 | 造字法 |
|---|---|---|---|---|---|
| 传 | 6 | 亻 | 左右 | WFNY | 形声 |
| 笔顺 | 丿 亻 亻 仁 传 传 | | | | |

【解　释】❶由一方交给另一方；传授。❷广泛；推广；散布。❸叫来；召来。❹传导；通。❺描述；表达。❻以命令召唤；通知。
【组　词】传递　传诵　传统　传染
【造　句】传染——这段时间正是感冒流行之时，千万别给传染上了。
【同音字】船（乘船）
【形近字】砖（砖头）
【成　语】言传身教
【反义词】传送/接收
【近义词】言传身教/以身作则
【谚　语】传儿千金不如薄技在身。
【英　语】传播　spread [spred]
【多音字】zhuàn（见 946 页）

| chuán | 笔画 | 部首 | 结构 | 五笔 | 造字法 |
|---|---|---|---|---|---|
| 船 | 11 | 舟 | 左右 | TEMK | 形声 |
| 笔顺 | 丿 丿 月 月 舟 舟 舟 舢 舢 船 船 | | | | |

【解　释】❶用在水上的主要交通工具，种类繁多。❷空间交通工具。
【组　词】帆船　船舱　船长　船只
【形近字】般（一般）
【近义词】船家/船户　船埠/码头
【歇后语】船家敬神——为何（河）。
【英　语】船舶　shipping [ˈʃipiŋ]

| chuǎn | 笔画 | 部首 | 结构 | 五笔 | 造字法 |
|---|---|---|---|---|---|
| 喘 | 12 | 口 | 左右 | KMDJ | 形声 |
| 笔顺 | 丨 冂 口 口 口 口 口 口 口 喘 喘 喘 | | | | |

【解　释】❶呼吸急促。❷呼吸困难的病症。
【组　词】喘息　哮喘　喘吁吁
【造　句】哮喘——郑伯伯的哮喘病一到冬天就发作。
【辨　音】不读 duān。

【形近字】端(端正)
【成　语】苟延残喘
【近义词】喘息/喘气
【英　语】喘息　pant [pænt]

| chuàn | 笔画 | 部首 | 结构 | 五笔 | 造字法 |
|---|---|---|---|---|---|
| 串 | 7 | 丨 | 独体 | KKHK | 指事 |
| 笔顺 | 丶 冖 口 吕 吕 吕 串 | | | | |

【解　释】❶许多个东西连贯成一行的。❷互相勾结。❸由这里到那里走动、活动。❹错误的联结。
【组　词】串讲　串通　客串　串门儿
【造　句】串门儿——老太太之间都喜欢互相串门儿。
【形近字】申(申请)
【近义词】串演/饰演
【英　语】串讲　construe [kən'stru:]

## CHUANG ㄔㄨㄤ

| chuāng | 笔画 | 部首 | 结构 | 五笔 | 造字法 |
|---|---|---|---|---|---|
| 创 | 6 | 刂 | 左右 | WBJH | 形声 |
| 笔顺 | 丿 人 今 仓 仓 创 | | | | |

【解　释】❶伤;外伤。❷伤害。
【组　词】创伤　重创　创口
【同音字】窗(窗外)
【英　语】创伤　wound [wu:nd]
【多音字】chuàng(见120页)

| chuāng | 笔画 | 部首 | 结构 | 五笔 | 造字法 |
|---|---|---|---|---|---|
| 疮 | 9 | 疒 | 半包围 | UWBV | 形声 |
| 笔顺 | 丶 亠 广 广 疒 疒 疒 疮 疮 | | | | |

【解　释】❶伤口,外伤。❷皮肤或黏膜肿烂溃疡的病。
【组　词】刀疮　口疮　冻疮　疮疤
【造　句】疮疤——我们不能好了疮疤忘了疼。
【同音字】窗(窗户)
【英　语】疮疤　scar [ska:]

| chuāng | 笔画 | 部首 | 结构 | 五笔 | 造字法 |
|---|---|---|---|---|---|
| 窗 | 12 | 穴 | 上下 | PWTQ | 形声 |
| 笔顺 | 丶 丶 宀 宀 穴 穴 穷 穷 穷 窗 窗 窗 | | | | |

【解　释】设在房屋、车船等壁上或顶上通气透光的装置。
【组　词】窗户　天窗　窗花　铁窗
【辨　音】不读 cuāng。
【形近字】窑(窑洞)
【成　语】窗明几净
【近义词】窗明几净/一尘不染
【歇后语】窗户纸——一点就透。
【英　语】窗子　window ['windəu]

| chuáng | 笔画 | 部首 | 结构 | 五笔 | 造字法 |
|---|---|---|---|---|---|
| 床 | 7 | 广 | 半包围 | YSI | 会意 |
| 笔顺 | 丶 亠 广 广 庄 庄 床 | | | | |

【解　释】❶供人睡卧的用具。❷像床一样的东西。❸量词。用于被子等。❹某些像床的地面。
【组　词】车床　河床　床铺　机床
【同音字】幢(经幢)
【形近字】庆(国庆)
【成　语】同床异梦
【歇后语】床头鸡叫——提(啼)醒你。
【英　语】床　bed [bed]

C

| chuáng | 笔画 | 部首 | 结构 | 五笔 | 造字法 |
|---|---|---|---|---|---|
| 幢 | 15 | 巾 | 左右 | MHUF | 形声 |
| 笔顺 | 丨 冂 巾 巾 帄 帗 帗 帟 帟 帟 幢 幢 幢 幢 幢 | | | | |

【解　释】❶一种古代的旗子。❷刻有佛名的小石柱或写有经文的长绸伞。
【组　词】经幢　石幢
【辨　音】不读 zhuàng。
【同音字】床(机床)
【多音字】zhuàng（见 949 页）

| chuǎng | 笔画 | 部首 | 结构 | 五笔 | 造字法 |
|---|---|---|---|---|---|
| 闯 | 6 | 门 | 半包围 | UCD | 会意 |
| 笔顺 | 丶 丨 门 闩 闯 闯 | | | | |

【解　释】❶猛冲。❷惹起。❸历练。❹奔走;浪游。
【组　词】闯荡　闯关　闯祸　闯世界
【辨　音】不读 chuàng。
【形近字】闪(闪烁)
【成　语】走南闯北
【近义词】闯祸/惹祸
【英　语】闯祸　get into trouble [get ˈintu ˈtrʌbl]

| chuàng | 笔画 | 部首 | 结构 | 五笔 | 造字法 |
|---|---|---|---|---|---|
| 创 | 6 | 刂 | 左右 | WBJH | 形声 |
| 笔顺 | 丿 人 今 仓 仓 创 | | | | |

【解　释】❶初次建立;开始做。❷从前没有过的举动或事业。
【组　词】创办　创新　创造　创作
【造　句】创造——爸妈给我们创造了这么好的条件,我们应该认真学习。
【形近字】刨(刨土)
【成　语】创业维艰
【反义词】创新/守旧
【近义词】创办/创建
【谚　语】创业难,守业更难。
【多音字】chuāng(见 119 页)

## CHUI　ㄔㄨㄟ

| chuī | 笔画 | 部首 | 结构 | 五笔 | 造字法 |
|---|---|---|---|---|---|
| 吹 | 7 | 口 | 左右 | KQWY | 会意 |
| 笔顺 | 丨 冂 口 吖 吖 吹 吹 | | | | |

【解　释】❶合拢嘴唇用力出气。❷说大话;夸口。❸奉承。❹风、气流等流动、冲击。❺事情失败;关系破裂。
【组　词】吹牛　吹嘘　吹拂　吹冷风
【造　句】吹拂——夏天的风吹拂在脸上,真是舒服极了。
【同音字】炊(炊烟)
【形近字】次(次数)
【成　语】吹毛求疵
【反义词】吹嘘/谦虚
【近义词】吹捧/奉承
【谚　语】吹嘘在前易,实践在后难。
【英　语】吹　blow [bləu]

| chuī | 笔画 | 部首 | 结构 | 五笔 | 造字法 |
|---|---|---|---|---|---|
| 炊 | 8 | 火 | 左右 | OQWY | 形声 |
| 笔顺 | 丶 丷 火 火 火 炊 炊 炊 | | | | |

【解　释】烧火做饭。
【组　词】炊烟　炊具　野炊
【造　句】炊烟——黄昏时分,炊

烟四起，整个村庄笼罩在一片青烟之中。
【辨　音】不读 yǐn。
【同音字】吹（吹牛）
【形近字】次（次要）
【英　语】炊具　cooker ['kukə]

| chuí | 笔画 | 部首 | 结构 | 五笔 | 造字法 |
|---|---|---|---|---|---|
| 垂 | 8 | 丿 | 独体 | TGAF | 形声 |
| 笔顺 | 一 二 千 千 乖 乖 垂 垂 | | | | |

【解　释】❶东西的一端挂下来。❷敬辞。❸留传下去。❹接近；快要。
【组　词】垂柳　垂直　垂危　耳垂
【同音字】捶（捶背）　锤（铁锤）
【形近字】乘（搭乘）
【成　语】永垂不朽　垂头丧气
【反义词】垂头丧气/神采飞扬
【近义词】垂直/笔直
【谚　语】垂丝千尺，意在深潭。
【英　语】垂涎　drool [dru:l]

| chuí | 笔画 | 部首 | 结构 | 五笔 | 造字法 |
|---|---|---|---|---|---|
| 捶 | 11 | 扌 | 左右 | RTGF | 形声 |
| 笔顺 | 一 十 扌 扌 扩 抨 拝 拝 捶 捶 捶 | | | | |

【解　释】棒打；敲打。
【组　词】捶鼓　捶打　捶腿
【造　句】捶胸顿足——一听到股市大跌的消息，老张不由得捶胸顿足，后悔昨天没听人劝，抛掉手里的股票。
【同音字】垂（垂涎欲滴）
【成　语】捶胸顿足
【近义词】捶胸顿足/呼天抢地
【谚　语】捶人一拳，半夜无眠。

【英　语】捶打　beat [bi:t]

| chuí | 笔画 | 部首 | 结构 | 五笔 | 造字法 |
|---|---|---|---|---|---|
| 椎 | 12 | 木 | 左右 | SWYG | 形声 |
| 笔顺 | 一 十 才 木 木 札 村 村 村 椎 椎 椎 | | | | |

【解　释】❶敲打东西的器具。❷用椎敲打；打击。❸愚蠢；迟钝。
【组　词】椎击　椎鼓　椎毁
【同音字】锤（钢锤）
【成　语】椎心泣血
【多音字】zhuī（见 949 页）

| chuí | 笔画 | 部首 | 结构 | 五笔 | 造字法 |
|---|---|---|---|---|---|
| 锤 | 13 | 钅 | 左右 | QTGF | 形声 |
| 笔顺 | 丿 𠂉 𠂉 𠂉 钅 钅 钅 钎 钎 钎 锤 锤 锤 | | | | |

【解　释】❶古代兵器。❷秤锤，配合秤杆称分量的金属块。❸敲打东西的工具。❹敲打；敲击。
【组　词】秤锤　铁锤　锤炼　锤击
【造　句】锤打——铁匠把一块烧得通红的铁块锤打成了一把镰刀。
【同音字】垂（垂危）
【形近字】捶（捶背）
【成　语】千锤百炼
【反义词】千锤百炼/粗制滥造
【近义词】锤炼/磨炼　锻炼
【英　语】锤子　hammer ['hæmə]

## CHUN　ㄔㄨㄣ

| chūn | 笔画 | 部首 | 结构 | 五笔 | 造字法 |
|---|---|---|---|---|---|
| 春 | 9 | 日 | 上下 | DWJF | 形声 |
| 笔顺 | 一 二 三 夫 夫 夫 春 春 春 | | | | |

【解　释】❶一年四季中的第一季。❷指草木生长，花儿开放，常喻生气、生机。
【组　词】春季　青春　春节　立春
【造　句】青春——他们长年坚守在海岛上，把青春献给了祖国。
【成　语】春暖花开　春风化雨
【反义词】春暖花开/冰天雪地
【近义词】春季/春天
【歇后语】春到成都——锦上添花。
【谚　语】春捂秋冻，不生杂病。
【英　语】春　spring [spriŋ]

| chún | 笔画 | 部首 | 结构 | 五笔 | 造字法 |
|---|---|---|---|---|---|
| 纯 | 7 | 纟 | 左右 | XGBN | 形声 |
| 笔顺 | 𠃋 纟 纟 纟 纟 纪 纯 | | | | |

【解　释】❶单一；不含杂质。❷熟悉。❸净。
【组　词】纯情　纯粹　纯洁　纯真
【造　句】纯洁——她是一位心地善良、纯洁的女孩儿。
【辨　音】不读 chóng。
【同音字】唇（嘴唇）
【形近字】饨（馄饨）　钝（迟钝）
【反义词】纯净/杂乱
【近义词】纯洁/纯净
【谚　语】纯铜打不弯，真理驳不倒。
【英　语】纯洁　pure [pjuə]

| chún | 笔画 | 部首 | 结构 | 五笔 | 造字法 |
|---|---|---|---|---|---|
| 唇 | 10 | 辰 | 半包围 | DFEK | 形声 |
| 笔顺 | 一 厂 厂 戶 后 后 辰 辰 唇 唇 | | | | |

【解　释】人或动物口周围的肌肉组织。通称嘴唇。
【组　词】唇膏　唇舌
【辨　音】不读 chóng。
【同音字】淳（淳厚）
【形近字】辱（耻辱）
【成　语】唇红齿白　唇枪舌剑
【近义词】唇枪舌剑/针锋相对
【歇后语】唇上抹油——油嘴滑舌。
【谚　语】唇亡齿寒，体伤心痛。
【英　语】唇　lip [lip]

| chún | 笔画 | 部首 | 结构 | 五笔 | 造字法 |
|---|---|---|---|---|---|
| 淳 | 11 | 氵 | 左右 | IYBG | 形声 |
| 笔顺 | 丶 丶 氵 氵 氵 氵 泸 泸 淳 淳 淳 | | | | |

【解　释】质朴；朴实；淳厚。
【组　词】淳朴　淳厚　淳美
【造　句】淳朴——家乡的人们都很淳朴。
【辨　音】不读 chóng。
【同音字】纯（单纯）
【形近字】醇（乙醇）　敦（敦厚）
【反义词】淳朴/奸诈
【近义词】淳朴/真淳
【英　语】淳朴　honest [ˈɔnist]

| chǔn | 笔画 | 部首 | 结构 | 五笔 | 造字法 |
|---|---|---|---|---|---|
| 蠢 | 21 | 虫 | 上下 | DWJJ | 形声 |
| 笔顺 | 一 二 三 声 夫 表 春 春 春 春 春 春 春 春 春 蠢 蠢 蠢 蠢 蠢 蠢 | | | | |

【解　释】❶愚蠢。❷笨拙。❸虫子爬动的样子。
【组　词】蠢笨　蠢动　蠢人　蠢事
【造　句】蠢笨——动物园里蠢笨的狗熊逗得游客哈哈大笑。
【成　语】蠢蠢欲动

【反义词】蠢笨/灵便
【近义词】蠢笨/笨拙
【英　语】蠢笨　stupid [ˈstjuːpid]

## CHUO　ㄔㄨㄛ

| chuō | 笔画 | 部首 | 结构 | 五笔 | 造字法 |
|---|---|---|---|---|---|
| 戳 | 18 | 戈 | 左右 | NWYA | 形声 |
| 笔顺 | ㇆ ㇆ 习 ㇆ 羽 羽 羽 羽 羽 羿 翟 翟 翟 翟 翟 戳 戳 戳 | | | | |

【解　释】❶用尖端刺击、触击。❷因猛触硬物而受伤或损坏。❸竖立;站着。❹图章。
【组　词】戳穿　邮戳　戳记
【造　句】戳穿——他的假话被当场戳穿。
【辨　音】不读 lù。
【形近字】截(截止)　戮(杀戮)
【近义词】戳穿/刺穿
【英　语】戳记　stamp [stæmp]

| chuò | 笔画 | 部首 | 结构 | 五笔 | 造字法 |
|---|---|---|---|---|---|
| 绰 | 11 | 纟 | 左右 | XHJH | 形声 |
| 笔顺 | ㇜ 纟 纟 纟 纟 纟 纟 绰 绰 绰 绰 | | | | |

【解　释】宽裕;宽大。
【组　词】绰号　宽绰
【造　句】绰约多姿——舞台上的模特个个体态轻盈,绰约多姿。
【辨　音】不读 zhuó。
【同音字】辍(辍学)
【形近字】掉(甩掉)
【成　语】绰约多姿　绰绰有余
【反义词】绰绰有余/捉襟见肘
【近义词】绰号/外号
【英　语】绰号　nickname [ˈnikneim]

【多音字】chāo(见 92 页)

| chuò | 笔画 | 部首 | 结构 | 五笔 | 造字法 |
|---|---|---|---|---|---|
| 啜 | 11 | 口 | 左右 | KCCC | 形声 |
| 笔顺 | 丨 ㇕ 口 叹 叹 叕 叕 啜 啜 啜 啜 | | | | |

【解　释】❶品尝。❷抽噎的样子。
【组　词】啜饮　啜茗　啜泣
【造　句】啜泣——她不时地安慰正在啜泣的朋友。
【辨　音】不读 zhuì。
【同音字】绰(宽绰)
【形近字】缀(点缀)
【近义词】啜泣/哭泣
【英　语】啜泣　sob [sɔb]

| chuò | 笔画 | 部首 | 结构 | 五笔 | 造字法 |
|---|---|---|---|---|---|
| 辍 | 12 | 车 | 左右 | LCCC | 形声 |
| 笔顺 | 一 ㇓ 车 车 车 车 车 辍 辍 辍 辍 辍 | | | | |

【解　释】中途停止;废止。
【组　词】辍学　辍笔　辍演
【造　句】辍学——他因家庭贫困而辍学,我们都为他感到惋惜。
【辨　音】不读 zhuì。
【同音字】啜(啜茗)
【形近字】啜(啜泣)
【近义词】辍学/停学
【英　语】辍学　discontinue one's studies [diskənˈtinjuː wʌnz ˈstʌdiz]

## CI　ㄘ

| cī | 笔画 | 部首 | 结构 | 五笔 | 造字法 |
|---|---|---|---|---|---|
| 刺 | 8 | 刂 | 左右 | GMIJ | 形声 |
| 笔顺 | 一 ㇀ 冂 市 朿 朿 刺 刺 | | | | |

【解　释】象声词。形容摩擦、撕裂的声音。
【组　词】刺溜　刺棱
【多音字】cì(见126页)

| cī | 笔画 | 部首 | 结构 | 五笔 | 造字法 |
|---|---|---|---|---|---|
| 差 | 9 | 𦍌 | 半包围 | UDAF | 会意 |
| 笔顺 | 丶 丷 䒑 丷 兰 兰 羊 差 差 | | | | |

【解　释】参差，长短不齐，高低不一。
【组　词】参差不齐
【造　句】参差不齐——这些树很久没有修剪了，长得高高低低，参差不齐。
【同音字】疵(吹毛求疵)
【多音字】chā(见79页)
【多音字】chà(见82页)
【多音字】chāi(见84页)

| cí | 笔画 | 部首 | 结构 | 五笔 | 造字法 |
|---|---|---|---|---|---|
| 词 | 7 | 讠 | 左右 | YNGK | 形声 |
| 笔顺 | 丶 讠 订 订 词 词 词 | | | | |

【解　释】❶语句；言辞。❷在句子里能自由独立运用的最小的语言单位。❸一种长短句押韵的文体。
【组　词】歌词　动词　词典　诗词
【辨　音】不读sī。
【同音字】辞(辞别)
【形近字】伺(伺机)　饲(饲养)
【成　语】词不达意
【反义词】闪烁其词/直截了当
【近义词】词不达意/言不尽意
【英　语】词语　word [wəːd]

| cí | 笔画 | 部首 | 结构 | 五笔 | 造字法 |
|---|---|---|---|---|---|
| 祠 | 9 | 礻 | 左右 | PYNK | 形声 |
| 笔顺 | 丶 ラ ネ 礻 礼 祠 祠 祠 祠 | | | | |

【解　释】在封建制度下供奉祖宗、鬼神或有功德的人的房屋。
【组　词】祠堂　宗祠
【辨　音】不读sī。
【同音字】慈(慈祥)　词(动词)
【形近字】词(词人)

| cí | 笔画 | 部首 | 结构 | 五笔 | 造字法 |
|---|---|---|---|---|---|
| 瓷 | 10 | 瓦 | 上下 | UQWN | 形声 |
| 笔顺 | 丶 冫 丬 冫 次 次 次 咨 瓷 瓷 | | | | |

【解　释】用高岭土烧成的一种材料，所做器物比陶器细致而坚硬。
【组　词】瓷器　陶瓷　搪瓷　瓷实
【造　句】瓷器——中国江西景德镇的瓷器驰名中外。
【辨　音】不读chí。
【同音字】慈(仁慈)
【形近字】资(资格)
【近义词】瓷实/结实
【歇后语】瓷盘里的珍珠——明摆着。
【英　语】瓷器　porcelain [ˈpɔːslin]

| cí | 笔画 | 部首 | 结构 | 五笔 | 造字法 |
|---|---|---|---|---|---|
| 辞 | 13 | 舌 | 左右 | TDUH | 会意 |
| 笔顺 | 丿 二 千 千 舌 舌 舌 舌 舌 舌 辞 辞 辞 | | | | |

【解　释】❶告别。❷拒绝接受；请求离去。❸推托；躲避。❹解雇；免职。❺中国古代一种介于诗歌

和散文之间的体裁，也叫赋、辞赋。❻优美的语言、言辞、文辞。
【组　词】辞别　辞赋　修辞　辞海
【造　句】辞别——他没说一句辞别的话就走了。
【同音字】糍（糍粑）
【形近字】梓（梓树）
【成　语】不辞辛苦
【反义词】推辞/接受
【近义词】辞别/告别
【谚　语】辞了灵山尚有庙。
【英　语】辞退 dismiss [dis'mis]

| cí | 笔画 | 部首 | 结构 | 五笔 | 造字法 |
|---|---|---|---|---|---|
| 慈 | 13 | 心 | 上下 | UXXN | 形声 |
| 笔顺 | 丶 丷 䒑 … 慈 | | | | |

【解　释】❶仁慈；和善；指上辈对下辈的疼爱。❷特指母亲。
【组　词】慈爱　仁慈　慈善　慈祥　家慈　慈母　慈悲　慈和　慈颜
【造　句】慈祥——我们的班主任是一位慈祥的老头儿。
【辨　音】不读 zī。
【同音字】辞（告辞）
【形近字】兹（在兹）
【成　语】慈眉善目　慈老爱幼　心慈手软
【反义词】慈善/凶狠
【近义词】慈祥/和蔼
【英　语】慈祥 kindly ['kaindli]

| cí | 笔画 | 部首 | 结构 | 五笔 | 造字法 |
|---|---|---|---|---|---|
| 磁 | 14 | 石 | 左右 | DUXX | 形声 |
| 笔顺 | 一 ア 石 … 磁 | | | | |

【解　释】❶磁性，指的是物质能吸引铁、镍等的性能。❷磁石，一种带有磁性的物体，俗称吸铁石。天然磁铁化学成分是 $Fe_3O_4$。❸同“瓷”，指瓷器。
【组　词】磁铁　磁带　磁力　磁针　磁场　电磁　磁性　磁卡　磁疗　磁化
【造　句】磁化——把铁放在较强的磁场里，铁就会被磁化。
【辨　音】不读 zī。
【同音字】慈（慈颜）
【形近字】滋（滋润）
【英　语】磁铁 magnet ['mægnit]

| cí | 笔画 | 部首 | 结构 | 五笔 | 造字法 |
|---|---|---|---|---|---|
| 雌 | 14 | 隹 | 左右 | HXWY | 形声 |
| 笔顺 | 丨 ⺊ 𠄌 止 … 雌 | | | | |

【解　释】母的；阴性的。
【组　词】雌鸡　雌雄　雌性
【造　句】信口雌黄——我们与人争论时要有理有据，不能信口雌黄，妄下结论。
【辨　音】不读 xióng。
【同音字】词（词语）
【形近字】雄（英雄）
【成　语】信口雌黄
【反义词】信口雌黄/言之凿凿
【近义词】雌伏/屈服
【英　语】雌性 female ['fi:meil]

| cǐ | 笔画 | 部首 | 结构 | 五笔 | 造字法 |
|---|---|---|---|---|---|
| 此 | 6 | 止 | 左右 | HXN | 会意 |
| 笔顺 | 丨 ⺊ 𠄌 止 止' 此 | | | | |

【解　释】❶代词。这；这个。

C

❷相当于口语中的这儿、这里。❸这样。

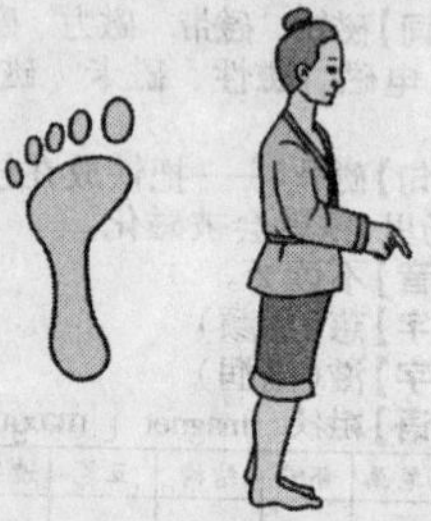

【字源释义】“此”字的右旁原是个人形，左旁是一只脚（“止”）。本义是“这里”、“此处”，“止”表声。
【组　词】彼此　此时　此刻　此地
【造　句】彼此——我们彼此都很熟悉，是老朋友了。
【形近字】止（停止）　比（比喻）
【成　语】此起彼伏
【反义词】此/彼　那
【近义词】此/这
【谚　语】此处不留人，自有留人处。
【英　语】此外　besides [bi'saidz]

| cì | 笔画 | 部首 | 结构 | 五笔 | 造字法 |
|---|---|---|---|---|---|
| 次 | 6 | 冫 | 左右 | UQWY | 会意 |
| 笔顺 | 丶 冫 冫 冫 次 次 | | | | |

【解　释】❶顺序；等第。❷位居第二。❸属于质量或品质较差的。❹量词。表示行动的回数。❺指出外远行所停留的场所；留宿处。❻中间。
【组　词】次日　名次　次数　屡次
【造　句】次日——我们乘坐的火车将于次日到达武汉。
【同音字】刺（刺杀）
【形近字】吹（吹牛）
【近义词】次第/次序
【英　语】次等　second-class ['sekənd klɑːs]

| cì | 笔画 | 部首 | 结构 | 五笔 | 造字法 |
|---|---|---|---|---|---|
| 伺 | 7 | 亻 | 左右 | WNGK | 形声 |
| 笔顺 | 丿 亻 亻 们 伺 伺 伺 | | | | |

【解　释】❶旧指侍奉或受役使。❷照顾；照料。
【组　词】伺候
【造　句】伺候——奶奶生病住院了，妈妈嘱咐我自己在家待着，她去医院伺候奶奶。
【同音字】次（次货）
【近义词】伺候/照顾
【英　语】伺候　wait upon [weit ə'pɔn]
【多音字】sì（见 676 页）

| cì | 笔画 | 部首 | 结构 | 五笔 | 造字法 |
|---|---|---|---|---|---|
| 刺 | 8 | 刂 | 左右 | GMIJ | 形声 |
| 笔顺 | 一 一 一 市 朿 朿 刺 刺 | | | | |

【解　释】❶用有尖的东西穿入或杀伤。❷尖锐如针的东西。❸打听；侦探。❹暗杀。❺用尖刻的话指责、嘲笑。❻名片。❼某些感觉器官的强烈反应。
【组　词】刺绣　鱼刺　讽刺　刺眼
【辨　音】不读 là。
【同音字】赐（赏赐）
【形近字】剌（剌剌）

【反义词】讽刺/赞扬
【近义词】刺/扎
【谚　语】刺柴好烧刺扎手，山歌好唱难开口。
【英　语】刺眼　dazzling ['dæzliŋ]
【多音字】cī(见 123 页)

| cì | 笔画 | 部首 | 结构 | 五笔 | 造字法 |
|---|---|---|---|---|---|
| 赐 | 12 | 贝 | 左右 | MJQR | 形声 |
| 笔顺 | 丨 冂 贝 贝 贝' 贝⁷ 贝ㄇ 贝ㄖ 贝ㄖ 贝 赐 赐 赐 | | | | |

【解　释】❶赏给的东西；给予的好处。❷给；所受的恩惠，指上级给下级或长辈给晚辈。❸敬辞，称别人对自己指示、答复、教导等。
【组　词】恩赐　赏赐　赐教　赐予
【辨　音】不读 yì。
【同音字】次(依次)
【形近字】锡(锡矿)
【反义词】赐予/索取
【近义词】赐/赏　赐予/赏赐
【谚　语】赐子千金，不如赐子一艺。
【英　语】赐福　blessing ['blesiŋ]

## CONG　ㄘㄨㄥ

| cōng | 笔画 | 部首 | 结构 | 五笔 | 造字法 |
|---|---|---|---|---|---|
| 匆 | 5 | 勹 | 半包围 | QRYI | 指事 |
| 笔顺 | ノ 勹 勺 匆 匆 | | | | |

【解　释】急促。
【组　词】匆忙　匆促　匆匆
【造　句】匆忙——看他那匆忙的样子，我没好意思去打扰他。
【辨　音】不读 wù。
【同音字】囱(烟囱)
【形近字】勿(勿忘)
【反义词】匆/缓
【近义词】匆/急　匆忙/急忙
【英　语】匆匆　hurriedly ['hʌridli]

| cōng | 笔画 | 部首 | 结构 | 五笔 | 造字法 |
|---|---|---|---|---|---|
| 囱 | 7 | 丿 | 全包围 | TLQI | 象形 |
| 笔顺 | ′ 亻 门 冂 囟 囱 囱 | | | | |

【解　释】炉灶、锅炉排烟的通路。
【组　词】烟囱
【造　句】烟囱——化肥厂的烟囱很高。
【同音字】聪(聪明)
【形近字】囚(囚犯)　卤(卤蛋)

| cōng | 笔画 | 部首 | 结构 | 五笔 | 造字法 |
|---|---|---|---|---|---|
| 葱 | 12 | 艹 | 上中下 | AQRN | 形声 |
| 笔顺 | 一 艹 艹 艹 芍 芴 芴 芴 葱 葱 葱 葱 | | | | |

【解　释】❶多年生草本植物，叶呈圆筒形，中空，开小白花，茎叶有辣味，可做蔬菜或调味品。❷青色；草绿色。
【组　词】葱翠　葱绿　葱郁　洋葱
【造　句】葱绿——马儿在葱绿的草原上蹓跶。
【同音字】匆(匆忙)
【形近字】忽(忽视)
【反义词】葱茏/凋零
【近义词】葱白/淡青
【歇后语】葱花拌豆腐——一清(青)二白。
【英　语】洋葱　onion ['ʌnjən]

| cōng | 笔画 | 部首 | 结构 | 五笔 | 造字法 |
|---|---|---|---|---|---|
| 聪 | 15 | 耳 | 左右 | BUKN | 形声 |
| 笔顺 | 一 丆 丌 丌 丌 耳 耳 耳′ 耳′ 耳′ 耳′ 耳′ 聪 聪 聪 | | | | |

【解　释】❶听力好；听觉灵敏。❷智商高；理解力强。
【组　词】聪明　聪颖　聪慧
【造　句】耳聪目明——爷爷七十多岁了，但仍然耳聪目明，爷爷说这与他坚持锻炼有关。
【辨　音】不读 chōng。
【同音字】匆（匆促）
【形近字】职（职业）　脱（摆脱）
【成　语】耳聪目明　聪明伶俐
【反义词】聪明/愚蠢
【近义词】聪明/聪慧
【谚　语】聪明靠学习，天才靠积累。
【英　语】聪明　clever ['klevə]

| cóng | 笔画 | 部首 | 结构 | 五笔 | 造字法 |
|---|---|---|---|---|---|
| 从 | 4 | 人 | 左右 | WW | 会意 |
| 笔顺 | 丿 人 从 从 | | | | |

【解　释】❶随行；跟随。❷依顺。❸参与；参加。❹介词。相当于"自"、"由"。❺采取某种办法或原则，或者特指某种态度或方式。❻次要的；跟随者。❼堂房（亲属）。❽跟随的人。❾充裕；充足。

甲骨文　金文　小篆　隶书　楷书

【字源释义】甲骨文"从"字是一个在前面走，另一个跟着在后面走的两个人形。字的本义就是"跟随"。后来字形添上了"彳"、"止"，表示行动。
【组　词】跟从　从事　主从　从容　自从　从前　服从　从军　从此　从而
【造　句】自从——自从改革开放以来，中国贫穷落后的面貌大有改观。
【形近字】丛（丛刊）　以（可以）
【成　语】从容就义　从天而降　言听计从　从长计议　从容不迫
【反义词】从犯/主犯
【近义词】从军/参军
【谚　语】从果看树，从事看人。
【英　语】从容　calm [kɑːm]

| cóng | 笔画 | 部首 | 结构 | 五笔 | 造字法 |
|---|---|---|---|---|---|
| 丛 | 5 | 人 | 上下 | WWGF | 形声 |
| 笔顺 | 丿 人 从 从 丛 | | | | |

【解　释】❶生长在一起的草木。❷聚集。❸泛指聚集在一起的人或物。

【组　词】草丛　丛书　丛刊　丛生
【造　句】丛生——春天到了，草木丛生，一切都变得生机盎然。
【同音字】从（从中作梗）
【形近字】从（从前）
【反义词】丛集/稀疏
【近义词】丛林/树林
【英　语】丛林 jungle [ˈdʒʌŋgl]

## COU ㄘㄡ

| còu | 笔画 | 部首 | 结构 | 五笔 | 造字法 |
|---|---|---|---|---|---|
| 凑 | 11 | 冫 | 左右 | UDWD | 形声 |
| 笔顺 | 丶 冫 冫 冫 冫 冫 冫 凑 凑 凑 凑 | | | | |

【解　释】❶拼凑聚合；聚集。❷将就。❸挨近；接近；靠拢。❹碰。
【组　词】拼凑　凑合　凑巧　紧凑
【造　句】凑近——我凑近妈妈坐下，问她一些家乡发生的趣事。
【辨　音】不读 zòu 或 chòu。
【形近字】辏（辐辏）
【成　语】东拼西凑
【反义词】凑/拆
【近义词】凑/拼
【谚　语】凑针打斧，积羽成裘。
【英　语】凑巧 luckily [ˈlʌkili]

## CU ㄘㄨ

| cū | 笔画 | 部首 | 结构 | 五笔 | 造字法 |
|---|---|---|---|---|---|
| 粗 | 11 | 米 | 左右 | OEGG | 形声 |
| 笔顺 | 丶 丷 丷 半 米 米 米 粗 粗 粗 粗 | | | | |

【解　释】❶直径大的长条形东西。❷毛糙；不精致。❸颗粒大。❹声音大而低。❺疏忽；不仔细。❻谈吐举止不雅；鲁莽。
【组　词】粗布　粗浅　粗暴　粗糙
【造　句】粗心大意——考试时，我因为粗心大意，看错了一个小数点，结果一道大题全错了。
【形近字】组（组成）　阻（阻碍）
【成　语】粗茶淡饭　粗心大意
【反义词】粗俗/文雅
【近义词】粗野/鲁莽
【谚　语】粗茶淡饭，细水长流。
【英　语】粗糙 coarse [kɔːs]

| cù | 笔画 | 部首 | 结构 | 五笔 | 造字法 |
|---|---|---|---|---|---|
| 促 | 9 | 亻 | 左右 | WKHY | 形声 |
| 笔顺 | 丿 亻 亻 亻 亻 亻 亻 亻 促 | | | | |

【解　释】❶时间极短；紧迫。❷靠拢；靠近。❸使加快；推动。
【组　词】急促　促请　促狭　促成　短促　督促　促进　促使
【造　句】仓促——由于时间仓促，我只将本书大致看了一遍。
【辨　音】不读 zú。
【同音字】醋（陈醋）
【形近字】保（保卫）　捉（捉住）
【成　语】促膝谈心
【反义词】短促/漫长
【近义词】匆促/匆忙
【谚　语】促织鸣，懒婆惊。
【英　语】促进 promote [prəˈməut]

| cù | 笔画 | 部首 | 结构 | 五笔 | 造字法 |
|---|---|---|---|---|---|
| 醋 | 15 | 酉 | 左右 | SGAJ | 形声 |
| 笔顺 | 一 丆 冂 丙 丙 西 酉 酉 酉 酐 酐 酣 醋 醋 醋 | | | | |

【解　释】❶用酒或酒糟发酵制成或用米、麦、高粱等直接酿制的一种酸味调味液体。❷比喻男女关系上的嫉妒心理。
【组　词】米醋　糖醋　香醋　陈醋　醋劲　醋意　醋心
【同音字】促（匆促）
【形近字】错（错过）　借（借书）
【英　语】醋　vinegar [ˈvinigə]

| cù | 笔画 | 部首 | 结构 | 五笔 | 造字法 |
|---|---|---|---|---|---|
| 簇 | 17 | ⺮ | 上下 | TYTD | 形声 |
| 笔顺 | 丿 𠂉 𠃋 𥫗 𥫗 竹 竺 笁 笁 笁 笁 笁 笁 笁 笁 簇 簇 | | | | |

【解　释】❶成团；丛聚。❷聚集成团的事物。❸量词。用于聚成团的事物。❹副词。极；非常。
【组　词】簇拥　簇生　簇集　花簇　簇新　簇居
【造　句】簇拥——同学们簇拥着新老师走进教室。
【辨　音】不读 zú。
【同音字】促（促使）　醋（白醋）
【形近字】筋（脑筋）　族（民族）
【成　语】花团锦簇
【反义词】簇集/分散
【近义词】簇集/聚集
【英　语】簇拥　cluster around [ˈklʌstə əˈraund]

## CUAN　ㄘㄨㄢ

| cuān | 笔画 | 部首 | 结构 | 五笔 | 造字法 |
|---|---|---|---|---|---|
| 蹿 | 19 | 𧾷 | 左右 | KHPH | 形声 |
| 笔顺 | 丨 ㇕ 口 𠮛 𠯁 𧾷 𧾷 𧾷 𧾷 𧾷 𧾷 𧾷 𧾷 𧾷 𧾷 𧾷 𧾷 𧾷 蹿 | | | | |

【解　释】向上或向前跳。
【组　词】蹿跳　蹿动　蹿红　蹿升
【造　句】蹿腾——大青马一声长嘶便蹿腾开了。
【近义词】蹿劲/闯劲
【英　语】蹿　leap up [liːp ʌp]

| cuán | 笔画 | 部首 | 结构 | 五笔 | 造字法 |
|---|---|---|---|---|---|
| 攒 | 19 | 扌 | 左右 | RTFM | 形声 |
| 笔顺 | 一 丁 扌 扌 扌 扌 扌 扌 扌 扌 扌 扌 扌 扌 扌 扌 攒 攒 攒 | | | | |

【解　释】聚拢；集中。
【组　词】攒集　攒凑　攒钱　攒拢　攒聚　攒眉　攒土
【造　句】攒聚——小刚将同类邮票攒聚在一起。
【反义词】攒拢/分散
【近义词】攒聚/积攒
【多音字】zǎn（见 887 页）

| cuàn | 笔画 | 部首 | 结构 | 五笔 | 造字法 |
|---|---|---|---|---|---|
| 窜 | 12 | 穴 | 上下 | PWKH | 形声 |
| 笔顺 | 丶 丷 宀 穴 穴 穴 穴 穴 穴 穴 穴 窜 | | | | |

【解　释】❶逃跑；乱跑。❷放逐；驱逐。❸删改、修改文字。
【组　词】窜改　流窜　点窜　逃窜　窜犯
【造　句】点窜——经过老师一点窜，文章好多了。
【辨　音】不读 chuàn。
【形近字】窑（窑洞）
【近义词】逃窜/逃跑
【英　语】窜改　alter [ˈɔːltə]

# CUI ㄘㄨㄟ

| cuī | 笔画 | 部首 | 结构 | 五笔 | 造字法 |
|---|---|---|---|---|---|
| 崔 | 11 | 山 | 上下 | MWYF | 形声 |
| 笔顺 | 丶 山 山 岸 岸 岸 岸 岸 崔 崔 崔 | | | | |

【解　释】❶高大。❷姓。
【组　词】崔巍　崔嵬
【造　句】崔巍——来到旅游胜地，看到那高山崔巍，景色迷人，不禁想放声歌唱祖国的大好河山。
【同音字】摧（摧残）
【形近字】催（催促）
【反义词】崔巍/矮小
【近义词】崔嵬/雄伟
【英　语】崔嵬 grand [grænd]

| cuī | 笔画 | 部首 | 结构 | 五笔 | 造字法 |
|---|---|---|---|---|---|
| 催 | 13 | 亻 | 左右 | WMWY | 形声 |
| 笔顺 | 丿 亻 亻 亻 亻 亻 亻 亻 亻 亻 催 催 催 | | | | |

【解　释】❶使赶快行动；促使。❷加快事物产生、发展变化的速度。
【组　词】催促　催眠　催债　催逼
【造　句】催促——晨晨不等妈妈催促就把作业做了。
【同音字】摧（摧残）
【形近字】摧（摧毁）
【近义词】催促/督促
【谚　语】催阵鼓，救命锣。
【英　语】催促　urge [ɔːdʒ]

| cuī | 笔画 | 部首 | 结构 | 五笔 | 造字法 |
|---|---|---|---|---|---|
| 摧 | 14 | 扌 | 左右 | RMWY | 形声 |
| 笔顺 | 一 十 扌 扌 扌 扌 扌 扌 扌 扌 扌 扌 摧 摧 | | | | |

【解　释】破坏；折断；毁坏。
【组　词】摧残　摧毁　摧坚
【造　句】摧毁——一次失败的经历便摧毁了他所有的自信。
【同音字】催（催迫）
【形近字】璀（璀璨）
【成　语】摧眉折腰　摧枯拉朽
【反义词】摧毁/建设
【近义词】摧毁/损毁
【歇后语】十二级台风——摧枯拉朽。
【英　语】摧残　wreck [rek]

| cuǐ | 笔画 | 部首 | 结构 | 五笔 | 造字法 |
|---|---|---|---|---|---|
| 璀 | 15 | 王 | 左右 | GMWY | 形声 |
| 笔顺 | 一 二 千 王 王 王 王 王 王 王 王 王 王 璀 璀 | | | | |

【解　释】璀璨，形容玉石珠宝等光泽鲜艳夺目。
【组　词】璀璨
【造　句】璀璨——首饰店里的钻戒璀璨夺目。
【形近字】摧（摧坚）
【英　语】璀璨　bright [brait]

| cuì | 笔画 | 部首 | 结构 | 五笔 | 造字法 |
|---|---|---|---|---|---|
| 脆 | 10 | 月 | 左右 | EQDB | 形声 |
| 笔顺 | 丿 刀 月 月 月 月 月 月 脃 脆 | | | | |

【解　释】❶物体受力时易折断、易破碎。❷声音响亮、清爽、清

脆。❸(方)说话做事爽利痛快。❹软弱;不坚强。
【组　词】脆弱　脆甜　脆骨　绷脆　干脆　脆枣　松脆　脆亮
【造　句】脆弱——他这人太脆弱了,经不起一点打击,应该让他锻炼锻炼。
【辨　音】不读 guǐ。
【同音字】翠(翠绿)
【形近字】诡(诡秘)　跪(跪下)
【反义词】脆弱/坚强
【近义词】脆/酥　干脆/爽快
【歇后语】脆瓜打驴——去一半。
【英　语】脆弱　fragile [ˈfrædʒail]

| cuì | 笔画 | 部首 | 结构 | 五笔 | 造字法 |
|---|---|---|---|---|---|
| 萃 | 11 | 艹 | 上下 | AYWF | 形声 |
| 笔顺 | 一 十 艹 艹 苎 苎 芢 茓 茓 茓 萃 | | | | |

【解　释】❶草丛生的样子。❷聚集在一起的人或物。
【组　词】荟萃　萃取　萃聚
【造　句】出类拔萃——她是我们班上出类拔萃的学生,大家都喜欢她。
【辨　音】不读 zú。
【同音字】脆(清脆)
【形近字】翠(翠鸟)
【成　语】出类拔萃
【反义词】出类拔萃/碌碌无为
【近义词】萃聚/聚集
【英　语】荟萃　assemble [əˈsembl]

| cuì | 笔画 | 部首 | 结构 | 五笔 | 造字法 |
|---|---|---|---|---|---|
| 悴 | 11 | 忄 | 左右 | NYWF | 形声 |
| 笔顺 | 丶 丷 忄 忄 忙 忙 忙 怍 惊 惊 悴 | | | | |

【解　释】❶忧愁;悲伤。❷憔悴;脸色不好;枯萎。
【组　词】悴容　憔悴　悴颜
【造　句】憔悴——妈妈连续上了几天夜班,面容十分憔悴。
【辨　音】不读 suì。
【同音字】脆(脆甜)
【形近字】醉(醉酒)
【近义词】悴/憔
【英　语】憔悴　haggard [ˈhæ-gəd]

| cuì | 笔画 | 部首 | 结构 | 五笔 | 造字法 |
|---|---|---|---|---|---|
| 瘁 | 13 | 疒 | 半包围 | UYWF | 形声 |
| 笔顺 | 丶 亠 广 广 疒 疒 疒 疒 疒 疒 疩 瘁 瘁 | | | | |

【解　释】过于劳累。
【同音字】悴(憔悴)
【成　语】鞠躬尽瘁　心力交瘁
【英　语】鞠躬尽瘁　spare no effort in the performance of one's duty [speə nəu ˈefət in ðə pəˈfɔːməns əv wʌnz ˈdjuːti]

| cuì | 笔画 | 部首 | 结构 | 五笔 | 造字法 |
|---|---|---|---|---|---|
| 粹 | 14 | 米 | 左右 | OYWF | 形声 |
| 笔顺 | 丶 丷 丷 半 米 米 米 米 粋 粋 粋 粋 粹 粹 | | | | |

【解　释】❶纯而不杂。❷精华。
【组　词】纯粹　精粹　粹美
【造　句】纯粹——这些瓷器是用纯粹的高岭土烧成的。
【辨　音】不读 suì。
【同音字】悴(憔悴)
【形近字】碎(碎末)
【反义词】粹/杂
【近义词】精粹/精华

【英　语】纯粹　pure［pjuə］

| cuì | 笔画 | 部首 | 结构 | 五笔 | 造字法 |
|---|---|---|---|---|---|
| 翠 | 14 | 羽 | 上下 | NYWF | 形声 |
| 笔顺 | ㇇ ㇇ ㇇ 习 ⺝ 羽 羽 羽 羽 羽 羽 翠 翠 翠 | | | | |

【解　释】❶翠鸟。青绿色羽毛，短尾，捕食小鱼。❷绿色的玉石。❸绿色。

【组　词】翠鸟　珠翠　翠色　翠绿　翠竹　翠玉　翠微　青翠

【造　句】翠绿——雨后，走在草坪的小径上，一片翠绿映入眼帘。

【同音字】粹（国粹）

【形近字】萃（荟萃）

【反义词】青翠/枯黄

【近义词】翠绿/碧绿

【英　语】翠鸟　kingfisher［ˈkiŋfiʃə］

## CUN　ㄘㄨㄣ

| cūn | 笔画 | 部首 | 结构 | 五笔 | 造字法 |
|---|---|---|---|---|---|
| 村 | 7 | 木 | 左右 | SFY | 形声 |
| 笔顺 | 一 十 才 木 木一 村 村 | | | | |

【解　释】❶指农民聚居的地方；泛指人群居住的建筑群。❷土气；粗俗。

【组　词】农村　村舍　村落　村镇

【形近字】对（对号）　材（材料）

【近义词】村落/村庄

【歇后语】村村种油菜——遍地开花。

【谚　语】村无大树，蓬蒿为林。

【英　语】村子　village［ˈviliʤ］

| cún | 笔画 | 部首 | 结构 | 五笔 | 造字法 |
|---|---|---|---|---|---|
| 存 | 6 | 子 | 半包围 | DHBD | 形声 |
| 笔顺 | 一 ナ 𠂇 𠂇 存 存 | | | | |

【解　释】❶在；活着。❷保留；留下。❸储蓄；积累。❹保管；寄放。❺心怀某种想法。❻结存；余留。❼积聚；聚集。

【组　词】存在　保存　存心　残存

【造　句】存心——我要看书，你偏要听收音机，你是不是存心与我过不去呀！

【辨　音】不读 cóng。

【同音字】蹲（蹲了腿）

【形近字】仔（仔细）　在（现在）

【反义词】储存/支取

【近义词】保存/存放

【英　语】存在　exist［igˈzist］

| cún | 笔画 | 部首 | 结构 | 五笔 | 造字法 |
|---|---|---|---|---|---|
| 蹲 | 19 | 𧾷 | 左右 | KHUF | 形声 |
| 笔顺 | 丨 口 口 早 𧾷 𧾷 𧾷 𧾷 𧾷 蹲 蹲 蹲 蹲 蹲 蹲 蹲 蹲 蹲 蹲 | | | | |

【解　释】腿、脚因猛然落地而受伤。

【同音字】存（存在）

【多音字】dūn（见 182 页）

| cùn | 笔画 | 部首 | 结构 | 五笔 | 造字法 |
|---|---|---|---|---|---|
| 寸 | 3 | 寸 | 独体 | FGHY | 指事 |
| 笔顺 | 一 寸 寸 | | | | |

【解　释】❶市制长度单位，10 寸为 1 尺。❷比喻短小。

【组　词】分寸　尺寸　方寸

【造　句】分寸——处理这件事，

一定要掌握好分寸。
【形近字】才(天才)
【成　语】寸步不离　寸步难行
【反义词】寸步难行/一帆风顺
【近义词】寸步不离/形影不离
【谚　语】寸金失去可再得,光阴失去无处寻。
【英　语】寸步难行 unable to move a single step [ʌn'eibl tuː muːv ə 'siŋgl step]

C

## CUO ㄘㄨㄛ

| cuō | 笔画 | 部首 | 结构 | 五笔 | 造字法 |
|---|---|---|---|---|---|
| 搓 | 12 | 扌 | 左右 | RUDA | 形声 |
| 笔顺 | 一 亅 扌 扌 扌 扌 扌 扌 搓 搓 搓 搓 | | | | |

【解　释】两手掌互相摩擦或把手掌放在别的东西上反复揉擦。
【组　词】搓板　搓洗　搓手　搓弄
【造　句】搓手顿足——演出时主角病倒了,急得导演搓手顿足,没了主意。
【形近字】蹉(蹉跎)
【成　语】搓手顿足
【反义词】搓手顿足/从容不迫
【近义词】搓背/擦背
【谚　语】搓绳不可松动,前进不可停顿。
【英　语】搓板 washboard ['wɔʃ-bɔːd]

| cuō | 笔画 | 部首 | 结构 | 五笔 | 造字法 |
|---|---|---|---|---|---|
| 磋 | 14 | 石 | 左右 | DUDA | 形声 |
| 笔顺 | 一 丆 不 石 石 石 石 石 石 石 磋 磋 磋 磋 | | | | |

【解　释】❶(书)把象牙磨成器物。❷商量讨论。
【组　词】磋磨　磋商　切磋
【造　句】磋商——两家公司经过多次磋商,最终达成了合作协议。
【同音字】搓(搓洗)
【英　语】磋商 exchange views [iks'tʃeindʒ vjuːz]

| cuō | 笔画 | 部首 | 结构 | 五笔 | 造字法 |
|---|---|---|---|---|---|
| 撮 | 15 | 扌 | 左右 | RJBC | 形声 |
| 笔顺 | 一 十 扌 扌 扌 扌 扌 扌 扌 扌 扌 扌 扌 撮 撮 | | | | |

【解　释】❶聚起;用簸箕把东西铲起。❷用手指抓取粒状物。❸摘取。❹量词。容量单位,等于一升的千分之一。❺量词。用于手所撮取的东西。
【组　词】撮取　撮要　撮合　撮弄
【辨　音】不读 zuì。
【同音字】蹉(蹉跎)
【形近字】最(最好)
【反义词】撮合/拆散
【谚　语】撮盐入火,火上浇油。
【英　语】撮合 make a match [meik ə mætʃ]
【多音字】zuǒ(见963页)

| cuō | 笔画 | 部首 | 结构 | 五笔 | 造字法 |
|---|---|---|---|---|---|
| 蹉 | 16 | 𧾷 | 左右 | KHUA | 形声 |
| 笔顺 | 丶 口 口 ⻊ ⻊ ⻊ 足 足 足 足 足 足 足 蹉 蹉 蹉 | | | | |

【解　释】❶让时间白白地过去。❷失误;差错。
【组　词】蹉跌　蹉跎
【造　句】蹉跎——我们得趁年轻

多学点知识，不要蹉跎光阴。
【同音字】撮（撮合）
【成　语】蹉跎岁月
【反义词】蹉跎岁月/分秒必争
【英　语】蹉跎 waste time [weist taim]

| cuò | 笔画 | 部首 | 结构 | 五笔 | 造字法 |
|---|---|---|---|---|---|
| 挫 | 10 | 扌 | 左右 | RWWF | 形声 |
| 笔顺 | 一 十 扌 扌 扌 扌 扌 扌 挫 挫 | | | | |

【解　释】❶事情发展得不畅通；进行得不顺利。❷压下去；降低。❸折损。
【组　词】挫折　挫败　挫伤　受挫
【造　句】挫伤——以前的“大锅饭”大大挫伤了人们的劳动积极性。
【同音字】错（错误）
【形近字】锉（锉刀）　坐（坐下）
【成　语】抑扬顿挫
【反义词】挫折/顺利
【近义词】挫折/阻碍
【英　语】挫折 defeat [di'fiːt]

| cuò | 笔画 | 部首 | 结构 | 五笔 | 造字法 |
|---|---|---|---|---|---|
| 措 | 11 | 扌 | 左右 | RAJG | 形声 |
| 笔顺 | 一 十 扌 扌 扌 扌 扌 扌 措 措 措 | | | | |

【解　释】❶放置；安排。❷筹划；办理。❸处理；安排。
【组　词】措辞　措施　措置　筹措
【造　句】措辞——王蓉同学这篇作文措辞优美，值得大家借鉴。
【同音字】挫（受挫）
【形近字】错（错过）
【成　语】措手不及
【反义词】措手不及/应付自如
【英　语】措施 measure ['meʒə]

| cuò | 笔画 | 部首 | 结构 | 五笔 | 造字法 |
|---|---|---|---|---|---|
| 错 | 13 | 钅 | 左右 | QAJG | 形声 |
| 笔顺 | ノ 𠂉 𠂉 𠂉 钅 钅 钅 钅 钅 钅 错 错 错 | | | | |

【解　释】❶参差；错杂。❷不正确（跟“对”相对）。❸坏；差。❹岔开；躲开。❺摩擦。❻过失。
【组　词】错误　错觉　错字　差错
【同音字】措（措辞）
【形近字】猎（打猎）
【成　语】错落有致
【反义词】错误/正确　错/对
【近义词】过错/差错
【谚　语】错走一子，输一盘棋。
【英　语】错误 wrong [rɔŋ]

# D ㄉ

## DA ㄉㄚ

| dā | 笔画 | 部首 | 结构 | 五笔 | 造字法 |
|---|---|---|---|---|---|
| 搭 | 12 | 扌 | 左右 | RAWK | 形声 |
| 笔顺 | 一 亅 扌 扌 扌 扌 扌 扌 扌 扌 搭 搭 | | | | |

【解　释】❶支起;架起。❷把柔软的东西放在可以支架的东西上。❸连接在一起。❹凑上;加上。❺搭配;配合。❻共同抬起。❼乘、坐(车、船、飞机等)。❽轻放;披。

【组　词】搭桥　搭班　搭伴　搭档　搭车　搭配　搭腔　搭讪

【造　句】搭伴——星期日,我和东东搭伴去陈敏家。

【同音字】答(答应)

【形近字】嗒(嗒嗒)　拾(拾起)

【反义词】搭救/陷害

【近义词】搭配/配合

【歇后语】搭桌布洗脸——真大方|搭个梯子摘月亮——差得远。

【谚　语】搭在篮里便是菜,捉在篮里便是蟹。

【英　语】搭配　match [mætʃ]

| dā | 笔画 | 部首 | 结构 | 五笔 | 造字法 |
|---|---|---|---|---|---|
| 嗒 | 12 | 口 | 左右 | KAWK | 形声 |
| 笔顺 | 丨 口 口 口 口 口 口 口 口 口 嗒 嗒 | | | | |

【解　释】象声词。多形容马蹄或机枪的声音。

【组　词】嗒嗒

【同音字】耷(耷拉)　搭(搭车)

【形近字】搭(搭伴)　答(回答)

【多音字】tà(见690页)

| dā | 笔画 | 部首 | 结构 | 五笔 | 造字法 |
|---|---|---|---|---|---|
| 答 | 12 | ⺮ | 上下 | TWGK | 形声 |
| 笔顺 | 丿 𠂉 𥫗 𥫗 𥫗 ⺮ 竺 笁 笁 答 答 答 | | | | |

【解　释】用在"答应"、"答理"等词里,指回话、应对。

【组　词】答应　答理　答腔

【造　句】答应——答应人家的事就一定要做到,不能出尔反尔。

【同音字】搭(搭配)

【谚　语】答应了一句"是",就不准再说"不"。

【英　语】答应　agree [əˈɡriː]

【多音字】dá(见137页)

| dá | 笔画 | 部首 | 结构 | 五笔 | 造字法 |
|---|---|---|---|---|---|
| 打 | 5 | 扌 | 左右 | RSH | 形声 |
| 笔顺 | 一 十 扌 扌 打 | | | | |

【解　释】量词。十二个叫一打。

【同音字】答(回答)

【英　语】一打　dozen [ˈdʌzən]

【多音字】dǎ(见137页)

| dá | 笔画 | 部首 | 结构 | 五笔 | 造字法 |
|---|---|---|---|---|---|
| 达 | 6 | 辶 | 半包围 | DPI | 形声 |
| 笔顺 | 一 ナ 大 𠃋大 计 达 | | | | |

【解　释】❶通。❷到;抵达。❸发表;传告。❹透彻;通晓。❺显赫。

【组　词】直达　达到　达意　达标　转达　表达　达成　达旦

【造　句】直达——在北京坐火车可以直达上海。
【同音字】答(回答)
【形近字】边(一边)　过(过去)
【成　语】词不达意　达官贵人　四通八达　知书达理
【反义词】达观/悲观
【近义词】表达/表示
【英　语】到达　reach [riːtʃ]

| dá | 笔画 | 部首 | 结构 | 五笔 | 造字法 |
|---|---|---|---|---|---|
| 沓 | 8 | 水 | 上下 | IJF | 形声 |
| 笔顺 | 丨 刁 水 水 水 沓 沓 沓 | | | | |

【解　释】量词。常用于重叠起来的纸张和其他薄的东西。
【组　词】一沓
【造　句】一沓——我把稿纸一沓一沓地整理好了。
【同音字】达(达到)　答(回答)
【英　语】沓　pad [pæd]
【多音字】tà(见 690 页)

| dá | 笔画 | 部首 | 结构 | 五笔 | 造字法 |
|---|---|---|---|---|---|
| 答 | 12 | ⺮ | 上下 | TWGK | 形声 |
| 笔顺 | 丿 𠂉 ⺮ ⺮ ⺮ ⺮ 笲 笲 笒 笒 答 答 | | | | |

【解　释】❶回话(跟"问"相对)。❷受了别人的好处,还报别人。
【组　词】回答　答辩　答谢　报答　答卷　答礼
【造　句】答辩——陈栋的哥哥今天参加毕业论文答辩。
【同音字】达(达到)
【形近字】签(签字)
【成　语】答非所问
【反义词】回答/提问
【近义词】回答/解答
【英　语】答案　answer [ˈɑːnsə]
【多音字】dā(见 136 页)

| dǎ | 笔画 | 部首 | 结构 | 五笔 | 造字法 |
|---|---|---|---|---|---|
| 打 | 5 | 扌 | 左右 | RSH | 形声 |
| 笔顺 | 一 亅 扌 扌 打 | | | | |

【解　释】❶用手或器具撞击物体。❷砸碎;撞破。❸斗殴;战斗。❹发生与人交涉的行为。❺建造;修筑。❻制造(器物、食品)。❼搅拌。❽捆。❾编织。❿涂抹;画。⓫做;从事。⓬玩。⓭注入;充灌。⓮揭开。⓯自;从。⓰用割、砍等动作来收集。⓱定出;计算。⓲做某种游戏。⓳表示身上的某些动作。⓴采取某种方式。
【组　词】打靶　打场　打岔　打扮　打非　打拐　打假　打压　打比方
【造　句】打岔——我做作业时,妹妹老在旁边打岔。
【辨　音】不读 dīng。
【形近字】钉(钉子)
【成　语】打草惊蛇　打抱不平　打成一片　打躬作揖　打家劫舍
【近义词】打扫/清扫
【歇后语】打半边鼓——旁敲侧击|打架揪胡子——谦(牵)虚(须)。
【谚　语】打石看石纹,医病看病根。
【英　语】打仗　fight [fait]
【多音字】dá(见 136 页)

D

| dà | 笔画 | 部首 | 结构 | 五笔 | 造字法 |
|---|---|---|---|---|---|
| 大 | 3 | 大 | 独体 | DDDD | 象形 |
| 笔顺 | 一 ナ 大 | | | | |

【解　释】❶(在面积、体积、数量、程度等方面)超过一般的情况或所比较的对象(跟“小”相对)。❷程度深。❸用在“不”后，表示程度浅或次数少。❹排行第一的。❺敬辞，称与对方有关的事物。❻最高的。❼表示估计。❽(方)父亲。❾伯父或叔父。

甲骨文　金文　小篆　隶书　楷书

【字源释义】“大”字像一个直立、两手伸开的人形。古代人早就把人类看做是伟大的“万物之灵”，所以用以表示“大”义。引申为一般事物的对比，与“小”相对。

【组　词】大方　大使　大姐　大意　大牌　大片　大元帅

【造　句】大意——小明做事很大意，所以容易犯错误。

【形近字】犬(犬类)　太(太阳)

【成　语】大刀阔斧　大材小用　大吹大擂　大动干戈　大发雷霆　大祸临头

【反义词】大方/小气　大/小

【近义词】大意/粗心

【歇后语】大水冲了龙王庙——一家人不识一家人。

【谚　语】大处着眼，小处着手。

【英　语】大学　university [ju:ni'və:siti]

【多音字】dài(见 139 页)

## DAI　ㄉㄞ

| dāi | 笔画 | 部首 | 结构 | 五笔 | 造字法 |
|---|---|---|---|---|---|
| 呆 | 7 | 口 | 上下 | KSU | 指事 |
| 笔顺 | 丨 冂 口 旦 早 呆 呆 | | | | |

【解　释】❶头脑迟钝；不灵敏。❷脸上表情死板。❸同“待”。

【组　词】呆板　呆傻　呆子

【造　句】呆板——别看他样子呆板，脑子可灵活呢！

【辨　音】不读 dǎi。

【形近字】果(苹果)

【成　语】呆若木鸡

【反义词】呆板/灵活

【近义词】呆板/木讷

【谚　语】呆懒了，吃馋了。

【英　语】呆子　idiot ['idiət]

| dāi | 笔画 | 部首 | 结构 | 五笔 | 造字法 |
|---|---|---|---|---|---|
| 待 | 9 | 彳 | 左右 | TFFY | 形声 |
| 笔顺 | ノ 彳 彳 彳 往 徃 待 待 待 | | | | |

【解　释】停留。

【组　词】待着

【同音字】呆(发呆)

【英　语】待着　stay [stei]

【多音字】dài(见 140 页)

| dǎi | 笔画 | 部首 | 结构 | 五笔 | 造字法 |
|---|---|---|---|---|---|
| 歹 | 4 | 歹 | 独体 | GQI | 象形 |
| 笔顺 | 一 丆 歹 歹 | | | | |

【解　释】坏人坏事(跟"好"相反)。

甲骨文　金文　小篆　隶书　楷书

【字源释义】"歹"字像人的部分残骨。"歹"旁的字一般都与"死亡"、"坏"的意思有关,例如"死"、"葬"、"殡"、"殁"等等。

【组　词】歹徒　歹毒　歹人

【同音字】逮(逮捕)　傣(傣族)

【形近字】列(陈列)　夕(夕阳)

【反义词】歹人/好人　歹/好

【近义词】歹毒/恶毒

【谚　语】歹竹出好笋。

【英　语】歹徒　rogue [rəug]

| dǎi | 笔画 | 部首 | 结构 | 五笔 | 造字法 |
|---|---|---|---|---|---|
| 逮 | 11 | 辶 | 半包围 | VIPI | 形声 |
| 笔顺 | ㇇ ⺕ ⺕ 肀 聿 聿 隶 隶 隶 隶 逮 | | | | |

【解　释】捉;抓。

【组　词】逮住

【造　句】逮住——老虎飞快地扑上去把兔子逮住了。

【同音字】歹(歹人)　傣(傣族)

【形近字】速(速度)

【近义词】逮住/抓住

【谚　语】没逮住黄鼠狼,惹了一身臊。

【英　语】逮住　catch [kætʃ]

【多音字】dài(见 141 页)

| dǎi | 笔画 | 部首 | 结构 | 五笔 | 造字法 |
|---|---|---|---|---|---|
| 傣 | 12 | 亻 | 左右 | WDWI | 形声 |
| 笔顺 | 丿 亻 亻 仨 仨 侼 侼 傣 傣 傣 傣 傣 | | | | |

【解　释】傣族,我国少数民族之一,主要分布在云南省。

【组　词】傣族　傣剧

【同音字】歹(歹徒)　逮(逮住)

【形近字】秦(秦国)　泰(泰山)

| dài | 笔画 | 部首 | 结构 | 五笔 | 造字法 |
|---|---|---|---|---|---|
| 大 | 3 | 大 | 独体 | DDDD | 象形 |
| 笔顺 | 一 ナ 大 | | | | |

【解　释】一般用于"大城"、"大夫"、"大黄"、"大王"。

【组　词】大夫　大城　大王

【同音字】代(代表)　贷(贷款)

【英　语】大夫　doctor [ˈdɔktə]

【多音字】dà(见 138 页)

| dài | 笔画 | 部首 | 结构 | 五笔 | 造字法 |
|---|---|---|---|---|---|
| 代 | 5 | 亻 | 左右 | WA | 形声 |
| 笔顺 | 丿 亻 仁 代 代 | | | | |

D

【解　释】❶更替。❷代理。❸历史的分期；时代。❹帮助；协助。❺辈分。❻姓。
【组　词】代替　代办　代表　代购　代价　代课　代号　代培
【造　句】代课——王老师病了，今天的课由新来的代课老师上。
【辨　音】不读 fá。
【同音字】贷(贷款)　袋(袋装)
【形近字】伐(伐木)
【近义词】代替/顶替
【英　语】代价　cost [kɔst]

| dài | 笔画 | 部首 | 结构 | 五笔 | 造字法 |
|---|---|---|---|---|---|
| 岱 | 8 | 山 | 上下 | WAMJ | 形声 |
| 笔顺 | 丿 亻 亻一 代 代 代 岱 岱 | | | | |

【解　释】泰山的别称。也叫岱宗、岱岳。
【组　词】岱宗　岱岳
【同音字】代(代表)　贷(贷款)
【形近字】贷(贷款)

| dài | 笔画 | 部首 | 结构 | 五笔 | 造字法 |
|---|---|---|---|---|---|
| 带 | 9 | 巾 | 上中下 | GKPH | 象形 |
| 笔顺 | 一 十 卄 卅 卅 卅 带 带 带 | | | | |

【解　释】❶泛指软的长条物或像带子的长条物。❷指捎带着做某事。❸呈现；显出。❹含有。❺引导；带领。❻带动。❼随身拿着。❽轮胎。❾区域；地域。
【组　词】带着　带鱼　附带　皮带　佩带　携带　带路　带宽
【同音字】代(代着)　袋(袋装)
【形近字】滞(停滞)
【反义词】带动/拖累
【近义词】带劲/过瘾
【谚　语】带刺的花，好看却扎手。
【英　语】带动　drive [draiv]

| dài | 笔画 | 部首 | 结构 | 五笔 | 造字法 |
|---|---|---|---|---|---|
| 贷 | 9 | 贝 | 上下 | WAMU | 形声 |
| 笔顺 | 丿 亻 亻一 代 代 代 贷 贷 贷 | | | | |

【解　释】❶贷款，借进或借出。❷推卸责任。❸饶恕。
【组　词】贷款　贷方
【造　句】贷款——为了让小盟读书，小盟的爸爸只好向银行贷款。
【同音字】代(代写)　岱(岱岳)
【形近字】袋(袋子)　货(货物)
【成　语】责无旁贷　严惩不贷
【反义词】责无旁贷/袖手旁观
【近义词】贷/借
【英　语】贷款　credit ['kredit]

| dài | 笔画 | 部首 | 结构 | 五笔 | 造字法 |
|---|---|---|---|---|---|
| 待 | 9 | 彳 | 左右 | TFFY | 形声 |
| 笔顺 | 丿 彡 彳 彳一 彳十 彳土 彳土 待 待 | | | | |

【解　释】❶等候；期望。❷面对；对付。❸招待。❹需要。❺打算。
【组　词】优待　待客　等待　待业　招待　待岗　待聘
【造　句】招待——妈妈总拿最好的东西招待客人。
【辨　音】不读 shì。
【同音字】代(代写)　带(带着)
【形近字】持(把持)　侍(侍者)
【成　语】待人接物　待价而沽
【反义词】宽待/虐待
【近义词】等待/等候

【谚　语】待人不得不大气，过日子不得不仔细。
【英　语】待续　to be continued [tuː biː kən'tinjuːd]
【多音字】dāi(见138页)

| dài | 笔画 | 部首 | 结构 | 五笔 | 造字法 |
|---|---|---|---|---|---|
| 袋 | 11 | 衣 | 上下 | WAYE | 形声 |
| 笔顺 | ノ亻亻代代代岱袋袋袋袋 | | | | |

【解　释】❶口袋。❷量词。用于装口袋的东西。❸量词。用于水烟或旱烟。
【组　词】口袋　袋鼠　脑袋　袋子　两袋面　一袋烟
【同音字】贷(贷款)
【形近字】装(装车)
【成　语】酒囊饭袋
【英　语】袋鼠 kangaroo [kæŋgə'ruː]

| dài | 笔画 | 部首 | 结构 | 五笔 | 造字法 |
|---|---|---|---|---|---|
| 逮 | 11 | 辶 | 半包围 | VIPI | 形声 |
| 笔顺 | フ ヨ ヨ 聿 聿 聿 隶 隶 逮 逮 逮 | | | | |

【解　释】❶赶上；达到。❷捉。
【组　词】逮捕
【造　句】逮捕——警察已经逮捕了犯罪嫌疑人。
【同音字】贷(贷款)
【英　语】逮捕　arrest [ə'rest]
【多音字】dǎi(见139页)

| dài | 笔画 | 部首 | 结构 | 五笔 | 造字法 |
|---|---|---|---|---|---|
| 戴 | 17 | 戈 | 半包围 | FALW | 形声 |
| 笔顺 | 一 + 土 𡈼 吉 吉 声 吉 壹 壹 壹 壹 壹 壹 戴 戴 戴 | | | | |

【解　释】❶把东西放在头、面、颈、胸、臂等处。❷拥护尊敬。❸盖着；顶着。
【组　词】爱戴　戴孝　戴帽子
【同音字】代(代写)　带(带领)
【形近字】栽(栽花)　裁(裁衣)
【成　语】披星戴月　戴罪立功
【反义词】戴/脱　爱戴/痛恨
【近义词】爱戴/尊敬
【歇后语】戴卫生口罩——嘴上一套。
【英　语】戴眼镜　wear glasses [wɛə glɑːsiz]

| dài | 笔画 | 部首 | 结构 | 五笔 | 造字法 |
|---|---|---|---|---|---|
| 黛 | 17 | 黑 | 上下 | WALO | 形声 |
| 笔顺 | ノ 亻 亻 代 代 代 岱 岱 岱 岱 岱 岱 岱 黛 黛 黛 黛 | | | | |

【解　释】青黑色的颜料，古代女子用来画眉。
【组　词】粉黛　黛绿
【同音字】代(代写)　袋(袋装)
【形近字】熏(烟熏)

| dài | 笔画 | 部首 | 结构 | 五笔 | 造字法 |
|---|---|---|---|---|---|
| 怠 | 9 | 心 | 上下 | CKNU | 形声 |
| 笔顺 | ㄥ 厶 厶 台 台 台 怠 怠 怠 | | | | |

【解　释】❶懒散；松散。❷轻慢；不恭敬。❸疲倦。
【组　词】懈怠　怠慢　怠工　倦怠
【反义词】怠慢/热情
【近义词】倦怠/疲倦
【英　语】怠慢　slight [slait]

# DAN ㄉㄢ

| dān | 笔画 | 部首 | 结构 | 五笔 | 造字法 |
|---|---|---|---|---|---|
| 丹 | 4 | 丿 | 独体 | MYD | 指事 |
| 笔顺 | 丿 冂 月 丹 | | | | |

【解　释】❶红色。❷依成方制成的颗粒状或粉末状的中药。❸指丹砂。
【组　词】丹砂　丹药　丹毒　丹青　丹田　丹心　丹顶鹤
【同音字】担(担心)　单(单人)
【形近字】舟(小舟)
【谚　语】丹方一粒,气死名医。
【英　语】丹顶鹤　red-crowned crane [red kraund krein]

| dān | 笔画 | 部首 | 结构 | 五笔 | 造字法 |
|---|---|---|---|---|---|
| 担 | 8 | 扌 | 左右 | RJGG | 形声 |
| 笔顺 | 一 亅 扌 扌 扣 扣 扫 担 | | | | |

【解　释】❶用肩膀挑东西。❷承当;担负。❸牵挂;不放心。
【组　词】担水　担负　承担　分担　担保　担心　担任　担忧　担纲　担当
【造　句】担忧——不要担忧,他不会出事的。
【同音字】丹(丹砂)　单(单个)
【形近字】胆(胆量)
【反义词】担心/放心
【近义词】担任/担当
【谚　语】担不得一句好话,见不得一点好脸。
【英　语】担心　worry [ˈwʌri]
【多音字】dàn(见 144 页)

| dān | 笔画 | 部首 | 结构 | 五笔 | 造字法 |
|---|---|---|---|---|---|
| 单 | 8 | 丷 | 上下 | UJFJ | 象形 |
| 笔顺 | 丶 丷 ⺍ 𫩏 ⺍ 甾 単 单 | | | | |

【解　释】❶项目或种类少;不复杂。❷记载事物的纸片。❸只;仅仅。❹薄;只有一层。❺一个(跟“双”相对)。❻奇数。❼床上覆盖着的大幅的布。
【组　词】单人　单独　单薄　名单　单位　单子　床单　单身
【造　句】单独——他总是单独回家。
【同音字】丹(丹砂)
【形近字】甲(甲乙)　草(草地)
【成　语】单枪匹马
【反义词】单薄/厚实
【近义词】单独/独自
【谚　语】单弦难成音,独木不成林。
【英　语】单独　alone [əˈləun]
【多音字】chán(见 85 页)
【多音字】shàn(见 628 页)

| dān | 笔画 | 部首 | 结构 | 五笔 | 造字法 |
|---|---|---|---|---|---|
| 眈 | 9 | 目 | 左右 | HPQN | 形声 |
| 笔顺 | 丨 冂 冃 目 目 𥃦 盷 眈 眈 | | | | |

【解　释】[眈眈]注视的样子。
【同音字】单(单独)
【形近字】耽(耽误)
【成　语】虎视眈眈
【英　语】眈眈　look attentively [luk əˈtentivli]

| dān | 笔画 | 部首 | 结构 | 五笔 | 造字法 |
|---|---|---|---|---|---|
| 耽 | 10 | 耳 | 左右 | BPQN | 形声 |
| 笔顺 | 一 丁 丌 丌 丌 耳 耳 耳 耴 耽 | | | | |

【解　释】❶拖延;耽搁。❷沉溺。
【组　词】耽搁　耽误
【造　句】耽误——快走吧！别耽误了上学。
【同音字】单(单个)　担(担心)
【形近字】枕(枕头)
【反义词】耽误/及时
【近义词】耽误/延误
【谚　语】耽迟不耽错。
【英　语】耽搁　delay [di'lei]

| dān | 笔画 | 部首 | 结构 | 五笔 | 造字法 |
|---|---|---|---|---|---|
| 殚 | 12 | 歹 | 左右 | GQUF | 形声 |
| 笔顺 | 一 ㄏ 歹 歹 歹 歼 歼 歼 殆 殆 殚 殚 | | | | |

【解　释】用尽;竭尽。
【组　词】殚心　殚力
【同音字】丹(丹砂)　单(单双)
【形近字】弹(子弹)
【成　语】殚精竭虑
【近义词】殚尽/竭尽
【英　语】殚精竭虑　rack one's brains [ræk wʌnz breinz]

| dǎn | 笔画 | 部首 | 结构 | 五笔 | 造字法 |
|---|---|---|---|---|---|
| 胆 | 9 | 月 | 左右 | EJGG | 形声 |
| 笔顺 | 丿 月 月 月 月 肋 胆 胆 胆 | | | | |

【解　释】❶胆囊,内脏器官,在肝下部的前方,里面有胆汁,有帮助消化的作用。❷胆量;勇气。❸装在器物内部,可以容纳水、空气等物的东西。
【组　词】胆敢　胆怯　胆子　胆量
【造　句】胆怯——初次上讲台讲课,还真有点胆怯。
【同音字】掸(掸子)
【形近字】担(担着)　袒(袒护)
【成　语】胆大包天　胆小如鼠
【反义词】胆怯/勇敢
【近义词】胆寒/害怕
【谚　语】胆大如斗,心细如发。
【英　语】胆量　courage ['kʌridʒ]

| dǎn | 笔画 | 部首 | 结构 | 五笔 | 造字法 |
|---|---|---|---|---|---|
| 掸 | 11 | 扌 | 左右 | RUJF | 形声 |
| 笔顺 | 一 十 扌 扌 扌 扌 扌 扌 扌 扌 掸 | | | | |

【解　释】用东西轻轻地抽或扫,去掉灰尘等。
【组　词】掸子　掸灰
【辨　音】不读 dàn。
【同音字】胆(胆敢)
【形近字】弹(子弹)
【英　语】掸子　duster ['dʌstə]
【多音字】shàn(见 629 页)

| dàn | 笔画 | 部首 | 结构 | 五笔 | 造字法 |
|---|---|---|---|---|---|
| 石 | 5 | 石 | 独体 | DGTG | 象形 |
| 笔顺 | 一 ㄏ 不 石 石 | | | | |

【解　释】容量单位,10 斗等于1 石。
【组　词】万石　二千石
【同音字】担(担子)　旦(元旦)
【多音字】shí(见 647 页)

D

| dàn | 笔画 | 部首 | 结构 | 五笔 | 造字法 |
|---|---|---|---|---|---|
| 旦 | 5 | 日 | 上下 | JGF | 指事 |
| 笔顺 | 丨 冂 日 日 旦 | | | | |

【解　释】❶天亮；早晨。❷(某一)天。❸戏曲角色，扮演妇女，有青衣、花旦、老旦、武旦等区别。

甲骨文　金文　小篆　隶书　楷书

【字源释义】本义是"天亮"、"早晨"。较早的字形是太阳刚刚升起但是还未离开地面的样子。
【组　词】元旦　旦角　旦夕　花旦　老旦
【同音字】担(担子)　但(但是)
【形近字】且(而且)
【成　语】危在旦夕
【反义词】旦夕/长久
【近义词】旦夕/早晚
【谚　语】月有阴晴圆缺，人有旦夕祸福。
【英　语】元旦 New Year's Day [nju: jiəz dei]

| dàn | 笔画 | 部首 | 结构 | 五笔 | 造字法 |
|---|---|---|---|---|---|
| 但 | 7 | 亻 | 左右 | WJGG | 形声 |
| 笔顺 | 丿 亻 亻 仴 仴 但 但 | | | | |

【解　释】❶只。❷但是；不过。
【组　词】但是　但凡
【同音字】旦(元旦)　弹(子弹)
【形近字】担(担保)　胆(胆量)
【英　语】但是 but [bʌt]

| dàn | 笔画 | 部首 | 结构 | 五笔 | 造字法 |
|---|---|---|---|---|---|
| 担 | 8 | 扌 | 左右 | RJGG | 形声 |
| 笔顺 | 一 十 扌 扌 扣 担 担 担 | | | | |

【解　释】❶挑子。❷挑东西的用具。❸量词。❹原市制重量单位。❺比喻担负的责任。
【组　词】担子　扁担
【造　句】担子——他现在长大了，感觉肩上的担子更重了。
【同音字】淡(淡化)
【英　语】担 burden [ˈbəːdən]
【多音字】dān(见142页)

| dàn | 笔画 | 部首 | 结构 | 五笔 | 造字法 |
|---|---|---|---|---|---|
| 诞 | 8 | 讠 | 左右 | YTHP | 形声 |
| 笔顺 | 丶 讠 讠 访 诈 诞 诞 诞 | | | | |

【解　释】❶出生；诞生。❷生日。❸荒诞；不实在；不合情理。❹行为放荡。
【组　词】诞生　诞辰　荒诞　圣诞节
【造　句】诞生——中国共产党的诞生改写了中国历史。
【同音字】弹(子弹)　但(但是)
【形近字】涎(垂涎三尺)
【反义词】荒诞/正经
【近义词】诞生/出生
【英　语】诞生 be born [biː bɔːn]

| dàn | 笔画 | 部首 | 结构 | 五笔 | 造字法 |
|---|---|---|---|---|---|
| 淡 | 11 | 氵 | 左右 | IOOY | 形声 |
| 笔顺 | 丶 丶 氵 氵 氵 沙 泮 泮 泮 涉 淡 | | | | |

【解　释】❶液体或气体中所含的某种成分少；稀薄（跟“浓”相对）。❷味道不浓；不咸。❸颜色浅。❹冷淡；不热心。❺营业不旺盛。❻没有意味的。
【组　词】淡泊　淡薄　淡忘　淡化　淡雅　淡然　淡水　扯淡　淡出　淡妆
【造　句】淡忘——我和他之间发生的不愉快的事，我早已淡忘了。
【同音字】弹（子弹）　担（担子）
【形近字】谈（谈话）
【成　语】淡而无味
【反义词】淡/浓　冷淡/热情
【近义词】淡薄/稀薄
【谚　语】淡酒多杯也醉人。
【英　语】淡水 fresh water [freʃ ˈwɔːtə]

| dàn | 笔画 | 部首 | 结构 | 五笔 | 造字法 |
|---|---|---|---|---|---|
| 惮 | 11 | 忄 | 左右 | NUJF | 形声 |
| 笔顺 | 丶 丶 忄 忄 忄 忄 忄 忄 忄 惮 惮 | | | | |

【解　释】害怕。
【组　词】惮烦
【辨　音】不读 dān。
【同音字】但（但是）　担（担子）
【形近字】弹（弹棉花）
【成　语】肆无忌惮
【反义词】肆无忌惮/安分守己
【近义词】肆无忌惮/肆意妄为
【英　语】惮 fear [fiə]

| dàn | 笔画 | 部首 | 结构 | 五笔 | 造字法 |
|---|---|---|---|---|---|
| 弹 | 11 | 弓 | 左右 | XUJF | 形声 |
| 笔顺 | ㇆ ㇆ 弓 弓 弓 弓 弓 弓 弓 弓 弹 | | | | |

【解　释】❶球形的东西。❷枪弹、子弹、炮弹、炸弹类的总称。
【组　词】子弹　炮弹　弹弓　弹药
【同音字】担（担子）　但（但是）
【形近字】惮（惮烦）
【英　语】子弹 bullet [ˈbulit]
【多音字】tán（见 694）

| dàn | 笔画 | 部首 | 结构 | 五笔 | 造字法 |
|---|---|---|---|---|---|
| 蛋 | 11 | 疋 | 上下 | NHJU | 形声 |
| 笔顺 | 一 丆 下 疋 疋 疋 疍 疍 蛋 蛋 蛋 | | | | |

【解　释】❶鸟、蛇、龟等产的卵。❷样子像球形的东西。
【组　词】鸡蛋　蛋糕　蛋白　脸蛋
【同音字】弹（子弹）
【形近字】胥（胥吏）
【英　语】鸡蛋 egg [eg]

| dàn | 笔画 | 部首 | 结构 | 五笔 | 造字法 |
|---|---|---|---|---|---|
| 氮 | 12 | 气 | 半包围 | RNOO | 形声 |
| 笔顺 | 丿 𠂉 气 气 气 气 氕 氕 氮 氮 氮 氮 | | | | |

【解　释】气体元素，无色，无臭，不能燃烧，也不能助燃。氮在空气中约占4/5，是植物营养的重要成分之一。
【组　词】氮气　氮肥
【同音字】弹（子弹）　诞（诞生）
【形近字】氧（氧气）

D

【英　语】氮气　nitrogen [ˈnaitrə-dʒən]

## DANG　ㄉㄤ

| dāng | 笔画 | 部首 | 结构 | 五笔 | 造字法 |
|---|---|---|---|---|---|
| 当 | 6 | ⺌ | 上下 | IVF | 形声 |
| 笔顺 | 丨 丨 ⺌ 当 当 当 | | | | |

【解　释】❶担任。❷承担；承受。❸抵挡。❹掌管；主持。❺相等；差不多。❻应该；应当。❼对着。❽在……的时候或地方。❾顶端；头。
【组　词】当然　当时　相当　当代
【造　句】当选——李锐再次当选为班长。
【同音字】裆（裤裆）
【形近字】挡（挡住）　刍（刍秣）
【成　语】当仁不让　当务之急
【反义词】当今/以往
【近义词】当今/如今
【谚　语】当断不断，必受其乱。
【英　语】当前　at present [æt ˈprezənt]
【多音字】dàng（见 147 页）

| dāng | 笔画 | 部首 | 结构 | 五笔 | 造字法 |
|---|---|---|---|---|---|
| 铛 | 11 | 钅 | 左右 | QIVG | 形声 |
| 笔顺 | 丿 𠂉 𠂉 𠂉 钅 钅 钅 钅 铛 铛 铛 | | | | |

【解　释】形容金属器物撞击的声音。
【组　词】铃铛
【同音字】当（当选）
【英　语】铃铛　bell [bel]

| dāng | 笔画 | 部首 | 结构 | 五笔 | 造字法 |
|---|---|---|---|---|---|
| 裆 | 11 | 衤 | 左右 | PUIV | 形声 |
| 笔顺 | 丶 ㇇ 衤 衤 衤 衤 衤 衤 裆 裆 裆 | | | | |

【解　释】❶两条裤腿相连的部分。❷两条腿的中间。
【组　词】裤裆　开裆　腿裆
【造　句】开裆——我小侄儿现在还在穿开裆裤。
【同音字】当（当代）
【形近字】挡（挡住）

| dǎng | 笔画 | 部首 | 结构 | 五笔 | 造字法 |
|---|---|---|---|---|---|
| 挡 | 9 | 扌 | 左右 | RIVG | 形声 |
| 笔顺 | 一 亅 扌 扌 扌 扌 挡 挡 挡 | | | | |

【解　释】❶拦住；遮隔。❷遮蔽。❸遮挡用的东西。❹车类排挡的总称。
【组　词】挡住　挡风　空挡　挂挡　挡驾　挡车　挡子　挡箭牌
【造　句】挡箭牌——每次爸爸要打弟弟时，弟弟就把奶奶拉出来当挡箭牌。
【辨　音】不读 dāng。
【同音字】党（党员）
【形近字】拦（拦住）　裆（裤裆）
【谚　语】挡得住千人手，挡不住百人口。
【英　语】挡住　obstruct [əbˈstrʌkt]

| dǎng | 笔画 | 部首 | 结构 | 五笔 | 造字法 |
|---|---|---|---|---|---|
| 党 | 10 | ⺌ | 上下 | IPKQ | 形声 |
| 笔顺 | 丨 丨 ⺌ 𫩏 𫩏 𫩏 𫩏 𫩏 党 党 | | | | |

【解　释】❶政党，在我国特指中国共产党。❷由私人利害关系结成的集团。❸偏袒。❹亲族。
【组　词】政党　党纲　党费　党校
【同音字】挡（挡车）
【形近字】常（常常）
【成　语】党同伐异
【英　语】党员　party member [ˈpɑːti ˈmembə]

| dàng | 笔画 | 部首 | 结构 | 五笔 | 造字法 |
|---|---|---|---|---|---|
| 当 | 6 | ⺌ | 上下 | IVF | 形声 |
| 笔顺 | 丨 ⺌ ⺌ 当 当 当 | | | | |

【解　释】❶合适。❷作为；以为。❸顶；抵得上。❹圈套。❺这；本。❻用实物抵押。❼指事情发生的时候。
【组　词】得当　典当　当铺　赎当　当天　妥当　顺当　适当
【造　句】适当——工作时间长了，应适当休息休息，这样才有益健康。
【近义词】适当/妥当
【英　语】当做　regard [riˈgɑːd]
【多音字】dāng（见 146 页）

| dàng | 笔画 | 部首 | 结构 | 五笔 | 造字法 |
|---|---|---|---|---|---|
| 荡 | 9 | 艹 | 上下 | AINR | 形声 |
| 笔顺 | 一 十 艹 艹 艹 艹 荡 荡 荡 | | | | |

【解　释】❶全部搞光；清除。❷没有事走来走去；闲逛。❸洗。❹摇动；摆动。❺广阔；平坦。❻放纵；不检点。❼浅水湖。
【组　词】飘荡　闲荡　冲荡　扫荡　坦荡　放荡　荡漾　激荡
【造　句】荡漾——四月的西山真美，湖光山色，春风荡漾。
【同音字】当（当铺）
【形近字】扬（扬起）
【成　语】倾家荡产　荡然无存
【反义词】荡漾/平静
【近义词】放荡/放纵
【英　语】荡漾　ripple [ˈripl]

| dàng | 笔画 | 部首 | 结构 | 五笔 | 造字法 |
|---|---|---|---|---|---|
| 档 | 10 | 木 | 左右 | SIVG | 形声 |
| 笔顺 | 一 十 才 木 木 村 村 栏 档 档 | | | | |

【解　释】❶带格子的架子或橱，多用来存放案卷。❷分类保存的文件、材料。❸产品的等级。❹器物上起支撑固定作用的木条或细棍。❺货摊；摊档。❻量词。
【组　词】档案　存档　归档　档次
【造　句】档次——这个商店经营的洗衣机有很多种，档次都不同。
【同音字】荡（荡秋千）
【形近字】挡（挡住）
【英　语】档案　file [fail]

## DAO ㄉㄠ

| dāo | 笔画 | 部首 | 结构 | 五笔 | 造字法 |
|---|---|---|---|---|---|
| 刀 | 2 | 刀 | 独体 | VN | 象形 |
| 笔顺 | ㇇ 刀 | | | | |

【解　释】❶泛指切、割、削、砍、铡的工具，一般用钢铁制成。❷形状像刀的东西。❸量词。纸的单位。❹古代钱币的一种。
【组　词】刀具　铡刀　刀枪　剃刀
【同音字】叨（叨唠）

【形近字】刁(刁蛮)
【成　语】笑里藏刀　两面三刀
【近义词】刀山火海/刀山剑树
【歇后语】刀马旦不会刀枪——徒有虚名。
【谚　语】刀钝石上磨，人笨要多学|刀不磨快难砍柴，孩子不教难成才。
【英　语】小刀　knife [naif]

| dāo | 笔画 | 部首 | 结构 | 五笔 | 造字法 |
|---|---|---|---|---|---|
| 叨 | 5 | 口 | 左右 | KVN | 形声 |
| 笔顺 | 丨 ㄇ 口 叨 叨 | | | | |

【解　释】[叨叨]没完没了地说。
【组　词】唠叨　叨登
【造　句】唠叨——妈妈总爱为一点小事就唠叨个没完。
【辨　音】不读 dǎo。
【近义词】唠叨/啰嗦
【英　语】唠叨　wordy [ˈwəːdi]
【多音字】tāo(见 699 页)

| dǎo | 笔画 | 部首 | 结构 | 五笔 | 造字法 |
|---|---|---|---|---|---|
| 导 | 6 | 寸 | 上下 | NFU | 形声 |
| 笔顺 | ㇇ ㇇ 巳 巳 导 导 | | | | |

【解　释】❶带领；指引。❷传导；导电。❸以道理启发规劝。❹导演的简称。
【组　词】引导　导电　开导　导演　导致　导游　导弹　导播
【辨　音】不读 dào。
【同音字】岛(海岛)　倒(倒下)
【形近字】异(异同)
【反义词】导电/绝缘
【近义词】导游/向导
【英　语】导致　lead to [liːd tuː]

| dǎo | 笔画 | 部首 | 结构 | 五笔 | 造字法 |
|---|---|---|---|---|---|
| 岛 | 7 | 山 | 半包围 | QYNM | 形声 |
| 笔顺 | ′ ㄅ ㄅ 鸟 鸟 岛 岛 | | | | |

【解　释】❶海洋里被水环绕、面积比大陆小的陆地。也指湖里、江河里被水环绕的陆地。❷半岛，一半在海洋、湖泊包围中，一半紧靠大陆的陆地。
【组　词】小岛　海岛　岛国　群岛　岛屿　孤岛　半岛　荒岛
【造　句】岛屿——我国海域有很多岛屿。
【辨　音】不读 niǎo。
【同音字】倒(倒下)　导(导弹)
【形近字】鸟(鸟窝)　乌(乌鸦)
【英　语】岛　island [ˈailənd]

| dǎo | 笔画 | 部首 | 结构 | 五笔 | 造字法 |
|---|---|---|---|---|---|
| 捣 | 10 | 扌 | 左右 | RQYM | 形声 |
| 笔顺 | 一 十 扌 扌 扌 扌 捣 捣 捣 捣 | | | | |

【解　释】❶用棍子等撞击。❷捶打。❸搅乱。
【组　词】捣蒜　捣衣　捣乱　捣蛋　捣鼓　捣毁　捣鬼
【造　句】捣鼓——他放学后就爱捣鼓那些无线电元件。
【同音字】倒(倒下)　导(导电)
【形近字】岛(海岛)
【反义词】捣乱/安分
【近义词】捣乱/扰乱
【英　语】捣乱　make trouble [meik ˈtrʌbl]

| dǎo | 笔画 | 部首 | 结构 | 五笔 | 造字法 |
|---|---|---|---|---|---|
| 倒 | 10 | 亻 | 左右 | WGC | 形声 |
| 笔顺 | 丿 亻 亻 亻 亻 亻 亻 侄 侄 倒 | | | | |

【解　释】❶(人或竖立的东西)横着躺下来。❷事业失败。❸进行反对活动,使政府、首脑人物等垮台。❹食欲变得不好。❺转移;转换。❻腾;挪。❼转手买卖。

【组　词】倒班　倒闭　倒爷　倒塌　倒腾　倒霉　倒账

【同音字】岛(海岛)　捣(捣蛋)

【形近字】到(到达)　侄(侄儿)

【成　语】倒海翻江

【反义词】倒霉/幸运

【近义词】倒塌/倒下

【英　语】倒台　downfall [ˈdaunfɔːl]

【多音字】dào(见150页)

| dǎo | 笔画 | 部首 | 结构 | 五笔 | 造字法 |
|---|---|---|---|---|---|
| 祷 | 11 | 礻 | 左右 | PYDF | 形声 |
| 笔顺 | 丶 ㇇ 礻 礻 礻 礻 礻 祷 祷 祷 祷 | | | | |

【解　释】❶向神祈求帮助;祈祷。❷盼望(旧时书信用语)。

【组　词】祈祷　祷告　祷念　祷祝

【造　句】祷告——老奶奶祷告上苍,保佑全家平安。

【同音字】岛(岛屿)

【形近字】涛(波涛)

【英　语】祷告　pray [prei]

| dǎo | 笔画 | 部首 | 结构 | 五笔 | 造字法 |
|---|---|---|---|---|---|
| 蹈 | 17 | 𧾷 | 左右 | KHEV | 形声 |
| 笔顺 | 丶 口 口 𧾷 𧾷 𧾷 𧾷 𧾷 𧾷 𧾷 𧾷 𧾷 𧾷 𧾷 蹈 蹈 蹈 | | | | |

【解　释】❶践踏;踩。❷跳动。

【组　词】舞蹈　蹈海　蹈袭

【造　句】手舞足蹈——他高兴得手舞足蹈。

【辨　音】不读 tāo。

【同音字】岛(岛屿)　倒(倒下)

【形近字】滔(滔滔不绝)

【成　语】赴汤蹈火　手舞足蹈

【近义词】手舞足蹈/兴高采烈

【英　语】舞蹈　dance [dɑːns]

| dào | 笔画 | 部首 | 结构 | 五笔 | 造字法 |
|---|---|---|---|---|---|
| 到 | 8 | 刂 | 左右 | GC | 形声 |
| 笔顺 | 一 ㄗ 厶 厶 至 至 到 到 | | | | |

【解　释】❶到达某一点;到达;达到。❷往;去。❸表示动作有了结果。❹周全;完备。

【组　词】到达　到场　到顶　到家　到职　到手　到处　到底

【造　句】到处——祖国到处是一派欣欣向荣的景象。

【同音字】道(道理)　盗(强盗)

【形近字】侄(侄儿)　倒(倒下)

【近义词】到手/获得

【谚　语】到处留心,即是学问。

【英　语】到达　arrive [əˈraiv]

| dào | 笔画 | 部首 | 结构 | 五笔 | 造字法 |
|---|---|---|---|---|---|
| 倒 | 10 | 亻 | 左右 | WGC | 形声 |
| 笔顺 | 丿 亻 亻 仁 任 任 侄 侄 侄 倒 | | | | |

【解　释】❶反面的，相反的。❷倾出；把容器里的东西倒出来。❸向后；向反向行动。❹却；还。
【组　词】倒影　倒茶　倒退　反倒　倒立
【造　句】倒影——湖面平静如镜，岸边柳树的倒影清晰可见。
【同音字】到(到达)
【成　语】倒行逆施
【英　语】倒车　back a car [bæk ə kɑː]
【多音字】dǎo(见149页)

| dào | 笔画 | 部首 | 结构 | 五笔 | 造字法 |
|---|---|---|---|---|---|
| 悼 | 11 | 忄 | 左右 | NHJH | 形声 |
| 笔顺 | 丶 丷 忄 忄 忙 忙 怖 怖 悼 悼 悼 | | | | |

【解　释】悲伤地怀念。
【组　词】追悼　哀悼　悼念
【造　句】哀悼——全国亿万人民沉痛哀悼邓小平。
【辨　音】不读 diào。
【同音字】到(到达)　盗(强盗)
【形近字】掉(掉下来)
【英　语】悼念　mourn for [mɔːn fɔː]

| dào | 笔画 | 部首 | 结构 | 五笔 | 造字法 |
|---|---|---|---|---|---|
| 盗 | 11 | 皿 | 上下 | UQWL | 形声 |
| 笔顺 | 丶 冫 冫 冫 氵 次 次 洛 洛 洛 盗 | | | | |

【解　释】❶偷；窃。❷指抢劫财物的人。
【组　词】盗窃　盗贼　盗卖　盗猎
【造　句】欺世盗名——某些显赫一时的权贵，不过是欺世盗名之辈，总有一天会为天下人所不齿。
【同音字】道(道路)　稻(稻田)
【形近字】盖(盖世)
【成　语】欺世盗名　监守自盗
【近义词】盗/窃　盗窃/偷窃
【英　语】盗窃　steal [stiːl]

| dào | 笔画 | 部首 | 结构 | 五笔 | 造字法 |
|---|---|---|---|---|---|
| 道 | 12 | 辶 | 半包围 | UTHP | 形声 |
| 笔顺 | 丶 丷 䒑 丷 产 首 首 首 首 首 道 道 | | | | |

【解　释】❶路。❷用语言表示情意。❸以为；认为。❹说。❺水流通过的途径。❻主意；方法。❼道理。❽技艺；技术。❾学术或宗教的思想体系。❿属于道教的；也指道教徒。⓫指某些封建迷信组织。⓬线条；细长的痕迹。⓭量词。
【组　词】道歉　道谢　道别　道德　道路　道贺
【造　句】道听途说——分析问题应当实事求是，靠道听途说的消息进行判断是靠不住的。
【同音字】悼(悼词)　盗(盗贼)
【形近字】首(首先)
【成　语】道听途说　道貌岸然　道不拾遗
【近义词】道别/话别
【谚　语】道高龙虎伏，德重鬼神钦|道儿是人走出来的，辙儿是车轧出来的。
【英　语】道路　road [rəud]

| dào | 笔画 | 部首 | 结构 | 五笔 | 造字法 |
|---|---|---|---|---|---|
| 稻 | 15 | 禾 | 左右 | TEVG | 形声 |
| 笔顺 | 丿 二 千 禾 禾 禾' 禾' 禾' 秆 秆 秆 秆 稻 稻 稻 | | | | |

【解　释】一年生草本植物,子实同名,去壳后叫大米。是中国重要的粮食作物。
【组　词】稻子　稻米　稻草
【同音字】道(道德)　盗(强盗)
【形近字】滔(滔滔不绝)
【谚　语】稻花要雨,麦花要风。
【英　语】稻草　straw [strɔː]

## DE ㄉㄜ

| dé | 笔画 | 部首 | 结构 | 五笔 | 造字法 |
|---|---|---|---|---|---|
| 得 | 11 | 彳 | 左右 | TJ | 会意 |
| 笔顺 | 丿 彡 彳 彳 彳 彳 彳 彳 彳 得 得 | | | | |

【解　释】❶得到;获取(跟"失"相对)。❷适合;对路。❸满意;得意。❹可以;许可。❺演算的结果;等于。❻用于情况不尽如人意的时候,表示无可奈何。❼用在别的动词前,表示可能这样。

甲骨文　金文　小篆　隶书　楷书

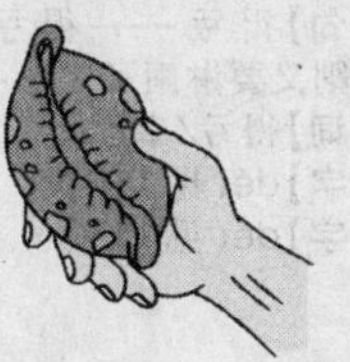

【字源释义】"得"的字形像一只手拿着"贝"。"贝"是古代货币的一种,表示珍贵的东西,所以就是"取得"、"获得"的意思。
【组　词】得体　得分　得救　得力
【造　句】得力——我们的班长顾洁是老师的得力帮手。
【同音字】德(德国)
【形近字】碍(妨碍)
【成　语】得天独厚　得意忘形
【反义词】得到/失去
【近义词】得到/获得
【谚　语】得不足喜,失不足忧。
【英　语】获得　gain [gein]
【多音字】de(见152页)
【多音字】děi(见152页)

| dé | 笔画 | 部首 | 结构 | 五笔 | 造字法 |
|---|---|---|---|---|---|
| 德 | 15 | 彳 | 左右 | TFLN | 会意 |
| 笔顺 | 丿 彡 彳 彳 彳 彳 彳 彳 彳 彳 彳 德 德 德 德 | | | | |

【解　释】❶道德;思想品行;政治品质。❷心意。❸恩惠。❹姓。

甲骨文　金文　小篆　隶书　楷书

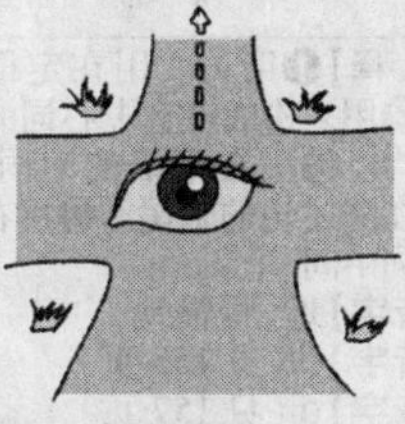

【字源释义】甲骨文"德"字中的"彳"或"行"表示道路、方向;

D

“直”用眼睛直视的样子表示正直。金文又加上“心”。按正直的准则去做、去想，就是“德”。本义是“道德”。

【组　词】品德　公德　德行　德育

【造　句】公德——我们无论在什么地方，都要讲社会公德。

【同音字】得（得到）

【形近字】惩（惩罚）

【成　语】德高望重　感恩戴德

【反义词】以怨报德/感恩图报

【近义词】品德/品质

【英　语】德行　moral conduct [ˈmɔrəl kənˈdʌkt]

| de | 笔画 | 部首 | 结构 | 五笔 | 造字法 |
|---|---|---|---|---|---|
| 地 | 6 | 土 | 左右 | F | 形声 |
| 笔顺 | 一 十 土 圵 圵 地 | | | | |

【解　释】助词。表示它前边的词或词组是状语。

【同音字】的（是的）

【多音字】dì（见 157 页）

| de | 笔画 | 部首 | 结构 | 五笔 | 造字法 |
|---|---|---|---|---|---|
| 的 | 8 | 白 | 左右 | RQYY | 形声 |
| 笔顺 | 丿 亻 白 白 白 的 的 的 | | | | |

【解　释】❶助词。用在定语的后面。❷用来构成没有中心词的“的”字结构。❸用在谓语的动词后面。❹用在陈述句的末尾。❺用在两个数量词中间。

【同音字】地（慢慢地）

【多音字】dí（见 155 页）

【多音字】dì（见 157 页）

| de | 笔画 | 部首 | 结构 | 五笔 | 造字法 |
|---|---|---|---|---|---|
| 底 | 8 | 广 | 半包围 | YQAY | 形声 |
| 笔顺 | 丶 亠 广 广 庀 庀 底 底 | | | | |

【解　释】同“的（de）”①。

【同音字】的（英勇的）

【多音字】dǐ（见 157 页）

| de | 笔画 | 部首 | 结构 | 五笔 | 造字法 |
|---|---|---|---|---|---|
| 得 | 11 | 彳 | 左右 | TJ | 会意 |
| 笔顺 | 丿 彡 彳 彳 彳 彳 彳 彳 得 得 得 | | | | |

【解　释】用在动词或形容词后边，表示可能、结果、程度。

【多音字】dé（见 151 页）

【多音字】děi（见 152 页）

## DEI

| děi | 笔画 | 部首 | 结构 | 五笔 | 造字法 |
|---|---|---|---|---|---|
| 得 | 11 | 彳 | 左右 | TJ | 形声 |
| 笔顺 | 丿 彡 彳 彳 彳 彳 彳 彳 得 得 得 | | | | |

【解　释】❶需要。❷表示意志上或事实上的必要。❸表示揣测的必然。❹（方）舒服；满意。

【组　词】得亏　非得　总得

【造　句】得亏——得亏妈妈送伞，否则又要淋雨了。

【近义词】得亏/幸亏

【多音字】dé（见 151 页）

【多音字】de（见 152 页）

# DENG ㄉㄥ

| dēng | 笔画 | 部首 | 结构 | 五笔 | 造字法 |
|---|---|---|---|---|---|
| 灯 | 6 | 火 | 左右 | OS | 形声 |
| 笔顺 | 丶 丷 火 火 火一 灯 | | | | |

【解　释】照明或做其他用途的发光器具。
【组　词】电灯　灯光　灯泡　红绿灯
【同音字】登(登山)　蹬(蹬踏)
【形近字】钉(钉子)　汀(门汀)
【成　语】灯火辉煌
【谚　语】灯不拨不亮,话不说不明。
【英　语】灯光　light [lait]

| dēng | 笔画 | 部首 | 结构 | 五笔 | 造字法 |
|---|---|---|---|---|---|
| 登 | 12 | 癶 | 上下 | WGKU | 会意 |
| 笔顺 | ㇇ ㇇ 癶 癶 癶 癶 癶 癶 癶 癶 癶 登 | | | | |

【解　释】❶由低处到高处。❷刊登或记载。❸谷物成熟。❹踩踏。❺穿。
【组　词】登场　登山　登陆　登记
【同音字】灯(灯光)
【形近字】凳(板凳)　澄(澄清)
【成　语】登峰造极
【近义词】登记/记载
【谚　语】登山始觉天高远,到海方知浪渺茫。
【英　语】登陆　land [lænd]

| dēng | 笔画 | 部首 | 结构 | 五笔 | 造字法 |
|---|---|---|---|---|---|
| 蹬 | 19 | 足 | 左右 | KHWU | 形声 |
| 笔顺 | 丨 口 口 早 早 𧾷 𧾷 𧾷 𧾷 𧾷 … 蹬 | | | | |

【解　释】❶腿与脚向脚底的方向用力。❷穿。
【组　词】蹬腿
【形近字】登(登山)

| děng | 笔画 | 部首 | 结构 | 五笔 | 造字法 |
|---|---|---|---|---|---|
| 等 | 12 | ⺮ | 上下 | TFFU | 会意 |
| 笔顺 | ノ 𠂉 ⺮ ⺮ ⺮ ⺮ 笁 笁 笁 笁 等 等 | | | | |

【解　释】❶相同;一样。❷级别。❸等到。❹待;守候。❺种类;群。❻表示列举未完。❼表示列举完了收尾。
【组　词】同等　相等　等候　等级
【造　句】等日——这几天没时间去看你,等日再去看你。
【形近字】筹(筹办)　寺(寺院)
【成　语】等量齐观
【反义词】相等/不等
【近义词】等候/等待
【谚　语】等时间的人,就是浪费时间的人。
【英　语】等待　wait [weit]

| dèng | 笔画 | 部首 | 结构 | 五笔 | 造字法 |
|---|---|---|---|---|---|
| 邓 | 4 | 又 | 左右 | CBH | 形声 |
| 笔顺 | ㇇ 又 双 邓 | | | | |

【解　释】姓。
【同音字】凳(板凳)　瞪(瞪眼)
【形近字】双(双数)　对(对错)

| dèng | 笔画 | 部首 | 结构 | 五笔 | 造字法 |
|---|---|---|---|---|---|
| 凳 | 14 | 几 | 上下 | WGKM | 形声 |
| 笔顺 | ㇇ ㇇ 癶 癶 癶 癶 癶 癶 癶 癶 癶 登 凳 凳 | | | | |

【解　释】凳子,有腿没有靠背的

坐具。
【组　词】板凳　长凳　凳子
【辨　音】不读 dèn。
【同音字】瞪(瞪眼)
【形近字】登(登山)
【英　语】凳子　stool [stuːl]

| dèng | 笔画 | 部首 | 结构 | 五笔 | 造字法 |
|---|---|---|---|---|---|
| 澄 | 15 | 氵 | 左右 | IWGU | 形声 |
| 笔顺 | 丶 丶 氵 氵 氵 氵 氵 氵 氵 氵 澄 澄 澄 澄 澄 | | | | |

【解　释】❶使液体里的杂质沉下去。❷拦住渣滓或泡着的东西,把液体倒出。
【组　词】澄清　澄浆泥
【造　句】澄清——湖里的水有点浑,要澄清后才能饮用。
【同音字】凳(板凳)
【反义词】澄清/污浊
【近义词】澄清/清澈
【英　语】澄清　clarify [ˈklærifai]
【多音字】chéng(见 102 页)

| dèng | 笔画 | 部首 | 结构 | 五笔 | 造字法 |
|---|---|---|---|---|---|
| 瞪 | 17 | 目 | 左右 | HWGU | 形声 |
| 笔顺 | 丨 冂 冂 目 目 目 目 目 目 目 目 目 瞪 瞪 瞪 瞪 瞪 | | | | |

【解　释】❶指睁大眼睛看。❷生气地看人。
【组　词】瞪眼
【造　句】目瞪口呆——陈东的小魔术表演得十分精彩,看得小冬目瞪口呆。
【同音字】澄(澄清)
【成　语】目瞪口呆
【英　语】瞪眼　glare [glɛə]

## DI　ㄉㄧ

| dī | 笔画 | 部首 | 结构 | 五笔 | 造字法 |
|---|---|---|---|---|---|
| 低 | 7 | 亻 | 左右 | WQAY | 形声 |
| 笔顺 | 丿 亻 亻 亻 亻 低 低 | | | | |

【解　释】❶从下向上距离小。❷在一般标准或平均程度之下。❸等级在下的。❹(头)向下垂。
【组　词】低位　低层　低估　低级　低劣　低迷　低谷　低龄
【造　句】低空——飞行员驾驶飞机在低空飞行。
【同音字】堤(堤岸)　滴(点滴)
【形近字】抵(抵挡)　底(底下)
【成　语】低三下四
【反义词】低沉/高亢　低/高
【近义词】低廉/便宜　低/矮
【谚　语】低借高还,再借不难。
【英　语】低廉　cheap [tʃiːp]

| dī | 笔画 | 部首 | 结构 | 五笔 | 造字法 |
|---|---|---|---|---|---|
| 堤 | 12 | 土 | 左右 | FJGH | 形声 |
| 笔顺 | 一 十 土 坦 坦 坦 坦 坦 埕 埕 堤 堤 | | | | |

【解　释】沿江河或沿湖海的防水建筑物,多用土石筑成。
【组　词】河堤　海堤　堤岸　堤坝　堤防　堤围　堤堰
【同音字】低(低估)　滴(滴水)
【形近字】提(提起)　是(是的)
【英　语】堤岸　bank [bæŋk]

| dī | 笔画 | 部首 | 结构 | 五笔 | 造字法 |
|---|---|---|---|---|---|
| 提 | 12 | 扌 | 左右 | RJGH | 形声 |
| 笔顺 | 一 扌 扌 扌 扣 押 押 捍 捍 捍 捍 提 | | | | |

【解　释】用于“提防”，小心防备。
【组　词】提防　提溜
【造　句】提防——请提防坏人破坏。
【同音字】低（低头）　堤（堤坝）
【近义词】提防/防备
【英　语】提防　guard [ɡɑːd]
【多音字】tí（见 703 页）

| dī | 笔画 | 部首 | 结构 | 五笔 | 造字法 |
|---|---|---|---|---|---|
| 滴 | 14 | 氵 | 左右 | IUMD | 形声 |
| 笔顺 | 丶 氵 氵 氵 氵 氵 氵 氵 滴 滴 滴 滴 滴 滴 | | | | |

【解　释】❶液体一点一点地向下落。❷落下的少量液体。❸量词。用于滴下的少量液体。❹零星。❺象声词。
【组　词】汗滴　水滴　滴答
【造　句】滴水不漏——她能言善辩，说话滴水不漏。
【同音字】堤（堤岸）　提（提防）
【形近字】嘀（嘀嘀）　嫡（嫡系）
【成　语】滴水不漏　滴水成冰
【谚　语】滴水成河，积少成多。
【英　语】滴管　dropper [ˈdrɔpə]

| dí | 笔画 | 部首 | 结构 | 五笔 | 造字法 |
|---|---|---|---|---|---|
| 迪 | 8 | 辶 | 半包围 | MPD | 形声 |
| 笔顺 | 丨 冂 日 由 由 由 迪 迪 | | | | |

【解　释】开导；引导。
【组　词】启迪　迪斯科
【同音字】敌（敌人）　笛（笛声）
【形近字】笛（笛声）
【近义词】启迪/启示
【英　语】迪斯科　disco [ˈdi-skəu]

| dí | 笔画 | 部首 | 结构 | 五笔 | 造字法 |
|---|---|---|---|---|---|
| 的 | 8 | 白 | 左右 | RQYY | 形声 |
| 笔顺 | ′ 亻 白 白 白 的 的 的 | | | | |

【解　释】实在；确实。
【组　词】的确
【同音字】敌（敌人）
【英　语】的确　really [ˈriəli]
【多音字】de（见 152 页）
【多音字】dì（见 157 页）

| dí | 笔画 | 部首 | 结构 | 五笔 | 造字法 |
|---|---|---|---|---|---|
| 敌 | 10 | 舌 | 左右 | TDTY | 形声 |
| 笔顺 | ′ 二 千 千 舌 舌 舌 舌 敌 敌 | | | | |

【解　释】❶对抗；抵挡。❷敌人。❸有利害冲突不能相容的。❹力量相等的。
【组　词】敌人　敌视　敌意　敌情
【同音字】迪（启迪）
【形近字】故（故事）
【反义词】敌人/朋友
【近义词】敌视/仇视
【谚　语】敌不可纵，友不可欺。
【英　语】敌人　enemy [ˈenimi]

| dí | 笔画 | 部首 | 结构 | 五笔 | 造字法 |
|---|---|---|---|---|---|
| 涤 | 10 | 氵 | 左右 | ITS | 形声 |
| 笔顺 | 丶 氵 氵 氵 汐 汐 洛 洛 涤 涤 | | | | |

【解　释】洗。
【组　词】涤除　涤荡　涤纶　洗涤

D

【同音字】敌(敌人)
【形近字】绦(丝绦)
【英　语】洗涤　wash [wɔʃ]

| dí | 笔画 | 部首 | 结构 | 五笔 | 造字法 |
|---|---|---|---|---|---|
| 笛 | 11 | ⺮ | 上下 | TMF | 形声 |
| 笔顺 | 丿 … 笛 | | | | |

【解　释】❶乐器，用竹子做成。❷响声尖锐的发音器。
【组　词】竹笛　横笛　汽笛　警笛
【同音字】敌(敌人)　迪(启迪)
【形近字】邮(邮票)　迪(启迪)
【英　语】笛子　flute [fluːt]

| dí | 笔画 | 部首 | 结构 | 五笔 | 造字法 |
|---|---|---|---|---|---|
| 嘀 | 14 | 口 | 左右 | KUMD | 形声 |
| 笔顺 | 丨 … 嘀 | | | | |

【解　释】❶小声说话；私下里说。❷猜疑；犹疑。
【组　词】嘀咕
【造　句】嘀咕——他俩一见面就嘀咕上了。
【同音字】敌(敌人)
【形近字】滴(滴汗)
【英　语】嘀咕　murmur [ˈməːmə]

| dí | 笔画 | 部首 | 结构 | 五笔 | 造字法 |
|---|---|---|---|---|---|
| 嫡 | 14 | 女 | 左右 | VUMD | 形声 |
| 笔顺 | 𡿨 … 嫡 | | | | |

【解　释】❶指血统最近的。❷正宗；正统。❸家庭的正支。
【组　词】嫡传　嫡亲　嫡系　嫡子
【同音字】敌(敌人)
【英　语】嫡亲　blood relation [blʌd riˈleiʃən]

| dí | 笔画 | 部首 | 结构 | 五笔 | 造字法 |
|---|---|---|---|---|---|
| 翟 | 14 | 羽 | 上下 | NWYF | 形声 |
| 笔顺 | 𠃍 … 翟 | | | | |

【解　释】❶古代指长尾巴的野鸡。❷古代用作舞具的野鸡的羽毛。
【同音字】敌(敌人)　迪(启迪)
【形近字】瞿(姓瞿)
【多音字】zhái(见 898 页)

| dǐ | 笔画 | 部首 | 结构 | 五笔 | 造字法 |
|---|---|---|---|---|---|
| 诋 | 7 | 讠 | 左右 | YQAY | 形声 |
| 笔顺 | 丶 讠 … 诋 诋 | | | | |

【解　释】污蔑；说坏话；骂人。
【组　词】诋毁
【造　句】诋毁——他总是诋毁别人，以换取上级对自己的信任。
【同音字】抵(抵挡)　底(底线)
【形近字】抵(抵挡)
【反义词】诋毁/赞誉
【近义词】诋毁/毁谤
【英　语】诋毁　tear down [tɛə daun]

| dǐ | 笔画 | 部首 | 结构 | 五笔 | 造字法 |
|---|---|---|---|---|---|
| 抵 | 8 | 扌 | 左右 | RQAY | 形声 |
| 笔顺 | 一 十 扌 … 抵 抵 | | | | |

【解　释】❶支撑。❷挡住；抗拒。❸偿还；赔偿。❹到达；抵达。❺抵押。❻抵消。❼相当；代替。
【组　词】抵住　抵消　抵挡　抵罪

【造 句】抵消——这两种药不能同时吃,否则药力就抵消了。
【同音字】底(到底) 诋(诋毁)
【形近字】纸(纸张)
【反义词】抵抗/投降 抵挡/屈服
【近义词】抵抗/抵挡 抵挡/招架
【英 语】抵抗 resist [ri'zist]

| dǐ | 笔画 | 部首 | 结构 | 五笔 | 造字法 |
|---|---|---|---|---|---|
| 底 | 8 | 广 | 半包围 | YQAY | 形声 |
| 笔顺 | 丶 亠 广 广 庀 庀 底 底 | | | | |

【解 释】❶东西最下面的部分。❷事情的根源和内情。❸底子。❹年月的末尾。❺花纹图案的衬托面。❻留作根据的。❼达到。❽何;什么。
【组 词】海底 摸底 底片 底线
【造 句】摸底——这个月我们要进行一次摸底考试。
【同音字】抵(抵挡) 诋(诋毁)
【形近字】抵(抵押) 纸(纸张)
【成 语】海底捞月 归根结底
【英 语】底下 under ['ʌndə]
【多音字】de(见 152 页)

| dì | 笔画 | 部首 | 结构 | 五笔 | 造字法 |
|---|---|---|---|---|---|
| 地 | 6 | 土 | 左右 | F | 形声 |
| 笔顺 | 一 十 土 圠 地 地 | | | | |

【解 释】❶地球。❷地球的表面。❸土地;田地。❹地区;某一处所。❺所处的位置或环境。❻花纹或文字的衬托面;底子。❼路程。❽区域。
【组 词】地球 地板 土地 地基
【造 句】地大物博——我国人口众多,地大物博。
【同音字】弟(弟弟) 帝(皇帝)
【形近字】池(水池) 驰(奔驰)
【成 语】地大物博 地广人稀
【反义词】地面/天空
【近义词】地广人稀/渺无人烟
【谚 语】地在人种,事在人为。
【英 语】地区 area ['εəriə]
【多音字】de(见 152 页)

| dì | 笔画 | 部首 | 结构 | 五笔 | 造字法 |
|---|---|---|---|---|---|
| 弟 | 7 | 丷 | 上下 | UXHT | 象形 |
| 笔顺 | 丶 丷 丷 当 当 弟 弟 | | | | |

【解 释】❶同父母(或只同父、只同母)而年纪比自己小的男子。❷同辈中年纪比自己小的男子。❸朋友相互间的谦称。
【组 词】弟弟 表弟 弟兄
【同音字】地(地下) 帝(皇帝)
【形近字】第(门第)
【谚 语】弟兄不和邻里欺,将相不和邻国欺。
【英 语】弟弟 brother ['brʌðə]

| dì | 笔画 | 部首 | 结构 | 五笔 | 造字法 |
|---|---|---|---|---|---|
| 的 | 8 | 白 | 左右 | R | 形声 |
| 笔顺 | ′ 亻 白 白 白 的 的 的 | | | | |

【解 释】箭靶的中心;目标。
【组 词】目的
【造 句】目的——我们的目的地是山顶。
【同音字】弟(弟弟) 递(传递)
【形近字】约(大约)
【成 语】众矢之的 有的放矢
【反义词】无的放矢/有的放矢
【近义词】无的放矢/对牛弹琴
【英 语】目的 aim [eim]

【多音字】de(见 152 页)

【多音字】dí(见 155 页)

| dì | 笔画 | 部首 | 结构 | 五笔 | 造字法 |
| --- | --- | --- | --- | --- | --- |
| 帝 | 9 | 巾 | 上中下 | UPMH | 象形 |
| 笔顺 | 帝 | | | | |

【解　释】❶封建君主,最高统治者。❷宗教徒或神话中称宇宙的创造者和主宰者。❸帝国主义的简称。

甲骨文　金文　小篆　隶书　楷书

【字源释义】"帝"原是"禘"(音 dì)的本字。"禘"是古人对上天或宗庙的祭祀仪式。由于"帝"的字形像几根木材所组成的祭台的样子,后来多假借为帝王有关字意。

【组　词】皇帝　上帝　帝王

【同音字】递(递送)　弟(弟弟)

【形近字】带(带领)　谛(谛听)

【英　语】帝王　emperor [ˈempərə]

| dì | 笔画 | 部首 | 结构 | 五笔 | 造字法 |
| --- | --- | --- | --- | --- | --- |
| 递 | 10 | 辶 | 半包围 | UXHP | 形声 |
| 笔顺 | 弟 弟 弟 递 | | | | |

【解　释】❶传送;传递。❷按顺序。

【组　词】递补　传递　递减

【造　句】递减——劳动生产率逐步提高,产品的成本也随之减少。

【同音字】弟(弟弟)　帝(皇帝)

【形近字】第(门第)　弟(兄弟)

【反义词】递增/递减

【英　语】递送　send [send]

| dì | 笔画 | 部首 | 结构 | 五笔 | 造字法 |
| --- | --- | --- | --- | --- | --- |
| 第 | 11 | ⺮ | 上下 | TX | 形声 |
| 笔顺 | 第 第 | | | | |

【解　释】❶科举时代称考中叫及第,没有考中叫落第。❷用在数词前表示次序。❸旧时官僚贵族的住宅。

【组　词】第一　府第　及第

【同音字】递(送递)　地(地下)

【形近字】弟(弟弟)

【反义词】及第/落第

【英　语】第一　first [fəːst]

| dì | 笔画 | 部首 | 结构 | 五笔 | 造字法 |
| --- | --- | --- | --- | --- | --- |
| 谛 | 11 | 讠 | 左右 | YUPH | 形声 |
| 笔顺 | 谛 谛 | | | | |

【解　释】❶仔细;注意。❷道理;意义。

【组　词】谛听　真谛　妙谛

【造　句】真谛——我们要热爱生活,探索生活的真谛。

【同音字】递(传递)　弟(弟弟)

【形近字】帝(皇帝)

【成　语】屏息谛听

【英　语】真谛 truth [truːθ]

| dì | 笔画 | 部首 | 结构 | 五笔 | 造字法 |
|---|---|---|---|---|---|
| 蒂 | 12 | 艹 | 上下 | AUPH | 形声 |
| 笔顺 | 一 十 艹 艹 芢 芢 苎 苎 菧 菧 蒂 蒂 | | | | |

【解　释】❶瓜、果等跟茎、枝相连的部分。❷物体的尾部或剩余部分。
【组　词】并蒂莲
【造　句】根深蒂固——在农村，养儿防老的观念根深蒂固。
【同音字】弟（兄弟）　第（第一）
【形近字】帝（皇帝）
【成　语】瓜熟蒂落　根深蒂固
【英　语】芥蒂 ill feeling [il ˈfiːliŋ]

| dì | 笔画 | 部首 | 结构 | 五笔 | 造字法 |
|---|---|---|---|---|---|
| 缔 | 12 | 纟 | 左右 | XUPH | 形声 |
| 笔顺 | 纟 纟 纟 纟 纩 纩 纩 纩 纩 纩 缔 缔 | | | | |

【解　释】❶结合；订立。❷建立。
【组　词】缔交　缔结　缔约　缔造
【造　句】缔结——中美两国将于近日缔结双边贸易协定。
【同音字】地（土地）
【形近字】谛（真谛）
【英　语】缔结 conclude [kənˈkluːd]

## DIAN ㄉㄧㄢ

| diān | 笔画 | 部首 | 结构 | 五笔 | 造字法 |
|---|---|---|---|---|---|
| 掂 | 11 | 扌 | 左右 | RYHK | 形声 |
| 笔顺 | 一 十 扌 扌 扩 扩 扩 扩 扩 掂 掂 | | | | |

【解　释】用手托着东西上下晃动来试轻重。
【组　词】掂量　掂对　掂掇
【造　句】掂量——你好好掂量老师这句话的分量吧。
【辨　音】不读 diàn。
【同音字】颠（颠簸）　巅（山巅）
【形近字】店（商店）　踮（踮脚）
【成　语】掂斤播两
【反义词】掂斤播两/宽宏大量
【近义词】掂斤播两/斤斤计较
【英　语】掂量 estimate [ˈestimeit]

| diān | 笔画 | 部首 | 结构 | 五笔 | 造字法 |
|---|---|---|---|---|---|
| 颠 | 16 | 页 | 左右 | FHWM | 形声 |
| 笔顺 | 一 十 𠂇 冇 冇 冇 直 直 真 真 真 真 颠 颠 颠 颠 | | | | |

【解　释】❶顶端；头顶。❷上下震荡。❸倒置；错乱。❹跌落；倒下来。❺跳起来跑。❻最高、最上的地方。
【组　词】颠簸　颠覆　颠沛
【造　句】颠簸——风更大了，小船在江中颠簸得更厉害了。
【同音字】掂（掂量）
【形近字】巅（山巅）
【成　语】颠倒黑白　颠沛流离
【反义词】颠簸/平稳
【英　语】颠倒 reverse [riˈvəːs]

| diān | 笔画 | 部首 | 结构 | 五笔 | 造字法 |
|---|---|---|---|---|---|
| 巅 | 19 | 山 | 上下 | MFHM | 形声 |
| 笔顺 | 丨 山 山 岀 岀 岂 岂 岂 岂 岂 岂 岂 岂 岂 岂 岂 巅 巅 巅 | | | | |

【解　释】山顶。
【组　词】山巅　巅峰

D

【造　句】巅峰——青少年要努力学习,勇于攀登科学巅峰。
【同音字】掂(掂量)　颠(颠簸)
【形近字】颠(颠簸)
【反义词】山巅/山脚
【近义词】山巅/山顶
【英　语】巅　summit [ˈsʌmit]

| diān | 笔画 | 部首 | 结构 | 五笔 | 造字法 |
|---|---|---|---|---|---|
| 癫 | 21 | 疒 | 半包围 | UFHM | 形声 |
| 笔顺 | 丶 亠 广 疒 疒 疒 疒 疒 疒 疒 疒 疒 疒 疒 疒 疒 疒 疒 癫 癫 癫 | | | | |

【解　释】精神错乱,言语行动失常。
【组　词】癫狂　癫痫　癫子
【同音字】掂(掂量)　颠(颠簸)
【形近字】巅(山巅)
【英　语】癫痫　epilepsy [ˈepilepsi]

| diǎn | 笔画 | 部首 | 结构 | 五笔 | 造字法 |
|---|---|---|---|---|---|
| 典 | 8 | 八 | 上下 | MAWU | 会意 |
| 笔顺 | 丨 冂 冂 冂 曲 曲 典 典 | | | | |

【解　释】❶标准、法则或作为依据的书籍。❷郑重举行的仪式。❸引用的古书中的典故或词句。❹主持;主管。❺用抵押品借钱。❻准则;法规。

甲骨文　金文　小篆　隶书　楷书

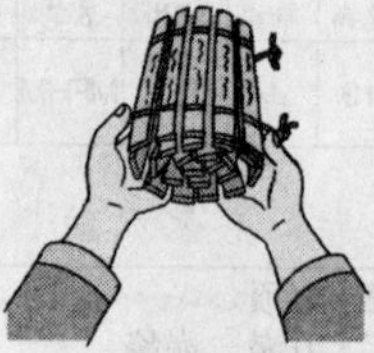

【字源释义】甲骨文的字形像两只手捧着编串成的“简册”,表示这是重要的文献或书籍。后引申为“准则”、“制度”、“法则”等义。
【组　词】典范　词典　典当　典型
【造　句】典范——她是我们学习的典范。
【同音字】点(点击)　踮(踮起)
【形近字】曲(戏曲)　兴(高兴)
【反义词】引经据典/信口开河
【近义词】典范/模范
【英　语】字典　dictionary [ˈdikʃənəri]

| diǎn | 笔画 | 部首 | 结构 | 五笔 | 造字法 |
|---|---|---|---|---|---|
| 点 | 9 | 灬 | 上下 | HKOU | 形声 |
| 笔顺 | 丨 卜 卜 占 占 占 点 点 点 | | | | |

【解　释】❶液体的小滴。❷小的痕迹。❸汉字的一种笔画。❹语文、数学常用的符号。❺时间。❻处所;地方。❼限度。❽方面;部分。❾食品;点心。❿检查;核对。⓫启发;指明。⓬指定。⓭引燃。⓮装饰。⓯向下落的动作。⓰量词。⓱触碰。⓲旧时夜间计时用的更点。
【组　词】点播　特点　点缀　点击
【造　句】点缀——加上这条项链的点缀,她看起来更漂亮了。
【同音字】典(字典)
【形近字】沾(沾水)　店(商店)
【反义词】缺点/优点
【近义词】点缀/装饰
【谚　语】点石化为金,人心犹未足。
【英　语】点燃　light [lait]

| diǎn | 笔画 | 部首 | 结构 | 五笔 | 造字法 |
| --- | --- | --- | --- | --- | --- |
| 碘 | 13 | 石 | 左右 | DMAW | 形声 |
| 笔顺 | 一 丆 丆 石 石 石 石冂 石冂 矶 砷 碘 碘 碘 | | | | |

【解　释】非金属元素，符号 I。人体缺碘会引起甲状腺肿大。
【组　词】碘酒　碘盐
【同音字】典(典范)
【英　语】碘　iodine [ˈaiədiːn]

| diǎn | 笔画 | 部首 | 结构 | 五笔 | 造字法 |
| --- | --- | --- | --- | --- | --- |
| 踮 | 15 | 𧾷 | 左右 | KHYK | 形声 |
| 笔顺 | 丨 口 口 早 早 ⻊ 𧾷 𧾷 𧾷 跕 跕 踮 踮 踮 踮 | | | | |

【解　释】抬起脚后跟，用脚尖站着。
【组　词】踮脚　踮着
【造　句】踮脚——她人矮，只有踮脚才能看见。
【同音字】典(字典)　点(点心)
【形近字】掂(掂量)
【英　语】踮　tiptoe [ˈtiptəu]

| diàn | 笔画 | 部首 | 结构 | 五笔 | 造字法 |
| --- | --- | --- | --- | --- | --- |
| 电 | 5 | 乚 | 独体 | JNV | 象形 |
| 笔顺 | 丨 冂 日 日 电 | | | | |

【解　释】❶一种很重要的能源，广泛用在生产和生活各方面，如发光、发热、产生动力等。❷触电。❸电报的简称。❹专指闪电。
【组　词】电灯　电池　电报　电话
【同音字】店(商店)　惦(惦念)
【形近字】龟(海龟)
【谚　语】电光西北，下雨涟涟。
【英　语】电话　telephone [ˈtelifəun]

| diàn | 笔画 | 部首 | 结构 | 五笔 | 造字法 |
| --- | --- | --- | --- | --- | --- |
| 佃 | 7 | 亻 | 左右 | WLG | 会意 |
| 笔顺 | 丿 亻 亻 亻冂 亻日 佃 佃 | | | | |

【解　释】租种土地。
【组　词】佃户　佃农　佃东　佃租
【造　句】佃农——老爷爷过去是个佃农。
【同音字】店(店子)　玷(玷污)
【形近字】田(田地)　甸(草甸)
【英　语】佃户　tenant [ˈtenənt]
【多音字】tián(见 707 页)

| diàn | 笔画 | 部首 | 结构 | 五笔 | 造字法 |
| --- | --- | --- | --- | --- | --- |
| 甸 | 7 | 勹 | 半包围 | QLD | 会意 |
| 笔顺 | 丿 勹 勹 句 句 甸 甸 | | | | |

【解　释】❶都城郊外的地方。❷甸子(多用于地名)。❸形容沉重的样子。❹放牧的地方。
【组　词】甸子　草甸　沉甸甸
【造　句】沉甸甸——书包沉甸甸的，就像他的心情。
【同音字】店(商店)　惦(惦记)
【形近字】旬(上旬)　句(句号)
【反义词】沉甸甸/轻飘飘
【英　语】草甸　grassland [ˈgrɑːslænd]

| diàn | 笔画 | 部首 | 结构 | 五笔 | 造字法 |
| --- | --- | --- | --- | --- | --- |
| 店 | 8 | 广 | 半包围 | YHKD | 形声 |
| 笔顺 | 丶 亠 广 广 庐 庐 店 店 | | | | |

【解　释】❶出售商品的铺子。❷客舍；旅馆。

D

【组　词】商店　店铺　旅店　酒店
【同音字】惦(惦念)　电(电灯)
【形近字】掂(掂量)　惦(惦记)
【英　语】店铺　store [stɔː]

| diàn | 笔画 | 部首 | 结构 | 五笔 | 造字法 |
|---|---|---|---|---|---|
| 玷 | 9 | 王 | 左右 | GHKG | 形声 |
| 笔顺 | 一 二 干 王 玎 玎 玓 玷 玷 | | | | |

D

【解　释】❶白玉上的污点。❷弄脏;染上污点。
【组　词】玷辱　玷污
【造　句】玷污——他的所作所为完全玷污了他的光荣称号。
【同音字】店(商店)
【英　语】玷污　stain [stein]

| diàn | 笔画 | 部首 | 结构 | 五笔 | 造字法 |
|---|---|---|---|---|---|
| 垫 | 9 | 土 | 上下 | RVYF | 形声 |
| 笔顺 | 一 十 扌 扌 执 执 执 垫 垫 | | | | |

【解　释】❶用东西衬或铺,使加高或加厚。❷填补空缺。❸暂时替人付钱。❹衬托的东西。
【组　词】垫背　垫付　鞋垫　垫子
【同音字】店(商店)　佃(佃农)
【形近字】挚(真挚)　势(势力)
【近义词】垫付/垫支
【英　语】垫子　cushion [ˈkuʃən]

| diàn | 笔画 | 部首 | 结构 | 五笔 | 造字法 |
|---|---|---|---|---|---|
| 淀 | 11 | 氵 | 左右 | IPGH | 形声 |
| 笔顺 | 丶 冫 氵 氵 氵 沪 沪 沱 沱 淀 淀 | | | | |

【解　释】❶浅的湖泊,多用于地名。❷液体里沉下的渣滓或粉末。
【组　词】淀粉　沉淀　白洋淀
【辨　音】不读 dìng。
【同音字】店(商店)
【形近字】锭(锭子)　绽(绽开)
【反义词】沉淀/飘浮
【近义词】沉淀/沉积
【英　语】沉淀　deposit [diˈpɔzit]

| diàn | 笔画 | 部首 | 结构 | 五笔 | 造字法 |
|---|---|---|---|---|---|
| 惦 | 11 | 忄 | 左右 | NYHK | 形声 |
| 笔顺 | 丶 忄 忄 忄 忙 忙 忙 忙 惦 惦 惦 | | | | |

【解　释】心里老是想着。
【组　词】惦记　惦念
【造　句】惦念——我在外地上学,母亲非常惦念我。
【同音字】电(电灯)
【形近字】掂(掂量)　踮(踮脚)
【反义词】惦记/忘记
【近义词】惦念/想念
【英　语】惦记　be concerned about [biː kənˈsəːnd əˈbaut]

| diàn | 笔画 | 部首 | 结构 | 五笔 | 造字法 |
|---|---|---|---|---|---|
| 奠 | 12 | 大 | 上下 | USGD | 会意 |
| 笔顺 | 丶 丷 䒑 䒑 芇 芇 茜 茜 酋 酋 奠 奠 | | | | |

【解　释】❶用祭品向死者表示哀悼的仪式。❷建立;安置。

甲骨文　金文　小篆　隶书　楷书

【字源释义】甲骨文与金文的"奠"字像把酒坛搁置在平台或桌子上,表示祭祀死者,这是"奠"字的本义。又有"放置"、"设置"的意思,如"奠基"。
【组　词】祭奠　奠基　奠定
【造　句】奠基——市长为我校新建的教学楼奠基。
【同音字】店(商店)　电(电灯)
【形近字】尊(尊敬)
【近义词】奠基/铺垫
【英　语】奠基者 founder [ˈfaundə]

| diàn | 笔画 | 部首 | 结构 | 五笔 | 造字法 |
|---|---|---|---|---|---|
| 殿 | 13 | 殳 | 左右 | NAWC | 形声 |
| 笔顺 | ㇇ ㇇ 尸 尸 尸 屏 屏 屏 屏 屏 屏 殿 殿 | | | | |

【解　释】❶高大的房屋,特指供奉神佛或帝王受朝理事的房屋。❷排列在最后。
【组　词】宫殿　佛殿　殿后　太和殿
【同音字】店(商店)　电(电灯)
【形近字】尉(少尉)
【英　语】殿下 Your Highness [jɔː ˈhainis]

# DIAO ㄉㄧㄠ

| diāo | 笔画 | 部首 | 结构 | 五笔 | 造字法 |
|---|---|---|---|---|---|
| 刁 | 2 | ㇆ | 独体 | NGD | 象形 |
| 笔顺 | ㇆ 刁 | | | | |

【解　释】❶狡猾。❷过分挑食。
【组　词】刁钻　刁猾　刁悍　刁难
【造　句】刁难——不要刁难他了,他已经尽力了。
【辨　音】不读 dāo。
【同音字】凋(凋谢)　碉(碉堡)
【形近字】习(习惯)　刀(刀枪)
【成　语】刁钻古怪
【反义词】刁难/关照
【近义词】刁难/为难
【谚　语】刁巧伶俐奸,不胜忠厚老实憨。
【英　语】刁钻 tricky [ˈtriki]

| diāo | 笔画 | 部首 | 结构 | 五笔 | 造字法 |
|---|---|---|---|---|---|
| 叼 | 5 | 口 | 左右 | KNGG | 形声 |
| 笔顺 | 丨 ㇕ 口 叼 叼 | | | | |

【解　释】用嘴夹着物体一部分。
【组　词】叼着　叼走　叼肉
【造　句】叼走——夜里,黄鼠狼常常叼走鸡。
【辨　音】不读 dāo。
【同音字】雕(雕刻)　凋(凋谢)
【形近字】刁(刁难)
【近义词】叼着/夹着
【英　语】叼 hold in the mouth [həuld in ðə mauθ]

| diāo | 笔画 | 部首 | 结构 | 五笔 | 造字法 |
|---|---|---|---|---|---|
| 凋 | 10 | 冫 | 左右 | UMFK | 形声 |
| 笔顺 | 丶 冫 冫 冂 冂 冂 冂 凋 凋 凋 | | | | |

【解　释】❶死亡；衰败。❷破灭；脱落。
【组　词】凋谢　凋敝　凋零　凋落
【造　句】凋谢——冬天一到，花都凋谢了。
【同音字】雕(雕花)　刁(刁钻)
【形近字】周(周全)　调(调动)
【反义词】凋谢/盛开
【近义词】凋谢/脱落
【英　语】凋谢　wither [ˈwiðə]

| diāo | 笔画 | 部首 | 结构 | 五笔 | 造字法 |
|---|---|---|---|---|---|
| 貂 | 12 | 豸 | 左右 | EEVK | 形声 |
| 笔顺 | ノ ノ 𠂉 乎 豸 豸 豸 豹 貂 貂 貂 貂 | | | | |

【解　释】哺乳动物的一种，身体细长，四肢短，耳朵三角形，种类很多，毛皮很珍贵。
【组　词】紫貂　貂皮
【同音字】刁(刁钻)
【形近字】豹(豹子)
【成　语】狗尾续貂
【谚　语】貂惜皮毛象护牙。
【英　语】貂皮　marten [ˈmɑːtin]

| diāo | 笔画 | 部首 | 结构 | 五笔 | 造字法 |
|---|---|---|---|---|---|
| 碉 | 13 | 石 | 左右 | DMFK | 形声 |
| 笔顺 | 一 丆 不 石 石 矶 矶 矶 矶 碉 碉 碉 碉 | | | | |

【解　释】碉堡，军事上用于防守的坚固建筑物，多用砖石、钢筋混凝土等建成。
【组　词】碉堡　碉楼
【同音字】刁(刁钻)　叼(叼着)
【形近字】凋(凋谢)　调(调动)
【英　语】碉堡　blockhouse [ˈblɔkhaus]

| diāo | 笔画 | 部首 | 结构 | 五笔 | 造字法 |
|---|---|---|---|---|---|
| 雕 | 16 | 隹 | 左右 | MFKY | 形声 |
| 笔顺 | 丿 月 月 用 用 用 周 周 周 周 周 雕 雕 雕 雕 雕 | | | | |

【解　释】❶鸟类的一属，猛禽，也叫鹫。❷指雕刻艺术或雕刻作品。❸有彩画装饰的。❹在竹木、玉石、金属等上面刻画。
【组　词】雕刻　木雕　雕版　石雕
【同音字】凋(凋谢)　刁(刁钻)
【形近字】凋(凋落)　准(准备)
【成　语】雕虫小技　雕梁画栋
【近义词】雕梁画栋/雕阑玉砌
【谚　语】雕鹰落鸡场，没安好心肠。
【英　语】雕刻　carve [kɑːv]

| diào | 笔画 | 部首 | 结构 | 五笔 | 造字法 |
|---|---|---|---|---|---|
| 吊 | 6 | 口 | 上下 | KMHJ | 会意 |
| 笔顺 | 丨 口 口 吕 吊 吊 | | | | |

【解　释】❶祭奠死者并慰问他的家属。❷用绳子等物系着向上提或向下放。❸把球从网上轻轻打到对方难以接到的地方。❹收回。❺量词。旧时一千个铜钱为一吊。❻悬挂起来。
【组　词】吊车　吊床　吊祭　吊桥　吊销　吊环　吊脚楼
【造　句】吊销——这个书店卖盗版书，前不久被吊销了营业执照。

【同音字】钓(钓鱼) 调(调动)
【形近字】巾(毛巾) 币(币制)
【成 语】吊民伐罪
【近义词】吊销/取消
【歇后语】十五个吊桶打水——七上八下。
【英 语】吊唁 condolence [kən'dəuləns]

| diào | 笔画 | 部首 | 结构 | 五笔 | 造字法 |
|---|---|---|---|---|---|
| 钓 | 8 | 钅 | 左右 | QQYY | 形声 |
| 笔顺 | ノ 𠂉 𠃋 𠃌 钅 钅 钓 钓 | | | | |

【解 释】❶用钓竿捉鱼或其他水生动物。❷比喻用手段猎取。❸指钓钩。
【组 词】钓鱼 钓钩 钓具
【辨 音】不读 gōu。
【同音字】调(调动) 掉(掉下)
【形近字】钩(鱼钩) 约(大约)
【成 语】沽名钓誉
【反义词】沽名钓誉/实至名归
【近义词】沽名钓誉/欺世盗名
【谚 语】钓鱼要稳,拿鱼要狠。
【英 语】钓鱼 go fishing [gəu 'fiʃiŋ]

| diào | 笔画 | 部首 | 结构 | 五笔 | 造字法 |
|---|---|---|---|---|---|
| 调 | 10 | 讠 | 左右 | YMFK | 形声 |
| 笔顺 | ` 讠 讠 订 讥 讥 诇 调 调 调 | | | | |

【解 释】❶分派;调动。❷调查。❸腔调。❹论调。❺乐曲以什么音做 do,就叫做什么调。❻音乐上高低长短配合的成组的音。❼指语音上的音调。
【组 词】调动 调包 调职
【造 句】调动——张老师因工作调动,下一个学期就不能教我们了。
【同音字】钓(钓鱼) 掉(掉下)
【成 语】调兵遣将 调虎离山
【反义词】调动/留守
【近义词】调兵遣将/兴师动众
【英 语】调动 move [mu:v]
【多音字】tiáo(见 709 页)

| diào | 笔画 | 部首 | 结构 | 五笔 | 造字法 |
|---|---|---|---|---|---|
| 掉 | 11 | 扌 | 左右 | RHJH | 形声 |
| 笔顺 | 一 ㇀ 扌 扌 扌 扌 扌 拍 拍 掉 掉 | | | | |

【解 释】❶摇摆。❷落在后面。❸脱落;消减。❹丢失;遗漏。❺对换;转回。❻摆动。❼完;去。用在动词后面表示动作的完成。❽落下。❾卖弄。
【组 词】掉队 掉色 掉价 掉转
【造 句】掉队——我们爬山时,小美因为太胖,走不动,掉队了。
【同音字】调(调动) 钓(钓鱼)
【形近字】绰(绰绰有余)
【成 语】掉以轻心
【反义词】掉以轻心/小心谨慎
【近义词】掉以轻心/漫不经心
【谚 语】掉下个树叶怕打破头。
【英 语】掉转 turn around [tə:n ə'raund]

## DIE ㄉㄧㄝ

| diē | 笔画 | 部首 | 结构 | 五笔 | 造字法 |
|---|---|---|---|---|---|
| 爹 | 10 | 父 | 上下 | WQQQ | 形声 |
| 笔顺 | ノ 八 父 父 爷 爷 爷 爹 爹 爹 | | | | |

D

【解　释】❶父亲。❷对老人或长者的尊称。
【组　词】爹爹
【同音字】跌(跌落)
【形近字】斧(斧头)　爷(爷爷)
【英　语】爹爹　father [ˈfɑːðə]

| diē | 笔画 | 部首 | 结构 | 五笔 | 造字法 |
| --- | --- | --- | --- | --- | --- |
| 跌 | 12 | 𧾷 | 左右 | KHRW | 形声 |
| 笔顺 | 丨 ㄇ 口 口 ⺊ 𧾷 𧾷 𧾷 𧾷 𧾷 跌 跌 | | | | |

D

【解　释】❶摔；摔倒。❷降落；下降。
【组　词】跌跤　跌倒　跌价
【造　句】跌倒——我心里明白，在哪里跌倒，就从哪里爬起来。
【同音字】爹(爹爹)
【形近字】迭(迭起)
【反义词】跌落/上涨
【近义词】跌倒/摔倒
【谚　语】在哪跌倒，在哪爬起。
【英　语】跌落　fall [fɔːl]

| dié | 笔画 | 部首 | 结构 | 五笔 | 造字法 |
| --- | --- | --- | --- | --- | --- |
| 迭 | 8 | 辶 | 半包围 | RWPI | 形声 |
| 笔顺 | 丿 𠂉 二 牛 失 失 迭 迭 | | | | |

【解　释】❶轮流；替换。❷屡次。❸及。
【组　词】更迭　迭次　迭起
【造　句】迭起——这次演出高潮迭起，非常精彩。
【同音字】叠(叠着)　谍(间谍)
【形近字】跌(跌倒)　秩(秩序)
【成　语】叫苦不迭
【反义词】叫苦不迭/乐不可支
【近义词】叫苦不迭/叫苦连天

【英　语】迭次　repeatedly [riˈpiːtidli]

| dié | 笔画 | 部首 | 结构 | 五笔 | 造字法 |
| --- | --- | --- | --- | --- | --- |
| 谍 | 11 | 讠 | 左右 | YANS | 形声 |
| 笔顺 | 丶 讠 讠 讠 讠 讠 讠 谍 谍 谍 谍 | | | | |

【解　释】❶秘密探听敌方的情况。❷从事侦察、刺探活动的人。
【组　词】间谍　谍报　防谍
【同音字】叠(重叠)　迭(更迭)
【形近字】蝶(蝴蝶)
【英　语】间谍　spy [spai]

| dié | 笔画 | 部首 | 结构 | 五笔 | 造字法 |
| --- | --- | --- | --- | --- | --- |
| 喋 | 12 | 口 | 左右 | KANS | 形声 |
| 笔顺 | 丨 ㄇ 口 口 口 口 口 口 喋 喋 喋 喋 | | | | |

【解　释】喋喋，没完没了地说话。
【组　词】喋血
【造　句】喋喋不休——她一个人喋喋不休地说着，也不管别人爱听不爱听。
【同音字】迭(迭起)　叠(重叠)
【形近字】蝶(蝴蝶)
【成　语】喋喋不休
【反义词】喋喋不休/沉默寡言
【近义词】喋喋不休/滔滔不绝
【英　语】喋血　bloodshed [ˈblʌdʃed]

| dié | 笔画 | 部首 | 结构 | 五笔 | 造字法 |
| --- | --- | --- | --- | --- | --- |
| 叠 | 13 | 又 | 上下 | CCCG | 会意 |
| 笔顺 | 乛 又 叒 叒 叒 叒 叒 叒 叠 叠 叠 叠 叠 | | | | |

【解　释】❶重复地堆，一层加一层。❷折叠。
【组　词】重叠　叠韵　叠衣服
【造　句】峰峦叠嶂——我们在山顶上俯瞰全山，峰峦叠嶂，蔚为壮观。
【同音字】迭(迭起)　蝶(蝶形)
【成　语】层峦叠嶂
【英　语】重叠　overlap [əuvə'læp]

| dié | 笔画 | 部首 | 结构 | 五笔 | 造字法 |
| --- | --- | --- | --- | --- | --- |
| 碟 | 14 | 石 | 左右 | DANS | 形声 |
| 笔顺 | 一 丆 丆 石 石 石一 石十 石廿 石廿 石丗 石丗 碟 碟 碟 | | | | |

【解　释】碟子，盛菜或调味品的器皿，比盘子小，底平而浅。
【组　词】碟子　菜碟　小碟
【同音字】迭(迭起)
【形近字】喋(喋喋)
【歇后语】碟儿盛水——浅见。
【英　语】碟子　small dish [smɔːl diʃ]

| dié | 笔画 | 部首 | 结构 | 五笔 | 造字法 |
| --- | --- | --- | --- | --- | --- |
| 蝶 | 15 | 虫 | 左右 | JANS | 形声 |
| 笔顺 | 丨 口 口 中 虫 虫 虫一 虫十 虫廿 虫廿 虫丗 虫丗 蝶 蝶 蝶 | | | | |

【解　释】❶蝴蝶，一种昆虫，翅膀阔大，颜色美丽，吸花粉，种类很多，有的是害虫，有的是益虫。❷动作或形状像蝴蝶的。
【组　词】蝴蝶　蝶泳　蝶骨
【同音字】谍(间谍)
【形近字】喋(喋喋不休)
【英　语】蝴蝶　butterfly ['bʌtəflai]

## DING ㄉㄧㄥ

| dīng | 笔画 | 部首 | 结构 | 五笔 | 造字法 |
| --- | --- | --- | --- | --- | --- |
| 丁 | 2 | 一 | 独体 | SGH | 象形 |
| 笔顺 | 一 丁 | | | | |

【解　释】❶天干的第四位。❷指人口。❸称从事某种职业的人。❹表示少量的小碎片或小碎块。❺表示声音。❻成年男子。❼遭遇，碰上。❽姓。

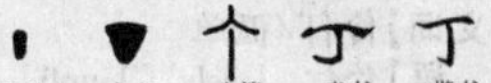

甲骨文　金文　小篆　隶书　楷书

【字源释义】“丁”是“钉”的本字。从字形来看有点像钉子。“丁”的本义后来不存，就另选“钉”字表示“钉子”义。
【组　词】壮丁　园丁　丁当　丁零　丁香　丁税
【同音字】钉(钉子)　仃(伶仃)
【形近字】十(十位)　仃(伶仃)
【成　语】目不识丁
【反义词】目不识丁/学富五车
【近义词】目不识丁/不识之无
【谚　语】丁是丁，卯是卯。
【英　语】丁香　lilac ['lailək]
【多音字】zhēng(见916页)

D

| dīng | 笔画 | 部首 | 结构 | 五笔 | 造字法 |
| --- | --- | --- | --- | --- | --- |
| 仃 | 4 | 亻 | 左右 | WSH | 形声 |
| 笔顺 | ノ 亻 亻 仃 | | | | |

【解　释】[伶仃]❶孤独没有依靠。❷瘦弱。
【组　词】伶仃
【造　句】伶仃——这孩子从小孤苦伶仃,无依无靠。
【同音字】钉(钉子)
【形近字】叮(叮嘱)
【近义词】伶仃/孤单
【英　语】伶仃　lonely［ˈləunli］

D

| dīng | 笔画 | 部首 | 结构 | 五笔 | 造字法 |
| --- | --- | --- | --- | --- | --- |
| 叮 | 5 | 口 | 左右 | KSH | 形声 |
| 笔顺 | 丨 ㄇ 口 口一 叮 | | | | |

【解　释】❶蚊子咬人。❷嘱咐。❸追问。❹象声词。
【组　词】叮嘱　叮咬　叮当
【造　句】叮嘱——我独自一人去乡下外婆家,妈妈再三叮嘱我注意安全。
【同音字】丁(人丁)　钉(钉子)
【形近字】盯(盯着)
【近义词】叮嘱/嘱咐
【英　语】叮嘱　reiterate［riːˈitəreit］

| dīng | 笔画 | 部首 | 结构 | 五笔 | 造字法 |
| --- | --- | --- | --- | --- | --- |
| 盯 | 7 | 目 | 左右 | HSH | 形声 |
| 笔顺 | 丨 ㄇ 月 月 目 盯 盯 | | | | |

【解　释】❶直视。❷紧跟着看。
【组　词】盯住　盯梢　盯着
【辨　音】韵母是 ing,不是 in。
【同音字】丁(目不识丁)
【形近字】叮(叮咬)
【英　语】盯着　glare at［ɡlɛə æt］

| dīng | 笔画 | 部首 | 结构 | 五笔 | 造字法 |
| --- | --- | --- | --- | --- | --- |
| 钉 | 7 | 钅 | 左右 | QSH | 形声 |
| 笔顺 | ノ 𠂉 𠃌 𠂉 钅 钅一 钉 | | | | |

【解　释】❶钉子。❷紧跟着不放松。❸督促;催问。
【组　词】钉子　钉住　钉锤
【同音字】丁(目不识丁)
【形近字】盯(盯着)
【英　语】钉子　nail［neil］
【多音字】dìng(见 169 页)

| dǐng | 笔画 | 部首 | 结构 | 五笔 | 造字法 |
| --- | --- | --- | --- | --- | --- |
| 顶 | 8 | 页 | 左右 | SDMY | 形声 |
| 笔顺 | 一 丁 丁一 丁ノ 丁ア 顶 顶 顶 | | | | |

【解　释】❶人体或物体最上边的部分。❷用头支撑。❸从下面拱起。❹用头或角撞击。❺支撑;抵住。❻对面迎着。❼顶撞。❽担当;支持。❾相当;抵。❿代替。⓫指转让或取得企业经营权、房屋租赁权。⓬量词。用于某些有顶的东西。⓭副词。表示程度最高。
【组　词】顶端　顶点　顶撞　顶级
【造　句】顶撞——他后悔不该顶撞父亲。
【同音字】鼎(鼎沸)
【形近字】须(必须)　项(项目)
【成　语】顶天立地
【反义词】顶撞/服从
【近义词】顶撞/反驳
【英　语】顶替　replace［riˈpleis］

| dǐng | 笔画 | 部首 | 结构 | 五笔 | 造字法 |
|---|---|---|---|---|---|
| 鼎 | 12 | 鼎 | 上下 | HNDN | 象形 |
| 笔顺 | 丨 冂 冃 目 目 𣅀 𣅀 ⺝ 鼎 鼎 鼎 鼎 | | | | |

【解　释】❶古代煮东西用的器物,三足两耳。❷比喻三方面并立。❸正在。❹大。❺锅。
【组　词】鼎力　鼎立　鼎盛
【造　句】鼎立——赤壁之战奠定了魏、蜀、吴三国鼎立的局面。
【同音字】顶(头顶)
【成　语】鼎鼎大名
【近义词】鼎盛/兴盛
【英　语】鼎鼎大名　well known [wel nəun]

| dìng | 笔画 | 部首 | 结构 | 五笔 | 造字法 |
|---|---|---|---|---|---|
| 订 | 4 | 讠 | 左右 | YSH | 形声 |
| 笔顺 | 丶 讠 订 订 | | | | |

【解　释】❶审查修改。❷经过研究商讨而立下条约、章程等。❸预先登记或约定。❹装订。
【组　词】订婚　订单　订正　修订　装订　订金　订货　订书机
【造　句】订立——两国在平等互利的基础上订立了贸易合同。
【辨　音】不读 dīng。
【同音字】定(决定)
【形近字】叮(叮咬)
【近义词】订正/改正
【英　语】订购　order [ˈɔːdə]

| dìng | 笔画 | 部首 | 结构 | 五笔 | 造字法 |
|---|---|---|---|---|---|
| 钉 | 7 | 钅 | 左右 | QSH | 形声 |
| 笔顺 | ノ 𠂉 𠂉 乍 钅 钌 钉 | | | | |

【解　释】❶把钉子打进去或固定在别的东西上面。❷连接。
【组　词】钉钉子　钉扣子
【同音字】定(决定)
【多音字】dīng(见 168 页)

| dìng | 笔画 | 部首 | 结构 | 五笔 | 造字法 |
|---|---|---|---|---|---|
| 定 | 8 | 宀 | 上下 | PGHU | 会意 |
| 笔顺 | 丶 丶 宀 宀 宁 宇 定 定 | | | | |

【解　释】❶必然的;不能改变的。❷决计;议决。❸限制;不能超过。❹平静;稳定。❺预约。❻端正;安稳。
【组　词】稳定　定夺　定案　定点　定价　定期　定时　定岗
【造　句】定时——医生嘱咐他一定要定时吃药。
【同音字】订(订单)
【形近字】宝(宝贝)
【反义词】稳定/摆动
【近义词】稳定/平稳
【英　语】定律　theorem [ˈθiərəm]

## DIU　ㄉㄧㄡ

| diū | 笔画 | 部首 | 结构 | 五笔 | 造字法 |
|---|---|---|---|---|---|
| 丢 | 6 | 丿 | 上下 | TFCU | 指事 |
| 笔顺 | 一 二 千 王 丢 丢 | | | | |

【解　释】❶失掉;遗失。❷扔。❸搁置;放。
【组　词】丢失　丢掉　丢丑　丢手　丢面子
【造　句】丢三落四——小张是个粗心大意的人,干什么事都是丢三落四的。
【形近字】去(走去)

【成　语】丢三落四　丢盔弃甲　丢魂落魄
【反义词】丢掉/拾起　丢失/找到
【近义词】丢/失　丢失/失去
【英　语】丢失　lose [luːz]

## DONG　ㄉㄨㄥ

| dōng | 笔画 | 部首 | 结构 | 五笔 | 造字法 |
|---|---|---|---|---|---|
| 东 | 5 | 一 | 独体 | AI | 象形 |
| 笔顺 | 一 ⼠ 车 东 东 | | | | |

【解　释】❶方向名,太阳出来的方向。❷主人(古时主位在东,宾位在西)。❸东道(即请客的主人或义务)。
【组　词】东方　东城　房东
【造　句】东施效颦——学习别人的东西要根据自己的实际情况,如果一味模仿,只会闹出东施效颦的笑话。
【同音字】冬(冬天)
【形近字】乐(音乐)
【成　语】东山再起　东施效颦　东拉西扯
【反义词】东山再起/一蹶不振
【近义词】东施效颦/照猫画虎
【谚　语】东西不可乱吃,闲语不可乱讲。
【英　语】东方　the east [ðiː iːst]

| dōng | 笔画 | 部首 | 结构 | 五笔 | 造字法 |
|---|---|---|---|---|---|
| 冬 | 5 | 夂 | 上下 | TUU | 会意 |
| 笔顺 | ノ 夕 夂 冬 冬 | | | | |

【解　释】❶冬季,一年四季中最后的一季。❷象声词。形容敲鼓或敲门等声音。
【组　词】冬天　冬眠　冬季
【造　句】冬泳——爸爸不畏严寒,每年都坚持冬泳。
【同音字】东(东方)
【形近字】各(各人)　备(准备)
【谚　语】冬至清明稻熟年。
【英　语】冬天　winter [ˈwintə]

| dōng | 笔画 | 部首 | 结构 | 五笔 | 造字法 |
|---|---|---|---|---|---|
| 咚 | 8 | 口 | 左右 | KTUY | 形声 |
| 笔顺 | 丨 ㄇ 口 口ノ 吵 咚 咚 咚 | | | | |

【解　释】象声词。形容重东西落下的声音或连续的声音。
【组　词】咚咚
【造　句】咚咚——他在楼上用铁锤敲地板,弄得咚咚响。
【同音字】冬(冬天)　东(东方)
【形近字】冬(冬季)　咯(咯咯)

| dǒng | 笔画 | 部首 | 结构 | 五笔 | 造字法 |
|---|---|---|---|---|---|
| 董 | 12 | 艹 | 上下 | ATGF | 形声 |
| 笔顺 | 一 十 艹 艹 芢 芢 苪 菁 菁 菫 董 董 | | | | |

【解　释】❶监督管理。❷董事(监督管理的人)。❸姓。
【组　词】董事　董事会
【造　句】董事会——他爸爸是这家大公司的董事会成员。
【同音字】懂(懂事)
【形近字】重(重量)　墓(墓地)
【英　语】董事　director [diˈrektə]

| dǒng | 笔画 | 部首 | 结构 | 五笔 | 造字法 |
|---|---|---|---|---|---|
| 懂 | 15 | 忄 | 左右 | NATF | 形声 |
| 笔顺 | 丶 丶 忄 忄 忄 忄 忄 忄 忄 忄 忄 忄 忄 懂 懂 | | | | |

【解　释】知道;明白。

【组　词】懂事　懂得　懂行
【造　句】懂事——这孩子很懂事。
【同音字】董(董事会)
【形近字】情(事情)　董(董事)
【反义词】懂事/糊涂
【近义词】懂事/明理
【歇后语】傻子点头——不懂装懂。
【英　语】懂得　comprehend [kɔmpri'hend]

| dòng | 笔画 | 部首 | 结构 | 五笔 | 造字法 |
|---|---|---|---|---|---|
| 动 | 6 | 力 | 左右 | FCLN | 形声 |
| 笔顺 | 一 二 云 云 动 动 | | | | |

【解　释】❶改变原来的位置或脱离静止状态(跟"静"相对)。❷动作;行动。❸改变事物原来的位置或状态。❹使用;使某物起作用。❺引起;触发。❻感动。❼常常;往往。❽放在动词后面表效果。
【组　词】动作　流动　动笔　动词　动听　动摇　动迁
【造　句】动听——她唱歌很动听。
【同音字】冻(冻着)　栋(栋梁)
【形近字】劝(劝架)　劫(打劫)
【成　语】动人心魄　动人心弦
【反义词】流动/静止
【近义词】流动/运动
【谚　语】劲草惊跑蛇。
【英　语】动物　animal ['æniməl]

| dòng | 笔画 | 部首 | 结构 | 五笔 | 造字法 |
|---|---|---|---|---|---|
| 冻 | 7 | 冫 | 左右 | UAIY | 形声 |
| 笔顺 | 丶 冫 冫 汁 冻 冻 冻 | | | | |

【解　释】❶液体或含水分的东西遇冷凝固。❷寒冷;受冷。❸汤汁等凝结成的半固体。
【组　词】冰冻　冻结　冻伤　冻雨　冻疮　冻豆腐
【辨　音】不读 dōng。
【造　句】冻疮——今年冬天特别冷,我的手长冻疮了。
【同音字】动(动向)　栋(栋梁)
【形近字】东(东西)　栋(一栋)
【反义词】冰冻/融化
【近义词】冻/冷
【谚　语】冻死迎风站,饿死不折腰。
【英　语】冻结　freeze [fri:z]

| dòng | 笔画 | 部首 | 结构 | 五笔 | 造字法 |
|---|---|---|---|---|---|
| 栋 | 9 | 木 | 左右 | SAIY | 形声 |
| 笔顺 | 一 十 才 木 木 杧 栋 栋 栋 | | | | |

【解　释】❶房子的大梁,也叫正梁。❷量词。房屋一座叫一栋。
【组　词】栋梁　一栋
【造　句】栋梁——我们只有从小好好学习,长大了才能成为国家的栋梁之材。
【同音字】冻(冰冻)　侗(侗族)
【形近字】冻(冻结)
【成　语】汗牛充栋　雕梁画栋　栋梁之材
【反义词】栋梁之材/酒囊饭袋
【近义词】栋梁之材/中流砥柱
【英　语】栋梁　beam [bi:m]

| dòng | 笔画 | 部首 | 结构 | 五笔 | 造字法 |
|---|---|---|---|---|---|
| 洞 | 9 | 氵 | 左右 | IMGK | 形声 |
| 笔顺 | 丶 丶 氵 氵 汌 泂 洞 洞 洞 | | | | |

【解　释】❶孔;窟窿;深穴。❷透

彻;清楚。❸有的地方说数字时用来代表“0”。❹穿透。
【组　词】洞穴　山洞　洞察　洞房　洞府
【造　句】洞天福地——在陶渊明的笔下,桃花源是一个令人向往的洞天福地。
【同音字】动(动作)　冻(冰冻)
【形近字】侗(侗族)　恫(恫吓)
【成　语】洞天福地　洞若观火
【反义词】洞若观火/如坐云雾
【近义词】洞若观火/明察秋毫
【英　语】洞穴　cave [keiv]

D

## DOU ㄉㄡ

| dōu | 笔画 | 部首 | 结构 | 五笔 | 造字法 |
|---|---|---|---|---|---|
| 都 | 10 | 阝 | 左右 | FTJB | 形声 |
| 笔顺 | 一 十 土 耂 耂 者 者 者 者阝 都 | | | | |

【解　释】副词。❶表示总括,所总括的成分一般放在前面。❷跟“是”字合用,说明理由。❸表示“甚至”。❹表示加重语气。❺已经。
【组　词】都有　都是
【同音字】兜(兜风)
【形近字】堵(堵着)　郁(葱郁)
【反义词】都有/没有
【近义词】全都/全部
【英　语】都　all [ɔːl]
【多音字】dū(见 174 页)

| dōu | 笔画 | 部首 | 结构 | 五笔 | 造字法 |
|---|---|---|---|---|---|
| 兜 | 11 | 儿 | 上下 | QRNQ | 会意 |
| 笔顺 | ′ 𠂆 𠂎 𠂎 𠂎 𠂎 𠂎 𠂎 𠂎 𠂎 兜 | | | | |

【解　释】❶口袋一类的东西。❷把东西拢住。❸环绕。❹承担;包下来。❺招揽。❻兜底,把底细全部揭出。
【组　词】裤兜　衣兜　兜售　兜底　肚兜　兜圈子
【造　句】兜圈子——别跟我兜圈子了,有话直截了当地说吧。
【同音字】都(都是)
【反义词】兜售/购买
【近义词】衣兜/口袋
【英　语】兜子　pocket [ˈpɔkit]

| dǒu | 笔画 | 部首 | 结构 | 五笔 | 造字法 |
|---|---|---|---|---|---|
| 斗 | 4 | 斗 | 独体 | UFK | 象形 |
| 笔顺 | 丶 ⺀ 三 斗 | | | | |

【解　释】❶容量单位。10 升等于 1 斗,10 斗等于 1 石。❷旧时量米的用具。❸形状有点像斗的东西。❹圆形的指纹。❺古代盛酒的器具。❻二十八宿之一,通称南斗。❼北斗星的简称。
【组　词】漏斗　斗笔　斗胆　泰斗　星斗　烟斗　熨斗　斗笠　斗篷　斗拱　斗室
【造　句】斗转星移——斗转星移,岁月流逝,今天的中国大地上已经发生了翻天覆地的变化。
【同音字】陡(陡峭)　抖(抖落)
【形近字】头(头发)
【成　语】斗转星移　斗方名士　泰山北斗
【反义词】才高八斗/胸无点墨
【近义词】斗转星移/物换星移
【歇后语】斗笠丢了——冒(帽)失。
【谚　语】斗大的字不识一升。

【英　语】斗胆　venture［ˈventʃə］

【多音字】dòu（见 173 页）

| dǒu | 笔画 | 部首 | 结构 | 五笔 | 造字法 |
| --- | --- | --- | --- | --- | --- |
| 抖 | 7 | 扌 | 左右 | RUFH | 形声 |
| 笔顺 | 一 亅 扌 扌 扌 扌 抖 | | | | |

【解　释】❶甩动；振动。❷颤动；打哆嗦。❸全部倒出；彻底揭穿。❹振作；鼓起精神。❺讽刺人突然富贵。

【组　词】发抖　抖颤　抖擞　抖动　抖威风

【造　句】抖动——他抖动了一下缰绳，马便向草原飞奔而去。

【辨　音】不读 dòu。

【同音字】斗（斗笠）　陡（陡坡）

【形近字】斗（斗胆）　蚪（蝌蚪）

【成　语】精神抖擞

【反义词】精神抖擞/垂头丧气

【近义词】抖动/颤动

【英　语】抖动　shake［ʃeik］

| dǒu | 笔画 | 部首 | 结构 | 五笔 | 造字法 |
| --- | --- | --- | --- | --- | --- |
| 陡 | 9 | 阝 | 左右 | BFHY | 形声 |
| 笔顺 | 阝 阝 阝 阝 阝 阝 阝 阝 陡 | | | | |

【解　释】❶坡度很大。❷突然。

【组　词】陡坡　陡峭　陡变　陡然　陡立　陡峻　陡壁

【造　句】陡变——谎言被别人拆穿后，他脸色陡变。

【辨　音】不读 tú。

【同音字】斗（斗笠）　抖（抖擞）

【形近字】徒（徒弟）　走（走路）

【反义词】陡峭/平坦

【近义词】陡变/突变

【英　语】陡峭　steep［stiːp］

| dǒu | 笔画 | 部首 | 结构 | 五笔 | 造字法 |
| --- | --- | --- | --- | --- | --- |
| 蚪 | 10 | 虫 | 左右 | JUFH | 形声 |
| 笔顺 | 丨 冂 口 中 虫 虫 虫 虫 虫 蚪 | | | | |

【解　释】见 398 页“蝌”。

【组　词】蝌蚪

【同音字】陡（陡峭）　斗（斗笠）

【形近字】斗（斗争）　抖（抖动）

【英　语】蝌蚪　tadpole［ˈtædpəul］

| dòu | 笔画 | 部首 | 结构 | 五笔 | 造字法 |
| --- | --- | --- | --- | --- | --- |
| 斗 | 4 | 斗 | 独体 | UFK | 象形 |
| 笔顺 | 丶 冫 三 斗 | | | | |

【解　释】❶对打。❷比赛；决胜负。❸让动物拼斗。❹拼合，往一块儿凑。

【组　词】斗志　斗争　战斗　决斗　斗嘴　斗气　搏斗

【造　句】奋斗——我们要为实现理想而努力奋斗。

【同音字】豆（黄豆）

【成　语】斗志昂扬

【英　语】斗争　struggle［ˈstrʌgl］

【多音字】dǒu（见 172 页）

| dòu | 笔画 | 部首 | 结构 | 五笔 | 造字法 |
| --- | --- | --- | --- | --- | --- |
| 豆 | 7 | 豆 | 独体 | GKUF | 象形 |
| 笔顺 | 一 𠃍 𠮛 𠮛 𠮛 𠮛 豆 | | | | |

【解　释】❶豆类植物的总称或它们的种子。❷古代盛食物用的器具，有点像带高座的盘。❸形状像豆粒的东西。

【组　词】黄豆　豆腐　豆浆　豆奶
【同音字】斗(斗争)　逗(逗留)
【形近字】逗(逗号)　饾(饾饭)
【成　语】豆蔻年华
【反义词】豆蔻年华/人老珠黄
【谚　语】豆腐配海带,常吃除病害。
【英　语】黄豆　soybean ['sɔibiːn]

| dòu | 笔画 | 部首 | 结构 | 五笔 | 造字法 |
|---|---|---|---|---|---|
| 逗 | 10 | 辶 | 半包围 | GKUP | 形声 |
| 笔顺 | 一 丆 戸 戸 戸 豆 豆 逗 逗 逗 | | | | |

【解　释】❶[逗留]暂时停留。❷引逗。❸招引。❹句中的停顿。
【组　词】逗留　逗号　逗乐
【造　句】逗留——妈妈嘱咐我放学以后要早点回家,别在学校逗留。
【同音字】豆(土豆)
【形近字】运(运气)　豆(豆子)
【反义词】逗留/离开
【近义词】逗留/停留
【谚　语】逗笑时,也要三思而后启唇。
【英　语】逗留　stay [stei]

| dòu | 笔画 | 部首 | 结构 | 五笔 | 造字法 |
|---|---|---|---|---|---|
| 读 | 10 | 讠 | 左右 | YFND | 形声 |
| 笔顺 | 丶 讠 讠 讠 讠 讠 讠 讠 读 读 | | | | |

【解　释】语句中的停顿。相当于"逗"。
【组　词】句读
【同音字】豆(绿豆)
【多音字】dú(见 175 页)

## DU　ㄉㄨ

| dū | 笔画 | 部首 | 结构 | 五笔 | 造字法 |
|---|---|---|---|---|---|
| 都 | 10 | 阝 | 左右 | FTJB | 形声 |
| 笔顺 | 一 十 土 耂 耂 者 者 者 都 都 | | | | |

【解　释】❶首都。❷大城市,也指以盛产某种东西而闻名的城市。❸旧时某些地区县与乡之间的政权机关。
【组　词】首都　都城　都市
【同音字】督(监督)
【形近字】邮(邮票)
【英　语】都市　city ['siti]
【多音字】dōu(见 172 页)

| dū | 笔画 | 部首 | 结构 | 五笔 | 造字法 |
|---|---|---|---|---|---|
| 督 | 13 | 目 | 上下 | HICH | 形声 |
| 笔顺 | 丨 卜 上 卡 卡 未 叔 叔 叔 督 督 督 督 | | | | |

【解　释】监管;指挥。
【组　词】督战　督办　监督　督促
【造　句】督促——妈妈每天都督促我做作业。
【同音字】都(首都)
【反义词】监督/放任
【近义词】督促/催促
【英　语】督促　urge [əːdʒ]

| dū | 笔画 | 部首 | 结构 | 五笔 | 造字法 |
|---|---|---|---|---|---|
| 嘟 | 13 | 口 | 左右 | KFTB | 形声 |
| 笔顺 | 丨 口 口 口 叶 叶 吽 哮 啫 啫 啫 嘟 嘟 | | | | |

【解　释】❶形容喇叭等的声音。❷(方)嘴向前突出。

| dú | 笔画 | 部首 | 结构 | 五笔 | 造字法 |
|---|---|---|---|---|---|
| 毒 | 9 | 母 | 上下 | GXGU | 形声 |
| 笔顺 | 一 二 丰 主 聿 青 责 毒 毒 | | | | |

【解　释】❶对生物体有害的东西。❷对思想意识有害的事物。❸凶狠;残暴。❹用毒物害死。❺有毒的东西。
【组　词】病毒　毒打　毒计　毒药
【造　句】毒手——他与歹徒搏斗,险遭毒手。
【同音字】独(孤独)
【形近字】素(素菜)
【反义词】狠毒/善良
【近义词】狠毒/凶狠
【歇后语】毒蛇吐芯子——出口伤人。
【谚　语】毒蛇总是曲走,螃蟹总是横行。
【英　语】毒药　poison [ˈpɔizn]

| dú | 笔画 | 部首 | 结构 | 五笔 | 造字法 |
|---|---|---|---|---|---|
| 独 | 9 | 犭 | 左右 | QTJY | 形声 |
| 笔顺 | 丿 犭 犭 犭 犳 犸 独 独 独 | | | | |

【解　释】❶一个。❷独自。❸年老没有儿子的人。❹唯独。❺自私;容不得人。
【组　词】独自　独白　独裁
【同音字】毒(有毒)　读(读书)
【形近字】浊(浑浊)　蚀(腐蚀)
【成　语】独出心裁　独辟蹊径
【反义词】独裁/民主
【近义词】单独/独自
【谚　语】独脚难跳,独木难支。
【英　语】独自　alone [əˈləun]

| dú | 笔画 | 部首 | 结构 | 五笔 | 造字法 |
|---|---|---|---|---|---|
| 顿 | 10 | 页 | 左右 | GBNM | 形声 |
| 笔顺 | 一 𠂉 𠂉 屯 屯 屯 屯 屯 顿 顿 | | | | |

【解　释】冒顿,汉朝初年匈奴族一个单于的名字。
【组　词】冒顿
【同音字】独(独自)　读(读书)
【多音字】dùn(见 183 页)

| dú | 笔画 | 部首 | 结构 | 五笔 | 造字法 |
|---|---|---|---|---|---|
| 读 | 10 | 讠 | 左右 | YFND | 形声 |
| 笔顺 | 丶 讠 讠 计 计 计 诗 诗 读 读 | | | | |

【解　释】❶看着文字念出声音。❷阅览。❸指上学。❹字的念法。
【组　词】朗读　读者　读音　读物
【造　句】领读——这个英语单词老师已经领读了好几遍。
【同音字】毒(毒品)
【形近字】渎(亵渎)　卖(卖菜)
【近义词】读书/念书
【谚　语】读不完的书,走不完的路。
【英　语】读者　reader [ˈriːdə]
【多音字】dòu(见 174 页)

| dú | 笔画 | 部首 | 结构 | 五笔 | 造字法 |
|---|---|---|---|---|---|
| 椟 | 12 | 木 | 左右 | SFND | 形声 |
| 笔顺 | 一 十 才 木 木 村 村 村 柠 柠 椟 椟 | | | | |

【解　释】匣子。
【成　语】买椟还珠

| dú | 笔画 | 部首 | 结构 | 五笔 | 造字法 |
| --- | --- | --- | --- | --- | --- |
| 犊 | 12 | 牛 | 左右 | TRFD | 形声 |
| 笔顺 | ノ 𠂉 牛 牜 牪 牪 牪 牪 犊 犊 犊 犊 | | | | |

【解　释】小牛。
【组　词】牛犊　犊子
【造　句】初生牛犊不怕虎——他凭着一股初生牛犊不怕虎的劲头，打败多位老将，最终获得了比赛的冠军。
【同音字】独(独自)　毒(有毒)
【形近字】读(读书)　渎(亵渎)
【成　语】初生牛犊
【英　语】犊　calf［kɑːf］

| dǔ | 笔画 | 部首 | 结构 | 五笔 | 造字法 |
| --- | --- | --- | --- | --- | --- |
| 肚 | 7 | 月 | 左右 | EFG | 形声 |
| 笔顺 | 丿 刀 月 月 月一 肚 肚 | | | | |

【解　释】用作食品的动物的胃。
【组　词】羊肚　猪肚　牛肚
【多音字】dù(见177页)

| dǔ | 笔画 | 部首 | 结构 | 五笔 | 造字法 |
| --- | --- | --- | --- | --- | --- |
| 堵 | 11 | 土 | 左右 | FFTJ | 形声 |
| 笔顺 | 一 十 土 圤 圤 坩 坺 坺 堵 堵 堵 | | | | |

【解　释】❶阻塞；拦住。❷闷。❸墙。❹量词。用于墙。
【组　词】堵塞　堵车　堵截　堵嘴　堵得慌
【造　句】堵塞——今夏，北京连降暴雨，不少路段大量积水，造成道路严重堵塞。
【同音字】赌(赌徒)
【形近字】赌(赌场)　睹(目睹)
【成　语】观者如堵
【反义词】堵塞/畅通
【近义词】堵截/围追
【谚　语】堵着耳朵摇铃铛。
【英　语】堵住　block up［blɔk ʌp］

| dǔ | 笔画 | 部首 | 结构 | 五笔 | 造字法 |
| --- | --- | --- | --- | --- | --- |
| 赌 | 12 | 贝 | 左右 | MFTJ | 形声 |
| 笔顺 | 丨 冂 贝 贝 贝一 贝十 贝土 贝𡈼 贝𡈼 赌 赌 赌 | | | | |

【解　释】❶赌博，用钱争输赢。❷泛指争输赢。
【组　词】赌博　赌场　赌棍　赌气　赌注　打赌　赌咒　赌资
【造　句】赌气——他跟爸爸赌气，离家出走了。
【同音字】堵(堵住)
【形近字】睹(睹物思人)
【近义词】赌咒/发誓
【谚　语】赌里无君子。
【英　语】赌注　stake［steik］

| dǔ | 笔画 | 部首 | 结构 | 五笔 | 造字法 |
| --- | --- | --- | --- | --- | --- |
| 睹 | 13 | 目 | 左右 | HFTJ | 形声 |
| 笔顺 | 丨 冂 冃 月 目 目一 目十 目土 目𡈼 目𡈼 睹 睹 睹 | | | | |

【解　释】看见。
【组　词】熟视无睹
【造　句】熟视无睹——当李大爷对扔在垃圾桶里的白馒头痛惜不已的时候，学生们却熟视无睹。
【同音字】堵(堵住)
【形近字】堵(堵着)　赌(赌钱)
【成　语】耳闻目睹　有目共睹　睹物思人
【近义词】耳闻目睹/有目共睹

【英　语】目睹 see [siː]

| dù | 笔画 | 部首 | 结构 | 五笔 | 造字法 |
|---|---|---|---|---|---|
| 杜 | 7 | 木 | 左右 | SFG | 形声 |
| 笔顺 | 一 十 才 木 木一 杜 杜 | | | | |

【解　释】❶杜树，落叶乔木，果实小而酸。也叫棠梨、杜梨。❷阻塞；制止。❸姓。
【组　词】杜鹃　杜绝　杜撰
【造　句】杜撰——这个故事不是杜撰的，是真人真事。
【同音字】渡(渡河)
【形近字】社(公社)　灶(土灶)
【成　语】防微杜渐
【反义词】杜绝/保留
【近义词】杜绝/制止
【谚　语】杜鹃花再香也扎根土地里。
【英　语】杜绝 put an end to [put ən end tuː]

| dù | 笔画 | 部首 | 结构 | 五笔 | 造字法 |
|---|---|---|---|---|---|
| 肚 | 7 | 月 | 左右 | EFG | 形声 |
| 笔顺 | 丿 刀 月 月 月一 肚 肚 | | | | |

【解　释】❶肚子；腹部。❷像肚子的部分。❸心头。
【组　词】肚皮　肚子
【造　句】牵肠挂肚——他一个人在外面闯荡，老母亲总是牵肠挂肚，放不下心来。
【同音字】杜(杜绝)　妒(忌妒)
【形近字】社(社会)　杜(杜绝)
【成　语】牵肠挂肚
【反义词】牵肠挂肚/漠不关心
【近义词】牵肠挂肚/念念不忘
【谚　语】肚里没有亏心事，半夜敲门不吃惊｜肚里有文化，走遍天下也不怕。
【英　语】肚子 belly [ˈbeli]
【多音字】dǔ(见176页)

| dù | 笔画 | 部首 | 结构 | 五笔 | 造字法 |
|---|---|---|---|---|---|
| 妒 | 7 | 女 | 左右 | VYNT | 形声 |
| 笔顺 | 𡿨 女 女 女丶 女⺈ 妒 妒 | | | | |

【解　释】因为别人比自己好而忌妒。
【组　词】忌妒　妒火
【造　句】嫉贤妒能——一个嫉贤妒能的人是不可能团结他人的。
【辨　音】不读hù。
【同音字】杜(杜绝)　度(度过)
【形近字】炉(火炉)　护(保护)
【成　语】嫉贤妒能
【反义词】嫉贤妒能/礼贤下士
【英　语】妒忌 envy [ˈenvi]

| dù | 笔画 | 部首 | 结构 | 五笔 | 造字法 |
|---|---|---|---|---|---|
| 度 | 9 | 广 | 半包围 | YACI | 形声 |
| 笔顺 | 丶 亠 广 广 庐 庐 庐 席 度 度 | | | | |

【解　释】❶计量长度。❷事物所达到的境地。❸计量单位名称。❹章程；行为准则。❺能容忍的量。❻外貌；仪表。❼过(指时间)。❽量词。次。❾僧尼道士劝人出家。❿对人对事的气量、胸襟。
【组　词】度数　度过　程度　制度
【造　句】度日如年——他躺在病床上一动也不能动，真是度日如年。
【同音字】肚(肚子)　杜(杜鹃)

【形近字】席（出席）
【成　语】度日如年
【反义词】度日如年/光阴似箭
【近义词】度日如年/一日三秋
【英　语】度过　spend [spend]
【多音字】duó（见 184 页）

| dù | 笔画 | 部首 | 结构 | 五笔 | 造字法 |
|---|---|---|---|---|---|
| 渡 | 12 | 氵 | 左右 | IYAC | 形声 |
| 笔顺 | 丶 丷 氵 氵 氵 沪 沪 浐 浐 浐 渡 渡 | | | | |

【解　释】❶通过江、河，由这一岸到达那一岸。❷过河的码头。❸载运过河。❹通过或从现在到将来。
【组　词】轮渡　渡船　渡头
【同音字】肚（肚子）　杜（杜绝）
【形近字】镀（镀金）　度（温度）
【谚　语】渡船渡到岸，帮人帮到底。
【英　语】渡过　cross [krɔs]

| dù | 笔画 | 部首 | 结构 | 五笔 | 造字法 |
|---|---|---|---|---|---|
| 镀 | 14 | 钅 | 左右 | QYAC | 形声 |
| 笔顺 | 丿 𠂉 𠂉 乍 钅 钅 钅 钅 铲 铲 铲 铲 镀 镀 | | | | |

【解　释】用电解或其他化学方法使一种金属附着到别的金属或物体表面上，形成薄层。
【组　词】镀金　镀银
【造　句】镀金——听说八大处公园里有一尊镀金的佛像。
【同音字】肚（肚子）　杜（杜绝）
【形近字】渡（渡船）
【英　语】镀金　gold-plating [gəuld'pleitiŋ]

## DUAN　ㄉㄨㄢ

| duān | 笔画 | 部首 | 结构 | 五笔 | 造字法 |
|---|---|---|---|---|---|
| 端 | 14 | 立 | 左右 | UMDJ | 形声 |
| 笔顺 | 丶 亠 亠 立 立 立 竗 竗 竗 竗 竗 端 端 端 | | | | |

【解　释】❶物体不歪斜。❷事情的开头。❸原因；起因。❹方面；项目。❺用手平拿着。❻东西的头。❼正派。❽把事情摆出，亮出。
【组　词】弊端　无端　端倪　端庄　顶端　端详
【造　句】端详——我和他几年没见面，他端详了半天，也没认出我来。
【辨　音】不读 ruì。
【形近字】瑞（瑞雪）　湍（湍急）
【反义词】顶端/末端
【近义词】端详/打量
【谚　语】端谁碗，听谁管｜端午晴干，农人喜欢。
【英　语】端详　look sb. up and down [luk 'sʌmbədi ʌp ænd daun]

| duǎn | 笔画 | 部首 | 结构 | 五笔 | 造字法 |
|---|---|---|---|---|---|
| 短 | 12 | 矢 | 左右 | TDGU | 形声 |
| 笔顺 | 丿 𠂉 𠂉 午 矢 矢 矢 知 知 知 短 短 | | | | |

【解　释】❶两点之间的距离小（跟“长”相对）。❷欠缺；不够。❸缺点。❹短浅；平庸。
【组　词】短处　短见　短程　短工　短见　短线
【形近字】矩（规矩）　矮（矮个）

【成　语】短兵相接　短小精悍　短见薄识
【反义词】目光短浅/高瞻远瞩
【近义词】短兵相接/针锋相对
【谚　语】短铁匠，长裁缝。
【英　语】短缺　shortage [ˈʃɔːtidʒ]

| duàn | 笔画 | 部首 | 结构 | 五笔 | 造字法 |
|---|---|---|---|---|---|
| 段 | 9 | 殳 | 左右 | WDMC | 会意 |
| 笔顺 | ˊ 𠂆 𠂆 𠂆 𠂆 𠂆 𠂆 段 段 | | | | |

【解　释】❶量词。事物或时间的一节或一部分。❷表示一种专用级别。❸工矿企业中的一级行政单位。❹姓。
【组　词】段落　阶段　手段　段位　工段　段子
【同音字】断(截断)　锻(锻炼)
【形近字】假(假意)
【近义词】手段/方法
【英　语】段落　paragraph [ˈpærəɡrɑːf]

| duàn | 笔画 | 部首 | 结构 | 五笔 | 造字法 |
|---|---|---|---|---|---|
| 断 | 11 | 斤 | 左右 | ONRH | 会意 |
| 笔顺 | 丶 丷 䒑 半 半 米 㡭 㡭 断 断 断 | | | | |

【解　释】❶长形的东西分成两段或几段。❷中止；隔绝。❸拦截。❹判断；决定。❺绝对。❻戒除。
【组　词】砍断　割断　诊断
【同音字】段(段落)
【形近字】渊(深渊)
【成　语】断编残简　断章取义　断垣残壁
【反义词】断子绝孙/儿孙满堂
【近义词】断子绝孙/后继无人
【谚　语】断弦犹可续，心去最难留。
【英　语】断定　conclude [kənˈkluːd]

| duàn | 笔画 | 部首 | 结构 | 五笔 | 造字法 |
|---|---|---|---|---|---|
| 缎 | 12 | 纟 | 左右 | XWDC | 形声 |
| 笔顺 | 𠃋 纟 纟 纟 纟 纟 纟 纟 纟 纟 纟 缎 | | | | |

【解　释】缎子，质地较厚，一面平滑有光彩的丝织品，是我国的特产之一。
【组　词】缎子　绸缎　锦缎
【同音字】段(段落)　断(断线)
【形近字】锻(锻炼)
【英　语】缎带　ribbon [ˈribən]

| duàn | 笔画 | 部首 | 结构 | 五笔 | 造字法 |
|---|---|---|---|---|---|
| 煅 | 13 | 火 | 左右 | OWDC | 形声 |
| 笔顺 | 丶 丷 火 火 火 火 火 火 火 火 火 火 煅 | | | | |

【解　释】❶一种中药制法，放在火里烧。❷同"锻"。
【组　词】煅烧
【同音字】锻(锻炼)
【形近字】缎(绸缎)

| duàn | 笔画 | 部首 | 结构 | 五笔 | 造字法 |
|---|---|---|---|---|---|
| 锻 | 14 | 钅 | 左右 | QWDC | 形声 |
| 笔顺 | 丿 𠂉 𠂉 乍 钅 钅 钅 钅 钅 钅 钅 钅 钅 锻 | | | | |

【解　释】❶锤打烧红的金属，即锻造。❷磨砺；锻炼。
【组　词】锻锤　锻炼　锻造
【造　句】锻炼——我们应该从小

D

锻炼身体,长大保卫祖国。
【同音字】断(截断)
【形近字】缎(绸缎)
【近义词】锻炼/练习
【谚　语】锻炼不刻苦,纸上画老虎。
【英　语】锻炼　take exercise [teik 'eksəsaiz]

## DUI　ㄉㄨㄟ

| duī | 笔画 | 部首 | 结构 | 五笔 | 造字法 |
|---|---|---|---|---|---|
| 堆 | 11 | 土 | 左右 | FWYG | 形声 |
| 笔顺 | 一 十 土 圵 圻 圻 坿 坿 堆 堆 堆 | | | | |

【解　释】❶积聚起来的物品。❷用手或工具把东西累积在一起。❸量词。用于成堆的东西或成群的人。
【组　词】堆积　堆放　堆草　堆肥　堆集　堆砌　堆房
【造　句】堆放——堆放在人行横道上的建筑材料拦住了人们的去路。
【形近字】准(准备)
【成　语】堆积如山
【反义词】堆积/分散
【近义词】堆砌/累积
【英　语】堆积 pile up [pail ʌp]

| duì | 笔画 | 部首 | 结构 | 五笔 | 造字法 |
|---|---|---|---|---|---|
| 队 | 4 | 阝 | 左右 | BWY | 会意 |
| 笔顺 | ⺈ 阝 阝丿 队 | | | | |

【解　释】❶队行;行列。❷具有某种性质、某种组织的集体。❸特指少年先锋队。❹量词。

甲骨文　金文　小篆　隶书　楷书

【字源释义】“队”是“坠”的本字。甲骨文的字形像一个人从悬崖上坠落下来的险状;金文把人形改为动物似的形状。
【组　词】排队　球队　队礼　队伍
【同音字】对(对错)　兑(兑现)
【形近字】认(认识)　阡(阡陌)
【近义词】队伍/团队
【英　语】队伍　troop [tru:p]

| duì | 笔画 | 部首 | 结构 | 五笔 | 造字法 |
|---|---|---|---|---|---|
| 对 | 5 | 又 | 左右 | CFY | 会意 |
| 笔顺 | フ 又 对 对 对 | | | | |

【解　释】❶正确(跟“错”相对)。❷回答。❸朝着;向着(常跟“着”)。❹二者相对;彼此相向。❺正常。❻把两个东西放在一起互相比较,看是否符合。❼对面的;敌对的。❽平均分成两份。❾检查核实。❿加;掺和。⓫量词。⓬互相。⓭跟;和。⓮对偶的词句或对联。⓯双;成双的。⓰照着样检查。

甲骨文 金文 小篆 隶书 楷书

【字源释义】“对”的字形像一只手抓住点燃着的烛台，表示“向着”的意思。引申为“应答”。
【组　词】对岸　对半　对比　对策　对称　对付　对话
【同音字】队(队列)　兑(兑现)
【形近字】衬(衬衣)
【成　语】对答如流　对症下药
【反义词】对答如流/张口结舌
【近义词】对答如流/口若悬河
【谚　语】对人要宽，对己要严。
【英　语】对比　compare [kəmˈpɛə]

| duì | 笔画 | 部首 | 结构 | 五笔 | 造字法 |
|---|---|---|---|---|---|
| 兑 | 7 | 丷 | 上下 | UKQB | 会意 |
| 笔顺 | 丶 丷 丷 䒑 㕣 㕣 兑 | | | | |

【解　释】❶用旧的金银首饰或器皿向银楼换取新的。❷凭票据支付或领取现款。❸八卦之一。
【组　词】兑换　兑付　兑奖　兑现
【造　句】兑现——妈妈答应的事，一定会兑现的。
【辨　音】不读 tuì。
【同音字】队(队列)　对(对错)
【形近字】兄(兄弟)　克(克敌)
【近义词】兑换/交换
【英　语】兑换　exchange [iksˈtʃeindʒ]

## DUN ㄉㄨㄣ

| dūn | 笔画 | 部首 | 结构 | 五笔 | 造字法 |
|---|---|---|---|---|---|
| 吨 | 7 | 口 | 左右 | KGBN | 形声 |
| 笔顺 | 丨 ㇆ 口 口一 口𠃌 口屯 吨 | | | | |

【解　释】❶质量单位，1000 千克等于 1 吨。❷车、船等运输时按货物体积计算运费的单位。
【组　词】吨位
【同音字】蹲(蹲下)　敦(伦敦)
【形近字】纯(纯洁)　钝(迟钝)
【英　语】吨位　tonnage [ˈtʌnidʒ]

| dūn | 笔画 | 部首 | 结构 | 五笔 | 造字法 |
|---|---|---|---|---|---|
| 敦 | 12 | 攵 | 左右 | YBTY | 形声 |
| 笔顺 | 丶 亠 亠 亡 亩 亨 享 享 享 𦎫 𦎫 敦 | | | | |

【解　释】❶诚实厚道。❷姓。
【组　词】敦促　敦厚　敦请　敦实
【造　句】敦实——这孩子长得很敦实。
【辨　音】不读 guō。
【同音字】蹲(蹲下)　吨(吨位)
【形近字】郭(城郭)
【反义词】敦厚/狡猾
【近义词】敦厚/老实
【英　语】敦促　urge [əːdʒ]

| dūn | 笔画 | 部首 | 结构 | 五笔 | 造字法 |
|---|---|---|---|---|---|
| 墩 | 15 | 土 | 左右 | FYBT | 形声 |
| 笔顺 | 一 十 土 圹 圹 圹 坾 坾 埻 埻 埻 埻 埻 墩 墩 | | | | |

【解　释】❶土堆。❷厚而粗的石块或木头。❸像墩子的坐具。❹用拖把擦地。❺量词。
【组　词】土墩　墩布　墩地　墩子
【造　句】墩地——小明放学回家后就帮妈妈墩地。
【同音字】吨(吨位)　蹲(蹲着)
【形近字】敦(伦敦)
【近义词】墩布/拖布
【英　语】墩布　mop [mɔp]

| dūn | 笔画 | 部首 | 结构 | 五笔 | 造字法 |
|---|---|---|---|---|---|
| 蹲 | 19 | 𧾷 | 左右 | KHUF | 形声 |
| 笔顺 | 丶 ⺌ 口 ⻊ ⻊ ⻊ 足 ⻊ 跘 跘 跘 跘 跘 跘 跘 蹲 蹲 蹲 蹲 | | | | |

【解　释】❶两腿尽量弯曲，臀部不着地，像坐的样子。❷比喻待着或闲着，没参加工作。
【组　词】蹲班　蹲着　蹲点　蹲守
【造　句】蹲着——李明栋老在家蹲着，不出去干活。
【辨　音】不读 zūn。
【同音字】吨(吨位)　敦(伦敦)
【形近字】遵(遵守)　樽(酒樽)
【近义词】蹲班/留级
【谚　语】蹲在炉旁少夸口，要到场上显身手。
【英　语】蹲下　squat down [skwɔt daun]
【多音字】cún(见 133 页)

| dǔn | 笔画 | 部首 | 结构 | 五笔 | 造字法 |
|---|---|---|---|---|---|
| 盹 | 9 | 目 | 左右 | HGBN | 形声 |
| 笔顺 | 丨 冂 冃 月 目 盯 盵 盹 盹 | | | | |

【解　释】很短时间的睡眠。
【组　词】打盹
【造　句】打盹——这几天，柳鹏上课总是打盹。
【形近字】吨(吨位)　钝(迟钝)
【英　语】打盹儿　doze off [dəuz ɔːf]

| dùn | 笔画 | 部首 | 结构 | 五笔 | 造字法 |
|---|---|---|---|---|---|
| 囤 | 7 | 囗 | 全包围 | LGBN | 形声 |
| 笔顺 | 丨 冂 冂 円 冋 囤 囤 | | | | |

【解　释】用竹篾、荆条、稻草编成的或用席箔等围成的盛粮食的器具。
【组　词】粮囤
【同音字】盾(矛盾)
【形近字】团(团结)　困(困难)
【谚　语】囤尖浪费看不见，到了囤底后悔迟。
【英　语】囤　grain bin [grein bin]
【多音字】tún(见 723 页)

| dùn | 笔画 | 部首 | 结构 | 五笔 | 造字法 |
|---|---|---|---|---|---|
| 炖 | 8 | 火 | 左右 | OGBN | 形声 |
| 笔顺 | 丶 丷 火 火 炉 炉 炉 炖 | | | | |

【解　释】烹调方法，用小火久煮，使食物(多指肉类)烂熟。
【同音字】顿(顿时)
【形近字】钝(迟钝)
【英　语】炖　stew [stjuː]

| dùn | 笔画 | 部首 | 结构 | 五笔 | 造字法 |
|---|---|---|---|---|---|
| 钝 | 9 | 钅 | 左右 | QGBN | 形声 |
| 笔顺 | 丿 𠂉 ㇉ 乍 钅 钅 钝 钝 钝 | | | | |

【解　释】❶不锋利；不快(跟

"快"、"利"、"锐"相对)。❷笨拙;不灵活。

【组　词】钝角　迟钝

【造　句】迟钝——这孩子从小发育不良,反应有点迟钝。

【同音字】顿(顿时)　炖(炖鸡)

【形近字】吨(吨位)　炖(炖汤)

【反义词】迟钝/敏锐

【近义词】迟钝/迟缓

【谚　语】只要功夫深,铁铁磨成针。

【英　语】迟钝　dull witted [dʌl 'witid]

| dùn | 笔画 | 部首 | 结构 | 五笔 | 造字法 |
|---|---|---|---|---|---|
| 盾 | 9 | 厂 | 半包围 | RFHD | 会意 |
| 笔顺 | 一 厂 广 斤 斤 质 盾 盾 盾 | | | | |

【解　释】❶古代用来遮挡刀箭的防护武器。❷形状像盾的东西。

甲骨文　金文　小篆　隶书　楷书

【字源释义】"盾"是古代双方交战时用于防御的武器。甲骨文和金文的字形都像是一块长方形或梯形的盾牌,中间是供手执的把手。

【组　词】盾牌　金盾　银盾　矛盾

【同音字】顿(顿时)

【形近字】质(质量)

【英　语】矛盾　contradictory [kɔntrə'diktəri]

| dùn | 笔画 | 部首 | 结构 | 五笔 | 造字法 |
|---|---|---|---|---|---|
| 顿 | 10 | 页 | 左右 | GBNM | 形声 |
| 笔顺 | 一 𠃊 口 屯 屯 屯一 屯丆 屯百 顿 顿 | | | | |

【解　释】❶稍停。❷立刻;忽然。❸向下叩或跺。❹处理;安置。❺疲乏。❻量词。❼姓。

【组　词】整顿　顿挫　顿首　顿时　顿悟　顿然

【造　句】顿然——登上顶峰,顿然觉得周围山头矮了一截。

【同音字】盾(盾牌)　钝(钝角)

【形近字】顽(顽强)　纯(单纯)

【成　语】顿开茅塞　抑扬顿挫　顿足捶胸

【反义词】顿开茅塞/大惑不解

【近义词】顿开茅塞/豁然开朗

【英　语】顿时　at once [æt wʌns]

【多音字】dú(见 175 页)

## DUO　ㄉㄨㄛ

| duō | 笔画 | 部首 | 结构 | 五笔 | 造字法 |
|---|---|---|---|---|---|
| 多 | 6 | 夕 | 上下 | QQ | 会意 |
| 笔顺 | ノ ク 夕 夕 多 多 | | | | |

【解　释】❶数量大(跟"少"、"寡"相对)。❷超出或有余数。❸差距。❹不必要的。❺表示惊奇;赞叹或疑问。❻姓。

【组　词】多半　多边　多心

D

【造　句】足智多谋——诸葛亮是一位足智多谋的军事指挥家。
【同音字】咄(咄咄逼人)
【形近字】哆(哆嗦)
【成　语】多才多艺　多此一举　多多益善　足智多谋
【反义词】多/少
【近义词】多亏/幸亏
【谚　语】多下及时雨，少放马后炮。
【英　语】多种多样　various [ˈvɛəriəs]

| duō | 笔画 | 部首 | 结构 | 五笔 | 造字法 |
|---|---|---|---|---|---|
| 咄 | 8 | 口 | 左右 | KBMH | 形声 |
| 笔顺 | 丨 冂 口 口一 口凵 叫 咄 咄 | | | | |

【解　释】表示呵斥。
【组　词】咄咄
【同音字】多(多少)

| duō | 笔画 | 部首 | 结构 | 五笔 | 造字法 |
|---|---|---|---|---|---|
| 哆 | 9 | 口 | 左右 | KQQY | 形声 |
| 笔顺 | 丨 冂 口 口' 口夕 口夕 哆 哆 哆 | | | | |

【解　释】[哆嗦]发抖；打战。
【组　词】哆嗦
【造　句】哆嗦——他冻得直打哆嗦。
【同音字】掇(拾掇)
【形近字】多(多少)
【英　语】哆嗦　shiver [ˈʃivə]

| duō | 笔画 | 部首 | 结构 | 五笔 | 造字法 |
|---|---|---|---|---|---|
| 掇 | 11 | 扌 | 左右 | RCCC | 形声 |
| 笔顺 | 一 丨 扌 扌' 扌又 扌叉 扌叕 扌叕 扌叕 扌叕 掇 | | | | |

【解　释】❶拾取；采取。❷收拾；修理。❸拨弄；怂恿。❹用手拿着，搬。
【组　词】拾掇　掇弄
【造　句】拾掇——这个电视机坏了，经他一拾掇就好了。
【辨　音】不读 zhuì。
【同音字】多(多少)
【形近字】缀(点缀)
【近义词】拾掇/收拾
【英　语】拾掇　tidy up [ˈtaidi ʌp]

| duó | 笔画 | 部首 | 结构 | 五笔 | 造字法 |
|---|---|---|---|---|---|
| 夺 | 6 | 大 | 上下 | DFU | 会意 |
| 笔顺 | 一 ナ 大 夲 夺 夺 | | | | |

【解　释】❶失去。❷争先取到。❸胜过；压倒。❹使失去。❺抢；强取。❻作决定。❼脱漏。
【组　词】夺取　夺标　夺冠　夺魁
【造　句】夺魁——这个厂的电视机在全国质量评比中夺魁。
【同音字】踱(踱步)
【形近字】奇(奇怪)
【成　语】夺眶而出
【反义词】夺取/失去
【近义词】夺取/争夺
【谚　语】夺泥燕口，削铁针头，刮金佛面细搜求。
【英　语】夺取　capture [ˈkæptʃə]

| duó | 笔画 | 部首 | 结构 | 五笔 | 造字法 |
|---|---|---|---|---|---|
| 度 | 9 | 广 | 半包围 | YACI | 形声 |
| 笔顺 | 丶 亠 广 广 庐 庐 庐 度 度 | | | | |

【解　释】推测；估计。
【组　词】揣度　测度

【造　句】度德量力——父亲嘱咐即将走上工作岗位的儿子，凡事一定要度德量力，不可年少气盛、鲁莽行事。
【同音字】夺(夺取)　踱(踱步)
【成　语】度德量力
【近义词】揣度/猜测
【英　语】揣度　guess [ges]
【多音字】dù(见 177 页)

| duó | 笔画 | 部首 | 结构 | 五笔 | 造字法 |
|---|---|---|---|---|---|
| 踱 | 16 | 𧾷 | 左右 | KHYC | 形声 |
| 笔顺 | 丨 ㄇ 口 ⻊ ⻊ 𧾷 𧾷 𧾷丶 𧾷亠 𧾷广 𧾷广 𧾷庐 𧾷庐 𧾷庐 踱 踱 | | | | |

【解　释】慢慢地走来走去。
【组　词】踱方步　踱来踱去
【造　句】踱来踱去——爸爸为了厂里的事发愁，在屋里踱来踱去。
【辨　音】不读 dù。
【同音字】夺(夺得)
【形近字】镀(镀金)
【英　语】踱步　pace [peis]

| duǒ | 笔画 | 部首 | 结构 | 五笔 | 造字法 |
|---|---|---|---|---|---|
| 朵 | 6 | 木 | 上下 | MSU | 象形 |
| 笔顺 | ノ 几 凡 朵 朵 朵 | | | | |

【解　释】❶植物的花或苞。❷量词。用于花朵、云彩或像花朵和云彩的东西。
【组　词】花朵　云朵
【造　句】花朵——春天到了，到处都是盛开的花朵。
【同音字】躲(躲过)
【形近字】杂(杂草)
【英　语】花朵　flower [flauə]

| duǒ | 笔画 | 部首 | 结构 | 五笔 | 造字法 |
|---|---|---|---|---|---|
| 躲 | 13 | 身 | 左右 | TMDS | 形声 |
| 笔顺 | ノ 丿 ⺁ 白 自 身 身 身 躬 躲 躲 躲 躲 | | | | |

【解　释】避开；藏起来。
【组　词】躲避　躲藏　躲让　躲闪
【造　句】躲闪——小王来不及躲闪，和他撞了一个满怀。
【同音字】朵(花朵)
【形近字】射(射击)
【反义词】躲避/显露
【近义词】躲避/躲让
【谚　语】躲得过初一，躲不过十五。
【英　语】躲藏　hide oneself [haid wʌn'self]

| duò | 笔画 | 部首 | 结构 | 五笔 | 造字法 |
|---|---|---|---|---|---|
| 驮 | 6 | 马 | 左右 | CDY | 形声 |
| 笔顺 | ㇇ 马 马 马一 驮 驮 | | | | |

【解　释】[驮子]❶牲口驮(tuó)着的货物。❷量词。用于牲口驮(tuó)着的货物。
【组　词】驮子
【同音字】垛(草垛)　堕(堕落)
【英　语】驮子　pack [pæk]
【多音字】tuó(见 725 页)

| duò | 笔画 | 部首 | 结构 | 五笔 | 造字法 |
|---|---|---|---|---|---|
| 剁 | 8 | 刂 | 左右 | MSJH | 形声 |
| 笔顺 | ノ 几 凡 朵 朵 朵 朵 剁 | | | | |

【解　释】用刀、斧等向下砍。
【英　语】剁　mince [mins]

| duò | 笔画 | 部首 | 结构 | 五笔 | 造字法 |
|---|---|---|---|---|---|
| 舵 | 11 | 舟 | 左右 | TEPX | 形声 |
| 笔顺 | ′ 丿 ⺆ 冂 舟 舟 舟' 舟' 舻 舻 舵 | | | | |

【解　释】船或飞机等控制方向的装置,也指控制这些装置的人。
【组　词】掌舵　舵手　舵盘　舵轮
【同音字】堕(堕落)　惰(懒惰)
【形近字】蛇(毒蛇)
【谚　语】掌舵的不慌,乘船的稳当。
【英　语】舵手　helmsman　['helmzmən]

| duò | 笔画 | 部首 | 结构 | 五笔 | 造字法 |
|---|---|---|---|---|---|
| 堕 | 11 | 土 | 上下 | BDEF | 形声 |
| 笔顺 | ⺁ 阝 阝 阝 阝 陏 陏 陏 陏 陏 堕 | | | | |

【解　释】落下;掉下。
【组　词】堕落　堕入　堕马
【辨　音】不读 zhuì。
【同音字】惰(懒惰)　舵(舵手)
【形近字】坠(坠落)

| duò | 笔画 | 部首 | 结构 | 五笔 | 造字法 |
|---|---|---|---|---|---|
| 跺 | 13 | 𧾷 | 左右 | KHMS | 形声 |
| 笔顺 | 丨 口 口 ⻊ ⻊ ⻊ ⻊ ⻊ 跺 跺 跺 跺 跺 | | | | |

【解　释】❶脚用力踏地。❷一种走路的样子。
【组　词】跺脚
【造　句】跺脚——他在那里急得直跺脚。
【同音字】驮(驮子)　堕(堕落)
【英　语】跺脚　stamp one's foot [stæmp wʌnz fut]

| duò | 笔画 | 部首 | 结构 | 五笔 | 造字法 |
|---|---|---|---|---|---|
| 惰 | 12 | 忄 | 左右 | NDAE | 形声 |
| 笔顺 | ′ ′ 忄 忄 忙 忙 忙 怖 惰 惰 惰 惰 | | | | |

【解　释】懒;不勤快(跟"勤"相对)。
【组　词】懒惰　惰性　怠惰
【造　句】惰性——妈妈为了帮助我克服惰性,要求我自己洗衣服。
【辨　音】不读 suí。
【同音字】堕(堕落)　舵(舵手)
【形近字】隋(隋朝)
【反义词】懒惰/勤快
【近义词】懒惰/懒散
【英　语】懒惰　lazy　['leizi]

D

# E

## E ㄜ

| ē | 笔画 | 部首 | 结构 | 五笔 | 造字法 |
|---|---|---|---|---|---|
| 阿 | 7 | 阝 | 左右 | BSKG | 形声 |
| 笔顺 | ㇇ 阝 阝一 阝丁 阝𠃊 阝可 阿 | | | | |

【解　释】❶用好听的话去迎合别人；偏袒。❷丘陵。❸东阿，地名，在山东省。
【组　词】阿附　山阿　阿胶　阿私　阿房宫　阿谀逢迎
【近义词】阿私/偏袒　阿谀奉承/阿谀逢迎　刚正不阿/大公无私
【英　语】阿谀　flatter　[ˈflætə]
【多音字】ā（见 1 页）

| ē | 笔画 | 部首 | 结构 | 五笔 | 造字法 |
|---|---|---|---|---|---|
| 婀 | 10 | 女 | 左右 | VBSK | 形声 |
| 笔顺 | 𡿨 女 女 女㇋ 女阝 女阝一 女阝丁 女阝𠃊 女阝可 婀 | | | | |

【解　释】[婀娜]姿态轻盈柔美的样子。
【同音字】阿（阿附）
【形近字】啊
【成　语】婀娜多姿
【反义词】婀娜/僵硬
【近义词】婀娜/轻盈
【英　语】婀娜　graceful　[ˈgreisful]

| é | 笔画 | 部首 | 结构 | 五笔 | 造字法 |
|---|---|---|---|---|---|
| 俄 | 9 | 亻 | 左右 | WTRT | 形声 |
| 笔顺 | ノ 亻 亻丿 亻𠂉 亻扌 亻手 亻我 亻我 俄 | | | | |

【解　释】❶一会儿；很短的时间。❷国名，指俄罗斯。
【组　词】俄延　俄国　俄语
【辨　音】不读 wǒ。
【同音字】额（额头）
【形近字】娥（嫦娥）
【反义词】俄延/提前
【近义词】俄延/拖延
【英　语】俄国　Russia　[ˈrʌʃə]

| é | 笔画 | 部首 | 结构 | 五笔 | 造字法 |
|---|---|---|---|---|---|
| 哦 | 10 | 口 | 左右 | KTRT | 形声 |
| 笔顺 | 丨 𠃍 口 口丿 口𠂉 口扌 口手 口我 哦 哦 | | | | |

【解　释】低声地哼着诗歌。
【组　词】吟哦
【造　句】吟哦——小时候，我总是在妈妈的吟哦声中入睡。
【同音字】峨（巍峨）
【反义词】吟哦/高歌
【近义词】吟哦/吟咏
【多音字】ó（见 530 页）
【多音字】ò（见 530 页）

| é | 笔画 | 部首 | 结构 | 五笔 | 造字法 |
|---|---|---|---|---|---|
| 峨 | 10 | 山 | 左右 | MTRT | 形声 |
| 笔顺 | 丨 山 山 山丿 山𠂉 山扌 山手 山我 峨 峨 | | | | |

【解　释】（书）高。
【组　词】巍峨
【造　句】巍峨——这个山村四周环绕着巍峨的群山。
【同音字】鹅（鹅毛）
【英　语】巍峨　lofty　[ˈlɔfti]

| é | 笔画 | 部首 | 结构 | 五笔 | 造字法 |
|---|---|---|---|---|---|
| 娥 | 10 | 女 | 左右 | VTRT | 形声 |
| 笔顺 | ㄑ 女 女 女 女 好 好 娍 娥 娥 | | | | |

【解　释】❶女性姿态美好。❷借指美女。
【组　词】宫娥　娥眉　嫦娥
【造　句】嫦娥——嫦娥是传说中住在月亮上的仙女。
【同音字】蛾(灯蛾)　俄(俄国)
【形近字】饿(饥饿)
【英　语】宫娥　palace maid [ˈpælis meid]

| é | 笔画 | 部首 | 结构 | 五笔 | 造字法 |
|---|---|---|---|---|---|
| 鹅 | 12 | 鸟 | 左右 | TRNG | 形声 |
| 笔顺 | 丿 二 于 手 扌 我 我 我 我 我 鹅 鹅 | | | | |

【解　释】家禽,颈长,脚有蹼,尾短。羽毛为白色或灰色。头部有黄色或黑褐色的肉质突起,雄的突起较大。
【组　词】鹅毛　鹅绒　白鹅　鹅掌
【同音字】额(额外)
【成　语】鹅行鸭步
【反义词】鹅行鸭步/健步如飞
【近义词】鹅黄/浅黄
【谚　语】鹅吃草,鸭吃谷,各人自享各人福。
【英　语】鹅毛　goose feather [guːs ˈfeðə]

| é | 笔画 | 部首 | 结构 | 五笔 | 造字法 |
|---|---|---|---|---|---|
| 蛾 | 13 | 虫 | 左右 | JTRT | 形声 |
| 笔顺 | 丨 口 口 中 虫 虫 虫 虫 虾 虾 蛾 蛾 蛾 | | | | |

【解　释】一种昆虫,腹部短粗,有四个带鳞片的翅膀,一般在夜间活动,其中很多种是农业害虫。
【组　词】灯蛾　蚕蛾　飞蛾
【同音字】额(缺额)
【形近字】俄(俄国)
【英　语】蛾子　moth [mɔθ]

| é | 笔画 | 部首 | 结构 | 五笔 | 造字法 |
|---|---|---|---|---|---|
| 额 | 15 | 页 | 左右 | PTKM | 形声 |
| 笔顺 | 丶 丷 宀 ⺈ 岁 安 客 客 客 客 客 客 额 额 额 | | | | |

【解　释】❶头部眉上发下的部分。俗称脑门儿。❷规定的数目。❸牌匾。
【组　词】额头　定额　名额　超额　额外　匾额　额角　额度
【造　句】名额——我们班只有四个名额参加市里的作文比赛,我是其中一个。
【同音字】鹅(鹅黄)
【形近字】颂(歌颂)
【成　语】额手称庆　焦头烂额
【反义词】额手称庆/垂头丧气
【近义词】额外/分外
【歇后语】额头上长眼睛——眼界高。
【英　语】额外　extra [ˈekstrə]

| ě | 笔画 | 部首 | 结构 | 五笔 | 造字法 |
|---|---|---|---|---|---|
| 恶 | 10 | 心 | 上下 | GOGN | 形声 |
| 笔顺 | 一 丆 丌 亚 亚 亚 亚 恶 恶 恶 | | | | |

【解　释】[恶心]❶想呕吐。❷使人讨厌。❸故意使人难堪。
【多音字】è(见189页)

【多音字】wù(见756页)

| è | 笔画 | 部首 | 结构 | 五笔 | 造字法 |
|---|---|---|---|---|---|
| 厄 | 4 | 厂 | 半包围 | DBV | 形声 |
| 笔顺 | 一 厂 厅 厄 | | | | |

【解　释】❶灾难;困苦。❷受困;阻塞。❸险要的地方。
【组　词】困厄　厄境　厄运　厄难
【造　句】厄难——打起仗来,百姓遭厄难。
【同音字】恶(恶习)
【形近字】危(危险)
【近义词】厄运/灾难
【英　语】厄运　misfortune [misˈfɔːtʃən]

| è | 笔画 | 部首 | 结构 | 五笔 | 造字法 |
|---|---|---|---|---|---|
| 扼 | 7 | 扌 | 左右 | RDBN | 形声 |
| 笔顺 | 一 十 扌 扌 扩 扼 扼 | | | | |

【解　释】❶用力掐着;抓住。❷守卫;控制。
【组　词】扼杀　扼守　扼要　扼制
【造　句】扼守——经过激烈的战斗,我军终于扼守住了这道关隘。
【同音字】厄(厄运)
【英　语】扼守　guard [gɑːd]

| è | 笔画 | 部首 | 结构 | 五笔 | 造字法 |
|---|---|---|---|---|---|
| 恶 | 10 | 心 | 上下 | GOGN | 形声 |
| 笔顺 | 一 丅 亓 亚 亚 亚 亚 恶 恶 恶 | | | | |

【解　释】❶丑陋。❷很坏的行为。❸凶狠;凶猛。❹不好的;极坏的。
【组　词】罪恶　恶习　凶恶　恶霸　恶战　恶劣
【同音字】愕(愕然)
【形近字】忘(忘记)
【成　语】恶语伤人　恶贯满盈
【反义词】恶感/好感
【近义词】恶习/陋习
【谚　语】恶人有恶报,善人人知道。
【英　语】恶习　bad habit [bæd ˈhæbit]
【多音字】ě(见188页)
【多音字】wù(见756页)

| è | 笔画 | 部首 | 结构 | 五笔 | 造字法 |
|---|---|---|---|---|---|
| 饿 | 10 | 饣 | 左右 | QNTT | 形声 |
| 笔顺 | ノ 𠂊 饣 饣 饣 饣 饣 饿 饿 饿 | | | | |

【解　释】❶肚子空(跟"饱"相对),想吃东西。❷使受饿。
【组　词】饿肚　挨饿　饥饿
【同音字】恶(凶恶)
【形近字】娥(嫦娥)
【成　语】饿虎扑食
【反义词】饿/饱
【谚　语】饿得死懒汉,饿不死穷汉。
【英　语】挨饿　suffer from hunger [ˈsʌfə frɔm ˈhʌŋgə]

| è | 笔画 | 部首 | 结构 | 五笔 | 造字法 |
|---|---|---|---|---|---|
| 鄂 | 11 | 阝 | 左右 | KKFB | 形声 |
| 笔顺 | 丨 ロ ロ 吅 吅 吅 罒 罒 咢 咢 鄂 | | | | |

【解　释】湖北的别称。

| è | 笔画 | 部首 | 结构 | 五笔 | 造字法 |
|---|---|---|---|---|---|
| 遏 | 12 | 辶 | 半包围 | JQWP | 形声 |
| 笔顺 | 丨 冂 日 日 旦 早 昜 曷 曷 曷 遏 遏 | | | | |

E

【解　释】阻止;压制。
【组　词】遏抑　遏止　遏制
【造　句】遏止——武警战士经过日夜奋战,终于遏止了滚滚洪流。
【同音字】饿(饥饿)
【英　语】遏止　stop　[stɔp]

| è | 笔画 | 部首 | 结构 | 五笔 | 造字法 |
|---|---|---|---|---|---|
| 愕 | 12 | 忄 | 左右 | NKKN | 形声 |
| 笔顺 | 丶 丷 忄 忄 忄 忄 忄 忄 忄 忄 忄 愕 | | | | |

【解　释】表示惊讶。
【组　词】愕然　惊愕
【造　句】愕然——她一向成绩很好,这次竟排到十名以后,我感到非常愕然。
【同音字】饿(饥饿)
【近义词】愕然/吃惊
【英　语】愕然　amazedly　[ə'meizdli]

| è | 笔画 | 部首 | 结构 | 五笔 | 造字法 |
|---|---|---|---|---|---|
| 噩 | 16 | 王 | 独体 | GKKK | 会意 |
| 笔顺 | 一 丅 丅 丅 丅 丅 丅 丅 丅 丅 丅 丅 丅 丅 丅 噩 | | | | |

【解　释】可怕的;惊人的。
【组　词】噩梦　噩耗　噩兆
【造　句】噩梦——昨晚上我做了一个噩梦,吓出一身冷汗。
【同音字】恶(恶果)
【形近字】巫(巫婆)
【反义词】噩耗/喜讯
【英　语】噩耗　sad news　[sæd nju:z]

| è | 笔画 | 部首 | 结构 | 五笔 | 造字法 |
|---|---|---|---|---|---|
| 鳄 | 17 | 鱼 | 左右 | QGKN | 形声 |
| 笔顺 | ノ ⺈ 𠂊 各 各 备 角 鱼 鱼 鱼 鱼 鱼 鱼 鱼 鱼 鳄 鳄 | | | | |

【解　释】鳄鱼,一种凶猛的爬行动物,皮和鳞很坚硬,生活在热带河流池沼中,捕食小动物。
【组　词】鳄鱼
【同音字】遏(遏制)
【形近字】愕(惊愕)
【谚　语】鳄鱼流泪假惺惺,狐狸唱歌耍花招。
【英　语】鳄鱼　crocodile　['krɔkədail]

## EN　ㄣ

| ēn | 笔画 | 部首 | 结构 | 五笔 | 造字法 |
|---|---|---|---|---|---|
| 恩 | 10 | 心 | 上下 | LDNU | 形声 |
| 笔顺 | 丨 冂 冃 冃 冈 因 因 恩 恩 恩 | | | | |

【解　释】好处;深厚的情谊。
【组　词】恩爱　恩惠　恩怨　感恩　施恩
【造　句】恩怨——大家应公事公办,切不可计较个人的恩怨。
【形近字】思(思考)
【成　语】恩断义绝　恩将仇报
【反义词】恩人/仇人
【近义词】恩将仇报/忘恩负义
【谚　语】恩怕先益后损,威怕先松后紧|恩人相见,分外眼明;仇人相见,分外眼红。
【英　语】恩惠　favour　['feivə]

| èn | 笔画 | 部首 | 结构 | 五笔 | 造字法 |
|---|---|---|---|---|---|
| 摁 | 13 | 扌 | 左右 | RLDN | 形声 |
| 笔顺 | 一 丨 扌 扌 扣 扣 捆 捆 捆 捆 摁 摁 摁 | | | | |

【解　释】用手指或手掌按压。
【组　词】摁住　摁门铃　摁压　摁扣儿
【造　句】摁钉儿——在糊墙纸的时候，男生负责摁钉儿。
【形近字】恩（恩师）
【反义词】摁住/松开
【近义词】摁住/按住
【英　语】摁住　press ［pres］

## ER 儿

| ér | 笔画 | 部首 | 结构 | 五笔 | 造字法 |
|---|---|---|---|---|---|
| 儿 | 2 | 儿 | 独体 | QTN | 象形 |
| 笔顺 | 丿 儿 | | | | |

【解　释】❶小孩子。❷年轻人；青年人。❸儿子；男孩。❹雄性（多指牲畜）。❺父母对儿女的称呼；儿女对父母的自称。❻名词后缀，与前一读音构成卷舌音。1. 表示小。2. 使动词、形容词名词化。

甲骨文　金文　小篆　隶书　楷书

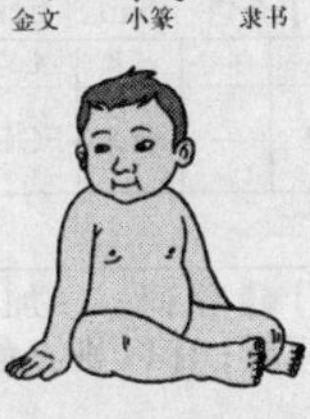

【字源释义】这是一个象形字。字的上部是婴儿的头，囟门尚未闭合，是初生儿的特点。
【组　词】儿童　儿孙　儿歌　劝儿　儿子　儿戏　儿科　健儿
【造　句】儿歌——我每次回家，妹妹都缠着我教她儿歌。
【同音字】而（而且）
【形近字】几（几个）
【近义词】儿女情长/卿卿我我
【歇后语】儿子结婚女儿出嫁——双喜临门。
【谚　语】儿不管教不成人，树不培植不成林｜儿女都是父母身上肉。
【英　语】儿童　children ［ˈtʃildrən］

| ér | 笔画 | 部首 | 结构 | 五笔 | 造字法 |
|---|---|---|---|---|---|
| 而 | 6 | 一 | 独体 | DMJJ | 象形 |
| 笔顺 | 一 丆 𠂇 丙 而 而 | | | | |

【解　释】❶连词。连接同类的词或句子。❷到。❸将表示时间或情况的词连接到动词上。
【组　词】而且　而今　反而　然而　因而
【造　句】而且——她不但学习努力，而且很虚心。
【成　语】侃侃而谈　挺身而出　乘虚而入
【反义词】而今/过去
【近义词】因而/因此
【英　语】而今　now ［nau］

| ěr | 笔画 | 部首 | 结构 | 五笔 | 造字法 |
|---|---|---|---|---|---|
| 尔 | 5 | 小 | 独体 | QIU | 会意 |
| 笔顺 | 丿 𠂉 尔 尔 尔 | | | | |

【解　释】❶第二人称代词。你；你的。❷如此；这样。❸那个；这个（指时间）。❹表示“罢了”的意思。❺用作词尾，相当于“然”。
【组　词】偶尔　尔后　尔雅
【造　句】出尔反尔——你这人怎么说话不算数呀，出尔反尔！
【同音字】而（而已）
【形近字】你（你们）
【成　语】尔虞我诈　出尔反尔
【反义词】偶尔/经常
【近义词】尔雅/文雅
【英　语】尔虞我诈　mutual cheating [ˈmjuːtjuəl ˈtʃiːtiŋ]

| ěr | 笔画 | 部首 | 结构 | 五笔 | 造字法 |
|---|---|---|---|---|---|
| 耳 | 6 | 耳 | 独体 | BGHG | 象形 |
| 笔顺 | 一 丆 丌 丌 丌 耳 | | | | |

【解　释】❶耳朵，听觉器官。❷如耳状的东西。❸（书）助词。表示“罢了”的意思。

甲骨文　金文　小篆　隶书　楷书

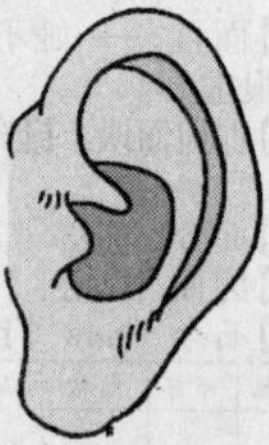

【字源释义】甲骨文与金文的“耳”字与人耳朵的样子非常相像，到了小篆之后就逐渐变形，不十分相像了。古文中“耳”字常假借为语气助词，意为“而已”。
【组　词】耳聋　耳朵　耳环　耳语　耳鸣　耳机
【造　句】交头接耳——课堂上不能交头接耳，要认真听老师讲课。
【同音字】饵（诱饵）　尔（偶尔）
【形近字】饵（鱼饵）
【成　语】耳闻目睹　耳濡目染　交头接耳　耳目一新　耳熟能详　耳提面命
【反义词】耳背/耳聪
【近义词】耳闻目睹/有目共睹
【谚　语】耳朵不硬，心思不定。
【英　语】耳朵　ear [iə]

| ěr | 笔画 | 部首 | 结构 | 五笔 | 造字法 |
|---|---|---|---|---|---|
| 饵 | 9 | 饣 | 左右 | QNBG | 形声 |
| 笔顺 | 丿 𠂉 饣 饣 饣 饣 饣 饣 饵 | | | | |

【解　释】❶糕饼。❷用来钓鱼的食物。❸（书）用东西引诱。
【组　词】饵料　饵虫　鱼饵　饵鱼　诱饵
【同音字】耳（耳塞）
【形近字】耳（耳朵）
【英　语】诱饵　bait [beit]

| èr | 笔画 | 部首 | 结构 | 五笔 | 造字法 |
|---|---|---|---|---|---|
| 二 | 2 | 一 | 独体 | FGG | 指事 |
| 笔顺 | 一 二 | | | | |

【解　释】❶数词。一加一的得数。❷两样；有区别。❸次的；第二。

【组　词】二胡　二手　二线
【造　句】三心二意——我们读书必须专心，决不能三心二意。
【成　语】不二法门　三心二意　心无二用
【反义词】三心二意/一心一意
【近义词】三心二意/见异思迁
【谚　语】二虎相斗，必有一伤。
【英　语】二月　February [ˈfebruəri]

| èr | 笔画 | 部首 | 结构 | 五笔 | 造字法 |
| --- | --- | --- | --- | --- | --- |
| 贰 | 9 | 弋 | 半包围 | AFMI | 形声 |
| 笔顺 | 一 二 三 亍 贡 贡 贡 贰 贰 | | | | |

【解　释】❶"二"的大写。❷背叛；变节。
【组　词】贰臣
【辨　音】不读 nì。

# F

## FA ㄈㄚ

| fā | 笔画 | 部首 | 结构 | 五笔 | 造字法 |
|---|---|---|---|---|---|
| 发 | 5 | 又 | 半包围 | V | 形声 |
| 笔顺 | ㇖ 丿 ナ 𠂎 发 | | | | |

【解　释】❶支付；交付；送出。❷产生；发生。❸表达。❹放射。❺扩大。❻分散。❼富了。❽变；显出。❾感觉；觉得。❿开始；动作引起行动。⓫打开；揭露。⓬启程。⓭流露。⓮食物因水浸而膨胀。⓯量词。

【组　词】发芽　发货　发表　发射　发展　爆发　发烧　发明

【造　句】发愤图强——这个农村的贫苦学生刻苦学习、发愤图强，终于考上了名牌大学。

【形近字】友(友好)

【成　语】发扬光大　发人深省　发愤图强

【反义词】发达/落后

【近义词】发人深省/耐人寻味

【歇后语】发射出去的火箭——扶摇直上。

【谚　语】发回水，积层泥；经一事，长一智。

【英　语】发明　invent [in'vent]

【多音字】fà(见196页)

| fá | 笔画 | 部首 | 结构 | 五笔 | 造字法 |
|---|---|---|---|---|---|
| 乏 | 4 | 丿 | 上下 | TPI | 会意 |
| 笔顺 | ㇒ ㇔ 乊 乏 | | | | |

【解　释】❶缺少。❷疲倦。❸(方)没力量；不起作用。

【组　词】乏趣　乏味　缺乏　困乏　匮乏　贫乏　疲乏　乏力

【造　句】乏力——妈妈干了一天的活儿，浑身乏力。

【辨　音】不读fàn。

【同音字】伐(讨伐)　罚(惩罚)

【形近字】之(总之)

【反义词】人困马乏/人强马壮

【近义词】乏趣/没趣

【英　语】乏味　drab [dræb]

| fá | 笔画 | 部首 | 结构 | 五笔 | 造字法 |
|---|---|---|---|---|---|
| 伐 | 6 | 亻 | 左右 | WAT | 会意 |
| 笔顺 | ㇒ 亻 仁 代 伐 伐 | | | | |

【解　释】❶砍树等。❷征讨；进攻；攻击。

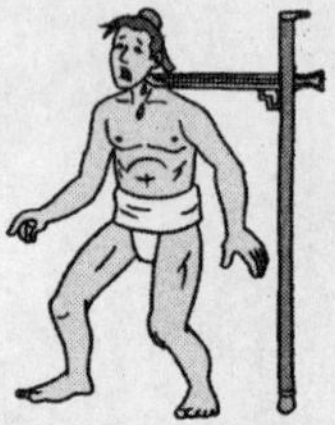

【字源释义】"伐"的字形像一把"戈"砍在一个人脖颈上。本义是"砍头"，后来引申为"砍斫"、"征伐"。

【组　词】伐木　采伐　步伐　讨伐

【造　句】步伐——军训的第一天，教官让我们练习步伐。

【辨　音】不读dài。

【同音字】乏(乏味)
【形近字】代(代替)
【成　语】口诛笔伐
【反义词】口诛笔伐/歌功颂德
【近义词】讨伐/攻打
【歇后语】伐木拉大锯——你有来,我有去。
【谚　语】伐树须用斧,引线必需针。
【英　语】步伐　step [step]

| fá | 笔画 | 部首 | 结构 | 五笔 | 造字法 |
|---|---|---|---|---|---|
| 罚 | 9 | 罒 | 上下 | LYJJ | 会意 |
| 笔顺 | 丶 冖 罒 罒 罒 罒 罚 罚 罚 | | | | |

【解　释】惩办、处分犯错误的人。
【组　词】惩罚　处罚　罚金　挨罚　罚款　责罚　罚单
【造　句】惩罚——人类如果不注意保护生态环境,将来一定会受到大自然的惩罚。
【同音字】伐(讨伐)
【形近字】罪(犯罪)
【成　语】赏罚分明
【反义词】处罚/奖励
【近义词】处罚/惩罚
【英　语】惩罚　punish [ˈpʌniʃ]

| fá | 笔画 | 部首 | 结构 | 五笔 | 造字法 |
|---|---|---|---|---|---|
| 阀 | 9 | 门 | 半包围 | UWAE | 形声 |
| 笔顺 | 丶 丨 门 闩 闩 闬 阀 阀 阀 | | | | |

【解　释】❶封建时代指有权势的家庭、家族。❷在某领域内具有支配地位的个人或集团。❸阀门,控制流体的流量、压力和流动方向的装置。也叫活门、凡尔。
【组　词】军阀　财阀　门阀　油阀　气阀　水阀　阀门
【辨　音】不读 mèn。
【同音字】伐(讨伐)
【形近字】闭(闭塞)
【英　语】军阀　warlord [ˈwɔːlɔːd]

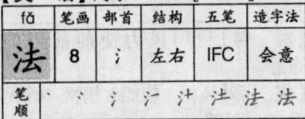

| fá | 笔画 | 部首 | 结构 | 五笔 | 造字法 |
|---|---|---|---|---|---|
| 筏 | 12 | ⺮ | 上下 | TWAR | 形声 |
| 笔顺 | 丿 𠂉 𥫗 𥫗 竹 竹 竹 竹 笩 筏 筏 筏 | | | | |

【解　释】用竹、木等平摆着编扎成的水上交通工具。
【组　词】竹筏　筏子
【同音字】罚(罚款)
【形近字】伐(步伐)
【英　语】筏子　raft [rɑːft]

| fǎ | 笔画 | 部首 | 结构 | 五笔 | 造字法 |
|---|---|---|---|---|---|
| 法 | 8 | 氵 | 左右 | IFC | 会意 |
| 笔顺 | 丶 冫 氵 氵 汁 汢 法 法 | | | | |

【解　释】❶体现统治阶级意志,由国家制定或认可,受国家强制力保证执行的行为规则的总称。❷处理事情的行为、手段。❸仿效。❹模范、标准、格式等可仿效的。❺佛教的教义。❻法术。
【组　词】法令　办法　法律　政法　法则　法官　法庭　法宝
【造　句】方法——做事要讲究一定的方法,不能盲目行动。
【形近字】却(冷却)
【反义词】奉公守法/无法无天
【近义词】办法/方法
【谚　语】法不传六耳。

F

【英　语】法律　law [lɔː]

| fà | 笔画 | 部首 | 结构 | 五笔 | 造字法 |
|---|---|---|---|---|---|
| 发 | 5 | 又 | 半包围 | V | 形声 |
| 笔顺 | ㇐ ㇓ ㇏ 发 发 | | | | |

【解　释】头发。
【组　词】短发　理发　发指
【造　句】发指——侵略军的暴行令人发指。
【英　语】头发　hair [hɛə]
【多音字】fā(见 194 页)

## FAN　ㄈㄢ

| fān | 笔画 | 部首 | 结构 | 五笔 | 造字法 |
|---|---|---|---|---|---|
| 帆 | 6 | 巾 | 左右 | MHMY | 形声 |
| 笔顺 | ㇑ ㇕ 巾 巾 帆 帆 | | | | |

【解　释】利用风力使船前进的布篷。
【组　词】风帆　帆船　扬帆　帆板　帆布　孤帆
【造　句】一帆风顺——元旦来临了，我们祝愿老师在新的一年里一帆风顺。
【辨　音】不读 fán。
【同音字】番(三番五次)
【形近字】帜(独树一帜)
【成　语】一帆风顺
【反义词】一帆风顺/好事多磨
【近义词】一帆风顺/顺风顺水
【谚　语】帆使八面风。
【英　语】帆船　sailing boat [ˈseiliŋ bəut]

| fān | 笔画 | 部首 | 结构 | 五笔 | 造字法 |
|---|---|---|---|---|---|
| 番 | 12 | 釆 | 上下 | TOLF | 象形 |
| 笔顺 | ㇒ ㇒ ㇒ 立 平 釆 釆 釆 番 番 番 番 | | | | |

【解　释】❶外国的，别的民族的。❷轮换；代换。❸次；回。❹倍。
【组　词】轮番　番茄　番薯　番号　番邦
【造　句】三番五次——老师三番五次叫她把字写大点，但她就是改不了。
【同音字】帆(风帆)
【成　语】三番五次
【近义词】番号/编号　轮番/轮流
【英　语】番茄　tomato [təˈmɑː-təu]
【多音字】pān(见 536 页)

| fān | 笔画 | 部首 | 结构 | 五笔 | 造字法 |
|---|---|---|---|---|---|
| 翻 | 18 | 羽 | 左右 | TOLN | 形声 |
| 笔顺 | ㇒ ㇒ ㇒ 立 平 釆 釆 釆 番 番 番 番 翻 翻 翻 翻 翻 翻 | | | | |

【解　释】❶翻转；倒下。❷改变。❸数量倍增。❹掀开。❺态度；关系不好的。❻翻译。❼爬过；越过。
【组　词】推翻　闹翻　翻阅
【造　句】闹翻——两个好朋友为了一点小事儿闹翻了。
【同音字】番(番邦)
【成　语】翻江倒海　翻来覆去　翻然悔悟　翻云覆雨
【反义词】翻然悔悟/执迷不悟
【近义词】翻江倒海/排山倒海
【谚　语】翻手为云，覆手为雨。

【英 语】翻阅 look over [luk ˈəuvə]

| fán | 笔画 | 部首 | 结构 | 五笔 | 造字法 |
|---|---|---|---|---|---|
| 凡 | 3 | 几 | 独体 | MYI | 象形 |
| 笔顺 | 丿 几 凡 | | | | |

【解 释】❶普通；不出奇的。❷宗教迷信或神话中称人世间；尘世。❸凡是；所有的。❹总共；大略；大概。❺旧时乐谱记音符号的一个，相当于简谱的“4”。

【组 词】平凡 非凡 凡事 凡间 凡例

【造 句】平凡——我们虽然都是平凡的人，但我们都有远大的目标。

【同音字】烦(烦心) 繁(繁华)

【形近字】几(茶几) 儿(儿孙)

【成 语】凡夫俗子

【歇后语】凡士林涂嘴巴——油腔滑调。

【反义词】平凡/伟大 非凡/平庸

【近义词】非凡/杰出

【谚 语】凡人不可貌相，海水不可斗量。

【英 语】凡事 everything [ˈevriθiŋ]

| fán | 笔画 | 部首 | 结构 | 五笔 | 造字法 |
|---|---|---|---|---|---|
| 烦 | 10 | 火 | 左右 | ODMY | 会意 |
| 笔顺 | 丶 丷 火 火 灯 灯 灯 烦 烦 烦 | | | | |

【解 释】❶苦闷；不愉快。❷厌烦。❸多而杂乱。❹敬辞，表示委托。❺纠缠；搅扰。

【组 词】烦闷 烦躁 烦恼 麻烦 心烦 腻烦

【造 句】烦恼——你有什么烦恼，就说出来吧，也许这样会好些。

【同音字】凡(平凡)

【形近字】炊(炊烟)

【成 语】要言不烦

【反义词】烦恼/快乐

【近义词】烦恼/苦恼

【谚 语】烦恼皆因强出头｜烦恼不寻人，人自寻烦恼。

【英 语】麻烦 trouble [ˈtrʌbl]

| fán | 笔画 | 部首 | 结构 | 五笔 | 造字法 |
|---|---|---|---|---|---|
| 繁 | 17 | 糸 | 上下 | TXGI | 形声 |
| 笔顺 | 丿 𠂉 𠂉 勹 句 句 每 每 每 敏 敏 敏 繁 繁 繁 繁 繁 | | | | |

【解 释】❶复杂(跟“简”相对)。❷众多。❸兴旺；茂盛。❹生殖；繁衍。

【组 词】繁华 频繁 繁忙 繁茂 繁重 繁盛 繁密

【造 句】繁华——首都北京是个繁华的城市。

【辨 音】不读 fáng。

【同音字】凡(平凡)

【形近字】紫(紫色)

【成 语】繁荣昌盛 繁花似锦

【反义词】繁荣昌盛/江河日下

【近义词】繁华/热闹

【谚 语】繁枝茂叶参天树，自有根在土中埋。

【英 语】繁忙 busy [ˈbizi]

【多音字】pó(见 558 页)

| fǎn | 笔画 | 部首 | 结构 | 五笔 | 造字法 |
|---|---|---|---|---|---|
| 反 | 4 | 丿 | 半包围 | RCI | 会意 |
| 笔顺 | 一 厂 万 反 | | | | |

【解　释】❶翻转；颠倒；倒过来。❷方向相背（跟“正”相对）。❸掉转头向相反的方向。❹反而；反倒。❺叛变。❻对抗；否定。❼类推。❽回；还。❾回顾；自省。❿与原来的不同；和预想的不同。⓫反革命分子的简称。

甲骨文　金文　小篆　隶书　楷书

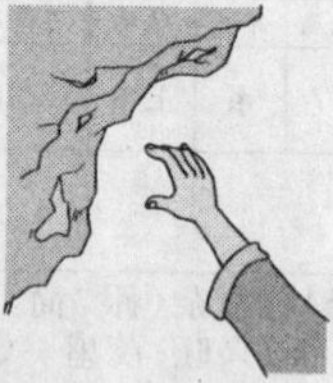

【字源释义】“反”字像一只手正向着悬崖边攀登，这就是“攀”的本字。后来它的本义不存，假借为“相反”、“反叛”等意思。又引申为“返回”。

【组　词】反映　反省　反抗　反驳　反正　反常　反对　反应　造反　相反　平反　反超　反观

【造　句】反常——这几天天气反常，许多人都感冒了。

【同音字】返（往返）

【形近字】友（友情）　贩（贩卖）

【成　语】反复无常　义无反顾　反躬自省　反客为主　反目成仇

【反义词】反抗/投降

【近义词】相反/反面

【谚　语】反躬自问，休怪他人。

【英　语】相反　on the contrary [ɔn ðə 'kɔntrəri]

| fǎn | 笔画 | 部首 | 结构 | 五笔 | 造字法 |
| --- | --- | --- | --- | --- | --- |
| 返 | 7 | 辶 | 半包围 | RCPI | 形声 |
| 笔顺 | 一 厂 万 反 ′反 ′返 返 | | | | |

【解　释】❶回；归；回到原处。❷重新。

【组　词】返航　返程　返校　遣返　返岗

【造　句】流连忘返——秋天的香山美极了，令许多游人流连忘返。

【辨　音】不读 fān。

【同音字】反（反唇相讥）

【形近字】反（反映）

【成　语】流连忘返　返老还童　返璞归真

【反义词】返回/出发

【近义词】返回/回来

【谚　语】返照黄光，明日风狂。

【英　语】返回　return [ri'təːn]

| fàn | 笔画 | 部首 | 结构 | 五笔 | 造字法 |
| --- | --- | --- | --- | --- | --- |
| 犯 | 5 | 犭 | 左右 | QTBN | 形声 |
| 笔顺 | ノ 𠂒 犭 犭⺄ 犯 | | | | |

【解　释】❶违反。❷犯罪的人。❸侵犯；攻击。❹发作；发生。

【组　词】犯法　犯罪　犯难　犯病　侵犯　逃犯　犯愁　犯人

【造　句】犯愁——梁明的父亲正在为梁明的学费犯愁时，村委会派人把钱送来了。

【同音字】饭（吃饭）　泛（广泛）

【形近字】杞（枸杞）

【反义词】犯法/守法

【近义词】犯法/违法

【英　语】犯错　make a mistake [meik ə mis'teik]

| fàn | 笔画 | 部首 | 结构 | 五笔 | 造字法 |
|---|---|---|---|---|---|
| 饭 | 7 | 饣 | 左右 | QNRC | 形声 |
| 笔顺 | ノ ⺈ 饣 饣 饣 饭 饭 | | | | |

【解　释】❶煮熟的谷类食物，多指米饭。❷每天定时吃的食物。
【组　词】吃饭　午饭　饭店　开饭　饭票　饭桌　饭盒　饭量　稀饭
【同音字】泛(广泛)
【形近字】贩(摊贩)
【近义词】晚饭/晚餐
【歇后语】饭馆里端菜——和盘托出。
【谚　语】饭前洗手，防病入口。
【英　语】饭馆　restaurant [ˈrestərɔnt]

| fàn | 笔画 | 部首 | 结构 | 五笔 | 造字法 |
|---|---|---|---|---|---|
| 泛 | 7 | 氵 | 左右 | ITPY | 形声 |
| 笔顺 | 丶 丶 氵 氵 氵 泛 泛 | | | | |

【解　释】❶漂浮。❷透出；冒出。❸肤浅；不深入。❹广泛；一般地。❺泛滥；洪水横溢。
【组　词】泛舟　泛起　泛泛
【造　句】泛起——废水池里泛起许多白沫。
【同音字】范(范围)
【形近字】乏(乏味)
【反义词】广泛/有限
【近义词】泛泛/空泛
【英　语】泛泛　general [ˈdʒenərəl]

| fàn | 笔画 | 部首 | 结构 | 五笔 | 造字法 |
|---|---|---|---|---|---|
| 范 | 8 | 艹 | 上下 | AIBB | 形声 |
| 笔顺 | 一 十 艹 艹 艹 范 范 范 | | | | |

【解　释】❶铸造器物的模子。❷榜样；模范。❸范围；界限。❹姓。
【组　词】范畴　模范　范例　范围　规范　示范　防范　风范　范文
【造　句】范文——写作文前老师给我们读了一篇范文。
【同音字】犯(犯法)
【形近字】犯(罪犯)
【近义词】范围/界限
【英　语】范例　example [igˈzɑːmpl]

| fàn | 笔画 | 部首 | 结构 | 五笔 | 造字法 |
|---|---|---|---|---|---|
| 贩 | 8 | 贝 | 左右 | MRCY | 形声 |
| 笔顺 | 丨 冂 贝 贝 贝 贩 贩 贩 | | | | |

【解　释】❶指买货后再卖货以获利。❷买货物出售的行商或小商人。
【组　词】贩卖　贩货　摊贩　商贩　贩子　贩运　贩毒
【同音字】泛(空泛)
【形近字】饭(饭菜)　败(失败)
【反义词】贩卖/收购
【近义词】贩卖/倒卖
【英　语】贩卖　sell [sel]

## FANG ㄈㄤ

| fāng | 笔画 | 部首 | 结构 | 五笔 | 造字法 |
|---|---|---|---|---|---|
| 方 | 4 | 方 | 独体 | YY | 象形 |
| 笔顺 | 丶 亠 方 方 | | | | |

【解　释】❶四角全是直角的四边形或六个面全是方形的六面体。❷办法；法子。❸配药的单子。❹正直。❺一边或一面。❻副词。才；正；正当。❼量词。1. 旧制。

F

a. 指平方丈。b. 指一丈见方一尺高的体积。c. 指一尺见方一丈高的体积。2. 平方或立方的略称。3. 用于方形的东西。❽乘方。❾方寸，比喻心。❿方圆；周围。⓫方向；位置。⓬地区；区域。⓭姓。

甲骨文　金文　小篆　隶书　楷书

【字源释义】"方"是"枋"的本字，本义是刀的手柄。甲骨文和金文的字形都是一把刀的形状，在刀柄的地方有一短横，是指事符号。后来多用作方圆的"方"。
【组　词】方法　方向　方便　方式　方略　方针　药方
【同音字】芳（芳草）
【形近字】万（家财万贯）
【成　语】方兴未艾　方寸大乱　方枘圆凿
【反义词】方便/麻烦
【近义词】方案/计划
【歇后语】方枘圆凿——格格不入。
【谚　语】方的不滚，圆的不稳。
【英　语】方法　means [mi:nz]

| fāng | 笔画 | 部首 | 结构 | 五笔 | 造字法 |
|---|---|---|---|---|---|
| 坊 | 7 | 土 | 左右 | FYN | 形声 |
| 笔顺 | 一 十 土 圵 圹 坊 坊 | | | | |

【解　释】❶里巷，多用于街巷的名称。❷街市；市中店铺。❸旧时为表彰有善行、功德者而建造的牌坊。
【组　词】坊间　牌坊　街坊
【造　句】街坊——我们街坊关系很融洽，还得了"文明小区"称号呢。
【同音字】方（对方）
【形近字】仿（仿佛）
【多音字】fáng（见 201 页）

| fāng | 笔画 | 部首 | 结构 | 五笔 | 造字法 |
|---|---|---|---|---|---|
| 芳 | 7 | 艹 | 上下 | AYB | 形声 |
| 笔顺 | 一 十 艹 艹 苎 芀 芳 | | | | |

【解　释】❶花草的香气。❷比喻美名或美德。❸花。❹对人的敬称、美称。
【组　词】芳香　芳名　芳龄　芳草　芳菲　芳邻
【同音字】坊（街坊）
【形近字】方（方案）　芬（芬芳）
【成　语】流芳百世
【反义词】芳香/恶臭
【近义词】芬芳/芳香
【谚　语】芳花不艳，能说的不干。
【英　语】芳香　aromatic [ærə'mætik]

| fáng | 笔画 | 部首 | 结构 | 五笔 | 造字法 |
|---|---|---|---|---|---|
| 防 | 6 | 阝 | 左右 | BYN | 形声 |
| 笔顺 | 了 阝 阝 阝 防 防 | | | | |

【解　释】❶预防攻击或伤害。❷防水的建筑物。❸守住。❹预先采取措施。
【组　词】堤防　防备　防止　防守　防御　设防　防伪
【辨　音】不读 fāng。
【同音字】房(房间)
【形近字】仿(仿制)
【成　语】防微杜渐
【反义词】防守/进攻
【近义词】防止/阻止
【谚　语】防患于未然|防病无别窍,卫生要搞好。
【英　语】防止 prevent [pri'vent]

| fáng | 笔画 | 部首 | 结构 | 五笔 | 造字法 |
|---|---|---|---|---|---|
| 坊 | 7 | 土 | 左右 | FYN | 形声 |
| 笔顺 | 一 十 土 圹 圹 圬 坊 | | | | |

【解　释】一些小手工业的制作场所。
【组　词】作坊　磨坊　染坊
【同音字】房(心房)
【英　语】作坊 workshop ['wəːkʃɔp]
【多音字】fāng(见 200 页)

| fáng | 笔画 | 部首 | 结构 | 五笔 | 造字法 |
|---|---|---|---|---|---|
| 妨 | 7 | 女 | 左右 | VYN | 形声 |
| 笔顺 | 𡿨 女 女 女' 女亠 妨 妨 | | | | |

【解　释】阻碍;损害。
【组　词】妨害　妨碍　无妨　不妨　何妨
【造　句】妨碍——请不要大声说话,这样会妨碍其他同学看书。
【同音字】坊(作坊)
【形近字】防(防守)
【反义词】妨碍/通畅
【近义词】妨害/损害
【英　语】妨害 be harmful to [biː 'hɑːmful tuː]

| fáng | 笔画 | 部首 | 结构 | 五笔 | 造字法 |
|---|---|---|---|---|---|
| 肪 | 8 | 月 | 左右 | EYN | 形声 |
| 笔顺 | 丿 刀 月 月 月' 肀 肪 肪 | | | | |

【解　释】脂肪,有机化合物,存在于人体和动物的皮下组织以及植物中。
【组　词】脂肪
【辨　音】不读 fāng。
【同音字】房(房屋)　防(防止)
【形近字】防(边防)
【英　语】脂肪 fat [fæt]

| fáng | 笔画 | 部首 | 结构 | 五笔 | 造字法 |
|---|---|---|---|---|---|
| 房 | 8 | 户 | 半包围 | YNYV | 形声 |
| 笔顺 | 丶 ㇇ 彐 户 户 户 房 房 | | | | |

【解　释】❶住人或搁放东西的建筑物。❷大家族内的分支。❸结构和作用像房子的东西。❹星宿名,二十八宿之一。
【组　词】平房　楼房　库房　房价　房屋　房产　客房
【同音字】防(防备)
【形近字】旁(旁边)
【反义词】房东/房客
【谚　语】房宽地宽不如心宽。
【英　语】房间 room [ruːm]

| fǎng | 笔画 | 部首 | 结构 | 五笔 | 造字法 |
|---|---|---|---|---|---|
| 仿 | 6 | 亻 | 左右 | WYN | 形声 |
| 笔顺 | 丿 亻 亻' 亻亠 仿 仿 | | | | |

【解　释】❶照样做。❷好像;类

F

似。❸依照范本写的字。
【组　词】仿佛　仿照　仿效　仿古　仿制　模仿　效仿　相仿　仿冒　仿造　仿真
【造　句】仿照——我仿照他的画也作了一幅画。
【同音字】访(访问)
【形近字】妨(妨害)
【反义词】仿效/创造
【近义词】仿佛/好像
【英　语】仿照　according to [əˈkɔː-diŋ tuː]

| fǎng | 笔画 | 部首 | 结构 | 五笔 | 造字法 |
|---|---|---|---|---|---|
| 访 | 6 | 讠 | 左右 | YYN | 形声 |
| 笔顺 | 丶 讠 讠 访 访 访 | | | | |

【解　释】❶向人询问调查。❷探望。❸游览。
【组　词】访问　拜访　访查　访友
【同音字】仿(仿佛)
【形近字】妨(妨碍)
【近义词】访问/拜访　走访
【英　语】访问　visit [ˈvizit]

| fǎng | 笔画 | 部首 | 结构 | 五笔 | 造字法 |
|---|---|---|---|---|---|
| 纺 | 7 | 纟 | 左右 | XYN | 形声 |
| 笔顺 | 𠃋 纟 纟 纟 纩 纺 纺 | | | | |

【解　释】❶把各种纤维等做成纱。❷纺绸,一种绸子,是一种平纹丝织品,又软又薄。
【组　词】纺织　混纺　纺纱　纺绸　棉纺　麻纺　精纺　纺车
【同音字】仿(效仿)
【形近字】防(防止)
【近义词】纺织/编织
【歇后语】纺织厂的乱线团——头绪太多。
【谚　语】纺车就是摇钱树,天天摇着就会富。
【英　语】纺织　spinning [ˈspi-niŋ]

| fàng | 笔画 | 部首 | 结构 | 五笔 | 造字法 |
|---|---|---|---|---|---|
| 放 | 8 | 方 | 左右 | YTY | 形声 |
| 笔顺 | 丶 亠 方 方 方 於 放 放 | | | | |

【解　释】❶解除约束。❷把人驱逐到边远地方。❸放纵;任意;不受约束。❹扩展;加大。❺置于;搁。❻发射;放射。❼点着;点燃。❽借钱给人收取利息。❾(花)开;开放。❿牧牛、羊等。⓫散开;让其自由活动。⓬抛弃。⓭在一定的时间内停止。
【组　词】放逐　释放　放任　放肆　放宽　存放　放电　放火　放假　奔放　放心　放弃　放水
【造　句】放弃——我们做任何事情都不能轻言放弃。
【形近字】牧(牧羊)　仿(仿效)
【成　语】放虎归山　放荡不羁　放任自流　心花怒放
【反义词】放大/缩小
【近义词】放心/安心
【歇后语】放大镜看书——显而易见。
【谚　语】放长线钓大鱼。
【英　语】放弃　give up [giv ʌp]

## FEI ㄈㄟ

| fēi | 笔画 | 部首 | 结构 | 五笔 | 造字法 |
|---|---|---|---|---|---|
| 飞 | 3 | 飞 | 独体 | NUI | 象形 |
| 笔顺 | ㇈ ㇈ 飞 | | | | |

【解　释】❶鸟类或虫类等鼓动翅膀在空中活动。❷物体在空中飘荡或游动。❸速度快；像飞似的。❹没有根据的；无缘无故的。❺极；特别地。❻能在空中飞行的物体。
【组　词】飞机　飞奔　飞快　飞驰　飞舞　飞翔
【造　句】飞驰——列车在原野上飞驰。
【同音字】非(非常)
【形近字】乙(乙方)
【成　语】飞沙走石　笨鸟先飞　飞黄腾达
【反义词】飞快/缓慢
【近义词】飞驰/疾驰
【歇后语】飞行员跳伞——一落千丈|飞毛腿赛跑——快上加快。
【谚　语】飞鸟辞笼，游鱼脱网。
【英　语】飞行　fly［flai］

| fēi | 笔画 | 部首 | 结构 | 五笔 | 造字法 |
|---|---|---|---|---|---|
| 妃 | 6 | 女 | 左右 | VNN | 形声 |
| 笔顺 | ㄑ 𡿨 女 女ㄱ 女ㄱ 妃 | | | | |

【解　释】❶古代帝王的妾，地位次于皇后。❷太子、王、侯的正夫人。
【组　词】贵妃　后妃　妃子
【同音字】飞(飞机)
【形近字】纪(纪律)
【英　语】妃子　imperial concubine［im'piəriəl 'kɔŋkjubain］

| fēi | 笔画 | 部首 | 结构 | 五笔 | 造字法 |
|---|---|---|---|---|---|
| 非 | 8 | 丨 | 左右 | DJDD | 会意 |
| 笔顺 | 丨 ㇐ ⺕ ⺕ 非 非 非 非 | | | | |

【解　释】❶表示否定(跟"是"相对)。不；不是。不合理；不对。❷跟"不"搭配用，"非……不……"表示肯定的意思；必须；一定。❸非常；异于寻常；十分；极。❹不以为然；以为不对。❺指非洲。❻反对；责备。

甲骨文　金文　小篆　隶书　楷书

【字源释义】"非"字像鸟飞向天空时的样子，并且突出了鸟的双翅，是"飞"字的最初字形。后来假借为表否定的"非"字。
【组　词】非常　非凡　非洲　非法
【造　句】非议——她遭到人们的无端非议。
【辨　音】不读 fěng。
【同音字】飞(飞驰)
【形近字】菲(芳菲)
【成　语】为非作歹　啼笑皆非　无事生非　痛改前非　非分之想
【反义词】非常/普通
【近义词】非得/必须
【谚　语】非理之财莫取，非理之事莫为|非亲有义须当敬，是友无

情不可交。
【英　语】非常　extraordinary [iks'trɔːdinəri]

| fēi | 笔画 | 部首 | 结构 | 五笔 | 造字法 |
|---|---|---|---|---|---|
| 菲 | 11 | 艹 | 上下 | ADJD | 形声 |
| 笔顺 | 一 十 艹 艹 芀 芀 芀 芀 菲 菲 菲 | | | | |

【解　释】花草茂盛;芳香。
【组　词】芳菲　菲菲
【造　句】芳菲——春天,百花齐放,满园芳菲。
【同音字】非(非常)
【形近字】扉(扉页)
【近义词】芳菲/芳香
【英　语】芳菲　fragrant ['freigrənt]
【多音字】fěi(见 205 页)

| fēi | 笔画 | 部首 | 结构 | 五笔 | 造字法 |
|---|---|---|---|---|---|
| 啡 | 11 | 口 | 左右 | KDJD | 形声 |
| 笔顺 | 丨 口 口 叮 叮 叮 叮 哔 啡 啡 啡 | | | | |

【解　释】用于"咖啡"、"吗啡"等词。
【组　词】吗啡　咖啡
【同音字】非(非常)
【形近字】排(安排)
【英　语】咖啡　coffee ['kɔfi]

| fēi | 笔画 | 部首 | 结构 | 五笔 | 造字法 |
|---|---|---|---|---|---|
| 绯 | 11 | 纟 | 左右 | XDJD | 形声 |
| 笔顺 | 𠃋 纟 纟 纠 纠 纠 纠 绯 绯 绯 绯 | | | | |

【解　释】红色。
【组　词】绯红　绯闻　绯衣
【造　句】绯红——她一路跑到学校,脸涨得绯红。
【同音字】飞(飞行)
【形近字】徘(徘徊)
【近义词】绯红/鲜红
【英　语】绯红　crimson ['krimzn]

| fēi | 笔画 | 部首 | 结构 | 五笔 | 造字法 |
|---|---|---|---|---|---|
| 扉 | 12 | 户 | 半包围 | YNDD | 形声 |
| 笔顺 | 丶 ㇇ ㇇ 户 户 户 户 户 扉 扉 扉 扉 | | | | |

【解　释】❶门扇。❷第一;最前面的。
【组　词】柴扉　扉页　扉画
【造　句】扉页——我在书的扉页上写下我的名字。
【同音字】非(明辨是非)
【形近字】非(非凡)　扇(蒲扇)
【英　语】扉页　title page ['taitl peidʒ]

| fēi | 笔画 | 部首 | 结构 | 五笔 | 造字法 |
|---|---|---|---|---|---|
| 霏 | 16 | 雨 | 上下 | FDJD | 形声 |
| 笔顺 | 一 ㇀ 丆 币 雨 雨 雨 雨 雨 雨 雨 雨 霏 霏 霏 霏 | | | | |

【解　释】❶指雨、雪等纷飞的样子。❷飘扬;飘散。
【组　词】霏霏　霏微
【同音字】绯(绯红)
【形近字】霞(云霞)
【英　语】霏霏　falling thick and fast ['fɔːliŋ θik ænd fɑːst]

| féi | 笔画 | 部首 | 结构 | 五笔 | 造字法 |
|---|---|---|---|---|---|
| 肥 | 8 | 月 | 左右 | ECN | 会意 |
| 笔顺 | 丿 刀 月 月 肀 肀 肀 肥 | | | | |

【解　释】❶含脂肪多(跟“瘦”相对)。❷土地含养分多。❸能增加田地养分的东西,如粪、化学配合剂等。❹增加田地养分。❺指衣服鞋袜等宽大。❻指捞取不正当利益而富裕。
【组　词】肥沃　肥料　施肥　化肥
【形近字】脂(脂肪)　胖(肥胖)
【成　语】脑满肠肥
【反义词】肥大/瘦小
【近义词】肥美/肥沃
【谚　语】肥是宝中宝,庄稼少不了。
【英　语】肥　fat [fæt]

| fěi | 笔画 | 部首 | 结构 | 五笔 | 造字法 |
|---|---|---|---|---|---|
| 匪 | 10 | 匚 | 半包围 | ADJD | 形声 |
| 笔顺 | 一 丆 丆 丆 丆 丆 丆 丆 丆 匪 | | | | |

【解　释】❶强盗,打劫财物的人。❷同“非”,不是。
【组　词】土匪　剿匪　匪盗　匪徒
【造　句】获益匪浅——通过参加社会服务行动队,同学们获益匪浅。
【辨　音】不读 fēi。
【同音字】诽(诽谤)
【形近字】匹(一匹马)
【成　语】匪夷所思　获益匪浅
【近义词】匪徒/土匪
【英　语】匪徒　bandit ['bændit]

| fěi | 笔画 | 部首 | 结构 | 五笔 | 造字法 |
|---|---|---|---|---|---|
| 诽 | 10 | 讠 | 左右 | YDJD | 形声 |
| 笔顺 | 丶 讠 讠 讠 讠 讠 讠 讠 诽 诽 | | | | |

【解　释】[诽谤]无中生有,说人坏话,毁人名誉。
【组　词】诽谤
【同音字】匪(土匪)
【英　语】诽谤　slander ['slɑː-ndə]

| fěi | 笔画 | 部首 | 结构 | 五笔 | 造字法 |
|---|---|---|---|---|---|
| 菲 | 11 | 艹 | 上下 | ADJD | 形声 |
| 笔顺 | 一 十 艹 艹 艹 艹 艹 艹 菲 菲 菲 | | | | |

【解　释】轻微。
【组　词】菲仪　菲薄
【同音字】匪(土匪)
【成　语】妄自菲薄
【反义词】妄自菲薄/妄自尊大
【近义词】妄自菲薄/自暴自弃
【英　语】菲薄　humble ['hʌmbl]
【多音字】fēi(见 204 页)

| fěi | 笔画 | 部首 | 结构 | 五笔 | 造字法 |
|---|---|---|---|---|---|
| 翡 | 14 | 羽 | 上下 | DJDN | 形声 |
| 笔顺 | 丨 𠃊 ㇐ ㇐ 非 非 非 非 非 非 非 翡 翡 翡 | | | | |

【解　释】❶古书中指一种有红色羽毛的鸟。❷一种珍贵的玉石,绿色的硬玉,半透明,有光泽。
【组　词】翡翠
【同音字】匪(土匪)
【形近字】悲(悲哀)
【英　语】翡翠　jade [dʒeid]

| fèi | 笔画 | 部首 | 结构 | 五笔 | 造字法 |
|---|---|---|---|---|---|
| 吠 | 7 | 口 | 左右 | KDY | 会意 |
| 笔顺 | 丨 口 口 口一 吁 吠 吠 | | | | |

【解　释】狗叫。
【组　词】狂吠

【造　句】鸡鸣犬吠——乡村的早晨可热闹啦，不断传来鸡鸣犬吠的声音。
【同音字】费（费心）
【形近字】伏（伏击）
【成　语】吠形吠声　蜀犬吠日
【反义词】蜀犬吠日/见怪不怪
【近义词】蜀犬吠日/少见多怪
【英　语】吠　bark [bɑːk]

| fèi | 笔画 | 部首 | 结构 | 五笔 | 造字法 |
|---|---|---|---|---|---|
| 肺 | 8 | 月 | 左右 | EGMH | 形声 |
| 笔顺 | 丿 月 月 月 月' 月' 肺 肺 | | | | |

【解　释】❶肺脏，人和某些高等动物体内的气体交换器官。❷比喻内心。
【组　词】肺脏　肺病　肺炎
【同音字】费（浪费）
【形近字】沛（充沛）
【成　语】感人肺腑　肺腑之言
【反义词】肺腑之言/违心之论
【近义词】肺腑之言/由衷之言
【英　语】肺脏　lung [lʌŋ]

| fèi | 笔画 | 部首 | 结构 | 五笔 | 造字法 |
|---|---|---|---|---|---|
| 废 | 8 | 广 | 半包围 | YNTY | 形声 |
| 笔顺 | 丶 亠 广 广 庐 庐 废 废 | | | | |

【解　释】❶停止；放弃；中止。❷荒芜；衰败。❸残疾。❹废弃的；没有用的。❺沮丧；失望。
【组　词】废墟　荒废　废话　废品
【辨　音】不读 fā。
【造　句】废品——我们将用完的草稿纸收集起来，送到废品收购站。
【同音字】费（费时）
【形近字】疲（疲劳）
【成　语】废寝忘食
【反义词】半途而废/一往直前
【近义词】废寝忘食/夜以继日
【英　语】废水　waste water [ˈweist ˈwɔːtə]

| fèi | 笔画 | 部首 | 结构 | 五笔 | 造字法 |
|---|---|---|---|---|---|
| 沸 | 8 | 氵 | 左右 | IXJH | 形声 |
| 笔顺 | 丶 丶 氵 氵 氵 沪 洯 沸 | | | | |

【解　释】❶水涌起的样子。❷水被烧开时产生气泡而翻滚的现象。❸比喻名声很响、影响很大。❹形容情绪高涨和事业蓬勃发展。
【组　词】沸点　沸水　沸泉
【辨　音】不读 fú 或 fó。
【同音字】吠（吠声）
【形近字】佛（仿佛）　拂（拂晓）
【成　语】沸沸扬扬　扬汤止沸
【反义词】沸点/冰点
【近义词】鼎沸/喧哗
【英　语】沸腾　boiling [ˈbɔiliŋ]

| fèi | 笔画 | 部首 | 结构 | 五笔 | 造字法 |
|---|---|---|---|---|---|
| 费 | 9 | 贝 | 上下 | XJMU | 形声 |
| 笔顺 | 一 コ 弓 弔 弗 弗 弗 费 费 | | | | |

【解　释】❶消耗；耗费。❷开支；钱财。
【组　词】浪费　学费　消费　花费
【造　句】浪费——我们应提倡节俭，反对铺张浪费。
【同音字】废（废除）
【形近字】贸（商贸）
【成　语】费尽心机
【反义词】浪费/节俭
【近义词】费心/劳神
【英　语】费用　cost [kɔst]

| fèi | 笔画 | 部首 | 结构 | 五笔 | 造字法 |
|---|---|---|---|---|---|
| 痱 | 13 | 疒 | 半包围 | UDJD | 形声 |
| 笔顺 | 丶 亠 广 疒 疒 疔 疔 疔 痄 痄 痱 痱 痱 | | | | |

【解　释】痱子，一种皮肤疾病，由于暑天出汗过多，在皮肤表面形成细小、分明的白色或红色小疹，刺痒。
【组　词】痱子　痱子粉
【同音字】沸（沸腾）
【形近字】扉（扉页）
【英　语】痱子 prickly heat [ˈprikli hiːt]

## FEN ㄈㄣ

| fēn | 笔画 | 部首 | 结构 | 五笔 | 造字法 |
|---|---|---|---|---|---|
| 分 | 4 | 八 | 上下 | WVB | 会意 |
| 笔顺 | 丿 八 分 分 | | | | |

【解　释】❶分开；分散。❷分配；派给。❸辨别。❹从整体中派生出来的。❺分数，表示一个单位的几分之几。❻粮食收成的成数，总数分成十份，占一份为一成。❼计量单位名称。

甲骨文　金文　小篆　隶书　楷书

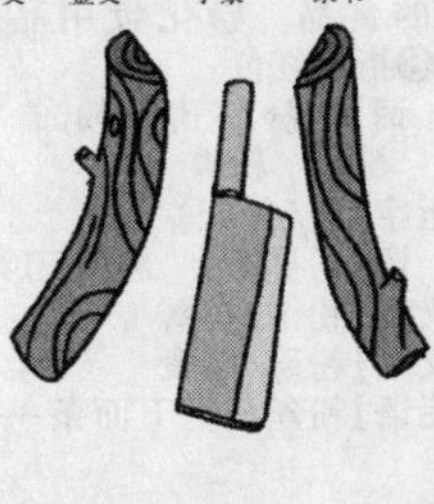

【字源释义】用刀把一件物品剖分为两半，这就是“分”字的本义。这个意义一直沿用至今。
【组　词】分别　分解　分析　分配　分担　分享　分寸　分离
【造　句】分担——我决定分担一部分家务，好让妈妈多休息一会儿。
【同音字】芬（芬芳）
【形近字】公（外公）
【成　语】分门别类　平分秋色　爱憎分明　四分五裂　难舍难分　分道扬镳　入木三分
【反义词】分别/相聚
【近义词】分辩/辩白
【谚　语】分久必合，合久必分｜分辨人的好坏看言行，分辨马的优劣听声音。
【英　语】分离 separate [ˈsepəreit]
【多音字】fèn（见 209 页）

| fēn | 笔画 | 部首 | 结构 | 五笔 | 造字法 |
|---|---|---|---|---|---|
| 芬 | 7 | 艹 | 上下 | AWVB | 形声 |
| 笔顺 | 一 十 艹 艹 芢 芬 芬 | | | | |

【解　释】花草的香气。
【组　词】芬芳
【造　句】芬芳——空气中弥漫着花草的芬芳。
【同音字】分（分工）　吩（吩咐）
【形近字】岔（岔道）　芳（芳草）
【反义词】芬芳/恶臭
【近义词】芬芳/芳香
【英　语】芬芳 fragrance [ˈfreigrəns]

| fēn | 笔画 | 部首 | 结构 | 五笔 | 造字法 |
|---|---|---|---|---|---|
| 吩 | 7 | 口 | 左右 | KWVN | 形声 |
| 笔顺 | 丨 𠃍 口 口 叭 吩 吩 | | | | |

F

【解　释】吩咐，口头指派或命令。
【组　词】吩咐
【造　句】吩咐——出门时妈妈吩咐我路上要小心。
【同音字】分（分配）
【形近字】份（份子）　盼（盼望）
【近义词】吩咐/嘱咐
【英　语】吩咐　order [ˈɔːdə]

| fēn | 笔画 | 部首 | 结构 | 五笔 | 造字法 |
|---|---|---|---|---|---|
| 纷 | 7 | 纟 | 左右 | XWVN | 形声 |
| 笔顺 | ㇐ 纟 纟 纟 纱 纷 纷 | | | | |

【解　释】❶多而杂的样子。❷争执；纠纷。
【组　词】纷飞　纷杂　纷乱　纠纷　纷争　纷繁　纷扰
【造　句】纷扰——内心的纷扰使他无法入睡。
【同音字】吩（吩咐）　芬（芬芳）
【形近字】粉（粉色）　份（股份）
【成　语】众说纷纭　纷纷扬扬　落英缤纷
【反义词】纷乱/整齐
【近义词】纷乱/杂乱
【英　语】纷乱　disorder [disˈɔːdə]

| fén | 笔画 | 部首 | 结构 | 五笔 | 造字法 |
|---|---|---|---|---|---|
| 坟 | 7 | 土 | 左右 | FYY | 形声 |
| 笔顺 | 一 十 土 圵 圹 坟 坟 | | | | |

【解　释】❶埋葬死人后筑起的土堆。❷古代典籍名。
【组　词】坟地　坟头　坟台　坟墓　祖坟　古坟　坟山
【辨　音】不读 wén。
【同音字】焚（焚烧）
【形近字】纹（指纹）　蚊（蚊虫）
【英　语】坟墓　tomb [tuːm]

| fén | 笔画 | 部首 | 结构 | 五笔 | 造字法 |
|---|---|---|---|---|---|
| 焚 | 12 | 火 | 上下 | SSOU | 会意 |
| 笔顺 | 一 十 才 木 木 村 材 林 林 林 焚 焚 | | | | |

【解　释】烧。
【组　词】焚风　焚烧　焚化　焚香　焚毁
【造　句】心急如焚——听说儿子被车子撞伤送进了医院，他心急如焚。
【同音字】坟（坟墓）
【形近字】梦（梦想）
【成　语】玩火自焚　心急如焚
【近义词】焚烧/烧毁
【英　语】焚烧　burn [bəːn]

| fěn | 笔画 | 部首 | 结构 | 五笔 | 造字法 |
|---|---|---|---|---|---|
| 粉 | 10 | 米 | 左右 | OWVN | 形声 |
| 笔顺 | 丶 丷 丷 半 米 米 米 籵 粉 粉 | | | | |

【解　释】❶泛指干的尘状物质；细末儿。❷粉刷、用涂料抹墙。❸比喻装饰表面。❹使成粉末；粉碎。❺白色的或带着白色粉末的。❻用米、豆或马铃薯等淀粉制成的食品。❼化妆用品的一种。❽指粉红色。
【组　词】花粉　粉墙　粉饰　粉碎　粉条　粉丝　粉蝶
【形近字】纷（纷纭）
【成　语】粉身碎骨　粉妆玉琢
【反义词】粉饰/揭露
【近义词】粉碎/摧毁
【歇后语】粉丝汤里下面条——纠

缠不清。
【谚　语】粉身碎骨浑不怕，要留清白在人间。
【英　语】粉末 powder [ˈpaudə]

| fèn | 笔画 | 部首 | 结构 | 五笔 | 造字法 |
| --- | --- | --- | --- | --- | --- |
| 分 | 4 | 八 | 上下 | WVB | 会意 |
| 笔顺 | ノ 八 今 分 | | | | |

【解　释】❶东西里含的各种物质。❷职权；义务；限度。❸同“份”。
【组　词】成分　本分　部分　分内　充分　安分　非分　处分　水分
【造　句】分内——不用客气，这是我分内的事。
【同音字】奋（奋斗）
【成　语】恰如其分　安分守己
【反义词】充分/贫乏
【近义词】充分/充足
【英　语】分外 especially [isˈpeʃəli]
【多音字】fēn（见207页）

| fèn | 笔画 | 部首 | 结构 | 五笔 | 造字法 |
| --- | --- | --- | --- | --- | --- |
| 份 | 6 | 亻 | 左右 | WWVN | 形声 |
| 笔顺 | ノ 亻 仈 仌 份 份 | | | | |

【解　释】❶整体中的部分。❷量词。用于搭配成组的东西。❸用在“省”、“县”、“年”、“月”后面，表示划分的单位。
【组　词】股份　份额　份儿　双份　省份　月份　年份　身份　份子　一份礼
【造　句】股份——中国的一些造船厂有国外企业的股份。
【辨　音】不读 fēn。
【同音字】奋（奋斗）
【形近字】吩（吩咐）
【英　语】份额 share [ʃɛə]

| fèn | 笔画 | 部首 | 结构 | 五笔 | 造字法 |
| --- | --- | --- | --- | --- | --- |
| 奋 | 8 | 大 | 上下 | DLF | 会意 |
| 笔顺 | 一 ナ 大 大 夯 夺 奋 奋 | | | | |

【解　释】❶鼓劲；振作。❷摇动；举起。
【组　词】奋斗　奋发　奋勇　奋进　勤奋　激奋　振奋　奋勉　发奋　感奋　兴奋
【造　句】奋发图强——他从此奋发图强，立志要考取名牌大学。
【同音字】愤（愤怒）
【形近字】备（准备）
【成　语】奋不顾身　奋勇争先　奋发图强
【反义词】奋不顾身/贪生怕死
【近义词】奋发/奋勉
【英　语】奋勇 courageous [kəˈreidʒəs]

| fèn | 笔画 | 部首 | 结构 | 五笔 | 造字法 |
| --- | --- | --- | --- | --- | --- |
| 忿 | 8 | 心 | 上下 | WVNU | 形声 |
| 笔顺 | ノ 八 分 分 分 忿 忿 忿 | | | | |

【解　释】❶生气；怨恨。❷服气。
【组　词】不忿　气不忿
【造　句】气不忿——群众对他那种自私行为很是气不忿。
【同音字】粪（粪土）
【形近字】忍（忍让）　念（思念）

| fèn | 笔画 | 部首 | 结构 | 五笔 | 造字法 |
| --- | --- | --- | --- | --- | --- |
| 愤 | 12 | 忄 | 左右 | NFAM | 形声 |
| 笔顺 | 丶 忄 忄 忄 忄 忄 忄 忄 忄 愤 愤 愤 | | | | |

F

【解 释】❶因不满意而感情激动,发怒。❷郁塞;烦闷。
【组 词】愤激 愤恨 愤然 愤慨 气愤
【造 句】气愤——我们等了半个多小时他还没来,我们对他的不守时感到气愤。
【同音字】分(安分守己)
【形近字】惯(习惯)
【成 语】愤愤不平
【反义词】愤慨/欣喜
【近义词】愤怒/气愤
【谚 语】愤怒中看出智慧,贫困中看出朋友。
【英 语】愤怒 angry [ˈæŋgri]

| fèn | 笔画 | 部首 | 结构 | 五笔 | 造字法 |
|---|---|---|---|---|---|
| 粪 | 12 | 米 | 上下 | OAWU | 会意 |
| 笔顺 | 丶 丷 ⺍ 半 米 米 粪 粪 粪 粪 粪 粪 | | | | |

【解 释】❶屎,粪便,可做肥料。❷扫除。❸施肥,往田地里加肥料。
【组 词】粪土 粪便 粪坑 粪田 掏粪 拾粪 马粪 粪箕
【同音字】份(省份)
【形近字】类(人类)
【谚 语】粪多庄稼旺,儿多母受穷。
【英 语】粪肥 muck [mʌk]

## FENG ㄈㄥ

| fēng | 笔画 | 部首 | 结构 | 五笔 | 造字法 |
|---|---|---|---|---|---|
| 丰 | 4 | 一 | 独体 | DHK | 象形 |
| 笔顺 | 一 二 三 丰 | | | | |

【解 释】❶庄稼收成好。❷容貌、姿态美好。❸多;盛;富裕。❹伟大,高大。
【组 词】丰满 丰盛 丰裕 丰碑 丰收 丰富多彩
【造 句】丰富多彩——我们的课余生活丰富多彩。
【同音字】风(北风)
【形近字】半(半途而废)
【成 语】丰衣足食 丰功伟绩
【反义词】丰足/匮乏
【近义词】丰收/丰产
【英 语】丰收 bumper harvest [ˈbʌmpə ˈhɑːvist]

| fēng | 笔画 | 部首 | 结构 | 五笔 | 造字法 |
|---|---|---|---|---|---|
| 风 | 4 | 风 | 半包围 | MQI | 形声 |
| 笔顺 | 丿 几 风 风 | | | | |

【解 释】❶空气流动形成的自然现象,多指跟地面大致平行的空气流动。❷像风那样快。❸景色。❹习俗;风尚。❺消息。❻无确实根据的。❼风度;作风。❽指民歌。❾中医指某些疾病。
【组 词】台风 风化 风行 风闻 风景 作风 风度 风云
【造 句】风风雨雨——在那战争年代,他们经历过许多风风雨雨。
【同音字】丰(丰产) 封(封锁)
【形近字】凤(凤凰) 冈(山冈)
【成 语】风平浪静 风起云涌 风言风语 风烛残年 风风火火 风风雨雨
【反义词】风平浪静/惊涛骇浪
【近义词】风行/流行
【谚 语】风无常顺,兵无常胜。
【英 语】风光 scenes [siːnz]

| fēng | 笔画 | 部首 | 结构 | 五笔 | 造字法 |
|---|---|---|---|---|---|
| 枫 | 8 | 木 | 左右 | SMQY | 形声 |
| 笔顺 | 一 十 才 木 机 机 枫 枫 | | | | |

【解　释】落叶乔木，春天开花。叶子掌状三裂，秋季变成红色。也叫枫香树。
【组　词】枫叶　枫林　枫树
【同音字】丰（丰盛）
【形近字】讽（讽刺）
【英　语】枫树　maple [ˈmeipl]

| fēng | 笔画 | 部首 | 结构 | 五笔 | 造字法 |
|---|---|---|---|---|---|
| 封 | 9 | 寸 | 左右 | FFFY | 会意 |
| 笔顺 | 一 十 土 圭 圭 圭 圭 封 封 | | | | |

【解　释】❶密闭。❷封起来的或用来封东西的纸袋、纸包等。❸古代帝王把土地或爵位赐予臣子。❹量词。用于装封套的东西。❺姓。
【组　词】封河　密封　封锁　信封　封侯　封闭　开封　查封　封地　封笔　封杀
【同音字】丰（丰收）
【形近字】卦（变卦）
【成　语】原封不动
【反义词】封锁/松开
【近义词】封闭/封存
【英　语】封面　front cover [frʌnt ˈkʌvə]

| fēng | 笔画 | 部首 | 结构 | 五笔 | 造字法 |
|---|---|---|---|---|---|
| 疯 | 9 | 疒 | 半包围 | UMQI | 形声 |
| 笔顺 | 丶 亠 广 广 疒 疒 疯 疯 疯 | | | | |

【解　释】❶神经错乱。❷比喻农作物生长旺盛而不结果实。❸指言行狂妄；不受管束。
【组　词】疯狂　疯长　发疯
【同音字】风（风云变幻）
【形近字】疫（瘟疫）
【近义词】装疯卖傻/装模作样
【英　语】疯狂　crazy [ˈkreizi]

| fēng | 笔画 | 部首 | 结构 | 五笔 | 造字法 |
|---|---|---|---|---|---|
| 峰 | 10 | 山 | 左右 | MTDH | 形声 |
| 笔顺 | 丨 山 山 山' 岁 峰 峰 峰 峰 峰 | | | | |

【解　释】❶高而尖的山头。❷形状像山峰的事物。❸比喻最高境界。
【组　词】山峰　洪峰　险峰　尖峰　高峰　峰会　峰值
【同音字】风（刮风）
【形近字】锋（锋利）
【成　语】峰回路转
【反义词】峰顶/谷底
【近义词】顶峰/尖峰
【英　语】山峰　mountain peak [ˈmauntin piːk]

| fēng | 笔画 | 部首 | 结构 | 五笔 | 造字法 |
|---|---|---|---|---|---|
| 烽 | 11 | 火 | 左右 | OTDH | 形声 |
| 笔顺 | 丶 丷 火 火 火 灼 炆 炵 烽 烽 烽 | | | | |

【解　释】古时边防报警的烟火。发现有敌人的时候，守卫的人就点火相告。
【组　词】烽火　烽燧　烽烟
【同音字】封（开封）　风（春风）
【形近字】锋（锋利）

【近义词】烽火/烽烟

【英　语】烽火　beacon fire [ˈbiːkən ˈfaiə]

| fēng | 笔画 | 部首 | 结构 | 五笔 | 造字法 |
|---|---|---|---|---|---|
| 锋 | 12 | 钅 | 左右 | QTDH | 形声 |
| 笔顺 | 丿 𠂉 𠂉 乍 钅 钅 钅 钅 锋 锋 锋 锋 | | | | |

【解　释】❶刀、剑等器械的锐利或尖端部分。❷泛指器物的尖锐部分。❸称带头的人。❹形容语言或文辞的锐利。

【组　词】锋刃　刀锋　交锋　笔锋　先锋　冲锋　锋利　锋芒

【同音字】蜂（蜜蜂）

【形近字】峰（险峰）

【反义词】前锋/后卫

【近义词】锋利/锐利

【英　语】锋利　sharp [ʃɑːp]

| fēng | 笔画 | 部首 | 结构 | 五笔 | 造字法 |
|---|---|---|---|---|---|
| 蜂 | 13 | 虫 | 左右 | JTDH | 形声 |
| 笔顺 | 丶 口 口 中 虫 虫 虫 虫 蜂 蜂 蜂 蜂 蜂 | | | | |

【解　释】❶昆虫，种类很多，有毒刺，能蜇人。多成群住在一起。❷特指蜜蜂。❸比喻成群的；众多。

【组　词】蜂窝　黄蜂　蜂蜜

【同音字】风（风俗）

【形近字】烽（烽火）

【成　语】蜂拥而来

【近义词】蜂拥/簇拥

【谚　语】蜂多出王，人多出将。

【英　语】蜜蜂　bee [biː]

| féng | 笔画 | 部首 | 结构 | 五笔 | 造字法 |
|---|---|---|---|---|---|
| 冯 | 5 | 冫 | 左右 | UCG | 形声 |
| 笔顺 | 丶 冫 冫 冯 冯 | | | | |

【解　释】姓。

【同音字】逢（相逢）

【形近字】蚂（蚂蚁）

| féng | 笔画 | 部首 | 结构 | 五笔 | 造字法 |
|---|---|---|---|---|---|
| 逢 | 10 | 辶 | 半包围 | TDHP | 形声 |
| 笔顺 | 丿 夕 夂 夆 夆 夆 夆 夆 逢 逢 | | | | |

【解　释】❶碰见；遇到。❷迎接；迎合。

【组　词】重逢　相逢　每逢

【同音字】缝（缝纫）

【形近字】缝（缝补）

【成　语】逢凶化吉　逢场作戏

【反义词】相逢/分别

【近义词】逢迎/吹捧

【谚　语】逢人只说三分话，未可全抛一片心。

【英　语】相逢　meet [miːt]

| féng | 笔画 | 部首 | 结构 | 五笔 | 造字法 |
|---|---|---|---|---|---|
| 缝 | 13 | 纟 | 左右 | XTDP | 形声 |
| 笔顺 | 𠃋 纟 纟 纟 纟 纟 纟 纟 缝 缝 缝 缝 缝 | | | | |

【解　释】用针线连接。

【组　词】缝补　缝制　缝缀　缝线　缝合　缝衣

【造　句】缝补——妈妈说她小的时候家里很穷，穿破的衣服缝补了好几次都不舍得扔。

【同音字】逢（逢源）

【形近字】逢（重逢）

【反义词】缝合/拆散
【近义词】缝补/缝合
【歇后语】缝衣的钢针——只认衣衫不认人|缝纫店里做衣服——量体裁衣。
【英　语】缝纫 sewing [ˈsəuiŋ]
【多音字】fèng(见213页)

| fěng | 笔画 | 部首 | 结构 | 五笔 | 造字法 |
|---|---|---|---|---|---|
| 讽 | 6 | 讠 | 左右 | YMQY | 形声 |
| 笔顺 | 丶 讠 讥 讥 讽 讽 | | | | |

【解　释】❶背诵。❷用含蓄的话指责或劝告。
【组　词】讽刺　讥讽　讽诵　讽喻　讽劝
【造　句】讽刺——这篇杂文讽刺了社会上的一些不良现象。
【辨　音】不读fēng。
【形近字】枫(枫叶)
【成　语】冷嘲热讽
【反义词】讽刺/表扬
【近义词】讽刺/挖苦
【英　语】讽刺 satirize [ˈsætiraiz]

| fèng | 笔画 | 部首 | 结构 | 五笔 | 造字法 |
|---|---|---|---|---|---|
| 凤 | 4 | 几 | 半包围 | MCI | 形声 |
| 笔顺 | 丿 几 凤 凤 | | | | |

【解　释】❶凤凰，中国古代神话传说中的百鸟之王。雄的叫“凤”，雌的叫“凰”。❷姓。
【组　词】凤冠　凤凰
【辨　音】不读fēng。
【同音字】奉(奉承)
【形近字】风(风采)
【成　语】凤毛麟角
【反义词】凤毛麟角/比比皆是
【近义词】凤毛麟角/寥若晨星
【谚　语】凤凰落架不如鸡。
【英　语】凤凰 phoenix [ˈfiːniks]

| fèng | 笔画 | 部首 | 结构 | 五笔 | 造字法 |
|---|---|---|---|---|---|
| 奉 | 8 | 一 | 上下 | DWFH | 形声 |
| 笔顺 | 一 二 三 声 夫 夫 奉 奉 | | | | |

【解　释】❶两手恭敬地捧着。❷尊重；遵守。❸恭敬地进献。❹接受。❺信仰；信奉。❻供养；侍候。❼敬辞。
【组　词】奉承　奉命　奉迎　奉献　奉陪
【同音字】凤(凤凰)
【形近字】春(春风)　奏(演奏)
【成　语】奉公守法
【反义词】奉献/索取
【近义词】奉承/恭维
【谚　语】奉承是害你，指教是爱你。
【英　语】奉陪 keep company [kiːp ˈkʌmpəni]

| fèng | 笔画 | 部首 | 结构 | 五笔 | 造字法 |
|---|---|---|---|---|---|
| 缝 | 13 | 纟 | 左右 | XTDP | 形声 |
| 笔顺 | 𠃋 纟 纟 纟' 纟ク 纟夂 纟夅 纟夆 纟夆 纟夆 纟夆 缝 缝 | | | | |

【解　释】❶接合的地方。❷缝隙，裂开或自然露出的狭长的空处。
【组　词】缝隙
【成　语】天衣无缝
【近义词】缝隙/空隙
【多音字】féng(见212页)

F

## FO ㄈㄛ

| fó | 笔画 | 部首 | 结构 | 五笔 | 造字法 |
|---|---|---|---|---|---|
| 佛 | 7 | 亻 | 左右 | WXJH | 形声 |
| 笔顺 | 丿 亻 亻 伊 伊 佛 佛 | | | | |

【解　释】梵语"佛陀"的简称，是佛教徒对修行圆满的人的称呼。也特指佛教的创始人释迦牟尼或有关佛教的物品。

【组　词】佛教　佛家　佛法　佛门　佛祖　佛爷　佛经　石佛

【形近字】拂(吹拂)

【成　语】佛口蛇心

【歇后语】佛颈珠——拨不动。

【谚　语】佛要金装，人需衣装|佛争一炉香，人争一口气。

【英　语】佛教　Buddhism　['budizəm]

【多音字】fú(见216页)

## FOU ㄈㄡ

| fǒu | 笔画 | 部首 | 结构 | 五笔 | 造字法 |
|---|---|---|---|---|---|
| 否 | 7 | 口 | 上下 | GIKF | 形声 |
| 笔顺 | 一 丆 不 不 不 否 否 | | | | |

【解　释】❶表示否定。❷用在问句尾表示疑问。❸表示不承认。❹不如此；不然。

【组　词】可否　否定　否决　否认　否则　应否　能否　是否

【造　句】否定——对于这个问题，他持否定态度。

【辨　音】不读fǔ。

【形近字】杏(杏树)　歪(歪斜)

【反义词】否定/肯定

【近义词】否定/否认

【谚　语】否认一次过失，等于重犯一次过失。

【英　语】否则　otherwise　['ʌðəwaiz]

【多音字】pǐ(见548页)

## FU ㄈㄨ

| fū | 笔画 | 部首 | 结构 | 五笔 | 造字法 |
|---|---|---|---|---|---|
| 夫 | 4 | 一 | 独体 | FWI | 指事 |
| 笔顺 | 一 二 夫 夫 | | | | |

【解　释】❶对成年男子的称呼。❷旧时称服劳役的人。❸丈夫。❹称从事某种体力劳动的人。

【字源释义】"夫"字像一个正面站立的人形，头部有一短横，表示男子成年之后用簪子将头发束起来。本义是"成年的男子"。引申为"已婚的男子"。

【组　词】渔夫　夫役　丈夫　夫妻　车夫　姑夫　匹夫　工夫

【造　句】工夫——我花了半天工夫才做好这只风筝，你怎么就给弄坏了呢?
【同音字】肤(皮肤)
【形近字】天(天空) 失(失踪)
【反义词】懦夫/勇士
【英 语】夫妇 couple [ˈkʌpl]
【多音字】fú(见215页)

| fū | 笔画 | 部首 | 结构 | 五笔 | 造字法 |
|---|---|---|---|---|---|
| 肤 | 8 | 月 | 左右 | EFWY | 形声 |
| 笔顺 | 丿 刀 月 月 月一 月二 肤 肤 | | | | |

【解 释】❶皮肤,人体表面的皮。❷表面的;浅薄的。
【组 词】皮肤 肌肤 肤色 肤浅
【辨 音】不读fú或fǔ。
【同音字】夫(姐夫)
【形近字】扶(扶持)
【成 语】体无完肤
【反义词】肤浅/深刻
【近义词】体无完肤/遍体鳞伤
【英 语】肤浅 superficial [sjuːpəˈfiʃəl]

| fū | 笔画 | 部首 | 结构 | 五笔 | 造字法 |
|---|---|---|---|---|---|
| 孵 | 14 | 爫 | 左右 | QYTB | 形声 |
| 笔顺 | 丿 ㇆ 𠄌 卯 卯 卵 卵 卵 卵 卵 卵 卵 孵 孵 | | | | |

【解 释】❶鸟或家禽伏在卵(蛋)上,用体温使卵(蛋)内的胚胎发育成雏,也可人工加温使卵(蛋)内的胚胎发育成雏。❷虫、鱼由卵里化生。
【组 词】孵鸡 孵化 孵卵
【同音字】夫(夫妻)
【辨 音】不读fú。
【形近字】浮(浮华)
【英 语】孵化 hatch [hætʃ]

| fū | 笔画 | 部首 | 结构 | 五笔 | 造字法 |
|---|---|---|---|---|---|
| 敷 | 15 | 攵 | 左右 | GEHT | 形声 |
| 笔顺 | 一 𠂆 丙 甬 甬 甫 甫 甫 甫 尃 尃 尃 尃 敷 敷 | | | | |

【解 释】❶抹上;涂上。❷陈设;布置。❸够;足够。
【组 词】敷药 敷设 敷贴 敷药 热敷 外敷
【造 句】入不敷出——我们家这个月花销太大,以致入不敷出。
【辨 音】不读fú或fù。
【同音字】夫(功夫)
【形近字】缚(束缚) 傅(师傅)
【成 语】敷衍了事 敷衍塞责 入不敷出
【反义词】敷衍/认真
【近义词】敷衍/应付
【英 语】敷衍 perfunctory [pəˈfʌŋktəri]

| fú | 笔画 | 部首 | 结构 | 五笔 | 造字法 |
|---|---|---|---|---|---|
| 夫 | 4 | 一 | 独体 | FWI | 象形 |
| 笔顺 | 一 二 𠂇 夫 | | | | |

【解 释】文言助词。
【多音字】fū(见214页)

| fú | 笔画 | 部首 | 结构 | 五笔 | 造字法 |
|---|---|---|---|---|---|
| 伏 | 6 | 亻 | 左右 | WDY | 会意 |
| 笔顺 | 丿 亻 亻一 什 伏 伏 | | | | |

【解 释】❶趴下。❷隐藏。❸低下去。❹屈服;承认错误或接受惩罚。❺初伏、中伏、末伏的统称。❻电压单位伏特的简称。❼使屈服;降伏。

F

【组　词】俯伏　潜伏　伏法　伏天　伏笔　起伏　埋伏
【同音字】服(服务)
【形近字】优(优秀)
【成　语】此起彼伏
【反义词】俯伏/站立
【近义词】伏击/狙击
【谚　语】伏虎要知虎性|伏里种豆,收也不厚。
【英　语】伏击　ambush [ˈæmbuʃ]

| fú | 笔画 | 部首 | 结构 | 五笔 | 造字法 |
|---|---|---|---|---|---|
| 芙 | 7 | 艹 | 上下 | AFWU | 形声 |
| 笔顺 | 一 十 艹 艹 芏 芺 芙 | | | | |

【解　释】[芙蓉]❶落叶灌木,开的花很美丽,为了区别于荷花又叫“木芙蓉”。❷荷花的别名。
【组　词】芙蓉
【同音字】伏(埋伏)
【形近字】夫(农夫)
【英　语】芙蓉　lotus [ˈləutəs]

| fú | 笔画 | 部首 | 结构 | 五笔 | 造字法 |
|---|---|---|---|---|---|
| 扶 | 7 | 扌 | 左右 | RFWY | 形声 |
| 笔顺 | 一 十 扌 扌 扌 扶 扶 | | | | |

【解　释】❶搀着;用手支持人或物使之不倒或竖起来。❷用手按着或把持着。❸帮助;援助;照顾。
【组　词】扶墙　扶养　扶助　扶手　扶贫
【辨　音】不读 fū。
【同音字】佛(仿佛)
【形近字】挟(挟持)　肤(皮肤)
【成　语】扶老携幼　救死扶伤　扶危济困　扶摇直上
【反义词】扶养/遗弃
【近义词】扶养/抚养
【谚　语】扶兴不扶败。
【英　语】扶养　bring up [briŋ ʌp]

| fú | 笔画 | 部首 | 结构 | 五笔 | 造字法 |
|---|---|---|---|---|---|
| 佛 | 7 | 亻 | 左右 | WXJH | 形声 |
| 笔顺 | 丿 亻 仁 仁 仴 佛 佛 | | | | |

【解　释】仿佛;好像;类似。
【组　词】仿佛
【造　句】仿佛——天上的火烧云形态万千,仿佛一幅变化无穷的图画。
【同音字】扶(扶助)
【形近字】拂(拂晓)
【近义词】仿佛/好像
【英　语】仿佛　as if [æz if]
【多音字】fó(见214页)

| fú | 笔画 | 部首 | 结构 | 五笔 | 造字法 |
|---|---|---|---|---|---|
| 孚 | 7 | 爫 | 上下 | EBF | 形声 |
| 笔顺 | 丿 ⺈ ⺈ 爫 孚 孚 孚 | | | | |

【解　释】❶信任;信用。❷使人信服。

甲骨文　金文　小篆　隶书　楷书

【字源释义】"孚"是"俘"的本字。字形像一只手捉住了一个跪着的人,本义是"军所获也"。
【同音字】拂(拂晓)
【形近字】采(采用)

| fú | 笔画 | 部首 | 结构 | 五笔 | 造字法 |
| --- | --- | --- | --- | --- | --- |
| 拂 | 8 | 扌 | 左右 | RXJH | 形声 |
| 笔顺 | 一 扌 扌 扌 扫 扫 拂 拂 | | | | |

【解　释】❶掸去灰尘。❷轻轻掠过或擦过。❸接近。❹甩动。❺违背;不顺从。
【组　词】拂拭　拂尘　拂逆　拂晓　吹拂
【造　句】拂晓——哥哥每天拂晓的时候就开始练长跑。
【辨　音】不读 fó。
【同音字】服(屈服)
【形近字】佛(佛教)
【近义词】拂晓/黎明
【英　语】拂晓　dawn [dɔːn]

| fú | 笔画 | 部首 | 结构 | 五笔 | 造字法 |
| --- | --- | --- | --- | --- | --- |
| 服 | 8 | 月 | 左右 | EBCY | 会意 |
| 笔顺 | 丿 月 月 月 月 肌 服 服 | | | | |

【解　释】❶衣裳。❷穿(衣裳)。❸顺从;信服。❹承当;担任。❺适应。❻吃(药)。❼丧服。❽使服从。
【组　词】制服　服药　折服　服刑　服从　服帖　服饰
【造　句】水土不服——刚到北京的几天,她水土不服,脸上长了好多疙瘩。
【同音字】符(符合)
【形近字】报(报告)
【成　语】心悦诚服　水土不服
【反义词】服从/违抗　反抗
【近义词】服从/顺从
【英　语】服从　obey [əˈbei]
【多音字】fù(见 223 页)

| fú | 笔画 | 部首 | 结构 | 五笔 | 造字法 |
| --- | --- | --- | --- | --- | --- |
| 俘 | 9 | 亻 | 左右 | WEBG | 形声 |
| 笔顺 | 丿 亻 亻 亻 亻 亻 俘 俘 俘 | | | | |

【解　释】❶打仗时抓获的敌人。❷打仗时擒获对方。
【组　词】俘虏　战俘　被俘　俘获　俘敌
【同音字】袱(包袱)
【形近字】浮(浮肿)
【英　语】俘获　capture [ˈkæptʃə]

| fú | 笔画 | 部首 | 结构 | 五笔 | 造字法 |
| --- | --- | --- | --- | --- | --- |
| 浮 | 10 | 氵 | 左右 | IEBG | 形声 |
| 笔顺 | 丶 丶 氵 氵 氵 氵 浮 浮 浮 浮 | | | | |

【解　释】❶漂。❷表面上的。❸暂时的。❹不沉静;不沉着。❺空虚;不切实。❻超过;多余。❼可移动的。❽游泳。
【组　词】浮萍　浮土　浮雕　浮力　浮华　浮桥　浮水　浮泛　浮动
【造　句】浮动——商品价格的浮动是市场规律在起作用的表现。
【同音字】扶(扶手)
【形近字】俘(俘虏)
【成　语】浮光掠影
【反义词】浮现/消逝
【近义词】浮名/虚名
【谚　语】浮躁性急,钓不了大鱼。

F

【英　语】浮动　float　[fləut]

| fú | 笔画 | 部首 | 结构 | 五笔 | 造字法 |
|---|---|---|---|---|---|
| 符 | 11 | ⺮ | 上下 | TWFU | 形声 |
| 笔顺 | 丿 𠂉 𠂉 𥫗 𥫗 竹 竹 竹 竺 符 符 | | | | |

【解　释】❶古代朝廷传达命令或调兵将用的凭证，双方各执一半，以辨真假。❷迷信用的驱使鬼神的东西。❸吻合；相合。❹标记；记号。❺一种标志。

【组　词】虎符　相符　符合　符咒

【造　句】符合——妈妈做的菜很符合我的口味。

【辨　音】不读 fù。

【同音字】拂（吹拂）

【形近字】付（应付）　苻（姓苻）

【反义词】相符/不符

【近义词】符合/吻合

【英　语】符合　conform　[kən'fɔːm]

| fú | 笔画 | 部首 | 结构 | 五笔 | 造字法 |
|---|---|---|---|---|---|
| 匐 | 11 | 勹 | 半包围 | QGKL | 形声 |
| 笔顺 | ノ 勹 勹 勹 匀 匀 匍 匐 匐 匐 匐 | | | | |

【解　释】趴在地上爬，手足并行。

【组　词】匍匐

【造　句】匍匐——弟弟趴在草地上，做匍匐前进状，把我们都逗笑了。

【同音字】浮（浮桥）

【形近字】富（丰富）

【近义词】匍匐/爬行

【英　语】匍匐　crawl　[krɔːl]

| fú | 笔画 | 部首 | 结构 | 五笔 | 造字法 |
|---|---|---|---|---|---|
| 袱 | 11 | 衤 | 左右 | PUWD | 形声 |
| 笔顺 | 丶 ㇇ 礻 衤 衤 衤 衤 衤 袝 袱 袱 | | | | |

【解　释】❶包裹东西的布。❷比喻思想或行动上的负担。❸相声、快书等曲艺中的笑料。

【组　词】包袱　抖包袱

【同音字】符（符号）　服（衣服）

【形近字】伏（埋伏）

【近义词】包袱/负担

【英　语】包袱　bundle　['bʌndl]

| fú | 笔画 | 部首 | 结构 | 五笔 | 造字法 |
|---|---|---|---|---|---|
| 幅 | 12 | 巾 | 左右 | MHGL | 形声 |
| 笔顺 | 丨 冂 巾 巾 巾 巾 巾 巾 帼 幅 幅 幅 | | | | |

【解　释】❶布匹、呢绒的宽度。❷泛指宽度。❸边沿；边缘。❹量词。用于图画、布帛等。

【组　词】幅员　振幅　边幅　篇幅

【造　句】篇幅——小明的作文篇幅太短，没有被评上“优”。

【辨　音】不读 fù 或 fǔ。

【同音字】伏（起伏）　福（福星）

【形近字】福（幸福）　副（副食）

【英　语】幅度　range　[reindʒ]

| fú | 笔画 | 部首 | 结构 | 五笔 | 造字法 |
|---|---|---|---|---|---|
| 辐 | 13 | 车 | 左右 | LGKL | 形声 |
| 笔顺 | 一 𠂉 车 车 车 车 车 车 车 辐 辐 辐 辐 | | | | |

【解　释】车轮上连接轮圈和车轴处的条状物。

【组　词】辐射　辐条

【造　句】辐射——各种电器都会对人体产生一定的辐射。
【同音字】福(幸福)
【英　语】辐射 radiation [ˌreidiˈeiʃən]

| fú | 笔画 | 部首 | 结构 | 五笔 | 造字法 |
|---|---|---|---|---|---|
| 福 | 13 | 礻 | 左右 | PYGL | 形声 |

笔顺：丶 ㇇ 礻 礻 礻 礻 礻 礻 礻 福 福 福 福

【解　释】❶幸福；福气(跟“祸”相对)。❷利益。❸旧时妇女行的一种礼。❹福建的略称。
【组　词】幸福　福利　福星　福相　福分　福安　福地　大饱眼福
【造　句】大饱眼福——北京一游，真使我大饱眼福。
【辨　音】不读 fǔ。
【同音字】扶(扶养)
【形近字】蝠(蝙蝠)
【反义词】幸福/痛苦
【近义词】福气/福分
【谚　语】福无双至，祸不单行。
【英　语】幸福 happiness [ˈhæpinis]

| fú | 笔画 | 部首 | 结构 | 五笔 | 造字法 |
|---|---|---|---|---|---|
| 蝠 | 15 | 虫 | 左右 | JGKL | 形声 |

笔顺：丶 口 口 中 虫 虫 虫 虫 蚆 蚆 蚆 蝠 蝠 蝠 蝠

【解　释】见 47 页“蝙”。
【组　词】蝙蝠
【辨　音】不读 fù。
【同音字】浮(浮现)
【形近字】福(福分)
【英　语】蝙蝠 bat [bæt]

| fǔ | 笔画 | 部首 | 结构 | 五笔 | 造字法 |
|---|---|---|---|---|---|
| 抚 | 7 | 扌 | 左右 | RFQN | 形声 |

笔顺：一 十 扌 扌 扌 抚 抚

【解　释】❶安慰；慰问。❷用手轻轻地摸。❸用手轻轻地按着。❹养育；扶持；保护。❺弹奏。
【组　词】抚慰　抚摸　抚弄
【造　句】抚弄——她一面听着，一面抚弄着小猫的头。
【同音字】辅(辅导)
【形近字】扶(扶助)
【反义词】抚养/遗弃
【近义词】抚育/养育
【英　语】抚养 raise [reiz]

| fǔ | 笔画 | 部首 | 结构 | 五笔 | 造字法 |
|---|---|---|---|---|---|
| 斧 | 8 | 父 | 上下 | WQRJ | 形声 |

笔顺：丿 八 ク 父 父 斧 斧 斧

【解　释】❶砍东西的一种工具。❷古代一种兵器。
【组　词】斧头　刀斧　斧削　板斧
【造　句】班门弄斧——他是这方面的专家，你在他面前卖弄，岂不是班门弄斧？
【同音字】抚(抚慰)
【形近字】釜(破釜沉舟)
【成　语】班门弄斧　鬼斧神工
【歇后语】斧头凿入木——一物降一物。
【谚　语】斧砍大树，鞭打快车。
【英　语】斧正 make corrections [meik kəˈrekʃəns]

F

| fǔ | 笔画 | 部首 | 结构 | 五笔 | 造字法 |
|---|---|---|---|---|---|
| 府 | 8 | 广 | 半包围 | YWFI | 形声 |
| 笔顺 | 丶 亠 广 广 庀 庐 府 府 | | | | |

【解 释】❶储藏文书或财物的地方。❷贵族或高级官员办公或居住的地方。❸旧时行政区划，等级在县和省之间。❹对别人住宅的敬称。❺进行高等教育的地方。
【组 词】政府 王府 府上 学府
【辨 音】不读 fù。
【同音字】脯（果脯）
【形近字】付（付出）
【英 语】政府 government [ˈgʌvənmənt]

| fǔ | 笔画 | 部首 | 结构 | 五笔 | 造字法 |
|---|---|---|---|---|---|
| 俯 | 10 | 亻 | 左右 | WYWF | 形声 |
| 笔顺 | 丿 亻 亻 亻 伫 伫 佇 俯 俯 俯 | | | | |

【解 释】❶面向下；低头。❷敬辞，旧时公文书信中用来称对方的动作。
【组 词】俯首 俯视 俯瞰 俯冲 俯身
【造 句】俯冲——飞机正在俯冲轰炸。
【辨 音】不读 fù。
【同音字】辅（辅助）
【形近字】府（府库） 腑（肺腑）
【成 语】俯首帖耳 俯仰之间
【反义词】俯拾皆是/寥寥无几
【近义词】俯视/俯瞰
【英 语】俯冲 dive [daiv]

| fǔ | 笔画 | 部首 | 结构 | 五笔 | 造字法 |
|---|---|---|---|---|---|
| 辅 | 11 | 车 | 左右 | LGEY | 形声 |
| 笔顺 | 一 𠂇 车 车 车 轩 轩 轩 辅 辅 辅 | | | | |

【解 释】帮助；扶助。
【组 词】辅导 辅助 辅音 辅佐 辅路 辅修
【造 句】辅导——爸爸每周末给我辅导功课。
【同音字】俯（俯首）
【形近字】捕（捕捉） 铺（当铺）
【成 语】相辅而行
【近义词】辅导/指导
【谚 语】辅车相依，唇亡齿寒｜辅强主弱，终无着落。
【英 语】辅助 assist [əˈsist]

| fǔ | 笔画 | 部首 | 结构 | 五笔 | 造字法 |
|---|---|---|---|---|---|
| 脯 | 11 | 月 | 左右 | EGEY | 形声 |
| 笔顺 | 丿 月 月 月 肛 肛 肟 脂 脯 脯 脯 | | | | |

【解 释】❶肉干。❷蜜饯果干。
【组 词】鹿脯 干脯 杏脯 果脯 桃脯 羊肉脯
【造 句】果脯——果脯是北京的特产，早已世界闻名。
【辨 音】不读 pǔ。
【同音字】抚（抚养）
【形近字】捕（追捕）
【英 语】果脯 preserved fruit [priˈzəːvd fruːt]
【多音字】pú（见 560 页）

F

| fǔ | 笔画 | 部首 | 结构 | 五笔 | 造字法 |
|---|---|---|---|---|---|
| 腑 | 12 | 月 | 左右 | EYWF | 形声 |
| 笔顺 | 丿 月 月 月 月 肀 肀 肀 肸 肸 腑 腑 | | | | |

【解　释】❶中医对胃、胆、膀胱、三焦、大小肠的总称。❷比喻内心、心怀。
【组　词】腑脏
【造　句】感人肺腑——这部反映现实生活的电视剧很是感人肺腑。
【同音字】俯(俯视)
【形近字】俯(俯视)
【成　语】五脏六腑　感人肺腑

| fǔ | 笔画 | 部首 | 结构 | 五笔 | 造字法 |
|---|---|---|---|---|---|
| 腐 | 14 | 广 | 半包围 | YWFW | 形声 |
| 笔顺 | 丶 亠 广 广 广 广 府 府 府 腐 腐 腐 腐 腐 | | | | |

【解　释】❶腐烂；变质。❷引申为思想陈旧或行为、生活堕落。❸比喻使人腐化堕落。❹豆腐的简称。❺古代的宫刑。
【组　词】腐朽　陈腐　腐蚀　腐化　腐乳　豆腐　腐败　腐刑
【造　句】陈腐——这篇文章观点陈腐，不符合现代人的观念。
【辨　音】不读fù。
【同音字】斧(斧头)
【形近字】府(政府)　俯(俯视)
【反义词】陈腐/新鲜
【近义词】腐烂/变质
【谚　语】腐肉不割，好肉难生。
【英　语】腐烂　putrid [ˈpjuːtrid]

| fǔ | 笔画 | 部首 | 结构 | 五笔 | 造字法 |
|---|---|---|---|---|---|
| 釜 | 10 | 父 | 上下 | WQFU | 形声 |
| 笔顺 | 丿 八 ク 父 父 父 父 父 釜 釜 | | | | |

【解　释】❶古代的一种锅。❷古代一种量器名。
【组　词】瓦釜　铁釜
【同音字】府(府上)
【形近字】斧(斧头)
【反义词】釜底抽薪/扬汤止沸　破釜沉舟/犹豫不决
【近义词】釜底抽薪/抽薪止沸　破釜沉舟/背水一战
【歇后语】釜底游鱼——不知死活。

| fù | 笔画 | 部首 | 结构 | 五笔 | 造字法 |
|---|---|---|---|---|---|
| 父 | 4 | 父 | 独体 | WQU | 指事 |
| 笔顺 | 丿 八 ク 父 | | | | |

【解　释】❶父亲；爸爸。❷家族或亲戚中对长辈男子的称呼。❸在宗教社会中，“父”是一种职能。
【组　词】父亲　父辈　祖父　严父　叔父　岳父　师父　父母
【同音字】富(富强)
【形近字】交(交换)
【近义词】父亲/爸爸
【谚　语】父母是孩子的镜子。
【英　语】父母　parent [ˈpeərənt]

| fù | 笔画 | 部首 | 结构 | 五笔 | 造字法 |
|---|---|---|---|---|---|
| 付 | 5 | 亻 | 左右 | WFY | 会意 |
| 笔顺 | 丿 亻 亻 付 付 | | | | |

F

【解　释】❶交；给。❷对付。❸量词。用于成套物品或面部表情。❹姓。
【组　词】付出　付酬　付款　对付　支付　托付　应付　付方　付现　付账
【造　句】付出——有一定的付出，才有一定的回报。
【辨　音】不读 cùn。
【同音字】赴（赴约）
【形近字】咐（吩咐）
【成　语】付之一笑　付之一炬　付之东流
【反义词】付出/回报
【近义词】对付/应付
【英　语】付款　pay [pei]

| fù | 笔画 | 部首 | 结构 | 五笔 | 造字法 |
|---|---|---|---|---|---|
| 负 | 6 | ⺈ | 上下 | QMU | 会意 |
| 笔顺 | ノ ⺈ ⺈ 负 负 负 | | | | |

【解　释】❶背着。❷担任；担当。❸依仗；依靠。❹遭受。❺具有。❻亏损；欠。❼背弃；违背。❽比零小的（跟"正"相对）。❾失败。❿指相对的两方面中反的一面。⓫指得到电子的。
【组　词】负担　负责　负伤　胜负　负债　负载　负气　负案
【同音字】付（付钱）
【形近字】员（员工）
【成　语】负荆请罪　负隅顽抗
【反义词】负责/敷衍　负极/正极　负隅顽抗/束手就擒
【近义词】负担/承担　负责/尽职
【英　语】负债　in debt [in det]

| fù | 笔画 | 部首 | 结构 | 五笔 | 造字法 |
|---|---|---|---|---|---|
| 妇 | 6 | 女 | 左右 | VVG | 会意 |
| 笔顺 | ㄑ 女 女 妇 妇 妇 | | | | |

【解　释】❶已婚的女子。❷女性的统称。❸妻子。❹儿媳。
【组　词】孕妇　妇女　夫妇　媳妇
【造　句】孕妇——在公交车上，小红主动给孕妇让座。
【同音字】富（富裕）
【形近字】扫（扫地）　归（归来）
【反义词】妇孺皆知/鲜为人知
【近义词】妇孺皆知/家喻户晓
【谚　语】妇女能顶半边天。
【英　语】妇女　woman ['wumən]

| fù | 笔画 | 部首 | 结构 | 五笔 | 造字法 |
|---|---|---|---|---|---|
| 附 | 7 | 阝 | 左右 | BWFY | 形声 |
| 笔顺 | ㇇ 阝 阝 阝 阝 附 附 | | | | |

【解　释】❶另外加上。❷处于从属的地位或依赖的关系。❸靠近。
【组　词】附设　附近　附加
【同音字】富（财富）
【形近字】咐（吩咐）
【反义词】附近/遥远
【近义词】附近/周围
【英　语】附近　nearby ['niəbai]

| fù | 笔画 | 部首 | 结构 | 五笔 | 造字法 |
|---|---|---|---|---|---|
| 咐 | 8 | 口 | 左右 | KWFY | 形声 |
| 笔顺 | 丨 ㄇ 口 叫 叫 吋 咐 咐 | | | | |

【解　释】见 207 页"吩"。

| fù | 笔画 | 部首 | 结构 | 五笔 | 造字法 |
|---|---|---|---|---|---|
| 阜 | 8 | 阜 | 上下 | WNNF | 象形 |
| 笔顺 | ′ 亻 户 户 白 白 𠂤 阜 | | | | |

【解　释】❶土山。❷物质丰富。
【成　语】物阜民安

| fù | 笔画 | 部首 | 结构 | 五笔 | 造字法 |
|---|---|---|---|---|---|
| 服 | 8 | 月 | 左右 | EBCY | 会意 |
| 笔顺 | 丿 刀 月 月 月⁷ 肌 服 服 | | | | |

【解　释】量词。中药一剂叫一服。
【同音字】富(丰富)
【多音字】fú(见217页)

| fù | 笔画 | 部首 | 结构 | 五笔 | 造字法 |
|---|---|---|---|---|---|
| 赴 | 9 | 走 | 半包围 | FHHI | 形声 |
| 笔顺 | 一 十 土 丰 丰 走 走 赴 赴 | | | | |

【解　释】❶前往;去。❷游。
【组　词】赴考　赴约　赴宴　赴难
【辨　音】不读 pù。
【同音字】富(丰富)
【形近字】赶(追赶)　赵(姓赵)
【成　语】赴汤蹈火
【反义词】赴汤蹈火/贪生怕死
【近义词】赴汤蹈火/勇往直前
【英　语】赴任　go to one's post [gəu tuː wʌnz pəust]

| fù | 笔画 | 部首 | 结构 | 五笔 | 造字法 |
|---|---|---|---|---|---|
| 复 | 9 | 夂 | 上中下 | TJTU | 形声 |
| 笔顺 | ′ 𠂉 仁 乍 乍 有 复 复 复 | | | | |

【解　释】❶返回;回去。❷回答;回报。❸还原;恢复。❹又;再。❺重叠;重复。❻报复。❼夹衣。❽夹层的。❾繁复。
【组　词】反复　复习　复读　复苏
【造　句】复读——高考落榜后,他决定复读一年,一定要考上大学。
【辨　音】不读 xià。
【同音字】赋(天赋)
【形近字】夏(夏季)
【成　语】死灰复燃
【反义词】复杂/简单
【近义词】反复/重复　复杂/繁杂
【英　语】复习　review [ri'vjuː]

| fù | 笔画 | 部首 | 结构 | 五笔 | 造字法 |
|---|---|---|---|---|---|
| 副 | 11 | 刂 | 左右 | GKLJ | 形声 |
| 笔顺 | 一 丆 戸 戸 戸 畐 畐 畐 畐 畐 副 | | | | |

【解　释】❶居第二位的。❷附带的;次要的。❸相称;相符。❹量词。用于成双成对的东西,也用于面部表情。
【组　词】副本　副职　一副　副官　副刊　副食　副词
【辨　音】不读 fú。
【同音字】负(欺负)
【形近字】福(幸福)
【成　语】名副其实
【反义词】名副其实/名不副实
【近义词】名副其实/名不虚传
【英　语】副手　assistant [ə'sistənt]

| fù | 笔画 | 部首 | 结构 | 五笔 | 造字法 |
|---|---|---|---|---|---|
| 赋 | 12 | 贝 | 左右 | MGAH | 形声 |
| 笔顺 | 丨 冂 贝 贝 贝 贝 贝 贝 贝 贝 赋 赋 | | | | |

【解　释】❶旧指田地税。❷征收。❸中国古典文学中的一种文体,盛行于汉魏六朝。❹念诗或做诗。❺授予;交给,给予。❻才华;才能。
【组　词】赋税　田赋　汉赋　赋予　赋闲　赋诗　天赋
【造　句】天赋——这个小孩有做诗的天赋。
【辨　音】不读 bīn。
【同音字】富(富足)
【形近字】腻(细腻)　武(武术)
【近义词】赋予/给予
【英　语】赋税　tax　[tæks]

| fù | 笔画 | 部首 | 结构 | 五笔 | 造字法 |
|---|---|---|---|---|---|
| 傅 | 12 | 亻 | 左右 | WGEF | 形声 |
| 笔顺 | 丿 亻 亻 亻 佢 佰 佰 俌 俌 傅 傅 傅 | | | | |

【解　释】❶辅助;教导。❷附着;添加。❸教导人的人。❹涂抹。❺姓。
【组　词】傅粉　师傅
【同音字】赋(赋予)
【形近字】缚(束缚)
【反义词】师傅/徒弟
【英　语】师傅　master　[ˈmɑːstə]

| fù | 笔画 | 部首 | 结构 | 五笔 | 造字法 |
|---|---|---|---|---|---|
| 富 | 12 | 宀 | 上下 | PGKL | 形声 |
| 笔顺 | 丶 丶 宀 宀 宀 宀 宀 富 富 富 富 富 | | | | |

【解　释】❶财物多。❷指资源、财富或金钱。❸充足;充裕。❹多;丰盛。
【组　词】富强　富豪　富丽　财富　富裕　富饶　丰富　富产
【造　句】富国强兵——为实现富国强兵的梦想,一代又一代的有识之士付出了毕生的心血。
【同音字】付(应付)
【形近字】寓(寓言)
【成　语】富国强兵　富贵荣华
【反义词】富裕/贫穷　丰富/贫乏　富国强兵/祸国殃民
【近义词】富贵荣华/高官厚禄　富丽/华丽
【谚　语】富人四季穿衣,穷人衣穿四季。
【英　语】富裕　wealthy　[ˈwelθi]

| fù | 笔画 | 部首 | 结构 | 五笔 | 造字法 |
|---|---|---|---|---|---|
| 腹 | 13 | 月 | 左右 | ETJT | 形声 |
| 笔顺 | 丿 月 月 月 肝 肝 肝 肺 肺 肺 腹 腹 腹 | | | | |

【解　释】❶肚子。❷中心部位。❸指内心;内地。
【组　词】腹部　食不果腹
【造　句】推心置腹——两个人推心置腹地谈了一个晚上。
【同音字】副(副词)
【形近字】愎(刚愎自用)
【成　语】推心置腹　腹背受敌
【反义词】推心置腹/钩心斗角
【近义词】推心置腹/将心比心
【英　语】腹痛　bellyache　[ˈbelieik]

| fù | 笔画 | 部首 | 结构 | 五笔 | 造字法 |
|---|---|---|---|---|---|
| 缚 | 13 | 纟 | 左右 | XGEF | 形声 |
| 笔顺 | 𠃋 纟 纟 纡 纡 绗 绗 缅 缚 缚 缚 缚 缚 | | | | |

【解　释】❶捆绑。❷拘束;限制。

【组　词】束缚　捆缚
【同音字】富(富强)
【辨　音】不读 fǔ。
【形近字】傅(师傅)
【成　语】作茧自缚
【反义词】束缚/解放　捆缚/放松
【近义词】束缚/约束　缚住/捆缚
【英　语】束　bind up [baind ʌp]

| fù | 笔画 | 部首 | 结构 | 五笔 | 造字法 |
|---|---|---|---|---|---|
| 覆 | 18 | 覀 | 上下 | STTT | 形声 |
| 笔顺 | 一 丆 丙 覀 覀 覀 覀 覀 覀 覀 覀 覀 覀 覀 覀 覆 覆 覆 | | | | |

【解　释】❶遮盖;遮蔽;蒙。❷翻转;倒过来。❸同"复"。1. 返回。2. 回报。
【组　词】覆盖　覆灭　颠覆
【同音字】傅(师傅)
【形近字】履(履行)
【成　语】覆水难收　覆盆之冤
【反义词】覆水难收/破镜重圆
【近义词】覆水难收/木已成舟
【英　语】覆盖　cover [ˈkʌvə]

# G

## GA ㄍㄚ

| gā | 笔画 | 部首 | 结构 | 五笔 | 造字法 |
|---|---|---|---|---|---|
| 夹 | 6 | 一 | 独体 | GUWI | 形声 |
| 笔顺 | 一 丆 ㇇ 丌 夹 夹 | | | | |

【解　释】夹肢窝。通称腋窝。
【组　词】夹肢窝
【同音字】旮（旮旯）
【英　语】夹肢窝　armpit [ˈɑːmpit]
【多音字】jiā（见 326 页）
【多音字】jiá（见 328 页）

| gā | 笔画 | 部首 | 结构 | 五笔 | 造字法 |
|---|---|---|---|---|---|
| 咖 | 8 | 口 | 左右 | KLKG | 形声 |
| 笔顺 | 丨 ㄇ 口 叨 叻 咖 咖 咖 | | | | |

【解　释】咖喱，一种调味品，用胡椒、姜黄、番椒、茴香、陈皮等粉末制成的调味品，味香而辣，色黄。
【组　词】咖喱
【英　语】咖喱　curry [ˈkʌri]
【多音字】kā（见 391 页）

| gà | 笔画 | 部首 | 结构 | 五笔 | 造字法 |
|---|---|---|---|---|---|
| 尬 | 7 | 尢 | 半包围 | DNWJ | 形声 |
| 笔顺 | 一 ナ 尢 尢 尬 尬 尬 | | | | |

【解　释】[尴尬]❶事情棘手或境况困难，不好办。❷神色、态度等不自然。
【组　词】尴尬
【造　句】尴尬——他正狼吞虎咽，赵护士一步走进来，弄得他一脸尴尬。
【辨　音】不读 jiè。
【形近字】旭（旭日）
【近义词】尴尬/困窘
【英　语】尴尬　awkward [ˈɔːkwəd]

## GAI ㄍㄞ

| gāi | 笔画 | 部首 | 结构 | 五笔 | 造字法 |
|---|---|---|---|---|---|
| 该 | 8 | 讠 | 左右 | YYNW | 形声 |
| 笔顺 | 丶 讠 讠 讠 访 访 该 该 | | | | |

【解　释】❶应当。❷理所当然。❸表示推测。❹那个，指上文讲到过的人或事物。❺加强语气。❻欠，欠账。❼同"赅"。
【组　词】应该　该账　该做　该校　活该　该死　该当　该欠
【造　句】应该——我们应该按学生守则的要求规范自己的行为。
【反义词】该地/别处
【近义词】应该/应当
【英　语】应该　ought to [ɔːt tuː]

| gǎi | 笔画 | 部首 | 结构 | 五笔 | 造字法 |
|---|---|---|---|---|---|
| 改 | 7 | 己 | 左右 | NTY | 会意 |
| 笔顺 | ㇆ ㇆ 己 己 改 改 改 | | | | |

【解　释】❶变更；更换。❷修改。❸纠正。

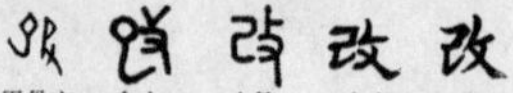

甲骨文　金文　小篆　隶书　楷书

【字源释义】“改”的字形像一个跪着的小孩；旁边有一只手，拿着棍子打他，要他改正错误。字的本义是“改变”、“更正”。
【组　词】改变　改革　改动　改道　改头换面
【造　句】改变——自从改变了学习方法后，小明的学习成绩很快就提高了。
【形近字】凯（凯旋）
【成　语】改邪归正
【反义词】改头换面/本来面目
【近义词】改头换面/乔装打扮
【谚　语】改错是聪明，瞒错是蠢人。
【英　语】改变　change [tʃeindʒ]

| gài | 笔画 | 部首 | 结构 | 五笔 | 造字法 |
| --- | --- | --- | --- | --- | --- |
| 丐 | 4 | 一 | 独体 | GHNV | 指事 |
| 笔顺 | 一 丅 丆 丐 | | | | |

【解　释】❶乞求。❷乞丐，讨钱、要饭的人。❸给；施与。
【组　词】乞丐
【造　句】乞丐——旧社会中，一旦碰上天灾人祸，很多农民就会沦为乞丐。
【辨　音】不读 miǎn。
【同音字】盖（盖子）　概（概括）
【形近字】焉（不入虎穴，焉得虎子）　亏（吃亏）
【英　语】乞丐　beggar [ˈbegə]

| gài | 笔画 | 部首 | 结构 | 五笔 | 造字法 |
| --- | --- | --- | --- | --- | --- |
| 芥 | 7 | 艹 | 上下 | AWJ | 形声 |
| 笔顺 | 一 十 艹 艹 艾 芥 芥 | | | | |

【解　释】芥菜，即盖菜，一年生草本植物，是普通蔬菜。
【组　词】芥菜　芥蓝菜
【同音字】盖（瓶盖）　概（概括）
【英　语】芥菜　leaf mustard [liːf ˈmʌstəd]
【多音字】jiè（见359页）

| gài | 笔画 | 部首 | 结构 | 五笔 | 造字法 |
| --- | --- | --- | --- | --- | --- |
| 钙 | 9 | 钅 | 左右 | QGHN | 形声 |
| 笔顺 | 丿 𠂉 𠂉 𠂉 钅 钅 钉 钆 钙 | | | | |

【解　释】金属元素，符号 Ca，银白色，化学性质活泼。
【组　词】钙化　补钙
【造　句】缺钙——老年人缺钙容易患骨质疏松症。
【同音字】盖（盖上）
【英　语】钙化　calcification [kælsifiˈkeiʃən]

| gài | 笔画 | 部首 | 结构 | 五笔 | 造字法 |
| --- | --- | --- | --- | --- | --- |
| 盖 | 11 | 皿 | 上下 | UGLF | 形声 |
| 笔顺 | 丶 丷 䒑 兰 羊 羊 羊 羔 羔 盖 盖 | | | | |

【解　释】❶盖子，器物上部有遮蔽作用的东西。❷遮拦；蒙上。❸建造。❹打上；印上。❺超过；压倒。❻大概。❼因为。❽古代的伞。
【组　词】锅盖　膝盖　遮盖　铺盖

【同音字】概(大概) 溉(灌溉)
【形近字】益(公益)
【成　语】盖世无双 盖棺论定
【反义词】遮盖/暴露
【近义词】盖世无双/独一无二
【歇后语】盖房子找箍桶匠——找错了人。
【谚　语】盖得住火,藏不住烟。
【英　语】盖章 seal [siːl]
【多音字】gě(见240页)

| gài | 笔画 | 部首 | 结构 | 五笔 | 造字法 |
|---|---|---|---|---|---|
| 溉 | 12 | 氵 | 左右 | IVCQ | 形声 |
| 笔顺 | 丶 丶 氵 氵 氵 氵 泪 泪 泪 泹 泹 溉 | | | | |

【解　释】浇灌;灌溉。
【组　词】灌溉
【辨　音】不读 kǎi。
【同音字】盖(盖世无双)
【形近字】概(大概) 慨(愤慨)
【近义词】灌溉/浇灌
【英　语】灌溉 irrigate [ˈirigeit]

| gài | 笔画 | 部首 | 结构 | 五笔 | 造字法 |
|---|---|---|---|---|---|
| 概 | 13 | 木 | 左右 | SVCQ | 形声 |
| 笔顺 | 一 十 才 木 朩 朩 朩 相 相 相 桦 椰 概 | | | | |

【解　释】❶大略;大致;总括。❷一律。❸景象;情况。❹气度神情。
【组　词】梗概 大概 概要 概况 概括 概念 概论 气概
【造　句】气概——中国人民有战胜一切困难的坚强气概。
【同音字】盖(盖子) 丐(乞丐)
【形近字】溉(灌溉) 慨(慷慨)
【反义词】概括/详尽
【英　语】概括 generalize [ˈdʒenərəlaiz]

## GAN ㄍㄢ

| gān | 笔画 | 部首 | 结构 | 五笔 | 造字法 |
|---|---|---|---|---|---|
| 干 | 3 | 干 | 独体 | FGGH | 象形 |
| 笔顺 | 一 二 干 | | | | |

【解　释】❶牵连;涉及。❷不用水的。❸干的食品。❹空的;空无所有。❺指拜认的干亲。❻徒然;白。❼形容说话太直太粗,不委婉。❽没有水分或水分很少(跟"湿"相对)。❾天干。❿盾;盾牌。⓫触犯;冒犯。⓬河岸;水边。⓭干涉;干预。⓮甘心。⓯只具形式的。

甲骨文 金文 小篆 隶书 楷书

【字源释义】"干"的本义是一种原始武器:用树杈制成的叉状武器,用它来叉住野兽或敌人的脖颈以将其制服。古籍中"干"也指盾。现在还有"大动干戈"的成语。简化字以"干"代"幹"、"乾"。
【组　词】干燥 干洗 饼干 干妈

【造　句】干净——不用妈妈帮忙,我自己已经把衣服洗干净了。
【同音字】甘(甘心)　肝(肝脏)
【形近字】十(十天)　于(于是)
【反义词】干燥/湿润
【近义词】外强中干/色厉内荏
【歇后语】干菜拌豆腐——有言(盐)在先。
【谚　语】干响的炸雷不下雨。
【英　语】干燥　dry [drai]
【多音字】gàn(见232页)

| gān | 笔画 | 部首 | 结构 | 五笔 | 造字法 |
|---|---|---|---|---|---|
| 甘 | 5 | 一 | 独体 | AFD | 指事 |
| 笔顺 | 一 十 廿 甘 甘 | | | | |

【解　释】❶甜;甜美(跟"苦"相对)。❷愿意;乐意(多为不好的事)。❸姓。

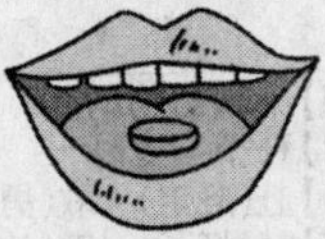

【字源释义】"甘"的本义是"甜"。字的外框原是"口",中间的短横是指事符号,表示嘴里对所吃的食物有甘甜的感觉。
【组　词】甘甜　甘霖
【造　句】甘拜下风——您的棋实在高明,我只有甘拜下风了。
【同音字】干(干净)　杆(杆子)
【形近字】廿(廿日)　其(其他)
【成　语】同甘共苦　苦尽甘来　甘拜下风　甘心情愿
【反义词】苦尽甘来/乐极生悲
【近义词】苦尽甘来/否极泰来
【歇后语】甘蔗吹火——不通。
【谚　语】甘瓜苦蒂,物不全美。
【英　语】甘愿　be willing to [biː ˈwiliŋ tuː]

| gān | 笔画 | 部首 | 结构 | 五笔 | 造字法 |
|---|---|---|---|---|---|
| 杆 | 7 | 木 | 左右 | SFH | 形声 |
| 笔顺 | 一 十 木 木 杆 杆 杆 | | | | |

【解　释】细长的棍状物,一般用木头、水泥或金属做成。
【辨　音】不读gàn。
【组　词】旗杆　杆子　拉杆
【同音字】干(干燥)　甘(甘甜)
【形近字】肝(肝脏)
【英　语】杆子　pole [pəul]
【多音字】gǎn(见230页)

| gān | 笔画 | 部首 | 结构 | 五笔 | 造字法 |
|---|---|---|---|---|---|
| 肝 | 7 | 月 | 左右 | EFH | 形声 |
| 笔顺 | 丿 刀 月 月 肝 肝 肝 | | | | |

【解　释】❶肝脏,人和高等动物的消化器官之一。主要功能是分泌胆汁,储藏动物淀粉,调节蛋白质、脂肪和碳水化合物的新陈代谢等,还有解毒、造血和凝血作用。❷比喻血性,勇气。
【组　词】肝脏　肝肠　肝火
【造　句】肝肠——得知奶奶突然去世,她肝肠寸断,哭得死去活来。
【同音字】杆(杆子)
【形近字】杆(杆子)　竿(竹竿)

【成　语】肝胆相照　肝肠寸断
【反义词】肝胆相照/钩心斗角
【近义词】肝肠寸断/悲痛欲绝
【英　语】肝脏　liver [ ˈlivə]

| gān | 笔画 | 部首 | 结构 | 五笔 | 造字法 |
|---|---|---|---|---|---|
| 柑 | 9 | 木 | 左右 | SAFG | 形声 |
| 笔顺 | 一 十 才 木 木一 木十 柑 柑 柑 | | | | |

【解　释】常绿灌木,果实多汁,味道甜,果皮可做药。
【组　词】柑橘　柑子　蜜柑
【同音字】甘(甘甜)　干(干燥)
【形近字】甜(甜味)　坩(坩埚)
【英　语】柑汁　orangeade [ ˈɔrindʒeid]

| gān | 笔画 | 部首 | 结构 | 五笔 | 造字法 |
|---|---|---|---|---|---|
| 竿 | 9 | ⺮ | 上下 | TFJ | 形声 |
| 笔顺 | ノ 𠂉 𥫗 𥫗丿 𥫗𠂉 ⺮ 竺 竿 竿 | | | | |

【解　释】❶竿子;竹竿。❷特指钓竿。
【组　词】钓竿　竹竿　竿子
【造　句】立竿见影——这种针剂真有效,刚注射进去,就立竿见影,病人的症状马上减轻了。
【辨　音】不读 gǎn。
【同音字】干(干净)　肝(肝脏)
【形近字】肝(肝脏)　杆(杆子)
【成　语】立竿见影　揭竿而起　百尺竿头
【近义词】立竿见影/马到成功
【英　语】竹竿　bamboo pole [ bæmˈbuː pəul]

| gān | 笔画 | 部首 | 结构 | 五笔 | 造字法 |
|---|---|---|---|---|---|
| 尴 | 13 | 尢 | 半包围 | DNJL | 形声 |
| 笔顺 | 一 ナ 九 尢 尢丨 尢𠂉 尢⺊ 尢⺊ 尴 尴 尴 尴 尴 | | | | |

【解　释】见 226 页"尬"。

| gǎn | 笔画 | 部首 | 结构 | 五笔 | 造字法 |
|---|---|---|---|---|---|
| 杆 | 7 | 木 | 左右 | SFH | 形声 |
| 笔顺 | 一 十 才 木 木一 木二 杆 | | | | |

【解　释】❶一些器物上细长的把儿。❷量词。
【组　词】秤杆　枪杆　笔杆　一杆枪
【同音字】敢(勇敢)
【英　语】秤杆　steelyard [ ˈstiːljɑːd]
【多音字】gān(见 229 页)

| gǎn | 笔画 | 部首 | 结构 | 五笔 | 造字法 |
|---|---|---|---|---|---|
| 秆 | 8 | 禾 | 左右 | TFH | 形声 |
| 笔顺 | 丿 二 千 禾 禾 禾一 禾二 秆 | | | | |

【解　释】某些植物的茎。
【组　词】秆子　麦秆
【同音字】赶(赶走)　敢(勇敢)
【形近字】杆(杆子)　竿(竹竿)
【英　语】秆子　stalk [stɔːk]

| gǎn | 笔画 | 部首 | 结构 | 五笔 | 造字法 |
|---|---|---|---|---|---|
| 赶 | 10 | 走 | 半包围 | FHFK | 形声 |
| 笔顺 | 一 十 土 丰 丰 卡 走 走 走一 赶 | | | | |

【解　释】❶追。❷加快速度,使不误时间。❸去;到(某处)。❹驱逐。❺遇到;碰上。❻驾驭。

【组　词】赶路　赶考　赶车　赶赴　赶工　赶紧　赶巧　赶上
【造　句】赶上——我得赶上头班车,否则就会迟到。
【同音字】敢(勇敢)　杆(秤杆)
【形近字】起(起床)
【成　语】赶尽杀绝
【反义词】赶尽杀绝/网开一面
【近义词】赶尽杀绝/斩草除根　赶巧/凑巧
【歇后语】赶鸭子上架——有意为难|赶车不带鞭——光拍马屁|赶着王母娘娘叫亲姑姑——妄想高攀。
【谚　语】赶路赶早不赶晚,时间能挤不能放| 赶路只怕站,困难只怕钻。
【英　语】赶快　hurry up [ˈhʌri ʌp]

| gǎn | 笔画 | 部首 | 结构 | 五笔 | 造字法 |
| --- | --- | --- | --- | --- | --- |
| 敢 | 11 | 攵 | 左右 | NBTY | 形声 |
| 笔顺 | | | | | |

【解　释】❶有勇气;有胆量。❷表示有把握做某种判断。❸谦辞,表示冒昧地请求别人。❹莫非;怕是。❺有胆量做。
【组　词】勇敢　敢情　敢问
【同音字】赶(赶路)　感(感情)
【形近字】橄(橄榄)
【成　语】敢作敢当
【反义词】敢作敢当/缩头缩脑
【近义词】勇敢/勇气
【谚　语】敢干是英雄,能忍是贤哲| 敢在高山住,不怕狼和虎。
【英　语】勇敢　brave [breiv]

| gǎn | 笔画 | 部首 | 结构 | 五笔 | 造字法 |
| --- | --- | --- | --- | --- | --- |
| 感 | 13 | 心 | 上下 | DGKN | 形声 |
| 笔顺 | | | | | |

【解　释】❶觉得。❷感动。❸对别人的好意怀着谢意。❹感冒;受风寒。❺情感。❻感触;感觉;感想。❼接触光线而发生变化。
【组　词】感动　感觉　感戴
【造　句】感动——我们被他的深情厚谊感动了。
【同音字】敢(勇敢)　赶(赶路)
【形近字】咸(咸味)
【成　语】感激涕零　感人肺腑　感恩戴德
【反义词】感恩戴德/忘恩负义
【近义词】感恩戴德/感激涕零
【谚　语】感冒不算病,不治要了命。
【英　语】感想　impression [imˈpreʃən]

| gǎn | 笔画 | 部首 | 结构 | 五笔 | 造字法 |
| --- | --- | --- | --- | --- | --- |
| 橄 | 15 | 木 | 左右 | SNBT | 形声 |
| 笔顺 | | | | | |

【解　释】橄榄,常绿乔木,羽状复叶,果实可以吃,也可入药。有的地方也叫青果。
【组　词】橄榄　橄榄枝　橄榄绿
【同音字】敢(勇敢)　感(感动)
【形近字】敢(勇敢)
【英　语】橄榄绿　olive green [ˈɔliv griːn]

G

| gàn | 笔画 | 部首 | 结构 | 五笔 | 造字法 |
|---|---|---|---|---|---|
| 干 | 3 | 干 | 独体 | FGGH | 象形 |
| 笔顺 | 一 二 干 | | | | |

【解　释】❶事物的主体或重要部分。❷做；做事。❸有能力。❹指干部。❺人和动物躯体的主干。❻指河道、铁道等的主流或主线。
【组　词】树干　躯干　骨干　干劲　能干　干部　干活
【造　句】干活——他们都在埋头干活呢！
【同音字】赣（赣江）
【英　语】能干　capable [ˈkeipəbl]
【多音字】gān（见 228 页）

## GANG ㄍㄤ

| gāng | 笔画 | 部首 | 结构 | 五笔 | 造字法 |
|---|---|---|---|---|---|
| 冈 | 4 | 冂 | 半包围 | MQI | 形声 |
| 笔顺 | 丨 冂 冈 冈 | | | | |

【解　释】较低而平的山脊。
【组　词】山冈　冈陵
【辨　音】不读 gǎng。
【同音字】刚（刚才）　纲（提纲）
【形近字】同（同时）　刚（刚才）
【英　语】山冈　ridge of a hill [riʤ əv ə hil]

| gāng | 笔画 | 部首 | 结构 | 五笔 | 造字法 |
|---|---|---|---|---|---|
| 扛 | 6 | 扌 | 左右 | RAG | 形声 |
| 笔顺 | 一 十 扌 扌 扛 扛 | | | | |

【解　释】❶用两手举重物。❷抬东西。
【组　词】力能扛鼎
【同音字】刚（刚才）　钢（钢板）
【形近字】杆（秤杆）
【英　语】扛　carry [ˈkæri]
【多音字】káng（见 395 页）

| gāng | 笔画 | 部首 | 结构 | 五笔 | 造字法 |
|---|---|---|---|---|---|
| 刚 | 6 | 刂 | 左右 | MQJH | 形声 |
| 笔顺 | 丨 冂 冈 冈 冈 刚 | | | | |

【解　释】❶硬；坚强（跟"柔"相对）。❷正好；恰好。❸表示勉强达到某种程度。❹刚才。
【组　词】刚强　刚刚　刚才
【造　句】刚刚——天刚刚亮，妈妈就起床为我们准备早餐。
【同音字】冈（山冈）　钢（钢材）
【形近字】则（原则）　纲（提纲）
【成　语】刚正不阿
【反义词】刚愎自用/从善如流
【近义词】刚强/坚强
【歇后语】刚出土的芽——嫩着哪！
【谚　语】刚则易折，柔则长存。
【英　语】刚才　a moment ago [əˈməumənt əˈgəu]

| gāng | 笔画 | 部首 | 结构 | 五笔 | 造字法 |
|---|---|---|---|---|---|
| 肛 | 7 | 月 | 左右 | EAG | 形声 |
| 笔顺 | 丿 刀 月 月 肝 肛 肛 | | | | |

【解　释】肛门和肛道的总称，是人或动物排泄粪便的器官。
【组　词】肛门　肛道
【同音字】钢（钢铁）　纲（提纲）

【形近字】扛(扛着)
【英 语】肛门 anus [ˈeinəs]

| gāng | 笔画 | 部首 | 结构 | 五笔 | 造字法 |
|---|---|---|---|---|---|
| 纲 | 7 | 纟 | 左右 | XMQY | 形声 |
| 笔顺 | ㄥ 纟 纟 纠 纲 纲 纲 | | | | |

【解 释】❶渔网上的总绳；多用于比喻事物最主要的部分。❷旧时成批运输货物的组织。
【组 词】提纲 纲领
【造 句】提纲——我们初学写作文，最好先写个提纲。
【同音字】刚(刚才) 钢(钢材)
【形近字】钢(钢铁)
【成 语】提纲挈领
【反义词】提纲挈领/不得要领
【近义词】提纲挈领/纲举目张
【英 语】纲领 programme [ˈprəu-græm]

| gāng | 笔画 | 部首 | 结构 | 五笔 | 造字法 |
|---|---|---|---|---|---|
| 钢 | 9 | 钅 | 左右 | QMQY | 形声 |
| 笔顺 | ノ 𠂉 𠂉 乍 钅 钔 钔 钢 钢 | | | | |

【解 释】铁和碳的合金，是重要的工业材料。
【组 词】钢板 钢琴 钢丝 钢铁
【同音字】刚(刚才) 纲(提纲)
【形近字】纲(提纲)
【歇后语】钢刀砍铁板——硬碰硬|钢铃打锣——另有音。
【谚 语】钢淬火才硬，树剪枝才正| 钢铁怕火炼，困难怕志坚。
【英 语】钢琴 piano [piˈænəu]
【多音字】gàng(见 234 页)

| gāng | 笔画 | 部首 | 结构 | 五笔 | 造字法 |
|---|---|---|---|---|---|
| 缸 | 9 | 缶 | 左右 | RMAG | 形声 |
| 笔顺 | ノ 𠂉 ㇐ 午 缶 缶 缶 缸 缸 | | | | |

【解 释】❶盛东西的器物。❷形状像缸的器物。
【组 词】水缸 缸盆 汽缸 茶缸 鱼缸
【同音字】刚(刚才) 钢(钢铁)
【形近字】杠(抬杠) 江(长江)
【英 语】水缸 water vat [ˈwɔː-tə væt]

| gǎng | 笔画 | 部首 | 结构 | 五笔 | 造字法 |
|---|---|---|---|---|---|
| 岗 | 7 | 山 | 上下 | MMQU | 形声 |
| 笔顺 | 丨 山 山 岗 岗 岗 岗 | | | | |

【解 释】❶不高的山或高起的土坡。❷岗位；职位。❸值勤、守卫的地方。
【组 词】岗位 站岗
【造 句】站岗——解放军叔叔为保卫祖国站岗放哨。
【辨 音】不读 gāng。
【同音字】港(港口)
【形近字】刚(刚才) 钢(钢铁)
【英 语】岗位 post [pəust]

| gǎng | 笔画 | 部首 | 结构 | 五笔 | 造字法 |
|---|---|---|---|---|---|
| 港 | 12 | 氵 | 左右 | IAWN | 形声 |
| 笔顺 | 丶 丶 氵 氵 汁 洪 洪 洪 洪 洪 港 港 | | | | |

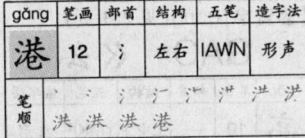

【解 释】❶港湾，停泊大型船只的口岸。❷江河的支流，多用于河流名。❸特指香港。❹航空港。
【组 词】港口 香港 军港 港警

港务　港币　港湾　渔港

【造　句】渔港——这里自古就是天然渔港，近几年来已发展成为产鱼基地。

【同音字】岗（站岗）

【形近字】巷（巷子）

【谚　语】港直不深，人直不富。

【英　语】港湾　harbour [ˈhaːbə]

| gàng | 笔画 | 部首 | 结构 | 五笔 | 造字法 |
|---|---|---|---|---|---|
| 杠 | 7 | 木 | 左右 | SAG | 形声 |
| 笔顺 | 一 十 才 木 木 杠 杠 | | | | |

【解　释】❶比较粗的棍子。❷体操或锻炼身体的器械。❸批改文字或阅读时画的粗直线。❹比喻一定的标准。

【组　词】抬杠　杠杆　杠铃

【辨　音】不读 káng。

【形近字】江（长江）　肛（肛门）

【英　语】杠杆　lever [ˈliːvə]

G

| gàng | 笔画 | 部首 | 结构 | 五笔 | 造字法 |
|---|---|---|---|---|---|
| 钢 | 9 | 钅 | 左右 | QMQY | 形声 |
| 笔顺 | ノ ト ㇉ 乍 钅 钔 钔 钢 钢 | | | | |

【解　释】❶磨刀。❷在刀口上加点钢，重新打造，使更锋利。

【多音字】gāng（见 233 页）

## GAO　《幺

| gāo | 笔画 | 部首 | 结构 | 五笔 | 造字法 |
|---|---|---|---|---|---|
| 高 | 10 | 亠 | 上中下 | YMKF | 象形 |
| 笔顺 | 丶 亠 亣 产 亩 亭 高 高 高 高 | | | | |

【解　释】❶从下到上的距离大（跟"低"相对）。❷高度。❸超过一般标准或平均程度。❹敬辞，称别人的事物。❺岁数大。❻热烈。❼等级在上的。❽姓。

【字源释义】"高"字的字形像一座高高的楼阁，上部是尖尖的楼顶，中间是城楼，下层的中间部分有一个门口。字义就是用高楼来表示"高"的意思。

【组　词】高矮　高级　高楼　高昂　高傲　高大　高见

【造　句】高大——雷锋高大的形象，将永远铭刻在我们心头。

【同音字】羔（羊羔）　膏（膏剂）

【形近字】亮（漂亮）

【成　语】高山流水　高朋满座　高不可攀　高风亮节　高高在上

【反义词】高/低

【近义词】高兴/兴奋

【歇后语】高射炮打蚊子——大材小用。

【谚　语】高山出猛虎，梧桐落凤凰｜高山挡不住太阳，困难吓不倒硬汉。

【英　语】高兴　glad [glæd]

| gāo | 笔画 | 部首 | 结构 | 五笔 | 造字法 |
|---|---|---|---|---|---|
| 羔 | 10 | ⺶ | 上下 | UGOU | 会意 |
| 笔顺 | 丶 丷 䒑 䒑 兰 ⺶ ⺶ ⺶ 羔 羔 | | | | |

【解　释】❶小羊。❷指某些幼小的动物。

甲骨文　金文　小篆　隶书　楷书

【字源释义】字形的上部是“羊”，下部是“火”，表示用火烧羊。烧羊当然是以烧小羊的肉最为鲜美，因而“羔”字指“小羊”。
【组　词】羊羔　鹿羔　羔皮
【辨　音】不读 gǎo。
【同音字】高(高大)
【形近字】羊(山羊)
【英　语】羔羊　lamb [læm]

| gāo | 笔画 | 部首 | 结构 | 五笔 | 造字法 |
|---|---|---|---|---|---|
| 膏 | 14 | 亠 | 上中下 | YPKE | 形声 |
| 笔顺 | 丶 亠 亠 亣 亣 亭 高 高 高 高 膏 膏 膏 膏 | | | | |

【解　释】❶脂肪；油脂。❷很稠的糊状物。❸肥沃。
【组　词】脂膏　牙膏　膏药
【同音字】高(高大)
【形近字】毫(毫米)
【成　语】病入膏肓
【近义词】病入膏肓/不可救药
【英　语】牙膏　toothpaste ['tu:θpeist]
【多音字】gào(见 236 页)

| gāo | 笔画 | 部首 | 结构 | 五笔 | 造字法 |
|---|---|---|---|---|---|
| 篙 | 16 | ⺮ | 上下 | TYMK | 形声 |
| 笔顺 | 丿 𠂉 𥫗 𥫗 𥫗 竹 竹 竺 笁 笁 笁 笞 篙 篙 篙 篙 | | | | |

【解　释】撑船用的竹竿或木杆。
【组　词】撑篙　篙头　篙子
【造　句】撑篙——大桥修好后，我们结束了只能撑篙渡河的历史。
【同音字】高(高大)　羔(羊羔)
【形近字】高(高低)
【英　语】篙子　punt-pole [pʌnt pəul]

| gāo | 笔画 | 部首 | 结构 | 五笔 | 造字法 |
|---|---|---|---|---|---|
| 糕 | 16 | 米 | 左右 | OUGO | 形声 |
| 笔顺 | 丶 丷 䒑 半 米 米 米 米 籵 籵 粁 粁 粁 糕 糕 糕 | | | | |

【解　释】用米粉、面粉等制成的食品。
【组　词】年糕　蜂糕　蛋糕
【同音字】羔(羊羔)
【形近字】羔(羊羔)，
【英　语】蛋糕　cake [keik]

| gǎo | 笔画 | 部首 | 结构 | 五笔 | 造字法 |
|---|---|---|---|---|---|
| 搞 | 13 | 扌 | 左右 | RYMK | 形声 |
| 笔顺 | 一 十 扌 扌 扩 扩 扩 扩 扩 搞 搞 搞 搞 | | | | |

【解　释】❶做；干；从事。❷设法获

得。❸整治人,使吃苦头。

【组　词】搞好　搞定　搞笑　搞工作

【造　句】搞好——这件事,他要是搞好了,同学们对他肯定要刮目相看。

【同音字】稿(稿纸)

【形近字】稿(稿费)

【近义词】搞好/干好

【谚　语】搞好四旁绿化,风沙旱涝不怕。

【英　语】搞垮　destroy [di'strɔi]

| gǎo | 笔画 | 部首 | 结构 | 五笔 | 造字法 |
|---|---|---|---|---|---|
| 稿 | 15 | 禾 | 左右 | TYMK | 形声 |
| 笔顺 | 一 二 千 禾 禾 禾 禾 秆 秆 秆 秆 稿 稿 稿 稿 | | | | |

【解　释】❶稻、麦的秆子。❷文章、图画的稿子或没发表的作品。❸外发公文的草稿。

【组　词】稿纸　图稿　约稿

【造　句】约稿——校刊编辑部向我约稿,让我谈谈参加这次军训的体会。

【辨　音】不读 gāo。

【同音字】搞(搞好)

【形近字】搞(搞鬼)

【歇后语】稿子写到边——不够格。

【英　语】手稿　manuscript ['mænjuskript]

| gào | 笔画 | 部首 | 结构 | 五笔 | 造字法 |
|---|---|---|---|---|---|
| 告 | 7 | 口 | 上下 | TFKF | 会意 |
| 笔顺 | 丿 𠂉 牛 生 生 告 告 | | | | |

【解　释】❶把事情向人陈述、解说。❷请;求。❸揭发;控诉。❹表明。❺劝说;规劝。❻宣布或表明某种情况的实现。

甲骨文　金文　小篆　隶书　楷书

【字源释义】"告"是"牿"的本字。"牿"(音 gù)就是养牛马的圈。"告"为一头牛的下方有一个吃食用的槽子,以此来表示这是饲养牲口的地方。

【组　词】告知　告白　告别　告诫　告破　告状

【造　句】告别——去年,我告别了父母,来到北京读书。

【形近字】吉(吉利)

【成　语】告老还乡

【反义词】告诉/隐瞒

【近义词】告老还乡/解甲归田

【英　语】告诫　warn [wɔ:n]

| gào | 笔画 | 部首 | 结构 | 五笔 | 造字法 |
|---|---|---|---|---|---|
| 膏 | 14 | 亠 | 上中下 | YPKE | 形声 |
| 笔顺 | 丶 亠 亡 亩 亩 高 高 高 高 高 亭 膏 膏 膏 | | | | |

【解　释】把油加在车轴或机器等经常转动的部分。

【组　词】膏油

【造　句】膏油——经常给车辆膏油可以对车辆起到很好的保养作用。
【同音字】告(告诉)
【多音字】gāo(见235页)

## GE ㄍㄜ

| gē | 笔画 | 部首 | 结构 | 五笔 | 造字法 |
|---|---|---|---|---|---|
| 戈 | 4 | 戈 | 独体 | AGNT | 象形 |
| 笔顺 | 一 七 戈 戈 | | | | |

【解　释】❶古代的兵器，横刃，用青铜或铁制成，装有长柄。❷姓。

甲骨文　金文　小篆　隶书　楷书

【字源释义】“戈”是古代的一种武器的名称。有一根长长的木柄，上端有横刃，可以用来横击、钩持，是商代和战国时期比较盛行的武器之一。
【组　词】戈壁　长戈
【同音字】哥(哥哥)　歌(歌唱)
【形近字】七(七个)　伐(伐木)
【英　语】戈壁　Gobi [ˈgəubi]

| gē | 笔画 | 部首 | 结构 | 五笔 | 造字法 |
|---|---|---|---|---|---|
| 咯 | 9 | 口 | 左右 | KTKG | 形声 |
| 笔顺 | 丨 冂 口 口′ 叹 吹 咚 咯 咯 | | | | |

【解　释】象声词。❶[咯噔(dēng)]形容物体猛然撞击或震动的声音。❷[咯咯]形容笑声、机关枪的射击声或鸟叫声。
【组　词】咯噔　咯咯　咯吱
【造　句】咯咯——听到别人的夸奖，她咯咯地笑起来。
【同音字】戈(戈壁)
【英　语】咯咯　cluck [klʌk]

| gē | 笔画 | 部首 | 结构 | 五笔 | 造字法 |
|---|---|---|---|---|---|
| 哥 | 10 | 口 | 上下 | SKSK | 会意 |
| 笔顺 | 一 丁 〒 可 可 哥 哥 哥 哥 哥 | | | | |

【解　释】❶同父母(或只同父、只同母)而年纪比自己大的男子。❷同辈中年纪比自己大的男子。❸称呼年纪跟自己差不多的男子。
【组　词】哥哥　表哥　哥们
【同音字】搁(搁浅)
【英　语】哥哥　elder brother [ˈeldə ˈbrʌðə]

| gē | 笔画 | 部首 | 结构 | 五笔 | 造字法 |
|---|---|---|---|---|---|
| 胳 | 10 | 月 | 左右 | ETKG | 形声 |
| 笔顺 | 丿 刀 月 月 月′ 胪 胶 胳 胳 胳 | | | | |

【解　释】胳膊，从手腕到肩膀的部分。
【组　词】胳膊
【同音字】搁(搁着)　歌(歌曲)
【形近字】络(联络)　洛(洛阳)
【谚　语】胳膊扭不过大腿。
【英　语】胳膊　arm [ɑːm]

| gē | 笔画 | 部首 | 结构 | 五笔 | 造字法 |
|---|---|---|---|---|---|
| 鸽 | 11 | 鸟 | 左右 | WGKG | 形声 |
| 笔顺 | 丿 人 𠆢 亼 合 合 合' 合勹 合勹 鸽 鸽 | | | | |

【解　释】鸽类鸟的通称。
【组　词】家鸽　信鸽　和平鸽
【同音字】哥(哥哥)　搁(搁着)
【形近字】鸦(乌鸦)
【英　语】鸽子 pigeon [ˈpidʒən]

| gē | 笔画 | 部首 | 结构 | 五笔 | 造字法 |
|---|---|---|---|---|---|
| 搁 | 12 | 扌 | 左右 | RUTK | 形声 |
| 笔顺 | 一 十 扌 扌' 扌丨 扪 扪 扪 搁 搁 搁 搁 | | | | |

【解　释】❶放;摆;使处于一定的位置。❷加进去。❸延迟;停止。
【组　词】搁笔　搁浅　搁置　耽搁
【造　句】搁置——这件事不能搁置,要抓紧时间去做。
【形近字】阁(阁楼)
【英　语】搁置　lay aside [lei əˈsaid]
【多音字】gé(见 239 页)

| gē | 笔画 | 部首 | 结构 | 五笔 | 造字法 |
|---|---|---|---|---|---|
| 割 | 12 | 刂 | 左右 | PDHJ | 形声 |
| 笔顺 | 丶 丶 宀 宀 宀 宇 宇 宝 害 害 害 割 | | | | |

【解　释】❶切断;分开。❷用刀截断。
【组　词】割草　割裂　割舍
【造　句】收割——又到了收割的季节,农民伯伯又该忙了。
【同音字】歌(歌曲)　搁(搁置)
【形近字】害(害虫)
【反义词】分割/合拢
【英　语】割断　cut off [kʌt ɔːf]

| gē | 笔画 | 部首 | 结构 | 五笔 | 造字法 |
|---|---|---|---|---|---|
| 歌 | 14 | 欠 | 左右 | SKSW | 形声 |
| 笔顺 | 一 一 丆 丆 可 可 哥 哥 哥 哥 哥' 哥′ 哥欠 歌 | | | | |

【解　释】❶歌曲。❷唱。❸颂扬。
【组　词】歌唱　歌词　歌剧　歌厅
【造　句】歌颂——我们歌颂美好的祖国,歌颂伟大的中华民族。
【同音字】搁(搁置)　割(割草)
【形近字】哥(哥哥)
【反义词】歌颂/批判
【近义词】歌颂/赞扬
【英　语】歌手　singer [ˈsiŋə]

| gé | 笔画 | 部首 | 结构 | 五笔 | 造字法 |
|---|---|---|---|---|---|
| 革 | 9 | 革 | 上下 | AFJ | 象形 |
| 笔顺 | 一 十 廿 廿 芇 芇 芇 苎 革 | | | | |

【解　释】❶去毛并加工过的兽皮。❷改变。❸开除;撤除职务。
【组　词】皮革　革新　革职　改革　革履　革命
【同音字】格(方格)　隔(隔断)
【形近字】嗝(打嗝)
【成　语】革故鼎新
【反义词】革故鼎新/因循守旧
【近义词】革故鼎新/破旧立新
【英　语】革命　revolution [revəˈluːʃən]
【多音字】jí(见 317 页)

| gé | 笔画 | 部首 | 结构 | 五笔 | 造字法 |
|---|---|---|---|---|---|
| 阁 | 9 | 门 | 半包围 | UTKD | 形声 |
| 笔顺 | 丶 丨 门 门 闩 闪 阁 阁 阁 | | | | |

【解　释】❶风景区或庭院里的一种建筑物，四面开窗，供凭栏、远望用的楼房。❷放物品的架子。❸指内阁，某些国家的最高行政机关。❹特指女子的卧室。

【组　词】阁楼　闺阁　组阁

【同音字】格(格子)　隔(隔开)

【形近字】闲(闲着)　问(问题)

【英　语】阁楼　attic [ˈætik]

| gé | 笔画 | 部首 | 结构 | 五笔 | 造字法 |
|---|---|---|---|---|---|
| 格 | 10 | 木 | 左右 | STKG | 形声 |
| 笔顺 | 一 十 才 木 木 杪 柊 柊 格 格 | | | | |

【解　释】❶划分成方形空栏或框子。❷规格；标准。❸品质；风度。❹阻碍；限制。❺不相容；不投合。❻推究。❼击；打。

【组　词】格局　方格　格外　格斗　规格　风格　品格

【造　句】格外——三年没见他，这次相见格外地高兴。

【同音字】阁(阁楼)　隔(隔开)

【成　语】格格不入

【反义词】格格不入/水乳交融

【近义词】格外/分外

【英　语】格调　style [stail]

| gé | 笔画 | 部首 | 结构 | 五笔 | 造字法 |
|---|---|---|---|---|---|
| 葛 | 12 | 艹 | 上下 | AJQN | 形声 |
| 笔顺 | 一 十 艹 艹 节 苩 苩 苩 葛 葛 葛 葛 | | | | |

【解　释】❶多年生草本植物，茎蔓生，根可做药、制淀粉，茎可编篮子、做绳。❷表面有花纹的纺织品，用丝做经，用棉线或麻线等做纬。

【组　词】葛麻　葛布

【同音字】格(格式)

【形近字】谒(谒见)　蔼(和蔼)

【英　语】葛布　kohemp cloth [kɔhemp klɔθ]

【多音字】gě(见240页)

| gé | 笔画 | 部首 | 结构 | 五笔 | 造字法 |
|---|---|---|---|---|---|
| 搁 | 12 | 扌 | 左右 | RUTK | 形声 |
| 笔顺 | 一 十 扌 扌 打 扪 扪 扪 搁 搁 搁 搁 | | | | |

【解　释】承受；禁受。

【组　词】搁不住

【同音字】革(革命)

【多音字】gē(见238页)

| gé | 笔画 | 部首 | 结构 | 五笔 | 造字法 |
|---|---|---|---|---|---|
| 蛤 | 12 | 虫 | 左右 | JWGK | 形声 |
| 笔顺 | 丶 口 口 中 虫 虫 虫 蚣 蛤 蛤 蛤 蛤 | | | | |

【解　释】蛤蜊、文蛤等瓣鳃类软体动物。

【组　词】蛤蜊　文蛤

【同音字】格(格子)　阁(阁楼)

【英　语】蛤蜊　clam [klæm]

【多音字】há(见268页)

| gé | 笔画 | 部首 | 结构 | 五笔 | 造字法 |
|---|---|---|---|---|---|
| 隔 | 12 | 阝 | 左右 | BGKH | 形声 |
| 笔顺 | 丨 阝 阝 阝 阝 阝 阝 隔 隔 隔 隔 隔 | | | | |

【解　释】❶遮断；阻隔。❷间隔；距离。
【组　词】隔开　阻隔
【造　句】隔墙有耳——他们以为这事很保密，谁知隔墙有耳，外面早已悄悄地传开了。
【同音字】格（格外）　革（革命）
【成　语】隔岸观火　隔墙有耳
【反义词】隔岸观火/见义勇为
【近义词】隔岸观火/坐视不救
【歇后语】隔年的蚊子——吃客|隔山打隧道——里应外合。
【谚　语】隔皮猜瓜，难知好歹。
【英　语】隔壁　next door [nekst dɔː]

| gě | 笔画 | 部首 | 结构 | 五笔 | 造字法 |
|---|---|---|---|---|---|
| 个 | 3 | 人 | 独体 | WHJ | 象形 |
| 笔顺 | 丿 人 个 | | | | |

【解　释】用于"自个儿"，指自己。
【同音字】舸（百舸争流）
【多音字】gè（见 240 页）

| gě | 笔画 | 部首 | 结构 | 五笔 | 造字法 |
|---|---|---|---|---|---|
| 合 | 6 | 人 | 上下 | WGKF | 会意 |
| 笔顺 | 丿 人 亼 亼 合 合 | | | | |

【解　释】我国旧时容量单位，10 合是 1 升。
【组　词】一合
【多音字】hé（见 278 页）

| gě | 笔画 | 部首 | 结构 | 五笔 | 造字法 |
|---|---|---|---|---|---|
| 各 | 6 | 夂 | 上下 | TKF | 会意 |
| 笔顺 | 丿 ク 夂 夂 各 各 | | | | |

【解　释】用于"自个儿"，指自己。
【同音字】葛（诸葛亮）
【谚　语】各人冷暖，各人自知。
【多音字】gè（见 241 页）

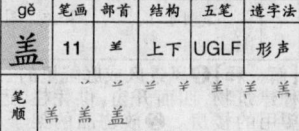

| gě | 笔画 | 部首 | 结构 | 五笔 | 造字法 |
|---|---|---|---|---|---|
| 盖 | 11 | 䒑 | 上下 | UGLF | 形声 |
| 笔顺 | 丶 丷 䒑 丷 兰 羊 羊 羊 盖 盖 盖 | | | | |

【解　释】姓。
【多音字】gài（见 227 页）

| gě | 笔画 | 部首 | 结构 | 五笔 | 造字法 |
|---|---|---|---|---|---|
| 葛 | 12 | 艹 | 上下 | AJQN | 形声 |
| 笔顺 | 一 十 艹 艹 芀 苩 苩 苩 葛 葛 葛 葛 | | | | |

【解　释】姓。
【同音字】舸（百舸争流）
【多音字】gé（见 239 页）

| gè | 笔画 | 部首 | 结构 | 五笔 | 造字法 |
|---|---|---|---|---|---|
| 个 | 3 | 人 | 独体 | WHJ | 象形 |
| 笔顺 | 丿 人 个 | | | | |

【解　释】❶量词。❷单独的。❸人的身材或物体的体积。
【组　词】个人　个性　个别　个位　个股　个例　个体户
【造　句】个别——这种现象是极个别的，以前从来没有过。
【同音字】各（各人）
【形近字】什（什么）　合（合适）
【反义词】个别/全部
【近义词】个体/单个
【英　语】个性　individuality [individʒu'æliti]
【多音字】gě（见 240 页）

| gè | 笔画 | 部首 | 结构 | 五笔 | 造字法 |
| --- | --- | --- | --- | --- | --- |
| 各 | 6 | 夂 | 上下 | TKF | 会意 |
| 笔顺 | ノ 夕 夂 冬 各 各 | | | | |

【解　释】❶每个。❷指示词。❸彼此不同的。
【组　词】各别
【造　句】各执己见——在这个问题上，他们两个各执己见，争论不休。
【同音字】个(一个)
【形近字】备(准备)
【成　语】各抒己见　各行其是　各得其所　各有千秋
【反义词】各执己见/万众一心
【近义词】各执己见/莫衷一是
【英　语】各种　all kinds of [ɔːl kaindz əv]
【多音字】gě(见240页)

## GEI ㄍㄟ

| gěi | 笔画 | 部首 | 结构 | 五笔 | 造字法 |
| --- | --- | --- | --- | --- | --- |
| 给 | 9 | 纟 | 左右 | XWGK | 形声 |
| 笔顺 | ㇜ 纟 纟 纠 纵 纷 给 给 给 | | | | |

【解　释】❶使对方得到某些东西和某种遭遇。❷为；替。❸被。❹让；使。❺向。❻交与；付出。❼用在动词后，作强调意义。
【组　词】送给　献给　留给
【形近字】洽(洽谈)　恰(恰当)
【反义词】给予/索回
【近义词】给予/给以
【谚　语】给人方便，自己方便|给自己唱歌的人，听众只有一个。
【英　语】给予　give [giv]
【多音字】jǐ(见321页)

## GEN ㄍㄣ

| gēn | 笔画 | 部首 | 结构 | 五笔 | 造字法 |
| --- | --- | --- | --- | --- | --- |
| 根 | 10 | 木 | 左右 | SVEY | 形声 |
| 笔顺 | 一 十 才 木 木 杓 杓 柜 根 根 | | | | |

【解　释】❶植物吸收水分和养料的器官，分直根和须根两大类。❷比喻子孙后代。❸物体的基部。❹事物的本原。❺彻底地；根本地。❻依据；作为根本的。❼量词。用于细长的东西。
【组　词】根本　根底　根部　根除　根据
【造　句】根据——根据气象台预报，明天有可能下雨。
【辨　音】韵母是en，不是eng。
【同音字】跟(跟着)
【形近字】跟(跟着)　恨(爱恨)
【成　语】根深蒂固
【反义词】根除/培植
【近义词】根深蒂固/盘根错节
【谚　语】根深叶茂，树壮果稠。
【英　语】根本　basic ['beisik]

| gēn | 笔画 | 部首 | 结构 | 五笔 | 造字法 |
| --- | --- | --- | --- | --- | --- |
| 跟 | 13 | 𧾷 | 左右 | KHVE | 形声 |
| 笔顺 | 丨 口 口 早 早 足 𧾷 跙 跙 跙 跟 跟 跟 | | | | |

【解　释】❶脚或鞋、袜的后部。❷紧跟在后面。❸指嫁给某人。❹介词。有和、同、对、向等意思。
【组　词】脚跟　跟随　跟踪　跟前

跟风

【造　句】跟前——他跟前只有一个女儿。

【辨　音】韵母是 en,不是 eng。

【同音字】根(根部)

【形近字】根(树根)　恨(恨意)

【反义词】跟前/遥远

【近义词】跟随/追随

【歇后语】跟和尚借梳子——选错了对象。

【谚　语】跟好人学好人,跟燕子学飞禽。

【英　语】跟随　follow [ˈfɔləu]

## GENG　ㄍㄥ

| gēng | 笔画 | 部首 | 结构 | 五笔 | 造字法 |
|---|---|---|---|---|---|
| 更 | 7 | 一 | 独体 | GJQI | 形声 |
| 笔顺 | 一 丆 丙 丙 百 甫 更 | | | | |

【解　释】❶改变;改换。❷经历。❸旧时一夜分成五更,每更约两小时。

甲骨文　金文　小篆　隶书　楷书

【字源释义】"更"字的下半部分是一只手拿着鞭子,表义;上半是"丙",表音。意思是用鞭子教训别人去改正。又有"替代"、"连续"等义。

【组　词】更换　更新　打更

【造　句】更换——我家的洗衣机坏了,需要更换一个零件。

【辨　音】韵母是 eng,不是 en。

【同音字】庚(同庚)　耕(耕耘)

【形近字】申(重申)　吏(官吏)

【反义词】更新/依旧

【近义词】更名改姓/隐姓埋名

【英　语】更换　replace [riˈpleis]

【多音字】gèng(见 243 页)

| gēng | 笔画 | 部首 | 结构 | 五笔 | 造字法 |
|---|---|---|---|---|---|
| 庚 | 8 | 广 | 半包围 | YVWI | 象形 |
| 笔顺 | 丶 亠 广 户 户 庐 庚 庚 | | | | |

【解　释】❶天干的第七位。❷年龄。

【组　词】年庚　同庚　庚日

【同音字】更(更正)

【形近字】庆(庆祝)

| gēng | 笔画 | 部首 | 结构 | 五笔 | 造字法 |
|---|---|---|---|---|---|
| 耕 | 10 | 耒 | 左右 | DIFJ | 会意 |
| 笔顺 | 一 二 三 丰 耒 耒 耒一 耒二 耕 耕 | | | | |

【解　释】用犁把田里的土翻松。

【组　词】耕耘　耕地　耕作

【同音字】更(更正)　庚(庚年)

【形近字】耘(耕耘)

【近义词】耕耘/耕作

【歇后语】耕地里的牛——赶着走。

【谚　语】耕牛无宿草,仓鼠有余粮。

【英　语】耕作　cultivation [kʌltiˈveiʃən]

| gěng | 笔画 | 部首 | 结构 | 五笔 | 造字法 |
|---|---|---|---|---|---|
| 耿 | 10 | 耳 | 左右 | BOY | 形声 |
| 笔顺 | 一 厂 丌 丌 丌 耳 耳 耳' 耳卜 耿 | | | | |

【解　释】❶光明。❷正直；直率。❸姓。
【组　词】耿直　耿介
【造　句】耿耿于怀——因为没能得到提升，他一直耿耿于怀。
【同音字】梗（梗概）
【形近字】取（取得）　伙（伙伴）
【成　语】耿耿于怀
【反义词】耿耿于怀/置之脑后
【近义词】耿耿于怀/念念不忘
【英　语】耿直　honest and frank [ˈɔnist ænd frænk]

| gěng | 笔画 | 部首 | 结构 | 五笔 | 造字法 |
|---|---|---|---|---|---|
| 埂 | 10 | 土 | 左右 | FGJQ | 形声 |
| 笔顺 | 一 十 土 土 土 坷 坷 坷 埂 埂 | | | | |

【解　释】❶田间分界的小路。❷土筑的堤防。❸地势高的地方。
【组　词】地埂　堤埂　田埂
【同音字】耿（耿耿于怀）
【形近字】梗（梗概）
【英　语】田埂　a low bank of earth between fields [ə ləu bæŋk əv əːθ biˈtwiːn fiːldz]

| gěng | 笔画 | 部首 | 结构 | 五笔 | 造字法 |
|---|---|---|---|---|---|
| 哽 | 10 | 口 | 左右 | KGJQ | 形声 |
| 笔顺 | 丨 口 口 口一 口丆 口丙 口丙 口丙 哽 哽 | | | | |

【解　释】❶食物堵塞喉咙不能下咽。❷因感情激动使咽喉受阻，不能发声。
【组　词】哽塞　哽咽
【造　句】哽咽——他又急又气，哽咽得一句话也说不出。
【同音字】耿（耿直）
【英　语】哽咽　choke with sobs [tʃəuk wið sɔbz]

| gěng | 笔画 | 部首 | 结构 | 五笔 | 造字法 |
|---|---|---|---|---|---|
| 梗 | 11 | 木 | 左右 | SGJQ | 形声 |
| 笔顺 | 一 十 才 木 木一 木丆 木丙 木丙 木丙 梗 梗 | | | | |

【解　释】❶某些植物的枝或茎。❷挺直。❸正派；爽直。❹顽固。❺阻碍；妨碍；阻塞。
【组　词】花梗　梗塞　梗概　梗阻
【造　句】梗概——我只粗略地知道这个故事的梗概。
【形近字】便（随便）
【反义词】梗概/具体
【近义词】梗概/大概
【英　语】梗塞　block [blɔk]

| gèng | 笔画 | 部首 | 结构 | 五笔 | 造字法 |
|---|---|---|---|---|---|
| 更 | 7 | 一 | 独体 | GJQI | 形声 |
| 笔顺 | 一 丆 丙 丙 百 更 更 | | | | |

【解　释】❶愈加；越发。❷再；又。
【组　词】更加
【造　句】更加——在全国人民的共同努力下，祖国的明天一定会更加美好。
【英　语】更加　more [mɔː]
【多音字】gēng（见242页）

G

# GONG ㄍㄨㄥ

| gōng | 笔画 | 部首 | 结构 | 五笔 | 造字法 |
|---|---|---|---|---|---|
| 工 | 3 | 工 | 独体 | A | 象形 |
| 笔顺 | 一 丅 工 | | | | |

【解　释】❶工人，主要依靠工资收入为生的劳动者。❷工作；生产劳动。❸建设项目；工程。❹工业。❺一个劳动者一天的工作量。❻精巧；精致。❼技术和技术修养。❽善于；长于。

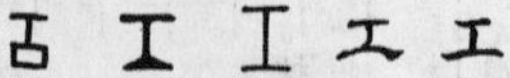

甲骨文　金文　小篆　隶书　楷书

【字源释义】较早的金文中“工”字是一把刀具的样子，它的刃部呈弧形。本义是“工具”。引申为“做工的人”；再引申为“巧妙”、“细致”的意思。

【组　词】工人　工作　工夫　工力

【造　句】工力——这两幅字，一个飞扬洒脱，一个平淡天成，工力难分高下。

【同音字】功(功夫)　公(公开)

【形近字】王(王宫)　土(土地)

【成　语】工力悉敌

【反义词】工力悉敌/天壤之别

【近义词】工力悉敌/势均力敌

【谚　语】工欲善其事，必先利其器。

【英　语】工作　work [wəːk]

| gōng | 笔画 | 部首 | 结构 | 五笔 | 造字法 |
|---|---|---|---|---|---|
| 弓 | 3 | 弓 | 独体 | XNGN | 象形 |
| 笔顺 | 乛 コ 弓 | | | | |

【解　释】❶射箭或发射弹丸的器械。❷像弓的东西。❸旧时丈量土地的计算单位。❹使弯曲；弯身。

甲骨文　金文　小篆　隶书　楷书

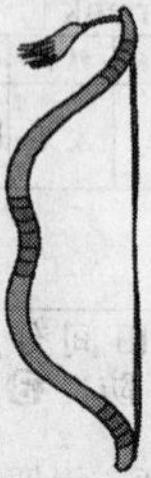

【字源释义】这是一个象形字。甲骨文“弓”字是一把形象逼真的弓的形状；金文省略了弓弦，逐渐演变为现在“弓”字的模样。

【组　词】弓箭　弹弓　弓背

【造　句】弓箭——我们的祖先在打猎时发明了弓箭。

【同音字】公(公家)

【形近字】亏(吃亏)

【成　语】左右开弓

【近义词】弓背/驼背

【谚　语】弓太满则折，月太满则缺。
【英　语】弓箭　bow and arrow [bəu ænd ˈærəu]

| gōng | 笔画 | 部首 | 结构 | 五笔 | 造字法 |
|---|---|---|---|---|---|
| 公 | 4 | 八 | 上下 | WCU | 会意 |
| 笔顺 | 丿 八 公 公 | | | | |

【解　释】❶属于国家或集体的(跟"私"相对)。❷共同的。❸合理;公正。❹公事;公务。❺丈夫的父亲。❻(禽畜)雄性的(跟"母"相对)。❼封建五等爵位的第一等。❽称丈夫。❾国际间的。❿让大家知道。⓫对祖辈或年长男性的尊称。

甲骨文　金文　小篆　隶书　楷书

【字源释义】"公"字的上部"八"是分的意思，下部的"口"表示所分得的物品。将物品平均分配表示"公"的意思，例如"公有"、"公平"。
【组　词】公家　公道　公示　公平
【造　句】公而忘私——焦裕禄是公而忘私的好干部。
【同音字】工(工人)　功(成功)
【形近字】讼(诉讼)　会(会议)
【成　语】公报私仇　公而忘私
【反义词】公家/私人
【近义词】公平/公正
【谚　语】公道自在人心。
【英　语】公路　highway [ˈhaiwei]

| gōng | 笔画 | 部首 | 结构 | 五笔 | 造字法 |
|---|---|---|---|---|---|
| 功 | 5 | 工 | 左右 | ALN | 形声 |
| 笔顺 | 一 丅 工 玎 功 | | | | |

【解　释】❶功劳;贡献(跟"过"相对)。❷成就;效果。❸技术和技术修养。❹勤奋;努力。
【组　词】功课　成功　功效　功夫
【造　句】功夫——中国足球队的进攻、防守、配合都不差，可惜临门一脚的功夫欠佳，往往功败垂成。
【同音字】公(公家)
【形近字】攻(攻打)
【成　语】功败垂成　功成名就
【反义词】功败垂成/大功告成
【近义词】功败垂成/前功尽弃
【谚　语】功成于俭，业精于勤。
【英　语】功课　lesson [ˈlesən]

| gōng | 笔画 | 部首 | 结构 | 五笔 | 造字法 |
|---|---|---|---|---|---|
| 红 | 6 | 纟 | 左右 | XAG | 形声 |
| 笔顺 | ㇛ 幺 纟 纟一 纡 红 | | | | |

【解　释】女红，旧指女子所做的纺织、缝纫、刺绣等工作和这些工作的成品。也称女工。
【组　词】女红
【同音字】公(公家)　工(工人)
【多音字】hóng(见285页)

G

| gōng | 笔画 | 部首 | 结构 | 五笔 | 造字法 |
|---|---|---|---|---|---|
| 攻 | 7 | 工 | 左右 | ATY | 形声 |
| 笔顺 | 一 丅 工 工' 工⺅ 攻 攻 | | | | |

【解　释】❶出击敌人；进攻（跟“守”相对）。❷对别人的过失、错误进行指责、批评。❸学习；钻研。
【组　词】围攻　攻关　攻取　攻势
【造　句】攻势——这场足球比赛，两队的攻势都非常猛烈。
【辨　音】韵母是 ong，不是 un。
【同音字】公（公事）　宫（皇宫）
【形近字】故（故事）　功（功夫）
【成　语】攻城略地　攻其不备
【反义词】攻打/防守
【近义词】攻其不备/出其不意
【谚　语】攻其一点，不及其余。
【英　语】攻破　break through [breik θruː]

G

| gōng | 笔画 | 部首 | 结构 | 五笔 | 造字法 |
|---|---|---|---|---|---|
| 供 | 8 | 亻 | 左右 | WAWY | 形声 |
| 笔顺 | 丿 亻 亻一 亻十 亻卄 供 供 供 | | | | |

【解　释】❶供给；供应。❷提供某种条件。
【组　词】供给　供销　供养
【造　句】供不应求——这种商品物美价廉，常常供不应求。
【同音字】公（公园）　工（工人）
【形近字】洪（洪水）
【成　语】供不应求
【反义词】供不应求/供过于求
【近义词】供不应求/僧多粥少
【英　语】供应　supply [sə'plai]
【多音字】gòng（见 248 页）

| gōng | 笔画 | 部首 | 结构 | 五笔 | 造字法 |
|---|---|---|---|---|---|
| 宫 | 9 | 宀 | 上下 | PKKF | 会意 |
| 笔顺 | 丶 丶 宀 宀 宀 宀 宫 宫 宫 | | | | |

【解　释】❶帝王家居住的房屋。❷庙宇的名称。❸公众文化活动或娱乐活动的场所。❹指子宫。❺神话传说中的神仙住所。❻姓。

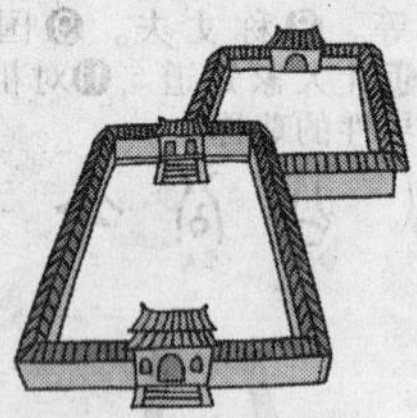

【字源释义】“宫”的字形，甲骨文是两个相连的方块状，表示这是宫室的建筑物；后来在方块的上方加上了屋宇的义符“宀”，就更明确地表达了“宫”的字义。
【组　词】故宫　皇宫　宫殿　宫廷
【同音字】公（公认）
【形近字】官（当官）
【英　语】宫殿　palace ['pælis]

| gōng | 笔画 | 部首 | 结构 | 五笔 | 造字法 |
|---|---|---|---|---|---|
| 恭 | 10 | 小 | 上下 | AWNU | 形声 |
| 笔顺 | 一 十 廾 丑 共 共 恭 恭 恭 恭 | | | | |

【解　释】谦虚;有礼貌。
【组　词】恭候　恭敬　恭贺　恭维
【造　句】恭候——我们已在此恭候多时了。
【同音字】公(公园)　工(工厂)
【形近字】泰(泰山)
【成　语】洗耳恭听
【反义词】洗耳恭听/充耳不闻
【近义词】恭维/奉承
【谚　语】恭可平人怒,让可息人争。
【英　语】恭贺　congratulate [kən'grætjuleit]

| gōng | 笔画 | 部首 | 结构 | 五笔 | 造字法 |
|---|---|---|---|---|---|
| 蚣 | 10 | 虫 | 左右 | JWCY | 形声 |
| 笔顺 | 丨 口 口 中 虫 虫 虫 虫八 蚣 蚣 | | | | |

【解　释】蜈蚣,节肢动物,身体长而扁,多脚,有毒,吃小虫,可入药。
【组　词】蜈蚣
【同音字】公(公私)　宫(皇宫)
【形近字】讼(诉讼)
【英　语】蜈蚣　centipede ['sentipi:d]

| gōng | 笔画 | 部首 | 结构 | 五笔 | 造字法 |
|---|---|---|---|---|---|
| 躬 | 10 | 身 | 左右 | TMDX | 形声 |
| 笔顺 | ノ 亻 介 介 自 自 身 身 躬 躬 | | | | |

【解　释】❶弯下身子。❷自身;亲自。
【组　词】躬亲　躬行　鞠躬
【造　句】事必躬亲——一个好的领导不一定事必躬亲,那样反而会影响工作人员的积极性。
【辨　音】不读 shè。
【同音字】公(公家)　工(工人)
【形近字】射(射击)　躯(躯体)
【成　语】卑躬屈膝　事必躬亲
【近义词】事必躬亲/身体力行
【英　语】鞠躬　bow [bəu]

| gōng | 笔画 | 部首 | 结构 | 五笔 | 造字法 |
|---|---|---|---|---|---|
| 龚 | 11 | 龙 | 上下 | DXAW | 形声 |
| 笔顺 | 一 ナ 九 龙 龙 龙 龙 龙 垄 龚 龚 | | | | |

【解　释】姓。

| gǒng | 笔画 | 部首 | 结构 | 五笔 | 造字法 |
|---|---|---|---|---|---|
| 巩 | 6 | 工 | 左右 | AMYY | 形声 |
| 笔顺 | 一 丅 工 玑 巩 巩 | | | | |

【解　释】牢固;坚固。
【组　词】巩固　巩膜
【造　句】巩固——上课学的东西,放学回家应该复习巩固。
【同音字】拱(拱抱)
【形近字】项(项目)　凡(凡是)
【反义词】巩固/动摇
【近义词】巩固/加强
【英　语】巩固　strengthen ['streŋθən]

| gǒng | 笔画 | 部首 | 结构 | 五笔 | 造字法 |
|---|---|---|---|---|---|
| 汞 | 7 | 工 | 上下 | AIU | 形声 |
| 笔顺 | 一 丅 工 手 孑 汞 汞 | | | | |

【解　释】金属元素,符号 Hg,银白色液体,能溶解金、银等金属。通称水银。
【英　语】汞　mercury ['mə:kjuri]

| gǒng | 笔画 | 部首 | 结构 | 五笔 | 造字法 |
|---|---|---|---|---|---|
| 拱 | 9 | 扌 | 左右 | RAWY | 形声 |
| 笔顺 | 一 十 扌 扌 扌 扌 扌 拱 拱 | | | | |

【解　释】❶两手抱拳向上举,表示敬意。❷环绕。❸建筑物向上呈弧形的结构。❹用身体撞动别的东西或钻开土地等物体。❺推;顶;向上耸。
【组　词】拱手　拱卫　拱桥　拱抱
【造　句】拱手——这是我应得的回报,岂能拱手相让?
【辨　音】不读 gōng 或 gòng。
【同音字】巩(巩固)
【形近字】洪(洪水)
【成　语】拱手听命
【近义词】拱卫/捍卫
【英　语】拱抱　surround [sə'raund]

| gòng | 笔画 | 部首 | 结构 | 五笔 | 造字法 |
|---|---|---|---|---|---|
| 共 | 6 | 八 | 上下 | AWU | 会意 |
| 笔顺 | 一 十 廾 土 共 共 | | | | |

【解　释】❶相同的;共同具有的。❷一齐;同。❸在一起。❹合计;总计。❺共产党的略称。

甲骨文　金文　小篆　隶书　楷书

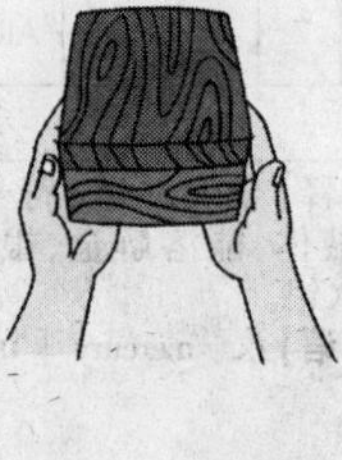

【字源释义】甲骨文"共"字像是两手捧着一个方形的物体,表示"供奉"或"共同"的意思。"共"和"供"在古代是同一个字。
【组　词】共性　共鸣　共事　共产党
【造　句】共鸣——这部电影中的爱国主义精神感染了观众,引起了他们的共鸣。
【同音字】贡(贡献)
【形近字】其(其中)
【成　语】同甘共苦
【反义词】同甘共苦/分道扬镳
【近义词】同甘共苦/患难与共
【英　语】共计　total ['təutl]

| gòng | 笔画 | 部首 | 结构 | 五笔 | 造字法 |
|---|---|---|---|---|---|
| 贡 | 7 | 工 | 上下 | AMU | 形声 |
| 笔顺 | 一 丆 工 干 于 贡 贡 | | | | |

【解　释】❶古代臣民或属国把物品献给帝王或朝廷。❷献给帝王的东西。❸封建时代选拔、推荐(人才)。
【组　词】贡献　贡品　贡院
【造　句】贡献——他们为国家做出了新的贡献。
【同音字】共(共同)
【形近字】负(负担)
【英　语】贡献　contribute [kən'tribju:t]

| gòng | 笔画 | 部首 | 结构 | 五笔 | 造字法 |
|---|---|---|---|---|---|
| 供 | 8 | 亻 | 左右 | WAWY | 形声 |
| 笔顺 | 丿 亻 亻 仁 供 供 供 供 | | | | |

【解　释】❶迷信的人给神佛或祖先献祭品;也指祭品。❷受审人的交

陈述及其内容。
【组　词】口供　招供　供词
【同音字】共(共同)
【英　语】供词　confession [kən'feʃən]
【多音字】gōng(见 246 页)

## GOU ㄍㄡ

| gōu | 笔画 | 部首 | 结构 | 五笔 | 造字法 |
|---|---|---|---|---|---|
| 勾 | 4 | 勹 | 半包围 | QCI | 形声 |
| 笔顺 | 丿 勹 勾 勾 | | | | |

【解　释】❶涂掉;删掉;取消。❷画出形象的边缘;描画。❸调和某物使其变黏。❹招引。❺结合;串通。❻建筑装修时涂抹缝隙。
【组　词】勾画　勾兑　勾引　勾结
【造　句】勾连——我怀疑这件事与他有勾连。
【同音字】沟(沟通)
【形近字】句(句子)　旬(上旬)
【英　语】勾结　collude with [kə'luːd wið]
【多音字】gòu(见 250 页)

| gōu | 笔画 | 部首 | 结构 | 五笔 | 造字法 |
|---|---|---|---|---|---|
| 句 | 5 | 勹 | 半包围 | QKD | 会意 |
| 笔顺 | 丿 勹 勹 句 句 | | | | |

【解　释】高句骊,古国名。
【同音字】沟(水沟)　钩(钩子)
【多音字】jù(见 380 页)

| gōu | 笔画 | 部首 | 结构 | 五笔 | 造字法 |
|---|---|---|---|---|---|
| 沟 | 7 | 氵 | 左右 | IQCY | 形声 |
| 笔顺 | 丶 冫 氵 氵 沟 沟 沟 | | | | |

【解　释】❶水道;沟渠;多为人工挖掘。❷浅槽;像沟的洼处。❸偏僻的山区。
【组　词】山沟　沟通　沟渠　鸿沟
【造　句】鸿沟——在他俩中间似乎有一道不可逾越的鸿沟。
【同音字】勾(勾结)　钩(鱼钩)
【形近字】钩(鱼钩)　约(约好)
【英　语】沟通　communicate [kə'mjuːnikeit]

| gōu | 笔画 | 部首 | 结构 | 五笔 | 造字法 |
|---|---|---|---|---|---|
| 钩 | 9 | 钅 | 左右 | QQCY | 形声 |
| 笔顺 | 丿 𠂉 𠂉 𠂉 钅 钅 钓 钓 钩 | | | | |

【解　释】❶弯曲带尖的器具。❷汉字的笔画。❸使用钩子挂或取。❹探求。❺缝纫编织方法。❻钩形符号。
【组　词】鱼钩　钩沉　钩花
【造　句】钩章棘句——这篇文章钩章棘句,晦涩难懂。
【同音字】沟(山沟)
【形近字】钓(钓鱼)
【成　语】钩章棘句
【反义词】钩心斗角/同心协力
【近义词】钩心斗角/明争暗斗
【英　语】钩子　hook [huk]

| gōu | 笔画 | 部首 | 结构 | 五笔 | 造字法 |
|---|---|---|---|---|---|
| 篝 | 16 | ⺮ | 上下 | TFJF | 形声 |
| 笔顺 | 丿 𠂉 𠂉 𥫗 𥫗 竺 竺 笁 笁 笁 笪 笪 篝 篝 篝 篝 | | | | |

【解　释】竹笼。
【组　词】篝火
【造　句】篝火——圣诞节的时候,

G

我们在凤凰山庄举行了篝火晚会。
【同音字】沟(水沟)　钩(钩子)
【成　语】篝火狐鸣
【英　语】篝火　campfire [kæmp-'faiə]

| gǒu | 笔画 | 部首 | 结构 | 五笔 | 造字法 |
|---|---|---|---|---|---|
| 苟 | 8 | 艹 | 上下 | AQKF | 形声 |
| 笔顺 | 一 十 艹 艹 芍 芍 苟 苟 | | | | |

【解　释】❶随便。❷表示暂且,只顾眼前。❸(书)假使;如果。
【组　词】苟同　苟安　苟且
【造　句】苟同——你的说法,我不敢苟同。
【成　语】一丝不苟　苟延残喘
【英　语】苟同　agree without giving serious thought [ə'griː wi'ðaut 'giviŋ 'siəriəs θɔːt]

| gǒu | 笔画 | 部首 | 结构 | 五笔 | 造字法 |
|---|---|---|---|---|---|
| 狗 | 8 | 犭 | 左右 | QTQK | 形声 |
| 笔顺 | ノ 犭 犭 犭 犳 犳 狗 狗 | | | | |

【解　释】哺乳动物,种类很多,嗅觉和听觉都很灵敏。也叫犬。
【组　词】小狗　猎狗　看门狗
【形近字】沟(水沟)
【成　语】狗急跳墙　狗尾续貂
【反义词】狗尾续貂/锦上添花
【近义词】狗急跳墙/垂死挣扎
【歇后语】狗拿耗子——多管闲事。
【英　语】狗　dog [dɔg]

| gōu | 笔画 | 部首 | 结构 | 五笔 | 造字法 |
|---|---|---|---|---|---|
| 勾 | 4 | 勹 | 半包围 | QCI | 形声 |
| 笔顺 | ノ 勹 勾 勾 | | | | |

【解　释】❶伸直胳膊去拿。❷姓。
【组　词】勾当
【造　句】勾当——他在外面干了一些见不得人的勾当,一直不敢回家。
【同音字】构(构造)
【多音字】gōu(见249页)

| gòu | 笔画 | 部首 | 结构 | 五笔 | 造字法 |
|---|---|---|---|---|---|
| 构 | 8 | 木 | 左右 | SQCY | 形声 |
| 笔顺 | 一 十 才 木 朾 杓 构 构 | | | | |

【解　释】❶构造;组成。❷结成。❸指文艺作品。❹阴谋;图谋。
【组　词】构思　构图　构想　构架
【造　句】构思——他正在构思那幅画。
【同音字】够(能够)　垢(污垢)
【形近字】购(购买)
【反义词】虚构/真实
【近义词】构成/组成
【英　语】构思　design [di'zain]

| gòu | 笔画 | 部首 | 结构 | 五笔 | 造字法 |
|---|---|---|---|---|---|
| 购 | 8 | 贝 | 左右 | MQCY | 形声 |
| 笔顺 | 丨 冂 贝 贝 贝' 贝勹 购 购 | | | | |

【解　释】买。
【组　词】采购　购买　购置　购物
【造　句】购置——为了扩大生产,这家工厂购置了一批新设备。
【同音字】够(能够)　垢(污垢)
【形近字】构(构成)　钩(鱼钩)
【反义词】购置/变卖
【近义词】购买/采办
【英　语】购物　shopping ['ʃɔpiŋ]

| gòu | 笔画 | 部首 | 结构 | 五笔 | 造字法 |
|---|---|---|---|---|---|
| 垢 | 9 | 土 | 左右 | FRGK | 形声 |
| 笔顺 | 一 十 土 圹 圻 圻 垢 垢 垢 | | | | |

【解　释】❶污秽；肮脏。❷脏东西。❸耻辱。
【组　词】污垢　油垢　泥垢
【造　句】油垢——爸爸修完车后，满手都是油垢。
【辨　音】不读 hòu。
【同音字】构(构成)　购(购销)
【英　语】垢　dirty [ˈdəːti]

| gòu | 笔画 | 部首 | 结构 | 五笔 | 造字法 |
|---|---|---|---|---|---|
| 够 | 11 | 勹 | 左右 | QKQQ | 形声 |
| 笔顺 | ノ 勹 勺 句 句 句 句 㪅 㪅 够 够 | | | | |

【解　释】❶数量上可以满足需要。❷达到某一点或某种程度。❸伸手去接触或拿来。
【组　词】能够　不够　够格
【造　句】够格——她的成绩很差，参加比赛不够格。
【同音字】购(购买)　构(结构)
【英　语】够格　be qualified [biː ˈkwɔlifaid]

## GU　ㄍㄨ

| gū | 笔画 | 部首 | 结构 | 五笔 | 造字法 |
|---|---|---|---|---|---|
| 估 | 7 | 亻 | 左右 | WDG | 形声 |
| 笔顺 | ノ 亻 仁 仕 仕 估 估 | | | | |

【解　释】推断；揣测。
【组　词】估计　低估　估摸　估算
【造　句】估摸——我估摸他今天不会来了。
【辨　音】不读 gǔ。
【同音字】姑(姑妈)　孤(孤儿)
【形近字】咕(咕咚)　姑(姑妈)
【近义词】估计/推断
【英　语】估计　estimate [ˈestimeit]
【多音字】gù(见 254 页)

| gū | 笔画 | 部首 | 结构 | 五笔 | 造字法 |
|---|---|---|---|---|---|
| 咕 | 8 | 口 | 左右 | KDG | 形声 |
| 笔顺 | 丨 口 口 口一 口十 口十 咕 咕 | | | | |

【解　释】象声词。形容母鸡、斑鸠等的叫声。
【组　词】咕咕　咕咚　咕嘟
【造　句】咕嘟——刘俊端起一碗水，咕嘟咕嘟地喝了下去。
【同音字】孤(孤儿)　姑(姑妈)
【形近字】沽(沽名)
【英　语】咕噜　murmur [ˈməːmə]

| gū | 笔画 | 部首 | 结构 | 五笔 | 造字法 |
|---|---|---|---|---|---|
| 呱 | 8 | 口 | 左右 | KRCY | 形声 |
| 笔顺 | 丨 口 口 口´ 叮 呱 呱 呱 | | | | |

【解　释】呱呱，小儿哭声。
【组　词】呱呱
【同音字】估(估计)　姑(姑姑)
【多音字】guā（见 256 页）

| gū | 笔画 | 部首 | 结构 | 五笔 | 造字法 |
|---|---|---|---|---|---|
| 沽 | 8 | 氵 | 左右 | IDG | 形声 |
| 笔顺 | 丶 丶 氵 氵一 汁 沽 沽 沽 | | | | |

【解　释】❶买。❷卖。❸天津的别称。
【造　句】沽名钓誉——新闻媒体要特别注意防止那些沽名钓誉之

G

辈钻空子。
【同音字】孤(孤儿)　估(估计)
【形近字】姑(姑妈)
【成　语】沽名钓誉
【反义词】沽名钓誉/实至名归
【近义词】沽名钓誉/追名逐利
【英　语】沽酒　buy wine [bai wain]

| gū | 笔画 | 部首 | 结构 | 五笔 | 造字法 |
|---|---|---|---|---|---|
| 姑 | 8 | 女 | 左右 | VDG | 形声 |
| 笔顺 | ㄑ 女 女 女 女 姑 姑 姑 | | | | |

【解　释】❶父亲的姐妹。❷丈夫的姐妹。❸(书)丈夫的母亲。❹暂且。❺出家修行或从事迷信职业的妇女。❻泛指未婚女子。
【组　词】姑姑　姑妈　姑且
【同音字】孤(孤单)　估(估计)
【形近字】沽(沽名)　估(估量)
【成　语】姑妄听之
【反义词】姑息养奸/除恶务尽
【近义词】姑息养奸/养痈遗患
【歇后语】姑娘做媒人——自顾不暇。
【英　语】姑妈　aunt [ɑːnt]

| gū | 笔画 | 部首 | 结构 | 五笔 | 造字法 |
|---|---|---|---|---|---|
| 孤 | 8 | 子 | 左右 | BRCY | 形声 |
| 笔顺 | ㇇ 了 子 孑 孒 孤 孤 孤 | | | | |

【解　释】❶幼年丧父或父母双亡的人。❷单独；孤独。❸封建王侯的自称。❹无儿无女的人。
【组　词】孤儿　孤单　孤傲　孤寂
【造　句】孤寂——他常常一个人留在家里，感到十分孤寂。
【辨　音】不读 hú。
【同音字】估(估量)
【形近字】狐(狐狸)
【成　语】孤芳自赏　孤陋寡闻
【近义词】孤单/寂寞
【英　语】孤独　lonely ['ləunli]

| gū | 笔画 | 部首 | 结构 | 五笔 | 造字法 |
|---|---|---|---|---|---|
| 骨 | 9 | 骨 | 上下 | MEF | 会意 |
| 笔顺 | 丨 冂 冂 冎 冎 冎 骨 骨 骨 | | | | |

【解　释】用于“骨朵”、“骨碌”。
【造　句】骨碌——小表妹一看见我，就一骨碌从床上爬了起来。
【同音字】估(估计)
【近义词】骨碌/滚动
【多音字】gǔ(见 253 页)

| gū | 笔画 | 部首 | 结构 | 五笔 | 造字法 |
|---|---|---|---|---|---|
| 菇 | 11 | 艹 | 上下 | AVDF | 形声 |
| 笔顺 | 一 十 艹 艹 苎 苎 茹 茹 菇 菇 菇 | | | | |

【解　释】蘑菇，菌类植物名。
【组　词】香菇　蘑菇　冬菇
【同音字】姑(姑妈)　估(估计)
【形近字】姑(姑姑)　茹(茹素)
【英　语】蘑菇　mushroom ['mʌʃrum]

| gū | 笔画 | 部首 | 结构 | 五笔 | 造字法 |
|---|---|---|---|---|---|
| 辜 | 12 | 辛 | 上下 | DUJ | 形声 |
| 笔顺 | 一 十 十 古 古 古 查 查 辜 辜 辜 辜 | | | | |

【解　释】❶罪。❷(书)对不住。
【组　词】无辜　辜负
【造　句】辜负——我们一定要努力学习，决不辜负祖国的殷切期望。

【英　语】辜负　betrayal［biˈtreiəl］

| gū | 笔画 | 部首 | 结构 | 五笔 | 造字法 |
|---|---|---|---|---|---|
| 箍 | 14 | ⺮ | 上下 | TRAH | 形声 |
| 笔顺 | 丿 𠂉 𥫗 𥫗丿 𥫗𠂉 ⺮ 竺 竿 筘 箝 箍 箍 | | | | |

【解　释】❶用竹篾或金属条捆紧或用带子之类勒住器物。❷紧紧套在东西外面的圈儿。
【组　词】箍眼　箍嘴　金箍棒
【同音字】姑(姑妈)　估(估计)
【形近字】砸(砸破)
【英　语】箍桶匠　hooper［ˈhuːpə］

| gǔ | 笔画 | 部首 | 结构 | 五笔 | 造字法 |
|---|---|---|---|---|---|
| 古 | 5 | 十 | 上下 | DGHG | 会意 |
| 笔顺 | 一 十 㔾 古 古 | | | | |

【解　释】❶古代(跟“今”相对)。❷经历多年的。❸具有古代风格的。❹真挚淳朴。❺古体诗。❻姓。
【组　词】古代　古典　古老　古诗
【造　句】古老——中华民族是一个古老的民族。
【同音字】谷(稻谷)　股(股份)
【形近字】吉(吉祥)
【成　语】古道热肠
【反义词】古道热肠/冷若冰霜
【近义词】古道热肠/助人为乐
【英　语】古代　antiquity［ænˈtikwiti］

| gǔ | 笔画 | 部首 | 结构 | 五笔 | 造字法 |
|---|---|---|---|---|---|
| 谷 | 7 | 八 | 上中下 | WWKF | 象形 |
| 笔顺 | 丿 八 𠆢 㕣 谷 谷 谷 | | | | |

【解　释】❶两山或两块高地中间的狭长而有出口的地带。❷粮食和庄稼的总称。❸谷子,也叫粟。❹稻和稻谷。❺姓。
【组　词】谷子　谷坊　谷底　谷雨
【造　句】谷底——产品销售量大幅度下降,目前已跌至谷底。
【同音字】古(古代)　股(股份)
【形近字】俗(通俗)
【歇后语】谷子地长出来的高粱——出类拔萃。
【谚　语】谷贵饿农,谷贱伤农。
【英　语】谷物　grain［grein］

| gǔ | 笔画 | 部首 | 结构 | 五笔 | 造字法 |
|---|---|---|---|---|---|
| 股 | 8 | 月 | 左右 | EMCY | 形声 |
| 笔顺 | 丿 刀 月 月 肌 肌 股 股 | | | | |

【解　释】❶大腿。❷某些机关或组织的部门。❸绳线等组成的部分。❹集合资金的一份或一笔财物平均分配的一份。❺量词。
【组　词】股份　股东　股票　股民　股金　股利　股海
【造　句】股东——今天下午召开股东大会。
【同音字】古(古代)　谷(谷物)
【形近字】没(没有)
【英　语】股份　stock［stɔk］

| gǔ | 笔画 | 部首 | 结构 | 五笔 | 造字法 |
|---|---|---|---|---|---|
| 骨 | 9 | 骨 | 上下 | MEF | 会意 |
| 笔顺 | 丨 冂 冎 冎 冎 冎 骨 骨 骨 | | | | |

【解　释】❶骨头,人和脊椎动物支撑身体的坚硬组织。❷比喻在物体内部支撑的架子。❸品质;

气概。
【组　词】骨头　骨气　傲骨　骨龄　侠骨　硬骨头
【造　句】骨气——中国人是有骨气的,决不会在任何威胁下屈服。
【辨　音】不读gú。
【同音字】谷(谷子)　古(古代)
【形近字】膏(牙膏)
【成　语】骨瘦如柴
【谚　语】骨头里榨油。
【英　语】骨气　backbone [ˈbækbəun]
【多音字】gū(见252页)

| gǔ | 笔画 | 部首 | 结构 | 五笔 | 造字法 |
|---|---|---|---|---|---|
| 贾 | 10 | 贝 | 上下 | SMU | 形声 |
| 笔顺 | 一 丆 币 襾 覀 覀 覀 贾 贾 贾 | | | | |

【解　释】❶商人。❷做买卖。❸招致;招引。❹买。❺卖。
【组　词】商贾　书贾
【同音字】谷(谷子)　古(古代)
【英　语】商贾　tradesman [ˈtreidzmən]
【多音字】jiǎ(见329页)

| gǔ | 笔画 | 部首 | 结构 | 五笔 | 造字法 |
|---|---|---|---|---|---|
| 鼓 | 13 | 士 | 左右 | FKUC | 会意 |
| 笔顺 | 一 十 士 士 吉 吉 吉 壴 壴 壴 鼓 鼓 鼓 | | | | |

【解　释】❶打击乐器,多为圆筒形或扁圆形。❷形状、声音、作用像鼓的。❸使发出声音。❹发动。❺风箱等扇动。❻凸起;涨大。❼卖弄;挑唆。
【组　词】鼓吹　鼓动　鼓舞　鼓楼　鼓捣　鼓劲
【造　句】鼓吹——鼓吹"台独"的分裂分子绝没有好下场。
【同音字】古(古代)　股(股份)
【反义词】鼓舞/打击
【近义词】鼓舞/鼓励
【歇后语】鼓楼上挂肉——好大的架子。
【谚　语】鼓不打不响,理不辩不明。
【英　语】鼓舞　inspire [inˈspaiə]

| gù | 笔画 | 部首 | 结构 | 五笔 | 造字法 |
|---|---|---|---|---|---|
| 估 | 7 | 亻 | 左右 | WDG | 形声 |
| 笔顺 | 丿 亻 亻 什 什 估 估 | | | | |

【解　释】用于"估衣",指出售的旧衣服。
【同音字】顾(照顾)
【多音字】gū(见251页)

| gù | 笔画 | 部首 | 结构 | 五笔 | 造字法 |
|---|---|---|---|---|---|
| 固 | 8 | 囗 | 全包围 | LDD | 形声 |
| 笔顺 | 丨 冂 冂 冂 冃 周 周 固 | | | | |

【解　释】❶结实;牢固。❷坚硬。❸坚决;坚定。❹本来;原来。❺固然。❻使坚固。
【组　词】固有　牢固　固体　固执　固然
【造　句】固执——他什么都好,就是太固执。
【同音字】故(故事)　顾(照顾)
【形近字】圆(汤圆)
【成　语】固执己见
【反义词】固执己见/人云亦云
【近义词】固执己见/一意孤行
【英　语】固体　solid [ˈsɔlid]

| gù | 笔画 | 部首 | 结构 | 五笔 | 造字法 |
|---|---|---|---|---|---|
| 故 | 9 | 攵 | 左右 | DTY | 形声 |
| 笔顺 | 一 十 𠂇 古 古 古' 古𠂉 故 故 | | | | |

【解　释】❶意外的事情。❷原来的；从前的。❸朋友。❹死亡。❺缘故；原因。❻存心；有意。❼所以；因此。
【组　词】故宫　故事　故乡　故意　故人　病故
【造　句】故步自封——几十年的艺术生涯中，他不断探索，不断提高，从未故步自封。
【同音字】固（坚固）
【形近字】敌（敌人）
【成　语】故步自封
【反义词】故步自封/标新立异
【近义词】故步自封/墨守成规
【英　语】故意　on purpose [ɔn ˈpəːpəs]

| gù | 笔画 | 部首 | 结构 | 五笔 | 造字法 |
|---|---|---|---|---|---|
| 顾 | 10 | 页 | 左右 | DBDM | 形声 |
| 笔顺 | 一 厂 厅 厄 厄 厄 厄 顾 顾 顾 | | | | |

【解　释】❶转过头看；泛指看。❷注意；照管。❸拜访。❹商店或服务行业指前来购买东西或要求服务的。❺文言连词。但；反而。
【组　词】顾及　顾家　照顾　顾客
【造　句】顾此失彼——爷爷觉得年岁大了，精力跟不上，做事往往顾此失彼，于是想早些退休。
【同音字】故（故事）　固（坚固）
【形近字】硕（硕果）
【成　语】顾此失彼
【反义词】顾此失彼/面面俱到
【近义词】顾此失彼/捉襟见肘
【谚　语】顾了一亩园，荒了十亩田。
【英　语】顾客　customer [ˈkʌstəmə]

| gù | 笔画 | 部首 | 结构 | 五笔 | 造字法 |
|---|---|---|---|---|---|
| 雇 | 12 | 户 | 半包围 | YNWY | 形声 |
| 笔顺 | 丶 亠 𠃍 户 户 户 户 户 雇 雇 雇 雇 | | | | |

【解　释】❶出钱让人为自己做事。❷出钱使别人用车、船等为自己服务。❸受别人雇用的。
【组　词】雇工　雇佣　雇用
【同音字】故（故事）
【形近字】肩（肩负）
【反义词】雇佣/辞退
【近义词】解雇/开除
【英　语】雇员　employee [implɔiˈiː]

## GUA　ㄍㄨㄚ

| guā | 笔画 | 部首 | 结构 | 五笔 | 造字法 |
|---|---|---|---|---|---|
| 瓜 | 5 | 瓜 | 独体 | RCYI | 象形 |
| 笔顺 | 一 厂 兀 瓜 瓜 | | | | |

【解　释】瓜类的总称。葫芦科植物，果实可吃，种类很多。
【组　词】西瓜
【同音字】刮（刮风）
【形近字】爪（爪子）
【成　语】瓜熟蒂落　瓜田李下
【反义词】瓜熟蒂落/欲速不达
【近义词】瓜熟蒂落/水到渠成

G

【谚　语】瓜田不纳履，李下不正冠。
【英　语】瓜分　divide up [di'vaid ʌp]

| guā | 笔画 | 部首 | 结构 | 五笔 | 造字法 |
|---|---|---|---|---|---|
| 呱 | 8 | 口 | 左右 | KRCY | 形声 |
| 笔顺 | 丨 ㄇ 口 口´ 叨 呱 呱 呱 | | | | |

【解　释】❶象声词。❷表示好。
【组　词】呱呱　呱唧　呱啦　顶呱呱
【造　句】顶呱呱——他人很好，成绩也顶呱呱。
【同音字】刮(刮掉)　瓜(西瓜)
【形近字】派(公派)　爪(爪牙)
【英　语】呱呱叫　tiptop [tip'tɔp]
【多音字】gū(见 251 页)

| guā | 笔画 | 部首 | 结构 | 五笔 | 造字法 |
|---|---|---|---|---|---|
| 刮 | 8 | 刂 | 左右 | TDJH | 形声 |
| 笔顺 | ㇒ 二 千 千 舌 舌 舌 刮 | | | | |

【解　释】❶用刀等去掉物体表面的东西。❷涂抹。❸搜刮财物。❹吹。
【组　词】刮锅　刮刀　刮脸　刮掉　刮胡子
【造　句】刮掉——这堵墙上的油漆被刮掉了。
【同音字】瓜(西瓜)
【形近字】甜(甜味)
【成　语】刮目相看
【反义词】刮掉/涂上
【近义词】刮掉/弄掉
【谚　语】刮春风，下秋雨。
【英　语】刮风　blow [bləu]

| guǎ | 笔画 | 部首 | 结构 | 五笔 | 造字法 |
|---|---|---|---|---|---|
| 寡 | 14 | 宀 | 上中下 | PDEV | 会意 |
| 笔顺 | 丶 丶 宀 宀 宀 宀 宀 宀 宀 宜 宜 寘 寡 寡 | | | | |

【解　释】❶少；缺少(跟“多”、“众”相对)。❷淡而无味。❸指妇女死了丈夫。
【组　词】寡欢　守寡　寡居
【造　句】寡不敌众——他们虽然进行了英勇的抵抗，但毕竟人数太少了，寡不敌众，最后还是失败了。
【形近字】赛(比赛)
【成　语】沉默寡言　寡不敌众
【反义词】寡廉鲜耻/洁身自好
【近义词】寡廉鲜耻/厚颜无耻
【谚　语】寡不敌众，弱不敌强｜寡言真美德。
【英　语】寡妇　widow ['widəu]

| guà | 笔画 | 部首 | 结构 | 五笔 | 造字法 |
|---|---|---|---|---|---|
| 卦 | 8 | 卜 | 左右 | FFHY | 形声 |
| 笔顺 | 一 十 土 土 圭 圭 圭 卦 | | | | |

【解　释】古代的占卜符号，后也指迷信占卜活动所用的器具。
【组　词】占卦　算卦　卦辞
【同音字】挂(挂起)　褂(大褂儿)
【形近字】封(信封)
【近义词】变卦/改变
【英　语】占卦　divination [divi'neiʃən]

| guà | 笔画 | 部首 | 结构 | 五笔 | 造字法 |
|---|---|---|---|---|---|
| 挂 | 9 | 扌 | 左右 | RFFG | 形声 |
| 笔顺 | 一 十 扌 扌 扌 扗 挂 挂 挂 | | | | |

G

【解　释】❶借助于绳子等物使物体附在某处。❷连接。❸惦记。❹登记。❺量词。多用于成串的东西。❻钩。❼打电话。❽使通话切断。
【组　词】悬挂　挂钩　挂号　挂念　挂名　挂历　挂彩　挂牌
【造　句】挂彩——几个战士在战斗中挂彩了。
【同音字】卦(算卦)
【形近字】洼(洼地)
【成　语】牵肠挂肚
【反义词】挂念/淡忘
【近义词】挂念/想念
【歇后语】挂羊头卖狗肉——名不副实。
【谚　语】挂佛珠的老虎也吃人。
【英　语】挂钟　wall clock [wɔːl klɔk]

| guà | 笔画 | 部首 | 结构 | 五笔 | 造字法 |
|---|---|---|---|---|---|
| 褂 | 13 | 衤 | 左右 | PUFH | 形声 |
| 笔顺 | 丶 ㇇ 礻 衤 衤 衤 衦 社 社 社 挂 褂 褂 | | | | |

【解　释】褂子;指上衣。
【组　词】褂子　小褂儿　大褂儿　短褂儿
【同音字】挂(挂上)　卦(变卦)
【形近字】衫(衬衫)
【英　语】褂子　short gown [ʃɔːt gaun]

## GUAI　ㄍㄨㄞ

| guāi | 笔画 | 部首 | 结构 | 五笔 | 造字法 |
|---|---|---|---|---|---|
| 乖 | 8 | 丿 | 独体 | TFUX | 会意 |
| 笔顺 | 一 二 千 千 千 千 乖 乖 | | | | |

【解　释】❶违反;背离。❷小孩子听话;不闹。❸伶俐;机警。❹性情、行为不正常。
【组　词】乖戾　乖乖　乖巧　乖僻　乖张　乖觉
【造　句】乖乖——这些孩子都在乖乖地听老师讲故事。
【形近字】乘(乘法)
【反义词】乖巧/调皮
【近义词】乖巧/听话
【英　语】乖巧　clever [ˈklevə]

| guǎi | 笔画 | 部首 | 结构 | 五笔 | 造字法 |
|---|---|---|---|---|---|
| 拐 | 8 | 扌 | 左右 | RKLN | 形声 |
| 笔顺 | 一 𠃊 扌 扌 扣 扣 拐 拐 | | | | |

【解　释】❶转弯;改变方向。❷把人和财物骗走。❸走路拄的棍子。❹脚有病,走路不平衡。❺弯曲的地方。
【组　词】拐骗　拐弯　拐角　拐带　拐子　拐点
【造　句】拐弯抹角——你有什么话就直说,何必拐弯抹角?
【辨　音】不读 lìng。
【形近字】别(别人)　扔(扔掉)
【成　语】拐弯抹角
【反义词】拐弯抹角/直截了当
【近义词】拐弯抹角/旁敲侧击
【英　语】拐角　corner [ˈkɔːnə]

| guài | 笔画 | 部首 | 结构 | 五笔 | 造字法 |
|---|---|---|---|---|---|
| 怪 | 8 | 忄 | 左右 | NCFG | 形声 |
| 笔顺 | 丶 丶 忄 忄 忆 怪 怪 怪 | | | | |

【解　释】❶奇异;罕见的。❷很;非常。❸埋怨;责备。❹神话中的妖怪。❺感到奇怪。

G

【组　词】怪事　责怪　怪罪　怪诞
【造　句】怪罪——这件事不能怪罪他。
【形近字】圣(神圣)
【成　语】大惊小怪
【反义词】大惊小怪/见怪不怪
【近义词】大惊小怪/少见多怪
【谚　语】怪人不知礼,知礼不怪人。
【英　语】怪诞　strange [streindʒ]

## GUAN　ㄍㄨㄢ

| guān | 笔画 | 部首 | 结构 | 五笔 | 造字法 |
|---|---|---|---|---|---|
| 关 | 6 | 丷 | 上下 | UDU | 形声 |
| 笔顺 | 丶 丷 䒑 兰 关 关 | | | | |

【解　释】❶使开着的物体合拢(跟“开”相对)。❷禁闭;不让出来。❸倒闭;停止。❹关卡;关口。❺城门外附近的地区。❻门闩。❼比喻重要的转折点或不易渡过的难关。❽牵连;关系。❾称办理事务的部门。❿发工资。⓫起转折关联作用的部分。⓬征收进出口货税的机构。
【组　词】关门　关心　关爱　关怀　关东　关键　关口　关注
【造　句】关注——这件事引起了各界人士的关注。
【同音字】观(观赏)　官(当官)
【形近字】天(天空)
【反义词】关键/次要
【近义词】关心/关怀
【歇后语】关公战李逵——大刀阔斧。
【谚　语】关公面前耍大刀|关节酸痛,不雨必风。
【英　语】关照　look after [luk 'ɑːftə]

| guān | 笔画 | 部首 | 结构 | 五笔 | 造字法 |
|---|---|---|---|---|---|
| 观 | 6 | 又 | 左右 | CMQN | 形声 |
| 笔顺 | フ 又 对 对 观 观 | | | | |

【解　释】❶看。❷景象或样子。❸对事物的认识或看法。
【组　词】观看　观察　观感　观念　观赏　观众　观照
【造　句】观众——孩子们精彩的杂技表演,令在场的各国观众叹为观止。
【同音字】关(关心)
【形近字】现(现在)
【成　语】叹为观止
【反义词】叹为观止/不足为奇
【近义词】叹为观止/拍案叫绝
【谚　语】观棋不语真君子|观今宜见古,无古不成今。
【英　语】观看　watch [wɔtʃ]
【多音字】guàn (见 260 页)

| guān | 笔画 | 部首 | 结构 | 五笔 | 造字法 |
|---|---|---|---|---|---|
| 官 | 8 | 宀 | 上下 | PNHN | 会意 |
| 笔顺 | 丶 丶 宀 宀 宁 官 官 官 | | | | |

【解　释】❶政府机关或军队中经过任命的担任一定级别职务的公职人员。❷指属于政府或公家的。❸公共的;公用的。❹器官。
【组　词】官办　官兵　官府　官员
【同音字】观(观赏)
【形近字】宫(宫殿)
【成　语】官官相护　官样文章　官运亨通
【近义词】官运亨通/青云直上

【谚　语】官凭文书，民凭信约。
【英　语】官员 official [əˈfiʃəl]

| guān | 笔画 | 部首 | 结构 | 五笔 | 造字法 |
|---|---|---|---|---|---|
| 冠 | 9 | 冖 | 上下 | PFQF | 会意 |
| 笔顺 | 丶 冖 冖 冖 冗 宂 宂 冠 冠 | | | | |

【解　释】❶帽子。❷形状像帽子或在顶上的东西。
【组　词】桂冠　冠子　皇冠
【造　句】桂冠——他在本次比赛中摘得桂冠。
【同音字】观(观赏)　关(关心)
【形近字】寇(日寇)
【成　语】怒发冲冠　冠冕堂皇
【反义词】怒发冲冠/欣喜若狂
【近义词】冠冕堂皇/堂而皇之
【英　语】皇冠 imperial crown [imˈpiəriəl kraun]
【多音字】guàn (见 260 页)

| guān | 笔画 | 部首 | 结构 | 五笔 | 造字法 |
|---|---|---|---|---|---|
| 棺 | 12 | 木 | 左右 | SPNN | 形声 |
| 笔顺 | 一 十 才 木 木 朩 朩 朩 柠 柠 棺 棺 | | | | |

【解　释】棺材；装殓的东西。
【组　词】棺材　棺木
【同音字】观(观察)　官(官家)
【形近字】馆(旅馆)
【成　语】盖棺论定
【英　语】棺材 coffin [ˈkɔfin]

| guǎn | 笔画 | 部首 | 结构 | 五笔 | 造字法 |
|---|---|---|---|---|---|
| 馆 | 11 | 饣 | 左右 | QNPN | 形声 |
| 笔顺 | 丿 𠂉 饣 饣 饣 饣 饣 饣 饣 馆 馆 | | | | |

【解　释】❶招待宾客住的地方。❷某些从事服务业的商店名称。❸文化活动的场所。❹外交使节办公的处所。❺旧时指塾师教书的地方。
【组　词】宾馆　馆子　旅馆　天文馆　领事馆　图书馆
【造　句】图书馆——我们学校的图书馆藏书近十万册。
【同音字】管(管住)
【形近字】棺(棺材)
【歇后语】馆子里端菜——和盘托出|馆子里的菜锅——油透了。
【英　语】饭馆 restaurant [ˈrestərɔnt]

| guǎn | 笔画 | 部首 | 结构 | 五笔 | 造字法 |
|---|---|---|---|---|---|
| 管 | 14 | ⺮ | 上下 | TPNN | 形声 |
| 笔顺 | 丿 𠂉 𠂉 ⺮ ⺮ ⺮ ⺮ 竺 竺 笞 笞 管 管 管 | | | | |

【解　释】❶吹奏的乐器。❷负责办理。❸圆形中间空的东西。❹保证。❺供给。❻约束。❼过问。❽把。❾形状像管的器件。❿统辖。⓫担任；负责。⓬不管；无论。
【组　词】管理　水管　保管　管教
【造　句】管理——一个企业若缺乏有效的管理，在市场竞争中就很难站住脚。
【同音字】馆(宾馆)
【形近字】官(当官)
【成　语】管中窥豹
【反义词】管中窥豹/见多识广
【近义词】管中窥豹/坐井观天
【歇后语】管家腰上挂钥匙——别人的家当|管家婆的鸡蛋——心

G

里有数。

【英　语】管理　manage [ˈmænidʒ]

| guàn | 笔画 | 部首 | 结构 | 五笔 | 造字法 |
| --- | --- | --- | --- | --- | --- |
| 观 | 6 | 又 | 左右 | CMQN | 形声 |
| 笔顺 | フ ヌ 刈 㕡 观 观 | | | | |

【解　释】❶道教的庙宇。❷姓。

【组　词】寺观　白云观

【同音字】惯(习惯)

【多音字】guān (见 258 页)

| guàn | 笔画 | 部首 | 结构 | 五笔 | 造字法 |
| --- | --- | --- | --- | --- | --- |
| 贯 | 8 | 贝 | 上下 | XFMU | 形声 |
| 笔顺 | ㇄ 口 毌 毌 毌 贯 贯 贯 | | | | |

【解　释】❶穿;通。❷连接。❸世代居住的地方。❹事例;成例。❺旧时的钱制,每一千个叫一贯。

【组　词】贯彻　贯穿　籍贯　贯通　贯注

【造　句】贯穿——救死扶伤的主题贯穿了这篇文章的始终。

【同音字】观(寺观)　惯(习惯)

【形近字】责(责任)

【成　语】如雷贯耳　鱼贯而入

【反义词】如雷贯耳/默默无闻

【近义词】如雷贯耳/大名鼎鼎

【英　语】贯穿　permeate [ˈpəːmieit]

| guàn | 笔画 | 部首 | 结构 | 五笔 | 造字法 |
| --- | --- | --- | --- | --- | --- |
| 冠 | 9 | 冖 | 上下 | PFQF | 会意 |
| 笔顺 | ' 冖 冖 冖 冖 完 完 冠 冠 | | | | |

【解　释】❶名列第一。❷把帽子戴在头上。❸在前面加上某种称号或文字。

【组　词】冠军

【造　句】冠军——他在这届奥运会上夺得了男子一万米长跑的冠军。

【同音字】贯(贯通)

【英　语】冠军　champion [ˈtʃæmpiən]

【多音字】guān (见 259 页)

| guàn | 笔画 | 部首 | 结构 | 五笔 | 造字法 |
| --- | --- | --- | --- | --- | --- |
| 惯 | 11 | 忄 | 左右 | NXFM | 形声 |
| 笔顺 | ' 忄 忄 忄 忄 忄 忄 忄 惯 惯 惯 | | | | |

【解　释】❶积久成性;习惯。❷纵容而养成不良习惯或作风。

【组　词】习惯　惯例　惯性　惯用

【造　句】习惯——他有晨练的习惯。

【同音字】贯(贯彻)

【成　语】娇生惯养

【反义词】惯例/特例

【近义词】娇生惯养/养尊处优

【英　语】习惯　habit [ˈhæbit]

| guàn | 笔画 | 部首 | 结构 | 五笔 | 造字法 |
| --- | --- | --- | --- | --- | --- |
| 灌 | 20 | 氵 | 左右 | IAKY | 形声 |
| 笔顺 | 丶 冫 氵 氵 氵 汼 汼 汼 汼 汼 汼 汼 汼 泄 泄 泄 灌 灌 灌 灌 | | | | |

【解　释】❶浇;灌溉。❷倒进;装进。❸录音。

【组　词】灌溉　灌顶　灌注

【同音字】观(寺观)　贯(贯彻)

【形近字】罐(罐头)

【英　语】灌注　pour into [pɔːˈintu]

G

| guàn | 笔画 | 部首 | 结构 | 五笔 | 造字法 |
|---|---|---|---|---|---|
| 罐 | 23 | 缶 | 左右 | RMAY | 形声 |
| 笔顺 | 丿 𠂉 𠂉 午 缶 缶 缶 缶艹 缶艹 缶艹 缶艹 缶艹 缶艹 缶艹 缶艹 缶艹 缶艹 缶艹 缶艹 罐 罐 罐 罐 | | | | |

【解　释】❶装东西用的各种圆筒形容器。❷罐车,煤矿装煤用的斗车。
【组　词】罐头　罐车　罐子
【同音字】惯(习惯)
【形近字】灌(浇灌)
【英　语】罐头　can [kæn]

## GUANG　ㄍㄨㄤ

| guāng | 笔画 | 部首 | 结构 | 五笔 | 造字法 |
|---|---|---|---|---|---|
| 光 | 6 | ⺌ | 上下 | IQB | 会意 |
| 笔顺 | 丨 ⺌ ⺌ 业 尖 光 | | | | |

【解　释】❶指照在物体上,使人能看见物体的那种物质。❷景物。❸光彩;荣誉。❹比喻好处。❺敬辞,表示光荣,用于对方来临。❻光滑。❼只;单。❽使显赫、荣耀。❾明亮。❿一点不剩。⓫身体显露着。

甲骨文　金文　小篆　隶书　楷书

【字源释义】"光"字的字形像一个头上有火的跪坐的人,本义是"明亮"的意思。
【组　词】光明　光滑　光临　光盘
【造　句】光彩夺目——他打开盒子,里面是大大小小的钻石,光彩夺目。
【同音字】胱(膀胱)
【形近字】兴(高兴)
【成　语】光彩夺目　光明磊落
【反义词】光明磊落/居心叵测
【近义词】光明磊落/光明正大
【歇后语】光打雷不下雨——虚闹一场。
【谚　语】光阴似箭,日月如梭。
【英　语】光线　light [lait]

| guāng | 笔画 | 部首 | 结构 | 五笔 | 造字法 |
|---|---|---|---|---|---|
| 胱 | 10 | 月 | 左右 | EIQN | 形声 |
| 笔顺 | 丿 刀 月 月 月' 月' 月⺌ 月⺌ 胖 胱 | | | | |

【解　释】❶胱氨酸,广泛存在于毛、发、骨、角中。❷见468页"膀"。
【组　词】胱氨酸　膀胱
【同音字】光(光大)
【形近字】恍(恍惚)
【英　语】膀胱　bladder [ˈblædə]

| guǎng | 笔画 | 部首 | 结构 | 五笔 | 造字法 |
|---|---|---|---|---|---|
| 广 | 3 | 广 | 独体 | YYGT | 象形 |
| 笔顺 | 丶 亠 广 | | | | |

【解　释】❶面积、范围等宽阔(跟"狭"相对)。❷多。❸扩充;扩大。❹指广东、广州。❺姓。
【组　词】广播　推广　广东　广泛
【造　句】广泛——电视台广泛征求观众对电视节目的意见。

G

【形近字】厂(厂长)
【成 语】广开言路
【反义词】广开言路/独断专行
【近义词】广开言路/从善如流
【谚 语】广交不如择友,投师不如访友。
【英 语】广告 advertisement [æd'vətaizmənt]

| guǎng | 笔画 | 部首 | 结构 | 五笔 | 造字法 |
|---|---|---|---|---|---|
| 犷 | 6 | 犭 | 左右 | QTYT | 形声 |
| 笔顺 | 丿 犭 犭 犷 犷 犷 | | | | |

【解 释】粗野;粗豪。
【组 词】粗犷 犷悍
【造 句】粗犷——他的歌声非常粗犷。
【同音字】广(宽广)
【英 语】粗犷 rough [rʌf]

| guàng | 笔画 | 部首 | 结构 | 五笔 | 造字法 |
|---|---|---|---|---|---|
| 逛 | 10 | 辶 | 半包围 | QTGP | 形声 |
| 笔顺 | 丿 犭 犭 犷 犷 犴 狂 狂 逛 逛 | | | | |

【解 释】外出散步;闲荡。
【组 词】闲逛 逛荡
【形近字】狂(狂人)
【近义词】闲逛/游荡
【谚 语】逛庙不带钱,不如在家闲。
【英 语】逛荡 loiter ['lɔitə]

## GUI ㄍㄨㄟ

| guī | 笔画 | 部首 | 结构 | 五笔 | 造字法 |
|---|---|---|---|---|---|
| 归 | 5 | 彐 | 左右 | JVG | 形声 |
| 笔顺 | 丨 刂 刂 归 归 | | | | |

【解 释】❶返回。❷还给;归还。❸集中。❹由谁负责。❺用在相同的动词之间,表示动作并未引起相应的结果。
【组 词】归程 归档 归还
【造 句】归程——在外漂泊数载的游子,终于踏上了归程。
【同音字】规(规划) 闺(闺房)
【形近字】档(档案)
【成 语】宾至如归 归根结底 殊途同归
【近义词】殊途同归/异曲同工
【英 语】归还 return [ri'təːn]

| guī | 笔画 | 部首 | 结构 | 五笔 | 造字法 |
|---|---|---|---|---|---|
| 龟 | 7 | ⺈ | 上下 | QJNB | 象形 |
| 笔顺 | 丿 ⺈ 𠂊 龟 龟 龟 龟 | | | | |

【解 释】爬行动物的一科,身体长圆而扁,背部隆起,有坚硬的壳,四肢短,趾有蹼,头、尾巴和四肢都能缩入甲壳内,多生活在水边,吃植物或小动物。

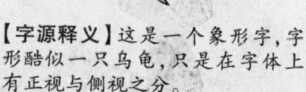

【字源释义】这是一个象形字,字形酷似一只乌龟,只是在字体上有正视与侧视之分。

【组　词】乌龟　海龟
【形近字】电(电脑)
【歇后语】龟子请客——杂烩(会)|龟盖量米——什么声(升)。
【英　语】乌龟 tortoise [ˈtɔːtəs]
【多音字】jūn(见 388 页)
【多音字】qiū(见 591 页)

| guī | 笔画 | 部首 | 结构 | 五笔 | 造字法 |
|---|---|---|---|---|---|
| 规 | 8 | 见 | 左右 | FWMQ | 会意 |
| 笔顺 | 一 二 扌 夫 夫 扣 规 规 | | | | |

【解　释】❶圆规,一种画圆形的工具。❷法则;成例。❸劝告。❹谋划;打主意。
【组　词】圆规　校规　规劝　规划　规定　规范　规格　规章
【造　句】规劝——尽管校方多次规劝,他仍无悔改之意。
【同音字】归(归纳)
【形近字】观(观察)
【反义词】规劝/放任
【近义词】规劝/劝告
【谚　语】规矩人办规矩事|规人劝人,人也乐从。
【英　语】规则 rule [ruːl]

| guī | 笔画 | 部首 | 结构 | 五笔 | 造字法 |
|---|---|---|---|---|---|
| 闺 | 9 | 门 | 半包围 | UFFD | 形声 |
| 笔顺 | 丶 门 门 门 门 闩 闰 闺 闺 | | | | |

【解　释】❶上圆下方的小门。❷女子居住的内室。
【组　词】闺房　闺门　闺女
【同音字】归(归还)
【形近字】闲(闲人)
【英　语】闺房 boudoir [ˈbuːdwɑː]

| guī | 笔画 | 部首 | 结构 | 五笔 | 造字法 |
|---|---|---|---|---|---|
| 瑰 | 13 | 王 | 左右 | GRQC | 形声 |
| 笔顺 | 一 二 干 王 玒 珀 珀 珀 珀 瑰 瑰 瑰 瑰 | | | | |

【解　释】❶一种像玉的石头。❷珍奇。
【组　词】瑰丽　瑰奇　瑰宝　玫瑰
【造　句】瑰宝——敦煌壁画是我国古代艺术中的瑰宝。
【辨　音】不读 guì。
【同音字】归(归纳)　闺(闺女)
【形近字】魂(灵魂)
【近义词】瑰奇/珍奇
【英　语】瑰丽 magnificent [mæɡˈnifisənt]

| guǐ | 笔画 | 部首 | 结构 | 五笔 | 造字法 |
|---|---|---|---|---|---|
| 轨 | 6 | 车 | 左右 | LVN | 形声 |
| 笔顺 | 一 七 车 车 轧 轨 | | | | |

【解　释】❶路轨;轨道。❷比喻办法、规矩、秩序等。❸依照;遵循。❹火车等物体运行的路线。
【组　词】出轨　轨道　轨枕　轨迹
【同音字】诡(诡计)
【形近字】执(执行)
【近义词】出轨/越轨
【英　语】轨道 track [træk]

| guǐ | 笔画 | 部首 | 结构 | 五笔 | 造字法 |
|---|---|---|---|---|---|
| 诡 | 8 | 讠 | 左右 | YQDB | 形声 |
| 笔顺 | 丶 讠 讠 讠 讠 诈 诡 诡 | | | | |

【解　释】❶欺诈;奸猾。❷奇异。
【组　词】诡辩　诡诞　诡秘　诡异

G

诡奇
【造　句】诡辩——他总是诡辩,自己错了也不承认。
【同音字】轨(轨道)
【形近字】危(危险)
【成　语】诡计多端
【反义词】诡辩/承认
【近义词】诡计多端/心怀鬼胎
【英　语】诡计　trick [trik]

| guǐ | 笔画 | 部首 | 结构 | 五笔 | 造字法 |
|---|---|---|---|---|---|
| 鬼 | 9 | 鬼 | 独体 | RQCI | 会意 |
| 笔顺 | 丿 亻 白 白 白 白 甶 鬼 鬼 鬼 | | | | |

【解　释】❶迷信的人所说的人死后的灵魂。❷称有不良嗜好或行为的人。❸躲躲闪闪;不光明。❹不可告人的打算或勾当。❺恶劣;糟糕。❻机灵。
【组　词】烟鬼　鬼脸　鬼点子
【造　句】鬼迷心窍——今天真是鬼迷心窍,本来要去菜市场,却跑到隔壁医院去了。
【同音字】诡(诡计)　轨(轨道)
【形近字】兔(兔子)
【成　语】鬼使神差　鬼鬼祟祟　鬼头鬼脑　鬼斧神工
【反义词】鬼哭狼嚎/欢声笑语
【近义词】鬼迷心窍/鬼使神差
【英　语】鬼脸　grimace [gri'meis]

| guì | 笔画 | 部首 | 结构 | 五笔 | 造字法 |
|---|---|---|---|---|---|
| 柜 | 8 | 木 | 左右 | SANG | 形声 |
| 笔顺 | 一 十 才 木 木 杧 柜 柜 | | | | |

【解　释】❶收藏衣物、文件等用的器具,方形或长方形,一般为木制或铁制。❷账房,也指商店。
【组　词】衣柜　碗柜　柜台　柜员
【同音字】贵(贵客)
【形近字】距(距离)
【英　语】柜台　counter [ˈkauntə]
【多音字】jǔ(见 379 页)

| guì | 笔画 | 部首 | 结构 | 五笔 | 造字法 |
|---|---|---|---|---|---|
| 贵 | 9 | 贝 | 上下 | KHGM | 形声 |
| 笔顺 | 丶 冂 口 中 中 虫 冉 冉 贵 贵 | | | | |

【解　释】❶价格高;价值大(跟"贱"相对)。❷评价高;值得珍视或重视。❸以某种情况为可贵。❹地位优越。❺敬辞,称与对方有关的事物。
【组　词】贵宾　贵妃　贵干　贵贱　贵人　贵姓　贵重
【造　句】贵贱——工作不分贵贱,我们都应该一视同仁。
【同音字】桂(桂花)　柜(柜子)
【形近字】责(责任)
【成　语】贵人多忘
【反义词】贵/贱　富贵/贫贱
【谚　语】贵珠出自贱蚌|贵不忘贱,新不忘旧。
【英　语】昂贵　expensive [ik'-spensiv]

| guì | 笔画 | 部首 | 结构 | 五笔 | 造字法 |
|---|---|---|---|---|---|
| 桂 | 10 | 木 | 左右 | SFFG | 形声 |
| 笔顺 | 一 十 才 木 木 杜 杜 桂 桂 桂 | | | | |

【解　释】❶桂皮树,常绿乔木的一种。❷肉桂。❸木樨。❹月桂树。❺桂江,水名,在广西。❻广西的别称。

【组　词】桂冠　桂皮　桂圆　桂竹　桂花　桂子
【同音字】贵(贵重)
【形近字】挂(挂着)
【歇后语】桂林三花酒——好冲。
【谚　语】桂林山水甲天下,阳朔山水甲桂林。
【英　语】桂冠　laurel [ˈlɔrəl]

| guì | 笔画 | 部首 | 结构 | 五笔 | 造字法 |
|---|---|---|---|---|---|
| 跪 | 13 | ⻊ | 左右 | KHQB | 形声 |
| 笔顺 | 丶 ㇆ 口 ㇇ 早 ⻊ ⻊ ⻊′ 跎 跎 跎 跪 跪 | | | | |

【解　释】两膝弯曲,使膝盖着地。
【组　词】下跪　跪拜　跪倒
【同音字】桂(桂花)
【形近字】危(危险)
【英　语】跪倒　grovel [ˈgrɔvl]

## GUN ㄍㄨㄣ

| gǔn | 笔画 | 部首 | 结构 | 五笔 | 造字法 |
|---|---|---|---|---|---|
| 滚 | 13 | 氵 | 左右 | IUCE | 形声 |
| 笔顺 | 丶 丶 氵 氵 氵 氵 氵 氵 滚 滚 滚 滚 滚 | | | | |

【解　释】❶滚动;翻动。❷走开;离开。❸翻腾;特指受热沸腾。❹使滚动。❺缝纫方法。
【组　词】滚动　翻滚　滚珠　滚梯
【造　句】滚瓜烂熟——他10岁的时候就把《唐诗三百首》背得滚瓜烂熟了。
【同音字】磙(石磙)
【形近字】磙(石磙)
【成　语】滚瓜烂熟
【近义词】滚瓜烂熟/倒背如流
【歇后语】西瓜落地——滚瓜烂熟。
【英　语】滚动　roll [rəul]

| gùn | 笔画 | 部首 | 结构 | 五笔 | 造字法 |
|---|---|---|---|---|---|
| 棍 | 12 | 木 | 左右 | SJXX | 形声 |
| 笔顺 | 一 十 才 木 村 相 相 相 棍 棍 棍 棍 | | | | |

【解　释】❶棒子。❷无赖;坏人。
【组　词】木棍　铁棍　恶棍　棍棒
【形近字】混(混浊)
【英　语】棍子　stick [stik]

## GUO ㄍㄨㄛ

| guō | 笔画 | 部首 | 结构 | 五笔 | 造字法 |
|---|---|---|---|---|---|
| 郭 | 10 | 阝 | 左右 | YBBH | 形声 |
| 笔顺 | 丶 亠 亡 亩 亩 亨 享 享 郭 郭 | | | | |

【解　释】❶古代在城的外围加筑的一道围墙。❷物体周围的边或框。❸姓。
【组　词】城郭　东郭
【辨　音】不读dūn。
【同音字】锅(铁锅)
【形近字】敦(伦敦)

| guō | 笔画 | 部首 | 结构 | 五笔 | 造字法 |
|---|---|---|---|---|---|
| 涡 | 10 | 氵 | 左右 | IKMW | 形声 |
| 笔顺 | 丶 丶 氵 氵 氵 氵 氵 涡 涡 涡 | | | | |

【解　释】涡河,淮河的支流,在安徽省北部。
【多音字】wō(见748页)

G

| guō | 笔画 | 部首 | 结构 | 五笔 | 造字法 |
|---|---|---|---|---|---|
| 锅 | 12 | 钅 | 左右 | QKMW | 形声 |
| 笔顺 | 丿 𠂉 𠂉 𠂉 钅 钅 钔 钔 钔 锅 锅 锅 | | | | |

【解　释】❶炊事工具，圆形、中凹，多用铁、铝等制成。❷某些加热用的器具。❸像锅的东西。❹驼背。
【组　词】铝锅　铁锅　锅炉　火锅
【同音字】郭（城郭）
【形近字】涡（漩涡）
【谚　语】锅里有，碗里才有。
【英　语】锅巴　rice crust ［rais krʌst］

| guō | 笔画 | 部首 | 结构 | 五笔 | 造字法 |
|---|---|---|---|---|---|
| 蝈 | 14 | 虫 | 左右 | JLGY | 形声 |
| 笔顺 | 丶 口 口 中 虫 虫 虫 虮 蚵 蚵 蜩 蝈 蝈 蝈 | | | | |

【解　释】蝈蝈儿，昆虫，身体绿色或褐色，腹大翅短，善跳跃，雄的前翅有发音器，能发出清脆的声音。

| guó | 笔画 | 部首 | 结构 | 五笔 | 造字法 |
|---|---|---|---|---|---|
| 国 | 8 | 囗 | 全包围 | L | 会意 |
| 笔顺 | 丨 冂 冂 冃 冃 国 国 国 | | | | |

【解　释】❶国家。❷代表或象征国家的。❸在一国内最好的。❹指本国的，特指中国的。
【组　词】国家　国策　国画　国产
【造　句】国宝——熊猫是中国的国宝。
【形近字】围（围住）
【成　语】国泰民安
【谚　语】国有国法，家有家规。
【英　语】国外　foreign ［ˈfɔrin］

| guǒ | 笔画 | 部首 | 结构 | 五笔 | 造字法 |
|---|---|---|---|---|---|
| 果 | 8 | 木 | 独体 | JSI | 象形 |
| 笔顺 | 丨 冂 日 日 旦 甲 果 果 | | | | |

【解　释】❶植物结的果实。❷事情的结局。❸坚决；果断。❹真的；确实。
【组　词】果实　果断　如果　果树
【造　句】果断——他办事果断，很得领导赏识。
【形近字】呆（呆子）
【成　语】果不其然
【反义词】果断/犹豫
【近义词】前因后果/来龙去脉
【英　语】果实　fruit ［fruːt］

| guǒ | 笔画 | 部首 | 结构 | 五笔 | 造字法 |
|---|---|---|---|---|---|
| 裹 | 14 | 亠 | 上中下 | YJSE | 形声 |
| 笔顺 | 丶 亠 亠 亩 亩 亩 亩 亩 亩 亩 亩 裹 裹 裹 | | | | |

【解　释】❶包；缠。❷夹杂在里面。❸吸。
【组　词】裹脚　包裹　裹腿　裹胁
【造　句】裹足不前——学习中遇到困难要勤于钻研，切不可裹足不前。
【同音字】果（果实）
【形近字】衷（衷心）
【成　语】裹足不前
【反义词】裹足不前/勇往直前
【近义词】裹足不前/踌躇不前
【歇后语】懒婆娘的裹脚布——又长又臭。
【英　语】包裹　packet ［ˈpækit］

| guò | 笔画 | 部首 | 结构 | 五笔 | 造字法 |
| --- | --- | --- | --- | --- | --- |
| 过 | 6 | 辶 | 半包围 | FPI | 形声 |
| 笔顺 | 一 十 寸 ˋ寸 讨 过 | | | | |

【解　释】❶从一个地点或时间移到另一个地点或时间,空间或时间的变化移动。❷从甲方移到乙方。❸使经过。❹超过。❺过失。❻交往。❼用在动词"得"后,表示胜过或通过。

【组　词】过去　过失　过程　过分

【造　句】过河拆桥——他这个人很讲信义,决不会做过河拆桥的事。

【形近字】边(边沿)

【成　语】言过其实　闭门思过　过目不忘　过河拆桥

【反义词】过河拆桥/知恩图报

【近义词】过河拆桥/兔死狗烹

【歇后语】过时节的萝卜——枉(网)操心。

【谚　语】过五关,斩六将。

【英　语】过程　process [prəˈses]

G

# H

## HA ㄏㄚ

| hā | 笔画 | 部首 | 结构 | 五笔 | 造字法 |
|---|---|---|---|---|---|
| 哈 | 9 | 口 | 左右 | KWGK | 形声 |
| 笔顺 | 丨 ㄇ 口 叺 叺 吟 哈 哈 哈 | | | | |

【解　释】❶张口呼气。❷象声词。形容笑声。❸叹词。表示得意或满意。❹弯。

【组　词】哈哈　哈腰　哈密瓜　哈哈镜

【造　句】哈哈——哈哈，终于让我逮着你了。

【辨　音】不读 hé。

【形近字】洽（洽谈）

【英　语】哈腰　stoop［stuːp］

【多音字】hǎ（见 268 页）

| há | 笔画 | 部首 | 结构 | 五笔 | 造字法 |
|---|---|---|---|---|---|
| 蛤 | 12 | 虫 | 左右 | JWGK | 形声 |
| 笔顺 | 丨 ㄇ 口 中 虫 虫 虫 虫 蚧 蚧 蛤 蛤 | | | | |

【解　释】蛤蟆，青蛙和蟾蜍的总称。

【组　词】蛤蟆　蛤蟆镜

【辨　音】不读 hé。

【形近字】洽（洽谈）

【歇后语】蛤蟆吃黄蜂——倒挨一锥。

【谚　语】蛤蟆跳到脚面上，不咬人烦人。

【英　语】蛤蟆　frog［frɔg］

【多音字】gé（见 239 页）

| hǎ | 笔画 | 部首 | 结构 | 五笔 | 造字法 |
|---|---|---|---|---|---|
| 哈 | 9 | 口 | 左右 | KWGK | 形声 |
| 笔顺 | 丨 ㄇ 口 叺 叺 吟 哈 哈 哈 | | | | |

【解　释】❶斥责。❷哈达，指藏族和部分蒙古族人表示敬意和祝贺用的长条丝巾或纱巾，多为白色，也有黄、蓝等色。

【英　语】哈巴狗　pugdog［pʌg dɔg］

【多音字】hā（见 268 页）

## HAI ㄏㄞ

| hāi | 笔画 | 部首 | 结构 | 五笔 | 造字法 |
|---|---|---|---|---|---|
| 咳 | 9 | 口 | 左右 | KYNW | 形声 |
| 笔顺 | 丨 ㄇ 口 口` 口亠 咗 咳 咳 咳 | | | | |

【解　释】叹词。表示伤感、后悔或惊异。

【同音字】嗨（嗨哟）

【多音字】ké（见 399 页）

| hái | 笔画 | 部首 | 结构 | 五笔 | 造字法 |
|---|---|---|---|---|---|
| 还 | 7 | 辶 | 半包围 | GIPI | 形声 |
| 笔顺 | 一 ア 不 不 不 怀 还 | | | | |

【解　释】副词。❶表示现象继续存在或动作继续进行。❷表示在某种程度上有所增长或在某个范围之外有所补充。❸再；又。❹差不多；过得去。❺早已这样。❻表示加强反问语气。

【组　词】还有　还在　还是

【造　句】还是——尽管今天风狂雨大，他还是照常出工。

【同音字】孩（孩子）

【英　语】还是　still ［stil］
【多音字】huán(见 298 页)

| hái | 笔画 | 部首 | 结构 | 五笔 | 造字法 |
|---|---|---|---|---|---|
| 孩 | 9 | 子 | 左右 | BYNW | 形声 |
| 笔顺 | 一 了 子 孑 孑 孑 孩 孩 孩 | | | | |

【解　释】孩子;儿童。
【组　词】孩子　孩童　孩提　孩子气
【造　句】孩提——孩提时,我经常到我家后院的草地上捉蛐蛐。
【辨　音】不读 gāi。
【同音字】还(还在)
【形近字】该(应该)
【谚　语】孩子离娘,瓜儿离秧。
【英　语】孩子　child ［tʃaild］

| hǎi | 笔画 | 部首 | 结构 | 五笔 | 造字法 |
|---|---|---|---|---|---|
| 海 | 10 | 氵 | 左右 | ITXU | 形声 |
| 笔顺 | 丶 丶 氵 氵 汇 汇 海 海 海 海 | | | | |

【解　释】❶指大洋靠近陆地的部分,有的大湖也叫海。❷形容大。❸比喻连成一片的很多同类事物。❹海里出产的。❺漫无目标的。❻多;很多。
【组　词】海洋　林海　海产　海龟
【造　句】人山人海——元宵节那天,西山公园里人山人海。
【形近字】每(每天)
【成　语】人山人海　海底捞针　海阔天空　海誓山盟　海市蜃楼
【反义词】人山人海/渺无人烟
【近义词】海底捞月/竹篮打水
【歇后语】海底捞针——枉费心机。
【英　语】海岸　coast ［kəust］

| hài | 笔画 | 部首 | 结构 | 五笔 | 造字法 |
|---|---|---|---|---|---|
| 害 | 10 | 宀 | 上中下 | PDHK | 形声 |
| 笔顺 | 丶 丶 宀 宀 宇 宇 宝 宝 害 害 | | | | |

【解　释】❶灾;祸(跟“利”相对)。❷有害的(跟“益”相对)。❸使受损坏。❹杀害。❺发生疾病。❻发生不安的情绪。
【组　词】灾害　害羞　害怕　害虫
【造　句】灾害——我国是一个自然灾害频发的国家。
【形近字】赛(比赛)
【成　语】害群之马
【近义词】害羞/怕羞
【谚　语】害人终害己,玩火必自焚。
【英　语】害处　harm ［hɑːm］

## HAN　ㄏㄢ

| hān | 笔画 | 部首 | 结构 | 五笔 | 造字法 |
|---|---|---|---|---|---|
| 酣 | 12 | 酉 | 左右 | SGAF | 形声 |
| 笔顺 | 一 厂 万 丙 丙 两 酉 酉 酐 酐 酣 酣 | | | | |

【解　释】❶饮酒尽兴。❷泛指尽兴、畅快。❸盛;浓。
【组　词】酣畅　酣梦　酣饮　酣然
【造　句】酣然——他喝了两杯酒后酣然入睡。
【辨　音】不读 gān。
【同音字】憨(憨厚)
【形近字】甘(甘甜)
【英　语】酣睡　fast asleep ［fɑː-

st ə'sliːp]

| hān | 笔画 | 部首 | 结构 | 五笔 | 造字法 |
|---|---|---|---|---|---|
| 憨 | 15 | 心 | 上下 | NBTN | 形声 |
| 笔顺 | 一 二 千 千 干 千 甘 甘 甘 敢 敢 敢 憨 憨 憨 | | | | |

【解　释】❶朴实。❷痴呆。
【组　词】憨厚　憨痴
【造　句】憨厚——老张为人憨厚,大家都愿意和他交往。
【成　语】憨态可掬

| hān | 笔画 | 部首 | 结构 | 五笔 | 造字法 |
|---|---|---|---|---|---|
| 鼾 | 17 | 鼻 | 左右 | THLF | 形声 |
| 笔顺 | ノ 亻 白 白 自 自 自 自 自 自 自 自 鼻 鼻 鼻 鼻 鼾 | | | | |

【解　释】睡觉时粗重的呼吸声。

| hán | 笔画 | 部首 | 结构 | 五笔 | 造字法 |
|---|---|---|---|---|---|
| 汗 | 6 | 氵 | 左右 | IFH | 形声 |
| 笔顺 | 丶 丶 氵 氵 汀 汗 | | | | |

H

【解　释】可汗的简称。
【同音字】含(包含)
【多音字】hàn(见272页)

| hán | 笔画 | 部首 | 结构 | 五笔 | 造字法 |
|---|---|---|---|---|---|
| 含 | 7 | 人 | 上下 | WYNK | 形声 |
| 笔顺 | ノ 人 人 今 今 含 含 | | | | |

【解　释】❶东西放在嘴里,不咽下也不吐出。❷藏在里面;容纳。❸带着。❹忍受。
【组　词】含怒　含笑　含羞　含糊　含蓄
【造　句】含笑九泉——我们相信,伟大祖国的强盛和中华民族的复兴一定会使无数革命先烈含笑九泉。
【同音字】寒(寒冷)　函(信函)
【形近字】吞(吞下)
【成　语】含沙射影　含笑九泉
【反义词】含辛茹苦/养尊处优
【近义词】含辛茹苦/千辛万苦
【英　语】含义　meaning ['miːniŋ]

| hán | 笔画 | 部首 | 结构 | 五笔 | 造字法 |
|---|---|---|---|---|---|
| 函 | 8 | 凵 | 半包围 | BIBK | 象形 |
| 笔顺 | 乛 了 了 习 刃 及 函 函 | | | | |

【解　释】❶封套。❷匣。❸信件。

甲骨文　金文　小篆　隶书　楷书

【字源释义】"函"字的本义是"箭囊"。甲骨文和金文的字形都是一个长方形或椭圆形的囊状物,囊状物的里面有箭,在一边有一个可挂在腰带上的小球。后引申为"封套"、"信件"等。
【组　词】电函　函告　函授　函数　函件　函购
【造　句】函告——行期如有变化,当及时函告。
【同音字】含(包含)　寒(寒冷)

【形近字】丞(丞相)
【近义词】函购/邮购
【英　语】函件　letter [ˈletə]

| hán | 笔画 | 部首 | 结构 | 五笔 | 造字法 |
|---|---|---|---|---|---|
| 涵 | 11 | 氵 | 左右 | IBIB | 形声 |
| 笔顺 | 丶 冫 氵 汀 汀 汀 泙 浮 浮 涵 涵 | | | | |

【解　释】❶包括;包容。❷指涵洞,与桥相似。
【组　词】涵养　海涵　涵盖　涵义
【造　句】涵盖——作品题材广泛,涵盖了社会各个领域。
【同音字】含(包含)　寒(寒冷)
【形近字】函(信函)
【近义词】涵盖/包涵
【英　语】涵养　self-containment [self kənˈteinmənt]

| hán | 笔画 | 部首 | 结构 | 五笔 | 造字法 |
|---|---|---|---|---|---|
| 韩 | 12 | 韦 | 左右 | FJFH | 形声 |
| 笔顺 | 一 十 十 古 古 古 直 草 卓 卓 韩 韩 | | | | |

【解　释】❶周朝国名,在今河南中部和山西东南部。❷国家名。❸姓。
【组　词】韩国
【同音字】寒(寒冷)　含(包含)
【形近字】朝(朝代)
【歇后语】韩信吹箫——不同凡响。

| hán | 笔画 | 部首 | 结构 | 五笔 | 造字法 |
|---|---|---|---|---|---|
| 寒 | 12 | 宀 | 上中下 | PFJU | 会意 |
| 笔顺 | 丶 丶 宀 宀 宀 宀 宑 宑 寉 寉 寒 寒 | | | | |

【解　释】❶冷(跟"暑"相对)。❷害怕;畏惧。❸穷困。
【组　词】寒冬　寒假　寒气　寒潮
【造　句】寒战——一阵冷风吹来,她禁不住打了个寒战。
【同音字】含(包含)　函(信函)
【形近字】赛(比赛)
【成　语】寒冬腊月
【反义词】寒假/暑假
【近义词】寒秋/深秋
【谚　语】寒门出才子,高山出俊鸟|寒从脚下起,病从口中入。
【英　语】寒冷　cold [kəuld]

| hǎn | 笔画 | 部首 | 结构 | 五笔 | 造字法 |
|---|---|---|---|---|---|
| 罕 | 7 | 冖 | 上下 | PWFJ | 形声 |
| 笔顺 | 丶 冖 冖 冖 罒 罕 罕 | | | | |

【解　释】❶稀少。❷姓。
【组　词】稀罕　罕见　罕有　罕迹
【造　句】人迹罕至——到人迹罕至的山中旅游要注意安全。
【辨　音】不读 hàn。
【同音字】喊(喊叫)
【形近字】究(究竟)
【成　语】人迹罕至
【反义词】人迹罕至/人声鼎沸
【近义词】人迹罕至/渺无人烟
【英　语】罕有　seldom [ˈseldəm]

| hǎn | 笔画 | 部首 | 结构 | 五笔 | 造字法 |
|---|---|---|---|---|---|
| 喊 | 12 | 口 | 左右 | KDGT | 形声 |
| 笔顺 | 丨 口 口 口一 叮 叮 叮 听 听 咸 喊 喊 | | | | |

【解　释】❶大声叫。❷称呼;召请。
【组　词】喊话　叫喊　喊冤

H

【造　句】喊话——总部要求向团部喊话。
【同音字】罕(罕见)
【形近字】咸(咸味)
【成　语】喊屈叫冤
【近义词】喊/叫
【英　语】喊叫　shout [ʃaut]

| hàn | 笔画 | 部首 | 结构 | 五笔 | 造字法 |
|---|---|---|---|---|---|
| 汉 | 5 | 氵 | 左右 | ICY | 形声 |
| 笔顺 | 丶 丶 氵 汈 汉 | | | | |

【解　释】❶汉水，水名，发源于陕西省西南部，在湖北省武汉市注入长江。❷朝代名。1. 汉代，公元前 206～公元 220，刘邦建立。2. 后汉，公元 947～950，刘知远建立。❸成年男子。❹汉族，我国人数最多的民族。
【组　词】汉水　汉族　好汉　汉语
【同音字】汗(汗水)　旱(干旱)
【形近字】仅(仅仅)
【近义词】汉奸/奸细
【英　语】汉语　Chinese [tʃai'niːz]

| hàn | 笔画 | 部首 | 结构 | 五笔 | 造字法 |
|---|---|---|---|---|---|
| 汗 | 6 | 氵 | 左右 | IFH | 形声 |
| 笔顺 | 丶 丶 氵 汀 汘 汗 | | | | |

【解　释】人或高等动物从皮肤排泄出来的液体，是皮肤散热的主要方式。
【组　词】出汗　汗水　汗斑　虚汗　擦汗　汗衫
【造　句】汗水——跑完第一圈后，同学们额头上都渗出了汗水。
【同音字】汉(大汉)　旱(干旱)
【形近字】干(干枯)　汉(武汉)
【成　语】汗流浃背　汗牛充栋　汗马功劳
【反义词】汗牛充栋/屈指可数
【近义词】汗流如雨/汗流浃背　汗牛充栋/浩如烟海
【英　语】汗水　sweat [swet]
【多音字】hán(见 270 页)

| hàn | 笔画 | 部首 | 结构 | 五笔 | 造字法 |
|---|---|---|---|---|---|
| 旱 | 7 | 日 | 上下 | JFJ | 形声 |
| 笔顺 | 丨 冂 日 日 旦 旦 旱 | | | | |

【解　释】❶指长时间没有降水或降水太少(跟“涝”相对)。❷陆地上的。❸没有水的。
【组　词】旱灾　天旱　地旱　旱路
【造　句】旱灾——家乡连续三年遭遇旱灾，农民颗粒无收。
【同音字】汗(汗水)　汉(汉口)
【形近字】早(早晨)
【英　语】旱季　dry season [drai 'siːzən]

| hàn | 笔画 | 部首 | 结构 | 五笔 | 造字法 |
|---|---|---|---|---|---|
| 捍 | 10 | 扌 | 左右 | RJFH | 形声 |
| 笔顺 | 一 十 扌 扌 扣 扣 押 押 捍 捍 | | | | |

【解　释】保卫；防御。
【组　词】捍卫　捍御
【造　句】捍卫——解放军叔叔在边防放哨，捍卫祖国的领土。
【同音字】汗(汗水)　旱(干旱)
【形近字】悍(凶悍)
【近义词】捍卫/保卫
【英　语】捍卫　defend [di'fend]

| hàn | 笔画 | 部首 | 结构 | 五笔 | 造字法 |
|---|---|---|---|---|---|
| 悍 | 10 | 忄 | 左右 | NJFH | 形声 |
| 笔顺 | 丶 丷 忄 忄 忄 忄 忄 忄 悍 悍 | | | | |

【解　释】❶勇猛。❷凶暴;蛮横。
【组　词】悍然
【造　句】悍然——近日,日本百名议员悍然否认南京大屠杀的事实。
【同音字】汉(汉口)　汗(汗水)
【形近字】捍(捍卫)
【英　语】悍然　outrageous [aut'reidʒəs]

| hàn | 笔画 | 部首 | 结构 | 五笔 | 造字法 |
|---|---|---|---|---|---|
| 焊 | 11 | 火 | 左右 | OJFH | 形声 |
| 笔顺 | 丶 丷 火 火 火 火 火 火 焊 焊 焊 | | | | |

【解　释】连接或修补金属(或非金属)器物的一种方法。
【组　词】焊接　焊点　焊条　焊工
【造　句】焊接——他的焊接技术十分精湛。
【同音字】汉(汉朝)　汗(汗水)
【形近字】悍(悍然)
【英　语】焊接　weld [weld]

| hàn | 笔画 | 部首 | 结构 | 五笔 | 造字法 |
|---|---|---|---|---|---|
| 撼 | 16 | 扌 | 左右 | RDGN | 形声 |
| 笔顺 | 一 十 扌 扌 扌 扌 扌 扌 扌 撼 撼 撼 撼 撼 撼 撼 | | | | |

【解　释】摇;摇动。
【组　词】撼动　震撼　撼天动地
【造　句】撼天动地——他的英勇行为撼天动地。
【同音字】汗(汗水)　汉(汉族)
【形近字】憾(遗憾)
【近义词】震撼/震动
【英　语】撼动　shake [ʃeik]

| hàn | 笔画 | 部首 | 结构 | 五笔 | 造字法 |
|---|---|---|---|---|---|
| 憾 | 16 | 忄 | 左右 | NDGN | 形声 |
| 笔顺 | 丶 丷 忄 忄 忄 忄 忄 忄 忄 憾 憾 憾 憾 憾 憾 憾 | | | | |

【解　释】不够完美;令人失望;感到不满足。
【组　词】缺憾　遗憾　憾事
【造　句】遗憾——她放弃了这次比赛的机会,我们感到很遗憾。
【同音字】汗(汗水)　汉(汉口)
【形近字】撼(摇撼)
【近义词】遗憾/可惜
【英　语】遗憾　regret [ri'gret]

| hàn | 笔画 | 部首 | 结构 | 五笔 | 造字法 |
|---|---|---|---|---|---|
| 瀚 | 19 | 氵 | 左中右 | IFJN | 形声 |
| 笔顺 | 丶 丶 氵 氵 氵 氵 氵 氵 氵 氵 淖 淖 淖 瀚 瀚 瀚 瀚 瀚 瀚 | | | | |

【解　释】(书)广大。
【组　词】瀚海　浩瀚
【造　句】瀚海——瀚海阑干百丈冰。
【同音字】汉(汉族)　汗(汗水)
【英　语】浩瀚　vast [vɑːst]

## HANG　ㄏㄤ

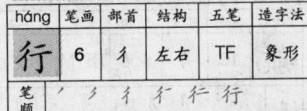

| háng | 笔画 | 部首 | 结构 | 五笔 | 造字法 |
|---|---|---|---|---|---|
| 行 | 6 | 彳 | 左右 | TF | 象形 |
| 笔顺 | 丿 彡 彳 彳 行 行 | | | | |

【解　释】❶行列。❷兄弟、姐妹的次序。❸职业;工作。❹商业单位。

【组　词】行家　在行　排行　懂行
【造　句】行列——这家工厂经过整顿，已经进入了同类先进企业的行列。
【同音字】杭（杭州）
【英　语】行家　expert [ˈekspəːt]
【多音字】xíng（见 792 页）

| háng | 笔画 | 部首 | 结构 | 五笔 | 造字法 |
|---|---|---|---|---|---|
| 吭 | 7 | 口 | 左右 | KYMN | 形声 |
| 笔顺 | 丨 𠃍 口 口丶 口亠 吭 吭 | | | | |

【解　释】喉咙。
【造　句】引吭高歌——参赛选手在红歌坊里引吭高歌。
【辨　音】不读 kàng。
【同音字】杭（杭州）
【形近字】航（航行）
【成　语】引吭高歌
【英　语】引吭高歌　sing lustily [siŋ ˈlʌstili]
【多音字】kēng（见 402 页）

| háng | 笔画 | 部首 | 结构 | 五笔 | 造字法 |
|---|---|---|---|---|---|
| 杭 | 8 | 木 | 左右 | SYMN | 形声 |
| 笔顺 | 一 十 才 木 木丶 杧 杬 杭 | | | | |

【解　释】❶杭州。❷姓。
【组　词】杭纺　杭育　杭州
【同音字】行（行列）　航（航行）
【形近字】枕（枕头）　航（航行）

| háng | 笔画 | 部首 | 结构 | 五笔 | 造字法 |
|---|---|---|---|---|---|
| 航 | 10 | 舟 | 左右 | TEYM | 形声 |
| 笔顺 | ノ 丿 ⺆ 舟 舟 舟 舟丶 舟亠 舫 航 | | | | |

【解　释】❶船。❷航行。
【组　词】航行　航海　航天　航线
【造　句】航线——今年，国航又新开辟了两条航线。
【同音字】杭（杭州）　行（行列）
【形近字】杭（杭州）
【谚　语】航船不载无钱客。
【英　语】航天　spaceflight [ˈspeisflait]

| hàng | 笔画 | 部首 | 结构 | 五笔 | 造字法 |
|---|---|---|---|---|---|
| 巷 | 9 | 巳 | 上下 | AWN | 形声 |
| 笔顺 | 一 十 廾 廾 共 共 共 巷 巷 | | | | |

【解　释】巷道，采矿或探矿时挖的坑道，供运输、通风、行人和排水之用。
【组　词】巷道
【英　语】巷道　tunnel [ˈtʌnl]
【多音字】xiàng（见 779 页）

## HAO ㄏㄠ

| háo | 笔画 | 部首 | 结构 | 五笔 | 造字法 |
|---|---|---|---|---|---|
| 号 | 5 | 口 | 上下 | KGNB | 会意 |
| 笔顺 | 丨 𠃍 口 旦 号 | | | | |

【解　释】❶大叫。❷大声哭。
【组　词】号叫　号哭　号啕　哀号
【造　句】号啕——他听到爷爷去世的消息，当即就号啕大哭起来。
【同音字】豪（自豪）
【英　语】号叫　howl [haul]
【多音字】hào（见 276 页）

| háo | 笔画 | 部首 | 结构 | 五笔 | 造字法 |
|---|---|---|---|---|---|
| 毫 | 11 | 毛 | 上中下 | YPTN | 形声 |
| 笔顺 | 丶 亠 亠 亡 古 亨 亭 亭 亳 毫 毫 | | | | |

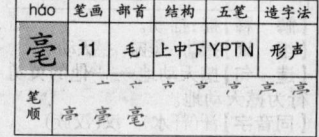

【解　释】❶细长而尖的毛。❷指毛笔。❸极少;一点儿。
【组　词】毫米　毫毛
【辨　音】不读 máo。
【同音字】豪(自豪)
【形近字】豪(豪放)
【反义词】毫发不爽/大相径庭
【近义词】毫发不爽/毫无二致
【谚　语】毫厘之差,千里之谬。
【英　语】毫秒　millisecond [ˈmilisekənd]

| háo | 笔画 | 部首 | 结构 | 五笔 | 造字法 |
|---|---|---|---|---|---|
| 豪 | 14 | 亠 | 上中下 | YPEU | 形声 |
| 笔顺 |  | | | | |

【解　释】❶具有杰出才能的人。❷气魄大;直爽痛快;没有约束的。❸指有钱有势。❹强横。❺程度高;超出一般的。
【组　词】英豪　豪迈　豪富　豪强
【造　句】自豪——我们为北京申奥成功而感到自豪。
【形近字】毫(毫米)
【成　语】豪言壮语
【反义词】豪放不羁/畏首畏尾
【英　语】自豪　proud [praud]

| háo | 笔画 | 部首 | 结构 | 五笔 | 造字法 |
|---|---|---|---|---|---|
| 壕 | 17 | 土 | 左右 | FYPE | 形声 |
| 笔顺 | 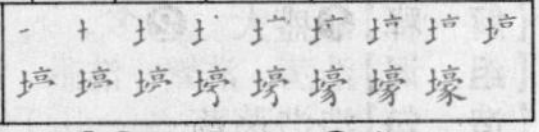 | | | | |

【解　释】❶护城河。❷沟。
【组　词】壕沟　战壕
【造　句】战壕——我军一举攻破敌人的战壕。
【同音字】毫(毫米)
【形近字】嚎(嚎叫)
【成　语】沟满壕平
【英　语】壕沟　trench [trentʃ]

| háo | 笔画 | 部首 | 结构 | 五笔 | 造字法 |
|---|---|---|---|---|---|
| 嚎 | 17 | 口 | 左右 | KYPE | 形声 |
| 笔顺 | 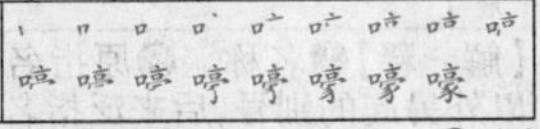 | | | | |

【解　释】❶大声哭喊。❷同"号"。
【组　词】狼嚎
【同音字】豪(豪迈)

| hǎo | 笔画 | 部首 | 结构 | 五笔 | 造字法 |
|---|---|---|---|---|---|
| 好 | 6 | 女 | 左右 | VBG | 会意 |
| 笔顺 | 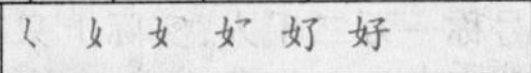 | | | | |

【解　释】❶优点多的;使人满意的(跟"坏"、"歹"相对)。❷用在动词前,表示使人满意的性质在哪方面。❸友爱;和睦。❹身体健康。❺用在动词后头,表示完成或达到完善的地步。❻表示赞许、同意。❼多久。❽表示程度深。❾完备;完成。❿完整;健全。⓫容易;便于。⓬可以;以便;能。⓭用于客套语。
【组　词】好处　好话　好感　好看
【造　句】好自为之——我走了,既然你决定留下来,那就好自为之吧!
【形近字】仔(仔细)　奴(奴隶)
【成　语】好事多磨　好自为之
【反义词】好事多磨/一帆风顺
【近义词】好评/表扬
【歇后语】好汉上梁山——官逼民

反|好马遭鞭打——忍辱负重。
【英　语】好意 kindness [ˈkaindnis]
【多音字】hào(见 276 页)

| hào | 笔画 | 部首 | 结构 | 五笔 | 造字法 |
|---|---|---|---|---|---|
| 号 | 5 | 口 | 上下 | KGNB | 会意 |
| 笔顺 | 丨 ㄇ 口 𠮛 号 | | | | |

【解　释】❶名称。❷原指名和字以外另起的别号,后来泛指名以外另起的名字。❸商店。❹标志;信号。❺排定的次第。❻表示等级。❼种;类。❽表示次序。❾指某种人员。❿标上记号。⓫号脉。⓬命令。⓭军号。
【组　词】问号　年号　号兵　号称
【造　句】号称——敌人的这个师号称一万二千人,实际上只有七八千人。
【同音字】浩(浩气)
【形近字】亏(吃亏)
【近义词】号召/号令
【英　语】号召 call [kɔːl]
【多音字】háo(见 274 页)

| hào | 笔画 | 部首 | 结构 | 五笔 | 造字法 |
|---|---|---|---|---|---|
| 好 | 6 | 女 | 左右 | VBG | 会意 |
| 笔顺 | ㄑ 女 女 好 好 好 | | | | |

【解　释】❶爱;喜欢[跟"恶(wù)"相对]。❷经常容易发生的事情。
【组　词】爱好　喜好　好奇　好强
【造　句】好为人师——他好为人师,许多人都不喜欢他。
【同音字】号(号召)
【成　语】好吃懒做　好大喜功
【反义词】好大喜功/脚踏实地
【近义词】喜好/喜爱
【歇后语】好叫的麻雀——没有二两肉。
【谚　语】好船者溺,好战者亡。
【英　语】好奇 curious [ˈkjuə-riəs]
【多音字】hǎo(见 275 页)

| hào | 笔画 | 部首 | 结构 | 五笔 | 造字法 |
|---|---|---|---|---|---|
| 耗 | 10 | 耒 | 左右 | DITN | 形声 |
| 笔顺 | 一 二 三 丰 耒 耒 耒 耒 耗 耗 | | | | |

【解　释】❶减损;消耗。❷拖延时间。❸坏的消息或音信。
【组　词】消耗　损耗　耗子　耗费
【造　句】消耗——为了减肥,她有空就进行体育运动,以消耗脂肪。
【辨　音】不读 máo。
【同音字】好(好事)
【形近字】笔(铅笔)
【反义词】耗费/节约
【近义词】耗费/消耗
【谚　语】耗子拱不翻石磨盘,猛虎敌不过地头蛇。
【英　语】耗费 expend [ikˈspend]

| hào | 笔画 | 部首 | 结构 | 五笔 | 造字法 |
|---|---|---|---|---|---|
| 浩 | 10 | 氵 | 左右 | ITFK | 形声 |
| 笔顺 | 丶 丶 氵 氵 氵 汻 浩 浩 浩 浩 | | | | |

【解　释】❶盛大。❷多。
【组　词】浩荡　浩繁　浩渺　浩劫
【造　句】浩浩荡荡——几千名筑路大军浩浩荡荡地开到了工地上。
【同音字】好(好恶)
【形近字】告(告诉)
【成　语】浩如烟海　浩浩荡荡

【反义词】浩如烟海/屈指可数
【近义词】浩浩荡荡/声势浩大
【谚　语】浩瀚海洋，源于细小溪流；伟大成就，来自艰苦劳动。
【英　语】浩大　vast [vɑːst]

| hào | 笔画 | 部首 | 结构 | 五笔 | 造字法 |
|---|---|---|---|---|---|
| 皓 | 12 | 白 | 左右 | RTFK | 形声 |
| 笔顺 | ′ 亻 白 白 白 白′ 白⺊ 白⺧ 白⺧ 皓 皓 皓 | | | | |

【解　释】❶洁白；白。❷明亮。
【组　词】皓首　皓月　皓齿
【造　句】皓齿——那个明眸皓齿的小姑娘今年15岁。
【同音字】耗（消耗）
【形近字】浩（浩荡）
【成　语】皓齿朱唇
【英　语】皓齿　white teeth [wait tiːθ]

## HE　ㄏㄜ

| hē | 笔画 | 部首 | 结构 | 五笔 | 造字法 |
|---|---|---|---|---|---|
| 呵 | 8 | 口 | 左右 | KSKG | 形声 |
| 笔顺 | 丨 ㄇ 口 叮 叮 叮 呵 呵 | | | | |

【解　释】❶呵斥。❷呼气；哈气。❸象声词。形容笑声。
【组　词】呵气　呵责　呵欠
【造　句】一气呵成——有的作家写文章，初稿一气呵成，然后再反复推敲修改。
【辨　音】不读 hā。
【同音字】喝（喝水）
【形近字】何（何方）
【成　语】一气呵成
【反义词】一气呵成/零打碎敲
【近义词】一气呵成/一鼓作气
【英　语】呵气　blow [bləu]

| hē | 笔画 | 部首 | 结构 | 五笔 | 造字法 |
|---|---|---|---|---|---|
| 喝 | 12 | 口 | 左右 | KJQN | 形声 |
| 笔顺 | 丨 ㄇ 口 口′ 口ㄇ 口ㄇ 口日 口曰 喝 喝 喝 喝 | | | | |

【解　释】❶把饮料或流质的东西咽下去。❷特指喝酒。
【组　词】喝水　喝茶　喝闷酒
【辨　音】不读 kě。
【同音字】呵（乐呵呵）
【形近字】竭（竭尽全力）
【歇后语】喝酒不吃菜——各人心里爱。
【谚　语】喝水不忘掘井人。
【英　语】喝茶　drink tea [driŋk tiː]
【多音字】hè（见281页）

| hé | 笔画 | 部首 | 结构 | 五笔 | 造字法 |
|---|---|---|---|---|---|
| 禾 | 5 | 禾 | 独体 | TTTT | 象形 |
| 笔顺 | ㇒ 二 千 禾 禾 | | | | |

【解　释】❶谷类作物的总称。❷古书上指粟。

甲骨文　金文　小篆　隶书　楷书

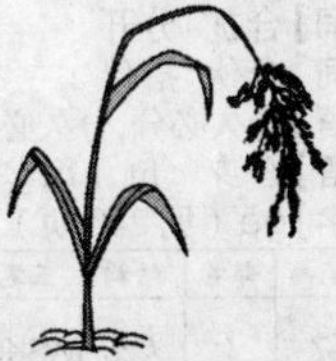

【字源释义】甲骨文与金文的“禾”的字形都像一株已经成熟的庄稼，

有茎有叶,沉甸甸的谷穗把上端压弯了,向下低垂。本义是“谷子”,后引申为其他与农业有关的粮食作物,如稻子。

【组　词】禾苗　禾场

【同音字】和(和气)

【形近字】木(木头)

【歇后语】禾草盖珍珠——外贱内贵。

【谚　语】禾怕枯心,菜怕断根。

【英　语】禾苗　grain seedling [grein 'siːdliŋ]

| hé | 笔画 | 部首 | 结构 | 五笔 | 造字法 |
|---|---|---|---|---|---|
| 合 | 6 | 人 | 上下 | WGKF | 会意 |
| 笔顺 | 丿 人 亼 亼 合 合 | | | | |

【解　释】❶闭;合拢。❷结合在一起,共同(跟“分”相对)。❸符合。❹折合;共计。❺应当;应该。❻配上;配对。❼我国民族音乐音阶上的一级,乐谱上用作记音符号。❽全;满。

【组　词】合拢　合抱　合演　合影

【造　句】合抱——院里有两棵合抱的大树。

【同音字】和(和平)

【形近字】告(告诉)

【反义词】合拢/分开

【近义词】合伙/搭伴

【谚　语】合久必分,分久必合。

【英　语】合身　fit [fit]

【多音字】gě(见240页)

| hé | 笔画 | 部首 | 结构 | 五笔 | 造字法 |
|---|---|---|---|---|---|
| 何 | 7 | 亻 | 左右 | WSKG | 形声 |
| 笔顺 | 丿 亻 仁 何 何 何 何 | | | | |

【解　释】❶疑问代词。相当于什么、为什么、怎么、哪儿等。❷表示反问。❸姓。

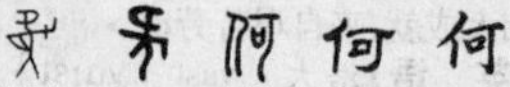

甲骨文　金文　小篆　隶书　楷书

【字源释义】甲骨文与金文的字形像一个人肩扛着锄头,向前走去。这就是“何”字的本义——“荷”。

【组　词】何必　何苦　何尝　何妨　何况　任何

【造　句】何必——既然天不下雨,何必带伞!

【辨　音】不读 hē。

【同音字】和(和平)　荷(荷花)

【形近字】河(河水)

【成　语】何去何从　何足挂齿

【反义词】何足挂齿/津津乐道

【歇后语】何仙姑回家——云里来,雾里去。

【英　语】何妨　might as well [mait æz wel]

| hé | 笔画 | 部首 | 结构 | 五笔 | 造字法 |
|---|---|---|---|---|---|
| 和 | 8 | 禾 | 左右 | T | 形声 |
| 笔顺 | 一 二 千 禾 禾 和 和 和 | | | | |

【解　释】❶柔顺;和缓。❷和谐;亲睦。❸结束战争或争执。❹下

棋或比赛不分胜负。❺数学上两个以上数相加的总数。❻连带。❼连词。表示联合;跟;与。❽指日本。❾介词。表示相关、比较等。

【组　词】和平　和约　和解

【造　句】和盘托出——两人越说越投机,于是,小王便把计划和盘托出。

【同音字】何(何方)

【形近字】利(有利)

【成　语】和颜悦色　和睦相处　和盘托出　和衷共济

【反义词】和风细雨/狂风暴雨

【近义词】和盘托出/言无不尽

【歇后语】和尚打伞——无法(发)无天。

【英　语】和平　peace [piːs]

【多音字】hè(见 280 页)

【多音字】huó(见 308 页)

【多音字】huò(见 310 页)

【多音字】huo(见 311 页)

| hé | 笔画 | 部首 | 结构 | 五笔 | 造字法 |
|---|---|---|---|---|---|
| 河 | 8 | 氵 | 左右 | ISKG | 形声 |
| 笔顺 | 丶 丶 氵 氵 汀 沪 河 河 | | | | |

【解　释】❶天然的或人工的大水道。❷特指黄河。❸指银河系。

【组　词】运河　河流　河套　河防

【同音字】和(和平)　合(合拢)

【形近字】何(何必)

【反义词】河清海晏/兵荒马乱

【近义词】河清海晏/国泰民安

【英　语】河流　river [ˈrivə]

| hé | 笔画 | 部首 | 结构 | 五笔 | 造字法 |
|---|---|---|---|---|---|
| 荷 | 10 | 艹 | 上下 | AWSK | 形声 |
| 笔顺 | 一 十 艹 艹 芢 芢 苛 苛 荷 荷 | | | | |

【解　释】❶荷花,植物名。❷指荷兰。

【组　词】荷花　荷兰　荷塘　荷包蛋

【同音字】和(和平)　盒(盒子)

【歇后语】荷花出水——一尘不染。

【英　语】荷花　lotus flower [ˈləutəs ˈflauə]

【多音字】hè(见 281 页)

| hé | 笔画 | 部首 | 结构 | 五笔 | 造字法 |
|---|---|---|---|---|---|
| 核 | 10 | 木 | 左右 | SYNW | 形声 |
| 笔顺 | 一 十 才 木 木 杧 杧 柉 核 核 | | | | |

【解　释】❶核果中心包含有果仁的坚硬部分。❷像核的东西。❸指原子核。❹仔细对照、考察。❺真实。

【组　词】核查　核弹　核能　核心

【造　句】核对——经过核对,他做的账没有错误。

【辨　音】不读 gāi。

【同音字】何(何事)　荷(荷花)

【形近字】该(应该)

【反义词】核心/外围

【近义词】核心/中心

【谚　语】核桃皮难看,核桃仁好吃。

【英　语】核对　check [tʃek]

【多音字】hú(见 290 页)

| hé | 笔画 | 部首 | 结构 | 五笔 | 造字法 |
|---|---|---|---|---|---|
| 盒 | 11 | 人 | 上下 | WGKL | 形声 |
| 笔顺 | 丿 人 亼 会 合 合 合 含 含 盒 盒 | | | | |

【解　释】❶盒子，盛东西的用具。❷量词。
【组　词】盒子　盒饭　火柴盒
【同音字】和(和平)　核(核实)
【形近字】盆(盆地)
【英　语】盒子　box [bɔks]

| hé | 笔画 | 部首 | 结构 | 五笔 | 造字法 |
|---|---|---|---|---|---|
| 涸 | 11 | 氵 | 上下 | ILDG | 形声 |
| 笔顺 | 丶 丶 氵 氵 汀 洞 洞 洞 涸 涸 涸 | | | | |

【解　释】水干。
【组　词】干涸　涸泽
【造　句】干涸——冬季，门前的溪水干涸了。
【同音字】何(何时)　河(河北)
【成　语】涸泽而渔　涸鱼之水
【英　语】干涸　dry [drai]

| hè | 笔画 | 部首 | 结构 | 五笔 | 造字法 |
|---|---|---|---|---|---|
| 吓 | 6 | 口 | 左右 | KGHY | 形声 |
| 笔顺 | 丨 口 口 吁 吓 吓 | | | | |

【解　释】❶恐吓；恫吓。❷叹词。表示不满。
【组　词】恐吓
【造　句】恐吓——她并没有因为犯罪分子的恐吓而放弃出庭。
【近义词】恐吓/惊吓
【英　语】恐吓 threaten ['θretn]
【多音字】xià(见 767 页)

| hè | 笔画 | 部首 | 结构 | 五笔 | 造字法 |
|---|---|---|---|---|---|
| 和 | 8 | 禾 | 左右 | T | 形声 |
| 笔顺 | 丿 二 千 禾 禾 和 和 和 | | | | |

【解　释】❶跟着唱或说。❷依照别人诗词的格律或内容写作诗词。
【组　词】和诗　随声附和
一唱百和
【造　句】随声附和——要有自己的主见，不要随声附和。
【同音字】鹤(丹顶鹤)
【英　语】一唱一和　echo each other ['ekəu iːtʃ 'ʌðə]
【多音字】hé(见 278 页)
【多音字】huó(见 308 页)
【多音字】huò(见 310 页)
【多音字】huo(见 311 页)

| hè | 笔画 | 部首 | 结构 | 五笔 | 造字法 |
|---|---|---|---|---|---|
| 贺 | 9 | 贝 | 上下 | LKMU | 形声 |
| 笔顺 | ㄱ 力 力 加 加 加 贺 贺 贺 | | | | |

【解　释】❶庆祝；庆贺；道喜。❷姓。
【组　词】祝贺　贺电　贺卡　贺岁
【造　句】祝贺——老师祝贺我这次取得了全市数学竞赛第一名。
【同音字】鹤(丹顶鹤)
【形近字】贷(贷款)
【反义词】祝贺/诅咒
【近义词】祝贺/庆贺
【英　语】贺词　congratulation [kəngrætju'leiʃən]

H

| hè | 笔画 | 部首 | 结构 | 五笔 | 造字法 |
|---|---|---|---|---|---|
| 荷 | 10 | 艹 | 上下 | AWSK | 形声 |
| 笔顺 | 一 十 艹 艹 芢 芢 茌 茌 荷 荷 | | | | |

【解　释】荷重。
【造　句】荷枪实弹——案发现场有许多荷枪实弹的武警。
【形近字】菏(菏泽)
【多音字】hé(见279页)

| hè | 笔画 | 部首 | 结构 | 五笔 | 造字法 |
|---|---|---|---|---|---|
| 喝 | 12 | 口 | 左右 | KJQN | 形声 |
| 笔顺 | 丨 口 口 口' 口ᄀ 口日 口旦 口昌 喝 喝 喝 喝 | | | | |

【解　释】大声喊叫。
【组　词】吆喝　喝彩
【造　句】喝彩——她的出色表演引得台下观众大声喝彩。
【辨　音】不读kě。
【同音字】贺(贺卡)
【形近字】渴(口渴)
【近义词】喝彩/叫好
【英　语】喝彩　cheer [tʃiə]
【多音字】hē(见277页)

| hè | 笔画 | 部首 | 结构 | 五笔 | 造字法 |
|---|---|---|---|---|---|
| 褐 | 14 | 衤 | 左右 | PUJN | 形声 |
| 笔顺 | 丶 ㇇ 礻 礻 衤 衤 衤ᄀ 衤日 衤日 衤曷 褐 褐 褐 褐 | | | | |

【解　释】❶黄黑色。❷(书)粗布或粗布衣服。
【组　词】褐色　短褐
【英　语】褐色　brown [braun]

| hè | 笔画 | 部首 | 结构 | 五笔 | 造字法 |
|---|---|---|---|---|---|
| 鹤 | 15 | 鸟 | 左右 | PWYG | 形声 |
| 笔顺 | 丶 冖 冖 ⺈ 隺 隺 隺 隺 隺 隺 隺 隺' 隺ㄅ 鹤 鹤 | | | | |

【解　释】鸟名，头小颈长，嘴长而直，脚细长，常见的有白鹤、灰鹤等。
【组　词】白鹤　灰鹤　丹顶鹤
【同音字】喝(喝彩)
【形近字】鸦(乌鸦)
【成　语】鹤立鸡群　鹤发童颜
【反义词】鹤立鸡群/滥竽充数
【近义词】鹤立鸡群/出类拔萃
【英　语】鹤　crane [krein]

## HEI　ㄏㄟ

| hēi | 笔画 | 部首 | 结构 | 五笔 | 造字法 |
|---|---|---|---|---|---|
| 黑 | 12 | 黑 | 上下 | LFOU | 会意 |
| 笔顺 | 丨 冂 冂 冂 四 甲 甲 里 黑 黑 黑 黑 | | | | |

【解　释】❶像墨或煤的颜色(跟“白”相对)。❷昏暗无光。❸秘密；非法的。❹狠毒；坏。❺象征反动。
【组　词】黑色　黑暗　黑洞　黑客
【造　句】黑白分明——他待人处事很讲原则，历来黑白分明，绝不徇私。
【同音字】嘿(嘿嘿)
【形近字】墨(墨水)
【成　语】黑白分明
【反义词】黑白分明/是非颠倒
【近义词】黑白分明/泾渭分明
【谚　语】黑云接日，雨在明日。
【英　语】黑暗　dark [dɑːk]

| hēi | 笔画 | 部首 | 结构 | 五笔 | 造字法 |
|---|---|---|---|---|---|
| 嘿 | 15 | 口 | 左右 | KLFO | 形声 |
| 笔顺 | 丨 ㄇ 口 ... 嘿 | | | | |

【解　释】❶叹词。表示提醒，赞叹或惊讶。❷象声词。形容笑声。
【造　句】嘿——嘿，小点儿声，大家正在看书呢！
【同音字】黑（黑暗）

## HEN ㄏㄣ

| hén | 笔画 | 部首 | 结构 | 五笔 | 造字法 |
|---|---|---|---|---|---|
| 痕 | 11 | 疒 | 半包围 | UVEI | 形声 |
| 笔顺 | 丶 亠 广 疒 ... 痕 | | | | |

【解　释】❶物体留下的印儿。❷残存的迹象。❸伤疤。
【组　词】伤痕 痕迹 裂痕 疤痕
【造　句】疤痕——他为救那个孩子而受伤，脸上留下一道很宽的疤痕。
【形近字】很（很多）
【近义词】痕迹/印迹
【英　语】痕迹 mark [mɑːk]

| hěn | 笔画 | 部首 | 结构 | 五笔 | 造字法 |
|---|---|---|---|---|---|
| 很 | 9 | 彳 | 左右 | TVEY | 形声 |
| 笔顺 | 丿 彡 彳 ... 很 | | | | |

【解　释】副词。表示程度高。
【组　词】很好　很快
【造　句】很快——他作业做得很快，但错误率太高了。
【辨　音】韵母是 en，不是 eng。
【同音字】狠（狠心）
【形近字】狠（狠命）
【反义词】很好/不好
【近义词】很好/特好
【英　语】很 very [veri]

| hěn | 笔画 | 部首 | 结构 | 五笔 | 造字法 |
|---|---|---|---|---|---|
| 狠 | 9 | 犭 | 左右 | QTVE | 形声 |
| 笔顺 | 丿 犭 ... 狠 | | | | |

【解　释】❶凶狠；凶残。❷控制感情；下定决心。❸坚决。❹严厉；厉害。
【组　词】凶狠　狠毒　狠抓
【造　句】凶狠——敌人每占领一座城市，都要进行一场凶狠的大屠杀。
【辨　音】韵母是 en，不是 eng。
【同音字】很（很好）
【形近字】恨（恨意）
【成　语】心狠手辣
【英　语】狠毒 venomous ['venəməs]

| hèn | 笔画 | 部首 | 结构 | 五笔 | 造字法 |
|---|---|---|---|---|---|
| 恨 | 9 | 忄 | 左右 | NVEY | 形声 |
| 笔顺 | 丶 忄 ... 恨 | | | | |

【解　释】❶仇视；怨恨。❷悔恨；遗憾；不称心。
【组　词】恨意　遗恨
【造　句】恨之入骨——村民们对那伙无恶不作的强盗恨之入骨。
【形近字】狠（狠心）
【成　语】恨之入骨

【近义词】恨之入骨/深恶痛绝
【谚　语】恨铁不成钢。
【英　语】恨 hate [heit]

# HENG ㄏㄥ

| hēng | 笔画 | 部首 | 结构 | 五笔 | 造字法 |
|---|---|---|---|---|---|
| 亨 | 7 | 亠 | 上中下 | YBJ | 象形 |
| 笔顺 | 丶 亠 亠 亡 亨 亨 亨 | | | | |

【解　释】❶顺利。❷有钱有势的人称大亨。
【组　词】亨通
【同音字】哼(哼哈)
【形近字】享(享受)
【近义词】官运亨通/青云直上
【英　语】亨通 go smoothly [gəu 'smuːðli]

| hēng | 笔画 | 部首 | 结构 | 五笔 | 造字法 |
|---|---|---|---|---|---|
| 哼 | 10 | 口 | 左右 | KYBH | 形声 |
| 笔顺 | 丨 口 口 口丶 口亠 口亠 口亡 口亨 哼 哼 | | | | |

【解　释】❶鼻子发出声音。❷低声唱或吟哦。
【组　词】哼哧　哼唧　哼唷
【造　句】哼唧——他一边劳动，一边哼唧着歌儿。
【同音字】亨(亨通)
【形近字】享(享受)
【英　语】哼声 groan [grəun]
【多音字】hng(见284页)

| héng | 笔画 | 部首 | 结构 | 五笔 | 造字法 |
|---|---|---|---|---|---|
| 恒 | 9 | 忄 | 左右 | NGJG | 形声 |
| 笔顺 | 丶 丶丶 忄 忄一 忄丆 忄百 忄百 恒 恒 | | | | |

【解　释】❶永久；持久。❷恒心。❸平常；经常。
【组　词】恒心　永恒　恒定
【造　句】持之以恒——学习贵在持之以恒。
【同音字】横(横竖)
【形近字】桓(姓桓)
【成　语】持之以恒
【近义词】持之以恒/坚持不懈
【英　语】恒心 perseverance [pəːsi'viərəns]

| héng | 笔画 | 部首 | 结构 | 五笔 | 造字法 |
|---|---|---|---|---|---|
| 横 | 15 | 木 | 左右 | SAMW | 形声 |
| 笔顺 | 一 十 才 木 木一 木十 木艹 木艹 木艹 木𦬇 木𦬇 横 横 横 横 | | | | |

【解　释】❶与地面平行的(跟“竖”、“直”、“纵”相对)。❷使物体成横向。❸纵横杂乱。❹蛮横；凶恶。❺汉字的笔画。❻东西方向的。
【组　词】横梁　横贯　横竖
【造　句】横征暴敛——明朝末年，官府横征暴敛，广大农民日益贫困，挣扎在死亡线上。
【同音字】恒(恒心)
【形近字】潢(装潢)
【成　语】横行无忌　横七竖八
【反义词】横行无忌/奉公守法
【近义词】横行无忌/胡作非为
【谚　语】横吹笛子竖吹箫。
【英　语】横越 across [ə'krɔs]
【多音字】hèng(见284页)

| héng | 笔画 | 部首 | 结构 | 五笔 | 造字法 |
|---|---|---|---|---|---|
| 衡 | 16 | 彳 | 左中右 | TQDH | 形声 |
| 笔顺 | 丿 彡 彳 彳 彳 彳 彳 彳 彳 彳 彳 彳 彳 衡 衡 衡 | | | | |

【解　释】❶秤杆，泛指称重量的器具。❷称重量。❸衡量。❹平；不倾斜。❺姓。
【组　词】平衡　均衡　衡量
【造　句】衡量——你衡量一下，这件事该怎么办？
【同音字】横（横着）
【形近字】珩（珩磨）
【反义词】平衡/倾斜
【近义词】平衡/平稳
【英　语】平衡　balance [ˈbæləns]

| hèng | 笔画 | 部首 | 结构 | 五笔 | 造字法 |
|---|---|---|---|---|---|
| 横 | 15 | 木 | 左右 | SAMW | 形声 |
| 笔顺 | 一 十 才 木 木 朩 杧 栉 栏 栟 構 横 横 横 横 | | | | |

【解　释】❶粗暴。❷意外的。
【组　词】横暴　蛮横　专横　横祸
【造　句】蛮横——他们这么蛮横无理，我们不用理他们了。
【英　语】横财　illgotten gains [ilˈgɔtn geinz]
【多音字】héng（见283页）

| hng | 笔画 | 部首 | 结构 | 五笔 | 造字法 |
|---|---|---|---|---|---|
| 哼 | 10 | 口 | 左右 | KYBH | 形声 |
| 笔顺 | 丨 ㄇ 口 口 口 吖 吖 咛 咛 哼 | | | | |

【解　释】（h与单纯的舌根鼻音拼合的音）表示不满意或不信任。
【造　句】哼——哼！你也配吗？
【多音字】hēng（见283页）

# HONG　ㄏㄨㄥ

| hōng | 笔画 | 部首 | 结构 | 五笔 | 造字法 |
|---|---|---|---|---|---|
| 轰 | 8 | 车 | 上下 | LCCU | 会意 |
| 笔顺 | 一 𠂇 车 车 车 车 轰 轰 | | | | |

【解　释】❶象声词。形容事物突然倒塌等各种较大的声音。❷爆炸声。❸驱逐；赶。
【组　词】轰动　轰隆　轰击
【造　句】轰轰烈烈——他认为，一个男子汉就应该干一番轰轰烈烈的大事业。
【同音字】哄（哄堂大笑）
【形近字】蹑（蹑手蹑脚）
【成　语】轰轰烈烈
【反义词】轰轰烈烈/冷冷清清
【近义词】轰轰烈烈/大张旗鼓
【英　语】轰炸　bomb [bɔm]

| hōng | 笔画 | 部首 | 结构 | 五笔 | 造字法 |
|---|---|---|---|---|---|
| 哄 | 9 | 口 | 左右 | KAWY | 形声 |
| 笔顺 | 丨 ㄇ 口 口一 口十 口卄 口卄 口共 哄 | | | | |

【解　释】❶象声词。形容许多人大笑声或喧哗声。❷许多人同时发出声音。
【组　词】哄然　哄抢
【造　句】哄堂大笑——忽然，他灵机一动，粘上了一副小胡子，逗得观众哄堂大笑。
【同音字】轰（轰动）
【形近字】烘（烘托）
【成　语】哄堂大笑
【反义词】哄堂大笑/泣不成声

【英　语】哄动 make a stir [meik ə stəː]
【多音字】hǒng(见 286 页)
【多音字】hòng(见 286 页)

| hōng | 笔画 | 部首 | 结构 | 五笔 | 造字法 |
|---|---|---|---|---|---|
| 烘 | 10 | 火 | 左右 | OAWY | 形声 |
| 笔顺 | 丶 丷 火 火 灬 灬 灬 烘 烘 烘 | | | | |

【解　释】❶用火或蒸汽使身体暖和或者使东西变热。❷衬托。
【组　词】烘衬　烘染　烘托　烘箱
【造　句】烘托——蓝天烘托着白云,真漂亮。
【辨　音】不读 hóng。
【同音字】轰(轰动)　哄(哄抢)
【形近字】哄(哄笑)　洪(洪水)
【成　语】烘云托月
【近义词】烘托/衬托
【英　语】烘烤 toast [təust]

| hóng | 笔画 | 部首 | 结构 | 五笔 | 造字法 |
|---|---|---|---|---|---|
| 弘 | 5 | 弓 | 左右 | XCY | 形声 |
| 笔顺 | 一 コ 弓 弘 弘 | | | | |

【解　释】❶大。❷光大;扩充。
【组　词】弘扬　弘论　弘愿　弘大
【造　句】弘扬——我们要大力弘扬祖国的传统文化。
【同音字】宏(宏图)　洪(洪水)
【近义词】弘扬/传扬
【英　语】弘大 grand [grænd]

| hóng | 笔画 | 部首 | 结构 | 五笔 | 造字法 |
|---|---|---|---|---|---|
| 红 | 6 | 纟 | 左右 | XAG | 形声 |
| 笔顺 | 𠃋 纟 纟 纟 红 红 | | | | |

【解　释】❶像火或血样的颜色。❷指人受宠信。❸象征喜庆。❹象征顺利、成功。❺红利。❻象征革命或政治觉悟高。
【组　词】红色　红润　红旗　红榜
【造　句】红润——孩子的脸像苹果一样红润。
【同音字】宏(宏大)
【形近字】江(长江)
【歇后语】红蓝铅笔——两头挨削。
【英　语】红旗 red flag [red flæg]
【多音字】gōng(见 245 页)

| hóng | 笔画 | 部首 | 结构 | 五笔 | 造字法 |
|---|---|---|---|---|---|
| 宏 | 7 | 宀 | 上下 | PDCU | 形声 |
| 笔顺 | 丶 宀 宀 宀 宄 宏 宏 | | | | |

【解　释】❶巨大;广博。❷姓。
【组　词】宏伟　宏图　宏大
【造　句】宏大——这项工程规模宏大。
【辨　音】不读 hūn。
【同音字】红(红人)　虹(彩虹)
【近义词】宏伟/伟大
【英　语】宏伟 magnificent [mæg'nifisənt]

| hóng | 笔画 | 部首 | 结构 | 五笔 | 造字法 |
|---|---|---|---|---|---|
| 虹 | 9 | 虫 | 左右 | JAG | 形声 |
| 笔顺 | 丨 口 口 中 虫 虫 虫 虹 虹 | | | | |

【解　释】大气中一种光的现象,天空中的小水珠经日光照射发生折射和反射作用而形成弧形彩带,从外圈到内圈呈红、橙、黄、绿、蓝、

靛、紫七种颜色。出现在和太阳相对着的方向。也叫彩虹。

甲骨文 金文 小篆 隶书 楷书

【字源释义】甲骨文“虹”字像彩虹的形状，由于古代先民认为虹是龙蛇类的活物，所以在两端各加了一个蛇头，类似在大口饮水。
【组　词】彩虹　虹膜
【同音字】红(红色)　宏(宏大)
【形近字】红(红色)
【英　语】彩虹　rainbow　[ˈreinbəu]

| hóng | 笔画 | 部首 | 结构 | 五笔 | 造字法 |
|---|---|---|---|---|---|
| 洪 | 9 | 氵 | 左右 | IAWY | 形声 |
| 笔顺 | 丶 丶 氵 氵一 汁 汫 泄 洪 洪 | | | | |



【解　释】❶大水。❷指大。❸姓。
【组　词】洪水　洪亮　洪钟　洪流
【造　句】洪亮——她声音洪亮，所以让她领唱。
【辨　音】不读 hòng。
【同音字】红(红色)　宏(宏大)
【形近字】共(共同)
【成　语】洪水猛兽
【英　语】洪水　flood　[flʌd]

| hóng | 笔画 | 部首 | 结构 | 五笔 | 造字法 |
|---|---|---|---|---|---|
| 鸿 | 11 | 氵 | 左中右 | IAQG | 形声 |
| 笔顺 | 丶 丶 氵 氵 汀 江 江 江 江 鸿 鸿 | | | | |

【解　释】❶鸿雁，即大雁，一种候鸟。❷借指书信。❸大。
【组　词】鸿毛　鸿沟　鸿鹄　鸿雁
【造　句】鸿沟——我们之间并不存在不可逾越的鸿沟。
【同音字】红(红色)　虹(彩虹)
【形近字】鸦(乌鸦)
【成　语】轻于鸿毛
【英　语】鸿沟　chasm　[ˈkæzəm]

| hǒng | 笔画 | 部首 | 结构 | 五笔 | 造字法 |
|---|---|---|---|---|---|
| 哄 | 9 | 口 | 左右 | KAWY | 形声 |
| 笔顺 | 丨 冂 口 口一 口+ 吽 哄 哄 哄 | | | | |

【解　释】❶说谎话骗人。❷用语言或行动逗引。
【组　词】哄骗　哄人　哄逗　哄孩子
【英　语】哄骗　humbug　[ˈhʌmbʌg]
【多音字】hōng(见 285 页)
【多音字】hòng(见 286 页)

| hòng | 笔画 | 部首 | 结构 | 五笔 | 造字法 |
|---|---|---|---|---|---|
| 哄 | 9 | 口 | 左右 | KAWY | 形声 |
| 笔顺 | 丨 冂 口 口一 口+ 吽 哄 哄 哄 | | | | |

【解　释】许多人吵闹；捣乱。
【组　词】起哄　一哄而散
【造　句】一哄而散——做完游戏后，孩子们一哄而散了。
【反义词】一哄而散/一哄而上
【英　语】起哄　kick up a row　[kik ʌp ə rau]
【多音字】hōng(见 285 页)
【多音字】hǒng(见 286 页)

# HOU ㄏㄡ

| hóu | 笔画 | 部首 | 结构 | 五笔 | 造字法 |
|---|---|---|---|---|---|
| 侯 | 9 | 亻 | 左右 | WNTD | 会意 |
| 笔顺 | ノ 亻 亻' 亻' 亻' 亻' 亻' 侯 侯 | | | | |

【解　释】❶封建五等爵位的第二等。❷泛指达官贵人。❸姓。
【组　词】侯爵　公侯
【同音字】猴(猴子)
【形近字】候(时候)
【成　语】侯门似海
【谚　语】侯门深似海。
【英　语】侯爵　marquis [ˈmɑːkwis]
【多音字】hòu(见 288 页)

| hóu | 笔画 | 部首 | 结构 | 五笔 | 造字法 |
|---|---|---|---|---|---|
| 喉 | 12 | 口 | 左右 | KWND | 形声 |
| 笔顺 | 丨 口 口 口' 口' 口' 口' 口' 口' 口' 喉 喉 | | | | |

【解　释】喉部,介于咽和气管之间的部分,是发音器官、呼吸器官。
【组　词】喉结　喉舌　喉头　喉咙
【造　句】喉舌——我们的报纸是人民的喉舌。
【辨　音】不读 hòu。
【同音字】侯(诸侯)
【形近字】猴(猴子)
【英　语】喉咙　throat [θrəut]

| hóu | 笔画 | 部首 | 结构 | 五笔 | 造字法 |
|---|---|---|---|---|---|
| 猴 | 12 | 犭 | 左右 | QTWD | 形声 |
| 笔顺 | ノ 犭 犭 犭' 犭' 犭' 犭' 犭' 犭' 犭' 猴 猴 | | | | |

【解　释】❶哺乳动物,种类很多,形状略像人。身上有毛,行为灵活,通称猴子。❷比喻乖巧、机灵。❸外形像猴的东西。
【组　词】猴子　猴戏　猴急　猴精
【造　句】猴年马月——她最近忙得不可开交,等她织成这件毛衣,要到猴年马月了。
【同音字】侯(诸侯)
【形近字】喉(喉咙)
【英　语】猴子　monkey [ˈmʌŋki]

| hǒu | 笔画 | 部首 | 结构 | 五笔 | 造字法 |
|---|---|---|---|---|---|
| 吼 | 7 | 口 | 左右 | KBNN | 形声 |
| 笔顺 | 丨 口 口 口' 吁 吁 吼 | | | | |

【解　释】❶猛兽大声叫。❷因情绪激动而大声叫喊。❸风、汽笛、大炮等发出很大的响声。
【组　词】吼叫　吼声　怒吼　狂吼
【造　句】吼叫——一头雄狮在空旷的草原上疯狂地吼叫着。
【辨　音】不读 kǒng。
【形近字】孔(孔府)
【成　语】河东狮吼
【英　语】吼叫　roar [rɔː]

| hòu | 笔画 | 部首 | 结构 | 五笔 | 造字法 |
|---|---|---|---|---|---|
| 后 | 6 | 厂 | 半包围 | RGKD | 会意 |
| 笔顺 | 一 厂 斤 斤 后 后 | | | | |

【解　释】❶在背面的(跟"前"相对)。❷未来的;较晚的(跟"先"、"前"相对)。❸次序靠近末尾(跟"前"相对)。❹后代的人。❺君主的妻子。❻落在后面的。
【组　词】后门　后天　后备　后辈

H

【造　句】后顾之忧——学校的后勤部门想方设法为教职工生活提供方便，给大家解除后顾之忧。
【同音字】候（时候）
【形近字】石（石头）
【成　语】后顾之忧　后会有期　后继有人　后来居上　后起之秀
【反义词】后发制人/先发制人
【近义词】后患无穷/遗患无穷
【谚　语】后上船者先登岸|后长的胡子，比先长的眉毛长。
【英　语】后悔　regret [ri'gret]

| hòu | 笔画 | 部首 | 结构 | 五笔 | 造字法 |
| --- | --- | --- | --- | --- | --- |
| 厚 | 9 | 厂 | 半包围 | DJBD | 会意 |
| 笔顺 | 一 厂 厂 戶 戶 戸 戸 厚 厚 | | | | |

【解　释】❶扁平物上下两面之间的距离大（跟"薄（báo）"相对）。❷形容感情深重。❸利润大；礼物价值大。❹味道浓。❺优待；推崇；重视。❻宽厚；不刻薄。
【组　词】厚利　厚度　宽厚　厚礼
【造　句】厚待——人家这样厚待我们，我们心里实在过意不去。
【同音字】后（后代）
【形近字】旱（干旱）
【成　语】厚此薄彼　厚颜无耻
【反义词】厚此薄彼/一视同仁
【近义词】厚今薄古/今胜于昔
【歇后语】厚刀对斧头——看看谁硬|厚纸糊窗——不透风。
【谚　语】厚赏之下，必有勇夫|厚者不毁人以自益，仁者不危人以要名。
【英　语】厚度　thickness ['θiknis]

| hòu | 笔画 | 部首 | 结构 | 五笔 | 造字法 |
| --- | --- | --- | --- | --- | --- |
| 侯 | 9 | 亻 | 左右 | WNTD | 会意 |
| 笔顺 | 丿 亻 亻 仁 伫 伫 侯 侯 侯 | | | | |

【解　释】闽侯，地名，在福建省。
【同音字】厚（宽厚）
【形近字】候（时候）
【多音字】hóu（见 287 页）

| hòu | 笔画 | 部首 | 结构 | 五笔 | 造字法 |
| --- | --- | --- | --- | --- | --- |
| 候 | 10 | 亻 | 左右 | WHND | 形声 |
| 笔顺 | 丿 亻 亻 亻 亻 伫 伫 候 候 候 | | | | |

【解　释】❶等待。❷时节。❸看望；问好。❹事物变化的程度或情况。
【组　词】等候　气候　问候　候鸟
【造　句】伺候——奶奶卧病在床，妈妈伺候多年，毫无怨言。
【同音字】后（后代）
【形近字】侯（诸侯）
【近义词】等候/等待
【英　语】候车室　waiting room ['weitiŋ ruːm]

## HU　ㄏㄨ

| hū | 笔画 | 部首 | 结构 | 五笔 | 造字法 |
| --- | --- | --- | --- | --- | --- |
| 乎 | 5 | 丿 | 独体 | TUHK | 指事 |
| 笔顺 | 一 ㇀ ㇀ 乎 乎 | | | | |

【解　释】❶文言助词。表示疑问，相当于"吗"、"呢"。❷文言助词。表示揣度，跟"吧"相同。❸动词后缀。作用跟"于"相同。❹形容词或副词后缀。

【同音字】忽(忽然)
【形近字】呼(呼声)
【成　语】出乎意外
【英　语】出乎意料　unexpectedly [ʌnik'spektidli]

| hū | 笔画 | 部首 | 结构 | 五笔 | 造字法 |
|---|---|---|---|---|---|
| 呼 | 8 | 口 | 左右 | KTUH | 形声 |
| 笔顺 | 丨 ㄇ 口 口′ 口″ 吖 吖 呼 | | | | |

【解　释】❶大声喊。❷把体内的气体排出体外(跟“吸”相对)。❸叫人来;召唤。❹象声词。
【组　词】呼吸　呼声　呼号　呼台
【造　句】呼朋唤友——一到星期天,他便呼朋唤友,一起吃吃喝喝。
【同音字】忽(忽然)
【形近字】乎(似乎)
【成　语】呼天抢地
【反义词】呼天抢地/欢天喜地
【近义词】呼天抢地/悲痛欲绝
【谚　语】呼风唤雨,撒豆成兵。
【英　语】呼吸　breathe [briːð]

| hū | 笔画 | 部首 | 结构 | 五笔 | 造字法 |
|---|---|---|---|---|---|
| 忽 | 8 | 心 | 上下 | QRNU | 形声 |
| 笔顺 | 丿 勹 勺 勿 勿 忽 忽 忽 | | | | |

【解　释】❶不注意;不重视。❷忽然。
【组　词】忽略　忽视　忽然
【造　句】忽视——忽视安全,后果将不堪设想。
【同音字】乎(似乎)
【形近字】匆(匆匆)
【近义词】忽视/轻视
【英　语】忽然　suddenly ['sʌdənli]

| hú | 笔画 | 部首 | 结构 | 五笔 | 造字法 |
|---|---|---|---|---|---|
| 狐 | 8 | 犭 | 左右 | QTRY | 形声 |
| 笔顺 | 丿 犭 犭 犭′ 犭″ 狐 狐 狐 | | | | |

【解　释】哺乳动物的一属,外形略像狼,面部较长,耳朵三角形,尾巴长。很狡猾,昼伏夜出,吃野鼠、鸟类、家禽等。通称狐狸。
【组　词】狐狸　狐臭　狐媚　狐疑
【造　句】狐朋狗友——只要口袋里有点钱,他就招集一帮狐朋狗友设局开赌。
【同音字】胡(胡说)
【形近字】孤(孤独)
【成　语】狐假虎威　狐朋狗友
【反义词】狐疑不决/当机立断
【近义词】狐假虎威/狗仗人势
【歇后语】狐狸吃不到的葡萄——全是酸的 | 黄鼠狼给公鸡拜年——不安好心。
【谚　语】狐狸尾巴藏不住。
【英　语】狐狸　fox [fɔks]

| hú | 笔画 | 部首 | 结构 | 五笔 | 造字法 |
|---|---|---|---|---|---|
| 弧 | 8 | 弓 | 左右 | XRCY | 形声 |
| 笔顺 | 一 ㇆ 弓 弓′ 弧 弧 弧 弧 | | | | |

【解　释】❶圆周上任意两点间的部分。❷古代指弓。
【组　词】弧光　弧度
【造　句】弧度——这两个角的弧度相等。
【同音字】胡(胡说)
【形近字】孤(孤独)
【英　语】弧形　arc [ɑːk]

H

| hú | 笔画 | 部首 | 结构 | 五笔 | 造字法 |
|---|---|---|---|---|---|
| 胡 | 9 | 月 | 左右 | DEG | 形声 |
| 笔顺 | 一 十 十 古 古 古 胡 胡 胡 | | | | |

【解　释】❶古代泛指北方和西方的少数民族。❷副词。表示随意乱来。❸胡子。❹疑问词。为什么。❺姓。
【组　词】胡闹　胡说　胡扯　胡椒
【造　句】胡说八道——我们将用事实来证明他们是在胡说八道。
【同音字】狐(狐狸)　壶(茶壶)
【形近字】故(故事)
【成　语】胡说八道　胡作非为　胡搅蛮缠　胡思乱想
【反义词】胡说八道/言之有理
【近义词】胡说八道/信口雌黄
【谚　语】胡须多,顶个啥;智慧多,走遍天下也不怕。
【英　语】胡同　lane [lein]

| hú | 笔画 | 部首 | 结构 | 五笔 | 造字法 |
|---|---|---|---|---|---|
| 壶 | 10 | 士 | 上中下 | FPOG | 象形 |
| 笔顺 | 一 十 士 士 壶 壶 壶 壶 壶 壶 | | | | |

【解　释】❶一种容器,陶瓷或金属制成。有嘴、把儿或提梁,用来盛液体。❷姓。
【组　词】水壶　茶壶　酒壶　喷壶
【同音字】胡(胡说)
【形近字】壹(壹角)
【歇后语】壶里煮粥——不好搅。
【谚　语】壶中无酒难留客。
【英　语】壶　kettle ['ketl]

| hú | 笔画 | 部首 | 结构 | 五笔 | 造字法 |
|---|---|---|---|---|---|
| 核 | 10 | 木 | 左右 | SYNW | 形声 |
| 笔顺 | 一 十 才 木 木 木 村 核 核 核 | | | | |

【解　释】核儿,果实中心包含果仁的部分,用于口语,如梨核儿、桃核儿。
【同音字】胡(胡同)
【多音字】hé(见 279 页)

| hú | 笔画 | 部首 | 结构 | 五笔 | 造字法 |
|---|---|---|---|---|---|
| 葫 | 12 | 艹 | 上下 | ADEF | 形声 |
| 笔顺 | 一 十 艹 艹 芒 芒 苦 苦 葫 葫 葫 葫 | | | | |

【解　释】葫芦,一年生草本植物,花白色,果实中间细,像两个球连在一起,表面光滑,可做器皿,也供玩赏。
【组　词】葫芦
【同音字】胡(胡说)
【形近字】故(故事)
【谚　语】葫芦里卖的什么药。
【歇后语】葫芦里看地图——糊(葫)里糊涂(葫图)|葫芦瓢捞饺子——汤汤水水都不漏。
【英　语】葫芦　gourd [guəd]

| hú | 笔画 | 部首 | 结构 | 五笔 | 造字法 |
|---|---|---|---|---|---|
| 湖 | 12 | 氵 | 左右 | IDEG | 形声 |
| 笔顺 | 丶 丶 氵 氵 汁 汁 沽 沽 湖 湖 湖 湖 | | | | |

【解　释】❶被陆地围着的大面积的水域。❷指浙江湖州或湖南、湖北。
【组　词】太湖　湖北　湖南　西湖

【造　句】湖光山色——我深深地思念着故乡，思念那湖光山色，以及善良朴实的乡亲。
【同音字】胡（胡说）　狐（狐狸）
【形近字】瑚（珊瑚）
【近义词】湖光山色/山明水秀
【谚　语】湖上渔家，白饭丹虾。
【英　语】湖泊　lake [leik]

| hú | 笔画 | 部首 | 结构 | 五笔 | 造字法 |
|---|---|---|---|---|---|
| 瑚 | 13 | 王 | 左右 | GDEG | 形声 |
| 笔顺 | 一 二 干 王 王一 王十 王古 王古 王古 王胡 王胡 瑚 瑚 | | | | |

【解　释】见627页“珊”。
【组　词】珊瑚
【同音字】胡（胡说）　狐（狐狸）
【形近字】湖（湖水）
【英　语】珊瑚　coral [ˈkɔrəl]

| hú | 笔画 | 部首 | 结构 | 五笔 | 造字法 |
|---|---|---|---|---|---|
| 蝴 | 15 | 虫 | 左右 | JDEG | 形声 |
| 笔顺 | 丨 冂 口 中 虫 虫 虫一 虫十 虫古 虫古 虫古 蝴 蝴 蝴 蝴 | | | | |

【解　释】蝴蝶，昆虫，翅膀阔大，颜色美丽，吸花蜜。种类很多，有的是益虫，有的是害虫。简称蝶。
【组　词】蝴蝶　蝴蝶结　蝴蝶装
【同音字】胡（胡说）
【形近字】湖（湖光山色）
【谚　语】再美的蝴蝶也是蛹变的。
【英　语】蝴蝶　butterfly [ˈbʌtəflai]

| hú | 笔画 | 部首 | 结构 | 五笔 | 造字法 |
|---|---|---|---|---|---|
| 糊 | 15 | 米 | 左右 | ODEG | 形声 |
| 笔顺 | 丶 丷 ⺌ 半 米 米 米一 米十 米古 米古 米古 糊 糊 糊 糊 | | | | |

【解　释】把纸、布等粘起来或粘在别的器物上。
【组　词】糊墙　糊涂　糊口　糊风筝
【同音字】胡（胡说）　狐（狐狸）
【形近字】湖（湖水）
【反义词】一塌糊涂/十全十美
【近义词】糊涂/迷糊
【谚　语】糊涂虫不知聪明的可贵，健康不知患病的痛苦。
【英　语】糊涂　muddle [ˈmʌdl]

| hǔ | 笔画 | 部首 | 结构 | 五笔 | 造字法 |
|---|---|---|---|---|---|
| 虎 | 8 | 虍 | 半包围 | HAMV | 象形 |
| 笔顺 | 丨 ⺊ 上 广 卢 卢 虏 虎 | | | | |

【解　释】❶哺乳动物，毛黄色，有黑色的斑纹。通称老虎。❷比喻勇猛威武。❸露出凶相。❹同“唬”，虚张声势。

甲骨文　金文　小篆　隶书　楷书

【字源释义】甲骨文与金文的“虎”字字形是头朝上、尾朝下的野兽状，张着大嘴，有着锋利的牙齿和脚爪；甲骨文的字形还能看出老虎有条纹的身子，突出了老虎的特征。
【组　词】老虎　虎将

【造　句】虎头蛇尾——他做事情从来都是虎头蛇尾。
【同音字】浒(水浒)
【形近字】唬(唬人)
【成　语】虎头蛇尾　虎背熊腰
【反义词】虎头蛇尾/始终如一
【近义词】虎头蛇尾/有始无终
【英　语】老虎　tiger [ˈtaigə]

| hǔ | 笔画 | 部首 | 结构 | 五笔 | 造字法 |
|---|---|---|---|---|---|
| 浒 | 9 | 氵 | 左右 | IYTF | 形声 |
| 笔顺 | 丶 冫 氵 氵 氵 氵 氵 氵 浒 | | | | |

【解　释】水边。
【组　词】浒湾
【同音字】虎(老虎)
【形近字】许(许多)

| hǔ | 笔画 | 部首 | 结构 | 五笔 | 造字法 |
|---|---|---|---|---|---|
| 唬 | 11 | 口 | 左右 | KHAM | 形声 |
| 笔顺 | 丨 ㄇ 口 口 口 口 口 口 口 口 唬 | | | | |

【解　释】用虚张声势、夸大事实来吓人或蒙混人。
【组　词】唬人　唬住　吓唬
【造　句】唬住——我差一点被他唬住了。
【同音字】虎(老虎)
【形近字】琥(琥珀)

| hǔ | 笔画 | 部首 | 结构 | 五笔 | 造字法 |
|---|---|---|---|---|---|
| 琥 | 12 | 王 | 左右 | GHAM | 形声 |
| 笔顺 | 一 二 干 王 王 王 王 王 王 王 王 琥 | | | | |

【解　释】琥珀，古代松柏树脂的化石，淡黄色、褐色或红褐色的固体。用来制造琥珀酸和各种漆，也可做装饰品，可入药。
【组　词】琥珀
【同音字】唬(吓唬)
【形近字】唬(吓唬)
【英　语】琥珀　amber [ˈæmbə]

| hù | 笔画 | 部首 | 结构 | 五笔 | 造字法 |
|---|---|---|---|---|---|
| 互 | 4 | 一 | 独体 | GX | 象形 |
| 笔顺 | 一 工 互 互 | | | | |

【解　释】交相；彼此。
【组　词】互相　互生　互让　互惠　互补　互动
【造　句】互相——同学之间应该互相帮助。
【同音字】户(户口)
【形近字】工(工人)
【反义词】互让/争执
【近义词】互相/彼此
【谚　语】互助家业兴，分家三年生｜互助石成玉，合作土变金。
【英　语】互相　each other [iːtʃ ˈʌðə]

| hù | 笔画 | 部首 | 结构 | 五笔 | 造字法 |
|---|---|---|---|---|---|
| 户 | 4 | 户 | 独体 | YNE | 象形 |
| 笔顺 | 丶 ㇇ 𠃌 户 | | | | |

【解　释】❶门。❷人家；住户。❸门第。❹户头。

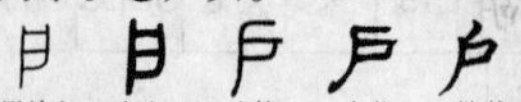

甲骨文　金文　小篆　隶书　楷书

【字源释义】甲骨文与金文字形像一扇门的形状,本义是“一扇门”。经过小篆和隶书,形状越来越面目全非。意思也引申为“住户”等。
【组　词】门户 户籍 账户 户主
【同音字】护(护士)
【形近字】启(启动)　尸(尸体)
【谚　语】户枢不蠹(dù),流水不腐。
【英　语】户主　householder [ˈhaushəuldə]

| hù | 笔画 | 部首 | 结构 | 五笔 | 造字法 |
|---|---|---|---|---|---|
| 护 | 7 | 扌 | 左右 | RYNT | 形声 |
| 笔顺 | 一 十 扌 扌 扩 护 护 | | | | |

【解　释】❶保护;保卫。❷袒护;包庇。
【组　词】爱护　护卫　护士　护送
【造　句】爱护——我们从小应该养成爱护花草的习惯。
【同音字】户(户口)
【形近字】沪(沪剧)
【成　语】官官相护
【反义词】爱护/破坏
【近义词】爱护/保护
【歇后语】护国寺买骆驼——没那个事(市)。

【英　语】护士　nurse [nəːs]

| hù | 笔画 | 部首 | 结构 | 五笔 | 造字法 |
|---|---|---|---|---|---|
| 沪 | 7 | 氵 | 左右 | IYNT | 形声 |
| 笔顺 | 丶 丶 氵 氵 沪 沪 沪 | | | | |

【解　释】上海的别称。

## HUA　ㄏㄨㄚ

| huā | 笔画 | 部首 | 结构 | 五笔 | 造字法 |
|---|---|---|---|---|---|
| 花 | 7 | 艹 | 上下 | AWXB | 形声 |
| 笔顺 | 一 十 艹 艹 花 花 花 | | | | |

【解　释】❶种子植物的繁殖器官,也指供观赏的开花的植物。❷形状像花的东西。❸烟花;焰火。❹用花或花纹装饰的。❺颜色或种类错杂的。❻模糊不清。❼虚假的;用来迷惑人的。❽作战时受伤。❾棉花。❿比喻事业的精华。⓫用;耗费。⓬比喻女子。⓭特指妓女。⓮痘。
【组　词】花木 花白 花费 花季
【造　句】花白——妈妈才五十岁,但头发已经花白了。
【形近字】华(中华)
【成　语】花枝招展　花言巧语　花红柳绿　花天酒地　花团锦簇
【反义词】花言巧语/笨口拙舌
【近义词】花言巧语/甜言蜜语
【歇后语】花盆里种树——大不了。
【谚　语】花有重开日,人无再少年。
【英　语】花园　garden [ˈgɑːdn]

| huā | 笔画 | 部首 | 结构 | 五笔 | 造字法 |
|---|---|---|---|---|---|
| 哗 | 9 | 口 | 左右 | KWXF | 形声 |
| 笔顺 | 丨 ㄇ 口 口' 口亻 口𠂎 口化 口化 哗 | | | | |

【解　释】象声词。形容流水的声音。
【同音字】花(花朵)
【多音字】huá(见 294 页)

| huá | 笔画 | 部首 | 结构 | 五笔 | 造字法 |
|---|---|---|---|---|---|
| 划 | 6 | 刂 | 左右 | AJH | 会意 |
| 笔顺 | 一 七 戈 戈 戈' 划 | | | | |

【解　释】❶用桨拨水推动船，也指用桨推进的小船。❷合算。❸用尖锐的东西把别的东西分开。
【组　词】划船　划算　划破
【同音字】滑(滑动)
【形近字】代(代写)
【近义词】划算/合算
【英　语】划船　rowing［ˈrəuiŋ］
【多音字】huà(见 295 页)

| huá | 笔画 | 部首 | 结构 | 五笔 | 造字法 |
|---|---|---|---|---|---|
| 华 | 6 | 十 | 上下 | WXFJ | 形声 |
| 笔顺 | ノ 亻 亻' 化 华 华 | | | | |

【解　释】❶光彩美丽的。❷指中国。❸汉语的。❹繁盛。❺精华。❻奢侈。❼指时光。❽浮泛不实。❾头发花白。❿敬辞。
【组　词】中华　年华　荣华
【辨　音】不读 huā。
【同音字】划(划船)
【形近字】毕(毕业)
【成　语】华而不实
【反义词】华丽/朴素
【近义词】华丽/美丽
【英　语】华丽　gorgeous［ˈgɔːdʒəs］
【多音字】huà(见 295 页)

| huá | 笔画 | 部首 | 结构 | 五笔 | 造字法 |
|---|---|---|---|---|---|
| 哗 | 9 | 口 | 左右 | KWXF | 形声 |
| 笔顺 | 丨 ㄇ 口 口' 口亻 口𠂎 口化 口化 哗 | | | | |

【解　释】喧哗；人声嘈杂。
【组　词】哗然　喧哗
【造　句】哗众取宠——有些人写文章夸夸其谈，无实事求是之意，有哗众取宠之心。
【同音字】划(划船)
【形近字】华(中华)
【成　语】哗众取宠
【反义词】哗众取宠/实事求是
【英　语】喧哗　noisy［ˈnɔizi］
【多音字】huā(见 294 页)

| huá | 笔画 | 部首 | 结构 | 五笔 | 造字法 |
|---|---|---|---|---|---|
| 猾 | 12 | 犭 | 左右 | QTME | 形声 |
| 笔顺 | ノ 犭 犭 犭' 犭ㄇ 犭冂 犭冎 犭咼 犭骨 猾 猾 猾 | | | | |

【解　释】狡猾；奸诈。
【组　词】奸猾　猾吏　狡猾
【造　句】狡猾——他这个人很狡猾，跟他相处，你得防着点。
【同音字】划(划船)
【形近字】滑(滑倒)
【成　语】老奸巨猾
【反义词】狡猾/诚实
【近义词】老奸巨猾/老谋深算
【英　语】狡猾　cunning［ˈkʌniŋ］

| huá | 笔画 | 部首 | 结构 | 五笔 | 造字法 |
|---|---|---|---|---|---|
| 滑 | 12 | 氵 | 左右 | IMEG | 形声 |
| 笔顺 | 丶 冫 氵 氵 氵冂 氵冎 氵冎 氵冎 氵冎 滑 滑 滑 | | | | |

【解　释】❶光滑；光溜。❷滑动；滑行。❸狡诈；狡猾。❹混过关。

【组　词】光滑　耍滑　滑冰　滑动　滑坡　滑腻　滑梯

【造　句】滑稽——小猩猩戴着高帽子，穿着花衣服，样子挺滑稽。

【同音字】划（划船）

【形近字】骨（骨头）

【反义词】光滑/粗糙

【近义词】光滑/滑润

【英　语】滑冰　skating［'skeitiŋ］

| huà | 笔画 | 部首 | 结构 | 五笔 | 造字法 |
|---|---|---|---|---|---|
| 化 | 4 | 亻 | 左右 | WXN | 会意 |
| 笔顺 | ノ 亻 亻 化 | | | | |

【解　释】❶改变。❷感化。❸融解。❹消除。❺烧掉。❻化学的简称。❼转变成某种性质或状态。❽僧道求布施。

甲骨文　金文　小篆　隶书　楷书

【字源释义】"化"字的字形类似一正一反的两个人形，表示"变化"的意思。后引申为"造化"（自然界生成万物）、"死亡"、"融解"等义。

【组　词】变化　化学　化肥　化名　化验　化妆　化缘

【造　句】变化——这几年，农村发生了很大的变化，人人喜气洋洋。

【同音字】画（画画）

【形近字】代（代写）

【成　语】化险为夷

【反义词】化险为夷/摇摇欲坠

【近义词】化险为夷/转危为安

【歇后语】化缘的和尚——没有事（寺）。

【英　语】化学　chemistry［'kemistri］

| huà | 笔画 | 部首 | 结构 | 五笔 | 造字法 |
|---|---|---|---|---|---|
| 划 | 6 | 刂 | 左右 | AJH | 会意 |
| 笔顺 | 一 七 戈 戈 戈 划 | | | | |

【解　释】❶分开。❷安排；打算。❸转；调拨。

【组　词】划分　计划　规划

【造　句】计划——今年秋天，我们计划去香山。

【同音字】化（变化）

【近义词】计划/打算　划分/区分

【英　语】计划　plan［plæn］

【多音字】huá（见294页）

| huà | 笔画 | 部首 | 结构 | 五笔 | 造字法 |
|---|---|---|---|---|---|
| 华 | 6 | 十 | 上下 | WXFJ | 形声 |
| 笔顺 | ノ 亻 亻 化 化 华 | | | | |

【解　释】姓氏和地名用字。
【组　词】华山
【同音字】话(谈话)
【多音字】huá(见 294 页)

| huà | 笔画 | 部首 | 结构 | 五笔 | 造字法 |
|---|---|---|---|---|---|
| 画 | 8 | 凵 | 半包围 | GLBJ | 会意 |
| 笔顺 | 一 丆 丙 丙 画 画 画 画 | | | | |

【解　释】❶用笔或类似笔的东西描绘出图形。❷做线条或作为标记的文字。❸汉字的一笔叫一画。❹用画装饰。❺画出来的艺术品。

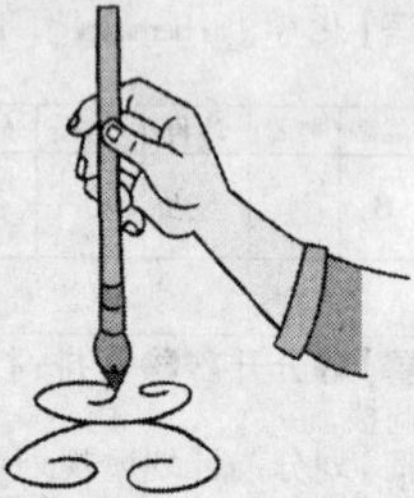

【字源释义】甲骨文的字形像一只手握着笔,描绘出花纹状的线条来;金文后字形的下部改为"田",表示字义用于画田地间的界线。后又分化出"劃"("划")字。
【组　词】油画　年画　画家
【同音字】话(说话)
【形近字】田(田地)
【成　语】画栋雕梁　画龙点睛　画蛇添足
【反义词】画龙点睛/画蛇添足
【近义词】画龙点睛/妙笔生花
【歇后语】画面上的酒菜——叫人眼饱肚饥|画匠不给神磕头——知道你是哪坑的泥。
【谚　语】画虎画皮难画骨,知人知面不知心。
【英　语】画家 painter [ˈpeintə]

| huà | 笔画 | 部首 | 结构 | 五笔 | 造字法 |
|---|---|---|---|---|---|
| 话 | 8 | 讠 | 左右 | YTDG | 形声 |
| 笔顺 | 丶 讠 讠 讠 讠 讠 话 话 | | | | |

【解　释】❶说话;用语言表达。❷谈。
【组　词】实话　童话　说话　讲话　话本　话语　话题　话梅　话筒
【造　句】话语——他话语不多,可句句中听。
【同音字】画(画笔)
【形近字】活(生活)
【谚　语】话到嘴边留三分,事要三思而后行|话中有才,书中有智。
【英　语】谈话　talk about [tɔːk əˈbaut]

## HUAI　ㄏㄨㄞ

| huái | 笔画 | 部首 | 结构 | 五笔 | 造字法 |
|---|---|---|---|---|---|
| 怀 | 7 | 忄 | 左右 | NGIY | 形声 |
| 笔顺 | 丶 丶 忄 忄 怀 怀 怀 | | | | |

【解　释】❶思念。❷心意;胸怀。❸胸部或胸前。❹腹中有胎。❺心中怀着;存着。
【组　词】怀抱　怀疑　怀胎　胸怀
【造　句】怀疑——对于他的这个结论,谁都没有表示怀疑。

【同音字】徊(徘徊)
【形近字】坏(坏蛋)
【成　语】怀才不遇
【反义词】怀疑/信任
【近义词】怀疑/猜测
【歇后语】怀里揣筛子——心眼儿多| 怀里揣着个小兔子——胸口乱跳| 怀胎十个月——生了。
【英　语】怀念 miss [mis]

| huái | 笔画 | 部首 | 结构 | 五笔 | 造字法 |
|---|---|---|---|---|---|
| 徊 | 9 | 彳 | 左右 | TLKG | 形声 |
| 笔顺 | 丿 丿 彳 彳 彳 徊 徊 徊 徊 | | | | |

【解　释】见 535 页“徘”。
【同音字】怀(怀抱)
【形近字】回(回答)
【多音字】huí(见 304 页)

| huái | 笔画 | 部首 | 结构 | 五笔 | 造字法 |
|---|---|---|---|---|---|
| 淮 | 11 | 氵 | 左右 | IWYG | 形声 |
| 笔顺 | 丶 丶 氵 氵 氵 汁 汁 汻 汻 淮 淮 | | | | |

【解　释】❶淮河，发源于河南，流经安徽，入江苏。❷指淮海地区。
【组　词】淮河　淮南　淮北　淮海
【同音字】怀(怀抱)
【形近字】准(准备)
【歇后语】淮阴将兵——多多益善。

| huái | 笔画 | 部首 | 结构 | 五笔 | 造字法 |
|---|---|---|---|---|---|
| 槐 | 13 | 木 | 左右 | SRQC | 形声 |
| 笔顺 | 一 十 木 木 朩 朩 杓 杓 杓 椢 槐 槐 槐 | | | | |

【解　释】❶槐树，落叶乔木，花淡黄色，结荚果，圆筒形。❷姓。
【组　词】槐树
【同音字】怀(怀疑)
【形近字】魄(气魄)
【谚　语】槐宜来岁麦，枣熟当年禾。
【英　语】槐树 Chinese scholartree [tʃaiˈniːz ˈskɔlətriː]

| huài | 笔画 | 部首 | 结构 | 五笔 | 造字法 |
|---|---|---|---|---|---|
| 坏 | 7 | 土 | 左右 | FGIY | 形声 |
| 笔顺 | 一 十 土 圢 圷 坏 坏 | | | | |

【解　释】❶缺点多的；使人不满意的[跟“好(hǎo)”相对]。❷变成不健全的；无用的；有害的。❸品质恶劣的；起破坏作用的。❹表示程度深。❺坏主意。
【组　词】坏蛋　坏话　坏事　坏人
【造　句】坏话——在背后说人坏话是不好的习惯。
【形近字】怀(怀念)
【反义词】坏/好　坏人/好人
【近义词】坏/孬
【谚　语】坏事容易成事难。
【英　语】坏事 bad thing [bæd θiŋ]

## HUAN 厂乂ㄢ

| huān | 笔画 | 部首 | 结构 | 五笔 | 造字法 |
|---|---|---|---|---|---|
| 欢 | 6 | 又 | 左右 | CQWY | 形声 |
| 笔顺 | フ 又 又 欢 欢 欢 | | | | |

【解　释】❶快乐；高兴。❷喜爱。❸活跃。
【组　词】欢乐　欢心　欢喜　欢笑

H

【造　句】欢心——弟弟人小嘴甜,最得爷爷奶奶的欢心。
【形近字】次(名次)
【成　语】欢天喜地　欢声雷动
【反义词】欢乐/悲伤
【近义词】欢乐/高兴
【谚　语】欢乐嫌夜短,愁苦恨更长。
【英　语】欢迎　welcome [ˈwelkəm]

| huán | 笔画 | 部首 | 结构 | 五笔 | 造字法 |
|---|---|---|---|---|---|
| 还 | 7 | 辶 | 半包围 | GIPI | 形声 |
| 笔顺 | 一 ア 不 不 不 还 还 | | | | |

【解　释】❶返回或恢复原来的状态。❷归还。❸回报。
【组　词】还原　归还　还击　还口
【造　句】还口——他自知理亏,任她怎么说他也不还口。
【同音字】环(耳环)
【形近字】边(边防)
【成　语】以牙还牙
【反义词】还击/忍让
【近义词】还报/报答
【英　语】还击　hit back [hit bæk]
【多音字】hái(见269页)

| huán | 笔画 | 部首 | 结构 | 五笔 | 造字法 |
|---|---|---|---|---|---|
| 环 | 8 | 王 | 左右 | GGIY | 形声 |
| 笔顺 | 一 二 千 王 王 王 环 环 | | | | |

【解　释】❶圆圈形的东西。❷射击、射箭比赛中环靶的环数。❸环节。❹围绕。
【组　词】耳环　花环　环靶　环保　环抱　环境　环视　环顾
【造　句】环顾——他环顾四座,然后从容地走上讲台演讲。
【同音字】还(还价)
【形近字】坏(坏蛋)
【近义词】环顾/环视
【谚　语】环境困不住志士。
【英　语】环境　environment [inˈvaiərənmənt]

| huǎn | 笔画 | 部首 | 结构 | 五笔 | 造字法 |
|---|---|---|---|---|---|
| 缓 | 12 | 纟 | 左右 | XEFC | 形声 |
| 笔顺 | 纟 纟 纟 纟 纟 纟 纟 纟 纟 纟 纟 缓 | | | | |

【解　释】❶迟;慢。❷推迟。❸缓和;不紧张。❹恢复。
【组　词】迟缓　缓期　缓和
【造　句】缓兵之计——目前他只能运用缓兵之计,以便有充裕的时间仔细考虑这个问题。
【辨　音】不读 yuán。
【形近字】暖(温暖)
【成　语】缓兵之计
【反义词】迟缓/马上
【近义词】迟缓/推迟
【谚　语】缓走当歇气。
【英　语】缓慢　slow [sləu]

| huàn | 笔画 | 部首 | 结构 | 五笔 | 造字法 |
|---|---|---|---|---|---|
| 幻 | 4 | 幺 | 左右 | XNN | 指事 |
| 笔顺 | 𠃋 纟 幺 幻 | | | | |

【解　释】❶没有现实根据的;不真实的。❷奇异地变化。
【组　词】虚幻　梦幻　幻术　幻化　幻想
【造　句】幻想——童话把孩子们带入了充满幻想和神秘的世界。
【辨　音】不读 yòu。
【形近字】幼(幼儿园)

【反义词】变幻莫测/一成不变
【近义词】变幻莫测/瞬息万变
【英　语】幻想　illusion [i'lu:ʒən]

| huàn | 笔画 | 部首 | 结构 | 五笔 | 造字法 |
|---|---|---|---|---|---|
| 换 | 10 | 扌 | 左右 | RQMD | 形声 |
| 笔顺 | 一 扌 扌 扌 扩 扚 拚 拚 换 换 | | | | |

【解　释】❶给别人东西同时从他那里取得别的东西。❷更改；变换。❸兑换。
【组　词】换班　交换　换钱　换算　换洗　换牙
【造　句】换班——白班和夜班的工人叔叔们正在换班。
【同音字】幻（幻想）
【形近字】唤（呼唤）
【近义词】交换/调换
【谚　语】换汤不换药。
【英　语】交换　exchange [iks'-tʃeindʒ]

| huàn | 笔画 | 部首 | 结构 | 五笔 | 造字法 |
|---|---|---|---|---|---|
| 唤 | 10 | 口 | 左右 | KQMD | 形声 |
| 笔顺 | 丨 口 口 口 吖 吖 吖 唤 唤 唤 | | | | |

【解　释】发出大声，使对方觉醒、注意或随声而来。
【组　词】呼唤　唤醒　唤起
【造　句】唤起——这封信唤起了我对往事的回忆。
【同音字】换（换取）　幻（幻想）
【形近字】换（换钱）　涣（涣散）
【英　语】唤醒　wake up [weik ʌp]

| huàn | 笔画 | 部首 | 结构 | 五笔 | 造字法 |
|---|---|---|---|---|---|
| 患 | 11 | 心 | 上下 | KKHN | 形声 |
| 笔顺 | 丨 口 口 吕 吕 吕 串 串 患 患 患 | | | | |

【解　释】❶灾祸。❷害病。❸担心。
【组　词】患病　水患
【同音字】涣（涣散）
【形近字】串（一串）
【成　语】患难与共
【近义词】灾患/灾祸
【谚　语】患难见真情。
【英　语】患难　trouble ['trʌbl]

| huàn | 笔画 | 部首 | 结构 | 五笔 | 造字法 |
|---|---|---|---|---|---|
| 焕 | 11 | 火 | 左右 | OQMD | 形声 |
| 笔顺 | 丶 丷 火 火 火 灬 炒 焕 焕 焕 焕 | | | | |

【解　释】❶光明；光亮。❷放射。
【成　语】焕然一新　容光焕发

## HUANG ㄏㄨㄤ

| huāng | 笔画 | 部首 | 结构 | 五笔 | 造字法 |
|---|---|---|---|---|---|
| 荒 | 9 | 艹 | 上下 | AYNQ | 形声 |
| 笔顺 | 一 十 艹 艹 芒 芒 芒 荒 荒 | | | | |

【解　释】❶没开垦过的土地。❷年成不好；歉收。❸偏僻；冷落。❹废弃；长期不学或不问。❺非常缺乏。❻不合情理的；不正确的。❼放纵；迷乱。
【组　词】荒漠　荒僻　荒凉
【造　句】荒芜——解放前，因为常常打仗，许多田地都荒芜了。

【同音字】恍（惊恍）
【形近字】流（流水）
【反义词】荒漠/绿洲
【近义词】荒谬/谬误
【英　语】荒地　wasteland ['weistlænd]

| huāng | 笔画 | 部首 | 结构 | 五笔 | 造字法 |
|---|---|---|---|---|---|
| 慌 | 12 | 忄 | 左右 | NAYQ | 形声 |
| 笔顺 | 丶 丷 忄 忄 忙 忙 忙 忙 忙 怅 慌 慌 | | | | |

【解　释】❶忙乱；不镇静。❷恐惧；不安。❸厉害；难受。
【组　词】慌忙　恐慌
【造　句】慌忙——小明上课时看小人书，看到老师来了，慌忙藏起来。
【辨　音】不读 huǎng。
【同音字】荒（逃荒）
【形近字】谎（说谎）
【反义词】慌忙/镇静
【近义词】慌忙/忙乱　恐慌/惊慌
【谚　语】慌不择路，饥不择食。
【英　语】慌忙　hurried ['hʌrid]

| huáng | 笔画 | 部首 | 结构 | 五笔 | 造字法 |
|---|---|---|---|---|---|
| 皇 | 9 | 白 | 上下 | RGF | 形声 |
| 笔顺 | 丿 亻 白 白 白 皁 皇 皇 皇 | | | | |

【解　释】❶帝王；君主。❷盛大。
【组　词】皇帝
【同音字】黄（黄河）
【形近字】呈（呈现）
【歇后语】皇帝祠堂——太妙（庙）。
【谚　语】皇天不负苦心人。
【英　语】皇帝　emperor ['empərə]

| huáng | 笔画 | 部首 | 结构 | 五笔 | 造字法 |
|---|---|---|---|---|---|
| 黄 | 11 | 八 | 上下 | AMWU | 象形 |
| 笔顺 | 一 十 廾 廿 芇 苗 苗 苗 黄 黄 黄 | | | | |

【解　释】❶像金子那样的颜色。❷黄河的通称。❸指腐朽堕落的。❹事情失败或计划不能实现。

甲骨文　金文　小篆　隶书　楷书

【字源释义】“黄”是“璜”的本字。甲骨文的“黄”像一个人腰佩着一块玉环。后来借为表示颜色名的“黄”，本义不存，于是另造“璜”字。
【组　词】黄昏　黄山　黄鱼
【同音字】皇（皇后）
【英　语】黄金　gold [gəuld]

| huáng | 笔画 | 部首 | 结构 | 五笔 | 造字法 |
|---|---|---|---|---|---|
| 凰 | 11 | 几 | 半包围 | MRGD | 形声 |
| 笔顺 | 丿 几 凡 凡 凧 凧 凰 凰 凰 凰 凰 | | | | |

H

【解　释】见213页“凤”。
【同音字】皇(皇宫)

| huáng | 笔画 | 部首 | 结构 | 五笔 | 造字法 |
|---|---|---|---|---|---|
| 徨 | 12 | 彳 | 左右 | TRGG | 形声 |
| 笔顺 | 丿 彳 彳 彳 彳 彷 彷 徨 徨 徨 徨 徨 | | | | |

【解　释】见538页“彷”。

| huáng | 笔画 | 部首 | 结构 | 五笔 | 造字法 |
|---|---|---|---|---|---|
| 惶 | 12 | 忄 | 左右 | NRGG | 形声 |
| 笔顺 | 丶 丶 忄 忄 忄 怕 怕 怕 惶 惶 惶 惶 | | | | |

【解　释】恐惧。
【组　词】惶恐　惊惶　惶窘
【同音字】凰(凤凰)　磺(硫磺)
【成　语】惶惶不安　惶恐不安
【英　语】惶恐　terrified [ˈterifaid]

| huáng | 笔画 | 部首 | 结构 | 五笔 | 造字法 |
|---|---|---|---|---|---|
| 煌 | 13 | 火 | 左右 | ORGG | 形声 |
| 笔顺 | 丶 丷 火 火 火 炉 炉 炉 煌 煌 煌 煌 煌 | | | | |

【解　释】明亮。
【造　句】辉煌——元旦了,夜晚街上灯火辉煌。
【同音字】皇(皇历)　惶(惊惶)
【形近字】惶(惊惶)
【英　语】辉煌　splendid [ˈsplendid]

| huáng | 笔画 | 部首 | 结构 | 五笔 | 造字法 |
|---|---|---|---|---|---|
| 蝗 | 15 | 虫 | 左右 | JRGG | 形声 |
| 笔顺 | 丨 口 口 中 虫 虫 虫 虫 蚼 蚼 蚼 蝗 蝗 蝗 蝗 | | | | |

【解　释】昆虫的一种,善于飞行和跳跃,吃稻、麦等作物,危害很大。
【组　词】蝗虫
【同音字】徨(彷徨)
【英　语】蝗虫　locust [ˈləukəst]

| huáng | 笔画 | 部首 | 结构 | 五笔 | 造字法 |
|---|---|---|---|---|---|
| 簧 | 17 | ⺮ | 上下 | TAMW | 形声 |
| 笔顺 | 丿 ⺈ ⺮ ⺮ ⺮ 竹 竺 竺 竺 笁 笁 箦 箦 箦 箦 簧 簧 | | | | |

【解　释】❶口琴、风琴等乐器里用铜制成的能振动发声的薄片。❷器物上有弹力的机件。
【组　词】弹簧
【同音字】蝗(蝗虫)
【形近字】黄(黄色)
【英　语】弹簧　spring [spriŋ]

| huǎng | 笔画 | 部首 | 结构 | 五笔 | 造字法 |
|---|---|---|---|---|---|
| 恍 | 9 | 忄 | 左右 | NIQN | 形声 |
| 笔顺 | 丶 丶 忄 忄 忄 忄 忄 怳 恍 | | | | |

【解　释】❶突然;忽然。❷模糊不清。
【造　句】恍然大悟——经过老师提醒,我恍然大悟,明白了错误出在何处。
【辨　音】不读 guāng。
【同音字】谎(撒谎)
【形近字】晃(晃动)
【成　语】恍然大悟
【近义词】恍然/忽然
【英　语】恍惚　trance [traːns]

H

| huǎng | 笔画 | 部首 | 结构 | 五笔 | 造字法 |
|---|---|---|---|---|---|
| 晃 | 10 | 曰 | 上下 | JIQB | 形声 |
| 笔顺 | 丶 冂 日 日 旦 早 旦 昱 昦 晃 | | | | |

【解　释】❶明亮。❷刺目；耀眼。❸很快地一闪。
【组　词】晃眼　明晃晃
【造　句】明晃晃——今天小明值日，他把玻璃擦得明晃晃的。
【同音字】恍（恍然）
【反义词】晃眼/灰暗
【近义词】晃眼/耀眼
【多音字】huàng（见 302 页）

| huǎng | 笔画 | 部首 | 结构 | 五笔 | 造字法 |
|---|---|---|---|---|---|
| 谎 | 11 | 讠 | 左右 | YAYQ | 形声 |
| 笔顺 | 丶 讠 讠 讠 讠 讠 讠 讠 谎 谎 谎 | | | | |

【解　释】假话；骗人的话。
【组　词】谎话　谎言　谎报
【造　句】谎话——老师教导我们做人要诚实，不可以说谎话。
【辨　音】不读 huāng。
【同音字】晃（明晃晃）
【形近字】梳（梳子）
【反义词】谎言/实话
【谚　语】谎话讲不得，庄稼荒不得。
【英　语】谎话　lie [lai]

| huàng | 笔画 | 部首 | 结构 | 五笔 | 造字法 |
|---|---|---|---|---|---|
| 晃 | 10 | 曰 | 上下 | JIQB | 形声 |
| 笔顺 | 丶 冂 日 日 旦 早 旦 昱 昦 晃 | | | | |

【解　释】摆动；摇动。
【组　词】晃荡　晃悠　晃动
【造　句】晃动——窗外有个人影晃动了一下就不见了。
【英　语】晃动　sway [swei]
【多音字】huǎng（见 302 页）

## HUI ㄏㄨㄟ

| huī | 笔画 | 部首 | 结构 | 五笔 | 造字法 |
|---|---|---|---|---|---|
| 灰 | 6 | 火 | 半包围 | DOU | 会意 |
| 笔顺 | 一 ナ 𠂇 𠂇 灰 灰 | | | | |

【解　释】❶东西燃烧后剩下的细末。❷尘土。❸介于黑与白之间的颜色。❹特指石灰。❺失望；情绪不高。
【组　词】炉灰　灰尘　灰色
【同音字】辉（光辉）
【形近字】诙（诙谐）
【反义词】灰心/振作
【近义词】灰心/消沉
【成　语】灰心丧气　灰飞烟灭
【英　语】灰心　discouraged [dis'kʌridʒd]

| huī | 笔画 | 部首 | 结构 | 五笔 | 造字法 |
|---|---|---|---|---|---|
| 挥 | 9 | 扌 | 左右 | RPLH | 形声 |
| 笔顺 | 一 十 扌 扌 扌 扌 扌 扌 挥 | | | | |

【解　释】❶摇动；舞动。❷散发。❸甩；抖掉。❹指派；调遣。
【组　词】挥手　发挥　指挥
【造　句】挥洒自如——他挥洒自如地写下了“爱我中华”几个大字。
【同音字】恢（恢复）
【形近字】辉（光辉）

H

【成　语】挥洒自如
【反义词】挥霍/节省
【近义词】发挥/表现
【英　语】挥手 wave the hand [weiv ðə hænd]

| huī | 笔画 | 部首 | 结构 | 五笔 | 造字法 |
|---|---|---|---|---|---|
| 恢 | 9 | 忄 | 左右 | NDOY | 形声 |
| 笔顺 | 丶 丷 忄 忄 忄 忄 忄 恢 恢 | | | | |

【解　释】广大；宽广。
【组　词】恢复
【造　句】恢复——全班同学都盼望刘老师早日恢复健康。
【同音字】辉（光辉）
【近义词】恢复/还原
【英　语】恢复 resume [ri'zju:m]

| huī | 笔画 | 部首 | 结构 | 五笔 | 造字法 |
|---|---|---|---|---|---|
| 辉 | 12 | ⺌ | 左右 | IQPL | 形声 |
| 笔顺 | 丨 丨 ⺌ 业 光 光 光 光 辉 辉 辉 辉 | | | | |

【解　释】❶闪耀的光彩。❷照耀。
【组　词】光辉　辉映　辉煌
【造　句】光辉——太阳出来了，照在雪上，映出万道光辉。
【同音字】恢（天网恢恢）
【形近字】挥（挥手）
【近义词】光辉/光芒
【英　语】辉映 shine [ʃain]

| huī | 笔画 | 部首 | 结构 | 五笔 | 造字法 |
|---|---|---|---|---|---|
| 徽 | 17 | 彳 | 左中右 | TMGT | 形声 |
| 笔顺 | 徽 | | | | |

【解　释】❶标志。❷旧指徽州。❸美好的。
【组　词】国徽　徽章　帽徽
【造　句】国徽——我们的国徽是神圣而庄严的。
【辨　音】不读 wēi。
【同音字】挥（指挥）
【形近字】微（微笑）
【英　语】徽章 badge [bædʒ]

| huí | 笔画 | 部首 | 结构 | 五笔 | 造字法 |
|---|---|---|---|---|---|
| 回 | 6 | 囗 | 全包围 | LKD | 指事 |
| 笔顺 | 丨 冂 冂 回 回 回 | | | | |

【解　释】❶还；归。❷答复。❸掉转。❹曲折。❺量词。❻特指回族。

甲骨文　金文　小篆　隶书　楷书

【字源释义】甲骨文与金文的“回”的字形像水流回旋的样子，本义是“旋转”。后来“回”多用于“还”、“回来”义，于是另造“廻”（“迴”）字以表示本义。
【组　词】回答　回家　迂回
【造　句】回味无穷——这部戏的精彩部分令人回味无穷。
【同音字】蛔（蛔虫）

【形近字】叵(居心叵测)
【成　语】回心转意
【反义词】回绝/应允
【近义词】回忆/回想
【英　语】回复　reply [ri'plai]

| huí | 笔画 | 部首 | 结构 | 五笔 | 造字法 |
|---|---|---|---|---|---|
| 茴 | 9 | 艹 | 上下 | ALKF | 形声 |
| 笔顺 | 一 十 艹 艹 芇 苘 苘 苘 茴 | | | | |

【解　释】茴香,草本植物,有特殊的香味,果实可入药。
【组　词】茴香
【同音字】回(回家)
【形近字】苗(禾苗)
【英　语】茴香　fennel ['fenl]

| huí | 笔画 | 部首 | 结构 | 五笔 | 造字法 |
|---|---|---|---|---|---|
| 徊 | 9 | 彳 | 左右 | TLKG | 形声 |
| 笔顺 | ノ 彡 彳 彳 徊 徊 徊 徊 徊 | | | | |

【解　释】❶留恋。❷回旋起伏。
【组　词】低徊
【造　句】低徊——那熟悉的乡音,使人低徊不肯离去。
【同音字】回(回家)
【英　语】低徊　linger ['liŋgə]
【多音字】huái(见 297 页)

| huǐ | 笔画 | 部首 | 结构 | 五笔 | 造字法 |
|---|---|---|---|---|---|
| 悔 | 10 | 忄 | 左右 | NTXU | 形声 |
| 笔顺 | 丶 丷 忄 忄 忙 怇 悔 悔 悔 悔 | | | | |

【解　释】因做错了事而懊恼。
【组　词】后悔　懊悔　悔悟
【造　句】后悔——小亮考试不及格,他非常后悔以前没有认真学习。
【辨　音】不读 měi。
【同音字】毁(毁坏)
【成　语】悔不当初　悔过自新
【反义词】悔过自新/死不悔改
【近义词】悔过自新/洗心革面
【谚　语】悔之今日,不该当初。
【英　语】悔悟　repent [ri'pent]

| huǐ | 笔画 | 部首 | 结构 | 五笔 | 造字法 |
|---|---|---|---|---|---|
| 毁 | 13 | 殳 | 左右 | VAMC | 会意 |
| 笔顺 | ′ 〔 ㇏ 白 白 白 白 皇 皇 皇 毁 毁 毁 | | | | |

【解　释】❶烧掉。❷破坏;损坏。❸说别人的坏话。
【组　词】毁坏　毁谤　炸毁
【造　句】毁坏——我们不能毁坏公共场所的东西。
【同音字】悔(后悔)
【形近字】殷(殷切)
【成　语】毁于一旦
【英　语】毁坏　destroy [di'strɔi]

| huì | 笔画 | 部首 | 结构 | 五笔 | 造字法 |
|---|---|---|---|---|---|
| 卉 | 5 | 十 | 上下 | FAJ | 会意 |
| 笔顺 | 一 十 土 卉 卉 | | | | |

【解　释】各种花草的总称。
【组　词】花卉
【辨　音】不读 bēn。
【同音字】会(会议)
【形近字】奔(奔跑)
【近义词】花卉/花草
【英　语】花卉　flowers and plants ['flauəz ænd plɑːnts]

| huì | 笔画 | 部首 | 结构 | 五笔 | 造字法 |
|---|---|---|---|---|---|
| 汇 | 5 | 氵 | 左右 | IAN | 形声 |
| 笔顺 | 丶 冫 氵 汇 汇 | | | | |

【解　释】❶河流汇合到一起。❷寄钱。❸聚集;综合。
【组　词】汇集　汇款　汇报
【造　句】汇集——许多小溪汇集在一起,成了小河。
【同音字】慧(智慧)
【形近字】江(江河)
【近义词】汇合/汇集
【英　语】汇报　report [ri'pɔ:t]

| huì | 笔画 | 部首 | 结构 | 五笔 | 造字法 |
|---|---|---|---|---|---|
| 会 | 6 | 人 | 上下 | WFCU | 会意 |
| 笔顺 | 丿 人 亼 亼 会 会 | | | | |

【解　释】❶聚集;联合。❷集会。❸团体;组织。❹时机。❺明白;懂得。❻能;善于。❼付钱。❽彼此见面。❾主要的城市。

【字源释义】"会"是"脍"的本字,上部是圆形尖顶的盖子,下面是一个装食物的器皿,器皿装着的就是"脍"。
【组　词】会议　领会　工会　会心
【造　句】领会——他正确领会了上级的意图,任务完成得很好。
【同音字】卉(花卉)
【形近字】合(合作)
【英　语】会议　meeting ['mi:tiŋ]
【多音字】kuài(见408页)

| huì | 笔画 | 部首 | 结构 | 五笔 | 造字法 |
|---|---|---|---|---|---|
| 讳 | 6 | 讠 | 左右 | YFNH | 形声 |
| 笔顺 | 丶 讠 讠 讠 讳 讳 | | | | |

【解　释】❶因有所顾忌而不敢说或不愿说。❷旧时指已故帝王或尊长的名字,后来也用于敬称在世的人的名字。
【组　词】忌讳　隐讳　名讳
【同音字】慧(智慧)　荟(芦荟)
【形近字】伟(伟大)　帏(帏帐)
【成　语】讳疾忌医　讳莫如深
【英　语】忌讳　taboo [tə'bu:]

| huì | 笔画 | 部首 | 结构 | 五笔 | 造字法 |
|---|---|---|---|---|---|
| 荟 | 9 | 艹 | 上下 | AWFC | 形声 |
| 笔顺 | 一 十 艹 艹 芢 芸 荟 荟 荟 | | | | |

【解　释】草木繁盛。
【组　词】芦荟　荟萃
【造　句】荟萃——现代社会,人才荟萃,我们必须好好学习,才能不被淘汰。
【同音字】会(开会)
【英　语】荟萃　assemble [ə'sembl]

| huì | 笔画 | 部首 | 结构 | 五笔 | 造字法 |
|---|---|---|---|---|---|
| 诲 | 9 | 讠 | 左右 | YTXY | 形声 |
| 笔顺 | 丶 讠 讠 讠 讠 诲 诲 诲 诲 | | | | |

H

【解　释】教导；诱导。
【组　词】教诲
【造　句】教诲——我们不能忘记老师对我们的谆谆教诲。
【同音字】惠（惠顾）　彗（彗星）
【形近字】晦（晦气）　海（海洋）
【成　语】诲人不倦　诲淫诲盗
【英　语】教诲　teach ［tiːtʃ］

| huì | 笔画 | 部首 | 结构 | 五笔 | 造字法 |
| --- | --- | --- | --- | --- | --- |
| 绘 | 9 | 纟 | 左右 | XWFC | 形声 |
| 笔顺 | 𠃋 纟 纟 纟 纵 绘 绘 绘 绘 | | | | |

【解　释】画，描图。
【组　词】绘画　描绘
【同音字】汇（汇合）
【形近字】给（交给）
【英　语】绘画　drawing ［'drɔːiŋ］

| huì | 笔画 | 部首 | 结构 | 五笔 | 造字法 |
| --- | --- | --- | --- | --- | --- |
| 贿 | 10 | 贝 | 左右 | MDEG | 形声 |
| 笔顺 | 丨 冂 贝 贝 贝一 贝𠂇 财 贿 贿 贿 | | | | |

【解　释】❶财物；通常指用来买通别人的财物。❷用财物买通别人。
【组　词】贿赂　行贿　贿金　贿款
【辨　音】不读 yǒu。
【同音字】会（会议）　惠（贤惠）
【英　语】贿赂　bribe ［braib］

| huì | 笔画 | 部首 | 结构 | 五笔 | 造字法 |
| --- | --- | --- | --- | --- | --- |
| 彗 | 11 | 彐 | 上下 | DHDV | 会意 |
| 笔顺 | 一 二 三 丰 丰一 丰二 丰三 丰丰 彗 彗 彗 | | | | |

【解　释】彗星，围绕太阳运行的天体。彗星接近太阳时，在背着太阳的一面常拖着一条扫帚状的长尾巴，故叫扫帚星。
【组　词】彗星
【同音字】贿（贿赂）
【形近字】慧（智慧）
【英　语】彗星　comet ［'kɔmit］

| huì | 笔画 | 部首 | 结构 | 五笔 | 造字法 |
| --- | --- | --- | --- | --- | --- |
| 晦 | 11 | 日 | 左右 | JTXU | 形声 |
| 笔顺 | 丨 冂 日 日 日′ 旷 昕 晦 晦 晦 晦 | | | | |

【解　释】❶昏暗；不明显。❷夜晚。❸农历每月的末一天。
【组　词】晦气　晦涩
【造　句】晦气——今天真晦气，我把眼镜打破了。
【同音字】讳（忌讳）
【英　语】晦气　unlucky ［ʌn'lʌki］

| huì | 笔画 | 部首 | 结构 | 五笔 | 造字法 |
| --- | --- | --- | --- | --- | --- |
| 惠 | 12 | 心 | 上下 | GJHN | 会意 |
| 笔顺 | 一 𠃍 冂 冃 冃 由 申 叀 叀 惠 惠 惠 | | | | |

【解　释】❶给人的或受到的好处。❷敬辞，用于对方对待自己的行动。
【组　词】恩惠　优惠　惠顾　惠赠
【造　句】优惠——每逢淡季，商场总有许多打折的优惠活动。
【辨　音】不读 suì。
【同音字】会（会议）
【英　语】恩惠　favour ［'feivə］

| huì | 笔画 | 部首 | 结构 | 五笔 | 造字法 |
|---|---|---|---|---|---|
| 慧 | 15 | 心 | 上下 | DHDN | 形声 |
| 笔顺 | 一 二 三 丰 丰 丰 丰 丰丰 丰丰 彗 彗 彗 彗 慧 慧 慧 | | | | |

【解　释】聪明。
【组　词】智慧　聪慧
【造　句】智慧——这件艺术品是中国古代劳动人民智慧的结晶。
【同音字】彗(彗星)　贿(贿赂)
【形近字】惠(贤惠)
【英　语】智慧　wisdom [ˈwizdəm]

## HUN ㄏㄨㄣ

| hūn | 笔画 | 部首 | 结构 | 五笔 | 造字法 |
|---|---|---|---|---|---|
| 昏 | 8 | 日 | 上下 | QAJF | 会意 |
| 笔顺 | ノ 厂 F 氏 氏 昏 昏 昏 | | | | |

【解　释】❶天将黑的时候。❷黑暗。❸糊涂。❹神志不清或失去知觉。
【组　词】黄昏　昏暗　昏迷　头昏
【造　句】头昏——可能是着凉了,我有点头昏。
【同音字】婚(结婚)
【形近字】婚(婚礼)
【成　语】昏天黑地　昏头昏脑
【反义词】黄昏/黎明
【近义词】昏暗/暗淡
【英　语】黄昏　dusk [dʌsk]

| hūn | 笔画 | 部首 | 结构 | 五笔 | 造字法 |
|---|---|---|---|---|---|
| 荤 | 9 | 艹 | 上下 | APLJ | 形声 |
| 笔顺 | 一 十 艹 艹 芦 苎 苎 荤 荤 | | | | |

【解　释】❶指鸡、鸭、鱼、肉等食物(跟"素"相对)。❷指粗俗的、淫秽的。
【组　词】荤菜　荤油　荤腥　荤话
【造　句】荤腥——奶奶常年吃素,不沾荤腥。
【辨　音】不读 yūn。
【同音字】昏(昏暗)
【形近字】军(军队)
【反义词】荤/素
【英　语】荤油　lard [lɑːd]

| hūn | 笔画 | 部首 | 结构 | 五笔 | 造字法 |
|---|---|---|---|---|---|
| 婚 | 11 | 女 | 左右 | VQAJ | 形声 |
| 笔顺 | ㄑ 女 女 女 女 妒 娇 娇 婚 婚 婚 | | | | |

【解　释】❶婚姻。❷男女双方结成夫妻。
【组　词】未婚　新婚　婚姻　婚龄
【同音字】荤(荤菜)
【形近字】昏(昏倒)
【英　语】婚姻　marriage [ˈmæridʒ]

| hún | 笔画 | 部首 | 结构 | 五笔 | 造字法 |
|---|---|---|---|---|---|
| 浑 | 9 | 氵 | 左右 | IPLH | 形声 |
| 笔顺 | 丶 丶 氵 氵 氵 浐 浐 浑 浑 | | | | |

【解　释】❶浑浊;不清;水中充满杂质。❷糊涂;不明事理。❸天然的。❹全;满。
【组　词】浑浊　浑水　浑厚　浑朴
【造　句】浑浊——黄河的水越变越浑浊。
【同音字】魂(灵魂)
【形近字】军(军队)
【成　语】浑然天成
【反义词】浑浊/清亮

【谚　语】浑身是口难分说｜浑水越澄越清，真理越辩越明。
【英　语】浑浊 muddy ['mʌdi]

| hún | 笔画 | 部首 | 结构 | 五笔 | 造字法 |
|---|---|---|---|---|---|
| 混 | 11 | 氵 | 左右 | IJXX | 形声 |
| 笔顺 | 丶 丶 氵 氵 汩 汩 泪 涅 涅 混 混 | | | | |

【解　释】❶水不清。❷不明事理，糊涂。
【同音字】魂（灵魂）
【谚　语】混水里好捉鱼。
【多音字】hùn（见 308 页）

| hún | 笔画 | 部首 | 结构 | 五笔 | 造字法 |
|---|---|---|---|---|---|
| 魂 | 13 | 鬼 | 左右 | FCRC | 形声 |
| 笔顺 | 一 二 云 云 云 动 动 动 动 动 魂 魂 魂 | | | | |

【解　释】❶灵魂。❷指精神或情绪。❸特指崇高的精神。
【组　词】魂灵　魂魄　灵魂　国魂　民族魂
【造　句】魂不守舍——他今天上课时有点魂不守舍，肯定有心事。
【辨　音】韵母是 un，不是 ong。
【同音字】浑（浑浊）
【形近字】魄（魂魄）　瑰（玫瑰）
【成　语】魂飞魄散　魂不守舍　魂牵梦萦　魂不附体
【反义词】魂飞魄散/气定神闲
【近义词】魂飞魄散/胆战心惊
【英　语】魂灵 soul [səul]

| hùn | 笔画 | 部首 | 结构 | 五笔 | 造字法 |
|---|---|---|---|---|---|
| 混 | 11 | 氵 | 左右 | IJXX | 形声 |
| 笔顺 | 丶 丶 氵 氵 汩 汩 泪 涅 涅 混 混 | | | | |

【解　释】❶混合；掺杂。❷蒙混。❸胡乱。❹无目的地生活着。
【组　词】混合　混充　混迹　混杂　混战
【造　句】混淆黑白——为了达到个人目的，他不惜编造材料，混淆黑白，企图欺骗领导和群众。
【辨　音】不读 hūn。
【成　语】混为一谈　混淆视听　混淆黑白
【反义词】混淆黑白/是非分明
【近义词】混淆黑白/颠倒黑白
【英　语】混合 mix [miks]
【多音字】hún（见 308 页）

## HUO ㄏㄨㄛ

| huō | 笔画 | 部首 | 结构 | 五笔 | 造字法 |
|---|---|---|---|---|---|
| 豁 | 17 | 谷 | 左右 | PDHK | 形声 |
| 笔顺 | 丶 丶 宀 宀 宀 宝 宝 害 害 害 害 害 害 豁 豁 豁 豁 | | | | |

【解　释】❶裂开。❷舍弃。
【组　词】豁口　豁子　豁嘴　豁出去
【造　句】豁出去——事已至此，我也只好豁出去了。
【形近字】割（割麦子）
【谚　语】豁上一碗小米，怎么也逮住一只麻雀。
【英　语】豁口 opening ['əupəniŋ]
【多音字】huò（见 311 页）

| huó | 笔画 | 部首 | 结构 | 五笔 | 造字法 |
|---|---|---|---|---|---|
| 和 | 8 | 禾 | 左右 | TKG | 形声 |
| 笔顺 | 一 二 千 千 禾 禾 和 和 | | | | |

【解　释】在粉状物中加水搅拌或

揉弄,使粘在一起。
【组　词】和泥　和面
【造　句】和面——张婵家的小女孩儿才七八岁,就能和面做馒头了。
【同音字】活(生活)
【形近字】种(种田)
【英　语】和面　knead dough [niːd dəu]
【多音字】hé(见 278 页)
【多音字】hè(见 280 页)
【多音字】huò(见 310 页)
【多音字】huo(见 311 页)

| huó | 笔画 | 部首 | 结构 | 五笔 | 造字法 |
|---|---|---|---|---|---|
| 活 | 9 | 氵 | 左右 | ITDG | 形声 |
| 笔顺 | 丶 冫 氵 氵 汇 汗 汗 活 活 | | | | |

【解　释】❶生存;有生命(跟“死”相对)。❷工作。❸产品;制成品。❹生动;灵活;不死板。❺真正;简直。❻不固定的;可移动的。❼在活的状态下。
【组　词】活跃　活宝　活动　活命　活期　活血
【造　句】活跃——为了活跃会场气氛,他在演讲前先讲了一个笑话。
【同音字】和(和面)
【形近字】话(讲话)
【成　语】活灵活现　活蹦乱跳
【反义词】活期/死期
【近义词】活跃/活泼
【谚　语】活到老,学到老|活着为众人,生命值千金;活着为个人,不如一根针。
【英　语】活动　activity [æk'tiviti]

| huǒ | 笔画 | 部首 | 结构 | 五笔 | 造字法 |
|---|---|---|---|---|---|
| 火 | 4 | 火 | 独体 | OOOO | 象形 |
| 笔顺 | 丶 丷 少 火 | | | | |

【解　释】❶物体燃烧时所发的光和焰。❷指枪炮弹药。❸怒气。❹比喻紧急。❺比喻暴躁或愤怒。❻兴旺;兴隆。❼形容红色。

甲骨文　金文　小篆　隶书　楷书

【字源释义】甲骨文“火”字像一团烈烈燃烧的火焰,是用轮廓线来表现的;经过金文演变后就不太象形了。“火”又是古时兵制单位,十人为“火”,也写作“伙”。
【组　词】火把　火花　火柴　火苗　火热
【造　句】火冒三丈——当他看到这份报告时,不由得火冒三丈。
【同音字】伙(伙伴)
【形近字】水(水边)
【成　语】火上浇油　火烧眉毛
【反义词】火冒三丈/平心静气
【近义词】火上浇油/雪上加霜
【歇后语】火爆玉米——开心|火车进站——吼得凶,走得慢。
【谚　语】火从小时救,树从小时修。
【英　语】火车　train [trein]

| huǒ | 笔画 | 部首 | 结构 | 五笔 | 造字法 |
|---|---|---|---|---|---|
| 伙 | 6 | 亻 | 左右 | WOY | 形声 |
| 笔顺 | 丿 亻 亻 亻 伙 伙 | | | | |

【解　释】❶伙伴；同伴。❷由同伴组成的集体。❸量词。用于人群。❹共同；联合。❺伙食。
【组　词】伙伴　伙食　伙同　伙计
【造　句】伙伴——小东和几个要好的伙伴到村西的池塘钓鱼去了。
【同音字】火(火光)
【形近字】灰(灰色)
【近义词】伙伴/同伴
【英　语】伙伴　partner [ˈpɑːtnə]

| huò | 笔画 | 部首 | 结构 | 五笔 | 造字法 |
|---|---|---|---|---|---|
| 或 | 8 | 戈 | 半包围 | AKGD | 会意 |
| 笔顺 | 一 ㇀ 𠃌 ㇀ 𠃌 ㇀ 或 或 | | | | |

【解　释】❶或许；也许。❷或者。❸某人；有的人。❹稍微。
【组　词】或许　或者
【造　句】或许——他没来，或许有事吧！
【同音字】货(货款)
【形近字】成(成败)
【近义词】或许/也许
【英　语】或许　perhaps [pəˈhæps]

| huò | 笔画 | 部首 | 结构 | 五笔 | 造字法 |
|---|---|---|---|---|---|
| 和 | 8 | 禾 | 左右 | TKG | 形声 |
| 笔顺 | 丿 二 千 禾 禾 和 和 和 | | | | |

【解　释】混合；搅动。
【组　词】和药
【同音字】或(或许)
【多音字】hé(见278页)
【多音字】hè(见280页)
【多音字】huó(见308页)
【多音字】huo(见311页)

| huò | 笔画 | 部首 | 结构 | 五笔 | 造字法 |
|---|---|---|---|---|---|
| 货 | 8 | 贝 | 上下 | WXMU | 会意 |
| 笔顺 | 丿 亻 亻 化 化 货 货 货 | | | | |

【解　释】❶用来交换的物品；商品。❷出卖。❸货币；钱。❹指人，用于骂人。
【组　词】货物　货船　货品　货币
【造　句】货真价实——我们提倡货真价实，杜绝假冒伪劣。
【辨　音】不读 dài。
【同音字】或(或许)
【形近字】贷(贷款)
【成　语】货真价实
【歇后语】货郎的东西——闲摆|货郎的担子——样样有点。
【英　语】货物　goods [gudz]

| huò | 笔画 | 部首 | 结构 | 五笔 | 造字法 |
|---|---|---|---|---|---|
| 获 | 10 | 艹 | 上下 | AQTD | 形声 |
| 笔顺 | 一 十 艹 艹 艿 犾 获 获 获 获 | | | | |

【解　释】❶得到；取得。❷捉住。❸收成；成果。
【组　词】获救　获胜　收获　捕获　获得
【造　句】获得——小红在这次歌咏比赛中获得了冠军。
【同音字】霍(霍乱)　或(或许)
【反义词】获得/失去
【近义词】获得/取得
【英　语】收获　gain [gein]

| huò | 笔画 | 部首 | 结构 | 五笔 | 造字法 |
|---|---|---|---|---|---|
| 祸 | 11 | 礻 | 左右 | PYKW | 形声 |
| 笔顺 | 丶 ㇇ 礻 礻 礻 礻' 祀 祀 祸 祸 祸 | | | | |

【解　释】❶灾难（跟“福”相对）。❷损害。

【组　词】闯祸　祸害

【造　句】祸从口出——你别说老板的不是了，小心祸从口出。

【同音字】或（或者）

【形近字】锅（铁锅）

【成　语】祸起萧墙　祸从口出

【反义词】祸/福

【近义词】祸从天降/大祸临头

【谚　语】祸从口出，病从口入。

【英　语】闯祸　get into trouble [get 'intu 'trʌbl]

| huò | 笔画 | 部首 | 结构 | 五笔 | 造字法 |
|---|---|---|---|---|---|
| 惑 | 12 | 心 | 上下 | AKGN | 形声 |
| 笔顺 | 一 一 … 或 或 或 惑 惑 惑 惑 | | | | |

【解　释】❶迷惑；疑惑；不明白。❷使迷乱。

【组　词】疑惑

【造　句】大惑不解——人们对这支甲级球队输给业余球队的结果大惑不解。

【同音字】或（或者）

【形近字】或（或许）

【反义词】大惑不解/茅塞顿开

【近义词】大惑不解/百思不解

【谚　语】惑者知返，迷道不远。

【英　语】迷惑　puzzle ['pʌzl]

| huò | 笔画 | 部首 | 结构 | 五笔 | 造字法 |
|---|---|---|---|---|---|
| 霍 | 16 | 雨 | 上下 | FWYF | 会意 |
| 笔顺 | 一 ㇐ 㐅 … 雨 … 霍 霍 霍 | | | | |

【解　释】❶迅速的样子；突然。❷象声词。形容磨刀的声音。❸闪动。❹姓。

【组　词】霍地　霍乱　霍然　霍闪

【造　句】霍地——他霍地站起来，像是着了魔。

【辨　音】不读 huǒ。

【同音字】或（或许）

【英　语】霍然　quickly ['kwikli]

| huò | 笔画 | 部首 | 结构 | 五笔 | 造字法 |
|---|---|---|---|---|---|
| 豁 | 17 | 谷 | 左右 | PDHK | 形声 |
| 笔顺 | 丶 丶 宀 宀 宀 宀 宀 害 害 害 害 害 害 豁 豁 豁 豁 | | | | |

【解　释】❶敞亮；开通。❷免除。

【组　词】豁达　豁免　豁然开朗

【多音字】huō（见 308 页）

| huo | 笔画 | 部首 | 结构 | 五笔 | 造字法 |
|---|---|---|---|---|---|
| 和 | 8 | 禾 | 左右 | TKG | 形声 |
| 笔顺 | 丿 二 千 禾 禾 和 和 和 | | | | |

【解　释】用于“掺和”、“热和”、“暖和”、“软和”等词。

【多音字】hé（见 278 页）

【多音字】hè（见 280 页）

【多音字】huó（见 308 页）

【多音字】huò（见 310 页）

# J

## JI　ㄐㄧ

| jī | 笔画 | 部首 | 结构 | 五笔 | 造字法 |
|---|---|---|---|---|---|
| 几 | 2 | 几 | 独体 | MTN | 象形 |
| 笔顺 | 丿 几 | | | | |

【解　释】❶接近；靠近；差一点。❷小桌子。
【造　句】几乎——他干了一天的活儿，累得几乎快趴下了。
【同音字】奇（奇数）
【英　语】茶几　tea table　[tiː 'teibl]
【多音字】jǐ（见 320 页）

| jī | 笔画 | 部首 | 结构 | 五笔 | 造字法 |
|---|---|---|---|---|---|
| 讥 | 4 | 讠 | 左右 | YMN | 形声 |
| 笔顺 | 丶 讠 讥 讥 | | | | |

【解　释】挖苦人；讽刺。
【组　词】讥讽　讥诮　讥笑　讥刺
【造　句】讥笑——我们不能讥笑别人的缺点，应该帮助他们改正。
【辨　音】不读 jǐ。
【同音字】积（积极）　击（打击）
【形近字】机（飞机）　饥（饥饿）
【反义词】讥讽/夸奖
【近义词】讥笑/嘲笑
【英　语】讥笑　ridicule　['ridikjuːl]

| jī | 笔画 | 部首 | 结构 | 五笔 | 造字法 |
|---|---|---|---|---|---|
| 击 | 5 | 凵 | 独体 | FMK | 形声 |
| 笔顺 | 一 二 キ 击 击 | | | | |

【解　释】❶攻打。❷敲打；打。❸碰；碰撞；接触。
【组　词】击鼓　拳击　击锣　撞击　冲击　目击　击毁　击中　击伤　追击　击败　攻击
【造　句】击打——海浪击打着礁石，发出哗哗的声音。
【辨　音】不读 jí。
【同音字】基（基本）
【形近字】出（出家）
【反义词】击破/完好
【近义词】击败/打败
【歇后语】击水成波，击石成火，激人成祸。
【英　语】击败　defeat　[di'fiːt]

| jī | 笔画 | 部首 | 结构 | 五笔 | 造字法 |
|---|---|---|---|---|---|
| 叽 | 5 | 口 | 左右 | KMN | 形声 |
| 笔顺 | 丶 ㄇ 口 叨 叽 | | | | |

【解　释】❶象声词。形容鸟声、说话声或其他各种嘈杂声。❷小声说话。
【组　词】叽咕　咕噜
【造　句】咕噜——我的肚子饿得叽里咕噜直叫唤。
【同音字】击（打击）
【形近字】讥（讥讽）

| jī | 笔画 | 部首 | 结构 | 五笔 | 造字法 |
|---|---|---|---|---|---|
| 饥 | 5 | 饣 | 左右 | QNMN | 形声 |
| 笔顺 | 丿 ㇐ 饣 饥 饥 | | | | |

【解　释】❶饿肚子；吃不饱。❷指庄稼收成不好或没有收成。
【组　词】饥饿　饥荒　充饥
【造　句】如饥似渴——他如饥似渴地读着这本书，竟忘了吃饭。
【辨　音】不读 jǐ。
【同音字】鸡（母鸡）

【形近字】讥(讥笑) 机(时机)
【成 语】饥不择食 饥寒交迫 如饥似渴
【反义词】饥寒交迫/丰衣足食
【近义词】饥荒/饥馑
【谚 语】饥不择食，寒不择衣，慌不择路，贫不择妻。
【英 语】饥饿 hungry [ˈhʌŋgri]

| jī | 笔画 | 部首 | 结构 | 五笔 | 造字法 |
|---|---|---|---|---|---|
| 机 | 6 | 木 | 左右 | SMN | 形声 |
| 笔顺 | 一 十 才 木 机 机 | | | | |

【解 释】❶事物发生变化的关键，枢纽。❷机密。❸恰当的时候。❹生活机能。❺打算；权谋。❻灵巧；灵活。❼机器；机械。
【组 词】转机 生机 机灵 机车 机要 机会 机体 动机 机智 机关 飞机
【造 句】生机——春回大地，一切都显得有生机了。
【同音字】激(激动)
【形近字】饥(饥饿) 肌(肌肉)
【成 语】机关算尽
【反义词】机智/愚笨
【近义词】机智/机灵
【歇后语】机车的头灯——只能照见人家，照不见自己|机枪对大炮——急性子碰上火性子。
【谚 语】机不可失，时不再来。
【英 语】机场 airport [ˈɛəpɔːt]

| jī | 笔画 | 部首 | 结构 | 五笔 | 造字法 |
|---|---|---|---|---|---|
| 圾 | 6 | 土 | 左右 | FEYY | 形声 |
| 笔顺 | 一 十 土 圴 圾 圾 | | | | |

【解 释】垃圾，指脏土或废弃的破烂东西。
【组 词】垃圾 垃圾堆 垃圾箱
【辨 音】不读 jí。
【同音字】击(伏击) 讥(讥讽)
【形近字】级(高级) 极(积极)
【近义词】垃圾/废品
【英 语】垃圾 rubbish [ˈrʌbiʃ]

| jī | 笔画 | 部首 | 结构 | 五笔 | 造字法 |
|---|---|---|---|---|---|
| 肌 | 6 | 月 | 左右 | EMN | 形声 |
| 笔顺 | 丿 月 月 月 肌 肌 | | | | |

【解 释】肌肉，人体和动物体中由含有能收缩的纤维细胞组成的组织。
【组 词】肌肤 肌体 肌骨 肌理 肌肉 心肌
【同音字】积(积累)
【形近字】机(飞机) 叽(叽咕)
【成 语】面黄肌瘦
【反义词】面黄肌瘦/身强体壮
【英 语】肌肉 muscle [ˈmʌsl]

| jī | 笔画 | 部首 | 结构 | 五笔 | 造字法 |
|---|---|---|---|---|---|
| 鸡 | 7 | 鸟 | 左右 | CQYG | 形声 |
| 笔顺 | フ 又 又 对 对 鸡 鸡 | | | | |

【解 释】家禽，种类很多。公鸡能啼鸣，母鸡能生蛋。

【字源释义】甲骨文与金文的“鸡”

是一个象形字，字形很像一只昂首向天鸣叫的公鸡；后来演变为形声，以“隹”或“鸟”为形旁，以“奚”为声旁。

【组　词】鸡精　鸡眼　鸡叫　公鸡　鸡冠　乌鸡　鸡食　鸡肉

【造　句】鸡犬不宁——鬼子一进村，就闹得鸡犬不宁。

【同音字】积（积极）

【形近字】鸭（鸭子）

【成　语】呆若木鸡　鸡犬升天　鸡鸣狗盗　鸡犬不宁

【反义词】呆若木鸡/神色自若

【近义词】鸡飞蛋打/人财两空

【歇后语】鸡子跌下米箩——不愁食|鸡窝里的凤凰——至高无上。

【谚　语】鸡鸭喂得全，家中有油盐。

【英　语】鸡　chicken [ˈtʃikən]

| jī | 笔画 | 部首 | 结构 | 五笔 | 造字法 |
|---|---|---|---|---|---|
| 奇 | 8 | 大 | 上下 | DSKF | 会意 |
| 笔顺 | 一 ナ 大 太 去 奋 奇 奇 | | | | |

【解　释】单数；不成双的数目（跟“偶”相对）。

【组　词】奇数

【造　句】奇数——教官命令站在奇数位置上的人出列。

【同音字】肌（肌肉）　击（击水）

【反义词】奇数/偶数

【英　语】奇数　odd number [ɔd ˈnʌmbə]

【多音字】qí（见 566 页）

| jī | 笔画 | 部首 | 结构 | 五笔 | 造字法 |
|---|---|---|---|---|---|
| 积 | 10 | 禾 | 左右 | TKWY | 形声 |
| 笔顺 | 一 二 千 才 禾 和 和 和 积 积 | | | | |

【解　释】❶聚集；堆集。❷长期形成的。❸中医上指儿童消化不良的病。❹乘法的得数，乘积的简称。

【组　词】积极　积食　乘积　积累　积压　积蓄　积淀　积雪

【同音字】机（时机）　击（攻击）

【形近字】种（种子）　织（纺织）　和（和气）

【成　语】积少成多　积劳成疾

【反义词】积极/消极

【近义词】积极/主动

【歇后语】积木搭桥——一推就倒。

【谚　语】积少成多，日子好过|积水可以成为深潭，积累知识可以使人变得聪明。

【英　语】积极　positive [ˈpɔzitiv]

| jī | 笔画 | 部首 | 结构 | 五笔 | 造字法 |
|---|---|---|---|---|---|
| 屐 | 10 | 尸 | 半包围 | NTFC | 形声 |
| 笔顺 | 一 コ 尸 尸 屐 屐 屐 屐 屐 屐 | | | | |

【解　释】❶木底鞋。❷泛指鞋。

【组　词】木屐　屐履　草屐

【造　句】草屐——姥爷夏天喜欢穿草屐下地干活。

【同音字】击（击败）　机（机械）

【形近字】履（履历）

【英　语】木屐　clog [klɔg]

J

| jī | 笔画 | 部首 | 结构 | 五笔 | 造字法 |
|---|---|---|---|---|---|
| 基 | 11 | 土 | 上下 | ADWF | 形声 |
| 笔顺 | 一 十 卄 卄 甘 甘 其 其 其 基 基 | | | | |

【解　释】❶泛指一切建筑物的根脚。❷根本的。❸依据;根据。
【组　词】房基　地基　基础　基层　基于　基金　基调　基因
【同音字】奇(奇数)　饥(饥寒)
【形近字】甚(甚至)　其(其余)
【近义词】基本/根本
【英　语】基地　base [beis]

| jī | 笔画 | 部首 | 结构 | 五笔 | 造字法 |
|---|---|---|---|---|---|
| 缉 | 12 | 纟 | 左右 | XKBG | 形声 |
| 笔顺 | 纟 纟 纟 纟 纟 纟 纟 纟 纟 纟 纟 缉 | | | | |

【解　释】逮捕;捉拿;搜捕。
【组　词】通缉　缉查　缉毒　缉获
【造　句】缉查——叔叔是一名缉查队员。
【同音字】饥(饥寒)　肌(肌肉)
【形近字】辑(编辑)
【近义词】缉查/搜捕
【英　语】缉捕　seize [siːz]
【多音字】qī(见 564 页)

| jī | 笔画 | 部首 | 结构 | 五笔 | 造字法 |
|---|---|---|---|---|---|
| 畸 | 13 | 田 | 左右 | LDSK | 形声 |
| 笔顺 | 丨 冂 日 田 田 田 田 田 田 田 田 田 畸 | | | | |

【解　释】❶不正常的;不规则的。❷偏。
【组　词】畸形　畸轻畸重
【英　语】畸形　abnormal [æb'nɔːməl]

| jī | 笔画 | 部首 | 结构 | 五笔 | 造字法 |
|---|---|---|---|---|---|
| 箕 | 14 | ⺮ | 上下 | TADW | 形声 |
| 笔顺 | ノ 𠂉 ⺮ ⺮ ⺮ ⺮ ⺮ ⺮ ⺮ ⺮ ⺮ 箕 箕 箕 | | | | |

【解　释】❶簸箕,用竹、柳条或铁皮制成的器具。❷不成圆形的指纹。❸星宿名,二十八宿之一。
【组　词】簸箕　箕斗
【同音字】基(基层)　积(积劳)
【形近字】其(其实)
【英　语】簸箕　dustpan ['dʌstpæn]

| jī | 笔画 | 部首 | 结构 | 五笔 | 造字法 |
|---|---|---|---|---|---|
| 稽 | 15 | 禾 | 左右 | TDNJ | 形声 |
| 笔顺 | ノ 二 千 禾 禾 禾 禾 禾 禾 禾 禾 稽 稽 稽 稽 | | | | |

【解　释】❶停留。❷考核,核查。❸争论;计较。
【组　词】稽迟　稽查　滑稽　稽留
【造　句】滑稽——他那滑稽的动作引来一阵阵笑声。
【同音字】机(机灵)　击(打击)
【形近字】嵇(姓)
【英　语】滑稽　funny ['fʌni]

| jī | 笔画 | 部首 | 结构 | 五笔 | 造字法 |
|---|---|---|---|---|---|
| 激 | 16 | 氵 | 左中右 | IRYT | 形声 |
| 笔顺 | 丶 丶 氵 氵 氵 氵 氵 氵 氵 氵 氵 氵 氵 氵 激 激 | | | | |

【解　释】❶水势受阻而翻腾或飞溅。❷使人的感情冲动。❸情绪、语调等激奋昂扬。❹急剧的;猛烈的。❺用冷水冲或泡。
【组　词】激动　激烈　激化　激励　刺激

【造　句】激动——当收到盼望已久的大学录取通知书时，她激动得哭了。
【同音字】击(撞击)　机(动机)
【形近字】缴(缴款)
【成　语】激浊扬清　慷慨激昂
【反义词】激烈/平静
【近义词】激化/加剧
【歇后语】激流里的船——回头难。
【英　语】激动　excite [ik'sait]

| jí | 笔画 | 部首 | 结构 | 五笔 | 造字法 |
|---|---|---|---|---|---|
| 及 | 3 | 丿 | 独体 | EYI | 会意 |
| 笔顺 | 丿 乃 及 | | | | |

【解　释】❶追赶上。❷到达。❸比得上；能与……相比。❹联系；关联。❺趁着；趁机。❻连词。相当于“和”、“与”。❼推及；顾及。
【组　词】涉及　及格　及时　普及
【造　句】普及——我国现在已经普及了九年义务教育。
【同音字】急(急忙)　集(集体)
【形近字】乃(乃是)
【成　语】望尘莫及　措手不及
【反义词】及第/落第
【近义词】及格/合格
【英　语】及时　timely ['taimli]

| jí | 笔画 | 部首 | 结构 | 五笔 | 造字法 |
|---|---|---|---|---|---|
| 吉 | 6 | 士 | 上下 | FKF | 会意 |
| 笔顺 | 一 十 士 吉 吉 吉 | | | | |

【解　释】幸运；吉利(跟“凶”相对)。
【组　词】吉普　吉祥　吉他　吉言
【造　句】吉祥——元旦来临之际，同学们互赠吉祥物。
【同音字】即(即日)　疾(疾苦)
【形近字】古(古代)　苦(苦力)
【成　语】吉人天相　逢凶化吉　凶多吉少
【反义词】吉兆/凶讯
【近义词】吉庆/喜庆
【谚　语】吉人自有天相|吉凶无定凭，全仗人去行。
【英　语】吉祥　luckily ['lʌkili]

| jí | 笔画 | 部首 | 结构 | 五笔 | 造字法 |
|---|---|---|---|---|---|
| 级 | 6 | 纟 | 左右 | XEYY | 形声 |
| 笔顺 | 𠃋 纟 纟 纫 级 级 | | | | |

【解　释】❶层次；层。❷等次。❸年级、学校的编制。❹量词。
【组　词】高级　超级　年级　留级　升级　级别　级差　等级
【造　句】高级——人类是高级动物。
【同音字】吉(吉祥)　集(集合)
【形近字】极(极限)　吸(吸收)
【反义词】高级/低级
【近义词】级别/差别
【英　语】等级　level ['levəl]

| jí | 笔画 | 部首 | 结构 | 五笔 | 造字法 |
|---|---|---|---|---|---|
| 极 | 7 | 木 | 左右 | SEYY | 形声 |
| 笔顺 | 一 十 才 木 朷 极 极 | | | | |

【解　释】❶顶端；最高点；尽头❷地球南北两端；磁体的两端；电路的正负两端。❸副词。最；非常。❹耗尽；用尽。
【组　词】南极　正极　极力　极端　极度　极点　积极

【造　句】极力——他总是极力协助老师做好班里的工作。
【同音字】疾(疾驰)　吉(吉利)
【形近字】级(初级)　汲(汲取)
【成　语】乐极生悲　罪大恶极　登峰造极　穷凶极恶
【反义词】积极/消极
【近义词】极点/顶点
【英　语】极度　extreme [ikˈstriːm]

| jí | 笔画 | 部首 | 结构 | 五笔 | 造字法 |
|---|---|---|---|---|---|
| 即 | 7 | 卩 | 左右 | VCBH | 会意 |
| 笔顺 | ㇆ ㇆ ヨ 艮 艮 即 即 | | | | |

【解　释】❶是;就是。❷表示当时或当地。❸就;便。❹接近;靠近。❺到;开始从事。❻就着。

甲骨文　金文　小篆　隶书　楷书

【字源释义】"即"字为会意字。字形的左边像一个盛食物的器皿,右边是一个面向食物跪坐着的人,本义是"就食"。引申为"接近"、"靠近"。
【组　词】即刻　即使　随即　即便　即将　立即　即位
【造　句】即将——即将要期末考试了,同学们都在复习备考。
【辨　音】不读jì。
【同音字】级(年级)　脊(脊梁)
【形近字】郎(新郎)
【近义词】立即/立刻
【英　语】即使　even [ˈiːvən]

| jí | 笔画 | 部首 | 结构 | 五笔 | 造字法 |
|---|---|---|---|---|---|
| 佶 | 8 | 亻 | 左右 | WFKG | 形声 |
| 笔顺 | 丿 亻 仁 什 仕 佶 佶 佶 | | | | |

【解　释】[佶屈聱牙]文章读起来不顺口。
【组　词】佶屈
【同音字】吉(吉祥)
【成　语】佶屈聱牙
【英　语】佶屈聱牙　difficult to articulate [ˈdifikəlt tuː ɑːˈtikjulit]

| jí | 笔画 | 部首 | 结构 | 五笔 | 造字法 |
|---|---|---|---|---|---|
| 革 | 9 | 革 | 上下 | AFJ | 象形 |
| 笔顺 | 一 十 廾 廿 廿 芇 苩 莒 革 | | | | |

【解　释】古代指病危。
【同音字】急(急切)　级(班级)
【多音字】gé(见238页)

| jí | 笔画 | 部首 | 结构 | 五笔 | 造字法 |
|---|---|---|---|---|---|
| 急 | 9 | 心 | 上下 | QVNU | 形声 |
| 笔顺 | 丿 ⺈ 刍 刍 刍 刍 急 急 急 | | | | |

【解　释】❶焦躁。❷恼怒;发火。❸急促。❹快速而猛烈。❺迫切;要紧。❻重要事;严重。❼对别人的事或困难赶快帮忙。
【组　词】急忙　急救　急切　着急　急迫　急促　应急
【造　句】心急如焚——火车快开

J

了，哥哥还没赶来，我和妈妈心急如焚。

【辨　音】不读 jǐ。
【同音字】及（及格）　即（即使）
【形近字】稳（稳当）
【成　语】急中生智　心急如焚　操之过急　急不可待　急起直追
【反义词】急速/缓慢
【近义词】急剧/急速
【英　语】着急　impatient [im'peiʃənt]

| jí | 笔画 | 部首 | 结构 | 五笔 | 造字法 |
|---|---|---|---|---|---|
| 疾 | 10 | 疒 | 半包围 | UTDI | 会意 |
| 笔顺 | 丶 亠 广 广 疒 疒 疒 疒 疾 疾 | | | | |

【解　释】❶病，古时称病轻微的叫“疾”，危重的叫“病”。❷憎恨。❸急速；迅速。❹疼痛。

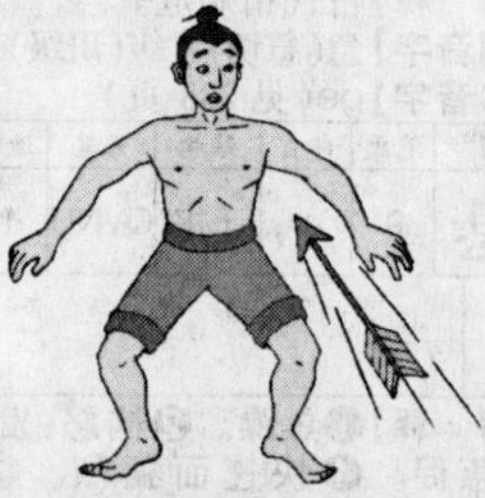

【字源释义】“疾”的本义是“伤”、“病”。甲骨文与金文的字形为一支箭射向人的胸部，引申为“厌恶”、“憎恨”。箭运行的速度很快，因此又有“迅速”义。

【组　词】疾驰　疾苦　残疾　疾病
【造　句】疾驰——他驾驶着小轿车疾驰在高速公路上。
【辨　音】不读 jī 或 jì。
【同音字】极（极端）
【形近字】病（生病）
【成　语】疾恶如仇
【英　语】疾病　disease [di'zi:z]

| jí | 笔画 | 部首 | 结构 | 五笔 | 造字法 |
|---|---|---|---|---|---|
| 棘 | 12 | 一 | 左右 | GMII | 会意 |
| 笔顺 | 一 𠃍 亓 市 朿 朿 朿 朿 𣎆 𣏟 棘 棘 | | | | |

【解　释】❶酸枣树，落叶灌木。❷泛指有刺的草木。❸针形的刺。❹比喻事情难办。
【组　词】棘手　棘刺　荆棘
【造　句】棘手——这件事情办起来可有点儿棘手。
【辨　音】不读 jī 或 jì。
【同音字】疾（疾言厉色）
【形近字】刺（刺猬）
【反义词】棘手/顺利
【近义词】棘手/扎手
【英　语】棘手　thorny ['θɔ:ni]

| jí | 笔画 | 部首 | 结构 | 五笔 | 造字法 |
|---|---|---|---|---|---|
| 集 | 12 | 隹 | 上下 | WYSU | 会意 |
| 笔顺 | 丿 亻 亻 亻 仁 仹 仹 隹 隹 隼 集 集 | | | | |

【解　释】❶聚；会合；总合。❷会合许多著作编成的书。❸书本中相对独立的一部分。❹定期交易的市场。

【字源释义】甲骨文“集”字的字形像一只鸟停歇在树上，这就是“集”的本义。后来引申为“聚集”、“集合”义。
【组　词】集合　集体　集中　选集　搜集　采集　赶集　文集　密集　集萃
【造　句】集思广益——我们要集思广益，才能更好地完成任务。
【同音字】急（急电）
【形近字】售（售货）
【成　语】悲喜交集　集思广益
【英　语】集体　collective ［kə'lektiv］

| jí | 笔画 | 部首 | 结构 | 五笔 | 造字法 |
|---|---|---|---|---|---|
| 辑 | 13 | 车 | 左右 | LKBG | 形声 |
| 笔顺 | 一 𠂉 左 车 车 车' 车" 车" 轩 轩 辑 辑 辑 | | | | |

【解　释】❶聚集。特指聚集材料编书。❷把各种书面材料或项目经加工订编成一个文件或一册、一套文件或丛书。
【组　词】辑录　编辑　纂辑　辑睦
【造　句】编辑——爸爸正在编辑一份文稿。
【同音字】集（集中）
【形近字】揖（作揖）
【近义词】编辑/辑录
【英　语】编辑　edit ［'edit］

| jí | 笔画 | 部首 | 结构 | 五笔 | 造字法 |
|---|---|---|---|---|---|
| 嫉 | 13 | 女 | 左右 | VUTD | 形声 |
| 笔顺 | ㄑ 𡚨 女 女 女 𡛎 𡛎 𡛎 𡛎 𡛎 𡛎 嫉 嫉 | | | | |

【解　释】因别人比自己好而憎恨妒忌。
【组　词】嫉恨　嫉妒　嫉才　嫉恶
【辨　音】不读 jì。
【同音字】级（超级）
【形近字】疾（疾苦）
【成　语】嫉贤妒能
【反义词】嫉妒/仰慕
【谚　语】嫉妒是纷扰的源泉。
【英　语】嫉妒　be jealous of ［biː 'dʒeləs əv］

| jí | 笔画 | 部首 | 结构 | 五笔 | 造字法 |
|---|---|---|---|---|---|
| 瘠 | 15 | 疒 | 半包围 | UIWE | 形声 |
| 笔顺 | 丶 亠 广 广 疒 疒 疒 疒 疒 疒 疒 瘠 瘠 瘠 瘠 | | | | |

【解　释】❶（人的体质）瘦弱。❷（土地）缺少养分，不肥沃。
【组　词】贫瘠　瘠田　瘠薄
【同音字】急（急忙）　集（集合）
【反义词】贫瘠/富饶
【近义词】贫瘠/贫乏
【英　语】贫瘠　poor ［puə］

| jí | 笔画 | 部首 | 结构 | 五笔 | 造字法 |
|---|---|---|---|---|---|
| 藉 | 17 | 艹 | 上下 | ADIJ | 形声 |
| 笔顺 | 一 十 艹 艹 艹 苎 苹 苹 耒 耒 耤 耤 耤 藉 藉 藉 藉 | | | | |

【解　释】❶践踏；凌辱；欺凌。❷姓。
【组　词】杯盘狼藉　声名狼藉
【同音字】吉(吉祥)　急(急促)
【反义词】声名狼藉/流芳百世
【近义词】声名狼藉/身败名裂
【多音字】jiè（见 360 页）

| jí | 笔画 | 部首 | 结构 | 五笔 | 造字法 |
|---|---|---|---|---|---|
| 籍 | 20 | ⺮ | 上下 | TDIJ | 形声 |
| 笔顺 | ノ 𠂉 𥫗 ⺮ … 籍 | | | | |

【解　释】❶泛指书；书册。❷登记隶属关系的簿册；隶属关系。❸籍贯。
【组　词】书籍　原籍　国籍　党籍　学籍　典籍　籍贯　古籍
【同音字】极(南极)　即(即使)
【近义词】书籍/书本
【英　语】书籍　book [buk]

| jǐ | 笔画 | 部首 | 结构 | 五笔 | 造字法 |
|---|---|---|---|---|---|
| 几 | 2 | 几 | 独体 | MTN | 象形 |
| 笔顺 | 丿 几 | | | | |

【解　释】❶表疑问，用来询问数量多少。❷表示不确定的数目，指大于一小于十之间的数目。
【组　词】几何　几时　几个
【造　句】几时——老师几时能回学校？
【同音字】挤(拥挤)　己(自己)
【形近字】儿(儿女)　凡(凡是)
【近义词】几时/何时
【谚　语】几何以直线为最近，修身以正直为最美。
【多音字】jī(见 312 页)

| jǐ | 笔画 | 部首 | 结构 | 五笔 | 造字法 |
|---|---|---|---|---|---|
| 己 | 3 | 己 | 独体 | NNGN | 象形 |
| 笔顺 | ㇕ コ 己 | | | | |

【解　释】❶本人；自己。❷天干的第六位。
【组　词】己任　知己　自己　利己
【造　句】各抒己见——关于这道题的解法，同学们各抒己见，都发表了自己的看法。
【同音字】几(几何)　挤(排挤)
【形近字】已(已经)　乙(乙方)
【成　语】安分守己　固执己见　舍己为人　各抒己见
【反义词】安分守己/违法乱纪
【近义词】安分守己/循规蹈矩
【谚　语】己身不正，焉能正人。
【英　语】自己 oneself [wʌn'self]

| jǐ | 笔画 | 部首 | 结构 | 五笔 | 造字法 |
|---|---|---|---|---|---|
| 纪 | 6 | 纟 | 左右 | XNN | 形声 |
| 笔顺 | 𠃋 乡 纟 纟㇕ 纟コ 纪 | | | | |

【解　释】姓。
【同音字】己(自己)
【多音字】jì(见 322 页)

| jǐ | 笔画 | 部首 | 结构 | 五笔 | 造字法 |
|---|---|---|---|---|---|
| 挤 | 9 | 扌 | 左右 | RYJH | 形声 |
| 笔顺 | 一 亅 扌 扌丶 扌亠 扌文 挤 挤 挤 | | | | |

【解　释】❶用压力使排出。❷互相推、拥。❸引申指排斥。❹许多人或物很紧地挨着，不便转动。
【组　词】拥挤　挤出　挨挤　排挤　挤满　挤塞　挤眉弄眼

【同音字】己(利己) 几(几时)
【形近字】济(经济)
【反义词】拥挤/宽松
【近义词】排挤/排斥 挤轧/陷害
【歇后语】挤着眼瞧人——小看人。
【谚 语】挤疮不流脓，再受二回痛。
【英 语】拥挤 crowd [kraud]

| jǐ | 笔画 | 部首 | 结构 | 五笔 | 造字法 |
|---|---|---|---|---|---|
| 济 | 9 | 氵 | 左右 | IYJH | 形声 |
| 笔顺 | 丶 ⺀ 氵 氵 汁 汸 济 济 济 | | | | |

【解 释】❶济南，地名，在山东省。❷用于“人才济济”等词，表示很多人。
【组 词】济南
【造 句】人才济济——我们公司近年来招聘了不少业务骨干，可谓人才济济。
【同音字】己(自己)
【成 语】济济一堂 人才济济
【近义词】人才济济/人才辈出
【多音字】jì(见324页)

| jǐ | 笔画 | 部首 | 结构 | 五笔 | 造字法 |
|---|---|---|---|---|---|
| 给 | 9 | 纟 | 左右 | XWGK | 形声 |
| 笔顺 | 𠃋 纟 纟 纟 纵 纵 给 给 给 | | | | |

【解 释】❶供应。❷衣食丰足，充裕。❸授予；交付。
【组 词】给予 补给 给养
【造 句】给予——别人有困难，我们应尽自己所能给予帮助。
【同音字】己(舍己为人)
【形近字】洽(融洽)
【反义词】给予/索取
【近义词】供给/供应
【英 语】给予 supply [səˈplai]
【多音字】gěi(见241页)

| jǐ | 笔画 | 部首 | 结构 | 五笔 | 造字法 |
|---|---|---|---|---|---|
| 脊 | 10 | 月 | 上下 | IWEF | 会意 |
| 笔顺 | 丶 ⺀ 丷 业 头 夫 兴 脊 脊 脊 | | | | |

【解 释】❶人或动物背上中间的骨头。❷物体中间像脊梁骨似的隆起的部分。
【组 词】脊背 脊椎 脊梁 脊柱
【造 句】脊背——写字看书时应挺直脊背。
【辨 音】不读 jì 或 jí。
【同音字】挤(挤出)
【形近字】背(背离)
【近义词】脊梁/脊背 脊椎/脊柱
【英 语】脊椎 vertebra [ˈvəːtibrə]

| jì | 笔画 | 部首 | 结构 | 五笔 | 造字法 |
|---|---|---|---|---|---|
| 计 | 4 | 讠 | 左右 | YFH | 会意 |
| 笔顺 | 丶 讠 计 计 | | | | |

【解 释】❶核算。❷主意；策略，谋略。❸测量或计算度数、时间等的仪器。❹做计划；打算。❺争论；较量。
【组 词】估计 妙计 计策 设计 计划 计较 计算 计谋
【造 句】设计——我的卧室摆设是我一手设计的。
【同音字】技(技巧) 记(记性)
【形近字】汁(甜汁) 什(什么)

【成　语】千方百计　阴谋诡计
【反义词】千方百计/束手无策
【近义词】计划/打算
【谚　语】计算多来安排巧，细水长流餐餐饱。
【英　语】计算　count [kaunt]

| jì | 笔画 | 部首 | 结构 | 五笔 | 造字法 |
|---|---|---|---|---|---|
| 记 | 5 | 讠 | 左右 | YNN | 形声 |
| 笔顺 | 丶 讠 讠 讠 记 | | | | |

【解　释】❶把印象留在脑子里。❷把事物写下来。❸记载事物的书或文章。❹标志；记号。❺皮肤上生来就有的深色的斑。
【组　词】记载　记录　日记　记住　忘记　标记　记忆　牢记　记叙　记述　记诵　笔记
【造　句】记叙——这篇文章记叙了雷锋同志为人民做好事的生动事迹。
【同音字】计(计较)　济(救济)
【形近字】纪(纪律)　妃(贵妃)
【成　语】记忆犹新
【反义词】忘记/牢记
【近义词】忘记/遗忘
【谚　语】记住别人给的好处，忘却自己给人的恩情。
【英　语】记得 remember [ri'membə]

| jì | 笔画 | 部首 | 结构 | 五笔 | 造字法 |
|---|---|---|---|---|---|
| 纪 | 6 | 纟 | 左右 | XNN | 形声 |
| 笔顺 | 𠃋 纟 纟 纟 纟 纪 | | | | |

【解　释】❶纪律。❷古时把十二年算作一纪。❸制度；规章。❹记录；记载。❺史书上的一种体裁。❻地质年代分期的第三级。
【组　词】纪念　纪律　纪年　纪要　世纪　军纪　纪委　纪纲
【同音字】季(春季)　际(实际)
【形近字】记(记录)
【反义词】违纪/守法
【近义词】纪律/规章
【英　语】纪律　discipline ['disiplin]
【多音字】jǐ(见 320 页)

| jì | 笔画 | 部首 | 结构 | 五笔 | 造字法 |
|---|---|---|---|---|---|
| 技 | 7 | 扌 | 左右 | RFCY | 形声 |
| 笔顺 | 一 十 扌 扌 扌 扌 技 | | | | |

【解　释】❶手艺；才能。❷有实用价值的专门知识或方法。
【组　词】技能　技巧　技术　技艺　绝技　技法　技师　技校　杂技　特技　科技
【造　句】杂技——上周末，我们几个好朋友相约一起去看杂技表演。
【同音字】计(设计)　记(日记)
【形近字】枝(柳枝)　伎(伎俩)
【反义词】雕虫小技/雄才大略
【近义词】技能/技艺
【英　语】技术　technology [tek'nɔlədʒi]

| jì | 笔画 | 部首 | 结构 | 五笔 | 造字法 |
|---|---|---|---|---|---|
| 忌 | 7 | 己 | 上下 | NNU | 形声 |
| 笔顺 | 乛 コ 己 己 忌 忌 忌 | | | | |

【解　释】❶憎恨。❷怕；畏惧。❸禁戒；戒除。❹对不合适的东西力求避免。
【组　词】忌妒　顾忌　忌讳　忌口　猜忌

J

【造　句】忌妒——不要忌妒别人的成绩，自己应该努力跟别人看齐。
【同音字】绩(成绩)　剂(针剂)
【形近字】忘(忘记)
【成　语】肆无忌惮
【反义词】忌妒/羡慕
【近义词】顾忌/顾虑
【英　语】忌讳　taboo［təˈbuː］

| jì | 笔画 | 部首 | 结构 | 五笔 | 造字法 |
|---|---|---|---|---|---|
| 系 | 7 | 糸 | 上下 | TXIU | 会意 |
| 笔顺 | 一 𠃋 幺 乡 系 系 系 | | | | |

【解　释】拴；打结；扣上。
【组　词】系带儿　系风捕影
【同音字】季(季节)　技(口技)
【英　语】系　tie［tai］
【多音字】xì(见763页)

| jì | 笔画 | 部首 | 结构 | 五笔 | 造字法 |
|---|---|---|---|---|---|
| 妓 | 7 | 女 | 左右 | VFCY | 形声 |
| 笔顺 | 𡿨 女 女 女 女+ 妓 妓 | | | | |

【解　释】❶妓女，以卖淫为生的女人。❷古代称以歌舞为业的女子。
【组　词】妓院　妓女　娼妓
【同音字】技(演技)
【形近字】伎(伎俩)　肢(四肢)
【英　语】妓女　prostitute［ˈprɔstitjuːt］

| jì | 笔画 | 部首 | 结构 | 五笔 | 造字法 |
|---|---|---|---|---|---|
| 际 | 7 | 阝 | 左右 | BFIY | 形声 |
| 笔顺 | 𠃌 阝 阝 阝 阡 际 际 | | | | |

【解　释】❶交界或靠边处。❷彼此之间。❸中间；里边。❹时候。❺当；适逢其时。❻遭遇。
【组　词】国际　实际　星际　交际　脑际
【造　句】交际——哥哥的交际能力很强，因此朋友特别多。
【同音字】计(计划)　纪(纪念)
【形近字】陈(陈列)
【成　语】无边无际　一望无际
【反义词】天际/眼前
【近义词】一望无际/无边无际
【英　语】国际　international［intəˈnæʃənəl］

| jì | 笔画 | 部首 | 结构 | 五笔 | 造字法 |
|---|---|---|---|---|---|
| 季 | 8 | 禾 | 上下 | TBF | 会意 |
| 笔顺 | 一 二 千 千 禾 秂 季 季 | | | | |

【解　释】❶兄弟排行中的第四或最小的。❷最末；末尾；末了。❸一年四季，三个月为一季。❹引申指一段时间。❺姓。
【组　词】季节　季风　季度　旺季　季军　春季　四季如春
【造　句】四季如春——我最喜欢的城市是四季如春的昆明。
【同音字】计(计算)　忌(妒忌)
【形近字】李(桃李)
【近义词】季节/时节
【谚　语】季节不等人，一刻值千金。
【英　语】季节　season［ˈsiːzən］

| jì | 笔画 | 部首 | 结构 | 五笔 | 造字法 |
|---|---|---|---|---|---|
| 剂 | 8 | 刂 | 左右 | YJJH | 形声 |
| 笔顺 | 丶 亠 亠 文 产 齐 齐 剂 | | | | |

【解　释】❶量词。指若干味药配合而成的汤药。❷配制药物。❸适当调节、调整。

J

【组　词】药剂　剂量　溶剂　制剂　针剂　毒剂　试剂　乳剂
【同音字】纪(纪念)
【形近字】济(济南)　齐(齐全)
【英　语】剂量　dosage [ˈdəusidʒ]

| jì | 笔画 | 部首 | 结构 | 五笔 | 造字法 |
|---|---|---|---|---|---|
| 迹 | 9 | 辶 | 半包围 | YOPI | 形声 |
| 笔顺 | 丶 亠 广 亣 亦 亦 亦 迹 迹 | | | | |

【解　释】❶脚印。❷前人遗留下的文物(主要指建筑、器物等)。❸物体遗留下的印子。
【组　词】轨迹　痕迹　字迹　陈迹　迹象　奇迹　事迹
【造　句】字迹——我可以从字迹上辨认出这是爸爸写的字儿。
【同音字】际(交际)
【形近字】选(选择)
【成　语】蛛丝马迹　销声匿迹
【反义词】销声匿迹/显山露水
【近义词】迹象/痕迹
【英　语】痕迹　sign [sain]

| jì | 笔画 | 部首 | 结构 | 五笔 | 造字法 |
|---|---|---|---|---|---|
| 济 | 9 | 氵 | 左右 | IYJH | 形声 |
| 笔顺 | 丶 丶 氵 氵 氵 泞 泫 济 济 | | | | |

【解　释】❶渡。❷救助;对困苦的人给予帮助。❸有益处;补益。❹中用;顶事。
【组　词】经济　救济　济贫　接济
【造　句】无济于事——你这样盲目行动,根本就无济于事。
【同音字】绩(功绩)　剂(剂量)
【形近字】挤(挤压)　脐(肚脐)
【成　语】同舟共济　无济于事
【反义词】扶危济困/落井下石
【近义词】接济/救济
【谚　语】济人之困,救人之急。
【英　语】救济　aid [eid]
【多音字】jǐ(见321页)

| jì | 笔画 | 部首 | 结构 | 五笔 | 造字法 |
|---|---|---|---|---|---|
| 既 | 9 | 旡 | 左右 | VCAQ | 会意 |
| 笔顺 | 𠃍 ㄱ ㇋ 𠂊 艮 旣 旣 既 既 | | | | |

【解　释】❶动作行为已经完成。❷连词。常与"则"、"就"、"那么"相呼应,相当于"既然"。❸跟"且"、"又"连用,表示两者并列。

甲骨文　金文　小篆　隶书　楷书

【字源释义】"既"的字形与"即"字正相反。跪坐在食器旁边的人将头向后背转过去,表示"吃饱"。引申为"完"、"尽"、"已经"等义。
【组　词】既而　既是　既然　既已　既定
【造　句】既往不咎——这次就既往不咎了,以后办事谨慎点就是了。
【同音字】济(经济)　迹(陈迹)
【形近字】即(立即)

【成　语】既往不咎　既成事实
【谚　语】既在江边站，必有望海心｜既有八岁的老师，也有八旬的学生。
【英　语】既然　since [sins]

| jì | 笔画 | 部首 | 结构 | 五笔 | 造字法 |
|---|---|---|---|---|---|
| 继 | 10 | 纟 | 左右 | XONN | 会意 |
| 笔顺 | 纟 纟 纟 纟 纟 纟 纟 纟 纟 继 | | | | |

【解　释】❶连续；接着。❷接受遗产；继续前人未完成的事业。❸承受。
【组　词】继续　继承　继任
【造　句】继续——我们得继续写一个小时才能完成作业。
【同音字】季（春季）　忌（忌日）
【形近字】断（断绝）
【成　语】继往开来
【反义词】继续/间断
【近义词】继往开来/承上启下
【英　语】继续　continue [kən'tinjuː]

| jì | 笔画 | 部首 | 结构 | 五笔 | 造字法 |
|---|---|---|---|---|---|
| 祭 | 11 | 示 | 上下 | WFIU | 会意 |
| 笔顺 | 丿 ク タ タ タ タ タ タ タ 祭 祭 | | | | |

【解　释】❶为死者举行仪式，表示追悼、敬意。❷供奉鬼神等。❸旧时指使用法宝。
【组　词】公祭 祭祀 祭典 祭神
【造　句】祭祀——中国的清明节是人们祭祀亡灵的日子。
【同音字】记（日记）　计（计策）
【形近字】蔡（姓蔡）
【近义词】祭祀/祭奠
【英　语】祭坛　altar ['ɔːltə]

| jì | 笔画 | 部首 | 结构 | 五笔 | 造字法 |
|---|---|---|---|---|---|
| 寄 | 11 | 宀 | 上下 | PDSK | 形声 |
| 笔顺 | 丶 丶 宀 宀 宀 宀 宀 宀 寄 寄 寄 | | | | |

【解　释】❶托付；寄托。❷托人传递、传送、邮寄。❸依附；依靠。❹认作亲属。
【组　词】寄存　寄信　寄钱　寄宿　寄养　寄予　寄语
【造　句】寄予——他对自己的学生寄予很大的希望。
【辨　音】不读 qí。
【同音字】记（记忆）　祭（祭祀）
【形近字】奇（惊奇）　案（案件）
【英　语】寄存　deposit [di'pɔzit]

| jì | 笔画 | 部首 | 结构 | 五笔 | 造字法 |
|---|---|---|---|---|---|
| 寂 | 11 | 宀 | 上下 | PHIC | 形声 |
| 笔顺 | 丶 丶 宀 宀 宀 宀 宀 宀 宀 宀 寂 | | | | |

【解　释】❶宁静；没有声音。❷孤单；清静。
【组　词】寂静　寂寞　沉寂
【造　句】寂静——黄昏的时候，乡村的路上十分寂静。
【辨　音】不读 jí。
【同音字】纪（纪念）
【形近字】叔（叔父）
【成　语】寂然无声
【反义词】寂静/喧闹
【近义词】寂静/宁静
【英　语】寂静　quiet ['kwaiət]

J

| jì | 笔画 | 部首 | 结构 | 五笔 | 造字法 |
|---|---|---|---|---|---|
| 绩 | 11 | 纟 | 左右 | XGMY | 形声 |
| 笔顺 | 𠃋 纟 纟 纟一 纟二 纟丰 纟丰 纟丰 绩 绩 绩 | | | | |

【解　释】❶把麻纤维披开搓成线或绳。❷功业;成果。
【组　词】成绩　功绩　业绩　政绩
【造　句】丰功伟绩——我们永远不会忘记抗日烈士们的丰功伟绩。
【辨　音】不读 jī。
【同音字】济(济贫)
【形近字】渍(汗渍)　债(债务)
【成　语】丰功伟绩
【近义词】成绩/业绩
【英　语】成绩　result [riˈzʌlt]

| jì | 笔画 | 部首 | 结构 | 五笔 | 造字法 |
|---|---|---|---|---|---|
| 鲫 | 15 | 鱼 | 左右 | QGVB | 形声 |
| 笔顺 | ノ 𠂊 𠂊 内 角 角 鱼 鱼 鲫 鲫 鲫 鲫 鲫 鲫 鲫 | | | | |

【解　释】鲫鱼,鱼名,形似鲤鱼,无触须,背脊隆起,是一种淡水食用鱼。
【组　词】鲫鱼
【同音字】际(国际)
【形近字】唧(唧咕)

| jì | 笔画 | 部首 | 结构 | 五笔 | 造字法 |
|---|---|---|---|---|---|
| 冀 | 16 | 八 | 上中下 | UXLW | 形声 |
| 笔顺 | 丨 ⺈ 丬 丬 北 北 背 背 背 背 背 背 背 冀 冀 冀 | | | | |

【解　释】❶希望。❷河北省的简称。
【组　词】冀望　希冀　冀图
【造　句】希冀——作为一名老师,他唯一的希冀就是他的学生都成为有用的人。
【辨　音】不读 yì。
【同音字】寄(寄托)
【形近字】翼(小心翼翼)
【反义词】希冀/失望
【近义词】冀求/希求
【英　语】希冀　hope [həup]

## JIA　ㄐㄧㄚ

| jiā | 笔画 | 部首 | 结构 | 五笔 | 造字法 |
|---|---|---|---|---|---|
| 加 | 5 | 力 | 左右 | LKG | 会意 |
| 笔顺 | ㇇ 力 力 加 加 | | | | |

【解　释】❶增多;几种事物合在一起使数量比原来大或程度比原来高。❷施以某种动作。❸参与。❹把本来没有的添上去。
【组　词】增加　参加　附加　添加
【造　句】加快——马上要考试了,我们加快备课的速度吧。
【同音字】家(家庭)　佳(佳期)
【形近字】劝(劝告)
【成　语】加官进爵
【反义词】加快/放慢
【近义词】加强/强化
【歇后语】加急电报——刻不容缓。
【英　语】加快　quicken [ˈkwikən]

| jiā | 笔画 | 部首 | 结构 | 五笔 | 造字法 |
|---|---|---|---|---|---|
| 夹 | 6 | 一 | 独体 | GUWI | 会意 |
| 笔顺 | 一 ㇀ 二 丰 夹 夹 | | | | |

【解　释】❶从两个相对的方面加力使固定;限制。❷胳膊向肋部

用力,使腋下放着的东西不掉下。❸掺杂;混杂。❹夹东西的器具。❺处在两者之间。

甲骨文　金文　小篆　隶书　楷书

【字源释义】"夹"字的本义是"辅佐"。字形像两个较小的人搀扶着一个较大的人。后来本义逐渐消失,引申为"从两旁钳住"等义。
【组　词】夹道　夹攻　夹生　皮夹
【造　句】夹带——考场上严禁夹带书本、纸条。
【同音字】家(家庭)
【形近字】央(中央)　侠(侠义)
【成　语】夹七夹八
【近义词】夹杂/掺杂
【谚　语】夹生饭难吃。
【英　语】夹子　clip [klip]
【多音字】gā(见226页)
【多音字】jiá(见328页)

| jiā | 笔画 | 部首 | 结构 | 五笔 | 造字法 |
|---|---|---|---|---|---|
| 茄 | 8 | 艹 | 上下 | ALKF | 形声 |
| 笔顺 | 一 十 艹 艹 艻 茄 茄 茄 | | | | |

【解　释】雪茄,用烟叶卷制的烟。
【组　词】雪茄
【同音字】加(加法)
【多音字】qié(见583页)

| jiā | 笔画 | 部首 | 结构 | 五笔 | 造字法 |
|---|---|---|---|---|---|
| 佳 | 8 | 亻 | 左右 | WFFG | 形声 |
| 笔顺 | 丿 亻 仁 仕 仕 仹 佳 佳 | | | | |

【解　释】美好的。
【组　词】佳节　佳丽　佳作　佳音
【造　句】佳话——他的事迹在当地传为佳话。
【辨　音】不读guì。
【同音字】加(加热)　夹(夹层)
【形近字】挂(挂面)　桂(桂林)
【近义词】佳肴/美味
【英　语】佳节　festival [ˈfestəvəl]

| jiā | 笔画 | 部首 | 结构 | 五笔 | 造字法 |
|---|---|---|---|---|---|
| 枷 | 9 | 木 | 左中右 | SLKG | 形声 |
| 笔顺 | 一 十 才 木 朷 枷 枷 枷 枷 | | | | |

【解　释】旧时锁在罪犯脖子上的刑具。
【组　词】枷锁　枷杖　枷号
【造　句】枷锁——土地改革后,劳动人民终于挣脱了封建枷锁。
【同音字】家(家庭)　佳(佳话)
【英　语】枷锁　shackles [ˈʃæklz]

| jiā | 笔画 | 部首 | 结构 | 五笔 | 造字法 |
|---|---|---|---|---|---|
| 家 | 10 | 宀 | 上下 | PEU | 会意 |
| 笔顺 | 丶 丶 宀 宀 宁 宇 穿 家 家 家 | | | | |

【解　释】❶家庭;人家。❷比较固定的住所;住宅。❸经营某种行业或具有某种身份的人。❹学术或艺术流派。❺掌握某种专门

学识或从事某种专门活动的人。❻指与自己有关系的某一集团或某一方面。❼人工饲养或驯养在家中的(跟"野"相对)。❽谦辞。❾量词。❿用于词尾,主要指按年龄或性别分的。

【字源释义】古代一些权贵的人死后,便建起"庙"以便经常祭祀;一些穷苦百姓死后是建不起"庙"的,往往便在屋廊下摆"豕"(猪)祭拜,就是"家"。后引申为"住所"等义。
【组　词】家庭　家务　家兔　回家
【同音字】加(加油)　夹(夹心)
【形近字】象(大象)
【成　语】家常便饭　家喻户晓　家破人亡　家徒四壁
【近义词】家给人足/丰衣足食
【谚　语】家有斗量金,不如自己有本领|家书抵万金。
【英　语】家庭　family [ˈfæmili]

| jiā | 笔画 | 部首 | 结构 | 五笔 | 造字法 |
|---|---|---|---|---|---|
| 嘉 | 14 | 士 | 上中下 | FKUK | 形声 |
| 笔顺 | 一 十 士 吉 吉 吉 吉 吉 吉 吉 吉 吉 嘉 嘉 | | | | |

【解　释】❶美好。❷赞美。❸姓。
【组　词】嘉宾　嘉奖　嘉许　嘉勉
【造　句】嘉宾——节日的宴会席上坐满了嘉宾。
【同音字】家(回家)　加(增加)
【形近字】茄(番茄)
【反义词】嘉奖/处罚　批评
【近义词】嘉奖/奖励　奖赏
【英　语】嘉奖　commend [kəˈmend]

| jiá | 笔画 | 部首 | 结构 | 五笔 | 造字法 |
|---|---|---|---|---|---|
| 夹 | 6 | 一 | 独体 | GUWI | 会意 |
| 笔顺 | 一 丷 ⺍ 兰 夹 夹 | | | | |

【解　释】双层的衣物。
【组　词】夹袄　夹被
【造　句】夹被——天凉了,你盖上夹被吧。
【同音字】颊(脸颊)
【多音字】gā(见226页)
【多音字】jiā(见326页)

| jiá | 笔画 | 部首 | 结构 | 五笔 | 造字法 |
|---|---|---|---|---|---|
| 颊 | 12 | 页 | 左右 | GUWM | 形声 |
| 笔顺 | 一 丷 ⺍ 兰 夹 夹 夹 夹 颊 颊 颊 颊 | | | | |

【解　释】脸的两侧眼以下的部分。
【组　词】脸颊　双颊　两颊
【造　句】两颊——那位少女两颊绯红。
【同音字】夹(夹道)
【形近字】颂(歌颂)
【英　语】脸颊　cheek [tʃiːk]

J

| jiǎ | 笔画 | 部首 | 结构 | 五笔 | 造字法 |
|---|---|---|---|---|---|
| 甲 | 5 | 丨 | 独体 | LHNH | 象形 |
| 笔顺 | 丨 冂 曰 日 甲 | | | | |

【解　释】❶排在第一位；首位。❷天干的第一位，用来记年、月、日。❸动物身上有保护作用的坚硬的外壳。❹手指或脚趾上的角质硬壳。❺围在人体或物体外面起保护作用的装备，用金属、皮革等做成。❻旧时户口的一种编制。

【组　词】甲子　盔甲　甲虫　指甲　甲壳　甲板　甲级　保甲　甲等　甲肝　花甲　甲骨文　甲状腺

【造　句】解甲归田——战争结束后，将士们解甲归田，重建家园。

【形近字】由（理由）

【成　语】解甲归田　丢盔弃甲

【近义词】甲等/优等

【谚　语】甲日不晴十日泥｜甲日下雨甲日晴。

【英　语】甲板　deck [dek]

| jiǎ | 笔画 | 部首 | 结构 | 五笔 | 造字法 |
|---|---|---|---|---|---|
| 贾 | 10 | 覀 | 上下 | SMU | 形声 |
| 笔顺 | 一 ㄒ 丙 丙 襾 覀 贾 贾 贾 贾 | | | | |

【解　释】❶古代多用于人名。❷姓。❸（古）同“价（jià）”。

【同音字】假（假设）

【形近字】票（票价）

【多音字】gǔ（见254页）

| jiǎ | 笔画 | 部首 | 结构 | 五笔 | 造字法 |
|---|---|---|---|---|---|
| 钾 | 10 | 钅 | 左右 | QLH | 形声 |
| 笔顺 | ノ ㇒ ㇒ 丘 钅 钌 钔 钾 钾 钾 | | | | |

【解　释】金属元素，符号K，银白色，蜡状。其化合物是重要的肥料。

【组　词】钾肥

【同音字】贾（姓）

【英　语】钾　potassium [pəˈtæsiəm]

| jiǎ | 笔画 | 部首 | 结构 | 五笔 | 造字法 |
|---|---|---|---|---|---|
| 假 | 11 | 亻 | 左中右 | WNHC | 形声 |
| 笔顺 | ノ 亻 亻 亻 亻 亻 亻 亻 亻 假 假 | | | | |

【解　释】❶不真实的；不是本来的（跟“真”相对）。❷凭借；利用。❸根据事实推断，有待验证的。❹如果。

【组　词】假话　假如　假设

【造　句】假仁假义——他们的花言巧语、假仁假义骗得了一时，骗不了一世。

【同音字】甲（甲鱼）

【形近字】暇（闲暇）　段（段落）

【成　语】假手于人　假仁假义　假公济私

【反义词】假公济私/大公无私

【近义词】假装/伪装

【歇后语】戏台上送诏书——假传圣旨。

【谚　语】假的真不了，真的假不了。

【英　语】假想　imagination [imædʒiˈneiʃən]

J

【多音字】jiā(见 330 页)

| jià | 笔画 | 部首 | 结构 | 五笔 | 造字法 |
|---|---|---|---|---|---|
| 价 | 6 | 亻 | 左右 | WWJH | 形声 |
| 笔顺 | 丿 亻 亻' 亽 价 价 | | | | |

【解　释】❶价格。❷价值。❸化合价的简称。
【组　词】单价　标价　价钱　价位　评价
【造　句】物美价廉——随着社会的发展,物美价廉的商品越来越多,正不断满足人们的需要。
【同音字】架(担架)　稼(庄稼)
【形近字】阶(阶级)
【成　语】无价之宝　货真价实
【反义词】物美价廉/质次价高
【近义词】无价之宝/价值连城　价码/定价　价格/价钱
【英　语】价格　price [prais]
【多音字】jiè(见 358 页)
【多音字】jie(见 360 页)

| jià | 笔画 | 部首 | 结构 | 五笔 | 造字法 |
|---|---|---|---|---|---|
| 驾 | 8 | 马 | 上下 | LKCF | 形声 |
| 笔顺 | ㇇ 力 カ 加 加 驾 驾 驾 | | | | |

【解　释】❶泛指把车套在牲口身上。❷操纵,引申为对人管理、使用和控制。❸古代车辆的总称,借用对人的敬辞。❹特指帝王乘坐的车。❺骑;乘。
【组　词】驾驶　驾辕　劳驾　驾崩　驾临　驾到　驾驭
【造　句】驾驭——形势变得错综复杂,难以驾驭。
【同音字】价(价格)　嫁(出嫁)
【形近字】骂(骂人)　架(书架)
【成　语】驾轻就熟
【近义词】驾临/光临
【英　语】驾驶　drive [draiv]

| jià | 笔画 | 部首 | 结构 | 五笔 | 造字法 |
|---|---|---|---|---|---|
| 架 | 9 | 木 | 上下 | LKSU | 形声 |
| 笔顺 | ㇇ 力 カ 加 加 架 架 架 架 | | | | |

【解　释】❶用来做支撑的东西。❷支撑;搭起;搀扶。❸争吵;殴打。❹量词。一般用于有机械或有支柱的东西。❺劫走;绑。
【组　词】书架　绑架　衣架　吵架　骨架　劝架　招架　架势　框架　构架　架空
【造　句】招架——巴西队实在太强了,中国队在场上只有招架的功夫,毫无取胜的希望,显现出中国足球与世界强队的差距。
【同音字】价(价值)　嫁(出嫁)
【形近字】驾(驾车)
【反义词】架空/着地
【近义词】架势/姿势
【英　语】架子　frame [freim]

| jià | 笔画 | 部首 | 结构 | 五笔 | 造字法 |
|---|---|---|---|---|---|
| 假 | 11 | 亻 | 左中右 | WNHC | 形声 |
| 笔顺 | 丿 亻 亻' 亻' 亻" 亻" 亻" 亻" 亻" 假 假 | | | | |

【解　释】公休或经过批准的休息。
【组　词】放假　请假　准假
【造　句】请假——奶奶生病了,妈妈请假在家照顾她。
【同音字】价(价格)
【英　语】假日　holiday [ˈhɔlədi]
【多音字】jiǎ(见 329 页)

| jià | 笔画 | 部首 | 结构 | 五笔 | 造字法 |
|---|---|---|---|---|---|
| 嫁 | 13 | 女 | 左右 | VPEY | 形声 |
| 笔顺 | 𡿨 女 女 女' 女' 奵 妕 妕 婒 婒 嫁 嫁 嫁 | | | | |

【解　释】❶女子结婚。❷转移罪过、损失等。❸用科学方法培植改良植物。
【组　词】出嫁　嫁娶　嫁接　嫁妆　陪嫁　转嫁
【造　句】嫁祸于人——做错了事情要勇于承担责任，不能用嫁祸于人的卑鄙手段逃避惩罚。
【辨　音】不读 jiā。
【同音字】驾（驾临）
【形近字】稼（庄稼）
【成　语】嫁祸于人
【反义词】嫁/娶
【英　语】出嫁　marry［ˈmæri］

| jià | 笔画 | 部首 | 结构 | 五笔 | 造字法 |
|---|---|---|---|---|---|
| 稼 | 15 | 禾 | 左右 | TPEY | 形声 |
| 笔顺 | ノ 二 千 禾 禾 禾 禾 秂 秎 秎 稼 稼 稼 稼 稼 | | | | |

【解　释】❶种植谷物。❷泛指农作物。
【组　词】稼穑　庄稼
【造　句】庄稼——今年的庄稼长势良好。
【辨　音】不读 jiā。
【同音字】架（担架）　价（价格）
【形近字】嫁（婚嫁）
【英　语】庄稼　crop［krɔp］

## JIAN ㄐㄧㄢ

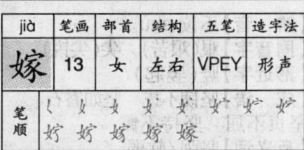

| jiān | 笔画 | 部首 | 结构 | 五笔 | 造字法 |
|---|---|---|---|---|---|
| 尖 | 6 | 小 | 上下 | IDU | 会意 |
| 笔顺 | 丨 丿 小 尐 尖 尖 | | | | |

【解　释】❶物体的末端细小、锐利。❷极细小的末端。❸感觉锐敏、灵敏。❹声音高且细。❺超出同类的人或物。❻小气。❼处于前列的。❽尖酸刻薄。
【组　词】尖锐　笔尖　尖叫　拔尖　尖端　尖刻　尖子
【造　句】拔尖——王小宁学习努力，各门功课都拔尖，不愧是我们的学习委员。
【同音字】间（空间）　肩（并肩）
【形近字】尘（灰尘）
【成　语】尖嘴猴腮　尖酸刻薄　尖嘴薄舌
【反义词】尖刻/温和
【近义词】尖薄/刻薄
【英　语】尖刻　acrimonious［æ-kriˈməuniəs］

| jiān | 笔画 | 部首 | 结构 | 五笔 | 造字法 |
|---|---|---|---|---|---|
| 奸 | 6 | 女 | 左右 | VFH | 形声 |
| 笔顺 | 𡿨 女 女 女一 奸 奸 | | | | |

【解　释】❶虚伪狡诈；阴险。❷背叛祖国的人；与敌人勾结的人。❸男女发生不正当性行为。❹滑头；不老实。❺奸诈的臣子。
【组　词】奸笑　汉奸　奸计　奸细　奸诈　内奸　奸臣　奸猾
【造　句】奸猾——据说这人很奸猾，你可得小心点。

J

【辨　音】不读 gān。
【同音字】坚(坚强)
【形近字】汗(血汗)
【成　语】老奸巨猾　姑息养奸　狼狈为奸
【反义词】奸诈/忠诚
【近义词】奸险/阴险
【歇后语】奸商跟骗子做生意——尔虞我诈。
【英　语】奸诈　fraudulent [ˈfrɔdjulənt]

| jiān | 笔画 | 部首 | 结构 | 五笔 | 造字法 |
|---|---|---|---|---|---|
| 歼 | 7 | 歹 | 左右 | GQTF | 形声 |
| 笔顺 | 一 丆 歹 歹 歼 歼 歼 | | | | |

【解　释】消灭。
【组　词】歼灭　歼击　歼敌
【造　句】歼灭——这次战斗,我军歼灭了数百名敌人。
【辨　音】不读 qiān。
【同音字】艰(艰难)　坚(坚固)
【形近字】奸(内奸)
【近义词】歼灭/消灭
【英　语】歼灭　annihilate [əˈnaiəleit]

| jiān | 笔画 | 部首 | 结构 | 五笔 | 造字法 |
|---|---|---|---|---|---|
| 坚 | 7 | 土 | 上下 | JCFF | 形声 |
| 笔顺 | 丨 〢 〢 収 坚 坚 坚 | | | | |

【解　释】❶结实;坚硬;不易破坏。❷不动摇。❸坚固的东西或阵地。
【组　词】坚固　坚果　坚强　坚决　中坚
【造　句】坚持不懈——只要坚持不懈地练,你的书写就会流利起来。
【辨　音】不读 shù。
【同音字】艰(艰苦)　尖(尖锐)
【形近字】竖(竖起)
【成　语】坚韧不拔　坚如磐石　坚贞不屈　坚持不懈
【反义词】坚强/软弱
【近义词】坚定/坚决
【英　语】坚决　firm [fəːm]

| jiān | 笔画 | 部首 | 结构 | 五笔 | 造字法 |
|---|---|---|---|---|---|
| 间 | 7 | 门 | 半包围 | UJD | 会意 |
| 笔顺 | 丶 丨 门 门 间 间 间 | | | | |

【解　释】❶两事物的中间。❷在一定的地方、时间或人群的范围之内。❸房屋;屋子。❹量词。用于房屋的计算。
【组　词】中间　空间　田间　晚间　间距　间架　单间　套间　车间　人间　房间
【造　句】间距——种植蔬菜要掌握好苗的间距,否则会影响植株的生长。
【同音字】尖(尖端)　奸(奸臣)
【形近字】问(问题)　闻(新闻)
【成　语】间不容发
【近义词】间距/距离
【英　语】中间　between [biˈtwiːn]
【多音字】jiàn(见 337 页)

| jiān | 笔画 | 部首 | 结构 | 五笔 | 造字法 |
|---|---|---|---|---|---|
| 肩 | 8 | 户 | 半包围 | YNED | 会意 |
| 笔顺 | 丶 ㇇ ㇇ 户 户 肩 肩 肩 | | | | |

【解　释】❶肩膀,颈下臂上的部分。❷担负。
【组　词】肩胛　肩膀　肩负

【造　句】肩负——我们肩负着建设祖国的重任。
【同音字】坚(坚决)　间(人间)
【形近字】眉(眉毛)
【成　语】摩肩接踵
【反义词】摩肩接踵/杳无人迹
【近义词】摩肩接踵/人山人海
【歇后语】肩上戴帽子——矮了一头|肩上扛扇车——大摆威风。
【谚　语】肩膀齐是兄弟。
【英　语】肩膀　shoulder [ˈʃəuldə]

| jiān | 笔画 | 部首 | 结构 | 五笔 | 造字法 |
|---|---|---|---|---|---|
| 艰 | 8 | 又 | 左右 | CVEY | 形声 |
| 笔顺 | フ 又 又ᄀ 又ㅋ 又ヨ 艮 艰 艰 | | | | |

【解　释】困苦;困难。
【组　词】艰辛　艰难　艰巨　艰涩　艰深
【造　句】艰苦奋斗——现在生活水平提高了,但艰苦奋斗的优良传统不能丢。
【同音字】监(监视)　间(民间)
【形近字】跟(跟踪)　根(根本)
【成　语】艰苦朴素　艰苦奋斗　艰苦卓绝　艰难曲折
【反义词】艰苦/舒适
【近义词】艰苦/困难
【谚　语】艰难时要坚强,欢乐时需谨慎。
【英　语】艰辛　hardship [ˈhɑːdʃip]

| jiān | 笔画 | 部首 | 结构 | 五笔 | 造字法 |
|---|---|---|---|---|---|
| 监 | 10 | 皿 | 上下 | JTYL | 会意 |
| 笔顺 | 丨 〢 〢丿 〢𠂉 〢𠂉 〢⺈ 〢⺈ 监 监 监 | | | | |

【解　释】❶从旁边严密注视;督察。❷牢房;牢狱。❸关押。
【组　词】监视　监督　监狱　监禁　监工　监察　监房　监制　监理
【造　句】监督——在老师和家长的监督帮助下,我终于改掉了粗枝大叶的毛病。
【同音字】艰(艰辛)　坚(坚贞)
【形近字】盗(盗贼)
【成　语】监守自盗
【反义词】监禁/释放
【近义词】监视/监督
【谚　语】监守自盗,罪加一等。
【英　语】监察　supervise [ˈsuːpəvaiz]
【多音字】jiàn(见338页)

| jiān | 笔画 | 部首 | 结构 | 五笔 | 造字法 |
|---|---|---|---|---|---|
| 兼 | 10 | 丷 | 上下 | UVOU | 会意 |
| 笔顺 | 丶 丷 䒑 䒑 兰 𫇦 𫇦 𫇦 兼 兼 | | | | |

【解　释】❶加倍,把两份并在一起。❷表示动作行为所涉及的不只是一方面。❸并合。
【组　词】兼并　兼职　兼容
【造　句】德才兼备——我们应努力使自己成为德才兼备的学生。
【辨　音】不读 qiān。
【同音字】坚(坚持)　间(车间)
【形近字】廉(廉洁)
【成　语】德才兼备　兼听则明　兼收并蓄　兼容并包
【近义词】兼收并蓄/兼容并包
【歇后语】修脚带拔牙——上下兼顾。
【谚　语】兼听则明,偏听则暗。
【英　语】兼容　compatible [kəmˈpætəbl]

J

| jiān | 笔画 | 部首 | 结构 | 五笔 | 造字法 |
|---|---|---|---|---|---|
| 笺 | 11 | ⺮ | 上下 | TGR | 形声 |
| 笔顺 | ノ ト ㇒ ㇒ 竺 笁 笺 笺 笺 笺 笺 | | | | |

【解　释】❶注释。❷小幅的纸张。❸代称书信。
【组　词】笺注　笺释　便笺　信笺　笺纸
【同音字】间(中间)　肩(肩负)
【形近字】浅(肤浅)
【近义词】笺释/注释
【英　语】信笺　letter paper [ˈletə ˈpeipə]

| jiān | 笔画 | 部首 | 结构 | 五笔 | 造字法 |
|---|---|---|---|---|---|
| 渐 | 11 | 氵 | 左右 | ILRH | 形声 |
| 笔顺 | 丶 丶 氵 汇 汘 浐 浐 浐 渐 渐 渐 | | | | |

【解　释】❶浸。❷流入。
【组　词】渐染　东渐于海
【同音字】间(房间)
【多音字】jiàn(见339页)

| jiān | 笔画 | 部首 | 结构 | 五笔 | 造字法 |
|---|---|---|---|---|---|
| 煎 | 13 | 灬 | 上下 | UEJO | 形声 |
| 笔顺 | 丶 丷 䒑 亡 亣 前 前 前 前 前 煎 煎 煎 | | | | |

【解　释】❶把食物放在少量的热油里弄熟，表面变成焦黄。❷熬。❸量词。用于中药熬的次数。
【组　词】煎熬　煎药　煎鱼　煎饼　煎蛋　油煎　煎服
【同音字】兼(兼并)　监(监视)
【形近字】剪(剪刀)
【歇后语】煎过三遍的药渣——早就该倒了。
【英　语】煎熬　suffering [ˈsʌfəriŋ]

| jiǎn | 笔画 | 部首 | 结构 | 五笔 | 造字法 |
|---|---|---|---|---|---|
| 拣 | 8 | 扌 | 左右 | RANW | 形声 |
| 笔顺 | 一 扌 扌 扌 扗 拣 拣 拣 | | | | |

【解　释】挑选，选择。
【组　词】挑拣　拣选　拣拾
【造　句】拣拾——他将拣拾的钱包交还给了失主。
【同音字】检(检查)
【形近字】栋(栋梁)
【成　语】挑肥拣瘦
【近义词】拣选/挑选
【谚　语】拣了芝麻丢西瓜。
【英　语】挑拣　select [siˈlekt]

| jiǎn | 笔画 | 部首 | 结构 | 五笔 | 造字法 |
|---|---|---|---|---|---|
| 茧 | 9 | 艹 | 上下 | AJU | 会意 |
| 笔顺 | 一 十 艹 艹 芇 芇 苗 茧 茧 | | | | |

【解　释】❶许多昆虫的幼虫在变蛹之前吐丝做成的壳。家蚕的茧是商业蚕丝的来源。❷手、脚上因摩擦而生的硬皮。
【组　词】茧丝　蚕茧　茧子
【同音字】俭(节俭)　简(简单)
【形近字】萤(萤火虫)
【成　语】作茧自缚
【英　语】蚕茧　cocoon [kəˈkuːn]

| jiǎn | 笔画 | 部首 | 结构 | 五笔 | 造字法 |
|---|---|---|---|---|---|
| 柬 | 9 | 一 | 独体 | GLII | 会意 |
| 笔顺 | 一 ㇕ 冂 冂 冂 冂 申 柬 柬 | | | | |

【解　释】信件、名片、帖子等的

统称。
【组　词】请柬　柬帖
【同音字】拣(拣拾)
【形近字】束(结束)
【英　语】柬帖　note [nəut]

| jiǎn | 笔画 | 部首 | 结构 | 五笔 | 造字法 |
|---|---|---|---|---|---|
| 俭 | 9 | 亻 | 左右 | WWGI | 形声 |
| 笔顺 | ノ 亻 亻 价 佮 佮 俭 俭 俭 | | | | |

【解　释】节约;节省;不浪费。
【组　词】勤俭　俭约　节俭　俭省　俭朴
【造　句】节俭——我们应该养成节俭的好习惯。
【同音字】剪(剪彩)
【形近字】险(危险)　睑(眼睑)
【成　语】克勤克俭
【反义词】节俭/奢侈
【近义词】节俭/节约
【谚　语】俭可助廉,恕可成德。
【英　语】俭省　economical [iːkə'nɔmikəl]

| jiǎn | 笔画 | 部首 | 结构 | 五笔 | 造字法 |
|---|---|---|---|---|---|
| 捡 | 10 | 扌 | 左右 | RWGI | 形声 |
| 笔顺 | 一 ｜ 扌 扌 抡 抡 捡 捡 捡 捡 | | | | |

【解　释】拾取。
【组　词】捡柴　捡粪　捡取　捡破烂
【同音字】简(简历)　拣(挑拣)
【形近字】检(检讨)　险(险境)
【反义词】捡/丢
【近义词】捡/拾
【英　语】捡　pick up [pik ʌp]

| jiǎn | 笔画 | 部首 | 结构 | 五笔 | 造字法 |
|---|---|---|---|---|---|
| 检 | 11 | 木 | 左右 | SWGI | 形声 |
| 笔顺 | 一 十 才 木 木 朴 朴 检 检 检 检 | | | | |

【解　释】❶查。❷约束;限制(指言行方面)。
【组　词】体检　检修　检讨　检测　检查　检阅　检点　检举　检验　检察　检票
【造　句】检讨——他为自己违反校规的行为向全校师生作了检讨。
【同音字】茧(蚕茧)　剪(剪纸)
【形近字】俭(俭朴)
【反义词】检举/包庇
【近义词】检束/约束
【英　语】检验　test [test]

| jiǎn | 笔画 | 部首 | 结构 | 五笔 | 造字法 |
|---|---|---|---|---|---|
| 减 | 11 | 冫 | 左右 | UDGT | 形声 |
| 笔顺 | 丶 冫 冫 沂 沂 沪 沪 减 减 减 减 | | | | |

【解　释】❶由全体中去掉一部分。❷降低程度;衰退。❸从一个数去掉另一个数的计算。
【组　词】减少　裁减　减轻　减法
【造　句】减轻——学校采取了一系列措施来减轻学生的课业负担。
【同音字】茧(蚕茧)
【形近字】喊(喊声)
【成　语】偷工减料
【反义词】减弱/加强
【近义词】减弱/削弱
【英　语】减弱　weaken ['wiːkən]

J

| jiǎn | 笔画 | 部首 | 结构 | 五笔 | 造字法 |
|---|---|---|---|---|---|
| 剪 | 11 | 刀 | 上下 | UEJV | 形声 |
| 笔顺 | 丶 丷 䒑 产 产 产 产 前 前 剪 剪 | | | | |

【解　释】❶用来铰断东西的用具。❷像剪子的东西。❸用剪子铰。❹消灭，除掉。❺比喻事物的一部分或概况。❻删选；辑集。
【组　词】剪刀　剪纸　剪贴　剪影
【造　句】剪影——在她的房间里，我看见一张惟妙惟肖的头部剪影。
【同音字】减（减退）
【形近字】煎（煎鱼）
【成　语】剪恶除奸
【近义词】修剪/裁剪
【谚　语】剪草要除根。
【英　语】剪刀　scissors　[ˈsizəz]

| jiǎn | 笔画 | 部首 | 结构 | 五笔 | 造字法 |
|---|---|---|---|---|---|
| 睑 | 12 | 目 | 左右 | HWGI | 形声 |
| 笔顺 | 丨 冂 冃 月 目 盼 盼 盼 睑 睑 睑 睑 | | | | |

【解　释】眼皮。
【造　句】眼睑——他的左眼睑处长了一颗麦粒肿。
【同音字】简（简单）　减（减价）
【形近字】脸（脸面）
【英　语】睑　eyelid　[ˈailid]

| jiǎn | 笔画 | 部首 | 结构 | 五笔 | 造字法 |
|---|---|---|---|---|---|
| 简 | 13 | ⺮ | 上下 | TUJF | 形声 |
| 笔顺 | 丿 𠂉 𠂉 𠂉 𠂉 𥫗 𥫗 笇 笇 简 简 简 简 | | | | |

【解　释】❶不复杂（跟“繁”相对）。❷古代用来书写的竹板；借指书信。❸简化；使变得简单。❹挑选；选择人才。
【组　词】简单　简要　简便　简明
【造　句】简明——他的演讲简明有力，深入人心。
【形近字】筒（竹筒）
【成　语】言简意赅
【反义词】简单/复杂
【近义词】简易/简陋
【英　语】简单　simple　[ˈsimpl]

| jiǎn | 笔画 | 部首 | 结构 | 五笔 | 造字法 |
|---|---|---|---|---|---|
| 碱 | 14 | 石 | 左右 | DDGT | 形声 |
| 笔顺 | 一 丆 不 石 石 石 矿 矿 砂 砂 砂 碱 碱 碱 | | | | |

【解　释】❶通常指在水溶液中能电离出氢氧根离子的化合物。❷含有 10 个分子结晶水的碳酸钠，可做洗涤剂，也可中和发面中的酸味。
【组　词】大碱　烧碱　碱面
【同音字】简（简单）　减（减法）
【形近字】减（减法）
【英　语】碱　alkali　[ˈælkəlai]

| jiàn | 笔画 | 部首 | 结构 | 五笔 | 造字法 |
|---|---|---|---|---|---|
| 见 | 4 | 见 | 独体 | MQB | 会意 |
| 笔顺 | 丨 冂 贝 见 | | | | |

【解　释】❶目光所触及；看到。❷遇到；接触。❸会面。❹听到。❺比试；较量。❻显现。❼（文字等）出现在某处，可参考。❽助词。1. 用在动词前表示被动。2. 用在动词前表示对说话人怎么样。❾用在动词“听”、“看”等字

后表示结果。❿对事情的看法。

甲骨文 金文 小篆 隶书 楷书

【字源释义】“见”的字形像一个人睁大了眼睛看着前面，意思是“看见”。引申为“见解”、“见识”等。还用作助动词，表被动。“见”又是“现”的本字。

【组　词】看见　见笑　见证　见解

【造　句】见机行事——教练制定了这场球的战术打法，要求队员们在场上见机行事，争取多赢球。

【同音字】间(间隔)　件(条件)

【形近字】贝(宝贝)

【反义词】一针见血/隔靴搔痒

【近义词】见解/见地

【谚　语】见风使舵，就水湾船。

【英　语】看见　see [siː]

【多音字】xiàn(见 772 页)

| jiàn | 笔画 | 部首 | 结构 | 五笔 | 造字法 |
|---|---|---|---|---|---|
| 件 | 6 | 亻 | 左右 | WRHH | 会意 |
| 笔顺 | 丿 亻 亻 仁 仁 件 | | | | |

【解　释】❶量词。计量某些个体事物、衣服等。❷指可以一一计数的事物。❸指文书等。

【组　词】零件　文件　部件　条件

【造　句】事件——这次爆炸事件给工厂造成了很大的损失。

【同音字】见(见习)　践(实践)

【形近字】佚(佚事)　什(什么)

【近义词】案件/案例

【英　语】件　piece [piːs]

| jiàn | 笔画 | 部首 | 结构 | 五笔 | 造字法 |
|---|---|---|---|---|---|
| 间 | 7 | 门 | 半包围 | UJD | 会意 |
| 笔顺 | 丶 丨 门 门 问 间 间 | | | | |

【解　释】❶缝隙。❷不连接；隔开。❸使离开；使不合。❹拔去或除去。❺嫌隙；隔阂。

【组　词】间隙　间谍　间苗　间接

【造　句】无间——他俩从小亲密无间，最近因一件小事闹了点别扭。

【英　语】间歇　intermittence [ˌintəˈmitəns]

【多音字】jiān(见 332 页)

| jiàn | 笔画 | 部首 | 结构 | 五笔 | 造字法 |
|---|---|---|---|---|---|
| 建 | 8 | 廴 | 半包围 | VFHP | 会意 |
| 笔顺 | ㄱ ⺕ 彐 ⺕ 聿 聿 建 建 | | | | |

【解　释】❶创立；成立。❷造；筑成。❸提出；倡议。

【组　词】建立　建设　建筑　建议

【造　句】建议——我建议举行一场联谊晚会，以增进同学之间的感情。

【同音字】件(附件)　见(见解)

【形近字】律(律师)

【反义词】建造/拆除

【近义词】建树/成就

【英　语】建设　build [bild]

| jiàn | 笔画 | 部首 | 结构 | 五笔 | 造字法 |
|---|---|---|---|---|---|
| 荐 | 9 | 艹 | 上下 | ADHB | 会意 |
| 笔顺 | 一 十 艹 艹 芦 芹 荐 荐 荐 | | | | |

【解　释】❶推举；介绍。❷草席；草垫子。
【组　词】草荐　荐引　推荐　举荐
【造　句】推荐——我们班推荐李琳做团支书。
【同音字】见(见面)　渐(日渐)
【形近字】茬(麦茬)
【成　语】毛遂自荐
【反义词】荐举/压制
【近义词】推荐/举荐
【英　语】推荐　recommend [ˌrekəˈmend]

| jiàn | 笔画 | 部首 | 结构 | 五笔 | 造字法 |
|---|---|---|---|---|---|
| 贱 | 9 | 贝 | 左右 | MGT | 形声 |
| 笔顺 | 丨 冂 贝 贝 贝 贝 贱 贱 贱 | | | | |

【解　释】❶价格低(跟"贵"相对)。❷指地位低下、卑微。❸卑鄙。❹谦辞，称有关自己的事物。
【组　词】贱价　贱货　贫贱　贱恙
【造　句】贱卖——看天色已晚，他便贱卖了剩下的苹果。
【同音字】件(条件)　间(离间)
【形近字】践(实践)
【反义词】低贱/高贵
【近义词】贱视/鄙视
【歇后语】贱陀螺——不打不转。
【谚　语】贱蚌出贵珠。
【英　语】贱卖　sell cheap [sel tʃiːp]

| jiàn | 笔画 | 部首 | 结构 | 五笔 | 造字法 |
|---|---|---|---|---|---|
| 剑 | 9 | 刂 | 左右 | WGIJ | 形声 |
| 笔顺 | 丿 人 亼 合 佥 佥 佥 剑 剑 | | | | |

【解　释】古代的一种兵器，长条形，两面长刃，中间有脊，安有短柄。
【组　词】剑术　剑侠　剑客　剑眉　击剑　宝剑
【同音字】践(践约)　渐(渐进)
【形近字】敛(收敛)　俭(俭朴)
【成　语】刀光剑影　剑拔弩张
【反义词】唇枪舌剑/促膝谈心
【近义词】唇枪舌剑/针锋相对
【谚　语】剑老无芒，人老无刚。
【英　语】剑　sword [sɔːd]

| jiàn | 笔画 | 部首 | 结构 | 五笔 | 造字法 |
|---|---|---|---|---|---|
| 监 | 10 | 皿 | 上下 | JTYL | 会意 |
| 笔顺 | 丨 ㄐ 北 㐀 㐀 㐀 监 监 监 监 | | | | |

【解　释】古代的官名或官府名。
【组　词】国子监
【同音字】见(看见)
【多音字】jiān(见333页)

| jiàn | 笔画 | 部首 | 结构 | 五笔 | 造字法 |
|---|---|---|---|---|---|
| 健 | 10 | 亻 | 左右 | WVFP | 形声 |
| 笔顺 | 丿 亻 亻 亻 亻 亻 亻 亻 健 健 | | | | |

【解　释】❶强壮有力；身体好。❷善于；擅长。
【组　词】健壮　健康　强健　保健
【造　句】健谈——他是一个健谈的人。

J

【同音字】箭(弓箭)
【形近字】键(关键)
【反义词】健壮/衰弱
【近义词】健壮/强壮
【谚　语】健康值千金。
【英　语】强健　healthy ['helθi]

| jiàn | 笔画 | 部首 | 结构 | 五笔 | 造字法 |
|---|---|---|---|---|---|
| 舰 | 10 | 舟 | 左右 | TEMQ | 形声 |
| 笔顺 | 丿 丿 月 月 舟 舟 舟 舟 舰 舰 | | | | |

【解　释】排水量相对较大的军用船只。
【组　词】军舰　兵舰　炮舰　舰队　战舰　舰船
【同音字】见(见闻)
【形近字】航(航空)
【近义词】军舰/战舰
【英　语】舰队　fleet [fliːt]

| jiàn | 笔画 | 部首 | 结构 | 五笔 | 造字法 |
|---|---|---|---|---|---|
| 涧 | 10 | 氵 | 左右 | IUJG | 形声 |
| 笔顺 | 丶 丶 氵 氵 氵 汈 汌 涧 涧 涧 | | | | |

【解　释】夹在两山之间的小水沟。
【组　词】溪涧　山涧　深涧　幽涧
【造　句】溪涧——我们走在弯曲的溪涧旁,感受着大自然的美。
【同音字】件(文件)
【形近字】间(空间)
【英　语】涧　ravine [rəˈviːn]

| jiàn | 笔画 | 部首 | 结构 | 五笔 | 造字法 |
|---|---|---|---|---|---|
| 渐 | 11 | 氵 | 左右 | ILRH | 形声 |
| 笔顺 | 丶 丶 氵 汇 汇 浐 浐 浐 渐 渐 渐 | | | | |

【解　释】慢慢地;一点点地。
【组　词】渐变　渐次　逐渐
【造　句】逐渐——秋天到了,气温逐渐降低了。
【同音字】鉴(鉴别)　践(实践)
【形近字】惭(惭愧)　浙(浙江)
【成　语】防微杜渐　循序渐进
【反义词】渐渐/突然
【近义词】渐次/逐渐
【英　语】渐渐　gradually [ˈgrædjuəli]
【多音字】jiān(见334页)

| jiàn | 笔画 | 部首 | 结构 | 五笔 | 造字法 |
|---|---|---|---|---|---|
| 践 | 12 | 𧾷 | 左右 | KHGT | 形声 |
| 笔顺 | 丨 口 口 早 𧾷 𧾷 𧾷 𧾷 𧾷 践 践 践 | | | | |

【解　释】❶踩;踏。❷履行;实行。
【组　词】践踏　践约　实践　践诺
【造　句】践踏——践踏草坪是违反公德的行为。
【同音字】剑(长剑)
【形近字】贱(卑贱)
【反义词】践踏/保护
【近义词】践踏/踩踏
【英　语】践踏　tread on [tred ɔn]

| jiàn | 笔画 | 部首 | 结构 | 五笔 | 造字法 |
|---|---|---|---|---|---|
| 毽 | 12 | 毛 | 半包围 | TFNP | 形声 |
| 笔顺 | 丿 二 三 毛 毛 毛 毛 毛 毽 毽 毽 毽 | | | | |

【解　释】一种用脚踢的玩具,底下是一个圆托,上面排列着羽毛。
【组　词】毽子
【造　句】踢毽子——晨练时,有一部分同学在踢毽子。

【同音字】渐(渐变)　舰(军舰)
【英　语】毽子　shuttlecock [ˈʃʌtlkɔk]

| jiàn | 笔画 | 部首 | 结构 | 五笔 | 造字法 |
|---|---|---|---|---|---|
| 溅 | 12 | 氵 | 左右 | IMGT | 形声 |
| 笔顺 | 溅 溅 溅 | | | | |

【解　释】液体受冲击向四周射出。
【组　词】飞溅　溅落
【造　句】飞溅——他讲话时总是唾沫飞溅。
【同音字】建(建立)　渐(渐变)
【形近字】贱(贱货)
【近义词】溅洒/喷洒
【英　语】溅　splash [splæʃ]

| jiàn | 笔画 | 部首 | 结构 | 五笔 | 造字法 |
|---|---|---|---|---|---|
| 鉴 | 13 | 金 | 上下 | JTYQ | 形声 |
| 笔顺 | 鉴 | | | | |

【解　释】❶铜镜。❷可以作为警戒或引为教训的事。❸照。❹仔细看;审察。
【组　词】借鉴　鉴戒　鉴定　鉴别
【造　句】鉴赏——他对文学作品有一定的鉴赏能力。
【同音字】见(见面)　渐(逐渐)
【形近字】签(签约)
【成　语】光可鉴人
【近义词】鉴赏/欣赏
【英　语】鉴赏　appreciate [əˈpriːʃieit]

| jiàn | 笔画 | 部首 | 结构 | 五笔 | 造字法 |
|---|---|---|---|---|---|
| 键 | 13 | 钅 | 左右 | QVFP | 形声 |
| 笔顺 | 键 | | | | |

【解　释】❶防止车轮脱离轴心的,安在车轴头上的铁棍。❷比喻事物的紧要部分。❸插门的金属棍子。❹某些乐器或机器上使用时按动的部分。
【组　词】关键　键盘　键入
【辨　音】韵母是ian,不是iang。
【同音字】建(建议)
【形近字】健(健康)
【反义词】关键/次要
【近义词】关键/症结　主要
【英　语】键盘　keyboard [ˈkiːbɔːd]

| jiàn | 笔画 | 部首 | 结构 | 五笔 | 造字法 |
|---|---|---|---|---|---|
| 箭 | 15 | ⺮ | 上下 | TUEJ | 形声 |
| 笔顺 | 箭 | | | | |

【解　释】古代兵器,长约二三尺的细杆装上尖头,末梢有羽毛,搭在弓上发射。现代射箭运动的箭多用金属或塑料制成。
【组　词】箭步　箭书　箭靶　箭楼
【造　句】箭步——听到爸爸回来的声音,弟弟一个箭步从堂屋里冲了出来。
【同音字】见(见效)　建(改建)
【形近字】前(前线)
【成　语】箭在弦上
【反义词】暗箭伤人/光明磊落
【近义词】暗箭伤人/含沙射影

【歇后语】箭头离了弦——勇往直前|箭竹竿充梁柱——不自量力。
【谚　语】箭镞虽利,不射不发,人虽聪明,不学不知。
【英　语】箭　arrow [ˈærəu]

## JIANG ㄐㄧㄤ

| jiāng | 笔画 | 部首 | 结构 | 五笔 | 造字法 |
|---|---|---|---|---|---|
| 江 | 6 | 氵 | 左右 | IAG | 形声 |
| 笔顺 | 丶 ⺀ 氵 氵一 汀 江 | | | | |

【解　释】❶大河的通称。❷长江的专称。❸姓。
【组　词】江河　长江　江山　江滩
【同音字】将(将要)
【形近字】虹(彩虹)
【成　语】江郎才尽　江河日下
【反义词】江郎才尽/才高八斗　江河日下/蒸蒸日上
【近义词】江河日下/每况愈下　江郎才尽/黔驴技穷
【歇后语】江心断了桅杆——转了向。
【英　语】江　river [ˈrivə]

| jiāng | 笔画 | 部首 | 结构 | 五笔 | 造字法 |
|---|---|---|---|---|---|
| 姜 | 9 | 𦍌 | 上下 | UGVF | 形声 |
| 笔顺 | 丶 丷 丷一 䒑 兰 差 羊 姜 姜 | | | | |

【解　释】❶多年生草本植物,地下茎块黄色,味辣,做调味品,也可入药。❷姓。
【组　词】姜粉　姜汤　生姜　洋姜
【辨　音】不读 jiǎng。
【同音字】浆(纸浆)　江(江水)
【形近字】恙(别来无恙)
【谚　语】姜桂之性,到老愈辣。
【英　语】姜　ginger [ˈdʒindʒə]

| jiāng | 笔画 | 部首 | 结构 | 五笔 | 造字法 |
|---|---|---|---|---|---|
| 将 | 9 | 丬 | 左右 | UQFY | 形声 |
| 笔顺 | 丶 冫 丬 丬′ 丬夕 丬夕 将 将 将 | | | | |

【解　释】❶快要;就要。❷介词。相当于“把”。❸用言语刺激。❹下象棋时攻击对方的将或帅。❺比喻使对方为难。❻扶持;扶助。❼保养。❽(方)指兽类生子。❾助词。用在动词后面,表示动作、行为的趋向。❿姓。
【组　词】将来　将近　将军　将就
【造　句】将信将疑——对近日的一些传闻,他还是将信将疑。
【同音字】江(长江)　姜(生姜)
【形近字】蒋(姓)
【成　语】将功补过　将计就计　将信将疑
【反义词】将来/过去
【近义词】将来/未来
【歇后语】曹操杀吕伯奢——将错就错|炮打老帅——将军。
【谚　语】将计就计,顺手牵羊|将心比自心,何必问旁人。
【英　语】将军　general [ˈdʒenərəl]
【多音字】jiàng(见344页)

| jiāng | 笔画 | 部首 | 结构 | 五笔 | 造字法 |
|---|---|---|---|---|---|
| 浆 | 10 | 水 | 上下 | UQIU | 形声 |
| 笔顺 | 丶 冫 丬 丬′ 丬夕 丬夕 将 浆 浆 浆 | | | | |

【解　释】❶较浓的液体。❷用米汤或粉浆浸纱、布、衣服等,使干

J

后变硬变挺。
【组　词】豆浆　纸浆　泥浆　浆洗　浆液
【辨　音】不读 jiǎng。
【同音字】将(将来)　江(江河)
【形近字】桨(船桨)　奖(奖状)
【成　语】玉液琼浆
【近义词】泥浆/泥水
【歇后语】浆水碗里泡油条——全身发软。
【英　语】泥浆　mud [mʌd]
【多音字】jiàng(见 344 页)

| jiāng | 笔画 | 部首 | 结构 | 五笔 | 造字法 |
| --- | --- | --- | --- | --- | --- |
| 僵 | 15 | 亻 | 左右 | WGLG | 形声 |
| 笔顺 | 丿 亻 亻 亻 佰 佰 佰 佰 佰 佰 僵 僵 僵 僵 僵 | | | | |

【解　释】❶形容直挺挺的样子，不灵活。❷双方相持不下；两种意见不能调和；处于停滞状态。
【组　词】僵直　僵尸　僵硬　僵持　僵滞　僵化　僵死　僵局
【造　句】僵持——双方僵持不下，这件事无法解决了。
【同音字】江(江南)　姜(姜芋)
【形近字】缰(缰绳)　疆(疆场)
【反义词】僵硬/灵活
【近义词】僵硬/死板　僵直
【歇后语】僵蚕做硬茧——不成功(宫)|车马炮临门——僵了局。
【英　语】僵硬　stiff [stif]

| jiāng | 笔画 | 部首 | 结构 | 五笔 | 造字法 |
| --- | --- | --- | --- | --- | --- |
| 缰 | 16 | 纟 | 左右 | XGLG | 形声 |
| 笔顺 | 𠃋 纟 纟 纟 纟 缅 缅 缅 缅 缅 缰 缰 缰 缰 缰 缰 | | | | |

【解　释】拴牲口的绳子。
【组　词】缰绳　脱缰马
【造　句】脱缰马——他这人给点儿自由就像脱缰马，一会儿就不见影子了。
【同音字】将(将军)　江(长江)
【形近字】僵(僵持)
【歇后语】借他的缰绳，拉他的驴——将计就计。
【英　语】缰绳　rein [rein]

| jiāng | 笔画 | 部首 | 结构 | 五笔 | 造字法 |
| --- | --- | --- | --- | --- | --- |
| 疆 | 19 | 土 | 左右 | XFGG | 形声 |
| 笔顺 | ㇇ ㇇ 弓 弓 弓 弓 弓 弓 弓 弓 弓 弓 疆 疆 疆 疆 疆 疆 疆 | | | | |

【解　释】❶边界；国界。❷尽头；止境。❸指新疆。
【组　词】边疆　疆域　疆土　疆界　疆场
【同音字】江(长江)　将(将近)
【形近字】僵(僵硬)　缰(缰绳)
【成　语】万寿无疆
【反义词】边疆/内地
【近义词】疆域/领域　疆界/国界　疆场/战场
【英　语】疆土　territory [ˈteritəri]

| jiǎng | 笔画 | 部首 | 结构 | 五笔 | 造字法 |
| --- | --- | --- | --- | --- | --- |
| 讲 | 6 | 讠 | 左右 | YFJH | 形声 |
| 笔顺 | 丶 讠 讠 讠 讲 讲 | | | | |

【解　释】❶谈；说。❷解释；评议。❸谋求；讲求；重视。❹论；就某一方面说。❺商量；商议。
【组　词】讲话　讲课　讲授　演讲　讲义　讲述　讲座　讲究　讲价　讲解　讲学　讲台

J

【同音字】奖(奖品)　桨(划桨)
【形近字】进(前进)　阱(陷阱)
【近义词】讲话/说话
【歇后语】讲课还是老一套——屡教不改|十二月里讲话——冷言冷语。
【谚　语】讲者无心,听者有意|讲话要深思熟虑,千万莫信口开河。
【英　语】讲课　teach [tiːtʃ]

| jiǎng | 笔画 | 部首 | 结构 | 五笔 | 造字法 |
|---|---|---|---|---|---|
| 奖 | 9 | 大 | 上下 | UQDU | 形声 |
| 笔顺 | 丶 冫 丬 丬 丬 丬 丬 奖 奖 | | | | |

【解　释】❶称赞;赞扬;表扬。❷为了鼓励或表扬而给予的荣誉或财物等。❸指彩金。
【组　词】奖励　夸奖　奖状　得奖　奖金　中奖　奖券　奖杯　奖品　奖赏　奖章　奖项
【同音字】讲(讲课)
【形近字】桨(船桨)
【反义词】夸奖/批评
【近义词】夸奖/赞扬
【歇后语】奖状挂笤帚——名誉扫地。
【英　语】奖赏　award [əˈwɔːd]

| jiǎng | 笔画 | 部首 | 结构 | 五笔 | 造字法 |
|---|---|---|---|---|---|
| 桨 | 10 | 木 | 上下 | UQSU | 形声 |
| 笔顺 | 丶 冫 丬 丬 丬 丬 丬 桨 桨 桨 | | | | |

【解　释】划船用具,一般装置在船的两旁。
【组　词】划桨　木桨　铁桨　船桨　桨手　双桨
【造　句】划桨——我们跳上小船,划桨去湖中心。
【辨　音】不读 jiāng。
【同音字】讲(讲解)　蒋(姓蒋)
【形近字】奖(奖励)　浆(泥浆)
【英　语】桨　oar [ɔː]

| jiǎng | 笔画 | 部首 | 结构 | 五笔 | 造字法 |
|---|---|---|---|---|---|
| 蒋 | 12 | 艹 | 上下 | AUQF | 形声 |
| 笔顺 | 一 十 艹 艹 艹 艹 芍 芍 蒋 蒋 蒋 蒋 | | | | |

【解　释】姓。
【组　词】姓蒋　蒋家　蒋氏
【同音字】奖(奖杯)
【形近字】将(将军)

| jiàng | 笔画 | 部首 | 结构 | 五笔 | 造字法 |
|---|---|---|---|---|---|
| 匠 | 6 | 匚 | 半包围 | ARK | 会意 |
| 笔顺 | 一 丆 ㄏ 斤 斤 匠 | | | | |

【解　释】❶称有专门手艺的人。❷指在某一方面造诣高深的人。
【组　词】木匠　巨匠　画匠
【同音字】降(降临)
【形近字】区(区域)　匹(马匹)
【成　语】能工巧匠　匠心独运
【反义词】匠心独运/墨守成规
【近义词】匠心独运/独具匠心
【谚　语】匠人上了墙,小工着了忙。
【英　语】木匠　carpenter [ˈkɑːpintə]

| jiàng | 笔画 | 部首 | 结构 | 五笔 | 造字法 |
|---|---|---|---|---|---|
| 降 | 8 | 阝 | 左右 | BTAH | 会意 |
| 笔顺 | 阝 阝 阝 阝 降 降 降 降 | | | | |

【解　释】❶从高处下落(跟"升"

相对)。❷使落下。❸姓。
【组　词】降落　降温　降级　降低　降临　降生　降职　降调
【造　句】降温——天气预报说近一段时间要降温,提醒人们要注意保暖。
【同音字】将(将领)　强(倔强)
【形近字】隆(隆重)
【成　语】降格以求
【反义词】降/升
【近义词】降/落　降级/贬职
【英　语】降落　descend [di'send]
【多音字】xiáng(见777页)

| jiàng | 笔画 | 部首 | 结构 | 五笔 | 造字法 |
|---|---|---|---|---|---|
| 将 | 9 | 丬 | 左右 | UQFY | 形声 |
| 笔顺 | 丶 冫 丬 丬' 丬ク 丬夕 丬夕 丬夕 将 | | | | |

【解　释】❶将官;军衔名。❷统率指挥。❸指英勇作战或敢作敢为的人。
【组　词】将领　健将　麻将　少将　将帅　点将
【同音字】降(降下)
【多音字】jiāng(见341页)

| jiàng | 笔画 | 部首 | 结构 | 五笔 | 造字法 |
|---|---|---|---|---|---|
| 绛 | 9 | 纟 | 左右 | XTAH | 形声 |
| 笔顺 | 乙 纟 纟 纟' 纟ク 纟夂 纟夂 纟夅 绛 | | | | |

【解　释】赤色;深红色。
【组　词】绛青
【同音字】匠(银匠)　酱(酱色)
【形近字】降(降低)
【英　语】绛　deep red [di:p red]

| jiàng | 笔画 | 部首 | 结构 | 五笔 | 造字法 |
|---|---|---|---|---|---|
| 浆 | 10 | 水 | 上下 | UQIU | 形声 |
| 笔顺 | 丶 冫 丬 丬' 丬ク 丬夕 丬夕 丬夕 浆 浆 | | | | |

【解　释】同"糨",糨糊。
【同音字】将(将领)
【多音字】jiāng(见341页)

| jiàng | 笔画 | 部首 | 结构 | 五笔 | 造字法 |
|---|---|---|---|---|---|
| 强 | 12 | 弓 | 左右 | XKJY | 形声 |
| 笔顺 | ㇕ ㇉ 弓 弓' 弓ㇾ 弓口 弓口 弓吕 弓吕 弓吕 强 强 | | | | |

【解　释】❶强硬不屈从;不服从。❷固执;不听劝告。
【组　词】倔强　强辩　强嘴
【同音字】降(降生)　匠(木匠)
【反义词】倔强/顺从
【近义词】强辩/狡辩
【英　语】倔强　unbending [ʌn'bendiŋ]
【多音字】qiáng(见578页)
【多音字】qiǎng(见578页)

| jiàng | 笔画 | 部首 | 结构 | 五笔 | 造字法 |
|---|---|---|---|---|---|
| 酱 | 13 | 酉 | 上下 | UQSG | 形声 |
| 笔顺 | 丶 冫 丬 丬' 丬ク 丬夕 丬夕 丬夕 酱 酱 酱 酱 酱 | | | | |

【解　释】❶豆、麦发酵后,加盐制成的糊状调味品。❷称捣烂后像酱的糊状食品。❸用酱或酱油腌制。
【组　词】炸酱　虾酱　酱肉　酱油　酱菜　酱色
【同音字】降(降临)　匠(木匠)

【歇后语】酱瓜煮豆腐——有言（盐）在先｜酱菜店里的抹桌布——尝尽辛酸。
【谚　语】酱里没有错下的盐。
【英　语】酱油　soy sauce ［sɔi sɔːs］

| jiàng | 笔画 | 部首 | 结构 | 五笔 | 造字法 |
|---|---|---|---|---|---|
| 糨 | 18 | 米 | 左右 | OXKJ | 形声 |
| 笔顺 | 丶 丷 䒑 半 米 米 籵 籸 籸 籸 籸 籸 籸 糨 糨 糨 糨 糨 | | | | |

【解　释】（液体）稠；浓。
【组　词】糨糊　糨子
【同音字】降（降落）
【英　语】糨糊　paste ［peist］

## JIAO　ㄐㄧㄠ

| jiāo | 笔画 | 部首 | 结构 | 五笔 | 造字法 |
|---|---|---|---|---|---|
| 交 | 6 | 亠 | 上下 | UQU | 指事 |
| 笔顺 | 丶 亠 亣 六 交 交 | | | | |

【解　释】❶把事物转移给有关方面。❷互相。❸相连；相接处。❹同时发生；一齐。❺友情，交情。❻交往；结交。❼生物配种。❽同"跤"。
【组　词】交代　交付　交叉　交通　交际　交涉　交还　交缠
【造　句】交通——现代社会交通越来越便利了。
【同音字】郊（郊区）　胶（橡胶）
【形近字】文（文化）　父（父亲）
【成　语】交头接耳
【反义词】交班/接班
【近义词】交缠/纠缠
【歇后语】交椅断了背——没有依靠了。
【谚　语】交浅不可言深｜交一个朋友多一条路，断一个朋友砌一堵墙。
【英　语】交换　exchange ［iks'tʃeindʒ］

| jiāo | 笔画 | 部首 | 结构 | 五笔 | 造字法 |
|---|---|---|---|---|---|
| 郊 | 8 | 阝 | 左右 | UQBH | 形声 |
| 笔顺 | 丶 亠 亣 六 亣 交 交阝 郊 | | | | |

【解　释】城外，泛指城市周围的地方。
【组　词】郊区　郊游　郊野　西郊　郊县
【造　句】郊游——这个星期天，学校组织我们去郊游。
【同音字】交（交际）　浇（浇地）
【形近字】效（效果）
【近义词】郊游/野游
【英　语】郊游　outing ［'autiŋ］

| jiāo | 笔画 | 部首 | 结构 | 五笔 | 造字法 |
|---|---|---|---|---|---|
| 浇 | 9 | 氵 | 左右 | IATQ | 形声 |
| 笔顺 | 丶 丶 氵 氵 汢 浂 浇 浇 浇 | | | | |

【解　释】❶淋。❷用水灌溉。❸把液汁倒入模型。❹刻薄。
【组　词】浇水　浇湿　浇灌
【同音字】交（交换）　郊（郊游）
【形近字】绕（围绕）　烧（烧饭）
【近义词】浇地/灌溉
【谚　语】浇花浇根，教人教心。
【英　语】浇灌　water ［'wɔːtə］

| jiāo | 笔画 | 部首 | 结构 | 五笔 | 造字法 |
|---|---|---|---|---|---|
| 骄 | 9 | 马 | 左右 | CTDJ | 形声 |
| 笔顺 | 乛 马 马 马 马 马 骄 骄 骄 | | | | |

【解　释】❶傲慢；自满。❷强烈；猛烈。
【组　词】骄傲　骄横　骄气　骄慢
【造　句】骄傲——取得了一点成绩就骄傲，这是要不得的。
【同音字】浇（浇水）　郊（郊外）
【形近字】娇（娇美）　矫（矫正）
【成　语】骄兵必败　骄奢淫逸
【反义词】骄傲/谦虚
【近义词】骄横/专横
【谚　语】骄傲来自浅薄，狂妄出于无知。
【英　语】骄傲　arrogant [ˈærəgənt]

| jiāo | 笔画 | 部首 | 结构 | 五笔 | 造字法 |
|---|---|---|---|---|---|
| 娇 | 9 | 女 | 左右 | VTDJ | 形声 |
| 笔顺 | ㄑ 女 女 女' 女ˊ 女ˊ 妖 娇 娇 | | | | |

【解　释】❶美丽可爱。❷过分疼爱。❸娇气；柔弱。
【组　词】娇气　撒娇　娇嫩　娇美
【造　句】撒娇——妈妈说我小时候特别喜欢撒娇。
【辨　音】不读 qiáo。
【同音字】跤（跌跤）　焦（焦距）
【形近字】侨（华侨）　桥（桥梁）
【成　语】娇小玲珑　娇生惯养　娇声娇气　娇艳欲滴
【反义词】娇艳/丑陋
【近义词】娇艳/鲜丽
【英　语】娇气　squeamish [ˈskwiːmiʃ]

| jiāo | 笔画 | 部首 | 结构 | 五笔 | 造字法 |
|---|---|---|---|---|---|
| 姣 | 9 | 女 | 左右 | VUQY | 形声 |
| 笔顺 | ㄑ 女 女 女' 女ˊ 妒 妔 姣 姣 | | | | |

【解　释】形容容貌美丽。
【组　词】姣好
【同音字】教（教书）
【形近字】跤（跌跤）
【英　语】姣　beautiful looking [ˈbjuːtəful ˈlukiŋ]

| jiāo | 笔画 | 部首 | 结构 | 五笔 | 造字法 |
|---|---|---|---|---|---|
| 胶 | 10 | 月 | 左右 | EUQY | 形声 |
| 笔顺 | 丿 刀 月 月 月' 月ˊ 肸 肸 胶 胶 | | | | |

【解　释】❶黏性物质，用动物的皮、角或树脂制成。❷橡胶。❸有黏性像胶的。❹黏着；粘住。❺胶质的药品。
【组　词】胶鞋　胶泥　胶卷　胶布
【造　句】如漆似胶——两个好朋友如漆似胶，上学和放学都在一起。
【同音字】交（交代）
【形近字】校（学校）　较（比较）
【成　语】如漆似胶
【近义词】胶合/黏合
【谚　语】胶多不粘，话多不甜。
【英　语】胶水　mucilage [ˈmjuːsilidʒ]

| jiāo | 笔画 | 部首 | 结构 | 五笔 | 造字法 |
|---|---|---|---|---|---|
| 教 | 11 | 攵 | 左右 | FTBT | 会意 |
| 笔顺 | 一 十 土 耂 耂 考 孝 孝 孝' 孝ˊ 教 | | | | |

【解　释】教导；传授。
【组　词】教书
【同音字】浇（浇灌）
【谚　语】教字从小起，治家勤俭起。

J

【英　语】教书　teach [tiːtʃ]
【多音字】jiào(见 352 页)

| jiāo | 笔画 | 部首 | 结构 | 五笔 | 造字法 |
|---|---|---|---|---|---|
| 椒 | 12 | 木 | 左右 | SHIC | 形声 |
| 笔顺 | 一 十 才 木 木' 木ⅰ 朩 村 村 枺 枺 椒 | | | | |

【解　释】植物名。泛指某些果实或种子有刺激性味道的植物。
【组　词】辣椒　胡椒　花椒　青椒　菜椒　椒盐
【辨　音】不读 shū。
【同音字】骄(骄横)
【形近字】淑(淑女)
【英　语】辣椒　pepper [ˈpepə]

| jiāo | 笔画 | 部首 | 结构 | 五笔 | 造字法 |
|---|---|---|---|---|---|
| 焦 | 12 | 隹 | 上下 | WYOU | 会意 |
| 笔顺 | ノ 亻 亻' 仁 仁 信 住 隹 隹 焦 焦 焦 | | | | |

【解　释】❶物体因火太猛或过大而烧成炭样。❷焦炭。❸着急。❹能量、功、热等的单位焦耳的简称,符号 J。❺姓。
【组　词】焦急　焦黄　焦点　焦躁　焦虑　焦炭
【造　句】焦急——天快黑了,王小明出去买酱油还没回来,妈妈心里十分焦急。
【同音字】娇(娇艳)　椒(青椒)
【形近字】售(售票)
【成　语】焦头烂额
【反义词】焦急/安稳
【近义词】焦急/着急
【歇后语】灶门前的烧火棍子——焦头烂额。

【英　语】焦急　anxious [ˈæŋkʃəs]

| jiāo | 笔画 | 部首 | 结构 | 五笔 | 造字法 |
|---|---|---|---|---|---|
| 跤 | 13 | 𧾷 | 左右 | KHUQ | 形声 |
| 笔顺 | ' ㄇ 口 𠯑 𠯑 𧾷 𧾷 𧾷 跁 跁 跤 跤 跤 | | | | |

【解　释】跟头。
【组　词】摔跤　跌跤　跤手　跤坛
【同音字】焦(焦点)　椒(辣椒)
【形近字】较(较量)　校(校园)
【英　语】摔跤　wrestle [ˈresl]

| jiāo | 笔画 | 部首 | 结构 | 五笔 | 造字法 |
|---|---|---|---|---|---|
| 蕉 | 15 | 艹 | 上下 | AWYO | 形声 |
| 笔顺 | 一 十 艹 艹 芢 芢 芢 芢 萑 萑 蕉 蕉 蕉 蕉 蕉 | | | | |

【解　释】香蕉、芭蕉、美人蕉等芭蕉科植物的简称。
【组　词】香蕉　芭蕉　蕉农　蕉皮　美人蕉
【同音字】浇(浇花)　交(交替)
【形近字】焦(焦急)
【英　语】香蕉　banana [bəˈnɑːnə]

| jiāo | 笔画 | 部首 | 结构 | 五笔 | 造字法 |
|---|---|---|---|---|---|
| 礁 | 17 | 石 | 左右 | DWYO | 形声 |
| 笔顺 | 一 ア 𠂆 石 石 石' 矿 矿 矿 矿 矿 碓 碓 碓 礁 礁 礁 | | | | |

【解　释】在江海里距水面很近的岩石。
【组　词】暗礁　礁石　触礁
【造　句】触礁——船长聚精会神地注视着前方,以防触礁。
【辨　音】不读 qiáo。

【同音字】跤(跌跤)
【形近字】瞧(瞧见)
【歇后语】河中的礁石——敢顶大风浪。
【英　语】礁石　reef［riːf］

| jiáo | 笔画 | 部首 | 结构 | 五笔 | 造字法 |
|---|---|---|---|---|---|
| 嚼 | 20 | 口 | 左右 | KELF | 形声 |
| 笔顺 | … 嚼 | | | | |

【解　释】用牙齿磨碎食物。
【组　词】嚼碎　嚼舌　嚼饭
【造　句】嚼舌头——谁有功夫和你嚼舌头。
【近义词】嚼舌/挑拨
【歇后语】公鸡戴嚼子——看你咋叫唤｜嚼了高粱秆吃甘蔗——越来越甜。
【英　语】嚼　masticate［ˈmæstikeit］
【多音字】jué(见 387 页)
【多音字】jiào(见 352 页)

| jiǎo | 笔画 | 部首 | 结构 | 五笔 | 造字法 |
|---|---|---|---|---|---|
| 角 | 7 | 角 | 上下 | QEJ | 象形 |
| 笔顺 | … 角 | | | | |

【解　释】❶牛、羊等头部的骨质突起物。❷形状像角的东西。❸几何学称一点引两条射线所成的形状。❹物体两边相接的地方。❺陆地伸入水域呈尖形或延长的部分。❻二十八星宿之一。❼中国的货币单位，十角等于一元。

甲骨文　金文　小篆　隶书　楷书

【字源释义】这是一个象形字。甲骨文与金文的“角”字像一只兽角，角上还有天然的纹理。“角”又是古代的酒器名和乐器名，后用来作计量单位。
【组　词】角度　羊角　邻角　角落
【造　句】角落——房间里窗明几净，每个角落都一尘不染。
【同音字】侥(侥幸)　搅(搅乱)
【形近字】甬(甬道)
【成　语】凤毛麟角　崭露头角
【近义词】角票/毛票
【英　语】角落　corner［ˈkɔːnə］
【多音字】jué(见 385 页)

| jiǎo | 笔画 | 部首 | 结构 | 五笔 | 造字法 |
|---|---|---|---|---|---|
| 侥 | 8 | 亻 | 左右 | WATQ | 形声 |
| 笔顺 | … 侥 | | | | |

【解　释】意外获得利益或免去不幸。
【组　词】侥幸
【造　句】侥幸——她很侥幸地通过了这次考试，尽管考前她没认真复习。
【同音字】绞(绞死)
【形近字】晓(拂晓)　浇(浇水)
【近义词】侥幸/幸运

【英　语】侥幸　lucky [ˈlʌki]

| jiǎo | 笔画 | 部首 | 结构 | 五笔 | 造字法 |
|---|---|---|---|---|---|
| 佼 | 8 | 亻 | 左右 | WUQY | 形声 |
| 笔顺 | ノ 亻 亻 亻 亻 亻 佼 佼 | | | | |

【解　释】❶美好。❷超出一般水平的。
【组　词】佼好　佼佼者
【造　句】佼佼者——小华在理科方面是班里的佼佼者。
【同音字】绞（绞死）
【形近字】饺（饺子）
【近义词】佼好/美好
【英　语】佼　handsome [ˈhænsəm]

| jiǎo | 笔画 | 部首 | 结构 | 五笔 | 造字法 |
|---|---|---|---|---|---|
| 狡 | 9 | 犭 | 左右 | QTUQ | 形声 |
| 笔顺 | ノ 犭 犭 犭 犭 犭 犭 狡 狡 | | | | |

【解　释】狡猾；诡诈。
【组　词】狡猾　狡辩　狡计　狡诈
【辨　音】不读 jiāo。
【同音字】脚（脚印）
【形近字】饺（饺子馅）　绞（绞刑）
【反义词】狡猾/忠厚
【近义词】狡猾/狡诈　狡计/诡计
【谚　语】狡猾的豺狼逃不过猎人的眼睛。
【英　语】狡猾　sly [slai]

| jiǎo | 笔画 | 部首 | 结构 | 五笔 | 造字法 |
|---|---|---|---|---|---|
| 饺 | 9 | 饣 | 左右 | QNUQ | 形声 |
| 笔顺 | ノ 𠂊 饣 饣 饣 饣 饣 饺 饺 | | | | |

【解　释】包成半圆形的有馅的面食。
【组　词】饺子　饺子馅　水饺
【同音字】狡（狡诈）
【形近字】较（比较）
【歇后语】饺子破了皮——露馅。
【英　语】饺子　dumpling [ˈdʌmpliŋ]

| jiǎo | 笔画 | 部首 | 结构 | 五笔 | 造字法 |
|---|---|---|---|---|---|
| 绞 | 9 | 纟 | 左右 | XUQY | 形声 |
| 笔顺 | 𠃋 纟 纟 纟 纟 纟 纟 绞 绞 | | | | |

【解　释】❶扭紧；拧。❷勒死；用绳子把人吊死的一种酷刑。❸量词。用于纱线或毛线等。
【组　词】绞刑　绞杀　绞索　绞架
【造　句】绞尽脑汁——为凑齐孩子的学费，他绞尽脑汁，四处借款。
【辨　音】不读 jiāo。
【同音字】角（号角）　搅（打搅）
【形近字】狡（狡猾）
【成　语】绞尽脑汁　心如刀绞
【近义词】绞杀/勒杀
【歇后语】炸麻花的碰上搓草绳的——绞上劲了。
【英　语】绞架　gallows [ˈgæləuz]

| jiǎo | 笔画 | 部首 | 结构 | 五笔 | 造字法 |
|---|---|---|---|---|---|
| 矫 | 11 | 矢 | 左右 | TDTJ | 形声 |
| 笔顺 | ノ 𠂉 𠂉 乒 矢 矢 矢 矫 矫 矫 矫 | | | | |

【解　释】❶纠正；把弯曲的东西弄直。❷做作。❸假托。❹强健而有力；勇武。
【组　词】矫正　矫情　矫健　矫捷
【造　句】矫若游龙——运动员在

J

场上矫若游龙,赢来阵阵掌声。
【同音字】搅(搅拌)　角(衣角)
【形近字】桥(桥梁)
【成　语】矫揉造作　矫若游龙
【反义词】矫健/孱弱
【近义词】矫健/矫捷
【谚　语】矫枉必须过正。
【英　语】矫正　rectify [ˈrektifai]

| jiǎo | 笔画 | 部首 | 结构 | 五笔 | 造字法 |
|---|---|---|---|---|---|
| 皎 | 11 | 白 | 左右 | RUQY | 形声 |
| 笔顺 | ′ 亻 白 白 白 白' 白亠 白六 白六 白交 皎 | | | | |

【解　释】洁白;明亮。
【组　词】皎亮　皎白　皎洁
【造　句】皎洁——皎洁的月光透过树叶照下来,在地面上形成许多斑点。
【同音字】搅(搅拌)
【形近字】较(较量)
【反义词】皎洁/昏黄
【近义词】皎白/洁白
【英　语】皎洁　bright and clear [brait ænd kliə]

| jiǎo | 笔画 | 部首 | 结构 | 五笔 | 造字法 |
|---|---|---|---|---|---|
| 脚 | 11 | 月 | 左右 | EFCB | 形声 |
| 笔顺 | 丿 刀 月 月 月一 月十 月土 月去 月去 脚 脚 | | | | |

【解　释】❶人和动物身体最下部与地面接触的肢体。❷东西的最下部。
【组　词】脚步　拳脚　落脚　脚印
【造　句】脚踏实地——干什么事情都要脚踏实地才能干好。
【同音字】矫(矫健)　搅(搅拌)
【形近字】却(却步)
【成　语】脚踏实地
【反义词】脚踏实地/好高骛远
【近义词】墙脚/墙根
【歇后语】脚踩火箭——一步登天。
【谚　语】脚上无力,整劲难发。
【英　语】脚　foot [fut]

| jiǎo | 笔画 | 部首 | 结构 | 五笔 | 造字法 |
|---|---|---|---|---|---|
| 搅 | 12 | 扌 | 左右 | RIPQ | 形声 |
| 笔顺 | 一 † 扌 扌 扌′ 扌″ 扌⺌ 扌⺍ 扌⺍ 扌⺍ 拶 搅 | | | | |

【解　释】❶搅动;拌。❷扰乱;打扰。
【组　词】搅拌　打搅　搅和　搅匀
【造　句】搅匀——这瓶药水会沉淀,喝前别忘了把它搅匀。
【辨　音】不读 jué。
【同音字】脚(脚印)　角(角落)
【形近字】觉(睡觉)
【成　语】胡搅蛮缠
【反义词】搅浑/澄清
【近义词】搅拌/搅和
【英　语】搅拌　stir [stəː]

| jiǎo | 笔画 | 部首 | 结构 | 五笔 | 造字法 |
|---|---|---|---|---|---|
| 剿 | 13 | 刂 | 左右 | VJSJ | 形声 |
| 笔顺 | 〈 巛 巛 巛 巢 巢 巢 巢 巢 巢 巢 剿 剿 | | | | |

【解　释】讨伐;灭绝。
【组　词】剿匪　剿除　围剿　剿灭
【造　句】围剿——冲出敌军的围剿后,我军紧跟着又打了一次胜仗。
【辨　音】不读 cháo。
【同音字】脚(脚印)　角(墙角)

【形近字】巢(鸟巢)
【英　语】剿匪　suppress bandits [səˈpres bændits]

| jiǎo | 笔画 | 部首 | 结构 | 五笔 | 造字法 |
|---|---|---|---|---|---|
| 缴 | 16 | 纟 | 左中右 | XRYT | 形声 |
| 笔顺 | 𠃋 纟 纟 纟' 纟白 纟白 纟白 纟白 纟白 纟白 缴 缴 缴 缴 缴 缴 | | | | |

【解　释】❶交纳；上交。❷迫使交出。
【组　词】缴款　缴纳　缴获　收缴
【造　句】缴获——战斗结束后，一切缴获都归公。
【辨　音】不读 jī。
【同音字】脚(脚印)　矫(矫正)
【形近字】激(激动)
【英　语】缴获　capture [ˈkæptʃə]
【多音字】zhuó(见 953 页)

| jiào | 笔画 | 部首 | 结构 | 五笔 | 造字法 |
|---|---|---|---|---|---|
| 叫 | 5 | 口 | 左右 | KNH | 形声 |
| 笔顺 | 丨 𠃍 口 口𠃊 叫 | | | | |

【解　释】❶(动物、器具等)发出声音。❷称为；(名称)是。❸招呼；呼唤。❹通知人送来。❺使；让。❻许可或听任。❼被。
【组　词】叫喊　叫唤　叫名　叫做
【造　句】叫唤——小麻雀在树枝上唧唧喳喳地叫唤。
【英　语】叫唤　cry out [krai aut]

| jiào | 笔画 | 部首 | 结构 | 五笔 | 造字法 |
|---|---|---|---|---|---|
| 觉 | 9 | 见 | 上下 | IPMQ | 形声 |
| 笔顺 | 丶 丷 ⺍ 𭕄 学 学 学 觉 觉 | | | | |

【解　释】睡眠。
【组　词】睡觉　午觉
【同音字】轿(花轿)　较(比较)
【近义词】睡觉/睡眠
【英　语】睡觉　sleep [sliːp]
【多音字】jué(见 385 页)

| jiào | 笔画 | 部首 | 结构 | 五笔 | 造字法 |
|---|---|---|---|---|---|
| 校 | 10 | 木 | 左右 | SUQY | 形声 |
| 笔顺 | 一 十 才 木 木' 木亠 木六 木六 校 校 | | | | |

【解　释】❶相比较。❷订正；改正。
【组　词】校场　校正　校订　校核
【造　句】校对——爸爸在编辑部做校对工作。
【同音字】觉(睡觉)　教(教室)
【形近字】绞(绞杀)　较(较量)
【近义词】校对/校核
【英　语】校对　proof [pruːf]
【多音字】xiào(见 783 页)

| jiào | 笔画 | 部首 | 结构 | 五笔 | 造字法 |
|---|---|---|---|---|---|
| 轿 | 10 | 车 | 左右 | LTDJ | 形声 |
| 笔顺 | 一 𠄌 㐄 车 车' 车丿 车乔 车乔 轿 轿 | | | | |

【解　释】旧时的交通工具，由人抬或骡马驮着走。
【组　词】花轿　轿车　坐轿　轿夫
【同音字】叫(喊叫)　校(校对)
【形近字】侨(华侨)　娇(娇健)
【英　语】轿车　carriage [ˈkæridʒ]

| jiào | 笔画 | 部首 | 结构 | 五笔 | 造字法 |
|---|---|---|---|---|---|
| 较 | 10 | 车 | 左右 | LUQY | 形声 |
| 笔顺 | 一 𠄌 㐄 车 车' 车亠 车六 车六 较 较 | | | | |

J

【解　释】❶相比；衡量。❷略进一层；稍稍。❸明显。
【组　词】比较　较量　较劲
【造　句】计较——他这个人特别小气，总爱斤斤计较。
【辨　音】不读 jiǎo。
【同音字】叫(叫唤)　觉(午觉)
【形近字】皎(皎洁)　校(学校)
【成　语】斤斤计较
【反义词】较真/草率　马虎
【近义词】较为/比较
【英　语】比较　compare [kəm'pɛə]

| jiào | 笔画 | 部首 | 结构 | 五笔 | 造字法 |
| --- | --- | --- | --- | --- | --- |
| 教 | 11 | 攵 | 左右 | FTBT | 会意 |
| 笔顺 | 一 十 土 耂 耂 考 孝 孝 孝' 孝𠂉 教 | | | | |

【解　释】❶传授知识或技能；教诲。❷叫；令。❸宗教。❹姓。
【组　词】指教　教育　佛教　教案
【造　句】教训——我们要接受教训，改进工作，努力把经济搞上去。
【同音字】较(较劲)　轿(轿车)
【形近字】数(数量)
【英　语】教师　teacher ['tiːtʃə]
【多音字】jiāo(见 346 页)

| jiào | 笔画 | 部首 | 结构 | 五笔 | 造字法 |
| --- | --- | --- | --- | --- | --- |
| 窖 | 12 | 穴 | 上下 | PWTK | 形声 |
| 笔顺 | 丶 丷 宀 穴 穴 空 空 空 窑 窖 窖 窖 | | | | |

【解　释】❶储藏东西的地洞。❷把东西收藏在窖里。
【组　词】地窖　酒窖　冰窖
【同音字】较(较劲)　叫(叫声)
【形近字】窑(窑洞)

| jiào | 笔画 | 部首 | 结构 | 五笔 | 造字法 |
| --- | --- | --- | --- | --- | --- |
| 酵 | 14 | 酉 | 上下 | SGFB | 形声 |
| 笔顺 | 一 丅 丆 丙 丙 西 酉 酉 酉一 酉十 酉土 酉耂 酵 酵 | | | | |

【解　释】发酵。
【组　词】发酵　酵母　酵子
【造　句】发酵——在酿酒过程中，发酵是一个非常重要的环节。
【辨　音】不读 xiào。
【同音字】较(比较)　叫(叫声)
【英　语】发酵　ferment [fə'ment]

| jiào | 笔画 | 部首 | 结构 | 五笔 | 造字法 |
| --- | --- | --- | --- | --- | --- |
| 嚼 | 20 | 口 | 左右 | KELF | 形声 |
| 笔顺 | 丨 𠃍 口 口' 口'' 口⺈ … 嚼 嚼 | | | | |

【解　释】倒嚼，即牛羊等动物的反刍。
【组　词】倒嚼
【同音字】较(比较)
【近义词】倒嚼/反刍
【英　语】倒嚼　rumination [ˌruːmi'neiʃən]
【多音字】jiáo(见 348 页)
【多音字】jué(见 387 页)

## JIE　ㄐㄧㄝ

| jiē | 笔画 | 部首 | 结构 | 五笔 | 造字法 |
| --- | --- | --- | --- | --- | --- |
| 节 | 5 | 艹 | 上下 | ABJ | 形声 |
| 笔顺 | 一 十 艹 艹 节 | | | | |

【解　释】比喻关键时机或重要环节。

【组　词】节骨眼
【造　句】节骨眼——明天就要中考了,在这节骨眼上,他病了。
【同音字】街(街道)
【英　语】节骨眼　critical juncture [ˈkritikəl ˈdʒʌŋktʃə]
【多音字】jié(见354页)

| jiē | 笔画 | 部首 | 结构 | 五笔 | 造字法 |
|---|---|---|---|---|---|
| 阶 | 6 | 阝 | 左右 | BWJH | 形声 |
| 笔顺 | ㇇ 阝 阝' 阝人 阶 阶 | | | | |

【解　释】❶用砖、石砌成,或木制的分层的梯级。❷等级。
【组　词】阶梯　阶段　阶层　阶级
【造　句】阶段——小学是打基础的阶段。
【辨　音】不读jià。
【同音字】街(街道)
【形近字】价(价格)
【近义词】阶梯/台阶
【英　语】台阶　steps [steps]

| jiē | 笔画 | 部首 | 结构 | 五笔 | 造字法 |
|---|---|---|---|---|---|
| 皆 | 9 | 比 | 上下 | XXRF | 会意 |
| 笔顺 | 一 ⺊ ⺊' 比 比 比 皆 皆 皆 | | | | |

【解　释】都;全。
【造　句】有口皆碑——他的为人在同事之间有口皆碑。
【同音字】结(结果)　阶(阶段)
【形近字】昆(昆虫)　替(代替)
【成　语】啼笑皆非　有口皆碑
【反义词】尽人皆知/鲜为人知
【近义词】草木皆兵/杯弓蛇影
【英　语】皆　all [ɔːl]

| jiē | 笔画 | 部首 | 结构 | 五笔 | 造字法 |
|---|---|---|---|---|---|
| 结 | 9 | 纟 | 左右 | XFKG | 形声 |
| 笔顺 | ㇛ 纟 纟 纟一 纡 纡 结 结 结 | | | | |

【解　释】❶植物长出果实。❷坚固耐用。❸身体健壮。
【组　词】结实　结巴　结果
【造　句】结实——运动员们的身体都很结实。
【同音字】接(迎接)
【反义词】结实/松散
【近义词】结实/牢固
【谚　语】好种出好苗,好苗结好桃。
【多音字】jié(见356页)

| jiē | 笔画 | 部首 | 结构 | 五笔 | 造字法 |
|---|---|---|---|---|---|
| 接 | 11 | 扌 | 左右 | RUVG | 形声 |
| 笔顺 | 一 ㇀ 扌 扌' 扌亠 扌亠 护 拉 接 接 接 | | | | |

【解　释】❶接替。❷挨近;靠近。❸连续;继续。❹连接。❺收到;接受。❻承受;托住。❼迎。
【组　词】接班　接触　接连　迎接
【造　句】迎接——今晚我们学校举行元旦晚会,迎接新的一年到来。
【同音字】揭(揭露)　阶(音阶)
【形近字】妾(臣妾)
【成　语】接二连三　接踵而至
【反义词】接受/拒绝
【近义词】接待/招待
【歇后语】自行车的链条——接连不断。
【英　语】接收　receive [riˈsiːv]

| jiē | 笔画 | 部首 | 结构 | 五笔 | 造字法 |
|---|---|---|---|---|---|
| 揭 | 12 | 扌 | 左右 | RJQN | 形声 |
| 笔顺 | 一 十 扌 扌 扌 扌 扌 扌 扌 扌 扌 揭 | | | | |

【解　释】❶掀开；拉开。❷将隐瞒着的事物暴露出来。❸高举。
【组　词】揭开　揭示　揭短　揭发
【造　句】揭晓——今年的大学录取名单已经揭晓了。
【同音字】接(接受)　街(街坊)
【形近字】渴(口渴)　竭(竭力)
【成　语】揭竿而起
【反义词】揭示/掩饰
【近义词】揭穿/戳穿
【歇后语】刚揭盖的蒸笼——热气腾腾|疮口上贴膏药——揭不得。
【英　语】揭露　expose ［ik'spəuz］

| jiē | 笔画 | 部首 | 结构 | 五笔 | 造字法 |
|---|---|---|---|---|---|
| 嗟 | 12 | 口 | 左右 | KUDA | 形声 |
| 笔顺 | 丨 口 口 口 口 口 口 口 口 口 嗟 嗟 | | | | |

【解　释】叹息，感叹。
【组　词】嗟来之食　嗟悔
【造　句】嗟来之食——廉者不受嗟来之食。
【同音字】接(接洽)　街(街道)
【成　语】嗟来之食
【英　语】嗟　sigh ［sai］

| jiē | 笔画 | 部首 | 结构 | 五笔 | 造字法 |
|---|---|---|---|---|---|
| 街 | 12 | 彳 | 左中右 | TFFH | 形声 |
| 笔顺 | 丿 彡 彳 彳 彳 彳 彳 彳 彳 彳 彳 街 | | | | |

【解　释】❶城镇中路旁有房屋的较宽阔的道路。❷集市。
【组　词】街道　街坊　游街　街市
【造　句】街头巷尾——元旦那天，街头巷尾都是欢乐的人群，热闹极了。
【辨　音】不读 xián。
【同音字】接(接见)　揭(揭示)
【形近字】衔(衔接)
【成　语】街谈巷议　街头巷尾
【近义词】街坊/邻居
【英　语】街　street ［striːt］

| jiē | 笔画 | 部首 | 结构 | 五笔 | 造字法 |
|---|---|---|---|---|---|
| 楷 | 13 | 木 | 左右 | SXXR | 形声 |
| 笔顺 | 一 十 才 木 木 木 朾 朾 朾 朾 楷 楷 楷 | | | | |

【解　释】楷树，落叶乔木，木质坚硬，可制器具。
【组　词】楷树
【同音字】接(迎接)
【多音字】kǎi(见 392 页)

| jié | 笔画 | 部首 | 结构 | 五笔 | 造字法 |
|---|---|---|---|---|---|
| 节 | 5 | 艹 | 上下 | ABJ | 形声 |
| 笔顺 | 一 十 艹 节 节 | | | | |

【解　释】❶物体的分段或两段之间连接之处。❷段落。❸节日；纪念日。❹事项。❺限制；俭省。❻节操；操守。❼古代指出使外国的凭证。❽航海速度单位名，符号为 Kn。❾删节。
【组　词】枝节　骨节　节气　时节
【造　句】节衣缩食——爸爸妈妈节衣缩食，省下钱来供我们兄弟读书。
【同音字】杰(杰作)　结(结论)

J

【成　语】节外生枝　节衣缩食
【反义词】节省/浪费
【近义词】节约/节省
【英　语】节省　save [seiv]
【多音字】jiē(见353页)

| jié | 笔画 | 部首 | 结构 | 五笔 | 造字法 |
|---|---|---|---|---|---|
| 劫 | 7 | 力 | 左右 | FCLN | 会意 |
| 笔顺 | 一 十 土 去 去 刧 劫 | | | | |

【解　释】❶掠夺;强取。❷威逼;胁迫。❸灾难。
【组　词】劫持　浩劫　遭劫　劫夺
【造　句】劫富济贫——梁山英雄是一群劫富济贫的好汉。
【同音字】节(节奏)　杰(杰出)
【形近字】动(活动)
【成　语】劫后余生　劫富济贫
【反义词】劫难/平安
【近义词】劫夺/掠夺
【英　语】抢劫　rob [rɔb]

| jié | 笔画 | 部首 | 结构 | 五笔 | 造字法 |
|---|---|---|---|---|---|
| 杰 | 8 | 木 | 上下 | SOU | 形声 |
| 笔顺 | 一 十 才 木 木 杰 杰 杰 | | | | |

【解　释】❶才能出众的人。❷出色的;超过一般的。
【组　词】豪杰　杰出　杰作　俊杰
【造　句】杰作——我国的故宫是建筑史上的杰作。
【同音字】捷(敏捷)　竭(竭尽)
【形近字】杏(杏树)　羔(羔羊)
【反义词】杰出/平庸
【近义词】杰出/卓越
【英　语】杰出　outstanding [aut'-stændiŋ]

| jié | 笔画 | 部首 | 结构 | 五笔 | 造字法 |
|---|---|---|---|---|---|
| 诘 | 8 | 讠 | 左右 | YFKG | 形声 |
| 笔顺 | 丶 讠 讠 计 计 诘 诘 诘 | | | | |

【解　释】追问;质问。
【组　词】诘问　盘诘　诘责　诘难
【造　句】反诘——她突然反诘,我一时竟无话可说。
【同音字】节(关节)　杰(杰作)
【形近字】洁(纯洁)　拮(拮据)
【近义词】诘问/责问
【英　语】诘问　closely question ['kləuzli 'kwestʃən]

| jié | 笔画 | 部首 | 结构 | 五笔 | 造字法 |
|---|---|---|---|---|---|
| 拮 | 9 | 扌 | 左右 | RFKG | 形声 |
| 笔顺 | 一 十 扌 扌 扌 扌 拮 拮 拮 | | | | |

【解　释】[拮据]经济状况不好,窘迫。
【组　词】拮据
【造　句】拮据——由于找不到工作,他生活得非常拮据。
【同音字】竭(竭力)　节(节省)
【形近字】桔(桔梗)　洁(洁净)
【反义词】拮据/宽裕
【近义词】拮据/贫困

| jié | 笔画 | 部首 | 结构 | 五笔 | 造字法 |
|---|---|---|---|---|---|
| 洁 | 9 | 氵 | 左右 | IFKG | 形声 |
| 笔顺 | 丶 丶 氵 氵 汁 汁 沽 洁 洁 | | | | |

【解　释】❶干净。❷比喻单纯;清白;作风正派。
【组　词】洁白　洁净　清洁　廉洁
【造　句】整洁——老师要求我们

J

书写要整洁。
【同音字】截(截止)　节(情节)
【形近字】结(团结)
【成　语】洁身自好
【反义词】清洁/肮脏
【近义词】清洁/洁净
【英　语】洁净　clean [kliːn]

| jié | 笔画 | 部首 | 结构 | 五笔 | 造字法 |
|---|---|---|---|---|---|
| 结 | 9 | 纟 | 左右 | XFKG | 形声 |
| 笔顺 | ㄥ 纟 纟 纟一 纟十 纟土 纟士 结 结 | | | | |

【解　释】❶用绳、线、皮条等打扣或编织,也指结成的东西。❷完成;完了。❸聚;合在一起。❹旧时保证负责的书面字据。
【组　词】死结　结网　了结　结局
【造　句】团结——我们大家团结起来,一定能战胜困难。
【同音字】捷(捷径)　节(季节)
【形近字】洁(纯洁)　拮(拮据)
【成　语】结党营私
【反义词】结束/开始
【近义词】结束/了结
【歇后语】结清了账单——一笔勾销。
【谚　语】结交不嫌贫,嫌贫友不成。
【英　语】结果　result [ri'zʌlt]
【多音字】jiē(见 353 页)

| jié | 笔画 | 部首 | 结构 | 五笔 | 造字法 |
|---|---|---|---|---|---|
| 桔 | 10 | 木 | 左右 | SFKG | 形声 |
| 笔顺 | 一 十 才 木 木一 木十 木土 木士 桔 桔 | | | | |

【解　释】桔槔(gāo),安在井上的打水工具。
【同音字】结(结果)
【形近字】拮(拮据)

| jié | 笔画 | 部首 | 结构 | 五笔 | 造字法 |
|---|---|---|---|---|---|
| 捷 | 11 | 扌 | 左右 | RGVH | 形声 |
| 笔顺 | 一 十 扌 扌一 扌㇕ 扌⺕ 扌彐 扌聿 捷 捷 捷 | | | | |

【解　释】❶胜利;战胜。❷迅速;快速。❸近便。
【组　词】捷报　敏捷　矫捷　捷径
【造　句】捷径——学习要脚踏实地,不能只想着走捷径。
【同音字】杰(俊杰)　节(节奏)
【形近字】睫(睫毛)
【成　语】捷足先登
【反义词】敏捷/迟钝　捷足先登/姗姗来迟
【近义词】捷报/喜报
【歇后语】爬上山拿冠军——捷足先登。
【英　语】捷径　shortcut [ˈʃɔːtkʌt]

| jié | 笔画 | 部首 | 结构 | 五笔 | 造字法 |
|---|---|---|---|---|---|
| 睫 | 13 | 目 | 左右 | HGVH | 形声 |
| 笔顺 | 丨 冂 日 月 目 目一 目㇕ 目⺕ 目彐 目聿 睫 睫 睫 | | | | |

【解　释】眼睑边缘上的细毛。
【组　词】睫毛
【同音字】结(结果)
【形近字】捷(捷足先登)
【成　语】迫在眉睫
【英　语】睫毛　eyelash [ˈaiˌlæʃ]

| jié | 笔画 | 部首 | 结构 | 五笔 | 造字法 |
|---|---|---|---|---|---|
| 截 | 14 | 戈 | 半包围 | FAWY | 形声 |
| 笔顺 | 一 十 土 ナ 𡗗 𡗗 𡗗 𡗗 𡗗 隹 隹 截 截 截 | | | | |

【解　释】❶割断；切断。❷阻挡。❸至某时为止。❹量词。段；节。
【组　词】截断　截稿　截留　截击　截取　半截　截获　截止
【造　句】截稿——我必须赶在截稿日期前把这篇稿子寄过去。
【辨　音】不读 cái。
【同音字】捷(捷讯)　劫(劫持)
【形近字】裁(裁剪)
【成　语】截长补短　截然不同
【近义词】截取/割取
【谚　语】截流不如穷源。
【英　语】截击　intercept [intə'sept]

| jié | 笔画 | 部首 | 结构 | 五笔 | 造字法 |
|---|---|---|---|---|---|
| 竭 | 14 | 立 | 左右 | UJQN | 形声 |
| 笔顺 | 丶 亠 亠 立 立 竹 竹 竭 竭 竭 竭 竭 竭 竭 | | | | |

【解　释】❶用尽；使尽。❷(书)干涸。
【组　词】竭力　枯竭　竭诚　竭尽　声嘶力竭　竭泽而渔　竭尽全力
【造　句】竭泽而渔——我国在某些海域实行季节封渔的做法，就是为了避免竭泽而渔的情况发生。
【辨　音】不读 kě。
【同音字】节(节约)　杰(杰出)
【形近字】揭(揭示)　渴(渴望)
【近义词】竭力/尽力
【谚　语】竭泽而渔，后不得鱼。
【英　语】竭诚　wholeheartedly [həul'hɑːtidli]

| jiě | 笔画 | 部首 | 结构 | 五笔 | 造字法 |
|---|---|---|---|---|---|
| 姐 | 8 | 女 | 左右 | VEGG | 形声 |
| 笔顺 | 𡿨 女 女 如 如 姐 姐 姐 | | | | |

【解　释】❶称同父母或只同父、只同母比自己年龄大的女子。❷对比自己年纪大的同辈女性的敬称。
【组　词】姐姐　姐妹　姐夫　表姐
【造　句】姐姐——姐姐学习很努力，是她们班上的三好学生。
【同音字】解(解放)
【形近字】沮(沮丧)　组(组织)
【歇后语】姐妹俩出嫁——各得其所｜姐妹俩回娘家——殊途同归。
【英　语】姐姐　elder sister ['eldə 'sistə]

| jiě | 笔画 | 部首 | 结构 | 五笔 | 造字法 |
|---|---|---|---|---|---|
| 解 | 13 | 角 | 左右 | QEVH | 会意 |
| 笔顺 | 丿 ⺈ ⺈ 角 角 角 角 角 角 解 解 解 解 | | | | |

【解　释】❶分开；剖开。❷把束缚着或系着的东西打开。❸除去。❹讲明白；分析清楚。❺知道；明白。❻分析演算。❼代数方程中未知数的值。❽解手。

J

【字源释义】甲骨文和金文的“解”字的字形由“牛”、“角”和两只手组成,表示用手剖解牛角。小篆把手形换成了“刀”。“解”在古籍中通“懈”。
【组　词】分解　解剖　瓦解　解答
【造　句】解答——请解答这道练习题。
【同音字】姐(姐妹)
【形近字】触(接触)
【成　语】解铃系铃　解囊相助　解甲归田
【反义词】解脱/围困
【近义词】解除/消除
【歇后语】将军返乡——解甲归田|近视眼配眼镜——解决眼前问题。
【谚　语】解铃还须系铃人。
【英　语】解冻　thaw [θɔː]
【多音字】jiè(见360页)
【多音字】xiè(见789页)

| jiè | 笔画 | 部首 | 结构 | 五笔 | 造字法 |
|---|---|---|---|---|---|
| 介 | 4 | 人 | 上下 | WJJ | 指事 |
| 笔顺 | ノ 人 介 介 | | | | |

【解　释】❶在两者之间。❷在乎;放在心上。❸(书)正直。❹壳;甲。❺量词。相当于“个”(只用于人)。❻戏曲用词。表示情态动作的词。

甲骨文　金文　小篆　隶书　楷书

【字源释义】“介”的本义是“铠甲”。字形像一个人身上穿着皮革所制成的甲衣。隶书以后字形变化得不好解释了。
【组　词】介绍　媒介　介词　介意　介质　中介
【造　句】介绍——班主任把新同学介绍给大家。
【同音字】界(世界)　借(借用)
【形近字】个(个别)
【成　语】一介书生
【反义词】介入/退出
【近义词】介意/在意
【英　语】介绍　introduce [intrə'djuːs]

| jiè | 笔画 | 部首 | 结构 | 五笔 | 造字法 |
|---|---|---|---|---|---|
| 价 | 6 | 亻 | 左右 | WWJH | 会意 |
| 笔顺 | ノ 亻 亻 价 价 价 | | | | |

【解　释】旧时指被派遣传送东西或传达事情的人。
【组　词】价傧
【同音字】届(应届)　介(介词)
【多音字】jià(见330页)
【多音字】jie(见360页)

| jiè | 笔画 | 部首 | 结构 | 五笔 | 造字法 |
|---|---|---|---|---|---|
| 芥 | 7 | 艹 | 上下 | AWJJ | 形声 |
| 笔顺 | 一 十 廾 艾 艾 芥 芥 | | | | |

【解　释】芥菜,蔬菜名,一年或两年生草本植物。黄花,茎叶和块根可食,种子可做调味品。
【组　词】芥菜　芥末　芥子
【同音字】届(历届)　戒(戒心)
【形近字】荟(荟萃)
【英　语】芥末　mustard [ˈmʌstəd]
【多音字】gài(见227页)

| jiè | 笔画 | 部首 | 结构 | 五笔 | 造字法 |
|---|---|---|---|---|---|
| 戒 | 7 | 戈 | 半包围 | AAK | 会意 |
| 笔顺 | 一 二 于 开 戒 戒 戒 | | | | |

【解　释】❶防备;警惕。❷指禁止做的事情。❸放弃或改掉嗜好和不良习惯。❹佛教约束教徒的教规。❺指环。
【组　词】戒备　戒严　戒骄　戒躁　戒烟　戒毒　戒律　戒除　戒尺　戒指
【造　句】戒烟——为了爸爸的健康,我们全家都动员他戒烟。
【辨　音】不读róng。
【同音字】界(界定)　借(借助)
【形近字】戎(戎装)　成(成长)
【成　语】戒骄戒躁　戒备森严
【反义词】戒备/放松
【近义词】戒备/防备
【谚　语】戒烟容易守烟难。
【英　语】戒备　guard [gɑːd]

| jiè | 笔画 | 部首 | 结构 | 五笔 | 造字法 |
|---|---|---|---|---|---|
| 届 | 8 | 尸 | 半包围 | NMD | 形声 |
| 笔顺 | 一 コ 尸 尸 尼 局 届 届 | | | | |

【解　释】❶到。❷量词。次或期。
【组　词】届时　届满　应届　上届　历届　首届
【造　句】首届——他是这个学校的首届毕业生。
【辨　音】不读miào。
【同音字】介(媒介)　借(借口)
【形近字】庙(庙宇)　屉(抽屉)
【近义词】届时/到时
【英　语】届时　at the appointed time [æt ði əˈpɔintid taim]

| jiè | 笔画 | 部首 | 结构 | 五笔 | 造字法 |
|---|---|---|---|---|---|
| 界 | 9 | 田 | 上下 | LWJJ | 形声 |
| 笔顺 | 丨 冂 冃 田 田 罒 畀 界 界 | | | | |

【解　释】❶两物相交的地点。❷界限,范围。❸特指按职业、工作或性别等所划分的范围。
【组　词】境界　边界　界碑　国界　眼界　商界　界定　世界　界面
【造　句】眼界——多看课外书能帮助我们拓宽眼界。
【同音字】介(介绍)　借(借条)
【形近字】累(累积)
【近义词】界定/划分
【英　语】世界　world [wəːld]

| jiè | 笔画 | 部首 | 结构 | 五笔 | 造字法 |
|---|---|---|---|---|---|
| 诫 | 9 | 讠 | 左右 | YAAH | 形声 |
| 笔顺 | 丶 讠 订 订 讦 讦 诫 诫 诫 | | | | |

【解　释】警告;劝告人要警惕。
【组　词】告诫　劝诫　规诫　警诫　训诫
【造　句】劝诫——不要固执己

J

见，应听听旁人的劝诫。
【辨　音】不读 xiè。
【同音字】介（中介）　界（界河）
【形近字】绒（绒毛）
【近义词】告诫/警诫
【英　语】告诫　warn ［wɔːn］

| jiè | 笔画 | 部首 | 结构 | 五笔 | 造字法 |
|---|---|---|---|---|---|
| 借 | 10 | 亻 | 左右 | WAJG | 形声 |
| 笔顺 | 丿 亻 亻一 亻十 亻卄 借 借 借 借 借 | | | | |

【解　释】❶暂时使用他人的财物等。❷暂时把财物等给他人使用。❸假托。❹依靠；凭借。
【组　词】借钱　借用　借光　借给　借助　借条　借机　借书
【同音字】介（简介）　届（届时）
【形近字】错（错误）　措（措施）
【成　语】借题发挥　借刀杀人　借花献佛　借尸还魂
【反义词】借进/借出
【近义词】借据/借条
【歇后语】六月的扇子——借不得｜饿肚汉打冤家——借机（饥）闹事。
【谚　语】借板搭桥，两相方便｜借人一口，还人一斗。
【英　语】借进　borrow ［ˈbɔrəu］

| jiè | 笔画 | 部首 | 结构 | 五笔 | 造字法 |
|---|---|---|---|---|---|
| 解 | 13 | 角 | 左右 | QEVH | 会意 |
| 笔顺 | 丿 ⺈ 𠂊 角 角 角 角 角 解 解 解 解 解 | | | | |

【解　释】押送。
【同音字】介（介绍）
【多音字】jiě（见 357 页）
【多音字】xiè（见 789 页）

| jiè | 笔画 | 部首 | 结构 | 五笔 | 造字法 |
|---|---|---|---|---|---|
| 藉 | 17 | 艹 | 上下 | ADIJ | 形声 |
| 笔顺 | 一 十 艹 艹 艹 艹 艹 艹 艹 艹 艹 艹 藉 藉 藉 藉 藉 | | | | |

【解　释】❶垫在底下的东西。❷垫；衬。❸假托。❹依靠。
【组　词】慰藉　枕藉
【造　句】慰藉——儿子考上了大学，这给了老人莫大的慰藉。
【同音字】界（边界）　戒（戒烟）
【形近字】籍（书籍）
【近义词】慰藉/安慰
【英　语】慰藉　consolation ［kɔnsəˈleiʃən］
【多音字】jí（见 319 页）

| jie | 笔画 | 部首 | 结构 | 五笔 | 造字法 |
|---|---|---|---|---|---|
| 价 | 6 | 亻 | 左右 | WWJH | 会意 |
| 笔顺 | 丿 亻 亻 价 价 价 | | | | |

【解　释】助词。相当于“地”，如：整天价忙。
【多音字】jià（见 330 页）
【多音字】jiè（见 358 页）

## JIN ㄐㄧㄣ

| jīn | 笔画 | 部首 | 结构 | 五笔 | 造字法 |
|---|---|---|---|---|---|
| 巾 | 3 | 巾 | 独体 | MHK | 象形 |
| 笔顺 | 丨 冂 巾 | | | | |

【解　释】用来擦东西或包裹、覆盖东西的纺织物。
【组　词】丝巾　头巾　毛巾　手巾
【造　句】毛巾——幼儿园的每个

J

小朋友都有一条毛巾。
【同音字】斤(斤斤计较) 今(今天)
【形近字】中(中国) 币(硬币)
【近义词】手巾/手帕
【英 语】毛巾 towel [ˈtauəl]

| jīn | 笔画 | 部首 | 结构 | 五笔 | 造字法 |
|---|---|---|---|---|---|
| 斤 | 4 | 斤 | 独体 | RTTH | 象形 |
| 笔顺 | ˊ 厂 斤 斤 | | | | |

【解 释】❶市制重量单位,10两为1斤,旧制16两为1斤,合500克。❷古代斧子一类砍伐树木的工具。

【字源释义】"斤"原指一种石斧。上面是刃,下面为柄,加箭头表示锋利。后来多用作重量单位名。"斤斤"是"聪明鉴察"的意思;引申为"过分计较",如"斤斤计较"。
【组 词】公斤 市斤 斤两
【造 句】斤斤计较——与人交往时,不要斤斤计较。
【辨 音】不读jīng。
【同音字】金(金色) 今(今天)
【形近字】厅(饭厅)
【成 语】半斤八两 斤斤计较
【反义词】斤斤计较/宽宏大量
【近义词】斤两/分量
【歇后语】秤杆掉了星——不识斤两|肉案上的买卖——斤斤计较。
【英 语】斤两 weight [weit]

| jīn | 笔画 | 部首 | 结构 | 五笔 | 造字法 |
|---|---|---|---|---|---|
| 今 | 4 | 人 | 上下 | WYNB | 象形 |
| 笔顺 | ノ 人 亼 今 | | | | |

【解 释】目前;现在;现代(跟"古"相对)。
【组 词】今天 今年 今夜
【造 句】今非昔比——改革开放后的中国,已是今非昔比了。
【同音字】巾(毛巾) 金(奖金)
【形近字】令(命令)
【成 语】今非昔比 博古通今 古往今来
【反义词】今非昔比/今不如昔
【近义词】今生/此生
【谚 语】今天不苦干,明天受苦难|今年欢笑复明年,秋月春风等闲度。
【英 语】今天 today [təˈdei]

| jīn | 笔画 | 部首 | 结构 | 五笔 | 造字法 |
|---|---|---|---|---|---|
| 金 | 8 | 金 | 上下 | QQQQ | 会意 |
| 笔顺 | ノ 人 亼 今 全 余 金 金 | | | | |

【解 释】❶金属元素,符号为Au,赤黄色,质软,是一种贵重的金属。❷泛指金属。❸钱。❹古时金属制的打击乐器。❺比喻尊贵、贵重。❻朝代名。❼姓。
【组 词】合金 金属 现金

【同音字】今(至今)　巾(头巾)
【形近字】全(完全)
【成　语】金戈铁马　金兰之交　金玉良言
【反义词】金玉良言/花言巧语
【近义词】金钱/货币
【谚　语】金钱如粪土,人品值千金|金无足赤,人无完人。
【英　语】金鱼　goldfish　[ˈgəuldfiʃ]

| jīn | 笔画 | 部首 | 结构 | 五笔 | 造字法 |
|---|---|---|---|---|---|
| 津 | 9 | 氵 | 左右 | IVFH | 形声 |
| 笔顺 | 丶 冫 氵 汀 沪 浔 津 津 津 | | | | |

【解　释】❶唾液;口液。❷汗。❸渡口。❹形容有兴趣;有趣味。❺滋润。❻天津的简称。
【组　词】津液　津贴　天津
【造　句】津津乐道——他对每天的新闻津津乐道,也使我们这些旁听者增长不少见识。
【辨　音】不读 jīng。
【同音字】金(基金)　今(今昔)
【形近字】律(法律)
【成　语】津津乐道　津津有味
【反义词】津津有味/索然无味
【近义词】津津乐道/夸夸其谈
【歇后语】狗啃骨头——津津有味。
【英　语】津贴　subsidy　[ˈsʌbsidi]

| jīn | 笔画 | 部首 | 结构 | 五笔 | 造字法 |
|---|---|---|---|---|---|
| 筋 | 12 | ⺮ | 上下 | TELB | 会意 |
| 笔顺 | ノ ⺈ ⺮ 竹 竹 竹 竹 笋 筋 筋 筋 筋 | | | | |

【解　释】❶俗称附在肌腱或骨头上的韧带。❷肌肉的旧称。❸静脉。❹类似筋的东西。
【组　词】筋骨　钢筋　筋肉　青筋　筋斗
【造　句】筋疲力尽——长跑结束后,他已筋疲力尽。
【同音字】金(金属)
【形近字】肋(肋骨)
【成　语】筋疲力尽
【近义词】筋斗/跟头
【谚　语】伤筋动骨一百天。
【英　语】筋斗　somersault　[ˈsʌməsɔlt]

| jīn | 笔画 | 部首 | 结构 | 五笔 | 造字法 |
|---|---|---|---|---|---|
| 禁 | 13 | 示 | 上下 | SSFI | 形声 |
| 笔顺 | 一 十 才 木 木 村 材 林 林 埜 埜 禁 禁 | | | | |

【解　释】❶耐;受得住。❷忍住。
【组　词】禁受　不禁
【造　句】禁受——他禁受不住这样的痛苦,便去找爷爷。
【同音字】斤(斤两)
【多音字】jìn(见 366 页)

| jǐn | 笔画 | 部首 | 结构 | 五笔 | 造字法 |
|---|---|---|---|---|---|
| 仅 | 4 | 亻 | 左右 | WCY | 形声 |
| 笔顺 | 丿 亻 仅 仅 | | | | |

【解　释】副词。只。
【组　词】仅够　仅可　仅有　仅只
【造　句】仅够——这一点水,仅够一个人喝。
【同音字】尽(尽管)　紧(紧凑)
【形近字】汉(汉人)　叹(叹息)
【成　语】绝无仅有

【反义词】绝无仅有/多如牛毛
【近义词】仅有/只有
【英　语】仅仅　only [ˈəunli]

| jǐn | 笔画 | 部首 | 结构 | 五笔 | 造字法 |
|---|---|---|---|---|---|
| 尽 | 6 | 尸 | 上下 | NYUU | 会意 |
| 笔顺 | 一 コ 尸 尺 尽 尽 | | | | |

【解　释】❶最；极。❷优先。❸力求达到最大限度。❹才是。
【组　词】尽快　尽早
【多音字】jìn(见364页)

| jǐn | 笔画 | 部首 | 结构 | 五笔 | 造字法 |
|---|---|---|---|---|---|
| 紧 | 10 | 糸 | 上下 | JCXI | 形声 |
| 笔顺 | 丨 刂 ⺊ 収 収 坚 坚 紧 紧 紧 | | | | |

【解　释】❶物体因受到多方面拉力或压力后而呈现的状态(跟"松"相对)。❷靠得极近,空隙很小。❸使紧;收束。❹动作先后密切相连,没有空隙。❺严重;重要。❻经济不宽裕;生活拮据。
【组　词】紧张　紧凑　松紧　紧邻　紧急　紧绷　紧密　紧迫　紧身　紧缺
【造　句】紧迫——由于时间紧迫,大家草草化妆就上了舞台。
【同音字】谨(严谨)　锦(锦绣)
【形近字】坚(坚决)
【成　语】紧锣密鼓
【反义词】紧张/松弛
【近义词】紧密/密切
【歇后语】孙大圣听见了紧箍(gū)咒——好不自在。
【谚　语】紧庄稼,慢买卖|紧行无好步,慢行出细活,心急吃不了热豆腐。

【英　语】紧张　nervous [ˈnəːvəs]

| jǐn | 笔画 | 部首 | 结构 | 五笔 | 造字法 |
|---|---|---|---|---|---|
| 锦 | 13 | 钅 | 左右 | QRMH | 形声 |
| 笔顺 | ノ ㇒ 𠂉 𠂉 钅 钅 钅 钔 钔 钔 钔 锦 锦 | | | | |

【解　释】❶有彩色花纹的丝织品。❷比喻鲜艳美丽。
【组　词】锦标　锦缎　锦旗
【造　句】前程似锦——新世纪的钟声响起时,我们祝福彼此前程似锦。
【同音字】紧(紧迫)　仅(仅有)
【形近字】绵(绵延)　棉(棉花)
【成　语】锦绣山河　锦囊妙计　锦上添花
【反义词】锦上添花/落井下石
【近义词】锦缎/彩绸
【歇后语】诸葛亮的锦囊——用不完的计|鞋头上刺花——前程锦绣。
【谚　语】锦上添花,旱苗得雨。
【英　语】锦标　prize [praiz]

| jǐn | 笔画 | 部首 | 结构 | 五笔 | 造字法 |
|---|---|---|---|---|---|
| 谨 | 13 | 讠 | 左右 | YAKG | 形声 |
| 笔顺 | 丶 讠 讠 讠 讲 讲 讲 讲 谨 谨 谨 谨 谨 | | | | |

【解　释】❶小心;慎重。❷表示恭敬;郑重。
【组　词】谨慎　谨防　谨领　谨守　谨严　严谨
【造　句】谨慎——大家都对他很放心,因为他做事很谨慎。
【辨　音】不读jǐng。
【同音字】紧(紧急)

【形近字】勤(勤奋)
【成　语】谨小慎微　谨言慎行
【反义词】谨慎/大意
【近义词】谨上/献上
【歇后语】数着步子走路——谨小慎微。
【谚　语】谨慎无过错。
【英　语】谨慎　prudent [ˈpruːdənt]

| jìn | 笔画 | 部首 | 结构 | 五笔 | 造字法 |
|---|---|---|---|---|---|
| 尽 | 6 | 尸 | 上下 | NYUU | 会意 |
| 笔顺 | フ コ 尸 尺 尽 尽 | | | | |

【解　释】❶完;毕。❷达到极端。❸全部用出。❹努力做到。❺死亡。
【组　词】尽心　尽职　尽力　尽忠　尽头　穷尽　尽量
【同音字】近(近来)　进(前进)
【形近字】尺(尺寸)
【成　语】无穷无尽　尽力而为　尽善尽美　尽心竭力
【反义词】尽情/拘束
【近义词】尽心/全心
【谚　语】尽人力,听天命。
【英　语】尽头　end [end]
【多音字】jǐn(见 363 页)

| jìn | 笔画 | 部首 | 结构 | 五笔 | 造字法 |
|---|---|---|---|---|---|
| 进 | 7 | 辶 | 半包围 | FJPK | 形声 |
| 笔顺 | 一 二 井 井 井 讲 进 | | | | |

【解　释】❶向前、向上的方向移动(跟"退"相对)。❷入;由外面往里面去(跟"出"相对)。❸收入;买入。❹敬献;奉呈。❺旧式建筑房院的区间。

甲骨文　金文　小篆　隶书　楷书

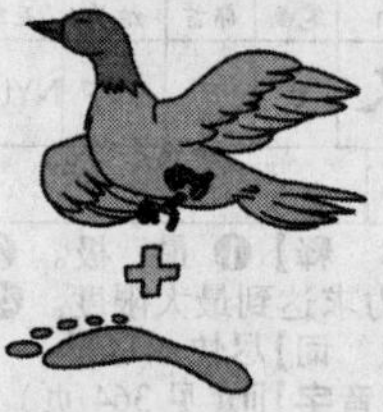

【字源释义】甲骨文"进"的字形像是一只鸟加一只脚印,表示"前进";金文再加"彳";小篆把"彳"、"止"合成"辵";隶书又变"辵"为"辶"。
【组　词】前进　进攻　走进　进步　进化　进货　进款　进献
【造　句】进步——小华这个学期进步很大。
【同音字】近(近况)　晋(晋升)
【形近字】进(进出)
【成　语】进退两难　进退维谷
【反义词】进步/退步
【近义词】进攻/攻击
【谚　语】进化端由劳动始,成功全靠斗争来。
【英　语】进步　advance [ədˈvɑːns]

| jìn | 笔画 | 部首 | 结构 | 五笔 | 造字法 |
|---|---|---|---|---|---|
| 近 | 7 | 辶 | 半包围 | RPK | 形声 |
| 笔顺 | 丿 厂 斤 斤 斤 䜣 近 | | | | |

【解　释】❶空间上距离短;时间上距离现在不久(跟"远"相对)。❷关系亲密;亲近。❸相近;差别不大;差不多。❹浅显;浅近。

【组　词】接近　附近　相近　近似　近视　近代
【造　句】近视——学习时若不注意坐姿,眼睛很容易近视。
【同音字】进(进步)　晋(晋升)
【形近字】进(进取)
【成　语】平易近人　言近旨远　近水楼台
【反义词】近似/差别
【近义词】近世/近代
【谚　语】近水楼台先得月|近水不可枉用水,近山不可枉烧柴。
【英　语】近　near [niə]

| jìn | 笔画 | 部首 | 结构 | 五笔 | 造字法 |
|---|---|---|---|---|---|
| 劲 | 7 | 力 | 左右 | CALN | 形声 |
| 笔顺 | フ ス ヌ 幸 圣 刭 劲 | | | | |

【解　释】❶力量;力气。❷精神、态度等。❸指属性的程度、作用。
【组　词】手劲　后劲　费劲　酒劲　劲舞　劲头　干劲　卖劲
【造　句】劲头——大家在一起学习,真是劲头十足。
【同音字】进(急进)
【形近字】颈(脖颈)
【反义词】费劲/省力
【近义词】劲头/干劲
【歇后语】老虎扑食——三股劲|斗鸡上阵——劲头十足。
【英　语】劲头 strength [streŋθ]
【多音字】jìng(见370页)

| jìn | 笔画 | 部首 | 结构 | 五笔 | 造字法 |
|---|---|---|---|---|---|
| 晋 | 10 | 日 | 上下 | GOGJ | 会意 |
| 笔顺 | 一 ㄏ 𠃊 丌 亚 亚 平 晋 晋 晋 | | | | |

【解　释】❶进;上升。❷周代诸侯国名。❸朝代名。❹山西省的简称。

甲骨文　金文　小篆　隶书　楷书

【字源释义】"晋"是"搢"的本字,意思是"插"。甲骨文和金文的"晋"字如同两支箭插在一个椭圆形的器物上。后来,"晋"常用于"进"义。
【组　词】晋升　晋见　晋级　晋剧
【造　句】晋升——由于表现好,他被晋升为科长。
【同音字】进(进步)　近(近况)
【形近字】普(普通)
【反义词】晋升/降职
【近义词】晋级/升级
【歇后语】晋襄公不打败将——放虎归山。
【英　语】晋升　promotion [prə'məuʃən]

| jìn | 笔画 | 部首 | 结构 | 五笔 | 造字法 |
|---|---|---|---|---|---|
| 浸 | 10 | 氵 | 左右 | IVPC | 形声 |
| 笔顺 | 丶 冫 氵 氵 氵 氵 氵 浔 浔 浸 | | | | |

J

【解　释】❶泡;使渗入。❷慢慢地;渐渐地。
【组　词】浸入　沉浸　浸透　浸泡　浸没　浸染　浸润
【造　句】浸透——雨水把墙浸透了。
【辨　音】不读 qīn。
【同音字】近(贴近)
【形近字】侵(侵犯)
【近义词】浸沐/沉浸
【歇后语】浸了水的爆竹——一声不响|浸水的麻花——不干脆。
【英　语】浸润　soak [səuk]

| jìn | 笔画 | 部首 | 结构 | 五笔 | 造字法 |
|---|---|---|---|---|---|
| 禁 | 13 | 示 | 上下 | SSFI | 形声 |
| 笔顺 | 一 十 才 木 木 村 林 林 林 埜 埜 禁 禁 | | | | |

【解　释】❶不允许。❷法律上或习惯上禁止的事情。❸拘留;拘押。❹旧时皇帝居住的地方。❺不能随便出入的地方。
【组　词】禁止　禁烟　犯禁　禁闭　监禁　禁地　禁忌
【造　句】禁止——教室里禁止大声喧哗。
【同音字】进(进来)
【形近字】焚(焚烧)　楚(清楚)
【反义词】监禁/释放
【近义词】严禁/禁止
【英　语】禁止　prohibit [prə'hibit]
【多音字】jīn(见 362 页)

| jìn | 笔画 | 部首 | 结构 | 五笔 | 造字法 |
|---|---|---|---|---|---|
| 噤 | 16 | 口 | 左右 | KSSI | 形声 |
| 笔顺 | 丨 口 口 口 叶 吽 吽 吽 吽 啉 啉 啉 噤 噤 噤 噤 | | | | |

【解　释】闭口;不出声。
【组　词】寒噤　噤声　噤闭
【造　句】噤若寒蝉——他的话完了,台下的人全都噤若寒蝉、面面相觑。
【同音字】近(逼近)　劲(用劲)
【形近字】襟(衣襟)
【成　语】噤若寒蝉
【反义词】噤若寒蝉/大声疾呼
【英　语】噤若寒蝉　dare not air one's views out of fear [dεə nɔt εə wʌnz vjuːz aut əv fiə]

## JING　ㄐㄧㄥ

| jīng | 笔画 | 部首 | 结构 | 五笔 | 造字法 |
|---|---|---|---|---|---|
| 茎 | 8 | 艹 | 上下 | ACAF | 形声 |
| 笔顺 | 一 十 艹 艾 芝 茎 茎 茎 | | | | |

【解　释】❶植物的主干。❷量词。指长条形的东西。
【组　词】块茎　球茎　根茎
【辨　音】不读 jìng。
【同音字】晶(晶体)
【形近字】劲(劲头)　泾(泾河)
【英　语】茎　stem [stem]

| jīng | 笔画 | 部首 | 结构 | 五笔 | 造字法 |
|---|---|---|---|---|---|
| 京 | 8 | 亠 | 上中下 | YIU | 象形 |
| 笔顺 | 丶 亠 亣 亩 亨 京 京 京 | | | | |

【解　释】❶首都。❷特指我国首都北京。❸古代戏种名。

甲骨文　金文　小篆　隶书　楷书

J

【字源释义】“京”的本义是“高冈”。由于国都多建在高地上，又引申为“国都”、“首都”。字形像一座筑起的高高的城楼，上有尖端，下有城墙。又有“大”义。

【组　词】京城　京剧　北京　京腔　京味

【同音字】睛（眼睛）

【形近字】高（高兴）

【歇后语】京戏走台步——磨磨蹭蹭。

【英　语】京剧　Beijing Opera [beidʒiŋ ˈɔpərə]

| jīng | 笔画 | 部首 | 结构 | 五笔 | 造字法 |
|---|---|---|---|---|---|
| 经 | 8 | 纟 | 左右 | X | 形声 |
| 笔顺 | ㄥ 乡 纟 纟 纟 纟 纟 经 | | | | |

【解　释】❶织物上纵向的线（跟“纬”相对）。❷经线，地理学上假定通过南北极与赤道成直角的线，以英国格林尼治天文台为起点。❸普通；通常。❹叙述宗教教义的书。❺治理；管理。❻承受；禁受。❼通过；经过。❽在动词前，跟“曾”、“已”连用，表示动作的时间已过去且动作已完成了。❾中医称经脉，人体内的脉络。❿姓。

【组　词】经常　经理　经营　圣经　经历　曾经　经典

【造　句】经常——他经常迟到，因而受到老师严厉的批评。

【辨　音】不读 jīn。

【同音字】京（北京）　惊（惊讶）

【形近字】径（直径）

【成　语】饱经风霜　经年累月

【反义词】经常/偶尔

【近义词】经常/时常

【歇后语】铁路上的枕木——经得住压力。

【谚　语】经一事，长一智|经不起风吹浪打，算不得英雄好汉。

【英　语】经济　economy [iˈkɔnəmi]

| jīng | 笔画 | 部首 | 结构 | 五笔 | 造字法 |
|---|---|---|---|---|---|
| 荆 | 9 | 刂 | 左右 | AGAJ | 形声 |
| 笔顺 | 一 十 卄 廿 兰 芊 并 荆 荆 | | | | |

【解　释】❶落叶灌木，叶子有长柄，掌状分裂，蓝紫色小花，枝条柔韧，可编筐、篮。❷荆条，古时的一种刑具。❸比喻困难或障碍。❹春秋时楚国的别称。❺姓。

【组　词】荆棘　荆国　紫荆

【造　句】荆棘——前进的道路上遍地荆棘，并不会一帆风顺。

【辨　音】不读 xíng。

【同音字】晶（水晶）　惊（惊吓）

【形近字】刺（刺激）

【成　语】负荆请罪　披荆斩棘

【反义词】披荆斩棘/瞻前顾后

J

【近义词】披荆斩棘/一往无前
【歇后语】荆棘丛中走路——步步难|廉颇背荆条——认错。
【谚　语】荆山失火,玉石俱焚。
【英　语】荆棘　bramble [ˈbræmbl]

| jīng | 笔画 | 部首 | 结构 | 五笔 | 造字法 |
|---|---|---|---|---|---|
| 惊 | 11 | 忄 | 左右 | NYIY | 形声 |
| 笔顺 | 丶 丷 忄 忄 忙 忙 恼 怜 惊 惊 惊 | | | | |

【解　释】❶因刺激而害怕或精神紧张。❷骡、马等受惊。❸使震惊;惊动。
【组　词】吃惊　惊讶　惊喜　惊诧　惊动　惊慌　惊恐
【造　句】惊醒——一阵响雷把她从睡梦中惊醒。
【同音字】精(精华)　经(经理)
【形近字】凉(凉快)　谅(谅解)
【成　语】打草惊蛇　惊天动地　一鸣惊人　惊心动魄　惊涛骇浪　惊慌失措
【反义词】惊慌/沉着　镇定
【近义词】惊讶/惊奇
【谚　语】惊弓之鸟,夜不投林|惊蛰老冰开,春风把树栽。
【英　语】惊异　surprised [səˈpraizd]

| jīng | 笔画 | 部首 | 结构 | 五笔 | 造字法 |
|---|---|---|---|---|---|
| 晶 | 12 | 日 | 上下 | JJJF | 象形 |
| 笔顺 | 丨 冂 日 日 日 日 昌 昌 昌 晶 晶 晶 | | | | |

【解　释】❶形容光亮透明;明净。❷晶体。❸水晶,一种坚硬透明的矿物名。种类繁多,可制光学仪器。❹比喻成果。
【组　词】晶莹　结晶　水晶　晶体　晶化　墨晶　亮晶晶　晶状体
【造　句】晶莹——荷叶上面滚动着几颗晶莹的水珠。
【同音字】精(精力)　京(京剧)
【形近字】品(品行)
【反义词】晶莹/灰暗
【近义词】结晶/成果
【英　语】晶石　spar [spɑː]

| jīng | 笔画 | 部首 | 结构 | 五笔 | 造字法 |
|---|---|---|---|---|---|
| 睛 | 13 | 目 | 左右 | HGEG | 形声 |
| 笔顺 | 丨 冂 月 目 目 目一 目二 目⺊ 目丰 目青 睛 睛 睛 | | | | |

【解　释】眼珠;眼球。
【组　词】眼睛
【造　句】目不转睛——孩子们目不转睛地望着他,听他讲故事,生怕漏掉一个细节。
【辨　音】不读 qíng。
【同音字】京(京城)
【形近字】晴(晴天)
【成　语】火眼金睛　目不转睛　画龙点睛
【反义词】目不转睛/东张西望
【近义词】目不转睛/全神贯注
【英　语】眼睛　eye [ai]

| jīng | 笔画 | 部首 | 结构 | 五笔 | 造字法 |
|---|---|---|---|---|---|
| 精 | 14 | 米 | 左右 | OGEG | 形声 |
| 笔顺 | 丶 丷 丷 半 米 米 米一 米二 米⺊ 米丰 米青 精 精 精 | | | | |

【解　释】❶精华;经过提炼或挑选出来的东西。❷聪明;思维周密。❸细致;细密。❹很专业;熟

练地掌握。❺非常；极。❻神话中的妖怪。
【组　词】精选　精彩　精通　精瘦　妖精　精算
【造　句】精彩——今天的晚会很精彩。
【同音字】惊(惊异)　晶(晶莹)
【形近字】睛(眼睛)
【成　语】精益求精　精明强干　精疲力竭　精神抖擞
【反义词】精明强干/碌碌无为
【近义词】精明/聪明
【歇后语】八级工学技术——精益求精。
【谚　语】精益求精，于事有益无损|精诚所至，金石为开。
【英　语】精华　essence [ˈesəns]

| jīng | 笔画 | 部首 | 结构 | 五笔 | 造字法 |
|---|---|---|---|---|---|
| 鲸 | 16 | 鱼 | 左右 | QGYI | 形声 |
| 笔顺 | 丿 ⺈ ⺈ 𠂊 ⺈ 鱼 鱼 鱼 鱼' 鱼' 鱼' 鱼' 鱼' 鲸 鲸 鲸 | | | | |

【解　释】鲸鱼，哺乳动物，生活在海洋中，形状像鱼，胎生，用肺呼吸。最长的可达30米，是现在地球上最大的动物。
【组　词】鲸鱼　鲸吞
【同音字】精(精明)
【形近字】鲜(鲜明)
【英　语】鲸鱼　whale [weil]

| jǐng | 笔画 | 部首 | 结构 | 五笔 | 造字法 |
|---|---|---|---|---|---|
| 井 | 4 | 一 | 独体 | FJK | 象形 |
| 笔顺 | 一 二 井 井 | | | | |

【解　释】❶从地上挖的能取水的深洞，洞壁多用砖石砌上。❷形状像井的东西。❸整齐；有条理。❹二十八星宿之一。

甲骨文　金文　小篆　隶书　楷书

【字源释义】甲骨文“井”字是一口方形的井状，周围是井沿的石条。金文有些字形和小篆在中间加一个点，表示井水所在的地方。
【组　词】打井　水井　油井　天井　井水　矿井
【造　句】井井有条——她讲起话来井井有条，让人一听就明白。
【同音字】景(情景)
【形近字】开(开张)
【成　语】井井有条　井底之蛙　井然有序
【反义词】井井有条/杂乱无章
【近义词】坐井观天/鼠目寸光
【谚　语】井水不犯河水|井淘三遍吃甜水，人从三师武艺高。
【英　语】井　well [wel]

| jǐng | 笔画 | 部首 | 结构 | 五笔 | 造字法 |
|---|---|---|---|---|---|
| 阱 | 6 | 阝 | 左右 | BFJH | 形声 |
| 笔顺 | 阝 阝 阝 阝 阱 阱 | | | | |

【解　释】❶捕捉野兽用的陷坑。❷比喻陷害人的圈套。
【组　词】陷阱
【造　句】陷阱——这是敌人设的

J

陷阱，我们不能上当。
【同音字】景（景色）　颈（颈项）
【形近字】井（井水）
【近义词】陷阱/圈套
【英　语】陷阱　trap ［træp］

| jǐng | 笔画 | 部首 | 结构 | 五笔 | 造字法 |
|---|---|---|---|---|---|
| 颈 | 11 | 页 | 左右 | CADM | 形声 |
| 笔顺 | [illegible] 颈 颈 颈 | | | | |

【解　释】脖子，头和躯干连接的部分。
【组　词】颈联　颈项　颈椎　瓶颈
【辨　音】不读 jìng。
【同音字】景（光景）　井（矿井）
【形近字】到（自刭）　领（领带）
【反义词】刎颈之交/冤家对头
【近义词】刎颈之交/生死之交
【英　语】颈　neck ［nek］

| jǐng | 笔画 | 部首 | 结构 | 五笔 | 造字法 |
|---|---|---|---|---|---|
| 景 | 12 | 日 | 上下 | JYIU | 形声 |
| 笔顺 | 丨 冂 日 日 旦 早 早 [illegible] 景 | | | | |

【解　释】❶风光；景色。❷状况；情况。❸佩服；仰慕。
【组　词】盛景　景色　前景　情景　年景　景物
【造　句】景色——暑假里，我们全家来到景色迷人的西湖。
【同音字】井（井然）
【形近字】影（影响）　京（北京）
【成　语】良辰美景　触景生情
【反义词】景气/萧条
【近义词】景物/风景
【英　语】景色　scenery ［ˈsiːnəri］

| jǐng | 笔画 | 部首 | 结构 | 五笔 | 造字法 |
|---|---|---|---|---|---|
| 憬 | 15 | 忄 | 左右 | NJYI | 形声 |
| 笔顺 | 忄 [illegible] 憬 | | | | |

【解　释】觉悟；醒悟。
【组　词】憬然　憧憬
【造　句】憧憬——她对未来有着美好的憧憬。
【同音字】井（打井）　景（光景）
【形近字】影（摄影）
【英　语】憧憬　long for ［lɔŋ fɔː］

| jǐng | 笔画 | 部首 | 结构 | 五笔 | 造字法 |
|---|---|---|---|---|---|
| 警 | 19 | 言 | 上下 | AQKY | 形声 |
| 笔顺 | [illegible] 敬 [illegible] 警 | | | | |

【解　释】❶提醒注意可能发生的危险。❷需要戒备的危险文件或消息。❸警察的简称。❹感觉敏锐。
【组　词】警惕　警告　警戒　民警　警报　警觉　警句　刑警
【造　句】报警——碰上意外情况可以拨打电话报警。
【同音字】景（背景）
【形近字】擎（擎天）
【反义词】警卫/破坏
【近义词】警卫/戒备
【英　语】警察　police ［pəˈliːs］

| jìng | 笔画 | 部首 | 结构 | 五笔 | 造字法 |
|---|---|---|---|---|---|
| 劲 | 7 | 力 | 左右 | CALN | 形声 |
| 笔顺 | [illegible] 刭 劲 | | | | |

【解　释】❶坚强有力。❷战斗力强。
【组　词】劲敌　刚劲　苍劲　强劲　雄劲　疾风劲草　雄劲有力
【造　句】苍劲——他的书法苍劲有力。
【同音字】径(直径)　竟(竟然)
【反义词】劲敌/弱旅
【近义词】强劲/刚劲
【英　语】劲敌　strong opponent [strɔŋ ə'pəunənt]
【多音字】jìn(见 365 页)

| jìng | 笔画 | 部首 | 结构 | 五笔 | 造字法 |
|---|---|---|---|---|---|
| 径 | 8 | 彳 | 左右 | TCAG | 形声 |
| 笔顺 | 丿 彡 彳 彳 径 径 径 径 | | | | |

【解　释】❶小路。❷直接。❸比喻达到目的的方法。❹直径的简称。
【组　词】途径　山径　捷径　径直　直径　门径　口径
【造　句】径直——你不必拐弯抹角,可以径直向老师说明白。
【同音字】静(安静)　敬(尊敬)
【形近字】经(经过)
【成　语】独辟蹊径
【反义词】径直/绕道
【近义词】行径/行为
【英　语】小径　footpath ['futpɑːθ]

| jìng | 笔画 | 部首 | 结构 | 五笔 | 造字法 |
|---|---|---|---|---|---|
| 净 | 8 | 冫 | 左右 | UQVH | 形声 |
| 笔顺 | 丶 冫 冫 冫 冯 净 净 净 | | | | |

【解　释】❶洁净;干净。❷洗净。❸没有剩余的;尽。❹表示单纯;纯粹。❺传统戏曲里的一类角色。俗称花脸。
【组　词】净水　净化　明净　净额　干净　净利　纯净　洁净
【造　句】净化——公安部门通过扫黄打非进一步净化了社会风气。
【同音字】竟(毕竟)　静(文静)
【形近字】挣(挣扎)
【成　语】窗明几净
【反义词】干净/肮脏
【近义词】洁净/干净
【英　语】洁净　clean [kliːn]

| jìng | 笔画 | 部首 | 结构 | 五笔 | 造字法 |
|---|---|---|---|---|---|
| 竞 | 10 | 立 | 上下 | UKQB | 会意 |
| 笔顺 | 丶 亠 亠 亠 立 立 产 音 竞 竞 | | | | |

【解　释】比赛;角逐;互相争胜。
【组　词】竞选　竞争　竞走　竞销　竞技　竞拍　竞买　竞价
【造　句】竞赛——这次竞赛他得了第一名。
【同音字】镜(眼镜)
【形近字】竟(究竟)
【近义词】竞赛/比赛
【英　语】竞争　compete [kəm'piːt]

| jìng | 笔画 | 部首 | 结构 | 五笔 | 造字法 |
|---|---|---|---|---|---|
| 竟 | 11 | 立 | 上下 | UJQB | 会意 |
| 笔顺 | 丶 亠 亠 亠 立 产 音 音 音 竟 竟 | | | | |

【解　释】❶结束;完毕。❷终于;到底。❸副词。表示出乎意料。❹从头到尾。
【组　词】究竟　竟然　毕竟　竟自　竟敢　竟日　竟到
【造　句】毕竟——孩子毕竟太

J

小，不必对他要求过高。
【同音字】境（境况）
【形近字】竞（竞选）
【谚　语】有志者事竟成。
【近义词】竟然/居然
【英　语】竟然　actually［ˈæktʃuəli］

| jìng | 笔画 | 部首 | 结构 | 五笔 | 造字法 |
|---|---|---|---|---|---|
| 敬 | 12 | 攵 | 左右 | AQKT | 会意 |
| 笔顺 | 一 十 艹 艹 芍 芍 苟 苟 苟 苟 苟 敬 | | | | |

【解　释】❶对人尊重；有礼貌地对待。❷敬意；恭敬。❸有礼貌地献上。
【组　词】敬献　敬佩　敬仰　孝敬
【造　句】敬献——我们将鲜花敬献给亲爱的老师。
【同音字】径（径直）
【形近字】敞（宽敞）
【成　语】毕恭毕敬　敬而远之
【反义词】尊敬/嫉恨
【近义词】尊敬/尊重
【谚　语】敬人敬自己，薄人薄自己｜敬人者人恒敬之，欺人者人恒欺之。
【英　语】尊敬　respect［risˈpekt］

| jìng | 笔画 | 部首 | 结构 | 五笔 | 造字法 |
|---|---|---|---|---|---|
| 静 | 14 | 青 | 左右 | GEQH | 形声 |
| 笔顺 | 一 = 丰 丰 丰 青 青 青 青' 青' 静 静 静 静 | | | | |

【解　释】❶停止的；物体不运动（跟“动”相对）。❷没有声音（跟“闹”相对）。
【组　词】静态　肃静　静止　静候
【造　句】静止——我们应该用发展的而不是静止的眼光看待某个人或某种事物。
【同音字】净（纯净）
【形近字】净（洁净）　挣（挣扎）
【成　语】平心静气　风平浪静
【反义词】安静/热闹
【近义词】安静/寂静
【谚　语】静坐常思己过，闲谈莫论人非。
【英　语】静止　static［ˈstætik］

| jìng | 笔画 | 部首 | 结构 | 五笔 | 造字法 |
|---|---|---|---|---|---|
| 境 | 14 | 土 | 左右 | FUJQ | 形声 |
| 笔顺 | 一 十 土 土' 圹 圹 垆 垆 垆 培 境 境 境 境 | | | | |

【解　释】❶地界；疆界。❷地方；区域。❸所达到的程度或遭遇到的情况。
【组　词】入境　环境　境域　境地
【造　句】境地——他陷入了不可救药的境地。
【辨　音】不读 jìn。
【同音字】敬（敬礼）
【形近字】镜（镜子）
【成　语】身临其境　事过境迁
【近义词】境域/境地
【英　语】境地　condition［kənˈdiʃən］

| jìng | 笔画 | 部首 | 结构 | 五笔 | 造字法 |
|---|---|---|---|---|---|
| 镜 | 16 | 钅 | 左右 | QUJQ | 形声 |
| 笔顺 | ノ 𠂉 𠂉 ⺧ 钅 钅 钅' 钅' 钅' 钅' 钅' 镜 镜 镜 镜 镜 | | | | |

【解　释】❶用来照见形象的器具，古代用铜磨制而成，现代用玻璃镀水银制成。❷利用光学原理

制成的各种器具。
【组　词】铜镜　眼镜　墨镜　镜片
【造　句】明镜——平静清澈的湖面犹如明镜一般。
【辨　音】不读 jìn。
【同音字】静(静止)
【形近字】境(环境)
【成　语】镜花水月
【英　语】镜子　mirror [ˈmirə]

## JIONG ㄐㄩㄥ

| jiǒng | 笔画 | 部首 | 结构 | 五笔 | 造字法 |
|---|---|---|---|---|---|
| 炯 | 9 | 火 | 左右 | OMKG | 形声 |
| 笔顺 | 丶 丷 少 火 灯 灯 炯 炯 炯 | | | | |

【解　释】明亮;光明。
【组　词】炯然
【造　句】炯炯有神——她长着一双明亮的大眼睛,显得炯炯有神。
【同音字】窘(窘况)
【形近字】迥(迥异)　洞(山洞)
【成　语】炯炯有神　目光炯炯
【英　语】炯炯　bright [brait]

| jiǒng | 笔画 | 部首 | 结构 | 五笔 | 造字法 |
|---|---|---|---|---|---|
| 窘 | 12 | 穴 | 上下 | PWVK | 形声 |
| 笔顺 | 丶 丶 宀 宀 穴 穷 穿 穿 穿 窘 窘 窘 | | | | |

【解　释】❶穷困。❷为难。❸使为难;难住。❹难为情。
【组　词】困窘　窘况　窘迫　窘相
【造　句】窘境——逼债的人不断地上门,他一时陷入了窘境。
【辨　音】不读 jiōng。
【同音字】炯(目光炯炯)
【形近字】窟(窟窿)　窑(窑洞)
【反义词】窘困/富裕
【近义词】窘迫/困窘
【英　语】窘迫　poverty stricken [ˈpɔvəti ˈstrikən]

## JIU ㄐㄧㄡ

| jiū | 笔画 | 部首 | 结构 | 五笔 | 造字法 |
|---|---|---|---|---|---|
| 纠 | 5 | 纟 | 左右 | XNHH | 形声 |
| 笔顺 | 𠃋 乡 纟 纠 纠 | | | | |

【解　释】❶缠绕。❷改正;矫正。❸集合。
【组　词】纠缠　纠集　纠正　纠偏
【造　句】纠正——练舞蹈时,她不断纠正不规范的动作。
【辨　音】不读 jiào。
【同音字】究(究竟)
【形近字】叫(叫唤)
【反义词】纠集/解散
【近义词】纠集/纠合
【英　语】纠纷　dispute [diˈspjuːt]

| jiū | 笔画 | 部首 | 结构 | 五笔 | 造字法 |
|---|---|---|---|---|---|
| 鸠 | 7 | 鸟 | 左右 | VQYG | 形声 |
| 笔顺 | 丿 九 九 九 九 鸠 鸠 | | | | |

【解　释】❶鸟,鸠鸽科部分种类的统称。❷聚集。
【组　词】斑鸠　鸠雏
【造　句】斑鸠——昨天,妈妈从集市上买了一只斑鸠。
【同音字】纠(纠纷)　究(讲究)
【形近字】鸽(鸽子)
【成　语】鸠占鹊巢
【英　语】斑鸠　turtledove [ˈtəːtldʌv]

J

| jiū | 笔画 | 部首 | 结构 | 五笔 | 造字法 |
|---|---|---|---|---|---|
| 究 | 7 | 穴 | 上下 | PWVB | 形声 |
| 笔顺 | 丶 ㇒ 宀 穴 穴 穷 究 | | | | |

【解　释】❶探求；推求；追查。❷到底；结果。
【组　词】追究　究办　研究　深究
【造　句】究竟——不管什么事儿，他总爱问个究竟。
【同音字】纠（纠缠）
【形近字】穷（穷困）　空（空气）
【近义词】追究/追查
【英　语】究竟　outcome　['autkʌm]

| jiū | 笔画 | 部首 | 结构 | 五笔 | 造字法 |
|---|---|---|---|---|---|
| 赳 | 9 | 走 | 半包围 | FHNH | 形声 |
| 笔顺 | 一 十 土 丰 丰 走 走 走 赳 | | | | |

【解　释】雄壮威武的样子。
【组　词】雄赳赳
【造　句】雄赳赳——解放军战士雄赳赳、气昂昂地迈步前进。
【同音字】究（研究）
【形近字】赶（赶快）　赴（奔赴）
【成　语】赳赳武夫
【英　语】雄赳赳　valiant　['væljənt]

| jiū | 笔画 | 部首 | 结构 | 五笔 | 造字法 |
|---|---|---|---|---|---|
| 揪 | 12 | 扌 | 左右 | RTOY | 形声 |
| 笔顺 | 一 十 扌 扌 扌 扌 扌 扌 扌 扌 揪 揪 | | | | |

【解　释】用手抓住；抓住用力拉。
【组　词】揪住　揪断　揪心
【造　句】揪住——他使劲揪住小偷，不让小偷逃跑。
【辨　音】不读 qiū。
【同音字】纠（纠纷）
【形近字】锹（铁锹）
【反义词】揪/放
【近义词】揪心/担忧
【英　语】揪出　uncover　[ʌn'kʌvə]

| jiū | 笔画 | 部首 | 结构 | 五笔 | 造字法 |
|---|---|---|---|---|---|
| 啾 | 12 | 口 | 左右 | KTOY | 形声 |
| 笔顺 | 丨 口 口 口 口 吁 吁 吁 吁 吁 啾 啾 | | | | |

【解　释】象声词。形容动物细小的叫声。
【组　词】啾啾
【造　句】啾啾——花园里传来一阵阵小鸟的啾啾声。
【辨　音】不读 qiū
【同音字】究（讲究）
【形近字】揪（揪心）

| jiǔ | 笔画 | 部首 | 结构 | 五笔 | 造字法 |
|---|---|---|---|---|---|
| 九 | 2 | 丿 | 独体 | VT | 象形 |
| 笔顺 | 丿 九 | | | | |

【解　释】❶数词。八加一的得数。❷形容多次或多数。

甲骨文　金文　小篆　隶书　楷书

【字源释义】“九”的本义是“肘”

J

字形像人弯曲着的肘形。后假借为数目字的“九”。本义消亡，于是另造“肘”字。
【组　词】九品　九泉
【造　句】九霄云外——他早把一些不开心的事情抛到九霄云外去了。
【同音字】久(久远)
【形近字】丸(鱼丸)　几(茶几)
【成　语】九死一生　九霄云外　九牛一毛
【反义词】九牛一毛/举足轻重
【近义词】九牛一毛/微不足道
【英　语】九　nine [nain]

| jiǔ | 笔画 | 部首 | 结构 | 五笔 | 造字法 |
|---|---|---|---|---|---|
| 久 | 3 | 丿 | 独体 | QYI | 指事 |
| 笔顺 | ノ ク 久 | | | | |

【解　释】❶时间长。❷时间的长短。
【组　词】久仰　久别　久远　许久
【造　句】长久——纯真的友谊才能持续长久。
【同音字】九(九死一生)
【形近字】欠(欠债)
【成　语】天长地久
【反义词】久远/瞬间
【近义词】长久/长远
【谚　语】久旱逢甘霖，他乡遇故知|久病方知求医误，衰年方悔读书迟。
【英　语】久远　remote [ri'məut]

| jiǔ | 笔画 | 部首 | 结构 | 五笔 | 造字法 |
|---|---|---|---|---|---|
| 灸 | 7 | 火 | 上下 | QYOU | 形声 |
| 笔顺 | ノ ク 久 ⺈ 夂 灸 灸 | | | | |

【解　释】中医的一种疗法，用艾绒烧灼或熏烤身体的某一部位。
【组　词】针灸　灸治
【造　句】针灸——他的这种病，需要用针灸来治疗。
【同音字】九(九州)
【形近字】炙(炙热)
【英　语】针灸　acupuncture and moxibustion [ˈækjupʌŋktʃə ænd mɔksiˈbʌstʃən]

| jiǔ | 笔画 | 部首 | 结构 | 五笔 | 造字法 |
|---|---|---|---|---|---|
| 韭 | 9 | 韭 | 上下 | DJDG | 象形 |
| 笔顺 | 丨 ⺊ ⺊ ⺊ 非 非 非 非 韭 | | | | |

【解　释】韭菜，多年生草本植物，丛生，叶细长而扁。叶和花都是蔬菜。
【组　词】韭菜　韭黄
【辨　音】不读 fēi。
【同音字】酒(酒窝)
【形近字】菲(芳菲)
【英　语】韭菜　fragrant-flowered garlic [ˈfreigrənt flauəd ˈgɑːlik]

| jiǔ | 笔画 | 部首 | 结构 | 五笔 | 造字法 |
|---|---|---|---|---|---|
| 酒 | 10 | 氵 | 左右 | ISGG | 形声 |
| 笔顺 | 丶 ⺀ 氵 汀 汀 沂 泗 洒 酒 酒 | | | | |

【解　释】❶用粮食、水果等发酵制成的饮料，含有酒精，有刺激性，多喝对身体有害。❷姓。

甲骨文　金文　小篆　隶书　楷书

【字源释义】甲骨文的“酒”字，中间是一个装酒的器皿，两旁代表流出来的酒液。金文的“酉”、“酒”二字是通用的，小篆后又分开。

【组　词】酒杯　酒吧　酒家　酒量　酒精　酒窝

【造　句】酒窝——妹妹一笑就露出两个漂亮的小酒窝。

【形近字】洒（洒水）

【成　语】花天酒地

【反义词】花天酒地/粗茶淡饭

【近义词】酒肉朋友/狐朋狗友

【谚　语】酒朋饭友，没钱分手|酒多人癫，书多人贤。

【英　语】酒杯　wineglass [ˈwaɪnglɑːs]

| jiù | 笔画 | 部首 | 结构 | 五笔 | 造字法 |
| --- | --- | --- | --- | --- | --- |
| 旧 | 5 | 丨 | 左右 | HJG | 形声 |
| 笔顺 | 丨 丨丨 丨冂 丨日 旧 | | | | |

【解　释】❶过时的；经过长时间使用而变了样子的（跟“新”相对）。❷从前的；过去的。❸故交；老交情。

【字源释义】本义是“鸺”，即猫头鹰。甲骨文的字形像一只有着圆睁睁眼睛和翘起的头羽的凶鸟，正蹲踞在巢里。后来假借为“旧”字，与新相对，本义不存。

【组　词】旧居　旧日　旧交　新旧　陈旧　守旧

【造　句】旧居——老人一有空闲就去旧居看看。

【同音字】救（救济）

【形近字】归（归还）

【反义词】旧交/新交

【近义词】旧交/故交

【歇后语】关节炎遇上连阴雨——旧病复发|旧年的皇历——看不懂，用不上。

【谚　语】旧的不去，新的不来|旧书不厌百回读。

【英　语】旧书　secondhand book [ˈsekəndhænd buk]

| jiù | 笔画 | 部首 | 结构 | 五笔 | 造字法 |
| --- | --- | --- | --- | --- | --- |
| 疚 | 8 | 疒 | 半包围 | UQYI | 形声 |
| 笔顺 | 丶 亠 广 疒 疒 疒 疚 疚 | | | | |

【解 释】❶长时间生病。❷因对不起人而感到内心痛苦,心中有愧。
【组 词】内疚 负疚
【造 句】内疚——她觉得自己没有照顾好朋友,感到很内疚。
【辨 音】不读 jiū。
【同音字】就(迁就)
【形近字】疾(疾病)
【英 语】内疚 remorse [ri'mɔːs]

| jiù | 笔画 | 部首 | 结构 | 五笔 | 造字法 |
|---|---|---|---|---|---|
| 救 | 11 | 攵 | 左右 | FIYT | 形声 |
| 笔顺 | 一 十 寸 才 求 求 求 求 求 求 救 | | | | |

【解 释】帮助脱离灾难或危险。
【组 词】得救 营救 救命 救济 求救 救星 救灾
【造 句】救灾——大家都应该在救灾行动中尽心尽力。
【同音字】旧(仍旧)
【形近字】球(足球)
【成 语】救亡图存 救死扶伤 救苦救难
【反义词】救护/伤害
【近义词】挽救/拯救
【歇后语】发救兵拣吉日——不知缓急|落水者捞到救生圈——有了希望。
【谚 语】救命如救火|救人救到底,送人送到家。
【英 语】救 relieve [ri'liːv]

| jiù | 笔画 | 部首 | 结构 | 五笔 | 造字法 |
|---|---|---|---|---|---|
| 就 | 12 | 亠 | 左右 | YIDN | 会意 |
| 笔顺 | 丶 亠 亡 古 古 亨 京 京 京 就 就 就 | | | | |

【解 释】❶凑近;靠近。❷依从;顺从。❸趁着;顺便。❹进入;开始从事。❺被。❻完成;成功。❼副词。1.立刻;马上。2.只;单单。❽连词。就是、即使,用来表示假设。❾表加强语气。
【组 词】就近 高就 成就 将就 就便 就势 就业 就范 迁就
【造 句】迁就——一味地迁就孩子,不是好的教育方法。
【同音字】救(营救)
【形近字】犹(犹如)
【成 语】半推半就 就事论事 就地取材
【近义词】就寝/睡觉
【谚 语】就是一条龙,也搅不动三江水。
【英 语】就近 nearby ['niəbai]

| jiù | 笔画 | 部首 | 结构 | 五笔 | 造字法 |
|---|---|---|---|---|---|
| 舅 | 13 | 臼 | 上下 | VLLB | 象形 |
| 笔顺 | ˊ ㇀ ⺊ 臼 臼 臼 臼 臼 舅 舅 舅 舅 舅 | | | | |

【解 释】❶母亲的弟兄。❷妻子的弟兄。❸古代妇女称丈夫的父亲。
【组 词】舅舅 舅妈 舅子 妻舅
【同音字】旧(陈旧)
【形近字】男(男孩)
【英 语】舅父 mother's brother ['mʌðəz 'brʌðə]

## JU ㄐㄩ

| jū | 笔画 | 部首 | 结构 | 五笔 | 造字法 |
|---|---|---|---|---|---|
| 车 | 4 | 车 | 独体 | LG | 象形 |
| 笔顺 | 一 𠂇 左 车 | | | | |

J

【解　释】象棋棋子之一。
【同音字】拘(拘束)
【英　语】战车　chariot [ˈtʃæriət]
【多音字】chē(见 94 页)

| jū | 笔画 | 部首 | 结构 | 五笔 | 造字法 |
|---|---|---|---|---|---|
| 拘 | 8 | 扌 | 左右 | RQKG | 形声 |
| 笔顺 | 一 扌 才 扌 扚 扚 拘 拘 | | | | |

【解　释】❶逮捕或关押。❷局限;限制。❸死板;不变通。
【组　词】拘留　拘禁　拘泥　拘谨
【造　句】拘束——她很拘束,端端正正地坐在那里,一句话也不敢说。
【辨　音】不读 jù。
【形近字】枸(枸杞)　构(构造)
【成　语】不拘小节
【反义词】拘谨/大方
【近义词】拘束/约束
【英　语】拘捕　arrest [əˈrest]

| jū | 笔画 | 部首 | 结构 | 五笔 | 造字法 |
|---|---|---|---|---|---|
| 居 | 8 | 尸 | 半包围 | NDD | 形声 |
| 笔顺 | ㇇ ㇕ 尸 尸 吊 居 居 居 | | | | |

【解　释】❶住。❷住所。❸在;处于。❹怀着;安放。❺任;当。❻积蓄。❼占。❽停留。
【组　词】邻居　新居　居中　居民
【同音字】鞠(鞠躬)
【形近字】君(君子)
【成　语】居安思危　居高临下
【反义词】定居/迁移
【近义词】居然/竟然
【歇后语】飞机打坦克——居高临下。
【谚　语】居必择邻,交必择友|居家不得不俭,创业不得不勤。
【英　语】居住　live [liv]

| jū | 笔画 | 部首 | 结构 | 五笔 | 造字法 |
|---|---|---|---|---|---|
| 驹 | 8 | 马 | 左右 | CQKG | 形声 |
| 笔顺 | ㇇ 马 马 驹 驹 驹 驹 驹 | | | | |

【解　释】❶少壮的马。❷小马、驴、骡。
【组　词】马驹
【同音字】拘(拘束)
【形近字】拘(拘束)　狗(狼狗)
【英　语】驹子　foal [fəul]

| jū | 笔画 | 部首 | 结构 | 五笔 | 造字法 |
|---|---|---|---|---|---|
| 据 | 11 | 扌 | 左右 | RNDG | 形声 |
| 笔顺 | 一 扌 扌 扌 扌 护 护 护 护 据 据 | | | | |

【解　释】见 355 页"拮"。
【多音字】jù(见 382 页)

| jū | 笔画 | 部首 | 结构 | 五笔 | 造字法 |
|---|---|---|---|---|---|
| 鞠 | 17 | 革 | 左右 | AFQO | 形声 |
| 笔顺 | 一 十 廿 廿 廿 芇 苩 荁 革 革 鞄 鞄 鞄 鞄 鞠 鞠 鞠 | | | | |

【解　释】❶抚养;养育。❷弯身;弯曲。❸古代的一种用来踢打玩耍的皮球。
【组　词】鞠养　鞠躬　鞠育
【造　句】鞠躬尽瘁——孔繁森为了人民的事业鞠躬尽瘁。
【辨　音】不读 jú。
【同音字】居(居然)
【成　语】鞠躬尽瘁
【近义词】鞠育/养育
【谚　语】鞠躬尽瘁,死而后已。
【英　语】鞠躬　bow [bəu]

| jú | 笔画 | 部首 | 结构 | 五笔 | 造字法 |
|---|---|---|---|---|---|
| 局 | 7 | 尸 | 半包围 | NNKD | 形声 |
| 笔顺 | ㇇ ㇇ 尸 月 局 局 局 | | | | |

【解　释】❶部分。❷圈套。❸机关、企业的名称。❹事情的形势。❺棋盘。❻棋盘或一次棋赛，也指别的比赛。❼称某些聚会。❽拘束；狭小。
【组　词】局部　结局　骗局　局势
【造　句】结局——这个故事的结局还算完美，不过有点凄凉。
【同音字】菊（菊花）
【形近字】居（居然）
【反义词】局部/全部
【近义词】局促/拘束
【英　语】局面　complexion [kəm'plekʃən]

| jú | 笔画 | 部首 | 结构 | 五笔 | 造字法 |
|---|---|---|---|---|---|
| 菊 | 11 | 艹 | 上下 | AQOU | 形声 |
| 笔顺 | 一 十 艹 艹 芍 芍 芍 菊 菊 菊 菊 | | | | |

【解　释】菊花，多年生草本植物，种类很多。白菊花可入药，也可以做饮料。
【组　词】秋菊　菊花　菊叶　菊坛
【同音字】局（局势）
【形近字】萄（葡萄）
【英　语】菊　chrysanthemum [kri'ænθəməm]

| jú | 笔画 | 部首 | 结构 | 五笔 | 造字法 |
|---|---|---|---|---|---|
| 橘 | 16 | 木 | 左右 | SCBK | 形声 |
| 笔顺 | 一 十 才 木 木 木 杼 杼 杼 杼 橘 橘 橘 橘 橘 橘 | | | | |

【解　释】橘子树，常绿乔木，花白色，果实叫橘子。
【组　词】橘子　橘汁　橘树　橘黄
【造　句】橘子——南方是盛产橘子的地方。
【英　语】橘子　orange ['ɔrindʒ]

| jǔ | 笔画 | 部首 | 结构 | 五笔 | 造字法 |
|---|---|---|---|---|---|
| 柜 | 8 | 木 | 左右 | SANG | 形声 |
| 笔顺 | 一 十 才 木 木 朾 柜 柜 | | | | |

【解　释】柜柳，元宝枫，乔木，果实两旁有翅，像元宝。
【组　词】柜柳
【同音字】举（举重）　咀（咀嚼）
【形近字】矩（规矩）
【英　语】柜柳　purpleblow maple ['pəːplbləu 'meipl]
【多音字】guì（见264页）

| jǔ | 笔画 | 部首 | 结构 | 五笔 | 造字法 |
|---|---|---|---|---|---|
| 咀 | 8 | 口 | 左右 | KEGG | 形声 |
| 笔顺 | 丨 ㇆ 口 叫 叫 咀 咀 咀 | | | | |

【解　释】❶含在嘴里细嚼玩味。❷比喻反复体味。
【组　词】咀嚼
【造　句】含英咀华——欣赏文学作品时，应懂得含英咀华，以充实自己。
【同音字】沮（沮丧）
【形近字】狙（狙击）
【成　语】含英咀华
【英　语】咀嚼　masticate ['mæstikeit]

| jǔ | 笔画 | 部首 | 结构 | 五笔 | 造字法 |
|---|---|---|---|---|---|
| 沮 | 8 | 氵 | 左右 | IEGG | 形声 |
| 笔顺 | 丶 丶 氵 汌 汨 泪 泪 沮 | | | | |

J

【解　释】❶阻止。❷败坏；丧气。
【组　词】沮丧　沮遏
【造　句】沮丧——不知为什么，他这几天一直很沮丧。
【辨　音】不读 zǔ。
【同音字】矩（矩形）
【形近字】组（组成）　阻（阻碍）
【反义词】沮丧/得意
【英　语】沮丧　dejected [di'jektid]
【多音字】jù（见 381 页）

| jǔ | 笔画 | 部首 | 结构 | 五笔 | 造字法 |
|---|---|---|---|---|---|
| 矩 | 9 | 矢 | 左右 | TDAN | 会意 |
| 笔顺 | 丿 𠂉 𠂉 午 矢 矢 矩 矩 矩 | | | | |

【解　释】❶一种画方形的工具。❷规则；法则。
【组　词】矩尺　规矩　矩形
【造　句】规矩——不管做什么事情都得讲规矩。
【辨　音】不读 jù。
【同音字】举（举重）
【形近字】距（距离）
【成　语】循规蹈矩
【英　语】规矩　rule [ruːl]

| jǔ | 笔画 | 部首 | 结构 | 五笔 | 造字法 |
|---|---|---|---|---|---|
| 举 | 9 | 丶 | 上下 | IWFH | 形声 |
| 笔顺 | 丶 丷 丷 兴 兴 兴 兴 兴 举 | | | | |

【解　释】❶向上抬；往上托。❷行为；动作。❸发起；兴起。❹推选。❺提出。❻全。❼举人简称。
【组　词】举手　举动　举止　举办
【造　句】举办——班上决定每两周举办一次演讲比赛，以提高同学们的口头表达能力。
【同音字】矩（规矩）
【形近字】誉（名誉）　拳（拳头）
【成　语】举棋不定　举一反三
【反义词】举头/低头
【近义词】举头/抬头
【英　语】举止　manner ['mænə]

| jù | 笔画 | 部首 | 结构 | 五笔 | 造字法 |
|---|---|---|---|---|---|
| 巨 | 4 | 匚 | 半包围 | AND | 指事 |
| 笔顺 | 一 ㄈ 彐 巨 | | | | |

【解　释】大；很大。
【组　词】巨款　巨大　巨龙　巨型
【造　句】巨流——改革的巨流是不可阻挡的。
【同音字】具（具体）
【形近字】臣（君臣）
【反义词】巨大/微小
【近义词】巨大/庞大
【英　语】巨大　huge [hjuːdʒ]

| jù | 笔画 | 部首 | 结构 | 五笔 | 造字法 |
|---|---|---|---|---|---|
| 句 | 5 | 勹 | 半包围 | QKD | 会意 |
| 笔顺 | 丿 勹 勺 句 句 | | | | |

【解　释】❶由词和词组组成的能表示完整意思的话。❷量词。用于话语和诗文。
【组　词】句子　语句　句法　句式
【造　句】语句——作文最基本的要求是语句通顺。
【同音字】具（具备）
【形近字】勺（饭勺）　勾（勾当）
【英　语】句子　sentence ['sentəns]
【多音字】gōu（见 249 页）

| jù | 笔画 | 部首 | 结构 | 五笔 | 造字法 |
|---|---|---|---|---|---|
| 拒 | 7 | 扌 | 左右 | RANG | 形声 |
| 笔顺 | 一 丨 扌 扌 扌 扌 拒 | | | | |

【解　释】❶抵抗；抵御；抵挡。❷不接受；抵制。
【组　词】拒敌　拒捕　拒绝　抗拒
【同音字】句（造句）
【形近字】柜（柜台）
【反义词】拒绝/接受
【近义词】抗拒/抵抗
【英　语】拒绝　refuse［ri'fju:z］

| jù | 笔画 | 部首 | 结构 | 五笔 | 造字法 |
|---|---|---|---|---|---|
| 具 | 8 | 八 | 上下 | HWU | 会意 |
| 笔顺 | 丨 冂 冂 月 目 且 具 具 | | | | |

【解　释】❶器物。❷备；备有。❸明确；不笼统。❹特定的。❺量词。
【组　词】文具　家具　工具　具有　具备　具体
【造　句】具有——她身材很好，在面试时具有一定的优势。
【同音字】巨（巨流）
【形近字】县（县级）
【成　语】具体而微
【反义词】具体/笼统
【近义词】具有/具备
【英　语】具体　concrete［'kɔŋkri:t］

| jù | 笔画 | 部首 | 结构 | 五笔 | 造字法 |
|---|---|---|---|---|---|
| 炬 | 8 | 火 | 左右 | OANG | 形声 |
| 笔顺 | 丶 丷 火 火 炉 炉 炉 炬 | | | | |

【解　释】❶火把。❷用火烘。
【组　词】火炬　蜡炬
【造　句】付之一炬——一堆伪制香烟在工商人员付之一炬后，顷刻化为灰烬。
【同音字】惧（恐惧）
【形近字】拒（拒绝）
【成　语】付之一炬　目光如炬
【英　语】火炬　torch［tɔ:tʃ］

| jù | 笔画 | 部首 | 结构 | 五笔 | 造字法 |
|---|---|---|---|---|---|
| 沮 | 8 | 氵 | 左右 | IEGG | 形声 |
| 笔顺 | 丶 氵 氵 汩 汩 汩 汩 沮 | | | | |

【解　释】沮洳（rù），由腐烂植物埋在地下而形成的泥沼。
【组　词】沮洳
【同音字】句（句号）
【多音字】jǔ（见379页）

| jù | 笔画 | 部首 | 结构 | 五笔 | 造字法 |
|---|---|---|---|---|---|
| 俱 | 10 | 亻 | 左右 | WHWY | 形声 |
| 笔顺 | 丿 亻 亻 们 们 俱 俱 俱 俱 俱 | | | | |

【解　释】❶齐全；都。❷偕同。
【组　词】俱乐部
【造　句】百废俱兴——改革开放不久，全国出现百废俱兴的繁荣景象。
【同音字】据（根据）
【形近字】惧（惧怕）
【成　语】百废俱兴　面面俱到　万籁俱寂
【近义词】百废俱兴/方兴未艾
【英　语】俱乐部　club［klʌb］

| jù | 笔画 | 部首 | 结构 | 五笔 | 造字法 |
|---|---|---|---|---|---|
| 剧 | 10 | 刂 | 左右 | NDJH | 形声 |
| 笔顺 | 乛 コ 尸 尸 居 居 居 居 剧 剧 | | | | |

J

【解　释】❶戏剧。❷厉害;猛烈。
【组　词】剧烈　剧变　剧本　剧情　惨剧　喜剧　剧场　京剧
【同音字】据(依据)
【形近字】锯(锯齿)
【反义词】急剧/缓慢
【近义词】剧烈/猛烈
【英　语】剧场　theatre [ˈθiətə]

| jù | 笔画 | 部首 | 结构 | 五笔 | 造字法 |
|---|---|---|---|---|---|
| 据 | 11 | 扌 | 左右 | RNDG | 形声 |
| 笔顺 | 一 十 扌 扌 扌 护 护 护 据 据 据 | | | | |

【解　释】❶凭借;依靠。❷占有。❸按照。❹可作证明等物的凭证。
【组　词】据点　占据　依据　凭据　割据　数据　论据
【同音字】惧(恐惧)
【形近字】剧(戏剧)
【成　语】据理力争　真凭实据　据为己有
【反义词】据守/撤离
【近义词】据说/听说
【英　语】占据　occupy [ˈɔkjupai]
【多音字】jū(见378页)

| jù | 笔画 | 部首 | 结构 | 五笔 | 造字法 |
|---|---|---|---|---|---|
| 距 | 11 | 𧾷 | 左右 | KHAN | 形声 |
| 笔顺 | 丨 口 口 早 早 𧾷 𧾷 𧾷 距 距 距 | | | | |

【解　释】❶时间或空间上的间隔;距离。❷雄鸡爪后面像脚趾的突出部分。
【组　词】距离　行距　差距　车距　等距　间距
【造　句】距离——从车站到学校的距离大约有600米。
【同音字】句(语句)
【形近字】拒(拒绝)
【近义词】差距/差别
【英　语】距离　distance [ˈdistəns]

| jù | 笔画 | 部首 | 结构 | 五笔 | 造字法 |
|---|---|---|---|---|---|
| 惧 | 11 | 忄 | 左右 | NHWY | 形声 |
| 笔顺 | 丶 丷 忄 忄 忄 忄 忄 忄 惧 惧 惧 | | | | |

【解　释】害怕。
【组　词】恐惧　惧怕　惊惧
【造　句】惧怕——考试时要镇静,不要有惧怕心理。
【同音字】剧(剧本)
【形近字】俱(万事俱备)
【成　语】无所畏惧　临危不惧
【反义词】惊惧/泰然
【近义词】畏惧/害怕
【谚　语】惧法不犯法,畏刑可免刑。
【英　语】惧怕　fear [fiə]

| jù | 笔画 | 部首 | 结构 | 五笔 | 造字法 |
|---|---|---|---|---|---|
| 锯 | 13 | 钅 | 左右 | QNDG | 形声 |
| 笔顺 | 丿 𠂉 𠂉 乍 钅 钅 钅 钌 钌 钌 锯 锯 锯 | | | | |

【解　释】❶用钢片制成的,边缘有尖齿的用来切割木材、钢材等的工具。❷用锯拉;切割。
【组　词】电锯　手锯　锯条　锯末　锯齿　锯树　锯掉
【造　句】锯掉——春天,工人叔叔到江堤上锯掉过密的树杈。
【同音字】聚(聚集)

J

【形近字】据(证据)
【谚　语】锯倒大树捉老鸹|锯快不怕树木粗。
【英　语】锯　saw [sɔː]

| jù | 笔画 | 部首 | 结构 | 五笔 | 造字法 |
|---|---|---|---|---|---|
| 聚 | 14 | 耳 | 上下 | BCTI | 形声 |
| 笔顺 | 一 𠃌 丌 丌 𤔔 耳 耵 取 取 聚 聚 聚 聚 聚 | | | | |

【解　释】会合;集合。
【组　词】团聚　欢聚　聚集　聚会　聚拢
【造　句】团聚——在海外的她盼望与亲人团聚的那一天。
【同音字】剧(剧烈)
【形近字】娶(娶亲)
【成　语】聚精会神　物以类聚　聚沙成塔
【反义词】聚集/分散
【近义词】聚集/聚拢
【谚　语】聚少成多,滴水成河|聚沙成塔,集腋成裘。
【英　语】聚集　gather [ˈgæðə]

## JUAN ㄐㄩㄢ

| juān | 笔画 | 部首 | 结构 | 五笔 | 造字法 |
|---|---|---|---|---|---|
| 捐 | 10 | 扌 | 左右 | RKEG | 形声 |
| 笔顺 | 一 十 扌 扌 扣 扣 捐 捐 捐 捐 | | | | |

【解　释】❶用财物帮助;献出。❷税收的一种。❸舍弃;抛弃。
【组　词】捐献　募捐　捐款　捐赠
【造　句】捐款——政府号召社会各界向灾区捐款。
【同音字】鹃(杜鹃)
【形近字】损(损害)　娟(娟秀)
【近义词】捐助/捐献
【英　语】捐助　contribute [kənˈtribjuːt]

| juān | 笔画 | 部首 | 结构 | 五笔 | 造字法 |
|---|---|---|---|---|---|
| 娟 | 10 | 女 | 左右 | VKEG | 形声 |
| 笔顺 | 𡿨 女 女 女 如 如 妒 娟 娟 娟 | | | | |

【解　释】美丽;秀丽。
【组　词】娟秀
【造　句】娟秀——她的字迹显得很娟秀。
【形近字】涓(涓流)
【英　语】娟秀　beautiful [ˈbjuːtiful]

| juān | 笔画 | 部首 | 结构 | 五笔 | 造字法 |
|---|---|---|---|---|---|
| 圈 | 11 | 囗 | 全包围 | LUDB | 形声 |
| 笔顺 | 丨 冂 冂 冂 冋 冋 罔 罔 圏 圈 圈 | | | | |

【解　释】关起来。
【同音字】捐(捐赠)
【多音字】juàn(见384页)
【多音字】quān(见596页)

| juān | 笔画 | 部首 | 结构 | 五笔 | 造字法 |
|---|---|---|---|---|---|
| 鹃 | 12 | 鸟 | 左右 | KEQG | 形声 |
| 笔顺 | 丶 口 口 尸 肙 肙 肙 肙 鹃 鹃 鹃 鹃 | | | | |

【解　释】❶杜鹃,是一种益鸟,吃害虫,又叫布谷、杜宇或子规。❷植物名。常绿或落叶灌木,这种植物的花叫杜鹃花,又叫映山红,花多为红色。
【组　词】杜鹃

J

【同音字】捐(捐献)
【形近字】鹊(喜鹊)

| juǎn | 笔画 | 部首 | 结构 | 五笔 | 造字法 |
|---|---|---|---|---|---|
| 卷 | 8 | 㔾 | 上下 | UDBB | 形声 |
| 笔顺 | 丶 丷 ⺌ 䒑 光 类 卷 卷 | | | | |

【解　释】❶把东西收拢成圆筒形。❷弯转裹成圆筒的东西。❸掀起。❹比喻牵连到不利的事件中。❺量词。
【组　词】卷尺　胶卷　卷进　席卷　卷入　卷土重来　风卷残云
【造　句】卷入——他不自觉地卷入到这场纷争之中了。
【谚　语】卷舌不言,裹足不前。
【英　语】卷入　be drawn into [biː drɔn 'intu]
【多音字】juàn(见 384 页)

| juàn | 笔画 | 部首 | 结构 | 五笔 | 造字法 |
|---|---|---|---|---|---|
| 卷 | 8 | 㔾 | 上下 | UDBB | 形声 |
| 笔顺 | 丶 丷 ⺌ 䒑 光 类 卷 卷 | | | | |

【解　释】❶考试写答案用的纸。❷可以舒展的字画。❸书本。❹机关分类集存的文件。❺书籍的一部分。
【组　词】试卷　考卷　上卷　案卷　画卷　交卷　卷轴　卷子　卷宗　卷次
【同音字】绢(手绢)　圈(羊圈)
【形近字】券(债券)
【成　语】开卷有益　手不释卷
【英　语】卷筒　reel [riːl]
【多音字】juǎn(见 384 页)

| juàn | 笔画 | 部首 | 结构 | 五笔 | 造字法 |
|---|---|---|---|---|---|
| 倦 | 10 | 亻 | 左右 | WUDB | 形声 |
| 笔顺 | 丿 亻 亻 亻 亻 仁 併 倈 倦 倦 | | | | |

【解　释】❶疲乏。❷厌烦。
【组　词】困倦　疲倦　厌倦
【造　句】疲倦——赶了一天的路,他感到很疲倦。
【辨　音】不读 juǎn。
【同音字】圈(羊圈)
【形近字】卷(试卷)
【成　语】孜孜不倦
【英　语】疲倦　weary ['wiəri]

| juàn | 笔画 | 部首 | 结构 | 五笔 | 造字法 |
|---|---|---|---|---|---|
| 绢 | 10 | 纟 | 左右 | XKEG | 形声 |
| 笔顺 | 乚 纟 纟 纟 纟 纟 纟 绢 绢 绢 | | | | |

【解　释】一种很薄的丝织品。
【同音字】倦(厌倦)
【形近字】娟(娟秀)
【近义词】手绢/手帕
【英　语】绢　thin silk [θin silk]

| juàn | 笔画 | 部首 | 结构 | 五笔 | 造字法 |
|---|---|---|---|---|---|
| 圈 | 11 | 囗 | 全包围 | LUDB | 形声 |
| 笔顺 | 丨 冂 冂 冂 冂 冃 冃 冃 圏 圈 圈 | | | | |

【解　释】饲养家畜的棚和栏。
【组　词】羊圈　猪圈　圈肥
【同音字】倦(疲倦)
【英　语】羊圈　sheepfold ['ʃiːpfəuld]
【多音字】juān(见 383 页)
【多音字】quān(见 596 页)

## JUE ㄐㄩㄝ

| jué | 笔画 | 部首 | 结构 | 五笔 | 造字法 |
|---|---|---|---|---|---|
| 决 | 6 | 冫 | 左右 | UNWY | 形声 |
| 笔顺 | 丶 冫 冫¯ 冫コ 决 决 | | | | |

【解　释】❶拿定主意；肯定。❷堤岸被水冲破。❸执行死刑。❹决定最后胜负。
【组　词】决裂　判决　决定　决心　决议　决赛　决策　决口
【造　句】决心——他下定决心，下次比赛一定要拿到第一名。
【同音字】角（角色）
【形近字】诀（秘诀）
【反义词】决裂/弥合
【近义词】决然/毅然
【歇后语】决心书写在瓢把上——一冲一洗全没了。
【谚　语】决心磨烂石头，困难见我发愁。
【英　语】决定　decide [di'said]

| jué | 笔画 | 部首 | 结构 | 五笔 | 造字法 |
|---|---|---|---|---|---|
| 诀 | 6 | 讠 | 左右 | YNWY | 形声 |
| 笔顺 | 丶 讠 讠¯ 讠コ 诀 诀 | | | | |

【解　释】❶窍门；高明的方法。❷根据事物主要内容编成的简短顺口的容易记忆的语句。❸辞别；多指不能再见的离别。
【组　词】妙诀　口诀　歌诀　诀别　永诀
【造　句】诀窍——我已经掌握了做拔丝苹果的诀窍。
【同音字】觉（发觉）
【形近字】决（决定）
【反义词】诀别/重逢
【近义词】诀窍/窍门
【英　语】诀窍　secret of success ['sikrit əv sək'ses]

| jué | 笔画 | 部首 | 结构 | 五笔 | 造字法 |
|---|---|---|---|---|---|
| 抉 | 7 | 扌 | 左右 | RNWY | 形声 |
| 笔顺 | 一 十 扌 扌¯ 扌コ 抉 抉 | | | | |

【解　释】挑出；剔出。
【组　词】抉择　抉摘
【造　句】抉择——在正义和邪恶之间，他面临着抉择。
【同音字】绝（绝对）
【形近字】快（快速）
【近义词】抉择/挑选
【英　语】抉择　choose [tʃu:z]

| jué | 笔画 | 部首 | 结构 | 五笔 | 造字法 |
|---|---|---|---|---|---|
| 角 | 7 | 角 | 上下 | QEJ | 象形 |
| 笔顺 | ノ ク 𠂊 角 角 角 角 | | | | |

【解　释】❶演员。❷竞赛；争斗。❸古代五音之一。❹古代用于盛酒的器具，形状像爵。
【组　词】角色　主角　角斗　角逐
【同音字】决（决议）
【反义词】角逐/放弃
【近义词】角斗/争斗
【英　语】角色　role [rəul]
【多音字】jiǎo（见 348 页）

| jué | 笔画 | 部首 | 结构 | 五笔 | 造字法 |
|---|---|---|---|---|---|
| 觉 | 9 | 见 | 上下 | IPMQ | 形声 |
| 笔顺 | 丶 丷 ⺍ 𭕄 ⺌ 学 学 觉 觉 | | | | |

【解　释】❶人或动物的器官对

J

事物的感受和认识。❷醒悟；明白。❸睡醒。
【组　词】视觉　察觉　自觉　觉醒
【造　句】自觉——过马路时，我们要自觉遵守交通法规。
【同音字】绝(断绝)
【形近字】党(党员)
【成　语】如梦初觉　不知不觉
【反义词】觉悟/迷惑
【近义词】觉悟/觉醒
【谚　语】觉悟不在年龄大小，立场不在文化高低。
【英　语】觉醒 awaken [ə'weikən]
【多音字】jiào(见351页)

| jué | 笔画 | 部首 | 结构 | 五笔 | 造字法 |
|---|---|---|---|---|---|
| 绝 | 9 | 纟 | 左右 | XQCN | 会意 |
| 笔顺 | ㄥ 纟 纟 纟 纟 纟 纟 纟 绝 | | | | |

【解　释】❶断。❷完全没有了；穷尽。❸气息中止；死亡。❹走不通的；没有出路的。❺独一无二的；精湛的。❻极；最。❼一定，肯定。❽绝句，旧体诗的一种体裁。
【组　词】绝望　绝路　绝境　杜绝　绝招　绝句　绝缘　拒绝
【造　句】赞不绝口——人们对他的书法赞不绝口。
【同音字】崛(崛起)
【形近字】艳(艳丽)
【成　语】绝无仅有　绝处逢生
【反义词】绝对/相对
【近义词】绝望/失望
【英　语】绝对 absolute ['æbsəlu:t]

| jué | 笔画 | 部首 | 结构 | 五笔 | 造字法 |
|---|---|---|---|---|---|
| 倔 | 10 | 亻 | 左右 | WNBM | 形声 |
| 笔顺 | ノ 亻 亻 亻 亻 亻 亻 倔 倔 倔 | | | | |

【解　释】[倔强]固执；刚强不屈。
【组　词】倔强
【造　句】倔强——他这人一向脾气倔强，我们只好让着他点儿。
【辨　音】不读qū。
【同音字】觉(觉醒)
【形近字】掘(挖掘)
【反义词】倔强/随和
【英　语】倔强 stubborn ['stʌbən]
【多音字】juè(见387页)

| jué | 笔画 | 部首 | 结构 | 五笔 | 造字法 |
|---|---|---|---|---|---|
| 掘 | 11 | 扌 | 左右 | RNBM | 形声 |
| 笔顺 | 一 十 扌 扌 扌 扌 扌 扌 掘 掘 掘 | | | | |

【解　释】刨；挖。
【组　词】挖掘　掘坑　采掘　发掘
【造　句】临渴掘井——学习要持之以恒，不能到了考试时临渴掘井，这样是不可取的。
【辨　音】不读qū。
【同音字】绝(绝交)
【形近字】倔(倔强)
【成　语】临渴掘井
【反义词】掘/填
【近义词】掘/挖
【谚　语】掘井的人有权从井中取水。
【英　语】挖掘 dig [dig]

| jué | 笔画 | 部首 | 结构 | 五笔 | 造字法 |
|---|---|---|---|---|---|
| 崛 | 11 | 山 | 左右 | MNBM | 形声 |
| 笔顺 | 丨 山 山 山 山 屵 岊 岊 岴 崛 崛 | | | | |

【解　释】高起；突起。
【组　词】崛起
【造　句】崛起——我们要为中华民族的崛起而学习。
【同音字】角（角斗）
【形近字】掘（掘土）
【英　语】崛起　grow up［grəu ʌp］

| jué | 笔画 | 部首 | 结构 | 五笔 | 造字法 |
|---|---|---|---|---|---|
| 爵 | 17 | 爫 | 上中下 | ELVF | 象形 |
| 笔顺 | 爫 爫 … 爵 爵 | | | | |

【解　释】❶爵位，君主国家贵族封号的等级。❷古代饮酒器具，用青铜制成，有三条腿。
【组　词】绝望　绝路　绝境　杜绝
【同音字】崛（崛起）
【英　语】爵位　the rank of nobility［ðə ræŋk əv nəu'biləti］

| jué | 笔画 | 部首 | 结构 | 五笔 | 造字法 |
|---|---|---|---|---|---|
| 嚼 | 20 | 口 | 左右 | KELF | 形声 |
| 笔顺 | … 嚼 嚼 | | | | |

【解　释】同"嚼（jiáo）"，用于一些复合词。
【组　词】咀（jǔ）嚼
【同音字】掘（挖掘）
【多音字】jiáo（见 348 页）
【多音字】jiào（见 352 页）

| juè | 笔画 | 部首 | 结构 | 五笔 | 造字法 |
|---|---|---|---|---|---|
| 倔 | 10 | 亻 | 左右 | WNBM | 形声 |
| 笔顺 | ノ 亻 亻 亻 亻 亻 倔 倔 倔 倔 | | | | |

【解　释】态度生硬。
【组　词】倔头倔脑
【英　语】倔　gruff［grʌf］
【多音字】jué（见 386 页）

## JUN ㄐㄩㄣ

| jūn | 笔画 | 部首 | 结构 | 五笔 | 造字法 |
|---|---|---|---|---|---|
| 军 | 6 | 冖 | 上下 | PLJ | 会意 |
| 笔顺 | 丶 冖 冖 军 军 军 | | | | |

【解　释】❶武装部队。❷军队的编制单位，是师的上一级。❸有关军事方面的；泛指有组织的集体。
【组　词】军队　军衔　红军　空军
【同音字】均（平均）
【形近字】车（火车）
【成　语】军令如山
【近义词】军力/兵力
【歇后语】军棋斗胜——纸上谈兵。
【谚　语】军令如山倒。
【英　语】军队　army［'ɑːmi］

| jūn | 笔画 | 部首 | 结构 | 五笔 | 造字法 |
|---|---|---|---|---|---|
| 均 | 7 | 土 | 左右 | FQUG | 形声 |
| 笔顺 | 一 十 土 圴 均 均 均 | | | | |

【解　释】❶相等。❷都；全。
【组　词】平均　均匀　均衡　均等
【造　句】均等——我们每个人的

J

获胜机会都是均等的。
【辨　音】不读 yún。
【同音字】军(军纪)
【形近字】钧(千钧一发)
【成　语】势均力敌
【反义词】均等/不等
【近义词】均匀/匀称
【英　语】均匀　equal [ˈiːkwəl]

| jūn | 笔画 | 部首 | 结构 | 五笔 | 造字法 |
|---|---|---|---|---|---|
| 龟 | 7 | ⺈ | 上下 | QJNB | 象形 |
| 笔顺 | 丿 ⺈ ⺈ 冎 龟 龟 龟 | | | | |

【解　释】[龟裂]❶因干旱土地开裂。❷皮肤因寒冷或干燥而破裂。
【同音字】军(军队)
【多音字】guī(见 263 页)
【多音字】qiū (见 591 页)

| jūn | 笔画 | 部首 | 结构 | 五笔 | 造字法 |
|---|---|---|---|---|---|
| 君 | 7 | 口 | 上下 | VTKD | 会意 |
| 笔顺 | ㇇ ⺕ ⺕ 尹 尹 君 君 | | | | |

【解　释】❶封建时代指皇帝。❷对人的敬辞。

甲骨文　金文　小篆　隶书　楷书

【字源释义】"君"的本义是"君主"。字由"尹"、"口"组成:"尹"像一只手握着象征权力的手杖;"口"表示发号施令。
【组　词】国君　君主　君子　君主制
【同音字】军(军队)
【形近字】居(新居)
【成　语】正人君子
【反义词】正人君子/跳梁小丑
【谚　语】君子不夺人所好|君子之身可大可小,丈夫之志能屈能伸。
【英　语】君主　monarch [ˈmɔnək]

| jūn | 笔画 | 部首 | 结构 | 五笔 | 造字法 |
|---|---|---|---|---|---|
| 钧 | 9 | 钅 | 左右 | QQUG | 形声 |
| 笔顺 | 丿 𠂉 𠂉 乍 钅 钅 钓 钓 钧 | | | | |

【解　释】❶古代重量单位。1 钧等于 15 千克。❷旧时对尊长或上级的敬辞。
【组　词】钧旨　千钧
【造　句】千钧——"长征"火箭发射成功了!发射基地的所有工作人员如释千钧重负。
【辨　音】不读 yún。
【同音字】君(君主)
【形近字】钓(钓鱼)　钩(挂钩)
【英　语】千钧一发　in imminent peril [in ˈiminənt ˈperil]

| jūn | 笔画 | 部首 | 结构 | 五笔 | 造字法 |
|---|---|---|---|---|---|
| 菌 | 11 | 艹 | 上下 | ALTU | 形声 |
| 笔顺 | 一 艹 艹 芦 苘 苘 苘 菌 菌 菌 菌 | | | | |

【解　释】低等植物的一大类。无茎叶，不开花，不含叶绿素，不能自己制造养料。种类很多，如真菌。特指能使人生病的细菌。
【组　词】细菌　真菌　病菌　杀菌
【同音字】均（平均）
【形近字】茵（绿茵）
【英　语】细菌　bacterium［bæk'tiəriəm］
【多音字】jùn（见389页）

| jùn | 笔画 | 部首 | 结构 | 五笔 | 造字法 |
|---|---|---|---|---|---|
| 俊 | 9 | 亻 | 左右 | WCWT | 形声 |
| 笔顺 | 丿 亻 亻 仏 仏 仏 俊 俊 俊 | | | | |

【解　释】❶容貌秀丽好看。❷才智出众的。
【组　词】俊朗　俊杰　英俊　俊俏
【造　句】俊俏——这小姑娘长得真俊俏。
【同音字】竣（竣工）
【形近字】峻（严峻）
【反义词】俊俏/丑陋
【近义词】俊俏/俊秀
【英　语】俊美　pretty［'priti］

| jùn | 笔画 | 部首 | 结构 | 五笔 | 造字法 |
|---|---|---|---|---|---|
| 郡 | 9 | 阝 | 左右 | VTKB | 形声 |
| 笔顺 | ㇕ ⺕ 彐 尹 尹 君 君 君 郡 | | | | |

【解　释】我国古代划分的行政区域名。
【组　词】郡县制
【造　句】郡县制——我国秦朝实行的是郡县制。
【同音字】峻（峻峭）　俊（俊美）
【形近字】郭（城郭）
【英　语】郡　eparchy［'epɑːki］

| jùn | 笔画 | 部首 | 结构 | 五笔 | 造字法 |
|---|---|---|---|---|---|
| 峻 | 10 | 山 | 左右 | MCWT | 形声 |
| 笔顺 | 丨 山 山 山 山 山 山 峻 峻 峻 | | | | |

【解　释】❶山高而陡峭。❷严厉。
【组　词】严峻　险峻
【造　句】严峻——目前的形势很严峻，我们应早做决断。
【同音字】骏（骏马）
【形近字】俊（俊俏）
【成　语】严刑峻法　崇山峻岭
【反义词】崇山峻岭/一马平川
【近义词】峻急/湍急
【英　语】险峻　precipitous［pri'sipitəs］

| jùn | 笔画 | 部首 | 结构 | 五笔 | 造字法 |
|---|---|---|---|---|---|
| 骏 | 10 | 马 | 左右 | CCWT | 形声 |
| 笔顺 | ㇇ 马 马 马 马 马 马 骏 骏 骏 | | | | |

【解　释】好马。
【组　词】骏马　良骏
【同音字】俊（俊俏）
【形近字】棱（棱角）　俊（俊俏）
【谚　语】骏马腾空千里，还要英雄会驱使。
【英　语】骏马　fine horse［fain hɔːs］

| jùn | 笔画 | 部首 | 结构 | 五笔 | 造字法 |
|---|---|---|---|---|---|
| 菌 | 11 | 艹 | 上下 | ALTU | 形声 |
| 笔顺 | 一 十 艹 艹 芇 芇 芇 菌 菌 菌 菌 | | | | |

J

【解　释】生长在树木或草地上的高等菌类植物。有的有毒，有的没毒，可以做菜。
【同音字】俊（俊杰）
【多音字】jūn（见 388 页）

| jùn | 笔画 | 部首 | 结构 | 五笔 | 造字法 |
| --- | --- | --- | --- | --- | --- |
| 竣 | 12 | 立 | 左右 | UCWT | 形声 |
| 笔顺 | 丶 亠 亠 亣 立 [illegible] [illegible] [illegible] [illegible] [illegible] [illegible] 竣 | | | | |

【解　释】完毕；完成。
【组　词】竣工　竣事　完竣
【造　句】竣工——我校另一座教学楼马上就要竣工了。
【同音字】峻（严峻）
【形近字】凌（凌云）　骏（骏马）
【反义词】竣工/动工
【近义词】竣工/完工
【英　语】竣工　be completed [biː kəmˈpliːtid]

# K

## KA ㄎㄚ

| kā | 笔画 | 部首 | 结构 | 五笔 | 造字法 |
|---|---|---|---|---|---|
| 咖 | 8 | 口 | 左右 | KLKG | 形声 |
| 笔顺 | 丨 ㄇ 口 叮 叻 叻 咖 咖 | | | | |

【解　释】[咖啡]常绿小乔木或灌木,花白色,有香味,结浆果,深红色。
【组　词】咖啡　咖啡厅　咖啡色
【辨　音】不读 jiā。
【同音字】喀(喀嚓)
【形近字】加(加法)
【英　语】咖啡　coffee [ˈkɔfi]
【多音字】gā(见226页)

| kǎ | 笔画 | 部首 | 结构 | 五笔 | 造字法 |
|---|---|---|---|---|---|
| 卡 | 5 | ⺊ | 上下 | HHU | 会意 |
| 笔顺 | 丨 ⺊ 上 卡 卡 | | | | |

【解　释】❶卡片。❷卡车。❸卡路里的简称。
【组　词】卡片　卡车　卡尺　卡通
【造　句】卡通——我弟弟一看卡通片就迷上了。
【形近字】卞(卞急)
【英　语】卡通　cartoon [kɑːˈtuːn]
【多音字】qiǎ(见572页)

## KAI ㄎㄞ

| kāi | 笔画 | 部首 | 结构 | 五笔 | 造字法 |
|---|---|---|---|---|---|
| 开 | 4 | 一 | 独体 | GA | 会意 |
| 笔顺 | 一 二 チ 开 | | | | |

【解　释】❶打开(跟"关"、"闭"相对)。❷打通;开辟。❸放松;舒展。❹展开;分离。❺举行;创办。❻发动;发射。❼解除。❽写出;说出。❾吃。❿切;割。⓫把整体划分几个部分。⓬发给;支付。
【组　词】开门　开花　开学　开垦　传开　开局　开头　开工　开创　开设　开清单
【造　句】开诚布公——我们开诚布公地交换了意见,消除了隔阂和误会。
【同音字】揩(揩汗)
【形近字】并(并且)
【成　语】开门见山　开诚布公　开卷有益　开门揖盗　开源节流
【反义词】开门见山/转弯抹角
【近义词】开门见山/直截了当
【歇后语】开封府里的包公——铁面无私|开会请了假——没出息(席)。
【谚　语】开弓没有回头箭|开口容易合口难,看着容易做着难,捉贼容易放贼难。
【英　语】开办　open [ˈəupən]

| kāi | 笔画 | 部首 | 结构 | 五笔 | 造字法 |
|---|---|---|---|---|---|
| 揩 | 12 | 扌 | 左右 | RXXR | 形声 |
| 笔顺 | 一 十 扌 扌 扌 扌 扌 扌 揩 揩 揩 揩 | | | | |

【解　释】抹;擦。
【组　词】揩汗　揩油　揩拭
【造　句】揩油——小姨结婚后变得很自私,自己不在家做饭,回姥爷家揩油,蹭饭吃。
【辨　音】不读 kǎi。

K

【同音字】开(开门)
【形近字】谐(和谐)
【反义词】揩/涂
【近义词】揩/擦
【英　语】揩　wipe [waip]

| kǎi | 笔画 | 部首 | 结构 | 五笔 | 造字法 |
|---|---|---|---|---|---|
| 凯 | 8 | 几 | 左右 | MNMN | 会意 |
| 笔顺 | 丨 山 山 岂 岂 岂 剀 凯 | | | | |

【解　释】❶胜利的乐歌。❷姓。
【组　词】凯旋　凯歌
【造　句】凯旋——我们到机场迎接中国乒乓球队凯旋。
【同音字】楷(行楷)　慨(慨然)
【形近字】觊(觊觎)
【反义词】凯旋/败下
【英　语】凯旋　triumphant return [traiˈʌmfənt riˈtəːn]

| kǎi | 笔画 | 部首 | 结构 | 五笔 | 造字法 |
|---|---|---|---|---|---|
| 铠 | 11 | 钅 | 左右 | QMNN | 形声 |
| 笔顺 | 丿 𠂉 𠂤 钅 钅 钅' 钍 钍 铠 铠 铠 | | | | |

【解　释】铠甲，古代军人作战时穿的护身服，上面缀有金属薄片。
【组　词】铠甲
【同音字】楷(正楷)
【形近字】凯(凯歌)
【英　语】铠甲　armor [ˈɑːmə]

| kǎi | 笔画 | 部首 | 结构 | 五笔 | 造字法 |
|---|---|---|---|---|---|
| 慨 | 12 | 忄 | 左右 | NVCQ | 形声 |
| 笔顺 | 丶 丶 忄 忄 忄 忄 忄 忄 忄 忄 慨 慨 | | | | |

【解　释】❶感慨；感叹。❷气愤；愤慨。❸大方；慷慨。
【组　词】愤慨　慨叹　慨然　慷慨
【造　句】慷慨——我向她借橡皮用，她慷慨地答应了。
【辨　音】不读 gài。
【同音字】凯(凯歌)
【形近字】概(大概)
【反义词】慷慨/小气
【近义词】慨然允诺/痛快淋漓
【英　语】慷慨　generous [ˈdʒenərəs]

| kǎi | 笔画 | 部首 | 结构 | 五笔 | 造字法 |
|---|---|---|---|---|---|
| 楷 | 13 | 木 | 左右 | SXXR | 形声 |
| 笔顺 | 一 十 才 木 木 朼 朼 枇 枇 枇 楷 楷 楷 | | | | |

【解　释】❶楷书。❷模范；典范。
【组　词】正楷　楷模　楷书　楷体
【造　句】正楷——哥哥的正楷字写得很好。
【辨　音】不读 kāi。
【同音字】凯(凯歌)
【形近字】谐(和谐)
【近义词】楷模/模范
【英　语】楷模　model [ˈmɔdl]
【多音字】jiē(见 354 页)

## KAN　ㄎㄢ

| kān | 笔画 | 部首 | 结构 | 五笔 | 造字法 |
|---|---|---|---|---|---|
| 刊 | 5 | 刂 | 左右 | FJH | 形声 |
| 笔顺 | 一 二 干 刊 刊 | | | | |

【解　释】❶古时指书版雕刻，现指排印出版。❷刊物。❸修改；删改。❹刊登；发表。

【组　词】期刊　特刊　增刊　刊登
【造　句】刊登——他的文章被多次刊登在《小百科》杂志上。
【同音字】堪（难堪）
【形近字】刑（刑期）
【成　语】不刊之论
【英　语】刊物　publication [pʌbli'keiʃən]

| kān | 笔画 | 部首 | 结构 | 五笔 | 造字法 |
| --- | --- | --- | --- | --- | --- |
| 看 | 9 | 目 | 半包围 | RHF | 会意 |
| 笔顺 | 一 二 三 手 看 看 看 看 看 | | | | |

【解　释】❶守护；照看。❷监视；管理。
【组　词】看护　看管　看家
【造　句】看家——每天我们上学后，家里就留下小狗阿黄看家了。
【同音字】勘（勘探）
【英　语】看管　look after [luk 'ɑːftə]
【多音字】kàn（见 394 页）

| kān | 笔画 | 部首 | 结构 | 五笔 | 造字法 |
| --- | --- | --- | --- | --- | --- |
| 勘 | 11 | 力 | 左右 | ADWL | 形声 |
| 笔顺 | 一 十 卄 廿 甘 甘 其 甚 甚 勘 勘 | | | | |

【解　释】❶校订；核对。❷实地查看；探测。
【组　词】勘误　校勘　勘探　勘查
【造　句】勘察——我叔叔是个地质队员，整天在野外勘察。
【同音字】刊（报刊）
【形近字】堪（难堪）
【英　语】勘测　survey [səː'vei]

| kān | 笔画 | 部首 | 结构 | 五笔 | 造字法 |
| --- | --- | --- | --- | --- | --- |
| 堪 | 12 | 土 | 左右 | FADN | 形声 |
| 笔顺 | 一 十 土 圹 圻 坩 坩 堪 堪 堪 堪 堪 | | | | |

【解　释】❶可；能。❷经得起；受得住。
【组　词】难堪　不堪入目
【造　句】不堪入目——有些图书粗制滥造，内容低俗，简直不堪入目。
【同音字】刊（刊物）
【形近字】甚（甚至）
【反义词】不堪一击/固若金汤
【英　语】难堪　embarrassed [im'bærəst]

| kǎn | 笔画 | 部首 | 结构 | 五笔 | 造字法 |
| --- | --- | --- | --- | --- | --- |
| 坎 | 7 | 土 | 左右 | FQWY | 形声 |
| 笔顺 | 一 十 土 圹 圹 坎 坎 | | | | |

【解　释】❶低洼的地方。❷田野里高起像台阶的地方。❸八卦之一。❹[坎坷]道路、土地坑洼不平。比喻不得志。
【组　词】坎坷　坎子　坎肩　田坎
【造　句】坎坷——我们这儿山路坎坷，走路可得小心点。
【同音字】砍（砍伐）
【形近字】砍（砍树）
【反义词】坎坷/平坦
【近义词】坎坷/不平
【英　语】坎坷　bumpy ['bʌmpi]

| kǎn | 笔画 | 部首 | 结构 | 五笔 | 造字法 |
| --- | --- | --- | --- | --- | --- |
| 侃 | 8 | 亻 | 左右 | WKQN | 会意 |
| 笔顺 | 丿 亻 亻 们 们 但 侃 侃 | | | | |

K

【解　释】❶理直气壮。❷闲聊。
【组　词】调侃　侃侃而谈
【造　句】调侃——你这是调侃我嘛！
【同音字】砍（砍柴）　槛（门槛）
【成　语】侃侃而谈
【英　语】侃价　bargain [ˈbɑːgin]

| kǎn | 笔画 | 部首 | 结构 | 五笔 | 造字法 |
|---|---|---|---|---|---|
| 砍 | 9 | 石 | 左右 | DQWY | 形声 |
| 笔顺 | 一 丆 不 石 石 石' 砍 砍 砍 | | | | |

【解　释】❶用锋利的东西（如刀、斧）猛力把东西断开。❷削减；取消。
【组　词】砍柴　砍伐　砍刀　砍价
【造　句】砍价——爸爸不会砍价，买的东西总比别人贵。
【同音字】槛（门槛）
【形近字】坎（坎坷）　次（次数）
【英　语】砍掉　cut [kʌt]

| kǎn | 笔画 | 部首 | 结构 | 五笔 | 造字法 |
|---|---|---|---|---|---|
| 槛 | 14 | 木 | 左右 | SJTL | 形声 |
| 笔顺 | 一 十 才 木 木' 木'' 木'' 栏 栏 栏 槛 槛 槛 槛 | | | | |

【解　释】门槛；门限。
【组　词】门槛
【造　句】门槛——只要有一股冲劲，没有过不去的门槛。
【同音字】坎（坎坷）　砍（砍柴）
【形近字】监（监视）
【英　语】槛　threshold [ˈθreʃhəuld]

| kàn | 笔画 | 部首 | 结构 | 五笔 | 造字法 |
|---|---|---|---|---|---|
| 看 | 9 | 目 | 半包围 | RHF | 会意 |
| 笔顺 | 一 二 三 手 手 看 看 看 看 | | | | |

【解　释】❶主动使视线接触人或物。❷观察；判断。❸访问；拜访。❹对待。❺诊治。❻照顾；照料。
【组　词】看见　看望　看待　看病
【造　句】看好——这场球赛，人们看好皇马队。
【同音字】瞰（鸟瞰）
【形近字】着（等着）
【反义词】看重/轻视
【近义词】看穿/看透
【英　语】观看　see [siː]
【多音字】kān（见 393 页）

## KANG　ㄎㄤ

| kāng | 笔画 | 部首 | 结构 | 五笔 | 造字法 |
|---|---|---|---|---|---|
| 康 | 11 | 广 | 半包围 | YVI | 指事 |
| 笔顺 | 丶 一 广 户 户 户 庚 庚 庚 康 康 | | | | |

【解　释】❶健康，没病；身体好。❷富足；丰富。❸姓。
【组　词】健康　康乐　康泰　康复
【造　句】康复——全体同学祝愿李老师早日康复。
【辨　音】不读 lì。
【同音字】慷（慷慨）
【形近字】隶（隶属）
【反义词】健康/虚弱
【近义词】健康/健壮
【英　语】健康　healthy [ˈhelθi]

| kāng | 笔画 | 部首 | 结构 | 五笔 | 造字法 |
|---|---|---|---|---|---|
| 慷 | 14 | 忄 | 左右 | NYVI | 形声 |
| 笔顺 | 丶 忄 忄 忙 忙 忙 怗 怗 慷 慷 慷 慷 慷 慷 | | | | |

【解　释】❶情绪激昂；充满正气。❷大方；不吝惜。
【造　句】慷慨解囊——人们听说这位老人的不幸后，纷纷慷慨解囊。
【同音字】康（健康）
【形近字】糠（糠秕）
【成　语】慷慨陈词　慷慨解囊
【反义词】慷慨解囊/一毛不拔
【近义词】慷慨解囊/解囊相助
【英　语】慷慨　generous [ˈdʒenərəs]

| kāng | 笔画 | 部首 | 结构 | 五笔 | 造字法 |
|---|---|---|---|---|---|
| 糠 | 17 | 米 | 左右 | OYVI | 形声 |
| 笔顺 | 丶 丷 丬 半 米 米 米 籵 籵 粐 粐 粐 糖 糖 糖 糠 糠 | | | | |

【解　释】❶稻、麦等谷物脱下的皮或壳。❷发空；质地变得松而不实。
【组　词】米糠　稻糠　糠心　糠秕
【同音字】康（健康）
【形近字】慷（慷慨）
【英　语】糠　chaff [tʃɑːf]

| káng | 笔画 | 部首 | 结构 | 五笔 | 造字法 |
|---|---|---|---|---|---|
| 扛 | 6 | 扌 | 左右 | RAG | 形声 |
| 笔顺 | 一 十 扌 扌 扛 扛 | | | | |

【解　释】用肩膀承担物体。
【组　词】扛包　扛枪　扛起　肩扛
【形近字】江（长江）　红（红日）
【歇后语】扛着扁担出门——直出直入。
【多音字】gāng（见 232 页）

| kàng | 笔画 | 部首 | 结构 | 五笔 | 造字法 |
|---|---|---|---|---|---|
| 亢 | 4 | 亠 | 上下 | YMB | 象形 |
| 笔顺 | 丶 亠 亢 亢 | | | | |

【解　释】❶高；高傲。❷过度；极。❸二十八星宿之一。
【组　词】亢奋　不卑不亢
【造　句】亢奋——一想到明天要去北京，他一晚上都亢奋得睡不着觉。
【同音字】抗（抗旱）　炕（火炕）
【成　语】不卑不亢
【英　语】亢奋　excited [ikˈsaitid]

| kàng | 笔画 | 部首 | 结构 | 五笔 | 造字法 |
|---|---|---|---|---|---|
| 抗 | 7 | 扌 | 左右 | RYMN | 形声 |
| 笔顺 | 一 十 扌 扌 扩 扩 抗 | | | | |

【解　释】❶抵御；抵挡。❷拒绝；不接受。❸不相上下；对等；匹敌。
【组　词】抗争　抗旱　抗租　抗税
【造　句】负隅顽抗——敌人想负隅顽抗，我们劈头盖脸就是一顿扫射，迫使他们乖乖投降。
【同音字】炕（炕上）
【形近字】杭（杭州）
【成　语】分庭抗礼　负隅顽抗
【反义词】负隅顽抗/束手就擒
【近义词】负隅顽抗/垂死挣扎
【英　语】抗议　protest [prəˈtest]

| kàng | 笔画 | 部首 | 结构 | 五笔 | 造字法 |
|---|---|---|---|---|---|
| 炕 | 8 | 火 | 左右 | OYMN | 形声 |
| 笔顺 | 丶 丷 丿 火 火 炉 炉 炕 | | | | |

K

【解　释】❶北方人用土坯或砖砌成的睡觉用的台子。❷烤。
【组　词】炕梢　炕头　炕席　炕桌
【造　句】炕桌——那本书我放在里屋的炕桌上了。
【同音字】抗(抗争)
【形近字】杭(杭州)
【英　语】炕　a heatable brick bed [ə ˈhiːtəbl brik bed]

## KAO　ㄎㄠ

| kǎo | 笔画 | 部首 | 结构 | 五笔 | 造字法 |
|---|---|---|---|---|---|
| 考 | 6 | 耂 | 半包围 | FTGN | 形声 |
| 笔顺 | 一 十 土 耂 耂 考 | | | | |

【解　释】❶提出难解的问题让对方回答。❷考试；测验。❸检查。❹研究；思考。❺指死去的父亲。

甲骨文　金文　小篆　隶书　楷书

【字源释义】"考"的本义同"老"，字形像一个稍驼的老人，头发稀疏，拄着一根拐杖。加上声符"丂"(音 kǎo)构成。后多用于"考察"、"考核"义。
【组　词】考察　考试　考验　招考
【造　句】考虑——这件事我得好好考虑一下，明天答复你吧。
【同音字】拷(拷问)
【形近字】老(老师)
【近义词】考查/检查　考虑/思考
【英　语】考试　examination [igzæmiˈneiʃən]

| kǎo | 笔画 | 部首 | 结构 | 五笔 | 造字法 |
|---|---|---|---|---|---|
| 拷 | 9 | 扌 | 左右 | RFTN | 形声 |
| 笔顺 | 一 十 扌 扌 扌 扌 扌 扌 拷 | | | | |

【解　释】动用刑具打。
【组　词】拷打　拷问　拷贝　拷绸　拷纱
【造　句】拷打——敌人的严刑拷打并没有使江姐屈服。
【辨　音】不读 kào。
【同音字】考(考试)
【形近字】铐(手铐)　挎(挎着)
【英　语】拷贝　copy [ˈkɔpi]

| kǎo | 笔画 | 部首 | 结构 | 五笔 | 造字法 |
|---|---|---|---|---|---|
| 烤 | 10 | 火 | 左右 | OFTN | 形声 |
| 笔顺 | 丶 丷 火 火 火 灶 灶 炒 烤 烤 | | | | |

【解　释】❶用火烘或用火取暖。❷晒。
【组　词】烤肉　烤火　烤鸭　烤熟
【辨　音】不读 kào。
【同音字】考(考试)
【形近字】拷(拷打)

K

【歇后语】烤烙饼——翻来覆去。
【英　语】烤炉　oven［'ʌvən］

| kào | 笔画 | 部首 | 结构 | 五笔 | 造字法 |
|---|---|---|---|---|---|
| 铐 | 11 | 钅 | 左右 | QFTN | 形声 |
| 笔顺 | 丿 𠂉 𠂉 𠂉 钅 钅 钅 钍 铁 铁 铐 | | | | |

【解　释】❶手铐，束缚犯人的用具。❷给人戴上手铐。
【组　词】手铐　铐子　铐上
【同音字】靠（依靠）
【形近字】拷（拷打）　烤（烧烤）
【英　语】手铐　hand cuff［hænd 'kʌf］

| kào | 笔画 | 部首 | 结构 | 五笔 | 造字法 |
|---|---|---|---|---|---|
| 靠 | 15 | 非 | 上下 | TFKD | 形声 |
| 笔顺 | 丿 𠂉 𠂉 牛 牛 告 告 告 靠 靠 靠 靠 靠 靠 靠 | | | | |

【解　释】❶人的身体的一部分重量由他人或某物体支撑。❷接近；挨着。❸物体凭别的东西立起。❹依仗；凭借。❺信赖；可信。❻戏曲中古代武将所穿的铠甲。
【组　词】依靠　靠着　靠山　靠拢
【造　句】靠岸——在长江上行驶了两天，今天，船终于靠岸了。
【同音字】铐（手铐）
【形近字】辈（长辈）
【反义词】靠拢/分开
【近义词】牢靠/牢固
【英　语】依靠　depend on［di'pend ɔn］

## KE　ㄎㄜ

| kē | 笔画 | 部首 | 结构 | 五笔 | 造字法 |
|---|---|---|---|---|---|
| 苛 | 8 | 艹 | 上下 | ASKF | 形声 |
| 笔顺 | 一 十 艹 艹 芒 苛 苛 苛 | | | | |

【解　释】❶苛刻；过于严厉。❷烦琐。
【组　词】苛刻　苛求　苛责　苛政
【造　句】苛捐杂税——解放前，苛捐杂税多如牛毛，百姓生活艰难。
【辨　音】不读 kě。
【同音字】科（科学）
【反义词】苛刻/宽厚
【近义词】苛捐杂税/横征暴敛
【英　语】苛刻　severe［si'viə］

| kē | 笔画 | 部首 | 结构 | 五笔 | 造字法 |
|---|---|---|---|---|---|
| 坷 | 8 | 土 | 左右 | FSKG | 形声 |
| 笔顺 | 一 十 土 圹 圹 坷 坷 坷 | | | | |

【解　释】坷垃，土块。
【组　词】坷垃
【同音字】科（科学）
【形近字】河（河水）
【多音字】kě（见 399 页）

| kē | 笔画 | 部首 | 结构 | 五笔 | 造字法 |
|---|---|---|---|---|---|
| 科 | 9 | 禾 | 左右 | TUFH | 会意 |
| 笔顺 | 丿 二 千 禾 禾 禾 禾 利 科 | | | | |

【解　释】❶学术或业务的类别。❷机关单位内部行政部门的划分。❸生物学的分类单位之一。❹封建时代的选拔制度。

K

【组　词】科学　文科　理科　本科
【同音字】苛(苛刻)
【形近字】抖(抖动)　和(和平)
【反义词】作奸犯科/遵纪守法
【近义词】照本宣科/照猫画虎
【英　语】科学　science [ˈsaiəns]

| kē | 笔画 | 部首 | 结构 | 五笔 | 造字法 |
|---|---|---|---|---|---|
| 棵 | 12 | 木 | 左右 | SJSY | 形声 |
| 笔顺 | 一 十 才 木 朩 杒 杒 枂 梠 椚 椚 棵 | | | | |

【解　释】量词。多用于植物。
【组　词】一棵树　一棵草
【同音字】科(科学)
【形近字】课(课堂)

| kē | 笔画 | 部首 | 结构 | 五笔 | 造字法 |
|---|---|---|---|---|---|
| 颗 | 14 | 页 | 左右 | JSDM | 形声 |
| 笔顺 | 丨 冂 日 日 旦 早 果 果 果一 果丆 果丆 颗 颗 颗 | | | | |

【解　释】量词。多用于颗粒状的东西。
【组　词】颗粒　一颗
【同音字】科(科学)
【形近字】棵(一棵)　课(课本)
【英　语】颗粒　pellet [ˈpelit]

| kē | 笔画 | 部首 | 结构 | 五笔 | 造字法 |
|---|---|---|---|---|---|
| 磕 | 15 | 石 | 左右 | DFCL | 形声 |
| 笔顺 | 一 丆 不 石 石 石一 石十 石土 砝 砝 砝 磕 磕 磕 磕 | | | | |

【解　释】❶碰撞在硬物上。❷把东西向地上或别的硬物上碰。❸旧时的礼节。跪在地上，两手扶地，头近地或着地。
【组　词】磕破　磕绊　磕头
【造　句】磕破——两个弟弟在屋里追追打打，其中一个不小心磕破了头。
【同音字】科(科技)
【形近字】嗑(嗑瓜子)
【近义词】磕/碰
【谚　语】磕的头越多，人家看你越矮。
【英　语】磕头 kowtow [kauˈtau]

| kē | 笔画 | 部首 | 结构 | 五笔 | 造字法 |
|---|---|---|---|---|---|
| 瞌 | 15 | 目 | 左右 | HFCL | 形声 |
| 笔顺 | 丨 冂 月 目 目 目一 目十 目土 目去 目去 瞌 瞌 瞌 瞌 瞌 | | | | |

【解　释】瞌睡，困倦想睡或进入半睡眠状态。
【组　词】瞌睡
【造　句】瞌睡——小明上课经常打瞌睡。
【同音字】棵(一棵树)　科(科学)
【形近字】磕(磕头)
【英　语】瞌睡　sleepy [ˈsli:pi]

| kē | 笔画 | 部首 | 结构 | 五笔 | 造字法 |
|---|---|---|---|---|---|
| 蝌 | 15 | 虫 | 左右 | JTUF | 形声 |
| 笔顺 | 丶 口 口 中 虫 虫 虫' 虫' 蚪 蚪 蚪 蚪 蚪 蝌 蝌 | | | | |

【解　释】蝌蚪，蛙或蟾蜍的幼体，黑色，椭圆形，像小鱼，有鳃和尾巴。生活在水中，用尾巴运动。发育出后肢、前肢后尾巴逐渐消失，最后变成蛙或蟾蜍。
【组　词】蝌蚪
【同音字】科(科学)
【形近字】科(科技)

【歇后语】蝌蚪变蛤蟆——要脱尾巴。

【英　语】蝌蚪 tadpole [ˈtædpəul]

| ké | 笔画 | 部首 | 结构 | 五笔 | 造字法 |
|---|---|---|---|---|---|
| 壳 | 7 | 士 | 上中下 | FPMB | 会意 |
| 笔顺 | 一 十 士 声 壳 壳 壳 | | | | |

【解　释】坚硬的外皮。

【组　词】贝壳　脑壳　蛋壳　子弹壳

【同音字】咳(咳嗽)

【形近字】亮(漂亮)

【英　语】壳 shell [ʃel]

【多音字】qiào(见581页)

| ké | 笔画 | 部首 | 结构 | 五笔 | 造字法 |
|---|---|---|---|---|---|
| 咳 | 9 | 口 | 左右 | KYNW | 形声 |
| 笔顺 | 丨 冂 口 口 口 口 咳 咳 咳 | | | | |

【解　释】咳嗽，喉部或气管受刺激而引起的一种症状。

【组　词】咳嗽　干咳

【造　句】咳嗽——这几天妈妈感冒了，经常咳嗽。

【辨　音】不读kè。

【同音字】壳(贝壳)

【形近字】该(应该)

【英　语】咳嗽 cough [kɔf]

【多音字】hāi(见268页)

| kě | 笔画 | 部首 | 结构 | 五笔 | 造字法 |
|---|---|---|---|---|---|
| 可 | 5 | 口 | 半包围 | SKD | 会意 |
| 笔顺 | 一 丆 ⼁ 可 可 | | | | |

【解　释】❶表示同意；是；对。❷表示允许或可能，跟“可以”的意思相同。❸够得上；值得。❹大约。❺但；可是；却。❻加强语气的说法。❼适合。❽姓。

【组　词】可以　可耻　可恶　认可

【造　句】可乘之机——我们要做好安全保卫工作，不给破坏分子可乘之机。

【同音字】渴(口渴)

【形近字】何(何处)

【成　语】模棱两可　非同小可　可歌可泣　可乘之机

【反义词】可乘之机/无懈可击

【近义词】可乘之机/有机可乘

【谚　语】可意会不可言传|可怜天下父母心。

【英　语】可爱 lovable [ˈlʌvəbl]

【多音字】kè(见400页)

| kě | 笔画 | 部首 | 结构 | 五笔 | 造字法 |
|---|---|---|---|---|---|
| 坷 | 8 | 土 | 左右 | FSKG | 形声 |
| 笔顺 | 一 十 土 圷 坷 坷 坷 坷 | | | | |

【解　释】见393页[坎坷]。

【英　语】坎坷 bumpy [ˈbʌmpi]

【多音字】kē(见397页)

| kě | 笔画 | 部首 | 结构 | 五笔 | 造字法 |
|---|---|---|---|---|---|
| 渴 | 12 | 氵 | 左右 | IJQN | 形声 |
| 笔顺 | 丶 冫 氵 氵 汨 汨 泪 泪 渴 渴 渴 渴 | | | | |

【解　释】❶口干想喝水。❷迫切地；急切地。

【组　词】干渴　渴望　饥渴　解渴

【造　句】求贤若渴——我们公司刚成立，经理求贤若渴，像你这样的人才一定能得到重用。

【辨　音】不读hē。

【同音字】可(可以)
【形近字】喝(喝水)
【反义词】求贤若渴/嫉贤妒能
【近义词】如饥似渴/梦寐以求
【英　语】渴　thirsty [ˈθəːsti]

| kè | 笔画 | 部首 | 结构 | 五笔 | 造字法 |
|---|---|---|---|---|---|
| 可 | 5 | 口 | 半包围 | SKD | 会意 |
| 笔顺 | 一 丁 ㄇ 叿 可 | | | | |

【解　释】可汗(hán),古代鲜卑、突厥(jué)、回纥(hé)、蒙古等族首领的称号。
【同音字】客(客人)
【形近字】何(何必)
【多音字】kě(见399页)

| kè | 笔画 | 部首 | 结构 | 五笔 | 造字法 |
|---|---|---|---|---|---|
| 克 | 7 | 十 | 上下 | DQB | 会意 |
| 笔顺 | 一 十 十 古 古 声 克 | | | | |

【解　释】❶能够;可以。❷克服;制伏。❸国际单位制、公制的质量单位。❹战胜。❺消化。❻严格限定期限。

【字源释义】甲骨文与金文的字形,像古代的武器石斧正从上方向一头张着大嘴的野兽砸去,表示"战胜"义。在现代汉语里仍有此义,如"克服"。
【组　词】克服　克隆　坦克　千克
【造　句】克服——他克服重重困难,终于完成了任务。
【同音字】刻(刻苦)
【形近字】兄(兄弟)
【成　语】攻无不克　克己奉公
【反义词】克己奉公/损公肥私
【近义词】克己奉公/廉洁奉公
【英　语】克服　surmount [səˈmaunt]

| kè | 笔画 | 部首 | 结构 | 五笔 | 造字法 |
|---|---|---|---|---|---|
| 刻 | 8 | 刂 | 左右 | YNTJ | 形声 |
| 笔顺 | 丶 亠 亡 亨 亥 亥 亥 刻 | | | | |

【解　释】❶用刀子在器物上雕刻。❷用钟表记时,十五分钟为一刻。❸形容程度极深。❹刻薄。
【组　词】刻薄　刻板　刻骨　刻苦
【造　句】刻苦——运动员们为了取得好成绩,都在刻苦训练。
【同音字】克(千克)　课(上课)
【形近字】该(应该)
【成　语】刻骨铭心　刻舟求剑
【反义词】刻板/灵活
【近义词】刻不容缓/十万火急
【英　语】雕刻　carve [kaːv]

| kè | 笔画 | 部首 | 结构 | 五笔 | 造字法 |
|---|---|---|---|---|---|
| 客 | 9 | 宀 | 上下 | PTKF | 形声 |
| 笔顺 | 丶 丶 宀 宂 穸 安 客 客 客 | | | | |

K

【解　释】❶客人。❷出门在外的。❸旅客；顾客。❹指奔走他方，从事某种活动的人。
【组　词】客观　客气　乘客　侠客
【同音字】克(克服)　刻(刻苦)
【形近字】容(容貌)
【英　语】客人　guest [gest]

| kè | 笔画 | 部首 | 结构 | 五笔 | 造字法 |
|---|---|---|---|---|---|
| 课 | 10 | 讠 | 左右 | YJSY | 形声 |

笔顺：丶 讠 讠 订 讵 诅 谓 谓 课 课

【解　释】❶有计划的分段教学。❷教学的科目。❸教学的时间单位。❹教材的段落。❺某些机关、学校、工厂等的行政单位。❻使交纳赋税。❼占卜的一种。
【组　词】课程　课堂　课文　课外
【造　句】课堂——我们要鼓励学生在课堂上积极回答问题。
【同音字】刻(刻苦)　克(克服)
【形近字】棵(一棵)
【英　语】课本　textbook ['tekstbuk]

| kè | 笔画 | 部首 | 结构 | 五笔 | 造字法 |
|---|---|---|---|---|---|
| 嗑 | 13 | 口 | 左右 | KFCL | 形声 |

笔顺：丨 口 口 叮 吐 吽 呟 呟 呟 嗑 嗑 嗑 嗑

【解　释】用牙咬有壳的或硬的东西。
【组　词】嗑瓜子
【同音字】克(克服)　刻(刻苦)
【形近字】瞌(瞌睡)
【英　语】嗑　crack sth. between the teeth [kræk 'sʌmθiŋ bi'twiːn ðə tiːθ]

## KEN ㄎㄣ

| kěn | 笔画 | 部首 | 结构 | 五笔 | 造字法 |
|---|---|---|---|---|---|
| 肯 | 8 | 月 | 上下 | HEF | 会意 |

笔顺：丨 ⺊ 屮 止 肯 肯 肯 肯

【解　释】❶表示同意。❷附着在骨头上的肉。❸一定；无疑问。❹确定；明确。
【组　词】中肯　肯定　不肯
【造　句】不肯——我请他来，他怎么都不肯来。
【同音字】垦(开垦)
【形近字】背(背后)
【反义词】宁肯/不肯
【近义词】宁肯/宁愿
【谚　语】肯学者聪明，装懂者愚蠢。
【英　语】肯定　affirm [ə'fəːm]

| kěn | 笔画 | 部首 | 结构 | 五笔 | 造字法 |
|---|---|---|---|---|---|
| 垦 | 9 | 土 | 上下 | VEFF | 形声 |

笔顺：フ ㄱ ㄹ 尸 艮 艮 艮 垦 垦

【解　释】翻土；开垦荒地。
【组　词】开垦　垦荒　垦种　垦地
【造　句】垦种——那里有大片可以垦种的荒地。
【同音字】恳(诚恳)　肯(肯定)
【形近字】恳(诚恳)
【近义词】开垦/垦荒

| kěn | 笔画 | 部首 | 结构 | 五笔 | 造字法 |
|---|---|---|---|---|---|
| 恳 | 10 | 心 | 上下 | VENU | 形声 |

笔顺：フ ㄱ ㄹ 尸 艮 艮 艮 恳 恳 恳

K

【解　释】❶真诚;诚恳。❷请求。
【组　词】恳切　诚恳　恳谈　忠恳　恳求
【造　句】恳切——他恳切地希望得到大家的帮助。
【同音字】肯(宁肯)
【形近字】垦(垦地)
【反义词】诚恳/狡猾
【近义词】恳切/诚恳
【英　语】诚恳　earnestly [ˈəːnistli]

| kěn | 笔画 | 部首 | 结构 | 五笔 | 造字法 |
|---|---|---|---|---|---|
| 啃 | 11 | 口 | 左右 | KHEG | 形声 |
| 笔顺 | 丨 ㄇ 口 口丨 口ト 口⺊ 口止 口⺌ 啃 啃 啃 | | | | |

【解　释】一点一点往下咬。
【组　词】啃骨头　啃书本
【同音字】肯(肯定)
【英　语】啃　gnaw [nɔː]

## KENG　ㄎㄥ

| kēng | 笔画 | 部首 | 结构 | 五笔 | 造字法 |
|---|---|---|---|---|---|
| 坑 | 7 | 土 | 左右 | FYMN | 形声 |
| 笔顺 | 一 十 土 圠 圹 坊 坑 | | | | |

【解　释】❶低洼的地方。❷地洞;地道。❸古时指把人活埋。❹坑害,设计使人受到损失。
【组　词】泥坑　水坑　坑人　坑害　坑骗　坑坑洼洼
【造　句】坑人——他这个把戏是坑人的,我们不能相信。
【同音字】吭(吭声)　铿(铿锵)
【形近字】吭(吭气)　杭(杭州)
【成　语】焚书坑儒
【反义词】坑人/帮人
【近义词】水坑/水洼
【谚　语】坑了人家,害了自己。
【英　语】坑　hole [həul]

| kēng | 笔画 | 部首 | 结构 | 五笔 | 造字法 |
|---|---|---|---|---|---|
| 吭 | 7 | 口 | 左右 | KYMN | 形声 |
| 笔顺 | 丨 ㄇ 口 口丶 吖 吭 吭 | | | | |

【解　释】说话;出声。
【组　词】吭声　吭气　吭哧
【造　句】一声不吭——他知道自己错了,所以别人说他,他都一声不吭。
【同音字】坑(坑人)
【成　语】一声不吭
【反义词】一声不吭/滔滔不绝
【近义词】一声不吭/三缄其口
【多音字】háng (见 274 页)

| kēng | 笔画 | 部首 | 结构 | 五笔 | 造字法 |
|---|---|---|---|---|---|
| 铿 | 12 | 钅 | 左右 | QJCF | 形声 |
| 笔顺 | ノ 𠂉 㐅 乍 钅 钊 钔 钗 铿 铿 铿 铿 | | | | |

【解　释】象声词。形容响亮的声音。
【组　词】铿锵　铿然
【造　句】铿锵有力——在誓师大会上,王老师的发言铿锵有力,每一句话都说到了同学们的心里头。
【同音字】吭(吭声)　坑(坑人)
【形近字】坚(坚强)

## KONG　ㄎㄨㄥ

| kōng | 笔画 | 部首 | 结构 | 五笔 | 造字法 |
|---|---|---|---|---|---|
| 空 | 8 | 穴 | 上下 | PWAF | 形声 |
| 笔顺 | 丶 丶 宀 宀 穴 空 空 空 | | | | |

【解　释】❶里面没有东西或没有内容;不合乎实际的。❷天空。❸没有结果的;白白的。
【组　词】空手　空房　空想　空乘　空港　空置
【造　句】空前绝后——辣椒可以止小儿的啼哭,真是空前绝后的奇闻。
【形近字】控(控制)
【成　语】空洞无物　空空如也　空前绝后
【反义词】空洞无物/言之有物
【近义词】空洞无物/空空如也
【谚　语】空中无风树不摇,天不下雨地不潮|空谈使真理黯然失色,实践使真理增添光辉。
【英　语】空气　air [ɛə]
【多音字】kòng(见403页)

| kǒng | 笔画 | 部首 | 结构 | 五笔 | 造字法 |
|---|---|---|---|---|---|
| 孔 | 4 | 子 | 左右 | BNN | 指事 |
| 笔顺 | ㇇ 了 子 孔 | | | | |

【解　释】❶洞;窟窿。❷量词。❸通达。❹姓。
【组　词】桥孔　毛孔　孔雀　面孔　弹孔　气孔
【造　句】面孔——她的面孔看上去怪怪的,很像是从卡通画上复制下来的。
【同音字】恐(恐怕)
【形近字】扎(扎辫子)
【歇后语】孔夫子搬家——全是输书)|孔夫子唱戏——出口成章。
【英　语】孔　orifice [ˈɔrifis]

| kǒng | 笔画 | 部首 | 结构 | 五笔 | 造字法 |
|---|---|---|---|---|---|
| 恐 | 10 | 心 | 上下 | AMYN | 形声 |
| 笔顺 | 一 丁 工 玑 巩 巩 巩 恐 恐 恐 | | | | |

【解　释】❶恐怕;惧怕。❷使害怕。❸副词。表示估计、担心。
【组　词】恐怕　恐龙　恐吓　恐慌　恐怖　惊恐
【造　句】争先恐后——孩子们一听到锣鼓响,知道是舞龙的到了,都争先恐后地跑出去看。
【同音字】孔(孔雀)
【形近字】筑(筑路)
【成　语】争先恐后　有恃无恐
【反义词】恐吓/安抚
【近义词】争先恐后/不甘人后
【英　语】恐惧　fear [fiə]

| kòng | 笔画 | 部首 | 结构 | 五笔 | 造字法 |
|---|---|---|---|---|---|
| 空 | 8 | 穴 | 上下 | PWAF | 形声 |
| 笔顺 | 丶 丷 宀 宀 穴 穵 空 空 | | | | |

【解　释】❶腾出来;使空出。❷闲着的地方或时间。❸缺;欠。
【组　词】空格　空地　空缺
【同音字】控(控诉)
【英　语】空白　blank　space [blæŋk speis]
【多音字】kōng(见403页)

| kòng | 笔画 | 部首 | 结构 | 五笔 | 造字法 |
|---|---|---|---|---|---|
| 控 | 11 | 扌 | 左右 | RPWA | 形声 |
| 笔顺 | 一 十 扌 扌 扌 扩 扩 控 控 控 控 | | | | |

【解　释】❶告发罪恶;控告。

❷掌握住，不使任意活动或超出范围。❸身体或身体的一部分悬空或处于失去支撑的状态。
【组　词】控告　控诉　控制　遥控　失控　控股　控购
【造　句】控制——102 高地已完全控制在解放军手中。
【同音字】空（空格）
【形近字】空（空军）
【反义词】控制/失控
【近义词】控制/掌握
【英　语】控制　control [kən'trəul]

## KOU　ㄎㄡ

| kōu | 笔画 | 部首 | 结构 | 五笔 | 造字法 |
|---|---|---|---|---|---|
| 抠 | 7 | 扌 | 左右 | RAQY | 形声 |
| 笔顺 | 一 十 扌 扌 扌 扨 抠 | | | | |

【解　释】❶用手指或细小的东西往较深的地方挖。❷雕刻花纹。❸向狭窄的方面深究；不必要的深究。❹吝啬；小气。
【组　词】抠门　硬抠　太抠
【造　句】抠门——这个人真抠门，几块钱也舍不得出。
【辨　音】不读 qū 或 ōu。
【反义词】抠门/大方
【近义词】抠门/小气
【英　语】抠门儿　stingy ['stindʒi]



| kǒu | 笔画 | 部首 | 结构 | 五笔 | 造字法 |
|---|---|---|---|---|---|
| 口 | 3 | 口 | 独体 | KKKK | 象形 |
| 笔顺 | 丨 ㄇ 口 | | | | |

【解　释】❶人或动物进饮食的器官，有的也是发声器官的一部分。通称嘴。❷指口味。❸指人口。❹容器通外面的地方。❺出入通过的地方。❻长城关口。❼刀、剑、剪刀等的刃。❽量词。

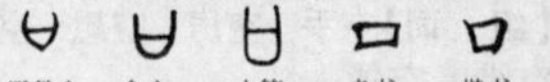


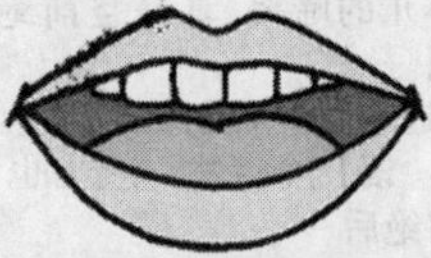

【字源释义】"口"字是象形字。字形像人或动物的嘴巴。本义是嘴。
【组　词】人口　户口　碗口　关口
【造　句】口蜜腹剑——勇敢机智的姐妹俩打败了口蜜腹剑的老财主。
【形近字】日（日子）
【成　语】口不择言　口蜜腹剑　口若悬河　口是心非　口诛笔伐
【反义词】口蜜腹剑/苦口婆心
【近义词】口蜜腹剑/笑里藏刀
【歇后语】口吃报纸——咬文嚼字|口吃黄连——苦在心里。
【谚　语】口到不如身到，耳闻不如目睹。
【英　语】口才　eloquence ['eləkwəns]

| kòu | 笔画 | 部首 | 结构 | 五笔 | 造字法 |
|---|---|---|---|---|---|
| 叩 | 5 | 口 | 左右 | KBH | 形声 |
| 笔顺 | 丨 ㄇ 口 口ㄱ 叩 | | | | |

【解　释】❶打；敲。❷磕头。❸询问；打听。
【组　词】叩门　叩首　叩拜　叩

【造　句】叩打——他轻轻地叩打着房门，希望女儿能开门，但女儿在里面一声不吭。
【同音字】寇(日寇)
【形近字】扣(扣子)
【英　语】叩 knock [nɔk]

| kòu | 笔画 | 部首 | 结构 | 五笔 | 造字法 |
|---|---|---|---|---|---|
| 扣 | 6 | 扌 | 左右 | RKG | 形声 |
| 笔顺 | 一 十 扌 扌 扣 扣 | | | | |

【解　释】❶用圈、环等东西套住或拢住。❷把器物口朝下，旋置覆盖东西。❸强制留下。❹从原数额中减去一部分。❺纽扣；扣子。❻用力朝下击打。
【组　词】扣留　扣球　扣除　扣子
【造　句】不折不扣——大量的证据表明，这个家伙原来是个不折不扣的骗子。
【同音字】寇(日寇)
【形近字】叩(叩门)
【成　语】不折不扣
【近义词】不折不扣/彻头彻尾
【英　语】扣除 deduct [di'dʌkt]

| kòu | 笔画 | 部首 | 结构 | 五笔 | 造字法 |
|---|---|---|---|---|---|
| 寇 | 11 | 宀 | 上下 | PFQC | 会意 |
| 笔顺 | 丶 丶 宀 宀 宇 完 完 完 寇 寇 寇 | | | | |

【解　释】❶侵略者；盗匪。❷敌人来侵略。❸姓。
【组　词】日寇　草寇　盗寇　贼寇
【辨　音】不读 guàn。
【同音字】扣(扣人心弦)
【形近字】冠(冠军)
【近义词】盗寇/盗贼
【谚　语】寇准上殿，百僚股颤|胜者为王，败者为寇。

## KU　ㄎㄨ

| kū | 笔画 | 部首 | 结构 | 五笔 | 造字法 |
|---|---|---|---|---|---|
| 枯 | 9 | 木 | 左右 | SDG | 形声 |
| 笔顺 | 一 十 才 木 木一 木十 朩古 枯 枯 | | | | |

【解　释】❶草木枯槁；没有水分。❷干涸。❸单调乏味；没有情趣。
【组　词】枯草　枯萎　枯燥
【造　句】枯木逢春——饱受十年动乱之苦的人们，以一种枯木逢春的激动心情，迎接改革开放的到来。
【辨　音】不读 gū。
【同音字】哭(哭泣)
【形近字】估(估计)
【成　语】海枯石烂　枯木逢春
【反义词】枯燥/生动
【近义词】枯萎/凋谢
【歇后语】枯木干葱——心不死。
【谚　语】枯木无果实，空话无价值|枯木逢春犹再发，人无两度再少年。
【英　语】枯萎 withered ['wiðəd]

| kū | 笔画 | 部首 | 结构 | 五笔 | 造字法 |
|---|---|---|---|---|---|
| 哭 | 10 | 口 | 上下 | KKDU | 会意 |
| 笔顺 | 丶 口 口 口 吅 吅 吅 罒 哭 哭 | | | | |

【解　释】因痛苦悲哀或感情激动而流泪发声。
【组　词】哭泣　哭声　哭穷
【造　句】哭笑不得——弟弟模仿

K

奶奶做饭,把油和鸡蛋都倒进脸盆,弄得大家哭笑不得。

【同音字】枯(枯木)

【形近字】笑(笑声)

【成　语】哭笑不得

【反义词】哭/笑

【近义词】哭笑不得/啼笑皆非

【歇后语】哭孩子得了个饼——破涕为笑。

【谚　语】哭有哭腔,唱有唱腔。

【英　语】哭泣 cry [krai]

| kū | 笔画 | 部首 | 结构 | 五笔 | 造字法 |
|---|---|---|---|---|---|
| 窟 | 13 | 穴 | 上下 | PWNM | 形声 |
| 笔顺 | 丶 宀 宀 穴 穴 穸 穸 窋 窋 窟 窟 窟 窟 | | | | |

【解　释】❶洞穴。❷某类人聚集或聚居的场所。

【组　词】窟窿　石窟　洞窟　赌窟　窟宅

【造　句】狡兔三窟——罪犯虽然有狡兔三窟的本领,也难逃恢恢法网。

【同音字】枯(枯燥)

【形近字】屈(屈服)

【成　语】狡兔三窟

【英　语】窟窿 hole [həul]

| kǔ | 笔画 | 部首 | 结构 | 五笔 | 造字法 |
|---|---|---|---|---|---|
| 苦 | 8 | 艹 | 上下 | ADF | 形声 |
| 笔顺 | 一 十 廾 艹 芏 苎 苦 苦 | | | | |

【解　释】❶像黄连、胆汁的滋味(跟“甘”相对)。❷感觉难受或痛苦。❸为某种事物所累。❹耐心的;尽力的。

【组　词】苦海　苦胆　吃苦　刻苦　劳苦　困苦

【造　句】苦不堪言——他在那没水没电、蚊叮虫咬的小屋生活了一个多月,真是苦不堪言。

【形近字】若(若隐若现)

【成　语】苦口婆心　苦不堪言

【反义词】困苦/幸福

【近义词】苦口婆心/语重心长

【歇后语】苦瓜拌黄连——苦上加苦。

【谚　语】苦难终有尽,长夜终有头|苦心人,天不负;有志者,事竟成。

【英　语】苦味 bitter ['bitə]

| kù | 笔画 | 部首 | 结构 | 五笔 | 造字法 |
|---|---|---|---|---|---|
| 库 | 7 | 广 | 半包围 | YLK | 会意 |
| 笔顺 | 丶 亠 广 庀 庀 庢 库 | | | | |

【解　释】❶储存大量东西的房屋或地点。❷姓。

【组　词】仓库　水库　国库　库存　封库　粮库　入库

【同音字】裤(裤子)

【形近字】席(出席)

【英　语】库房 storehouse ['stɔː-haus]

| kù | 笔画 | 部首 | 结构 | 五笔 | 造字法 |
|---|---|---|---|---|---|
| 裤 | 12 | 衤 | 左右 | PUYL | 形声 |
| 笔顺 | 丶 ㇇ 衤 衤 衤 衤 衤 衤 衤 裤 裤 裤 | | | | |

【解　释】穿在腰部以下的衣服。

【组　词】裤子　裤兜　裤头　裤管　裤腰　棉裤　毛裤

【同音字】库(仓库)

【形近字】衬(衬衫)

【英　语】裤子　trousers [ˈtrauzəz]

| kù | 笔画 | 部首 | 结构 | 五笔 | 造字法 |
|---|---|---|---|---|---|
| 酷 | 14 | 酉 | 左右 | SGTK | 形声 |
| 笔顺 | 一 丆 丙 丙 两 西 酉 酉 酉 酉 酉 酉 酷 酷 | | | | |

【解　释】❶残忍到了极点；暴虐。❷极；非常。
【组　词】酷吏　酷刑　酷暑　酷似　残酷　冷酷　严酷
【造　句】酷似——她长得酷似她母亲。
【同音字】裤（裤子）
【形近字】浩（浩荡）
【反义词】冷酷/热情
【近义词】酷似/相似
【英　语】残酷　cruel [ˈkru:əl]

## KUA　ㄎㄨㄚ

| kuā | 笔画 | 部首 | 结构 | 五笔 | 造字法 |
|---|---|---|---|---|---|
| 夸 | 6 | 大 | 上下 | DFNB | 形声 |
| 笔顺 | 一 ナ 大 太 夳 夸 | | | | |

【解　释】❶说大话，把事情说得超过了原有的程度。❷称赞；欣赏。
【组　词】夸张　夸奖　夸耀　夸海口
【造　句】夸大其词——做商业广告也应遵守实事求是的原则，不可夸大其词，误导顾客。
【形近字】考（考试）
【成　语】夸大其词
【近义词】夸大其词/言过其实
【歇后语】夸嘴的医生——没好药。
【英　语】夸奖　praise [preiz]

| kuǎ | 笔画 | 部首 | 结构 | 五笔 | 造字法 |
|---|---|---|---|---|---|
| 垮 | 9 | 土 | 左右 | FDFN | 形声 |
| 笔顺 | 一 十 土 圹 圹 垯 垯 垮 垮 | | | | |

【解　释】倒塌；坍下来。
【组　词】垮台　垮掉　打垮　压垮　累垮　整垮　垮塌
【造　句】累垮——妈妈为了这个家，为了瘫痪在床的父亲，身体都累垮了。
【辨　音】不读 kuà。
【形近字】挎（挎包）
【反义词】垮台/巩固
【近义词】垮台/倒台
【英　语】垮台　collapse [kəˈlæps]

| kuà | 笔画 | 部首 | 结构 | 五笔 | 造字法 |
|---|---|---|---|---|---|
| 挎 | 9 | 扌 | 左右 | RDFN | 形声 |
| 笔顺 | 一 十 扌 扌 扩 扶 扶 挎 挎 | | | | |

【解　释】❶胳膊弯起来挂住东西。❷把东西挂在肩头、脖子上或腰里。
【组　词】挎包　挎着　挎枪
【造　句】挎着——奶奶每天早晨挎着篮子出门买菜。
【辨　音】不读 kuā。
【同音字】胯（胯下）
【形近字】跨（跨越）
【英　语】挎包　satchel [ˈsætʃəl]

| kuà | 笔画 | 部首 | 结构 | 五笔 | 造字法 |
|---|---|---|---|---|---|
| 胯 | 10 | 月 | 左右 | EDFN | 形声 |
| 笔顺 | 丿 刀 月 月 月 肸 肸 胯 胯 胯 | | | | |

K

【解　释】腰的两侧和大腿之间的部分。
【组　词】胯下　胯裆　胯骨
【辨　音】不读 kuǎ。
【同音字】挎(挎包)
【形近字】跨(跨越)
【英　语】胯骨 hipbone [ˈhipbəun]

| kuà | 笔画 | 部首 | 结构 | 五笔 | 造字法 |
|---|---|---|---|---|---|
| 跨 | 13 | 𧾷 | 左右 | KHDN | 形声 |
| 笔顺 | 丶 口 口 ⺊ 𧾷 ... 跨 | | | | |

【解　释】❶抬起一只脚向前或向左右迈步。❷分开腿坐着。❸在某物上面。❹超越。
【组　词】跨越　跨度　跨栏　跨省　横跨
【造　句】横跨——武汉长江大桥横跨长江两岸。
【同音字】挎(挎包)
【形近字】胯(胯下)
【近义词】跨越/穿越
【谚　语】跨顺毛驴,打顺风旗。
【英　语】跨越　stride across [straid əˈkrɔs]

## KUAI　ㄎㄨㄞ

| kuài | 笔画 | 部首 | 结构 | 五笔 | 造字法 |
|---|---|---|---|---|---|
| 会 | 6 | 人 | 上下 | WFCU | 会意 |
| 笔顺 | 丿 人 亼 会 会 会 | | | | |

【解　释】总计。
【组　词】会计　会计师
【同音字】快(快跑)
【英　语】会计　accounting [əˈkauntiŋ]
【多音字】huì(见 305 页)

| kuài | 笔画 | 部首 | 结构 | 五笔 | 造字法 |
|---|---|---|---|---|---|
| 块 | 7 | 土 | 左右 | FNWY | 形声 |
| 笔顺 | 一 十 土 ⺅ 圵 坱 块 | | | | |

【解　释】❶成疙瘩或成团的东西。❷量词。用于块状或某些片状的东西。❸量词。用于银币或钱币。❹(方)处;地方。
【组　词】冰块　煤块　块头　地块　土块　泥块　砖块
【同音字】快(快车)
【形近字】快(快车)

| kuài | 笔画 | 部首 | 结构 | 五笔 | 造字法 |
|---|---|---|---|---|---|
| 快 | 7 | 忄 | 左右 | NNWY | 形声 |
| 笔顺 | 丶 丷 忄 忄 忄 快 快 | | | | |

【解　释】❶疾速;速度高。❷高兴;舒畅。❸从速;赶紧。❹速度。❺灵活;灵敏。❻就要;将;接近。❼锐利(跟“钝”相对)。❽直截了当;爽快。
【组　词】快乐　愉快　快刀　欢快　凉快
【造　句】快马加鞭——等我上了车,他不说慢点走,反倒快马加鞭。
【同音字】块(土块)
【形近字】块(块头)
【成　语】快马加鞭
【反义词】快马加鞭/老牛破车
【近义词】快马加鞭/马不停蹄
【歇后语】快刀砍骨头——干脆|快刀切葱——两头空。
【谚　语】快马不用鞭催,响鼓不用重锤|快刀不磨生黄锈,胸膛不挺背要驼。
【英　语】快　fast [fɑːst]

| kuài | 笔画 | 部首 | 结构 | 五笔 | 造字法 |
|---|---|---|---|---|---|
| 筷 | 13 | ⺮ | 上下 | TNNW | 形声 |
| 笔顺 | 丿 𠂉 𥫗 𥫗 𥫗 竹 竹 竹 竹 竹 筷 筷 筷 | | | | |

【解　释】筷子，夹取食物的用具。
【组　词】筷子　竹筷　木筷　碗筷
【同音字】快（快走）
【形近字】快（快车）
【歇后语】筷子穿针眼——难啊｜筷子搭桥——难过。
【英　语】筷子　chopsticks ［ˈtʃɔpstiks］

## KUAN　ㄎㄨㄢ

| kuān | 笔画 | 部首 | 结构 | 五笔 | 造字法 |
|---|---|---|---|---|---|
| 宽 | 10 | 宀 | 上下 | PAMQ | 会意 |
| 笔顺 | 丶 丷 宀 宀 宀 宀 宀 宽 宽 宽 | | | | |

【解　释】❶阔；横的距离大；范围广。❷宽度。❸放松；使宽缓。❹宽大；不严厉；不苛求。❺富余。
【组　词】宽敞　宽厚　宽大　宽心　宽待　宽阔
【造　句】宽大——这件棉服穿在小红军身上，显得很宽大。
【形近字】见（看见）　览（展览）
【成　语】宽宏大量
【反义词】宽大为怀/小肚鸡肠
【近义词】宽大为怀/宽宏大度
【歇后语】心口窝里跑马——宽宏大量。
【谚　语】宽打窄用，有备无患。
【英　语】宽敞　spacious ［ˈspeiʃəs］

| kuǎn | 笔画 | 部首 | 结构 | 五笔 | 造字法 |
|---|---|---|---|---|---|
| 款 | 12 | 欠 | 左右 | FFIW | 会意 |
| 笔顺 | 一 十 士 士 圭 圭 𡕒 𡕒 款 款 款 款 | | | | |

【解　释】❶法令、规章、条约等条文里分的项目。❷招待；款待。❸诚恳。❹为某种用途而储存或支出的钱。❺量词。❻款式。
【组　词】款待　存款　现款　公款　款式　汇款　赃款
【造　句】款待——妈妈热情地款待这个迷路的孩子，并亲自把他送回家。
【形近字】欣（欣然）
【近义词】款待/招待
【英　语】款式　pattern ［ˈpætən］

## KUANG　ㄎㄨㄤ

| kuāng | 笔画 | 部首 | 结构 | 五笔 | 造字法 |
|---|---|---|---|---|---|
| 筐 | 12 | ⺮ | 上下 | TAGF | 形声 |
| 笔顺 | 丿 𠂉 𥫗 𥫗 𥫗 竹 竺 竺 筐 筐 筐 筐 | | | | |

【解　释】用竹篾、柳条、荆条等编的容器。
【组　词】篓筐　竹筐　土筐　菜筐
【形近字】眶（眼眶）
【英　语】筐子　small basket ［smɔːl ˈbɑːskit］

| kuáng | 笔画 | 部首 | 结构 | 五笔 | 造字法 |
|---|---|---|---|---|---|
| 狂 | 7 | 犭 | 左右 | QTGG | 形声 |
| 笔顺 | 丿 犭 犭 犭 犭 犴 狂 | | | | |

【解　释】❶精神失常；疯狂。

K

❷猛烈；声势大。❸纵情的；无拘无束的。❹狂妄。
【组　词】发狂　猖狂　狂风　狂奔　狂妄　狂欢　狂呼
【造　句】狂妄——你这句话说得有点狂妄。
【辨　音】不读 guàng。
【形近字】逛(逛街)
【反义词】狂风暴雨/和风细雨
【近义词】狂风暴雨/暴风骤雨
【歇后语】狂犬吠日——枉费心机。
【谚　语】狂风怕日落。
【英　语】狂妄 arrogant [ˈærəgənt]

| kuàng | 笔画 | 部首 | 结构 | 五笔 | 造字法 |
|---|---|---|---|---|---|
| 旷 | 7 | 日 | 左右 | JYT | 形声 |
| 笔顺 | 丨 冂 日 日 日 日 旷 | | | | |

【解　释】❶广大；空阔。❷心境开阔。❸荒废；耽误。❹宽大；不合适。❺姓。
【组　词】旷工　旷课　旷世　空旷
【造　句】旷世——诸葛亮上知天文，下知地理，有非凡的才智，称得上是旷世奇才。
【同音字】矿(矿石)
【形近字】矿(矿物)
【成　语】旷日持久
【反义词】旷古未闻/司空见惯
【近义词】旷古未闻/亘古未有
【英　语】旷野 wilderness [ˈwildənis]

| kuàng | 笔画 | 部首 | 结构 | 五笔 | 造字法 |
|---|---|---|---|---|---|
| 况 | 7 | 冫 | 左右 | UKQN | 形声 |
| 笔顺 | 丶 冫 冫 冫 冫 冴 况 | | | | |

【解　释】❶情形。❷况且；何况；表示更进一步。❸比较；比拟。❹姓。
【组　词】况且　何况　情况　战况　近况　境况　病况
【造　句】情况——请把具体情况向大家介绍一下吧！
【同音字】旷(旷工)　矿(矿石)
【形近字】兑(兑现)　兄(兄弟)
【近义词】情况/情形
【英　语】况且 moreover [mɔːˈrəuvə]

| kuàng | 笔画 | 部首 | 结构 | 五笔 | 造字法 |
|---|---|---|---|---|---|
| 矿 | 8 | 石 | 左右 | DYT | 形声 |
| 笔顺 | 一 丆 丆 石 石 石 石 矿 | | | | |

【解　释】❶地壳里矿物的集合体。❷开采矿物的场所。❸矿石。
【组　词】矿石　采矿　煤矿　矿物　矿工
【同音字】旷(旷课)
【形近字】旷(旷工)
【英　语】矿石 ore [ɔː]

| kuàng | 笔画 | 部首 | 结构 | 五笔 | 造字法 |
|---|---|---|---|---|---|
| 框 | 10 | 木 | 左右 | SAGG | 形声 |
| 笔顺 | 一 十 才 木 木 杧 杧 枉 框 框 | | | | |

【解　释】❶嵌在墙上为安门窗用的架子。❷镶在器物外围对器物起支撑作用或保护作用的东西。
【组　词】框架　框子　门框　方框　镜框　边框
【造　句】框架——这个剧本的大致框架已经设想好了。
【辨　音】不读 kuāng。
【同音字】况(情况)
【形近字】匡(匡正)

K

【英 语】框架 frame [freim]

| kuàng | 笔画 | 部首 | 结构 | 五笔 | 造字法 |
|---|---|---|---|---|---|
| 眶 | 11 | 目 | 左右 | HAGG | 形声 |
| 笔顺 | 丨 ⺆ 月 月 目 目一 目二 目三 目丰 目王 眶 | | | | |

【解 释】眼的四周,眼眶子。
【组 词】眼眶
【造 句】热泪盈眶——讲到孤女的遭遇时,她们都热泪盈眶。
【同音字】况(情况)
【形近字】框(门框)
【成 语】夺眶而出
【反义词】热泪盈眶/眉开眼笑
【近义词】热泪盈眶/泣不成声

## KUI ㄎㄨㄟ

| kuī | 笔画 | 部首 | 结构 | 五笔 | 造字法 |
|---|---|---|---|---|---|
| 亏 | 3 | 一 | 上下 | FNV | 指事 |
| 笔顺 | 一 二 亏 | | | | |

【解 释】❶受损失;亏折(跟“盈”相对)。❷欠缺;短少。❸亏负。❹多亏;幸而。❺反说,表示讥讽。
【组 词】亏本 理亏 亏空 吃亏
【造 句】功亏一篑——越是快成功的时候就越不能松劲儿,否则,就会功亏一篑。
【辨 音】不读 wū。
【同音字】盔(盔甲)
【形近字】夸(夸奖)
【成 语】功亏一篑
【反义词】功亏一篑/善始善终
【近义词】功亏一篑/半途而废
【英 语】幸亏 fortunately [ˈfɔːtʃənitli]

| kuī | 笔画 | 部首 | 结构 | 五笔 | 造字法 |
|---|---|---|---|---|---|
| 盔 | 11 | 皿 | 上下 | DOLF | 形声 |
| 笔顺 | 一 ナ 大 大 灰 灰 灰 㶣 盔 盔 盔 | | | | |

【解 释】❶军队、消防等职业人员用来保护头部的金属帽子。❷形状像盔或半球形的帽子。❸盔子,一种用陶瓷制成的像瓦盆而略深的容器。
【组 词】盔甲 盔子 帽盔 头盔
【造 句】盔甲——在古代战争中,士兵们身穿盔甲以保护自己。
【同音字】亏(亏空)
【形近字】恢(恢复)
【成 语】丢盔弃甲
【英 语】盔 helmet [ˈhelmit]

| kuī | 笔画 | 部首 | 结构 | 五笔 | 造字法 |
|---|---|---|---|---|---|
| 窥 | 13 | 穴 | 上下 | PWFQ | 形声 |
| 笔顺 | 丶 丷 宀 宀 穴 穴 空 穿 穿 穿 窥 窥 窥 | | | | |

【解 释】从小孔缝隙或隐蔽处看。
【组 词】窥视 窥探 窥测 窥见 窥伺 窥察
【造 句】窥视——他在暗中窥视,等待机会下手。
【辨 音】不读 guī 或 kuì。
【同音字】亏(吃亏)
【形近字】规(规定)
【成 语】管中窥豹
【英 语】窥视 peep at [piːpæt]

| kuí | 笔画 | 部首 | 结构 | 五笔 | 造字法 |
|---|---|---|---|---|---|
| 葵 | 12 | 艹 | 上下 | AWGD | 形声 |
| 笔顺 | 一 艹 艹 艹 艹 艹 艹 艹 苵 苵 葵 葵 | | | | |

【解　释】指某些花朵较大的草本植物。
【组　词】秋葵　葵花　海葵　向日葵
【同音字】魁(魁梧)
【形近字】睽(众目睽睽)
【英　语】葵花　sunflower [ˈsʌnflauə]

| kuí | 笔画 | 部首 | 结构 | 五笔 | 造字法 |
|---|---|---|---|---|---|
| 魁 | 13 | 鬼 | 半包围 | RQCF | 形声 |
| 笔顺 | ′ ′ 白 白 白 由 鬼 鬼 鬼 鬼 鬼 魁 魁 | | | | |

【解　释】❶最先；居第一位的。❷身材高大。
【组　词】党魁　夺魁　花魁　魁梧　魁岸　魁伟
【造　句】魁梧——这个战士身材很魁梧。
【同音字】睽(众目睽睽)
【形近字】瑰(玫瑰)
【反义词】魁梧/矮小
【近义词】魁梧/高大
【英　语】魁梧　strapping [ˈstræpiŋ]

| kuì | 笔画 | 部首 | 结构 | 五笔 | 造字法 |
|---|---|---|---|---|---|
| 愧 | 12 | 忄 | 左右 | NRQC | 形声 |
| 笔顺 | ˈ ˈ 忄 忄 忄 忄 怕 怕 愧 愧 愧 愧 | | | | |

【解　释】羞愧；惭愧；内心觉得对不起。
【组　词】惭愧　愧恨　羞愧　愧色　愧疚　自愧
【造　句】当之无愧——他是一位当之无愧的劳模，每天都是第一个上班，最后一个下班。
【辨　音】不读 guǐ。
【同音字】溃(溃败)
【形近字】瑰(玫瑰)
【成　语】问心无愧　当之无愧
【反义词】当之无愧/受之有愧
【近义词】问心无愧/心安理得
【英　语】惭愧　ashamed [əˈʃeimd]

| kuì | 笔画 | 部首 | 结构 | 五笔 | 造字法 |
|---|---|---|---|---|---|
| 溃 | 12 | 氵 | 左右 | IKHM | 形声 |
| 笔顺 | ˋ ˋ 氵 氵 氵 氵 氵 氵 氵 溃 溃 溃 | | | | |

【解　释】❶水破堤而出。❷突破包围。❸败逃；散乱。❹腐烂。
【组　词】溃败　溃退　溃烂　溃灭　溃散　崩溃
【造　句】溃不成军——我们等到敌人的锐气开始衰落时，抓住要害猛攻，就可以把敌人杀得溃不成军。
【辨　音】不读 guì。
【同音字】愧(惭愧)
【形近字】遗(遗失)
【成　语】溃不成军
【近义词】溃不成军/一败涂地
【英　语】溃烂　fester [ˈfestə]

## KUN　ㄎㄨㄣ

| kūn | 笔画 | 部首 | 结构 | 五笔 | 造字法 |
|---|---|---|---|---|---|
| 昆 | 8 | 日 | 上下 | JXXB | 会意 |
| 笔顺 | ˋ 口 日 日 旦 昆 昆 昆 | | | | |

K

【解　释】❶ 哥哥。❷ 子孙。❸众多。
【组　词】昆虫　昆明　昆仲
【同音字】坤(乾坤)
【英　语】昆虫　insect [ˈinsekt]

| kǔn | 笔画 | 部首 | 结构 | 五笔 | 造字法 |
|---|---|---|---|---|---|
| 捆 | 10 | 扌 | 左右 | RLSY | 形声 |
| 笔顺 | 一 十 扌 扌 扪 扪 捆 捆 捆 捆 | | | | |

【解　释】❶用绳子等把东西缠住打结。❷捆成的东西。❸量词。
【组　词】捆绑　捆扎　捆紧
【造　句】捆紧——他把一大堆书用绳子捆紧,扛到了教室。
【辨　音】不读 kùn。
【形近字】困(困难)
【反义词】捆绑/松绑
【近义词】捆绑/捆扎
【英　语】捆绑 truss up [trʌsʌp]

| kùn | 笔画 | 部首 | 结构 | 五笔 | 造字法 |
|---|---|---|---|---|---|
| 困 | 7 | 囗 | 全包围 | LSI | 会意 |
| 笔顺 | 丨 冂 冃 用 困 困 困 | | | | |

【解　释】❶陷在艰难痛苦中或受环境、条件的限制而无法摆脱。❷控制住;包围住。❸疲乏想睡。❹(方)睡。
【组　词】困惫　困住　困顿　困境　困乏
【造　句】困惑——他的举动令我困惑不解。
【形近字】因(因为)
【成　语】困兽犹斗
【反义词】穷困/富贵
【近义词】困难/困苦
【谚　语】困难时要坚定,享福时要谨慎|困难常常有,千万别低头;迎着困难走,困难化水流。
【英　语】困难　difficulty [ˈdifikəlti]

## KUO ㄎㄨㄛ

| kuò | 笔画 | 部首 | 结构 | 五笔 | 造字法 |
|---|---|---|---|---|---|
| 扩 | 6 | 扌 | 左右 | RYT | 形声 |
| 笔顺 | 一 十 扌 扩 扩 扩 | | | | |

【解　释】推广;放大;伸展。
【组　词】扩大　扩张　扩招
【造　句】扩大——他把一寸照片扩大到二寸。
【辨　音】不读 guǎng。
【同音字】括(括号)
【形近字】犷(粗犷)
【反义词】扩大/缩小
【近义词】扩大/放大
【英　语】扩散　spread [spred]

| kuò | 笔画 | 部首 | 结构 | 五笔 | 造字法 |
|---|---|---|---|---|---|
| 括 | 9 | 扌 | 左右 | RTDG | 形声 |
| 笔顺 | 一 十 扌 扩 扩 扦 抔 括 括 | | | | |

【解　释】❶ 扎;束。❷ 包 括。❸对部分文字加上括号。
【组　词】括号　括弧
【同音字】扩(扩张)
【形近字】活(生活)
【反义词】概括/具体
【近义词】概括/综括
【英　语】括号 bracket [ˈbrækit]

| kuò | 笔画 | 部首 | 结构 | 五笔 | 造字法 |
|---|---|---|---|---|---|
| 阔 | 12 | 门 | 半包围 | UITD | 形声 |
| 笔顺 | 丶 丨 门 门 门 闩 闩 闩 闩 闩 阔 阔 | | | | |

【解　释】❶宽广。❷长远。❸富有。
【组　词】广阔　辽阔　阔别　阔绰　阔步
【造　句】高谈阔论——每到周末，他的书房里总有一群朋友，一边喝茶，一边高谈阔论。
【同音字】扩（扩大）　括（括号）
【形近字】闲（闲着）
【成　语】高谈阔论
【反义词】高谈阔论/不苟言笑
【近义词】高谈阔论/口若悬河
【谚　语】阔人谈的是家产，穷人扯的是辛酸。
【英　语】阔绰　ostentatious [ɔsten'teiʃəs]

| kuò | 笔画 | 部首 | 结构 | 五笔 | 造字法 |
|---|---|---|---|---|---|
| 廓 | 13 | 广 | 半包围 | YYBB | 形声 |
| 笔顺 | 丶 亠 广 广 广 庐 庐 庐 庐 庐 庐 廓 廓 | | | | |

【解　释】❶广阔。❷扩展；扩大。❸物体的外缘。
【组　词】轮廓　耳廓
【造　句】轮廓——在大雾笼罩下，我们还能依稀分辨出山的轮廓。
【辨　音】不读 guō。
【同音字】阔（辽阔）
【形近字】郭（东郭先生）
【英　语】轮廓　outline ['autlain]

K

# L

## LA ㄌㄚ

| lā | 笔画 | 部首 | 结构 | 五笔 | 造字法 |
|---|---|---|---|---|---|
| 垃 | 8 | 土 | 左右 | FUG | 形声 |
| 笔顺 | 一 十 土 圹 圹 圹 垃 垃 | | | | |

【解　释】垃圾，脏土或扔掉的废弃物。
【组　词】垃圾
【造　句】垃圾——清洁工师傅将马路旁的垃圾装车拉走了。
【同音字】拉(拉手)
【形近字】拉(拉杆)
【英　语】垃圾　rubbish［ˈrʌbiʃ］

| lā | 笔画 | 部首 | 结构 | 五笔 | 造字法 |
|---|---|---|---|---|---|
| 拉 | 8 | 扌 | 左右 | RUG | 形声 |
| 笔顺 | 一 十 扌 扌 扩 扩 拉 拉 | | | | |

【解　释】❶牵；扯。❷用车运载。❸拖长。❹排泄粪便。❺用手段拉拢人心。❻演奏乐器的一种方式。
【组　词】拉车　拉拢　拉琴　拉动
【同音字】垃(垃圾箱)
【形近字】垃(垃圾桶)
【反义词】拉/推
【近义词】拉/扯
【谚　语】拉弓靠膀子，唱曲靠嗓子。
【英　语】拉　pull［pul］
【多音字】lá(见415页)

| lā | 笔画 | 部首 | 结构 | 五笔 | 造字法 |
|---|---|---|---|---|---|
| 啦 | 11 | 口 | 左右 | KRUG | 形声 |
| 笔顺 | 丨 口 口 口一 吁 吁 吁 吁 啦 啦 啦 | | | | |

【解　释】象声词。形容响声。
【同音字】拉(拉手)
【形近字】拉(拉家常)
【多音字】la(见416页)

| lá | 笔画 | 部首 | 结构 | 五笔 | 造字法 |
|---|---|---|---|---|---|
| 拉 | 8 | 扌 | 左右 | RUG | 形声 |
| 笔顺 | 一 十 扌 扌 扩 扩 拉 拉 | | | | |

【解　释】❶用刀等利器划破或割开。❷闲谈。
【组　词】拉开
【英　语】拉家常　chat［tʃæt］
【多音字】lā(见415页)

| lǎ | 笔画 | 部首 | 结构 | 五笔 | 造字法 |
|---|---|---|---|---|---|
| 喇 | 12 | 口 | 左右 | KGKJ | 形声 |
| 笔顺 | 丨 口 口 口一 叮 叮 叮 呻 喇 喇 喇 喇 | | | | |

【解　释】[喇叭]❶一种铜制的管乐器，吹气的一端较细，越往下越粗，末端口部呈圆形张开，可以扩大声音。❷能发声的形状像喇叭的器物。
【组　词】喇叭
【形近字】刺(讽刺)
【英　语】喇叭　trumpet［ˈtrʌmpit］

| là | 笔画 | 部首 | 结构 | 五笔 | 造字法 |
|---|---|---|---|---|---|
| 落 | 12 | 艹 | 上下 | AITK | 形声 |
| 笔顺 | 一 十 艹 艹 艹 艹 茫 茫 茨 茨 落 落 | | | | |

【解　释】遗漏；丢下。
【组　词】丢三落四
【造　句】丢三落四——小明以前

L

做事老爱丢三落四，不过现在认真多了。
【同音字】辣（麻辣）
【反义词】丢三落四/有条不紊
【多音字】luò（见 469 页）

| là | 笔画 | 部首 | 结构 | 五笔 | 造字法 |
| --- | --- | --- | --- | --- | --- |
| 腊 | 12 | 月 | 左右 | EAJG | 会意 |
| 笔顺 | 丿 几 月 月 月一 月⺾ 月卄 月廾 月𠀎 腊 腊 腊 | | | | |

【解　释】❶古代岁末的祭名。❷腊月；农历十二月。❸冬天腌制的风干或熏干的肉类。
【组　词】腊月　腊肉
【同音字】辣（辣椒）
【形近字】蜡（蜡烛）
【歇后语】腊月的萝卜——动（冻）了心。
【谚　语】腊天一寸雪，蝗虫入地深一尺。
【英　语】腊肉　cured meat ['kjuəd mi:t]

| là | 笔画 | 部首 | 结构 | 五笔 | 造字法 |
| --- | --- | --- | --- | --- | --- |
| 蜡 | 14 | 虫 | 左右 | JAJG | 形声 |
| 笔顺 | 丶 口 口 中 虫 虫 虫一 虫⺾ 虫卄 虫廾 虫𠀎 蜡 蜡 蜡 | | | | |

【解　释】❶动植物或矿物所产生的一种油质，可做工业原料。❷蜡烛。
【组　词】蜡纸　蜡笔
【同音字】辣（辣椒）
【形近字】腊（腊月）
【成　语】味同嚼蜡
【谚　语】蜡不点不亮，话不说不明。
【英　语】蜡烛　candle ['kændl]

| là | 笔画 | 部首 | 结构 | 五笔 | 造字法 |
| --- | --- | --- | --- | --- | --- |
| 辣 | 14 | 辛 | 左右 | UGKI | 形声 |
| 笔顺 | 丶 亠 亠 立 立 立 辛 辛 辛 𫟷 𫟷 辣 辣 辣 | | | | |

【解　释】❶姜、蒜、辣椒等的味道。❷狠毒。
【组　词】火辣　辛辣
【辨　音】不读 jí。
【同音字】落（落下）
【谚　语】辣椒一补百损，大蒜一损百补。
【英　语】辣椒　pepper ['pepə]

| la | 笔画 | 部首 | 结构 | 五笔 | 造字法 |
| --- | --- | --- | --- | --- | --- |
| 啦 | 11 | 口 | 左右 | KRUG | 形声 |
| 笔顺 | 丨 口 口 口一 叶 吋 吋 吋 啦 啦 啦 | | | | |

【解　释】助词。表示语气，例如：天晴啦；水来啦。
【多音字】lā（见 415 页）

## LAI　ㄌㄞ

| lái | 笔画 | 部首 | 结构 | 五笔 | 造字法 |
| --- | --- | --- | --- | --- | --- |
| 来 | 7 | 一 | 独体 | GOI | 象形 |
| 笔顺 | 一 ㇀ 𠂇 立 平 來 来 | | | | |

【解　释】❶从别处到这里。❷表示以后的时间。❸从过去到现在。❹作衬字，放在诗歌中。❺表动作趋向。❻姓。
【组　词】来宾　来历
【造　句】来之不易——今天的幸

福生活来之不易,我们要珍惜呀。
【形近字】米(大米)
【成　语】古往今来　来龙去脉
【谚　语】来得早不如来得巧。
【英　语】来到 arrive [ə'raiv]

| lài | 笔画 | 部首 | 结构 | 五笔 | 造字法 |
|---|---|---|---|---|---|
| 赖 | 13 | ⺈ | 左右 | GKIM | 形声 |
| 笔顺 | 一 ㇀ 〒 𠮛 申 束 束 束' 束ヶ 剌 𧶠 赖 赖 | | | | |

【解　释】❶依靠。❷推脱;不承认。❸诬陷。❹责怪。❺不好。❻不讲道理。
【组　词】依赖　耍赖　赖皮　抵赖
【造　句】依赖——做什么事都不能依赖别人,要亲自动手。
【同音字】籁(万籁俱寂)
【形近字】懒(懒惰)
【反义词】依赖/自立
【近义词】依赖/依靠
【英　语】依赖 rely [ri'lai]

| lài | 笔画 | 部首 | 结构 | 五笔 | 造字法 |
|---|---|---|---|---|---|
| 籁 | 19 | ⺮ | 上下 | TGKM | 形声 |
| 笔顺 | ノ ㇀ ⺊ 𥫗 ⺮ 笁 笁 笁 筓 筓 筙 筙 筙 筙 筙 筙 籁 籁 籁 | | | | |

【解　释】❶古代的一种箫。❷从孔穴里发出的声音;泛指自然界的各种声音。
【造　句】万籁俱寂——深夜,闪闪的星星看着万籁俱寂的大地。
【同音字】赖(依赖)
【反义词】万籁俱寂/人声鼎沸
【近义词】万籁俱寂/鸦雀无声

## LAN ㄌㄢ

| lán | 笔画 | 部首 | 结构 | 五笔 | 造字法 |
|---|---|---|---|---|---|
| 兰 | 5 | ㇀ | 上下 | UFF | 形声 |
| 笔顺 | 丶 丷 䒑 兰 兰 | | | | |

【解　释】❶兰花,常绿草本植物。❷一些类似兰花的观赏花木。❸姓。
【组　词】米兰　木兰　兰花
【同音字】篮(竹篮)
【形近字】竺(天竺)
【英　语】兰花 orchid ['ɔːkid]

| lán | 笔画 | 部首 | 结构 | 五笔 | 造字法 |
|---|---|---|---|---|---|
| 拦 | 8 | 扌 | 左右 | RUFG | 形声 |
| 笔顺 | 一 十 扌 扌 扌' 扌丷 拦 拦 | | | | |

【解　释】阻挡;遮挡。
【组　词】拦击　阻拦
【造　句】阻拦——人们曾试图阻拦他,但他决心已定,毅然踏上征途。
【同音字】栏(牛栏)
【形近字】栏(桥栏)
【反义词】拦阻/迎接
【谚　语】拦路石头有人搬。
【英　语】拦截 intercept [intə'-sept]

| lán | 笔画 | 部首 | 结构 | 五笔 | 造字法 |
|---|---|---|---|---|---|
| 栏 | 9 | 木 | 左右 | SUFG | 形声 |
| 笔顺 | 一 十 才 木 木' 木丷 栏 栏 栏 | | | | |

【解　释】❶栏杆;石栏。❷牲口圈。❸报刊按内容或排版划分的

部分。❹表格的分项。❺固定张贴公告的地方。
【组　词】栏杆　牛栏　栏目
【同音字】兰(木兰)
【形近字】拦(遮拦)
【谚　语】栏杆上走马,转不得头。
【英　语】栏杆　fence [fens]

| lán | 笔画 | 部首 | 结构 | 五笔 | 造字法 |
| --- | --- | --- | --- | --- | --- |
| 婪 | 11 | 女 | 上下 | SSVF | 形声 |
| 笔顺 | 一 十 才 木 木 村 材 林 林 埜 婪 | | | | |

【解　释】贪得无厌;不知足。
【组　词】贪婪
【造　句】贪婪——他贪婪地侵吞着国家财产。
【同音字】篮(竹篮)
【形近字】梦(梦见)
【反义词】贪婪/知足
【近义词】贪婪/贪心
【英　语】贪婪　avaricious [ævə'riʃəs]

| lán | 笔画 | 部首 | 结构 | 五笔 | 造字法 |
| --- | --- | --- | --- | --- | --- |
| 蓝 | 13 | 艹 | 上中下 | AJTL | 形声 |
| 笔顺 | 一 十 艹 艹 艹 艹 艹 艹 蓝 蓝 蓝 蓝 蓝 | | | | |

【解　释】❶像晴天天空的颜色。❷一种草本植物。❸姓。
【组　词】蓝本　蓝天　蓝领
【同音字】栏(栏杆)
【形近字】篮(竹篮)
【谚　语】蓝靛染白布,一物降一物。
【英　语】蓝色　blue [bluː]

| lán | 笔画 | 部首 | 结构 | 五笔 | 造字法 |
| --- | --- | --- | --- | --- | --- |
| 澜 | 15 | 氵 | 左右 | IUGI | 形声 |
| 笔顺 | 丶 丶 氵 氵 氵 氵 氵 氵 涧 涧 涧 涧 澜 澜 澜 | | | | |

【解　释】大波浪。
【组　词】波澜　力挽狂澜
【造　句】力挽狂澜——共产党力挽狂澜,带领人民翻身得解放。
【同音字】阑(夜阑人静)
【形近字】谰(谰言)
【英　语】波澜　huge waves [hjuːdʒ weivz]

| lán | 笔画 | 部首 | 结构 | 五笔 | 造字法 |
| --- | --- | --- | --- | --- | --- |
| 褴 | 15 | 衤 | 左右 | PUJL | 形声 |
| 笔顺 | 丶 ㇇ 衤 衤 衤 衤 衤 衤 衤 衤 衤 衤 褴 褴 褴 | | | | |

【解　释】形容衣服破烂。
【组　词】褴褛
【同音字】婪(贪婪)
【形近字】监(监狱)
【英　语】褴褛　ragged ['rægid]

| lán | 笔画 | 部首 | 结构 | 五笔 | 造字法 |
| --- | --- | --- | --- | --- | --- |
| 篮 | 16 | 竹 | 上下 | TJTL | 形声 |
| 笔顺 | ノ ⺊ ⺮ ⺮ ⺮ ⺮ ⺮ ⺮ ⺮ ⺮ ⺮ ⺮ ⺮ ⺮ 篮 篮 | | | | |

【解　释】❶有提梁的盛东西的用具。❷篮球,体育球类项目之一。❸指篮球架上带网的铁圈。
【组　词】竹篮　投篮　篮球
【造　句】投篮——哥哥的投篮姿势十分优美。

L

【同音字】拦(拦路)　蓝(蓝天)
【形近字】蓝(蓝天)
【歇后语】竹篮打水——一场空。
【英　语】篮球　basketball [ˈbɑːskitbɔːl]

| lǎn | 笔画 | 部首 | 结构 | 五笔 | 造字法 |
| --- | --- | --- | --- | --- | --- |
| 览 | 9 | 见 | 上下 | JTYQ | 形声 |
| 笔顺 | 丨 丨丨 丨𠂉 ⺌ 𰀁 ⺊ 𰀁 贤 览 | | | | |

【解　释】观看。
【组　词】浏览　游览　一览无余
【造　句】一览无余——登上峰顶,周围的景色一览无余。
【辨　音】不读 xián。
【同音字】缆(缆绳)
【形近字】贤(贤良)
【近义词】浏览/观看
【英　语】游览　tour [tuə]

| lǎn | 笔画 | 部首 | 结构 | 五笔 | 造字法 |
| --- | --- | --- | --- | --- | --- |
| 揽 | 12 | 扌 | 左右 | RJTQ | 形声 |
| 笔顺 | 一 十 扌 扌 扌 扌 扌 扌 扌 揽 揽 揽 | | | | |

【解　释】❶搂抱。❷把持。❸招徕;拉过来。❹捆。
【组　词】揽活　包揽　揽储　揽存　揽承　独揽
【造　句】独揽——在封建社会里,皇帝一个人独揽大权。
【同音字】览(浏览)
【形近字】缆(缆绳)
【英　语】包揽　undertake the whole thing [ʌndəˈteik ðə həul θiŋ]

| lǎn | 笔画 | 部首 | 结构 | 五笔 | 造字法 |
| --- | --- | --- | --- | --- | --- |
| 缆 | 12 | 纟 | 左右 | XJTQ | 形声 |
| 笔顺 | 纟 纟 纟 纟 纟 纟 纟 纟 缆 缆 缆 缆 | | | | |

【解　释】许多股拧成的像绳一样的东西。
【组　词】电缆　缆车　缆绳
【同音字】揽(揽活)
【形近字】榄(橄榄)
【英　语】缆绳　hawser [ˈhɔːzə]

| lǎn | 笔画 | 部首 | 结构 | 五笔 | 造字法 |
| --- | --- | --- | --- | --- | --- |
| 榄 | 13 | 木 | 左右 | SJTQ | 形声 |
| 笔顺 | 一 十 才 木 木 木 木 木 木 木 木 榄 榄 | | | | |

【解　释】橄榄,常绿乔木,羽状复叶,果实绿色,可食,也可入药。
【组　词】橄榄
【同音字】览(浏览)
【形近字】揽(包揽)
【英　语】橄榄　olive [ˈɔliv]

| lǎn | 笔画 | 部首 | 结构 | 五笔 | 造字法 |
| --- | --- | --- | --- | --- | --- |
| 懒 | 16 | 忄 | 左右 | NGKM | 形声 |
| 笔顺 | 丶 丶 忄 忄 忄 忄 忄 忄 忄 忄 忄 忄 懒 懒 懒 懒 | | | | |

【解　释】❶不勤快;不爱劳动。❷疲乏;没力气。❸不愿意。
【组　词】懒惰　偷懒
【造　句】偷懒——小明特别勤快,从来不偷懒。
【辨　音】不读 lài。
【同音字】榄(橄榄)
【反义词】懒惰/勤快

L

【歇后语】懒厨子办酒席——不想跟你吵(炒)。

【英　语】懒惰　lazy ['leizi]

| làn | 笔画 | 部首 | 结构 | 五笔 | 造字法 |
|---|---|---|---|---|---|
| 烂 | 9 | 火 | 左右 | OUFG | 形声 |
| 笔顺 | 丶 丷 火 火 火 火 灬 烂 烂 | | | | |

【解　释】❶指一些固体物质组织被破坏或水分过多后的松软状态。❷腐坏。❸破碎崩溃;败坏。❹散乱。❺极。❻煮熟到松软的程度。

【组　词】灿烂　绚烂　破烂

【造　句】灿烂——今天阳光灿烂,我们全家出外郊游。

【同音字】滥(滥竽充数)

【形近字】拦(拦阻)

【成　语】海枯石烂

【反义词】灿烂/阴晦

【近义词】灿烂/明亮

【歇后语】烂木板搭桥——不顶事。

【谚　语】烂麻拧成绳,力胜千斤顶。

【英　语】灿烂　bright [brait]

| làn | 笔画 | 部首 | 结构 | 五笔 | 造字法 |
|---|---|---|---|---|---|
| 滥 | 13 | 氵 | 左右 | IJTL | 形声 |
| 笔顺 | 丶 冫 氵 氵 氵 氵 氵 氵 氵 氵 氵 氵 滥 | | | | |

【解　释】❶水满而四处流。❷过度;没节制。❸老一套。

【组　词】泛滥　滥调　滥用

【造　句】泛滥——洪水泛滥,四郊都成了一片汪洋。

【辨　音】不读 jiān。

【同音字】烂(灿烂)

【形近字】监(监狱)

【成　语】滥竽充数

【反义词】滥竽充数/名副其实

【近义词】滥竽充数/鱼目混珠

【英　语】泛滥　overflow [əuvə'fləu]

## LANG　ㄌㄤ

| láng | 笔画 | 部首 | 结构 | 五笔 | 造字法 |
|---|---|---|---|---|---|
| 郎 | 8 | 阝 | 左右 | YVCB | 形声 |
| 笔顺 | 丶 亠 彐 彐 良 良 郎 郎 | | | | |

【解　释】❶古代官名。❷指年轻的男人。❸旧时女子对丈夫或情人的称呼。❹中医医生。❺姓。

【组　词】郎中　郎君

【同音字】廊(长廊)

【形近字】朗(朗读)

【谚　语】郎中医病,不能医命。

【英　语】新郎　bridegroom ['braidgru:m]

| láng | 笔画 | 部首 | 结构 | 五笔 | 造字法 |
|---|---|---|---|---|---|
| 狼 | 10 | 犭 | 左右 | QTYE | 形声 |
| 笔顺 | 丿 犭 犭 犭 犭 犭 犭 狼 狼 狼 | | | | |

【解　释】哺乳动物,样子像狗,尾巴下垂,毛呈黄色或灰色。

【组　词】狼狈　狼狗

【造　句】狼狈——放学路上,突然下起大雨,我跑到家时,样子很狼狈。

【同音字】廊(画廊)
【形近字】狠(狠心)
【成　语】狼狈为奸　狼子野心　狼吞虎咽　狼心狗肺　狼狈不堪
【反义词】狼藉/整洁
【近义词】狼藉/零乱
【歇后语】狼吃东郭先生——恩将仇报。
【谚　语】狼最喜欢离群的绵羊。
【英　语】狼　wolf [wulf]

| láng | 笔画 | 部首 | 结构 | 五笔 | 造字法 |
|---|---|---|---|---|---|
| 廊 | 11 | 广 | 半包围 | YYVB | 形声 |
| 笔顺 | 丶 亠 广 广 庐 庐 庐 庐 庐 廊 廊 | | | | |

【解　释】屋檐下的过道或通道。
【组　词】走廊　长廊
【辨　音】不读 kuò。
【同音字】狼(灰狼)
【英　语】廊子　veranda [vəˈrændə]

| láng | 笔画 | 部首 | 结构 | 五笔 | 造字法 |
|---|---|---|---|---|---|
| 榔 | 12 | 木 | 左右 | SYVB | 形声 |
| 笔顺 | 一 十 才 木 木 杧 杧 柏 柏 桹 榔 榔 | | | | |

【解　释】见 53 页“槟”。

| láng | 笔画 | 部首 | 结构 | 五笔 | 造字法 |
|---|---|---|---|---|---|
| 螂 | 14 | 虫 | 左右 | JYVB | 形声 |
| 笔顺 | 丶 口 口 中 虫 虫 虫 虫 虫 虫 虫 蜳 蝆 螂 | | | | |

【解　释】见 698 页“螳”。
【组　词】螳螂　蟑螂
【形近字】榔(榔头)
【英　语】螳螂　mantis [ˈmæntis]

| lǎng | 笔画 | 部首 | 结构 | 五笔 | 造字法 |
|---|---|---|---|---|---|
| 朗 | 10 | 月 | 左右 | YVCE | 形声 |
| 笔顺 | 丶 ㇀ 彐 彐 自 良 良 朗 朗 朗 | | | | |

【解　释】❶明亮。❷声音清晰响亮。
【组　词】明朗　朗读
【造　句】朗读——早晨，我们都在教室里朗读课文。
【形近字】郎(牛郎)
【反义词】朗读/默读
【近义词】明朗/明亮
【英　语】朗诵　recite [riˈsait]

| làng | 笔画 | 部首 | 结构 | 五笔 | 造字法 |
|---|---|---|---|---|---|
| 浪 | 10 | 氵 | 左右 | IYVE | 形声 |
| 笔顺 | 丶 冫 氵 氵 氵 氵 氵 浪 浪 浪 | | | | |

【解　释】❶水波。❷像波浪一样的。❸放纵；没有约束。
【组　词】浪潮　浪费　浪漫　波浪
【造　句】浪费——我们提倡节约，反对浪费。
【形近字】狼(狼狈)
【反义词】惊涛骇浪/风平浪静
【近义词】波浪/波涛
【谚　语】浪再高，也在船底；山再高，也在脚底。
【英　语】波浪　wave [weiv]

## LAO　ㄌㄠ

| lāo | 笔画 | 部首 | 结构 | 五笔 | 造字法 |
|---|---|---|---|---|---|
| 捞 | 10 | 扌 | 左右 | RAPL | 形声 |
| 笔顺 | 一 十 才 扌 扌 扌 扌 扌 捞 捞 | | | | |

L

【解　释】❶从液体中取东西。❷以不正当的手段求取。
【组　词】打捞　捕捞　捞钱
【造　句】打捞——失事轮船的残骸(hái)三天后被打捞了上来。
【形近字】劳(劳动)
【英　语】打捞 drag for [dræg fɔː]

| láo | 笔画 | 部首 | 结构 | 五笔 | 造字法 |
|---|---|---|---|---|---|
| 劳 | 7 | 艹 | 上下 | APLB | 会意 |
| 笔顺 | 一 十 艹 艹 芦 劳 劳 | | | | |

【解　释】❶劳动,即人类创造物质或精神财富的活动。❷辛苦;疲惫。❸烦劳。❹功绩。❺慰劳。❻姓。
【组　词】操劳　代劳　劳动
【同音字】牢(监牢)
【形近字】唠(唠叨)
【成　语】劳而无功　劳民伤财
【反义词】不劳而获/自食其力
【近义词】不劳而获/坐享其成
【谚　语】劳动出智慧,实践出真理。
【英　语】劳动 work [wəːk]

| láo | 笔画 | 部首 | 结构 | 五笔 | 造字法 |
|---|---|---|---|---|---|
| 牢 | 7 | 宀 | 上下 | PRHJ | 会意 |
| 笔顺 | 丶 丶 宀 宀 宀 宀 牢 | | | | |

【解　释】❶饲养牲畜的栏圈。❷监狱。❸坚固;耐久。❹古代祭祀用的牲畜。

甲骨文　金文　小篆　隶书　楷书

L

【字源释义】"牢"字的本义是饲养牲畜的栏圈(juàn)。字形像一头牛被关在栏圈状的地方。后引申为关押犯人的监牢。"牢"字还可以作形容词,有坚固的意思。
【组　词】牢固　坐牢　亡羊补牢
【造　句】牢固——小明将这个桌子修得很牢固。
【同音字】劳(劳动)
【成　语】牢不可破
【反义词】牢固/松散
【近义词】牢固/坚固
【英　语】牢骚 discontent [ˌdiskənˈtent]

| láo | 笔画 | 部首 | 结构 | 五笔 | 造字法 |
|---|---|---|---|---|---|
| 唠 | 10 | 口 | 左右 | KAPL | 形声 |
| 笔顺 | 丨 口 口 口一 口十 口艹 口艹 口艹 唠 唠 | | | | |

【解　释】说话没完没了。
【组　词】唠叨
【同音字】劳(劳动)
【形近字】劳(劳改)
【英　语】唠叨 chatter[ˈtʃætə]
【多音字】lào(见 423 页)

| lǎo | 笔画 | 部首 | 结构 | 五笔 | 造字法 |
|---|---|---|---|---|---|
| 老 | 6 | 老 | 半包围 | FTXB | 象形 |
| 笔顺 | 一 十 土 耂 老 老 | | | | |

【解　释】❶年龄大(跟"少"、"幼"相对)。❷对老人的敬称。❸已存在很久的。❹原来的。❺有经验的。❻很;极。❼变质。❽前缀。❾死的讳称。❿姓。
【组　词】老师　老牛　老板　老总
【同音字】姥(姥姥)
【形近字】考(考试)
【成　语】老成持重　老当益壮　老奸巨猾　老马识途　老谋深算
【反义词】老/少　老实巴交/老奸巨猾
【英　语】老板　boss [bɔs]

| lǎo | 笔画 | 部首 | 结构 | 五笔 | 造字法 |
|---|---|---|---|---|---|
| 姥 | 9 | 女 | 左右 | VFTX | 形声 |
| 笔顺 | ㄑ ㄑ丿 女 女一 女十 女土 女耂 女耂 姥 | | | | |

【解　释】(方)指外祖母。
【组　词】姥姥
【同音字】佬(阔佬)
【形近字】老(老人)
【英　语】姥姥　grandmother [ˈgrændmʌðə]

| lǎo | 笔画 | 部首 | 结构 | 五笔 | 造字法 |
|---|---|---|---|---|---|
| 潦 | 15 | 氵 | 左右 | IDUI | 形声 |
| 笔顺 | 丶 冫 氵 汀 汏 汏 汏 汏 汏 潦 潦 潦 潦 潦 潦 | | | | |

【解　释】❶积水;道路上的流水。❷雨水大。
【同音字】老(老师)
【多音字】liáo(见442页)

| lào | 笔画 | 部首 | 结构 | 五笔 | 造字法 |
|---|---|---|---|---|---|
| 络 | 9 | 纟 | 左右 | XTKG | 形声 |
| 笔顺 | ㄥ 纟 纟 纟丿 纱 终 终 络 络 | | | | |

【解　释】依照所装物件的形状,用线结成的网状小袋子;绕线绕纱的器具。
【组　词】络子
【同音字】烙(炮烙)
【多音字】luò(见469页)

| lào | 笔画 | 部首 | 结构 | 五笔 | 造字法 |
|---|---|---|---|---|---|
| 唠 | 10 | 口 | 左右 | KAPL | 形声 |
| 笔顺 | 丨 口 口 口一 口十 口卄 口艹 口艹 唠 唠 | | | | |

【解　释】(方)说,谈话。
【组　词】唠嗑
【同音字】涝(防涝)
【英　语】唠嗑　chat [tʃæt]
【多音字】láo(见422页)

| lào | 笔画 | 部首 | 结构 | 五笔 | 造字法 |
|---|---|---|---|---|---|
| 烙 | 10 | 火 | 左右 | OTKG | 形声 |
| 笔顺 | 丶 丷 火 火 火丿 炒 炊 炊 烙 烙 | | | | |

【解　释】把食物放在锅上烤熟。
【组　词】烙饼　烙铁　烙印
【同音字】酪(奶酪)
【形近字】络(联络)
【英　语】烙印　brand [brænd]
【多音字】luò(见469页)

L

| lào | 笔画 | 部首 | 结构 | 五笔 | 造字法 |
|---|---|---|---|---|---|
| 涝 | 10 | 氵 | 左右 | IAPL | 形声 |
| 笔顺 | 丶 丶 氵 汁 汁 汼 涝 涝 涝 涝 | | | | |

【解　释】❶雨水过多，庄稼被淹（跟"旱"相对）。❷田地里积存的雨水。
【组　词】涝害　涝灾　排涝　防涝
【造　句】防涝——今年雨水多，许多地方都做好了防涝工作。
【同音字】酪（奶酪）
【形近字】捞（捞鱼）
【反义词】涝/旱
【英　语】防涝　prevent waterlogging [pri'vent 'wɔːtəˌlɔgiŋ]

## LE　ㄌㄜ

| lē | 笔画 | 部首 | 结构 | 五笔 | 造字法 |
|---|---|---|---|---|---|
| 肋 | 6 | 月 | 左右 | ELN | 形声 |
| 笔顺 | 丿 月 月 月 肋 肋 | | | | |

【解　释】指衣服不整洁、不利落。
【多音字】lèi（见426页）

| lè | 笔画 | 部首 | 结构 | 五笔 | 造字法 |
|---|---|---|---|---|---|
| 乐 | 5 | 丿 | 独体 | QII | 会意 |
| 笔顺 | 一 ㄷ 丘 乐 乐 | | | | |

【解　释】❶高兴；快活。❷笑。❸愿意。❹姓。
【组　词】乐观　安乐　快乐
【造　句】快乐——小婷是个快乐的女孩，从不知什么叫忧愁。
【同音字】勒（勒索）
【形近字】禾（禾苗）
【成　语】乐不可支　乐极生悲
【反义词】欢乐/悲伤
【近义词】快乐/欢乐
【歇后语】刘阿斗降魏——乐不思蜀。
【谚　语】乐极生悲，否极泰来。
【英　语】快乐　happy ['hæpi]
【多音字】yuè（见879页）

| lè | 笔画 | 部首 | 结构 | 五笔 | 造字法 |
|---|---|---|---|---|---|
| 勒 | 11 | 革 | 左右 | AFLN | 形声 |
| 笔顺 | 一 十 廾 廿 廿 苎 苩 苩 革 靪 勒 | | | | |

【解　释】❶牲口笼头。❷收束缰绳。❸强制；强迫。❹刻。
【组　词】勒索　马勒　悬崖勒马
【造　句】悬崖勒马——警察包围了抢劫犯，叫他放下武器，悬崖勒马。
【同音字】乐（欢乐）
【英　语】勒索　extort [ik'stɔːt]
【多音字】lēi（见424页）

| le | 笔画 | 部首 | 结构 | 五笔 | 造字法 |
|---|---|---|---|---|---|
| 了 | 2 | 一 | 独体 | B | 指事 |
| 笔顺 | 乛 了 | | | | |

【解　释】助词。
【多音字】liǎo（见443页）

## LEI　ㄌㄟ

| lēi | 笔画 | 部首 | 结构 | 五笔 | 造字法 |
|---|---|---|---|---|---|
| 勒 | 11 | 革 | 左右 | AFLN | 形声 |
| 笔顺 | 一 十 廾 廿 廿 苎 苩 苩 革 靪 勒 | | | | |

【解　释】用绳子捆住或套住，再

用力拉紧。
【组　词】勒紧
【造　句】勒紧——勒紧点，别散了。
【英　语】勒紧　tie sth. tight [tai sʌmθiŋ tait]
【多音字】lè（见 424 页）

| léi | 笔画 | 部首 | 结构 | 五笔 | 造字法 |
|---|---|---|---|---|---|
| 累 | 11 | 糸 | 上下 | LXIU | 形声 |
| 笔顺 | 丶 冂 冂 田 田 田 罒 罒 累 累 累 | | | | |

【解　释】多余的负担或麻烦；也指文章重复、啰嗦。
【组　词】累赘
【同音字】雷（雷电）
【英　语】累赘　burdensome [ˈbəː-dnsəm]
【多音字】lěi（见 425 页）
【多音字】lèi（见 426 页）

| léi | 笔画 | 部首 | 结构 | 五笔 | 造字法 |
|---|---|---|---|---|---|
| 雷 | 13 | 雨 | 上下 | FLF | 会意 |
| 笔顺 | 一 丆 而 帀 雨 雨 雨 雨 雷 雷 雷 雷 雷 | | | | |

【解　释】❶云层里放电时发出的响声。❷一种爆炸性武器。❸姓。
【组　词】雷池　雷电　地雷
【造　句】雷厉风行——这种雷厉风行的作风是我党我军的优良传统，应发扬光大。
【同音字】擂（擂鼓）
【形近字】雪（雪花）
【成　语】雷厉风行
【反义词】雷厉风行/拖泥带水
【谚　语】雷声大雨点小，人骄傲成绩小。
【英　语】雷达　radar [ˈreidɑː]

| léi | 笔画 | 部首 | 结构 | 五笔 | 造字法 |
|---|---|---|---|---|---|
| 擂 | 16 | 扌 | 左右 | RFLG | 形声 |
| 笔顺 | 一 十 扌 扌 扌 扌 扌 扌 扌 扌 扌 擂 擂 擂 擂 擂 | | | | |

【解　释】❶研磨。❷敲打。
【组　词】擂鼓　擂台
【造　句】擂鼓——球迷们在为足球队擂鼓助威。
【同音字】雷（雷电）
【英　语】擂　hit [hit]
【多音字】lèi（见 427 页）

| lěi | 笔画 | 部首 | 结构 | 五笔 | 造字法 |
|---|---|---|---|---|---|
| 垒 | 9 | 土 | 上下 | CCCF | 会意 |
| 笔顺 | 𠃋 厶 厶 厶 厽 厽 厽 垒 垒 | | | | |

【解　释】❶堆砌。❷军营的墙壁或工事。❸球名，一种运动项目。
【组　词】垒球　对垒　壁垒　堡垒
【造　句】垒球——我正在学打垒球。
【同音字】磊（磊落）
【英　语】垒球　softball [ˈsɔftbɔːl]

| lěi | 笔画 | 部首 | 结构 | 五笔 | 造字法 |
|---|---|---|---|---|---|
| 累 | 11 | 糸 | 上下 | LXIU | 形声 |
| 笔顺 | 丶 冂 冂 田 田 田 罒 罒 累 累 累 | | | | |

【解　释】❶重叠；聚积。❷屡次；连续。❸牵连。
【组　词】累积　累月　累计
【同音字】垒（堡垒）

【英　语】累积　accumulate [ə'kju:mjuleit]
【多音字】léi(见 425 页)
【多音字】lèi(见 426 页)

| lěi | 笔画 | 部首 | 结构 | 五笔 | 造字法 |
| --- | --- | --- | --- | --- | --- |
| 磊 | 15 | 石 | 品字形结构 | DDDF | 会意 |
| 笔顺 | 一 ㄏ 不 石 石 石 石 石 石 石 石 磊 磊 磊 磊 | | | | |

【解　释】[磊落]胸怀坦荡，正大光明。
【组　词】光明磊落　胸怀磊落
【造　句】光明磊落——这个人很正直，做事光明磊落。
【同音字】垒(堡垒)

| lěi | 笔画 | 部首 | 结构 | 五笔 | 造字法 |
| --- | --- | --- | --- | --- | --- |
| 蕾 | 16 | 艹 | 上下 | AFLF | 形声 |
| 笔顺 | 一 十 艹 芏 芦 芦 芹 芹 芹 芹 芹 芹 蕾 蕾 蕾 蕾 | | | | |

【解　释】花骨朵。
【组　词】花蕾　蓓蕾
【造　句】花蕾——玉兰树的枝头上长了不少花蕾。
【同音字】垒(堡垒)
【形近字】雷(雷声)
【英　语】花蕾　flower bud [flauə bʌd]

| lèi | 笔画 | 部首 | 结构 | 五笔 | 造字法 |
| --- | --- | --- | --- | --- | --- |
| 肋 | 6 | 月 | 左右 | ELN | 形声 |
| 笔顺 | 丿 刀 月 月 肋 肋 | | | | |

【解　释】胸部的两侧。
【组　词】肋骨　肋条　鸡肋
【同音字】累(劳累)
【形近字】助(帮助)
【英　语】肋骨　rib [rib]
【多音字】lē(见 424 页)

| lèi | 笔画 | 部首 | 结构 | 五笔 | 造字法 |
| --- | --- | --- | --- | --- | --- |
| 泪 | 8 | 氵 | 左右 | IHG | 会意 |
| 笔顺 | 丶 丶 氵 氵 汩 汨 泪 泪 | | | | |

【解　释】眼睛里分泌的液体。
【组　词】眼泪　流泪
【同音字】肋(肋骨)
【形近字】汩(汩 gǔ 汩)
【成　语】泪如泉涌　泪如雨下
【英　语】眼泪　tear [tiə]

| lèi | 笔画 | 部首 | 结构 | 五笔 | 造字法 |
| --- | --- | --- | --- | --- | --- |
| 类 | 9 | 米 | 上下 | ODU | 形声 |
| 笔顺 | 丶 丷 丷 半 米 米 类 类 类 | | | | |

【解　释】❶种；许多相同或相似物体的组合。❷相似；相像。
【组　词】类似　分类　种类
【造　句】类似——狗和狼在外形上非常类似。
【同音字】泪(眼泪)
【反义词】类似/不同
【近义词】类似/相似
【英　语】种类　kind [kaind]

| lèi | 笔画 | 部首 | 结构 | 五笔 | 造字法 |
| --- | --- | --- | --- | --- | --- |
| 累 | 11 | 糸 | 上下 | LXIU | 形声 |
| 笔顺 | 丨 冂 冂 田 田 田 罒 罒 累 累 累 | | | | |

【解　释】❶疲劳。❷操劳。
【组　词】劳累
【同音字】类(类型)
【反义词】劳累/空闲
【近义词】劳累/劳苦

【英　语】劳累 tired [ˈtaiəd]
【多音字】léi(见 425 页)
【多音字】lěi(见 425 页)

| lèi | 笔画 | 部首 | 结构 | 五笔 | 造字法 |
|---|---|---|---|---|---|
| 擂 | 16 | 扌 | 左右 | RFLG | 形声 |
| 笔顺 | 一 十 扌 扌 扌 扌 扌 扌 扌 扌 扌 扌 扌 擂 擂 擂 | | | | |

【解　释】❶擂台，古时候比武的台子。❷打擂。
【组　词】擂台　擂台赛
【英　语】擂台 arena [əˈriːnə]
【多音字】léi(见 425 页)

## LENG ㄌㄥ

| léng | 笔画 | 部首 | 结构 | 五笔 | 造字法 |
|---|---|---|---|---|---|
| 棱 | 12 | 木 | 左右 | SFWT | 形声 |
| 笔顺 | 一 十 木 木 木 木 木 木 木 桉 棱 棱 | | | | |

【解　释】❶物体不同平面的相交处。❷物体表面上的条状突起。
【组　词】棱角　棱柱　棱锥
【多音字】líng(见 450 页)

| lěng | 笔画 | 部首 | 结构 | 五笔 | 造字法 |
|---|---|---|---|---|---|
| 冷 | 7 | 冫 | 左右 | UWYC | 形声 |
| 笔顺 | 丶 冫 冫 冫 冷 冷 冷 | | | | |

【解　释】❶温度低。❷寂静；不热闹。❸不热情。❹生僻的；不让人注意的。❺暗中的；忽然的。❻看不起。❼姓。
【组　词】冰冷　冷静　冷清
【造　句】冷清——放假了，同学们都回家了，宿舍里显得很冷清。
【形近字】岭(秦岭)
【成　语】冷若冰霜　冷嘲热讽
【反义词】冷淡/热情
【近义词】冷淡/冷漠
【谚　语】冷天不冻下力汉，黄土不亏勤劳人。
【英　语】冷冻 freezing [ˈfriːziŋ]

| lèng | 笔画 | 部首 | 结构 | 五笔 | 造字法 |
|---|---|---|---|---|---|
| 愣 | 12 | 忄 | 左右 | NLYN | 形声 |
| 笔顺 | 丶 丶 忄 忄 忄 忄 忄 忄 忄 愣 愣 愣 | | | | |

【解　释】❶发呆。❷冒失；蛮干。
【组　词】愣神　愣头愣脑
【造　句】愣头愣脑——五岁的表弟常做些愣头愣脑的事，让人哭笑不得。
【英　语】愣劲儿 dash [dæʃ]

## LI ㄌㄧ

| lí | 笔画 | 部首 | 结构 | 五笔 | 造字法 |
|---|---|---|---|---|---|
| 厘 | 9 | 厂 | 半包围 | DJFD | 形声 |
| 笔顺 | 一 厂 厂 厅 厅 厅 厍 厘 厘 | | | | |

【解　释】❶某些计量单位的百分之一。❷治理；整理。
【组　词】厘米　差之毫厘
【同音字】狸(狸猫)
【形近字】喱(咖喱)
【英　语】厘米 centimeter [ˈsentimiːtə]

| lí | 笔画 | 部首 | 结构 | 五笔 | 造字法 |
|---|---|---|---|---|---|
| 狸 | 10 | 犭 | 左右 | QTJF | 形声 |
| 笔顺 | ノ 犭 犭 犭 犭 犭 犭 狎 狎 狸 | | | | |

【解　释】狸猫，哺乳动物，属猫科。性情凶猛，吃老鼠等小动物，也称山猫、狸子或豹猫。
【组　词】狸猫　狸子
【同音字】离（分离）
【形近字】厘（厘米）

| lí | 笔画 | 部首 | 结构 | 五笔 | 造字法 |
|---|---|---|---|---|---|
| 离 | 10 | 亠 | 上下 | YBMC | 象形 |
| 笔顺 | 丶 亠 亠 文 这 卤 卤 卤 离 离 | | | | |

【解　释】❶相隔；相距。❷分别；分开。❸缺少。❹八卦之一。❺姓。
【组　词】离别　分离
【造　句】离乡背井——战乱时期，许多百姓离乡背井，四处漂泊。
【同音字】狸（狸猫）
【形近字】漓（漓江）
【成　语】离乡背井　离心离德
【反义词】分离/相聚
【近义词】分离/分别
【英　语】离开　leave ［liːv］

| lí | 笔画 | 部首 | 结构 | 五笔 | 造字法 |
|---|---|---|---|---|---|
| 梨 | 11 | 木 | 上下 | TJSU | 形声 |
| 笔顺 | 一 二 千 禾 禾 禾 利 利 梨 梨 梨 | | | | |

【解　释】梨树，落叶乔木或灌木，叶卵形，花白色。是普通的水果，品种很多。
【组　词】梨树　梨花　梨子　鸭梨
【同音字】离（分离）
【形近字】犁（犁地）
【英　语】梨　pear ［pɛə］

| lí | 笔画 | 部首 | 结构 | 五笔 | 造字法 |
|---|---|---|---|---|---|
| 犁 | 11 | 牛 | 上下 | TJRH | 形声 |
| 笔顺 | 一 二 千 禾 禾 禾 利 利 犁 犁 犁 | | | | |

【解　释】❶一种用畜力或机器牵引的耕地用的农具。❷用犁耕地。
【组　词】犁地　犁田　犁镜　犁铧
【造　句】犁地——开春了，农民伯伯开始犁地，准备播种了。
【同音字】离（离开）
【形近字】梨（梨子）
【歇后语】犁田甩鞭子——吹（催）牛。
【英　语】犁　plough ［plau］

| lí | 笔画 | 部首 | 结构 | 五笔 | 造字法 |
|---|---|---|---|---|---|
| 鹂 | 12 | 鸟 | 左右 | GMYG | 形声 |
| 笔顺 | 一 丆 丌 丽 丽 丽 丽 丽 丽 丽 鹂 鹂 | | | | |

【解　释】黄鹂，鸟名，羽毛为黄色，叫声悦耳，吃害虫，是益鸟。也叫黄莺。
【组　词】黄鹂
【同音字】厘（厘米）

| lí | 笔画 | 部首 | 结构 | 五笔 | 造字法 |
|---|---|---|---|---|---|
| 喱 | 12 | 口 | 左右 | KDJF | 形声 |
| 笔顺 | 丨 口 口 口 叮 叮 呃 呃 呃 喱 喱 喱 | | | | |

【解　释】见226页“咖”。
【组　词】咖喱
【同音字】离（分离）
【形近字】厘（厘米）

| lí | 笔画 | 部首 | 结构 | 五笔 | 造字法 |
|---|---|---|---|---|---|
| 漓 | 13 | 氵 | 左右 | IYBC | 形声 |
| 笔顺 | 丶 丶 氵 氵 汸 汸 浐 浐 漓 漓 漓 漓 漓 | | | | |

【解　释】❶漓江，水名，在广西境内。❷淋漓，表示水湿淋淋地往下滴。
【组　词】漓江
【造　句】淋漓尽致——小明的演技很高超，把小偷的形态表演得淋漓尽致。
【同音字】离（离开）
【形近字】离（分离）
【成　语】淋漓尽致
【英　语】淋漓　dripping wet [ˈdripiŋ wet]

| lí | 笔画 | 部首 | 结构 | 五笔 | 造字法 |
|---|---|---|---|---|---|
| 璃 | 14 | 王 | 左右 | GYBC | 形声 |
| 笔顺 | 一 二 千 王 王 玗 玗 玹 玹 玹 璃 璃 璃 璃 | | | | |

【解　释】见58页“玻”。
【组　词】玻璃　玻璃砖
【形近字】漓（漓江）
【英　语】玻璃　glass [glɑːs]

| lí | 笔画 | 部首 | 结构 | 五笔 | 造字法 |
|---|---|---|---|---|---|
| 黎 | 15 | 禾 | 上下 | TQTI | 形声 |
| 笔顺 | ˊ 二 千 禾 禾 秒 秒 秒 黎 黎 黎 黎 黎 黎 黎 | | | | |

【解　释】❶天快亮的时候。❷众多；老百姓。❸姓。
【组　词】黎明　黎族　黎民
【造　句】黎明——黎明的到来标志着新的一天的开始。
【同音字】离（分离）　梨（梨树）
【反义词】黎明/傍晚
【近义词】黎明/拂晓
【谚　语】黎明即起的人，不怕露水湿脚。
【英　语】黎明　dawn [dɔːn]

| lí | 笔画 | 部首 | 结构 | 五笔 | 造字法 |
|---|---|---|---|---|---|
| 篱 | 16 | ⺮ | 上下 | TYBC | 形声 |
| 笔顺 | ノ ト ㇇ ⺮ ⺮ ⺮ ⺮ 笁 笁 笁 笁 篱 篱 篱 篱 篱 | | | | |

【解　释】❶篱笆，用竹、苇、树枝等编成的环绕在房屋或场地周围的障碍物。❷笊（zhào）篱，一种用竹、柳、铁丝等编成的用具。
【组　词】篱笆　篱栅　篱落
【同音字】离(分离)　梨(梨树)
【形近字】离（离开）
【谚　语】篱帮桩，桩帮篱。
【英　语】篱笆　fense [fens]

| lǐ | 笔画 | 部首 | 结构 | 五笔 | 造字法 |
|---|---|---|---|---|---|
| 礼 | 5 | 礻 | 左右 | PYNN | 会意 |
| 笔顺 | 丶 ㇇ 礻 礻 礼 | | | | |

【解　释】❶由一定的道德观念和风俗习惯形成的为大家共同遵守的仪式。❷表示尊敬的言语和动作。❸礼物。
【组　词】礼貌　礼服　礼节　失礼
【造　句】礼貌——我们应该做讲文明讲礼貌的好学生。
【同音字】理（道理）
【形近字】轧（轧钢）
【成　语】礼尚往来　礼贤下士
【反义词】礼贤下士/嫉贤妒能
【近义词】礼尚往来/投桃报李

L

【谚　语】礼下于人，必有所求|礼轻情义重。
【英　语】礼物　gift［gift］

| lǐ | 笔画 | 部首 | 结构 | 五笔 | 造字法 |
|---|---|---|---|---|---|
| 李 | 7 | 木 | 上下 | SBF | 形声 |
| 笔顺 | 一 十 才 木 本 李 李 | | | | |

【解　释】❶李子树，落叶小乔木，花白色，果实球形，黄色或紫红色，是普通的水果。❷姓。
【组　词】李子　李子树
【同音字】里(公里)
【形近字】季(季节)
【成　语】李代桃僵
【反义词】投桃报李/一刀两断
【近义词】投桃报李/礼尚往来
【歇后语】李鸿章的差事——卖国求荣|李逵断案——强者有理。
【英　语】李子　plum［plʌm］

| lǐ | 笔画 | 部首 | 结构 | 五笔 | 造字法 |
|---|---|---|---|---|---|
| 里 | 7 | 里 | 独体 | JFD | 会意 |
| 笔顺 | 丨 口 日 日 甲 甲 里 | | | | |

【解　释】❶里面；内部(跟"外"相对)。❷居住的地方。❸旧长度单位名。市里的通称。❹街坊；邻里。
【组　词】里程　里边　邻里　里外
【造　句】里通外国——从古至今，里通外国的人都不会有好下场的。
【同音字】李(李子)
【形近字】厘(厘米)
【成　语】里应外合　表里如一　里通外国
【反义词】里面/外面
【近义词】里应外合/里勾外连
【英　语】里边　inside［inˈsaid］

| lǐ | 笔画 | 部首 | 结构 | 五笔 | 造字法 |
|---|---|---|---|---|---|
| 理 | 11 | 王 | 左右 | GJFG | 形声 |
| 笔顺 | 一 二 千 王 玎 玑 玾 珋 珃 理 理 | | | | |

【解　释】❶事理；道理。❷自然科学；有时指物理。❸物质组织的条纹。❹办理；管理。❺整齐；齐整。❻打招呼。❼姓。
【组　词】地理　理想　理论　调理
【造　句】理想——我的理想是长大当一名教师。
【同音字】里(里面)
【形近字】鲤(鲤鱼)
【成　语】理屈词穷　理所当然
【反义词】理屈词穷/理直气壮
【近义词】理屈词穷/哑口无言
【歇后语】理发师的徒弟——从头学起。
【谚　语】理正不怕官，心正不怕天|理想的书籍是智慧的钥匙。
【英　语】理由　reason［ˈriːzən］

| lǐ | 笔画 | 部首 | 结构 | 五笔 | 造字法 |
|---|---|---|---|---|---|
| 鲤 | 15 | 鱼 | 左右 | QGJF | 形声 |
| 笔顺 | ノ ク 𠂊 伯 角 鱼 鱼 鱼 鱼 鲃 鲃 鲃 鲤 鲤 鲤 | | | | |

【解　释】鲤鱼，鱼名，身体侧扁，背部苍黑色，腹部黄白色。是我国重要的淡水鱼类之一。
【组　词】鲤鱼
【同音字】里(里屋)
【形近字】娌(妯娌)　理(地理)
【歇后语】鲤鱼吃了钓钩——吞不下也吐不出|鲤鱼吃水——吞吞吐吐。

L

【谚　语】鲤鱼跳龙门,大雨必倾盆。
【英　语】鲤鱼　carp [kɑːp]

| lì | 笔画 | 部首 | 结构 | 五笔 | 造字法 |
|---|---|---|---|---|---|
| 力 | 2 | 力 | 独体 | LTN | 象形 |
| 笔顺 | ㇆ 力 | | | | |

【解　释】❶物体之间的相互作用,指改变物体运动状态的外因。❷力量;能力。❸事物的功力。❹特指体力。❺尽力;努力。❻姓。
【组　词】力量　力度
【造　句】力挽狂澜——老一辈革命家在党和国家遭受危难之际,挺身而出,力挽狂澜,拨正了历史的航向。
【同音字】历(历害)　立(立正)
【形近字】刀(刀口)
【成　语】力挽狂澜　力争上游
【反义词】力挽狂澜/无力回天
【近义词】力挽狂澜/力挽败局
【谚　语】力大不如办法巧。
【英　语】力量　power [ˈpauə]

| lì | 笔画 | 部首 | 结构 | 五笔 | 造字法 |
|---|---|---|---|---|---|
| 历 | 4 | 厂 | 半包围 | DLV | 形声 |
| 笔顺 | 一 厂 厅 历 | | | | |

【解　释】❶经过;经历。❷过去的。❸一个一个地。❹推算年月和节气的方法及记录这些内容的书、表等。❺姓。
【组　词】经历　来历　历史　历代
【造　句】历历在目——他放眼望去,太湖如画,点点帆影历历在目。
【同音字】丽(美丽)　利(利器)
【形近字】厉(厉害)
【成　语】历历在目
【反义词】历历在目/若明若暗
【英　语】历史　history [ˈhistəri]

| lì | 笔画 | 部首 | 结构 | 五笔 | 造字法 |
|---|---|---|---|---|---|
| 厉 | 5 | 厂 | 半包围 | DDNV | 形声 |
| 笔顺 | 一 厂 厂 厉 厉 | | | | |

【解　释】❶严格;切实。❷严肃;猛烈。❸姓。
【组　词】厉害　厉行　雷厉风行
【造　句】厉兵秣马——各足球队正厉兵秣马,准备迎战市金鹰杯比赛。
【同音字】利(利益)　丽(美丽)
【形近字】历(年历)
【成　语】声色俱厉　厉兵秣马
【反义词】厉兵秣马/马放南山
【近义词】厉兵秣马/枕戈待旦
【英　语】厉害　severe [siˈviə]

| lì | 笔画 | 部首 | 结构 | 五笔 | 造字法 |
|---|---|---|---|---|---|
| 立 | 5 | 立 | 独体 | UU | 指事 |
| 笔顺 | 丶 亠 亠 亣 立 | | | | |

【解　释】❶站;站着。❷使物体的上端向上。❸直立的。❹建立。❺指君主即位。❻马上;立即。❼生存;存在。❽姓。

甲骨文　金文　小篆　隶书　楷书

【字源释义】“立”的字形像一个人两腿分开，直立在平地上。本义是“站立”。古文通“位”字。由于字形是人站立在地上，又有“竖立”的意思，所以又引申出“建树”、“竖立”之义。
【组　词】站立　立正　立功　立志　自立　独立　立场　立冬
【造　句】独立——从小爸爸就训练我的独立生活能力。
【同音字】历（历史）
【形近字】泣（哭泣）　主（主人）
【成　语】立竿见影
【反义词】独立/依附
【近义词】立竿见影/行之有效
【歇后语】立秋的石榴——点子多。
【谚　语】立下钢铁志，办成天下事|立志不交无义友，回头当报有恩人。
【英　语】立场　position [pə'ziʃən]

| lì | 笔画 | 部首 | 结构 | 五笔 | 造字法 |
|---|---|---|---|---|---|
| 吏 | 6 | 一 | 独体 | GKQI | 会意 |
| 笔顺 | 一 ㇐ 㠯 百 吏 吏 | | | | |

【解　释】旧时指官吏或没有品级的小公务人员。
【组　词】酷吏　吏治
【同音字】立（立正）　利（利益）
【形近字】史（史记）
【成　语】贪官污吏
【谚　语】吏行冰上，人在镜心。

| lì | 笔画 | 部首 | 结构 | 五笔 | 造字法 |
|---|---|---|---|---|---|
| 丽 | 7 | 一 | 上下 | GMYY | 象形 |
| 笔顺 | 一 丅 丽 丽 丽 丽 丽 | | | | |

【解　释】❶好看；漂亮。❷（书）附着。
【组　词】美丽　秀丽　壮丽
【造　句】风和日丽——乌云扫尽了，一轮红日冉冉上升，突然间风和日丽，万里晴空。
【同音字】利（利益）　力（力图）
【形近字】骊（骊山）
【成　语】风和日丽
【反义词】美丽/丑陋
【近义词】美丽/漂亮
【英　语】美丽　beautiful ['bju:tifəl]

| lì | 笔画 | 部首 | 结构 | 五笔 | 造字法 |
|---|---|---|---|---|---|
| 励 | 7 | 力 | 左右 | DDNL | 形声 |
| 笔顺 | 一 厂 厂 厉 厉 厉 励 | | | | |

【解　释】❶劝勉。❷姓。
【组　词】勉励　奖励　励志　激励
【造　句】励精图治——崇祯帝虽然励精图治，但也未能挽救明朝覆灭的命运。
【同音字】利（利益）　丽（美丽）
【形近字】砺（磨砺）
【成　语】励精图治
【反义词】励精图治/得过且过
【近义词】励精图治/奋发图强
【英　语】鼓励　encourage [in'kʌridʒ]

| lì | 笔画 | 部首 | 结构 | 五笔 | 造字法 |
|---|---|---|---|---|---|
| 利 | 7 | 禾 | 左右 | TJH | 会意 |
| 笔顺 | 丿 二 千 禾 禾 利 利 | | | | |

【解　释】❶锋利，刀锋很快（跟“钝”相对）。❷顺便；顺利。❸益处；好处（跟“害”、“弊”相对）。❹利润或利息。❺发挥人或事物的功能。❻姓。

甲骨文 金文 小篆 隶书 楷书

【字源释义】“利”的本义是“锐利”、“锋利”。甲骨文与金文的字形像用“刀”割“禾”，谷粒随刀纷纷落下，说明了刀的锋利。后来又引申为“利益”、“利润”等义。
【组　词】利益　利息　利诱　势利
【造　句】利令智昏——这个诈骗犯利令智昏，竟然盗用中央国家机关的名义行骗。
【同音字】力(力量)　厉(厉害)
【形近字】和(温和)
【成　语】利欲熏心　利令智昏
【反义词】利欲熏心/清心寡欲
【近义词】利欲熏心/见利忘义
【谚　语】利必尽兴，害必尽除|利刀难断东流水，天涯难隔家乡情。
【英　语】利益　interest [ˈintrist]

| lì | 笔画 | 部首 | 结构 | 五笔 | 造字法 |
|---|---|---|---|---|---|
| 沥 | 7 | 氵 | 左右 | IDLN | 形声 |
| 笔顺 | 丶 丶 氵 汀 沥 沥 沥 | | | | |

【解　释】❶液体一滴一滴地落下。❷过滤。
【组　词】沥青　沥水　淅沥沥
【同音字】丽(美丽)　利(利益)
【形近字】厉(厉害)
【英　语】沥青　pitch [pitʃ]

| lì | 笔画 | 部首 | 结构 | 五笔 | 造字法 |
|---|---|---|---|---|---|
| 例 | 8 | 亻 | 左右 | WGQJ | 形声 |
| 笔顺 | 丿 亻 仁 仃 伢 伢 例 例 | | | | |

【解　释】❶榜样，可以依据或效仿的事情。❷规定；标准。❸按照成规进行的。❹调查统计的事例。
【组　词】举例　例证　病例　条例
【造　句】例外——我们全班同学都参加了劳动，没有一个例外的。
【辨　音】不读 liè。
【同音字】丽(丽质)　栗(栗子)
【形近字】列(陈列)
【成　语】例行公事
【反义词】史无前例/司空见惯
【近义词】史无前例/绝无仅有
【英　语】例子　example [igˈzɑːmpl]

| lì | 笔画 | 部首 | 结构 | 五笔 | 造字法 |
|---|---|---|---|---|---|
| 隶 | 8 | 隶 | 独体 | VII | 会意 |
| 笔顺 | フ ⺕ 彐 肀 肀 隶 隶 隶 | | | | |

【解　释】❶附属。❷旧社会里地位低下、被奴役的人。❸封建社会官府里的差役。❹汉字的一种字体。
【组　词】隶属　奴隶　隶书
【造　句】隶属——直辖市直接隶属国务院。
【辨　音】不读 lù。
【同音字】力(力作)
【形近字】录(目录)
【英　语】隶书　official script [əˈfiʃəl skript]

L

| lì | 笔画 | 部首 | 结构 | 五笔 | 造字法 |
|---|---|---|---|---|---|
| 荔 | 9 | 艹 | 上下 | ALLL | 形声 |
| 笔顺 | 一 十 艹 艻 苈 劳 荔 荔 荔 | | | | |

【解　释】荔枝，常绿乔木，果实多汁，味甜美，是我国南方特产。
【组　词】荔枝　荔枝蜜
【同音字】力（力量）　利（利益）
【形近字】茄（茄子）
【谚　语】荔枝十花一子，龙眼一花十子。
【英　语】荔　litchi　[ˈliːtʃi]

| lì | 笔画 | 部首 | 结构 | 五笔 | 造字法 |
|---|---|---|---|---|---|
| 俐 | 9 | 亻 | 左右 | WTJH | 形声 |
| 笔顺 | 丿 亻 仁 仠 仟 仟 佧 俐 俐 | | | | |

【解　释】伶俐；聪明；灵活。
【组　词】伶俐
【造　句】伶俐——这孩子真是聪明伶俐。
【同音字】力（力度）　利（利润）
【形近字】利（利益）
【成　语】口齿伶俐
【反义词】伶俐/笨拙
【近义词】伶俐/聪明
【英　语】伶俐　clever　[ˈklevə]

| lì | 笔画 | 部首 | 结构 | 五笔 | 造字法 |
|---|---|---|---|---|---|
| 莉 | 10 | 艹 | 上下 | ATJJ | 形声 |
| 笔顺 | 一 十 艹 艹 芏 芋 苿 茉 莉 莉 | | | | |

【解　释】茉莉，常绿灌木，叶子卵形或椭圆形，有光泽，花白色，香味浓厚。花可用来熏制茶叶。
【组　词】茉莉　茉莉花
【同音字】立（立足）　例（范例）
【形近字】利（锋利）
【英　语】茉莉　jasmine　[ˈdʒæsmin]

| lì | 笔画 | 部首 | 结构 | 五笔 | 造字法 |
|---|---|---|---|---|---|
| 栗 | 10 | 覀 | 上下 | SSU | 象形 |
| 笔顺 | 一 ｢ 襾 襾 襾 覀 覀 垔 栗 栗 | | | | |

【解　释】❶栗子树，落叶乔木，果实可以吃，树皮和壳可供鞣（róu）皮和染色用。❷发抖，打战。❸姓。
【组　词】栗子　战栗　栗色
【同音字】力（力量）　利（利益）
【形近字】票（车票）
【成　语】不寒而栗
【反义词】不寒而栗/临危不惧
【近义词】不寒而栗/胆战心惊
【英　语】栗子　chestnut　[ˈtʃestnʌt]

| lì | 笔画 | 部首 | 结构 | 五笔 | 造字法 |
|---|---|---|---|---|---|
| 砾 | 10 | 石 | 左右 | DQIY | 形声 |
| 笔顺 | 一 ア 丆 石 石 石 矿 砑 砾 砾 | | | | |

【解　释】小石块；碎石。
【组　词】沙砾　瓦砾　砾石
【辨　音】不读 lè。
【同音字】力（能力）　立（立马）
【形近字】栎（栎树）
【英　语】砾石　gravel　[ˈgrævəl]

| lì | 笔画 | 部首 | 结构 | 五笔 | 造字法 |
|---|---|---|---|---|---|
| 笠 | 11 | ⺮ | 上下 | TUF | 形声 |
| 笔顺 | 丿 𠂉 𥫗 𥫗 ⺮ ⺮ 竺 笠 笠 笠 笠 | | | | |

【解 释】斗笠，用竹篾等编的帽子。
【组 词】斗笠 草笠
【同音字】立(立正) 利(利用)
【形近字】立(立正)
【英 语】斗笠 bamboo hat [bæm-'bu: hæt]

| lì | 笔画 | 部首 | 结构 | 五笔 | 造字法 |
|---|---|---|---|---|---|
| 粒 | 11 | 米 | 左右 | OUG | 形声 |
| 笔顺 | 丶 丷 丬 半 米 米 米' 米丷 米亠 粒 粒 | | | | |

【解 释】❶小圆珠形或小碎块形的东西。❷量词。用于粒状的东西。
【组 词】米粒 豆粒 沙粒 盐粒
【同音字】利(利益) 力(力量)
【形近字】泣(哭泣)
【谚 语】粒谷种九年，天下种半边|粒粒黄沙堆成山，滴滴清水汇成河。
【英 语】颗粒 grain [grein]

## LIA ㄌㄧㄚ

| liǎ | 笔画 | 部首 | 结构 | 五笔 | 造字法 |
|---|---|---|---|---|---|
| 俩 | 9 | 亻 | 左右 | WGMW | 形声 |
| 笔顺 | 丿 亻 亻一 亻冂 亻丙 俩 俩 俩 俩 | | | | |

【解 释】❶两个。❷不多；几个。
【组 词】咱俩 你俩 哥儿俩
【辨 音】不读 liǎng。
【歇后语】俩山字摞一块儿——请出。
【英 语】俩 two [tu:]
【多音字】liǎng(见 440 页)

## LIAN ㄌㄧㄢ

| lián | 笔画 | 部首 | 结构 | 五笔 | 造字法 |
|---|---|---|---|---|---|
| 连 | 7 | 辶 | 半包围 | LPK | 会意 |
| 笔顺 | 一 𠂇 𠂊 车 车 连 连 | | | | |

【解 释】❶接连；连着。❷包括在内。❸军队的编制单位。❹表示强调，含有"甚而至于"的意思。❺姓。
【组 词】连长 连贯 连接 连通 连日 连续
【造 句】骨肉相连——台湾与大陆骨肉相连，自古以来就是祖国不可分割的一部分。
【同音字】怜(可怜)
【形近字】阵(阵地)
【成 语】骨肉相连 连篇累牍
【反义词】连贯/断续
【近义词】骨肉相连/唇齿相依
【歇后语】连续画圆圈——周而复始。
【谚 语】连根的大树，双飞的鸟。
【英 语】连接 link [liŋk]

| lián | 笔画 | 部首 | 结构 | 五笔 | 造字法 |
|---|---|---|---|---|---|
| 怜 | 8 | 忄 | 左右 | NWYC | 形声 |
| 笔顺 | 丶 丷 忄 忄丿 忄八 忄亼 怜 怜 | | | | |

【解 释】❶怜悯，对不幸的人表示同情。❷爱；疼爱。
【组 词】怜悯 怜惜 可怜 怜爱
【造 句】可怜——这孩子真可怜，从小没爹没妈的。
【同音字】联(联袂)
【形近字】玲(玲珑)

L

【反义词】怜爱/憎恶
【近义词】怜爱/疼爱
【英　语】怜悯 pity [piti]

| lián | 笔画 | 部首 | 结构 | 五笔 | 造字法 |
|---|---|---|---|---|---|
| 帘 | 8 | 穴 | 上下 | PWMH | 会意 |
| 笔顺 | 丶 宀 宀 穴 空 帘 帘 帘 | | | | |

【解　释】❶用布做的望子。❷用布、竹子、苇子等做的有遮蔽作用的物品。
【组　词】窗帘　门帘　布帘　眼帘
【造　句】眼帘——我登上山顶，大片的云海映入眼帘。
【同音字】联(联营)　怜(怜悯)
【形近字】窗(窗户)
【英　语】帘子 screen [skri:n]

| lián | 笔画 | 部首 | 结构 | 五笔 | 造字法 |
|---|---|---|---|---|---|
| 莲 | 10 | 艹 | 上下 | ALPU | 形声 |
| 笔顺 | 一 十 艹 艹 芒 芏 荁 莛 莲 莲 | | | | |

【解　释】多年生草本植物，生在浅水中，叶子圆形，高出水面，花大，淡红色或白色。地下茎叫藕，种子叫莲子，都可以吃。也叫荷、芙蓉等。
【组　词】莲花　莲子　莲藕　雪莲
【同音字】廉(廉价)
【形近字】连(连接)
【歇后语】莲花出水——一尘不染。
【谚　语】莲子心里苦，梨儿腹内酸|莲花开在污泥中，人才出在贫寒家。
【英　语】莲花 lotus flower ['ləutəs 'flauə]

L

| lián | 笔画 | 部首 | 结构 | 五笔 | 造字法 |
|---|---|---|---|---|---|
| 联 | 12 | 耳 | 左右 | BUDY | 会意 |
| 笔顺 | 一 厂 丌 丌 甲 耳 耳 耳' 耳' 耶 联 联 | | | | |

【解　释】❶连接；联合。❷对子；对联。
【组　词】联合　联络　对联　联系　春联　联邦　联动　联网
【同音字】怜(怜恤)
【形近字】耿(忠心耿耿)
【成　语】浮想联翩
【反义词】浮想联翩/无动于衷
【近义词】浮想联翩/百感交集
【英　语】联系 contact ['kɔntækt]

| lián | 笔画 | 部首 | 结构 | 五笔 | 造字法 |
|---|---|---|---|---|---|
| 廉 | 13 | 广 | 半包围 | YUVO | 形声 |
| 笔顺 | 丶 亠 广 广 广 户 庐 庐 庐 庠 廉 廉 廉 | | | | |

【解　释】❶廉洁；不贪污；不损公肥私。❷便宜；价钱低廉。❸姓。
【组　词】廉价　清廉
【造　句】物美价廉——这个超市的商品物美价廉。
【同音字】连(连播)　联(联系)
【形近字】镰(镰刀)
【成　语】物美价廉
【反义词】物美价廉/质次价高
【近义词】廉价/便宜
【谚　语】廉者不受嗟来之食，志士不饮盗泉之水。
【英　语】廉价 lowpriced [ləu'praist]

| lián | 笔画 | 部首 | 结构 | 五笔 | 造字法 |
|---|---|---|---|---|---|
| 镰 | 18 | 钅 | 左右 | QYUO | 形声 |
| 笔顺 | ノ ㇒ ㇐ ㇐ 钅 钅 钆 钆 钆 钆 钆 钆 镰 镰 镰 镰 镰 镰 | | | | |

【解　释】镰刀，割庄稼或草的农具。
【组　词】镰刀
【同音字】连(连锁)　怜(可怜)
【形近字】廉(廉价)
【英　语】镰刀　sickle ['sikl]

| liǎn | 笔画 | 部首 | 结构 | 五笔 | 造字法 |
|---|---|---|---|---|---|
| 敛 | 11 | 攵 | 左右 | WGIT | 形声 |
| 笔顺 | ノ 人 亽 今 佥 佥 佥 剑 敛 敛 敛 | | | | |

【解　释】❶收集;征收。❷(书)约束。❸(书)收起;收任。
【组　词】敛财　聚敛　敛迹　收敛
【造　句】收敛——小偷被抓入派出所后，狂妄的态度才有所收敛。
【同音字】脸(脸谱)
【英　语】敛　collect [kə'lekt]

| liǎn | 笔画 | 部首 | 结构 | 五笔 | 造字法 |
|---|---|---|---|---|---|
| 脸 | 11 | 月 | 左右 | EWGI | 形声 |
| 笔顺 | 丿 刀 月 月 肸 肸 肸 脍 脍 脸 脸 | | | | |

【解　释】❶头的前部，从额到下巴。❷某些物体的前部。❸体面；面子。❹脸上的表情。
【组　词】脸皮　脸谱　脸色　脸红
【造　句】脸红——王永红一说话就脸红。
【形近字】剑(剑客)
【成　语】笑脸相迎
【歇后语】脸上写字——表面文章。
【谚　语】脸上甜笑，背后磨刀。
【英　语】脸　face [feis]

| liàn | 笔画 | 部首 | 结构 | 五笔 | 造字法 |
|---|---|---|---|---|---|
| 练 | 8 | 纟 | 左右 | XANW | 形声 |
| 笔顺 | ㄥ 纟 纟 纟 纡 纡 练 练 | | | | |

【解　释】❶学习和操演。❷经验多;纯熟。❸白绢。❹姓。
【组　词】练习　老练　排练　简练
【造　句】排练——六一儿童节快到了，我们得抓紧时间排练节目。
【同音字】恋(恋家)
【形近字】炼(炼钢)
【反义词】老练/幼稚
【近义词】老练/干练
【谚　语】练兵必先练心。
【英　语】练习　practice ['præktis]

| liàn | 笔画 | 部首 | 结构 | 五笔 | 造字法 |
|---|---|---|---|---|---|
| 炼 | 9 | 火 | 左右 | OANW | 形声 |
| 笔顺 | 丶 ㇒ 火 火 火 炸 炼 炼 炼 | | | | |

【解　释】❶用火烧使物质纯净或坚韧。❷用心琢磨，使词句简洁优美。❸烧。❹姓。
【组　词】锤炼　精炼　磨炼
【造　句】锤炼——经过许多次锤炼，他终于成为一名出色的棒球运动员。
【同音字】恋(恋战)　练(练习)
【形近字】练(练习)
【成　语】百炼成钢
【近义词】千锤百炼/百炼成钢
【谚　语】炼铁要热火，交友要诚心。

L

【英　语】熔炼 smelt [smelt]

| liàn | 笔画 | 部首 | 结构 | 五笔 | 造字法 |
|---|---|---|---|---|---|
| 恋 | 10 | 心 | 上下 | YONU | 形声 |
| 笔顺 | 丶 亠 亣 亦 亦 亦 亦 恋 恋 恋 | | | | |

【解　释】❶不愿离开;想念不忘。❷恋爱;男女相恋。❸姓。
【组　词】初恋　迷恋　留恋
【造　句】恋恋不舍——孩子们很喜欢这个地方,临走时还恋恋不舍。
【辨　音】不读 luán。
【同音字】炼(锻炼)
【形近字】峦(山峦)
【成　语】恋恋不舍
【反义词】恋恋不舍/扬长而去
【近义词】恋恋不舍/难分难舍
【英　语】恋恋不舍 be reluctant to part with [biː riˈlʌktənt tuː pɑːt wið]

| liàn | 笔画 | 部首 | 结构 | 五笔 | 造字法 |
|---|---|---|---|---|---|
| 链 | 12 | 钅 | 左右 | QLPY | 形声 |
| 笔顺 | ノ 𠂉 𠂉 𠂉 钅 钅 钅 钅 链 链 链 链 | | | | |

【解　释】链子,用金属的小环连起的长条形的东西。
【英　语】链子 chain [tʃein]

## LIANG ㄌㄧㄤ

| liáng | 笔画 | 部首 | 结构 | 五笔 | 造字法 |
|---|---|---|---|---|---|
| 良 | 7 | 丶 | 上下 | YVEI | 形声 |
| 笔顺 | 丶 ㇇ ㇇ 㠯 良 良 良 | | | | |

【解　释】❶好。❷善良。❸很。❹姓。
【组　词】良好　优良　良策
【造　句】良好——我们应从小养成良好的卫生习惯。
【同音字】粮(粮食)
【形近字】食(食物)
【成　语】良药苦口　除暴安良
【反义词】除暴安良/恃强凌弱
【近义词】除暴安良/抑强扶弱
【谚　语】良言千句少,恶语半句多。
【英　语】良心 conscience [ˈkɔnʃəns]

| liáng | 笔画 | 部首 | 结构 | 五笔 | 造字法 |
|---|---|---|---|---|---|
| 凉 | 10 | 冫 | 左右 | UYIY | 形声 |
| 笔顺 | 丶 冫 冫 冫 冫 冫 冫 凉 凉 凉 | | | | |

【解　释】❶温度低;冷。❷不热闹。❸比喻灰心或失望。❹避热用的。
【组　词】凉水　凉爽　凄凉　清凉
【同音字】粱(高粱)　粮(粮食)
【形近字】谅(原谅)
【反义词】凉水/热水
【近义词】受凉/着凉
【歇后语】凉亭里避寒——寒上加寒。
【谚　语】凉九暖三,注意衣衫。
【英　语】凉鞋 sandal [ˈsændəl]
【多音字】liàng(见 440 页)

| liáng | 笔画 | 部首 | 结构 | 五笔 | 造字法 |
|---|---|---|---|---|---|
| 梁 | 11 | 木 | 上下 | IVWS | 形声 |
| 笔顺 | 丶 丶 氵 汈 汈 汈 沏 沏 梁 梁 梁 | | | | |

【解　释】❶支撑屋顶的大横木。❷长木。❸桥。❹朝代名。❺姓。
【组　词】房梁　脊梁　鼻梁　桥梁
【造　句】栋梁之才——抗日军政大学为中国革命培养了许多栋梁之才。
【同音字】凉(受凉)
【形近字】粱(高粱)
【成　语】栋梁之才
【反义词】跳梁小丑/正人君子
【近义词】栋梁之材/中流砥柱
【谚　语】梁园虽好,不是久恋之家。
【英　语】房梁　roof beam [ruːf biːm]

| liáng | 笔画 | 部首 | 结构 | 五笔 | 造字法 |
| --- | --- | --- | --- | --- | --- |
| 量 | 12 | 曰 | 上中下 | JGJF | 会意 |
| 笔顺 | 丶 冂 日 旦 昌 昌 昌 昌 昌 昌 量 量 | | | | |

【解　释】❶用器具测定物体的长短、大小、多少或高低。❷估计;衡量。
【组　词】测量　商量　丈量　量具
【造　句】商量——爸爸妈妈在屋里商量我和妹妹谁去上学的问题。
【同音字】梁(栋梁)
【形近字】厘(厘米)
【近义词】估量/估计
【英　语】量　measure [ˈmeʒə]
【多音字】liàng(见441页)

| liáng | 笔画 | 部首 | 结构 | 五笔 | 造字法 |
| --- | --- | --- | --- | --- | --- |
| 粮 | 13 | 米 | 左右 | OYVE | 形声 |
| 笔顺 | 丶 丷 䒑 半 米 米 米 粅 粅 粅 粮 粮 粮 | | | | |

【解　释】❶粮食。❷向国家交纳粮食作为农业税。
【组　词】粮食　粮草　粮店　公粮
【造　句】粮食——粮食是人类赖以生存的物质基础。
【同音字】良(良好)
【形近字】娘(亲娘)
【歇后语】粮仓搬家——亮(晾)底。
【谚　语】粮食宝中宝,人人离不了。
【英　语】粮食　grain [grein]

| liáng | 笔画 | 部首 | 结构 | 五笔 | 造字法 |
| --- | --- | --- | --- | --- | --- |
| 粱 | 13 | 米 | 上下 | IVWO | 形声 |
| 笔顺 | 丶 冫 氵 汈 汈 沏 沏 沏 沏 粱 粱 粱 粱 | | | | |

【解　释】❶高粱,粮食作物,种子可食用,也可以酿酒。❷精美的主食。
【组　词】高粱
【同音字】量(测量)
【形近字】梁(顶梁柱)
【英　语】高粱　sorghum [ˈsɔːgəm]

| liǎng | 笔画 | 部首 | 结构 | 五笔 | 造字法 |
| --- | --- | --- | --- | --- | --- |
| 两 | 7 | 一 | 独体 | GMWW | 会意 |
| 笔顺 | 一 丅 冂 丙 丙 两 两 | | | | |

【解　释】❶数目,即“二”。❷表示双方。❸表示不定的数目,和“几”差不多。❹市制重量单位。十两等于一市斤。
【组　词】两岸　两边　两个　两面
【造　句】两败俱伤——我看你们还是讲和吧,这样斗下去,只能是两败俱伤。

L

【同音字】俩(伎俩)
【形近字】雨(雨点)
【成　语】三长两短　半斤八两　一刀两断　两败俱伤　两面三刀
【反义词】两袖清风/贪得无厌
【近义词】两面三刀/反复无常
【谚　语】两头尖的针不能缝衣，三心二意的人一事无成|两座山难到一块，两个人能到一起。
【英　语】两个　two ［tuː］

| liǎng | 笔画 | 部首 | 结构 | 五笔 | 造字法 |
|---|---|---|---|---|---|
| 俩 | 9 | 亻 | 左右 | WGMW | 形声 |
| 笔顺 | 丿 亻 仁 佇 俩 俩 俩 俩 俩 | | | | |

【解　释】伎俩,不正当的手段。
【组　词】伎俩
【造　句】伎俩——他这些骗人的伎俩很快被群众识破了,谁也不相信他。
【同音字】两(两个)
【形近字】两(斤两)
【近义词】伎俩/诡计
【英　语】伎俩　trick ［trik］
【多音字】liǎ(见435页)

| liàng | 笔画 | 部首 | 结构 | 五笔 | 造字法 |
|---|---|---|---|---|---|
| 亮 | 9 | 亠 | 上中下 | YPMB | 会意 |
| 笔顺 | 丶 亠 亠 亡 亨 亨 亭 亭 亮 | | | | |

【解　释】❶光线强;明亮。❷发光;光线。❸显露;显示。❹声音大。❺开朗;清楚。
【组　词】明亮　洪亮　漂亮　锃亮
【造　句】锃亮——爸爸把鞋擦得锃亮锃亮的。
【同音字】谅(原谅)
【形近字】高(高大)
【反义词】洪亮/低沉
【近义词】漂亮/美丽
【英　语】亮光　light ［lait］

| liàng | 笔画 | 部首 | 结构 | 五笔 | 造字法 |
|---|---|---|---|---|---|
| 凉 | 10 | 冫 | 左右 | UYIY | 形声 |
| 笔顺 | 丶 冫 冫 冫 冫 汻 汻 凉 凉 凉 | | | | |

【解　释】把热的东西放一会儿,使降温变凉。
【组　词】凉一凉
【造　句】凉一凉——把开水凉一凉再喝。
【形近字】掠(掠夺)
【多音字】liáng(见438页)

| liàng | 笔画 | 部首 | 结构 | 五笔 | 造字法 |
|---|---|---|---|---|---|
| 谅 | 10 | 讠 | 左右 | YYIY | 形声 |
| 笔顺 | 丶 讠 讠 讠 讠 访 访 谅 谅 谅 | | | | |

【解　释】❶原谅;谅解。❷料想。
【组　词】原谅　谅解　体谅　见谅
【造　句】谅解——同学们应互相谅解,搞好关系。
【同音字】辆(车辆)
【形近字】凉(凉了)
【反义词】原谅/记恨
【近义词】原谅/谅解
【英　语】原谅　forgive ［fə'giv］

| liàng | 笔画 | 部首 | 结构 | 五笔 | 造字法 |
|---|---|---|---|---|---|
| 辆 | 11 | 车 | 左右 | LGMW | 形声 |
| 笔顺 | 一 七 车 车 车 轩 轩 轩 辆 辆 辆 | | | | |

【解　释】量词。用于计算车的数量。
【组　词】车辆　两辆　一辆车
【同音字】谅(原谅)
【形近字】俩(咱俩)

| liàng | 笔画 | 部首 | 结构 | 五笔 | 造字法 |
|---|---|---|---|---|---|
| 量 | 12 | 日 | 上中下 | JGJF | 会意 |
| 笔顺 | 丶 口 曰 旦 昌 昌 昌 昌 昌 昌 量 量 | | | | |

【解　释】❶计算容积的器具。❷数目。❸可容纳的限度。❹估计;衡量。
【组　词】含量　能量　量力而行
【造　句】量力而行——做任何事都要量力而行,不能逞强。
【同音字】晾(晾衣服)
【英　语】数量　quantity [ˈkwɔn titi]
【多音字】liáng(见 439 页)

| liàng | 笔画 | 部首 | 结构 | 五笔 | 造字法 |
|---|---|---|---|---|---|
| 晾 | 12 | 日 | 左右 | JYIY | 形声 |
| 笔顺 | 丨 冂 日 日 日' 旷 旷 盹 晾 晾 晾 晾 | | | | |

【解　释】❶把东西放在通风处或太阳下使干燥。❷撇在一边不理睬。
【组　词】晾干　晾晒　晾衣服　晾台
【造　句】晾晒——南方湿气重,被褥要经常晾晒。
【同音字】亮(漂亮)
【英　语】晾衣绳　clothesline [ˈk-ləuðzlain]

## LIAO　ㄌㄧㄠ

| liáo | 笔画 | 部首 | 结构 | 五笔 | 造字法 |
|---|---|---|---|---|---|
| 辽 | 5 | 辶 | 半包围 | BPK | 形声 |
| 笔顺 | 乛 了 ìㄱ 讠ㄱ 辽 | | | | |

【解　释】❶远。❷朝代名。❸辽宁省的简称。
【组　词】辽阔　辽东　辽宁　辽远
【造　句】辽阔——我国幅员辽阔,资源丰富。
【同音字】聊(聊天)
【形近字】疗(治疗)
【近义词】辽阔/广阔
【英　语】辽阔　vast [vɑːst]

| liáo | 笔画 | 部首 | 结构 | 五笔 | 造字法 |
|---|---|---|---|---|---|
| 疗 | 7 | 疒 | 半包围 | UBK | 形声 |
| 笔顺 | 丶 亠 广 疒 疒 疔 疗 | | | | |

【解　释】医治;治疗。
【组　词】治疗　疗效　医疗　疗养
【造　句】治疗——针灸是一种传统的治疗方法。
【同音字】潦(潦草)
【形近字】辽(辽阔)
【近义词】治疗/医治
【英　语】疗养　recuperate [riˈk-juːpəreit]

| liáo | 笔画 | 部首 | 结构 | 五笔 | 造字法 |
|---|---|---|---|---|---|
| 聊 | 11 | 耳 | 左右 | BQTB | 形声 |
| 笔顺 | 一 𠂇 冂 冃 冃 耳 耴 耶 聊 聊 聊 | | | | |

【解　释】❶姑且。❷闲谈。❸略微;稍微。❹寄托;依靠。❺姓。

【组　词】聊天　闲聊
【造　句】闲聊——他浪费了许多宝贵的时间来跟同学闲聊。
【同音字】辽(辽阔)
【成　语】聊以自慰　民不聊生
【反义词】民不聊生/国富民安
【英　语】聊天　chat [tʃæt]

| liáo | 笔画 | 部首 | 结构 | 五笔 | 造字法 |
|---|---|---|---|---|---|
| 僚 | 14 | 亻 | 左右 | WDUI | 形声 |
| 笔顺 | 丿 亻 仁 仛 伏 伕 侠 佅 傣 傣 傣 傣 僚 僚 | | | | |

【解　释】❶官吏。❷旧指在同一官署当官的人。
【组　词】官僚　同僚
【同音字】瞭(瞭望)
【形近字】潦(潦草)
【英　语】官僚　bureaucrat [ˈbjuərəkræt]

| liáo | 笔画 | 部首 | 结构 | 五笔 | 造字法 |
|---|---|---|---|---|---|
| 寥 | 14 | 宀 | 上下 | PNWE | 形声 |
| 笔顺 | 丶 丶 宀 宀 宂 宂 宆 宆 宆 穷 寏 寏 寥 寥 | | | | |

【解　释】❶稀少。❷空旷。
【组　词】寥落　寥廓
【造　句】寥寥无几——严冬季节，长白山大雪覆盖，去游览的人寥寥无几。
【同音字】聊(聊天)
【形近字】廖(姓)
【成　语】寥若晨星　寥寥无几
【反义词】寥若晨星/多如牛毛

| liáo | 笔画 | 部首 | 结构 | 五笔 | 造字法 |
|---|---|---|---|---|---|
| 嘹 | 15 | 口 | 左右 | KDUI | 形声 |
| 笔顺 | 丨 冂 口 吖 吠 吠 吠 吠 吠 嗋 嗋 嗋 嘹 嘹 嘹 | | | | |

【解　释】[嘹亮](声音)清晰响亮。
【组　词】嘹亮
【造　句】嘹亮——老年人合唱团的歌声格外嘹亮。
【同音字】潦(潦草)
【近义词】嘹亮/洪亮
【英　语】嘹亮　resonant [ˈrezənənt]

| liáo | 笔画 | 部首 | 结构 | 五笔 | 造字法 |
|---|---|---|---|---|---|
| 潦 | 15 | 氵 | 左右 | IDUI | 形声 |
| 笔顺 | 丶 冫 氵 汇 汁 汏 汏 浃 浃 潦 潦 潦 潦 潦 潦 | | | | |

【解　释】❶形容字不工整。❷做事不仔细；马虎；草率。
【组　词】潦草　潦倒
【造　句】潦草——小明的作业做得太潦草，老师让他重做。
【同音字】僚(官僚)
【形近字】僚(官僚)
【反义词】潦草/工整
【英　语】潦草　illegible [iˈledʒəbl]
【多音字】lǎo(见 423 页)

| liáo | 笔画 | 部首 | 结构 | 五笔 | 造字法 |
|---|---|---|---|---|---|
| 缭 | 15 | 纟 | 左右 | XPUI | 形声 |
| 笔顺 | 𠃋 纟 纟 纡 纡 纨 纨 纨 纨 缭 缭 缭 缭 缭 缭 | | | | |

【解　释】❶缠绕；环绕。❷缝。
【组　词】缭绕　缭乱

【造　句】缭绕——这个小山村晚霞映照，炊烟缭绕，真是美丽极了。
【同音字】寥（寥落）
【形近字】潦（潦草）
【英　语】缭乱　confused [kən'fjuːzd]

| liǎo | 笔画 | 部首 | 结构 | 五笔 | 造字法 |
|---|---|---|---|---|---|
| 了 | 2 | 乛 | 独体 | B | 指事 |
| 笔顺 | 乛 了 | | | | |

【解　释】❶结束；完了。❷清楚；明白。❸完全；一点也没有。❹表示可能或不可能。
【组　词】了解　了结　了不得
【造　句】了解——这是怎么回事？你去了解一下。
【形近字】子（儿子）
【成　语】一目了然　了如指掌
【反义词】了如指掌/一无所知
【英　语】了结　finish ['finiʃ]
【多音字】le（见 424 页）

| liào | 笔画 | 部首 | 结构 | 五笔 | 造字法 |
|---|---|---|---|---|---|
| 料 | 10 | 米 | 左右 | OUFH | 会意 |
| 笔顺 | 丶 丷 䒑 半 米 米 米 米 米 料 | | | | |

【解　释】❶材料；原料，可用来加工为成品的物质。❷喂牲口的食物。❸可供调味或饮用的食品。❹预料；估计。❺照顾。❻量词。用于中医，配制丸药；过去也用于计算木材的单位。
【组　词】材料　燃料　料理　照料
【造　句】料理——陈红总是料理完家务后才去上学。
【形近字】科（科学）
【成　语】料事如神
【近义词】照料/照顾
【英　语】预料　expect [ik'spekt]

| liào | 笔画 | 部首 | 结构 | 五笔 | 造字法 |
|---|---|---|---|---|---|
| 廖 | 14 | 广 | 半包围 | YNWE | 形声 |
| 笔顺 | 丶 亠 广 广 户 庐 庐 庐 庐 庐 庐 庑 廖 廖 | | | | |

【解　释】姓。
【同音字】料（照料）
【形近字】寥（寥若晨星）

## LIE　ㄌㄧㄝ

| liē | 笔画 | 部首 | 结构 | 五笔 | 造字法 |
|---|---|---|---|---|---|
| 咧 | 9 | 口 | 左右 | KGQJ | 形声 |
| 笔顺 | 丨 ㄇ 口 口一 叮 叨 叨 叨 咧 | | | | |

【解　释】❶乱说；乱讲。❷小孩子哭。
【多音字】liě（见 443 页）
【多音字】lie（见 445 页）

| liě | 笔画 | 部首 | 结构 | 五笔 | 造字法 |
|---|---|---|---|---|---|
| 咧 | 9 | 口 | 左右 | KGQJ | 形声 |
| 笔顺 | 丨 ㄇ 口 口一 叮 叨 叨 叨 咧 | | | | |

【解　释】❶嘴稍微张开，嘴角向两边伸展。❷（方）说。
【组　词】咧嘴
【形近字】冽（凛冽）
【成　语】龇牙咧嘴
【多音字】liē（见 443 页）
【多音字】lie（见 445 页）

| liè | 笔画 | 部首 | 结构 | 五笔 | 造字法 |
| --- | --- | --- | --- | --- | --- |
| 裂 | 12 | 衣 | 上下 | GQJE | 形声 |
| 笔顺 | 一 丆 歹 歹 歹 列 列 列 裂 裂 裂 裂 | | | | |

【解　释】东西的两部分向两旁分开。
【组　词】裂着
【同音字】咧(咧嘴)
【多音字】liè(见445页)

| liè | 笔画 | 部首 | 结构 | 五笔 | 造字法 |
| --- | --- | --- | --- | --- | --- |
| 列 | 6 | 刂 | 左右 | GQJH | 形声 |
| 笔顺 | 一 丆 歹 歹 列 列 | | | | |

【解　释】❶排列。❷安排到某类事物中。❸行列。❹众多；各。❺量词。用于成行列的事物。
【组　词】队列　排列　列车　列举
【造　句】陈列——商店里陈列着琳琅满目的商品。
【同音字】裂(裂缝)
【形近字】例(例证)
【英　语】排列　arrange [ə'reindʒ]

| liè | 笔画 | 部首 | 结构 | 五笔 | 造字法 |
| --- | --- | --- | --- | --- | --- |
| 劣 | 6 | 力 | 上下 | ITLB | 会意 |
| 笔顺 | 丨 丬 小 少 劣 劣 | | | | |

【解　释】❶不好；坏(跟“优”相对)。❷小于一定的标准。
【组　词】劣势　恶劣　低劣　劣弧
【造　句】劣质——目前，工商人员正在查处市面上的劣质产品。
【同音字】列(列强)
【形近字】省(省吃俭用)
【成　语】优胜劣败　优胜劣汰
【反义词】劣势/优势
【谚　语】劣汉争食，好汉争气。
【英　语】劣迹　misdeed [mis'di:d]

| liè | 笔画 | 部首 | 结构 | 五笔 | 造字法 |
| --- | --- | --- | --- | --- | --- |
| 冽 | 8 | 冫 | 左右 | UGQJ | 形声 |
| 笔顺 | 丶 冫 冫 冽 冽 冽 冽 冽 | | | | |

【解　释】冷；寒冷。
【组　词】凛冽
【造　句】凛冽——爸爸顶着凛冽的寒风送我上学。
【同音字】烈(热烈)
【英　语】凛冽　nippy ['nipi]

| liè | 笔画 | 部首 | 结构 | 五笔 | 造字法 |
| --- | --- | --- | --- | --- | --- |
| 烈 | 10 | 灬 | 上下 | GQJO | 形声 |
| 笔顺 | 一 丆 歹 歹 歹 列 列 列 烈 烈 | | | | |

【解　释】❶强烈；很猛的。❷刚直。❸为革命事业而牺牲的。
【组　词】强烈　烈日　刚烈　烈士
【造　句】刚烈——他性情刚烈，决不会向敌人屈服。
【同音字】列(陈列)
【谚　语】烈火见真金，危难显英雄。
【英　语】强烈　strong [strɔŋ]

| liè | 笔画 | 部首 | 结构 | 五笔 | 造字法 |
| --- | --- | --- | --- | --- | --- |
| 猎 | 11 | 犭 | 左右 | QTAJ | 形声 |
| 笔顺 | 丿 犭 犭 犭 犭 犭 犭 猎 猎 猎 猎 | | | | |

【解　释】❶捕捉禽兽；打猎。❷打猎的。
【组　词】打猎　猎人　围猎　猎奇

【造　句】猎取——原始社会的人靠粗糙的石器猎取食物。
【辨　音】不读 là。
【同音字】烈(烈酒)
【形近字】蜡(蜡烛)
【歇后语】猎人抓兔——不见兔子不撒鹰。
【英　语】猎人　hunter　[ˈhʌntə]

| liè | 笔画 | 部首 | 结构 | 五笔 | 造字法 |
|---|---|---|---|---|---|
| 裂 | 12 | 衣 | 上下 | GQJE | 形声 |
| 笔顺 | 一 ア 歹 歹 歹 列 列 裂 裂 裂 裂 裂 | | | | |

【解　释】❶破开;分开;破成两部分或几部分。❷叶子或花果的边缘上较大较深的缺口。
【组　词】破裂　裂开　裂缝　决裂　裂口　分裂
【同音字】列(列传)
【形近字】烈(烈士)
【成　语】山崩地裂
【反义词】破裂/弥合
【英　语】裂痕　rift　[rift]
【多音字】liě(见 444 页)

| lie | 笔画 | 部首 | 结构 | 五笔 | 造字法 |
|---|---|---|---|---|---|
| 咧 | 9 | 口 | 左右 | KGQJ | 形声 |
| 笔顺 | 丨 ㄇ 口 口 叮 呀 呀 咧 咧 | | | | |

【解　释】方言助词。用法同"了"、"哩"、"啦"等。
【多音字】liē(见 443 页)
【多音字】liě(见 443 页)

## LIN　ㄌㄧㄣ

| līn | 笔画 | 部首 | 结构 | 五笔 | 造字法 |
|---|---|---|---|---|---|
| 拎 | 8 | 扌 | 左右 | RWYC | 形声 |
| 笔顺 | 一 十 扌 扌 扒 抡 拎 拎 | | | | |

【解　释】用手提着;拿着。
【组　词】拎着　拎包
【造　句】拎着——爸爸还是第一次拎着篮子上街买菜。
【辨　音】不读 līng。
【形近字】冷(寒冷)
【英　语】拎　carry　[ˈkæri]

| lín | 笔画 | 部首 | 结构 | 五笔 | 造字法 |
|---|---|---|---|---|---|
| 邻 | 7 | 阝 | 左右 | WYCB | 形声 |
| 笔顺 | 丿 人 𠆢 今 令 邻 邻 | | | | |

【解　释】❶邻居,离着很近的人家。❷附近;邻近的。❸古代五家为邻。
【组　词】邻居　邻近　邻舍　邻邦
【造　句】邻居——邻居家的小明今年考上了北京大学。
【同音字】林(树林)
【形近字】领(领会)
【谚　语】邻居一杆秤,街坊千面镜。
【英　语】邻居　neighbor　[ˈneibə]

| lín | 笔画 | 部首 | 结构 | 五笔 | 造字法 |
|---|---|---|---|---|---|
| 林 | 8 | 木 | 左右 | SSY | 会意 |
| 笔顺 | 一 十 才 木 木 村 材 林 | | | | |

【解　释】❶成片的树木或竹子。❷聚集在一起的人或事物。❸林业。❹姓。

【组 词】树林 石林 林立 林荫道
【辨 音】韵母是 in,不是 ing。
【同音字】邻(邻居) 淋(淋漓尽致)
【形近字】村(村庄)
【谚 语】林中有弯树,世上无完人。
【英 语】森林 forest [ˈfɔrist]

| lín | 笔画 | 部首 | 结构 | 五笔 | 造字法 |
| --- | --- | --- | --- | --- | --- |
| 临 | 9 | 丨 | 左右 | JTYJ | 会意 |
| 笔顺 | 丨 丨丨 丨丿 丨𠂉 ⺊ 临 临 临 临 | | | | |

【解 释】❶靠近;挨着;对着。❷到达;来到。❸就要;快要。❹照着字画模仿。❺姓。
【组 词】面临 光临 临别 临产
【造 句】临阵磨枪——平时学习不努力,考前突击,临阵磨枪,不是好的学习习惯。
【同音字】邻(邻居) 淋(淋漓)
【形近字】监(监狱)
【成 语】临渴掘井 身临其境
【反义词】临阵磨枪/未雨绸缪
【近义词】临渴掘井/临阵磨枪
【谚 语】临危望救,遇难思亲。
【英 语】临近 close to [kləuztuː]

| lín | 笔画 | 部首 | 结构 | 五笔 | 造字法 |
| --- | --- | --- | --- | --- | --- |
| 淋 | 11 | 氵 | 左右 | ISSY | 形声 |
| 笔顺 | 丶 丶 氵 氵 汁 汴 沐 沐 淋 淋 淋 | | | | |

【解 释】被水或别的水状物体浇。
【组 词】淋漓 水淋淋
【造 句】日晒雨淋——爸爸是个地质工作者,整天在野外勘测,日晒雨淋,很辛苦。
【辨 音】韵母是 in,不是 ing。
【同音字】邻(邻居)
【成 语】淋漓尽致 日晒雨淋
【近义词】淋漓尽致/酣畅淋漓
【谚 语】淋过大雨的人,不会害怕露水。
【英 语】淋浴 shower [ˈʃauə]
【多音字】lìn(见 448 页)

| lín | 笔画 | 部首 | 结构 | 五笔 | 造字法 |
| --- | --- | --- | --- | --- | --- |
| 琳 | 12 | 王 | 左右 | GSSY | 形声 |
| 笔顺 | 一 二 干 王 王 玎 玎 玎 琳 琳 琳 琳 | | | | |

【解 释】美玉,比喻优美珍贵的东西。
【造 句】琳琅满目——展出的艺术彩陶作品琳琅满目,美不胜收。
【同音字】邻(邻居)
【形近字】淋(淋浴)
【成 语】琳琅满目
【英 语】琳琅满目 a feast for the eyes [ə fiːst fɔː ði aiz]

| lín | 笔画 | 部首 | 结构 | 五笔 | 造字法 |
| --- | --- | --- | --- | --- | --- |
| 粼 | 14 | 米 | 左右 | OQAB | 形声 |
| 笔顺 | 丶 丷 䒑 半 米 米 米 米 粦 粦 粦 粦 粼 粼 | | | | |

【解 释】形容水、石等明净。
【同音字】邻(邻居) 临(临门)
【形近字】嶙(嶙峋)
【英 语】粼粼 crystalline [ˈkristəlain]

L

| lín | 笔画 | 部首 | 结构 | 五笔 | 造字法 |
|---|---|---|---|---|---|
| 嶙 | 15 | 山 | 左右 | MOQH | 形声 |
| 笔顺 |  | | | | |

【解　释】[嶙峋]❶形容山石怪异、重叠的样子。❷形容人消瘦，骨头都突出来的样子。❸形容人刚正、有骨气。
【组　词】嶙峋　嶙嶙
【造　句】嶙峋——这里风景真美，青松挺立，怪石嶙峋。
【同音字】临(面临)　邻(邻居)
【形近字】粼(波光粼粼)
【成　语】怪石嶙峋
【英　语】嶙峋 jagged [ˈdʒægid]

| lín | 笔画 | 部首 | 结构 | 五笔 | 造字法 |
|---|---|---|---|---|---|
| 霖 | 16 | ⻗ | 上下 | FSSU | 形声 |
| 笔顺 | 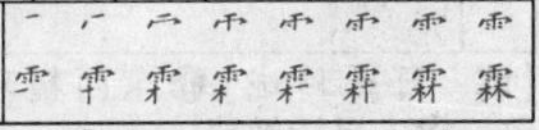 | | | | |

【解　释】霖雨，连下几天的大雨；也指干旱时的大雨。
【组　词】甘霖　霖雨
【造　句】甘霖——这几日连降甘霖，使干旱多时的庄稼得救了。
【辨　音】不读 líng。
【同音字】邻(邻居)
【形近字】霜(霜打)
【英　语】甘霖 timely rain [ˈtaimli-rein]

| lín | 笔画 | 部首 | 结构 | 五笔 | 造字法 |
|---|---|---|---|---|---|
| 鳞 | 20 | 鱼 | 左右 | QGOH | 形声 |
| 笔顺 | 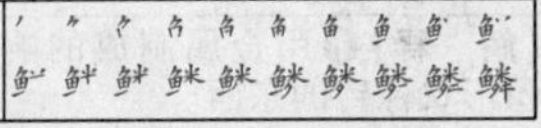 | | | | |

【解　释】❶一般指鱼类身体表面具有保护作用的薄片状组织，由角质、骨质等构成。❷像鱼鳞的东西。
【组　词】鱼鳞　鳞波
【造　句】鳞波——微风吹来，满湖鳞波。
【同音字】临(临门)　邻(邻居)
【形近字】粼(粼粼)
【成　语】遍体鳞伤
【英　语】鱼鳞 scale [skeil]

| lǐn | 笔画 | 部首 | 结构 | 五笔 | 造字法 |
|---|---|---|---|---|---|
| 凛 | 15 | 冫 | 左右 | UYLI | 形声 |
| 笔顺 |  | | | | |

【解　释】❶寒冷。❷严厉；严肃。❸害怕；畏惧。
【组　词】凛冽　凛然
【造　句】凛冽——寒风凛冽，到处都是一派冰天雪地的景象。
【同音字】廪(仓廪)
【形近字】懔(懔然)
【成　语】威风凛凛
【英　语】凛然 stern [stəːn]

| lìn | 笔画 | 部首 | 结构 | 五笔 | 造字法 |
|---|---|---|---|---|---|
| 吝 | 7 | 文 | 上下 | YKF | 形声 |
| 笔顺 | 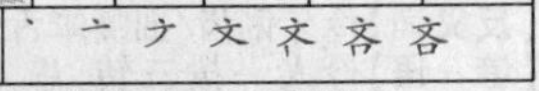 | | | | |

【解　释】❶小气。❷姓。
【组　词】吝啬　吝惜
【造　句】吝惜——他帮助别人从不吝惜钱财。
【形近字】齐(齐整)
【反义词】吝啬/大方
【近义词】吝啬/小气

L

【谚　语】吝啬鬼锅里的肉永远熟不了。
【英　语】吝惜　grudge [grʌdʒ]

| lìn | 笔画 | 部首 | 结构 | 五笔 | 造字法 |
|---|---|---|---|---|---|
| 淋 | 11 | 氵 | 左右 | ISSY | 形声 |
| 笔顺 | 丶 丶 氵 氵 汁 汫 汫 汫 淋 淋 淋 | | | | |

【解　释】滤。
【组　词】淋盐　淋一下
【造　句】淋一下——熬好的中药要用纱布淋一下再喝。
【同音字】吝(吝惜)
【形近字】琳(琳琅满目)
【多音字】lín(见 446 页)

## LING　ㄌㄧㄥ

| líng | 笔画 | 部首 | 结构 | 五笔 | 造字法 |
|---|---|---|---|---|---|
| 伶 | 7 | 亻 | 左右 | WWYC | 形声 |
| 笔顺 | ノ 亻 亻 伶 伶 伶 伶 | | | | |

【解　释】❶旧时指戏曲演员。❷伶仃。
【组　词】伶仃　伶俐
【造　句】伶俐——这孩子真伶俐。
【同音字】灵(灵活)　玲(玲珑)
【形近字】泠(泠然)
【成　语】伶牙俐齿
【反义词】伶牙俐齿/拙嘴笨舌
【谚　语】伶人一拨三转，愚人棒打不回。
【英　语】伶俐　clever [ˈklevə]

| líng | 笔画 | 部首 | 结构 | 五笔 | 造字法 |
|---|---|---|---|---|---|
| 灵 | 7 | ヨ | 上下 | VOU | 形声 |
| 笔顺 | ㇇ ㇇ ヨ ヨ コ 灵 灵 | | | | |

【解　释】❶灵活；活泼。❷灵魂；精神。❸神仙或关于神仙的。❹灵验。❺跟死人有关的事物。
【组　词】灵气　灵活　灵巧　灵芝
【造　句】灵丹妙药——你得的这个病没有什么灵丹妙药，只能依靠你顽强的意志力。
【同音字】零(零钱)
【形近字】录(记录)
【反义词】灵活/呆板
【近义词】灵机一动/急中生智
【谚　语】灵人不用重讲，响鼓何必重捶。
【英　语】灵巧　dexterous [ˈdekstərəs]

| líng | 笔画 | 部首 | 结构 | 五笔 | 造字法 |
|---|---|---|---|---|---|
| 玲 | 9 | 王 | 左右 | GWYC | 形声 |
| 笔顺 | 一 二 千 王 玐 玐 玪 玲 玲 | | | | |

【解　释】[玲珑]❶东西精巧细致。❷人灵活敏捷。
【组　词】玲珑
【造　句】小巧玲珑——她的参赛作品做得小巧玲珑，真漂亮。
【同音字】伶(伶俐)
【成　语】玲珑剔透　八面玲珑
【近义词】玲珑剔透/小巧玲珑
【英　语】玲珑　delicate [ˈdelikeit]

| líng | 笔画 | 部首 | 结构 | 五笔 | 造字法 |
|---|---|---|---|---|---|
| 铃 | 10 | 钅 | 左右 | QWYC | 形声 |
| 笔顺 | ノ 𠂉 𠂉 𠂉 钅 钅 钤 钤 铃 铃 | | | | |

【解　释】❶用金属制成的响器。❷形状像铃的东西。

【组　词】铃铛　铃铎　杠铃　棉铃
【同音字】零(零钱)
【形近字】冷(冷风)
【歇后语】铃铛掉了舌头——没想(响)头了。
【英　语】铃　bell [bel]

| líng | 笔画 | 部首 | 结构 | 五笔 | 造字法 |
|---|---|---|---|---|---|
| 凌 | 10 | 冫 | 左右 | UFWT | 形声 |
| 笔顺 | 丶 冫 冫 冫+ 冫+ 冫土 冫夫 凌 凌 凌 | | | | |

【解　释】❶侵犯;欺侮。❷积冰。❸逼近。❹升高;在空中。❺无秩序。❻姓。
【组　词】凌冰　凌汛　凌空　凌乱
【造　句】凌乱不堪——他这人不爱收拾,房间里老是凌乱不堪。
【同音字】零(零度)　灵(灵活)
【成　语】盛气凌人　凌乱不堪
【反义词】盛气凌人/平易近人
【近义词】盛气凌人/目中无人
【英　语】凌乱　disorder [dis'ɔːdə]

| líng | 笔画 | 部首 | 结构 | 五笔 | 造字法 |
|---|---|---|---|---|---|
| 陵 | 10 | 阝 | 左右 | BFWT | 形声 |
| 笔顺 | 阝 阝 阝- 阝+ 阝土 阝土 阝夫 陵 陵 陵 | | | | |

【解　释】❶丘陵;大的土山。❷陵墓。❸欺侮;侵犯。
【组　词】陵墓　陵寝　陵园　山陵
【造　句】陵园——清明节那天,我们集体去烈士陵园扫墓。
【同音字】伶(伶仃)　灵(灵活)
【形近字】凌(凌辱)
【英　语】陵墓　mausoleum [ˌmɔːsə'liːəm]

| líng | 笔画 | 部首 | 结构 | 五笔 | 造字法 |
|---|---|---|---|---|---|
| 聆 | 11 | 耳 | 左右 | BWYC | 形声 |
| 笔顺 | 一 厂 丌 丌 丌 耳 耳 耳 聆 聆 聆 | | | | |

【解　释】听。
【组　词】聆听　聆教　聆取
【造　句】聆听——同学们聚精会神地聆听老师的讲解。
【同音字】玲(玲珑)
【形近字】冷(冷风)
【英　语】聆听　listen ['lisən]

| líng | 笔画 | 部首 | 结构 | 五笔 | 造字法 |
|---|---|---|---|---|---|
| 菱 | 11 | 艹 | 上下 | AFWT | 形声 |
| 笔顺 | 一 十 艹 艹 艹 芏 芏 苵 菱 菱 菱 | | | | |

【解　释】一年生草本植物,生在水中,叶子浮在水面,花白色。果实俗称菱角。果肉可吃,也可制淀粉。
【组　词】菱角　菱形
【同音字】灵(灵气)　伶(伶仃)
【形近字】凌(凌空)
【谚　语】菱角两头尖。
【英　语】菱角　ling [liŋ]

| líng | 笔画 | 部首 | 结构 | 五笔 | 造字法 |
|---|---|---|---|---|---|
| 羚 | 11 | 羊 | 左右 | UDWC | 形声 |
| 笔顺 | 丶 丷 䒑 兰 兰 羊 羊 羊 羚 羚 羚 | | | | |

【解　释】❶羚羊。❷指羚羊角。
【组　词】羚羊　羚角
【同音字】玲(玲珑)
【形近字】聆(聆听)
【英　语】羚羊　antelope ['æntiləup]

L

| líng | 笔画 | 部首 | 结构 | 五笔 | 造字法 |
|---|---|---|---|---|---|
| 绫 | 11 | 纟 | 左右 | XFWT | 形声 |
| 笔顺 | 纟 纟 纟 纟一 纟十 纟土 纟夫 纟夫 纟夫 纟夫 绫 | | | | |

【解　释】绫子,一种像缎子面而比缎子面薄的丝织品。
【组　词】绫子　红绫
【辨　音】不读 lín。
【同音字】伶(伶人)　灵(灵气)
【形近字】凌(凌空)
【成　语】绫罗绸缎
【英　语】绫罗绸缎　silks and satins [silks ænd 'sætins]

| líng | 笔画 | 部首 | 结构 | 五笔 | 造字法 |
|---|---|---|---|---|---|
| 棱 | 12 | 木 | 左右 | SFWT | 形声 |
| 笔顺 | 一 十 才 木 木一 木十 木土 木夫 木夫 木夫 棱 棱 | | | | |

【解　释】穆棱,地名,在黑龙江省。
【同音字】玲(玲珑)
【多音字】léng(见 427 页)

| líng | 笔画 | 部首 | 结构 | 五笔 | 造字法 |
|---|---|---|---|---|---|
| 零 | 13 | 雨 | 上下 | FWYC | 形声 |
| 笔顺 | 一 冖 冖 帀 币 雨 雨 雨 雨 雰 雰 零 零 | | | | |

【解　释】❶零碎;小数目。❷零头;零数。❸落;凋谢。❹数的空位,在数码中多作"0"。❺温度计上的零度。❻没有。
【组　词】零花　零钱　零数　零点
【造　句】化整为零——敌人围攻我们,我们就来一个化整为零,整天跟敌人兜圈子。
【同音字】玲(玲珑)　伶(伶仃)
【形近字】雷(雷雨)
【成　语】零七碎八　化整为零
【反义词】零数/整数
【近义词】零碎/零星
【谚　语】零钱凑整钱,到时不作难。
【英　语】零　zero ['ziərəu]

| líng | 笔画 | 部首 | 结构 | 五笔 | 造字法 |
|---|---|---|---|---|---|
| 龄 | 13 | 齿 | 左右 | HWBC | 形声 |
| 笔顺 | 丨 卜 止 止 步 步 齿 齿 齿 龄 龄 龄 龄 | | | | |

【解　释】❶年龄;岁数。❷年数;年限。❸某些生物体发育过程中不同阶段所经历的时间。
【组　词】年龄　老龄　工龄　党龄
【造　句】高龄——奶奶已是 80 岁的高龄了,仍坚持天天锻炼。
【同音字】灵(灵活)　零(零数)
【形近字】伶(伶仃)
【英　语】年龄　age [eidʒ]

| líng | 笔画 | 部首 | 结构 | 五笔 | 造字法 |
|---|---|---|---|---|---|
| 令 | 5 | 人 | 上下 | WYCU | 会意 |
| 笔顺 | ノ 人 亼 今 令 | | | | |

【解　释】量词。原张的纸五百张为一令。
【组　词】一令纸
【同音字】领(领导)
【多音字】lìng(见 451 页)

| lǐng | 笔画 | 部首 | 结构 | 五笔 | 造字法 |
|---|---|---|---|---|---|
| 岭 | 8 | 山 | 左右 | MWYC | 形声 |
| 笔顺 | 丨 山 山 山ノ 山人 山亼 岭 岭 | | | | |

【解　释】❶顶上有路可通行的山。❷高大的山脉。❸专指大庾

L

(yǔ)岭等五岭。
【组　词】山岭　岭南　大兴安岭
【造　句】崇山峻岭——船只能缓缓行进，像一个在崇山峻岭之间慢步前行的游人。
【同音字】领(领导)
【形近字】冷(冷风)
【成　语】崇山峻岭　翻山越岭
【反义词】崇山峻岭/一马平川
【近义词】崇山峻岭/层峦叠嶂
【歇后语】岭顶唱山歌——调子太高。
【英　语】山岭　mountain [ˈmauntin]

| lǐng | 笔画 | 部首 | 结构 | 五笔 | 造字法 |
|---|---|---|---|---|---|
| 领 | 11 | 页 | 左右 | WYCM | 形声 |
| 笔顺 | 丿 𠆢 亽 今 令 令 令 领 领 领 领 | | | | |

【解　释】❶颈；脖子。❷事物的要领。❸量词。❹带；引；率。❺治理的；管辖的。❻接受；取得。❼了解；明白。❽衣服围绕脖子的部分。
【组　词】领地　领袖　领会　带领
【造　句】带领——我们在老师的带领下，登上了西山。
【同音字】岭(山岭)
【形近字】项(项目)
【成　语】提纲挈领
【反义词】领先/落后
【近义词】领会/领悟
【谚　语】领不让分，衣不让寸。
【英　语】领导　lead [liːd]

| lìng | 笔画 | 部首 | 结构 | 五笔 | 造字法 |
|---|---|---|---|---|---|
| 另 | 5 | 口 | 上下 | KLB | 形声 |
| 笔顺 | 丨 冂 口 号 另 | | | | |

【解　释】别的；另外；在这以外。
【组　词】另外　另案　另议　另行
【造　句】另起炉灶——他聚集了一些公司里的员工，另起炉灶，成立了自己的公司。
【同音字】令(命令)
【形近字】男(男孩)
【成　语】另眼相看　另起炉灶　另当别论
【反义词】另眼相看/等闲视之
【近义词】另眼相看/刮目相看
【谚　语】重敲锣鼓另开戏。
【英　语】另行　separately [ˈsepərətli]

| lìng | 笔画 | 部首 | 结构 | 五笔 | 造字法 |
|---|---|---|---|---|---|
| 令 | 5 | 人 | 上下 | WYCU | 会意 |
| 笔顺 | 丿 人 𠆢 今 令 | | | | |

【解　释】❶发布命令或指示。❷使。❸美好。❹敬辞，用于称对方的亲属或有关系的人。❺时节。❻古代官名。❼小令，多用于词调、曲调。

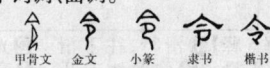

甲骨文　金文　小篆　隶书　楷书

【字源释义】甲骨文"令"的字形像在一个屋顶的下面，一个人跪坐着，正在向别人发布命令。"令"和"命"词义相近，但"令"还有"使"的意思，如"令人起敬"、"令人兴奋"。
【组　词】命令　勒令　县令　传令
【造　句】令人神往——黄山美景令人神往。
【同音字】另(另外)
【形近字】今(今天)
【成　语】令人神往　令人发指
【近义词】令人神往/心向往之
【谚　语】令出如山。
【英　语】命令　command [kəˈmɑːnd]
【多音字】lǐng(见 450 页)

## LIU　ㄌㄧㄡ

| liū | 笔画 | 部首 | 结构 | 五笔 | 造字法 |
|---|---|---|---|---|---|
| 溜 | 13 | 氵 | 左右 | IQYL | 形声 |
| 笔顺 | 丶 氵 氵 氵 氵 氵 氵 氵 氵 氵 溜 溜 溜 | | | | |

【解　释】❶滑行；往下滑。❷光滑；平滑。❸偷偷地走开。❹烹调方法，加油炒后，再加入作料和淀粉汁。
【组　词】溜冰　溜达　溜平
【造　句】溜冰——要想成为溜冰高手必须经过严格的训练。
【辨　音】不读 liú。
【形近字】留(留下)
【成　语】溜之大吉
【近义词】溜之大吉/逃之夭夭
【谚　语】溜的有钱的，怕的会拳的。
【英　语】溜达　stroll [strəul]

| liú | 笔画 | 部首 | 结构 | 五笔 | 造字法 |
|---|---|---|---|---|---|
| 刘 | 6 | 刂 | 左右 | YJH | 形声 |
| 笔顺 | 丶 亠 ナ 文 刘 刘 | | | | |

【解　释】姓。
【组　词】刘海
【同音字】留(留下)
【歇后语】刘备请诸葛——三顾茅庐。

| liú | 笔画 | 部首 | 结构 | 五笔 | 造字法 |
|---|---|---|---|---|---|
| 留 | 10 | 田 | 上下 | QYVL | 形声 |
| 笔顺 | ノ ㇛ ㇛ 㐬 㐬 㐬 留 留 留 留 | | | | |

【解　释】❶停在某一个地方。❷不让人离去。❸注意力放在某方面。❹保存。❺接受；收下。❻留学，在外国学习或研究。❼遗留。❽姓。
【组　词】留校　收留　留心　留步
【造　句】收留——他无父无母，被孤儿院收留了。
【同音字】刘(刘海)
【形近字】榴(石榴)
【成　语】留有余地
【反义词】留心/忽视
【近义词】留心/注意
【谚　语】留得青山在，不怕没柴烧。
【英　语】保留　keep [kiːp]

| liú | 笔画 | 部首 | 结构 | 五笔 | 造字法 |
|---|---|---|---|---|---|
| 流 | 10 | 氵 | 左右 | IYCQ | 形声 |
| 笔顺 | 丶 丶 氵 氵 氵 浐 浐 浐 流 流 | | | | |

【解　释】❶水流动。❷移动不

定;运转不停的。❸传播;流传下来的。❹流动的东西。❺把犯人押送到荒远的地方去。❻趋向坏的方面。❼品类;等级。❽通顺;畅快。
【组　词】流动　流露　流失　暖流
【造　句】流露——他脸上流露出关爱的神情。
【同音字】留(留下)
【形近字】琉(琉璃)
【成　语】流离失所　流言蜚语
【反义词】流芳百世/遗臭万年
【谚　语】流水不腐,户枢不蠹。
【英　语】流露　reveal [ri'viːl]

| liú | 笔画 | 部首 | 结构 | 五笔 | 造字法 |
|---|---|---|---|---|---|
| 琉 | 11 | 王 | 左右 | GYCQ | 形声 |
| 笔顺 | 一 二 ㇐ 王 玗 玗 玟 琉 琉 琉 琉 | | | | |

【解　释】琉璃,用铝和钠的硅酸盐化合物烧制成的釉(yòu)料,多为绿色和金黄色,多涂在陶器和砖瓦外层。
【组　词】琉璃　琉璃瓦
【造　句】琉璃瓦——故宫中很多房屋的屋顶是用琉璃瓦铺成的。
【同音字】留(留下)
【形近字】流(流水)
【英　语】琉璃　coloured glaze ['kʌlədgleiz]

| liú | 笔画 | 部首 | 结构 | 五笔 | 造字法 |
|---|---|---|---|---|---|
| 硫 | 12 | 石 | 左右 | DYCQ | 形声 |
| 笔顺 | 一 丆 𠂇 石 石 石 矿 矿 矿 矿 硫 硫 | | | | |

【解　释】非金属元素,符号S,黄色固体,质脆。工业上用于制硫酸、橡胶制品、医药、农药等。俗称硫黄。
【形近字】琉(琉璃)

| liú | 笔画 | 部首 | 结构 | 五笔 | 造字法 |
|---|---|---|---|---|---|
| 遛 | 13 | 辶 | 半包围 | QYVP | 形声 |
| 笔顺 | ノ ㇒ 𠂎 𠂎 卯 卯 卯 留 留 留 留 溜 遛 | | | | |

【解　释】见174页[逗留]。
【多音字】liù(见454页)

| liú | 笔画 | 部首 | 结构 | 五笔 | 造字法 |
|---|---|---|---|---|---|
| 馏 | 13 | 饣 | 左右 | QNQL | 形声 |
| 笔顺 | ノ ㇒ 饣 饣 饣 饣 饣 饣 饣 馏 馏 馏 馏 | | | | |

【解　释】蒸馏,将液体加热,使化为蒸气后再凝结。
【组　词】分馏　蒸馏水
【同音字】留(留下)
【多音字】liù(见455页)

| liú | 笔画 | 部首 | 结构 | 五笔 | 造字法 |
|---|---|---|---|---|---|
| 榴 | 14 | 木 | 左右 | SQYL | 形声 |
| 笔顺 | 一 十 才 木 木 杉 杉 柳 柳 柳 榴 榴 榴 榴 | | | | |

【解　释】石榴,落叶灌木或小乔木,花红色,根皮和果皮可做药。
【组　词】石榴　榴弹　榴火
【同音字】流(流水)
【形近字】溜(溜达)
【英　语】石榴　pomegranate ['pɔmgrænit]

| liú | 笔画 | 部首 | 结构 | 五笔 | 造字法 |
|---|---|---|---|---|---|
| 瘤 | 15 | 疒 | 半包围 | UQYL | 形声 |
| 笔顺 | 丶 亠 广 广 疒 疒 疒 疒 疒 疒 疒 疒 瘤 瘤 瘤 | | | | |

【解　释】人或动物等体内因某一部分组织细胞不正常增生而形成的多余的东西。
【组　词】肿瘤　骨瘤　毒瘤
【同音字】流(流出)

| liǔ | 笔画 | 部首 | 结构 | 五笔 | 造字法 |
|---|---|---|---|---|---|
| 柳 | 9 | 木 | 左右 | SQTB | 形声 |
| 笔顺 | 一 十 才 木 木 朩 杉 柳 柳 | | | | |

【解　释】❶柳树,落叶乔木或灌木,种类很多,有垂柳、旱柳等。❷二十八宿之一。❸姓。
【组　词】柳树　柳条　柳腰　柳叶
【形近字】卯(丁卯)
【成　语】柳暗花明
【反义词】柳暗花明/山穷水尽
【歇后语】柳树出身——没立场。
【谚　语】柳暗花明又一村。
【英　语】柳树　willow [ˈwiləu]

| liù | 笔画 | 部首 | 结构 | 五笔 | 造字法 |
|---|---|---|---|---|---|
| 六 | 4 | 亠 | 上下 | UYGY | 象形 |
| 笔顺 | 丶 亠 六 六 | | | | |

【解　释】数词。五加一的得数。
【组　词】六书　六神　六畜　六部
【造　句】六神无主——事故发生后,他被吓得六神无主了。
【同音字】遛(遛弯儿)
【形近字】文(文学)
【成　语】六神无主
【反义词】六神无主/镇定自若
【近义词】六神无主/手足无措
【歇后语】六月里的冷空气——反常。
【英　语】六月　June [dʒuːn]

| liù | 笔画 | 部首 | 结构 | 五笔 | 造字法 |
|---|---|---|---|---|---|
| 陆 | 7 | 阝 | 左右 | BFMH | 会意 |
| 笔顺 | 阝 阝 阝 阝 阡 陆 陆 | | | | |

【解　释】"六"的大写。
【同音字】遛(遛弯儿)
【英　语】陆　six [siks]
【多音字】lù(见460页)

| liù | 笔画 | 部首 | 结构 | 五笔 | 造字法 |
|---|---|---|---|---|---|
| 碌 | 13 | 石 | 左右 | DVIY | 形声 |
| 笔顺 | 一 丆 丆 石 石 矿 矿 砰 砰 砰 砰 碌 碌 | | | | |

【解　释】碌碡(zhóu),农具,用石头做成,圆柱形,用来轧谷物、平场地。也叫石磙。
【同音字】六(六个)
【多音字】lù(见461页)

| liù | 笔画 | 部首 | 结构 | 五笔 | 造字法 |
|---|---|---|---|---|---|
| 遛 | 13 | 辶 | 半包围 | QYVP | 形声 |
| 笔顺 | ′ 𠂆 𠂎 卯 卯 卯 留 留 留 留 留 遛 遛 | | | | |

【解　释】❶闲走;散步。❷牵着牲口或带着鸟慢慢走。
【组　词】遛鸟　遛大街
【多音字】liú(见453页)

L

| liù | 笔画 | 部首 | 结构 | 五笔 | 造字法 |
| --- | --- | --- | --- | --- | --- |
| 馏 | 13 | 饣 | 左右 | QNQL | 形声 |
| 笔顺 | 丿 𠂉 饣 饣 饣 饣 饣 饣 饣 饣 馏 馏 馏 | | | | |

【解　释】把凉了的食品蒸热。
【组　词】馏馒头
【造　句】遛热——把包子馏热再吃。
【同音字】六(六个)
【多音字】liú(见453页)

## LONG ㄌㄨㄥ

| lóng | 笔画 | 部首 | 结构 | 五笔 | 造字法 |
| --- | --- | --- | --- | --- | --- |
| 龙 | 5 | 龙 | 独体 | DXV | 象形 |
| 笔顺 | 一 ナ 九 龙 龙 | | | | |

【解　释】❶我国古代传说中的神奇动物。❷封建时代用龙作为帝王的象征,也把龙字用在帝王使用的东西上。❸形状像龙或装有龙的图案的东西。❹恐龙、翼手龙等。❺姓。
【组　词】龙舟　龙宫　龙床
【造　句】龙舟——每逢端午节,人们有赛龙舟的习俗。
【同音字】笼(笼子)
【形近字】尤(尤其)
【成　语】龙争虎斗　龙飞凤舞
【近义词】龙飞凤舞/笔走龙蛇
【歇后语】龙王的战士——虾兵虾将。
【谚　语】龙多旱,人多乱。
【英　语】龙　dragon [ˈdrægən]

| lóng | 笔画 | 部首 | 结构 | 五笔 | 造字法 |
| --- | --- | --- | --- | --- | --- |
| 咙 | 8 | 口 | 左右 | KDXN | 形声 |
| 笔顺 | 丨 口 口 口 叶 叻 咙 咙 | | | | |

【解　释】[喉咙]咽部和喉部的统称。
【英　语】喉咙　throat [θrəut]

| lóng | 笔画 | 部首 | 结构 | 五笔 | 造字法 |
| --- | --- | --- | --- | --- | --- |
| 珑 | 9 | 王 | 左右 | GDXN | 形声 |
| 笔顺 | 一 二 千 王 王 玓 玓 珑 珑 | | | | |

【解　释】[珑玲]❶形容金属、玉石等撞击的声音。❷光辉;明亮。
【组　词】玲珑
【造　句】玲珑——同学们被这个小巧玲珑的饰品吸引住了。
【同音字】龙(龙舟)
【形近字】拢(拉拢)
【成　语】小巧玲珑
【反义词】小巧玲珑/硕大无朋
【英　语】玲珑　exquisite [ˈekskwizit]

| lóng | 笔画 | 部首 | 结构 | 五笔 | 造字法 |
| --- | --- | --- | --- | --- | --- |
| 胧 | 9 | 月 | 左右 | EDXN | 形声 |
| 笔顺 | 丿 刀 月 月 月 肚 肬 胧 胧 | | | | |

【解　释】见487页"朦"。
【组　词】朦胧　烟雾朦胧　暮色朦胧
【造　句】朦胧——朦胧的月光下,一阵鸟鸣声从树林中传来。
【同音字】龙(龙船)
【形近字】拢(拉拢)
【近义词】朦胧/模糊

【英　语】朦胧 drowsy [ˈdrauzi]

| lóng | 笔画 | 部首 | 结构 | 五笔 | 造字法 |
|---|---|---|---|---|---|
| 聋 | 11 | 耳 | 上下 | DXBF | 形声 |
| 笔顺 | 一 ナ 九 龙 龙 龙 龙 垄 垄 聋 聋 | | | | |

【解　释】指耳朵听不见声音，有时也把听觉迟钝叫聋。
【组　词】耳聋　聋子　聋哑
【造　句】聋哑——我们应多帮聋哑儿童做点事。
【同音字】龙（龙袍）
【形近字】聂（聂耳）
【近义词】震耳欲聋/震天动地
【英　语】聋 deaf [def]

| lóng | 笔画 | 部首 | 结构 | 五笔 | 造字法 |
|---|---|---|---|---|---|
| 笼 | 11 | ⺮ | 上下 | TDXB | 形声 |
| 笔顺 | ノ ㇒ ⺮ ⺮ ⺮ ⺮ 竺 笁 笼 笼 笼 | | | | |

【解　释】❶用竹篾等编成的盛物器或罩物器。❷笼子。❸蒸笼。❹把手放在袖筒里。
【组　词】笼子　鸟笼　鸡笼　竹笼
【同音字】龙（龙袍）
【形近字】拢（拉拢）
【成　语】笼中之鸟
【歇后语】笼子里的鸟——有翅难飞。
【英　语】笼子 cage [keidʒ]
【多音字】lǒng（见 457 页）

| lóng | 笔画 | 部首 | 结构 | 五笔 | 造字法 |
|---|---|---|---|---|---|
| 隆 | 11 | 阝 | 左右 | BTGG | 形声 |
| 笔顺 | ㇋ 阝 阝 阝 陉 陉 陉 隆 隆 隆 隆 | | | | |

【解　释】❶象声词。❷盛大。❸兴盛。❹凸起。❺程度深。❻姓。
【组　词】隆重　隆冬　隆隆　隆庆
【造　句】隆重——教师节那天，我们学校举行了隆重的庆祝仪式。
【同音字】龙（龙舟）
【形近字】窿（窟窿）
【反义词】隆重/简单
【近义词】兴隆/兴盛
【英　语】隆冬 midwinter [midˈwintə]

| lóng | 笔画 | 部首 | 结构 | 五笔 | 造字法 |
|---|---|---|---|---|---|
| 窿 | 16 | 穴 | 上下 | PWBG | 形声 |
| 笔顺 | 丶 宀 宀 宂 穴 穴 穴 穸 穸 穸 窄 窄 窿 窿 窿 窿 | | | | |

【解　释】❶窟窿。❷煤矿坑道。
【组　词】窟窿　窿工
【同音字】龙（龙舟）
【形近字】隆（隆重）
【英　语】窟窿 hole [həul]

| lǒng | 笔画 | 部首 | 结构 | 五笔 | 造字法 |
|---|---|---|---|---|---|
| 垄 | 8 | 龙 | 上下 | DXFF | 形声 |
| 笔顺 | 一 ナ 九 龙 龙 龙 垄 垄 | | | | |

【解　释】❶在耕地上培成的一行一行的土埂，在上面种植农作物。❷田地分界的稍高起的小路。❸类似垄的东西。
【组　词】垄断　垄沟　田垄　瓦垄
【造　句】垄断——这种商品垄断了整个大陆市场。
【同音字】拢（拉拢）
【形近字】珑（玲珑）
【英　语】垄断 monopolize [məˈnɔpəlaiz]

| lǒng | 笔画 | 部首 | 结构 | 五笔 | 造字法 |
|---|---|---|---|---|---|
| 拢 | 8 | 扌 | 左右 | RDXN | 形声 |
| 笔顺 | 一 亅 扌 扌 扩 扰 拢 拢 | | | | |

【解　释】❶合上。❷总合。❸收束;约束。❹靠近;到达。❺梳理。
【组　词】拉拢　拢岸　拢紧　合拢
【造　句】拉拢——他拉拢爷爷奶奶来帮腔。
【辨　音】不读 rǎo。
【同音字】垄(垄断)
【形近字】扰(打扰)
【英　语】合拢　close [kləuz]

| lǒng | 笔画 | 部首 | 结构 | 五笔 | 造字法 |
|---|---|---|---|---|---|
| 笼 | 11 | ⺮ | 上下 | TDXB | 形声 |
| 笔顺 | ノ 𠂉 𥫗 𥫗 笁 笁 笁 笁 笼 笼 笼 | | | | |

【解　释】❶遮盖住。❷大箱子。
【组　词】笼络　笼罩
【造　句】笼罩——江面上笼罩着一层薄雾,就像仙境一般。
【同音字】拢(拉拢)
【多音字】lóng(见 456 页)

| lòng | 笔画 | 部首 | 结构 | 五笔 | 造字法 |
|---|---|---|---|---|---|
| 弄 | 7 | 王 | 上下 | GAJ | 会意 |
| 笔顺 | 一 二 干 王 王 弄 弄 | | | | |

【解　释】小巷;胡同。
【组　词】弄堂　里弄　弄口
【谚　语】弄清鱼情好下网。
【英　语】弄堂　lane [lein]
【多音字】nòng(见 526 页)

## LOU　ㄌㄡ

| lōu | 笔画 | 部首 | 结构 | 五笔 | 造字法 |
|---|---|---|---|---|---|
| 搂 | 12 | 扌 | 左右 | ROVG | 形声 |
| 笔顺 | 一 亅 扌 扌 扌 扌 扌 扌 搂 搂 搂 搂 | | | | |

【解　释】❶用手或工具把东西向自己面前聚集起来。❷搜刮(财物等)。
【组　词】搂钱　搂柴火
【多音字】lǒu(见 457 页)

| lóu | 笔画 | 部首 | 结构 | 五笔 | 造字法 |
|---|---|---|---|---|---|
| 楼 | 13 | 木 | 左右 | SOVG | 形声 |
| 笔顺 | 一 十 才 木 木 木 木 木 木 栏 楼 楼 楼 | | | | |

【解　释】❶楼房,两层或两层以上的房子。❷楼房的一层。❸城楼。❹用于某些店铺的名称。❺姓。
【组　词】楼房　楼层　楼板　楼阁　楼梯　茶楼　酒楼　城楼　楼盘　楼台
【造　句】酒楼——这一带新建了几座酒楼。
【同音字】偻(佝偻)
【形近字】搂(搂着)
【近义词】空中楼阁/海市蜃楼
【歇后语】楼上摆盆景——天地不容。
【谚　语】楼上受烟,楼下受水。
【英　语】楼梯　stairs [stɛəz]

| lǒu | 笔画 | 部首 | 结构 | 五笔 | 造字法 |
|---|---|---|---|---|---|
| 搂 | 12 | 扌 | 左右 | ROVG | 形声 |
| 笔顺 | 一 亅 扌 扌 扌 扌 扌 扌 搂 搂 搂 搂 | | | | |

L

【解　释】❶抱着;搂着。❷量词。
【组　词】搂抱　搂着
【造　句】搂着——陈敏一见我家的小狗就亲热地搂着它。
【辨　音】不读 lóu。
【同音字】篓(竹篓)
【形近字】楼(楼房)
【近义词】搂抱/拥抱
【英　语】搂抱　hug [hʌg]
【多音字】lōu(见 457 页)

| lǒu | 笔画 | 部首 | 结构 | 五笔 | 造字法 |
|---|---|---|---|---|---|
| 篓 | 15 | ⺮ | 上下 | TOVF | 形声 |
| 笔顺 | 丿 𠂉 𠂉 ⺮ ⺮ ⺮ ⺮ ⺮ 竺 笋 笋 箂 篓 篓 篓 | | | | |

【解　释】篓子,用竹子等物编成的容器,从口到底比较深。
【组　词】篓子　竹篓　纸篓　背篓
【同音字】搂(搂着)
【形近字】楼(楼盘)
【英　语】篓子 basket [ˈbɑːskit]

| lòu | 笔画 | 部首 | 结构 | 五笔 | 造字法 |
|---|---|---|---|---|---|
| 陋 | 8 | 阝 | 左右 | BGMN | 形声 |
| 笔顺 | 𠃌 阝 阝一 阝丆 陃 陃 陃 陋 | | | | |

【解　释】❶不漂亮;丑。❷不精致;粗糙。❸形容住的地方很简单;不华丽。❹不合理;不文明。❺少;浅。
【组　词】简陋　陋习　陋室　陋俗
【造　句】简陋——小军的房间布置得很简陋。
【同音字】漏(漏斗)
【形近字】柄(话柄)
【成　语】孤陋寡闻
【英　语】丑陋　ugly [ˈʌgli]

| lòu | 笔画 | 部首 | 结构 | 五笔 | 造字法 |
|---|---|---|---|---|---|
| 漏 | 14 | 氵 | 左右 | INFY | 形声 |
| 笔顺 | 丶 冫 氵 氵 氵 沪 沪 沪 漏 漏 漏 漏 漏 漏 | | | | |

【解　释】❶东西从孔或缝中滴下、透出或掉出。❷物体有孔或缝,东西能滴下、透出或掉出。❸漏壶的简称。❹泄漏。❺遗漏。
【组　词】漏电　漏网　泄漏　漏洞
【造　句】泄漏——军事机密一点也不能泄漏出去。
【同音字】陋(简陋)
【反义词】漏洞百出/天衣无缝
【近义词】漏洞百出/破绽百出
【英　语】渗漏　leak [liːk]

| lòu | 笔画 | 部首 | 结构 | 五笔 | 造字法 |
|---|---|---|---|---|---|
| 露 | 21 | 雨 | 上下 | FKHK | 形声 |
| 笔顺 | 一 ┌ 冖 冖 雨 雨 雨 雨 雨 雨 雫 雫 雫 雫 雭 霺 霺 露 露 露 露 | | | | |

【解　释】显露;表现。
【组　词】露面　露底　露脸
【造　句】露一手——每次文艺活动,他都会露一手。
【同音字】陋(简陋)　漏(漏出)
【反义词】抛头露面/深居简出
【近义词】抛头露面/出头露面
【谚　语】露丑不如藏拙。
【英　语】露面　appear [əˈpiə]
【多音字】lù(见 462 页)

# LU　ㄌㄨ

| lú | 笔画 | 部首 | 结构 | 五笔 | 造字法 |
|---|---|---|---|---|---|
| 卢 | 5 | 卜 | 上下 | HNE | 形声 |
| 笔顺 | 丨 ⺊ ⺊ 卢 卢 | | | | |

【解　释】姓。
【组　词】卢比　卢布　卢沟桥
【同音字】芦(芦苇)
【英　语】卢比　rupee　[ˈruːpiː]

| lú | 笔画 | 部首 | 结构 | 五笔 | 造字法 |
|---|---|---|---|---|---|
| 芦 | 7 | 艹 | 上下 | AYNR | 形声 |
| 笔顺 | 一 十 艹 艹 芦 芦 芦 | | | | |

【解　释】❶指芦苇。❷姓。
【组　词】芦苇　芦花　芦根　芦荟
【同音字】卢(卢比)
【形近字】卢(卢森堡)
【英　语】芦荟　aloe　[ˈæləu]

| lú | 笔画 | 部首 | 结构 | 五笔 | 造字法 |
|---|---|---|---|---|---|
| 庐 | 7 | 广 | 半包围 | YYNE | 形声 |
| 笔顺 | 丶 亠 广 广 庐 庐 庐 | | | | |

【解　释】简陋的房屋。
【组　词】茅庐　草庐　庐舍　庐山

| lú | 笔画 | 部首 | 结构 | 五笔 | 造字法 |
|---|---|---|---|---|---|
| 炉 | 8 | 火 | 左右 | OYNT | 形声 |
| 笔顺 | 丶 丷 少 火 炉 炉 炉 炉 | | | | |

【解　释】炉子。
【组　词】火炉　炉灶　炉台　炉膛
【同音字】颅(头颅)
【形近字】护(保护)
【成　语】炉火纯青
【近义词】炉火纯青/出神入化
【英　语】炉子　stove　[stəuv]

| lú | 笔画 | 部首 | 结构 | 五笔 | 造字法 |
|---|---|---|---|---|---|
| 颅 | 11 | 页 | 左右 | HNDM | 形声 |
| 笔顺 | 丨 ⺊ ⺊ 卢 卢 卢 卢 卢 颅 颅 颅 | | | | |

【解　释】指头骨和脑,有时也指头。
【组　词】头颅　颅骨　颅腔
【同音字】卢(卢比)
【形近字】项(项目)
【英　语】颅骨　skull　[skʌl]

| lǔ | 笔画 | 部首 | 结构 | 五笔 | 造字法 |
|---|---|---|---|---|---|
| 卤 | 7 | 卜 | 上下 | HLQI | 形声 |
| 笔顺 | 丨 ⺊ ⺊ 卢 卤 卤 卤 | | | | |

【解　释】❶用盐水或酱油加调料煮。❷浓汗。❸盐卤,熬盐时剩下的黑色汁液。

| lǔ | 笔画 | 部首 | 结构 | 五笔 | 造字法 |
|---|---|---|---|---|---|
| 虏 | 8 | 虍 | 半包围 | HALV | 形声 |
| 笔顺 | 丨 ⺊ ⺊ 卢 卢 虍 虏 虏 | | | | |

【解　释】❶古代指奴隶。❷俘虏。❸对敌方的蔑称。
【组　词】虏获　强虏　敌虏　俘虏
【造　句】俘虏——在这次战役中,我军俘虏了三百多人。
【同音字】鲁(齐鲁)
【形近字】虎(老虎)
【英　语】虏获　capture　[ˈkæptʃə]

| lǔ | 笔画 | 部首 | 结构 | 五笔 | 造字法 |
|---|---|---|---|---|---|
| 鲁 | 12 | 鱼 | 上下 | QGJF | 会意 |
| 笔顺 | ノ ⺈ ⺈ 鱼 鱼 鱼 鱼 鱼 鲁 鲁 鲁 鲁 | | | | |

L

【解　释】❶笨；反应迟钝。❷粗野；莽撞。❸山东的别称。❹周朝国名。❺姓。

甲骨文　金文　小篆　隶书　楷书

【字源释义】“鲁”的本义是“美好”，字的上部是鱼，下面是“口”，表示嘴里吃到了美味佳肴。后多用作“愚钝”义。

【组　词】鲁莽　鲁钝　粗鲁　鲁直

【造　句】粗鲁——这个人虽有点粗鲁，但心肠还是很好的。

【同音字】虏（俘虏）

【形近字】兽（野兽）

【反义词】鲁莽/稳重

【近义词】粗鲁/粗野

【英　语】鲁莽　rash ［ræʃ］

| lù | 笔画 | 部首 | 结构 | 五笔 | 造字法 |
| --- | --- | --- | --- | --- | --- |
| 陆 | 7 | 阝 | 左右 | BFMH | 会意 |
| 笔顺 | ㇇ 阝 阝 阝 阽 陆 陆 | | | | |

【解　释】❶陆地。❷姓。

【组　词】陆地　陆军　陆续　陆运

【造　句】陆续——离影片开映还有半个多小时，观众就陆续进场了。

【同音字】路（道路）

【形近字】击（冲击）

【英　语】陆地　land ［lænd］

【多音字】liù（见 454 页）

| lù | 笔画 | 部首 | 结构 | 五笔 | 造字法 |
| --- | --- | --- | --- | --- | --- |
| 录 | 8 | ⺕ | 上下 | VIU | 会意 |
| 笔顺 | ㇇ ㇇ ⺕ 寻 寻 寻 录 录 | | | | |

【解　释】❶记录；抄写。❷录制。❸采取；任用。❹用作记载事物的名称。

【组　词】记录　目录　录像　录取

【造　句】录取——他今年被清华大学录取了。

【同音字】陆（陆地）

【形近字】隶（隶书）

【成　语】量才录用

【近义词】记录/记载

【英　语】记录　record ［ri'kɔːd］

| lù | 笔画 | 部首 | 结构 | 五笔 | 造字法 |
| --- | --- | --- | --- | --- | --- |
| 赂 | 10 | 贝 | 左右 | MTKG | 形声 |
| 笔顺 | 丨 冂 贝 贝 贝 贝 败 败 赂 赂 | | | | |

【解　释】❶财物，特指赠送的财物。❷赠送礼品、财物。

【组　词】贿赂

【同音字】陆(陆地)　录(目录)

【形近字】洛（洛阳）

【英　语】贿赂　bribe ［braib］

| lù | 笔画 | 部首 | 结构 | 五笔 | 造字法 |
| --- | --- | --- | --- | --- | --- |
| 鹿 | 11 | 广 | 半包围 | YNJX | 象形 |
| 笔顺 | 丶 亠 广 户 庐 庐 庐 庐 庐 鹿 鹿 | | | | |

【解　释】哺乳动物，种类很多，四肢细长，尾巴短。毛多是褐色，有的有花斑或条纹，听觉和嗅觉很灵敏。

甲骨文　金文　小篆　隶书　楷书

【字源释义】"鹿"字为象形字。甲骨文和金文非常形象地刻画出"鹿"的特征：枝杈状的角，大眼睛，尖尖的嘴，轻盈的身子，跳跃着的蹄子，给人呼之欲出的感觉。

【组　词】鹿角　鹿茸　梅花鹿　长颈鹿

【同音字】陆(陆地)

【成　语】鹿死谁手

【英　语】鹿 deer [diə]

| lù | 笔画 | 部首 | 结构 | 五笔 | 造字法 |
|---|---|---|---|---|---|
| 绿 | 11 | 纟 | 左右 | XVIY | 形声 |
| 笔顺 | 𠃋 纟 纟 纟 纟 纟 纾 纾 绿 绿 绿 | | | | |

【解　释】用于"绿林"、"绿营"等。

【组　词】绿林　绿营　绿林好汉

【形近字】禄(福禄)

【同音字】陆(陆地)

【多音字】lǜ(见 464 页)

| lù | 笔画 | 部首 | 结构 | 五笔 | 造字法 |
|---|---|---|---|---|---|
| 禄 | 12 | 礻 | 左右 | PYVI | 形声 |
| 笔顺 | 丶 ㇇ 礻 礻 礻 礻 礻 礻 禄 禄 禄 禄 | | | | |

【解　释】❶古代指称官使的俸禄。❷姓。

【组　词】福禄　俸禄　禄位

【辨　音】不读 lǜ。

【同音字】陆(陆地)　录(目录)

【形近字】绿(绿色)

【英　语】高官厚禄　high position and handsome emolument [hai pəˈziʃən ænd ˈhænsəm iˈmɔljumənt]

| lù | 笔画 | 部首 | 结构 | 五笔 | 造字法 |
|---|---|---|---|---|---|
| 碌 | 13 | 石 | 左右 | DVIY | 形声 |
| 笔顺 | 一 丆 不 石 石 石 石 石 碌 碌 碌 碌 碌 | | | | |

【解　释】❶平凡。❷事物繁杂。

【组　词】忙碌　劳碌

【造　句】忙碌——爸爸整天为厂里的事忙碌着。

【同音字】陆(陆地)　录(目录)

【形近字】绿(绿色)

【成　语】碌碌无为

【英　语】忙碌　busy [ˈbizi]

【多音字】liù(见 454 页)

| lù | 笔画 | 部首 | 结构 | 五笔 | 造字法 |
|---|---|---|---|---|---|
| 路 | 13 | 𧾷 | 左右 | KHTK | 形声 |
| 笔顺 | 丶 口 口 𠯑 𠯑 𧾷 𧾷 𧾷 路 路 路 路 路 | | | | |

【解　释】❶道路。❷路程。❸途径。❹地区；方面。❺路线。❻种类；等次。❼条理。❽姓。

L

【组　词】道路　思路　路程　路径
【造　句】思路——我的解题思路被门外的喧闹声打断了。
【同音字】陆(陆地)　录(录取)
【形近字】洛(洛阳)
【反义词】穷途末路/康庄大道
【近义词】穷途末路/走投无路
【英　语】道路　road [rəud]

| lù | 笔画 | 部首 | 结构 | 五笔 | 造字法 |
|---|---|---|---|---|---|
| 露 | 21 | ⻗ | 上下 | FKHK | 形声 |
| 笔顺 | 一 ㇀ 𠂉 … 雨 ⻗ … 露 露 | | | | |

【解　释】❶靠近地面的水蒸气夜间遇冷凝结成的水珠。❷用花、叶或水果等制成的饮料。❸显露;表现。❹没有遮蔽;屋外的。
【组　词】露水　露骨　露天　露宿
【造　句】露宿——晚上我们只能露宿街头了。
【同音字】陆(陆地)
【谚　语】露水经不起太阳晒,雪堆经不起大火烤。
【英　语】露水　dew [djuː]
【多音字】lòu(见 458 页)

## LÜ　ㄌㄩ

| lǘ | 笔画 | 部首 | 结构 | 五笔 | 造字法 |
|---|---|---|---|---|---|
| 驴 | 7 | 马 | 左右 | CYNT | 形声 |
| 笔顺 | ㇇ 马 马 马 驴 驴 驴 | | | | |

【解　释】哺乳动物,比马小,耳朵长,多用作力畜。
【组　词】驴子　驴骡　驴皮胶
【形近字】护(护法)
【成　语】驴年马月
【歇后语】驴子拉磨——兜圈子。
【英　语】驴子　donkey [ˈdɔŋki]

| lǚ | 笔画 | 部首 | 结构 | 五笔 | 造字法 |
|---|---|---|---|---|---|
| 吕 | 6 | 口 | 上下 | KKF | 象形 |
| 笔顺 | 丨 ㄇ 口 口 吕 吕 | | | | |

【解　释】姓。
【同音字】侣(伴侣)
【形近字】昌(武昌)

| lǚ | 笔画 | 部首 | 结构 | 五笔 | 造字法 |
|---|---|---|---|---|---|
| 侣 | 8 | 亻 | 左右 | WKKG | 形声 |
| 笔顺 | 丿 亻 亻 伊 伊 伊 侣 侣 | | | | |

【解　释】同伴;伴侣。
【组　词】伴侣　旧侣　情侣
【同音字】吕(姓吕)
【形近字】铝(铝制品)
【英　语】伴侣　companion [kəm'pæniən]

| lǚ | 笔画 | 部首 | 结构 | 五笔 | 造字法 |
|---|---|---|---|---|---|
| 旅 | 10 | 方 | 左右 | YTEY | 会意 |
| 笔顺 | 丶 亠 亍 方 方 方 方 方 旅 旅 | | | | |

【解　释】❶在外地做客;旅行。❷军队的编制单位。❸泛指军队。❹共同。

甲骨文　金文　小篆　隶书　楷书

【字源释义】"旅"的本义是"军旅"。字的左边像一面正在飘扬的军旗，右边是两个人集合在旗杆下面，表示军队。后引申为旅行、旅客的"旅"。
【组　词】旅行　旅游　旅客　旅程
【造　句】旅游——今年暑假，妈妈带我去云南旅游。
【同音字】侣（伴侣）
【形近字】派（公派）
【歇后语】旅客上汽车——各就各位。
【英　语】旅游　tour [tuə]

| lǚ | 笔画 | 部首 | 结构 | 五笔 | 造字法 |
|---|---|---|---|---|---|
| 铝 | 11 | 钅 | 左右 | QKKG | 形声 |
| 笔顺 | 丿 𠂉 𠂉 𠂉 钅 钆 钔 钔 钔 铝 铝 | | | | |

【解　释】金属元素，符号Al，银色，延展性强，导电、导热性能好。是工业原料，用途广泛。
【组　词】铝锅
【同音字】吕（姓吕）
【形近字】侣（伴侣）
【英　语】铝　aluminium [ˌælju'miniəm]

| lǚ | 笔画 | 部首 | 结构 | 五笔 | 造字法 |
|---|---|---|---|---|---|
| 屡 | 12 | 尸 | 半包围 | NOVD | 形声 |
| 笔顺 | 𠃌 コ 尸 尸 尸 屄 屄 屄 屡 屡 屡 屡 | | | | |

【解　释】多次。
【组　词】屡次　屡屡　屡见不鲜
【造　句】屡见不鲜——世界冠军被年轻选手击败的情况，在中国乒乓球队已经屡见不鲜。
【同音字】侣（伴侣）
【形近字】缕（一缕轻烟）
【反义词】屡见不鲜/见所未见
【近义词】屡见不鲜/司空见惯
【英　语】屡次　time and again [taim ænd ə'gein]

| lǚ | 笔画 | 部首 | 结构 | 五笔 | 造字法 |
|---|---|---|---|---|---|
| 缕 | 12 | 纟 | 左右 | XOVG | 形声 |
| 笔顺 | 𠃋 纟 纟 纟 纟 纟 纟 纟 纟 缕 缕 缕 | | | | |

【解　释】❶线。❷一条一条；仔细。❸量词。用于细的东西。
【组　词】缕析　缕陈
【造　句】不绝如缕——人已经走了，歌声还余音袅袅，不绝如缕。
【辨　音】不读lóu。
【同音字】侣（伴侣）
【成　语】千丝万缕　不绝如缕
【近义词】千丝万缕/盘根错节
【英　语】缕缕　continuously [kən'tinjuəsli]

| lǜ | 笔画 | 部首 | 结构 | 五笔 | 造字法 |
|---|---|---|---|---|---|
| 律 | 9 | 彳 | 左右 | TVFH | 形声 |
| 笔顺 | 丿 彡 彳 彳 彳 律 律 律 律 | | | | |

【解　释】❶规矩；法律。❷约束；要求。❸古代审定高低音的标准。❹古诗的一种体裁。❺姓。
【组　词】律师　律诗　音律
【同音字】虑（考虑）
【形近字】津（天津）
【反义词】千篇一律/五花八门
【近义词】千篇一律/如出一辙
【英　语】法律　law [lɔː]

| lǜ | 笔画 | 部首 | 结构 | 五笔 | 造字法 |
|---|---|---|---|---|---|
| 虑 | 10 | 虍 | 半包围 | HANI | 形声 |
| 笔顺 | 丨 ⺊ ⺊ 卢 卢 虍 虍 虑 虑 虑 | | | | |

【解　释】❶思考；谋划。❷担心；发愁。
【组　词】考虑　思虑　焦虑
【造　句】考虑——他爸爸考虑了很久，决定送他出国深造。
【同音字】绿（绿洲）
【形近字】虚（虚心）
【成　语】无忧无虑
【近义词】深谋远虑/深思熟虑
【英　语】思虑 consider ［kən'sidə］

| lǜ | 笔画 | 部首 | 结构 | 五笔 | 造字法 |
|---|---|---|---|---|---|
| 率 | 11 | 亠 | 上中下 | YXIF | 象形 |
| 笔顺 | 丶 亠 亠 玄 玄 玄 泫 泫 泫 泫 率 | | | | |

【解　释】两个相关的数或单位在某一条件下的比值。
【组　词】比率　功率　效率
【造　句】效率——小辉做事拖拖拉拉的，效率不高。
【同音字】绿（绿草）
【近义词】效率/功效
【英　语】率　rate ［reit］
【多音字】shuài（见 668 页）

| lǜ | 笔画 | 部首 | 结构 | 五笔 | 造字法 |
|---|---|---|---|---|---|
| 绿 | 11 | 纟 | 左右 | XVIY | 形声 |
| 笔顺 | 𠃋 纟 纟 纣 纣 纾 绿 绿 绿 绿 绿 | | | | |

【解　释】介于黄和蓝之间的颜色，如草和树叶的颜色。
【组　词】绿苗　绿叶　绿灯
【造　句】绿灯——十字路口安装的绿灯，是指示可以通行的信号灯。
【同音字】律（旋律）
【形近字】禄（福禄）
【歇后语】绿绸上绣花——锦上添花。
【谚　语】绿化秃山头，浊水变清流。
【英　语】绿　green ［griːn］
【多音字】lù（见 461 页）

| lǜ | 笔画 | 部首 | 结构 | 五笔 | 造字法 |
|---|---|---|---|---|---|
| 滤 | 13 | 氵 | 左右 | IHAN | 形声 |
| 笔顺 | 丶 冫 氵 氵 沪 沪 沪 沪 滤 滤 滤 滤 滤 | | | | |

【解　释】使液体通过纱布或木炭等除去其中的杂质。
【组　词】过滤　滤纸　滤池
【造　句】过滤——今天下午我们做过滤液体的实验。
【同音字】律（法律）
【形近字】虑（考虑）
【英　语】过滤　filter ［'filtə］

## LUAN　ㄌㄨㄢ

| luán | 笔画 | 部首 | 结构 | 五笔 | 造字法 |
|---|---|---|---|---|---|
| 孪 | 8 | 子 | 上下 | YOBF | 形声 |
| 笔顺 | 丶 亠 亣 亦 亦 亦 孪 孪 | | | | |

【解　释】双生。
【组　词】孪生
【造　句】孪生——妈妈有时都分辨不清这对孪生姐妹谁是谁。

【同音字】峦(山峦)
【形近字】恋(恋慕)
【英　语】孪生 twin [twin]

| luán | 笔画 | 部首 | 结构 | 五笔 | 造字法 |
|---|---|---|---|---|---|
| 峦 | 9 | 山 | 上下 | YOMJ | 形声 |
| 笔顺 | 丶 亠 亣 亣 亦 亦 亦 峦 峦 | | | | |

【解　释】❶小而尖的山。❷连绵的山。
【组　词】峰峦
【造　句】峰峦——远处的峰峦在夜幕中若隐若现。
【同音字】孪(孪生)
【形近字】恋(恋爱)
【成　语】重峦叠嶂
【英　语】山峦 mountains in a range [ˈmautins in ə reindʒ]

| luǎn | 笔画 | 部首 | 结构 | 五笔 | 造字法 |
|---|---|---|---|---|---|
| 卵 | 7 | 丿 | 左右 | QYTY | 象形 |
| 笔顺 | 丿 ㇙ 𠂊 ⺽ 卯 卵 卵 | | | | |

【解　释】❶雌性动物的生殖细胞。❷动物的蛋。
【组　词】卵石　产卵
【造　句】卵石——河水特别清澈，连水底的卵石都看得清清楚楚。
【辨　音】不读 mǎo。
【形近字】卯(卯时)
【英　语】卵 spawn [spɔːn]

| luàn | 笔画 | 部首 | 结构 | 五笔 | 造字法 |
|---|---|---|---|---|---|
| 乱 | 7 | 舌 | 左右 | TDNN | 会意 |
| 笔顺 | 丿 二 千 千 舌 舌 乱 | | | | |

【解　释】❶没有秩序或条理。❷不安宁。❸随意；任意。❹战争；骚扰。❺混杂。
【组　词】乱世　捣乱　乱码　胡乱
【造　句】胡乱——外边下雪，小明的弟弟胡乱地叠了一下被子，就打雪仗去了。
【形近字】敌(敌人)
【成　语】兵荒马乱　乱七八糟
【反义词】兵荒马乱/国泰民安
【近义词】兵荒马乱/兵连祸结
【谚　语】乱麻必有头，事出必有因|乱世出英雄，英雄造时势。
【英　语】乱 disorderly [disˈɔːdəli]

## LÜE　ㄌㄩㄝ

| lüè | 笔画 | 部首 | 结构 | 五笔 | 造字法 |
|---|---|---|---|---|---|
| 掠 | 11 | 扌 | 左右 | RYIY | 形声 |
| 笔顺 | 一 扌 扌 扌 扩 扩 护 护 掠 掠 掠 | | | | |

【解　释】❶抢；夺取。❷擦过；拂过。
【组　词】劫掠　掠夺
【造　句】掠夺——日本鬼子在侵略中国的时候进行了疯狂的掠夺。
【辨　音】不读 jīng 或 liáng。
【同音字】略(侵略)
【形近字】凉(冰凉)
【成　语】掠人之美
【近义词】掠夺/抢夺
【英　语】掠夺 plunder [ˈplʌndə]

| lüè | 笔画 | 部首 | 结构 | 五笔 | 造字法 |
|---|---|---|---|---|---|
| 略 | 11 | 田 | 左右 | LTKG | 形声 |
| 笔顺 | 丨 冂 日 田 田 田 𤰔 畋 畋 略 略 | | | | |

L

【解　释】❶简单；大致。❷省去；简化。❸简要的叙述。❹计划；谋划。❺掠夺；侵占。
【组　词】粗略　谋略　忽略
【同音字】掠（掠夺）
【形近字】咯（咯咯笑）
【成　语】略胜一筹
【反义词】粗略/详尽
【近义词】侵略/侵占
【谚　语】略知孔子三分礼，不犯萧何六尺条。
【英　语】略微 slightly ['slaitli]

## LUN ㄌㄨㄣ

| lún | 笔画 | 部首 | 结构 | 五笔 | 造字法 |
|---|---|---|---|---|---|
| 仑 | 4 | 人 | 上下 | WXB | 会意 |
| 笔顺 | 丿 人 仒 仑 | | | | |

【解　释】❶条理；顺序。❷用于"昆仑"，山名。
【组　词】昆仑山
【同音字】伦（伦理）
【形近字】仓（仓库）

| lún | 笔画 | 部首 | 结构 | 五笔 | 造字法 |
|---|---|---|---|---|---|
| 伦 | 6 | 亻 | 左右 | WWXN | 形声 |
| 笔顺 | 丿 亻 亻 伀 伦 伦 | | | | |

【解　释】❶封建礼教规定的人与人之间的关系。❷同类。❸条理；顺序。❹姓。
【组　词】伦比　伦次　人伦
【造　句】语无伦次——我第一次上讲台时紧张得语无伦次。
【同音字】沦（沦落）
【形近字】抡（抡刀）
【成　语】语无伦次
【反义词】语无伦次/头头是道
【近义词】语无伦次/不知所云
【英　语】伦理 ethics ['eθiks]

| lún | 笔画 | 部首 | 结构 | 五笔 | 造字法 |
|---|---|---|---|---|---|
| 论 | 6 | 讠 | 左右 | YWXN | 形声 |
| 笔顺 | 丶 讠 讠 讼 讼 论 | | | | |

【解　释】指《论语》，古书名，记载孔子及其门徒言行的著作。
【同音字】沦（沦落）
【多音字】lùn（见467页）

| lún | 笔画 | 部首 | 结构 | 五笔 | 造字法 |
|---|---|---|---|---|---|
| 沦 | 7 | 氵 | 左右 | IWXN | 形声 |
| 笔顺 | 丶 丶 氵 氵 汵 汵 沦 | | | | |

【解　释】❶沉没。❷陷落。
【组　词】沦落　沦丧　沉沦
【造　句】沦落——由于北宋朝廷的无能，致使半壁江山沦落金兵之手。
【同音字】伦（伦比）
【形近字】伦（伦比）
【近义词】沦落/没落
【英　语】沉沦 sink [siŋk]

| lún | 笔画 | 部首 | 结构 | 五笔 | 造字法 |
|---|---|---|---|---|---|
| 轮 | 8 | 车 | 左右 | LWXN | 形声 |
| 笔顺 | 一 ㄊ 车 车 轳 轮 轮 轮 | | | | |

【解　释】❶车轮。❷如同轮子一样的东西。❸依次。❹轮船。❺量词。
【组　词】轮回　轮子　年轮
【同音字】沦（沦落）
【形近字】抡（抡起）
【歇后语】轮胎里打气——有进无

出|轮胎上的气门芯——两头受气。

【英 语】轮子 wheel [wiːl]

| lùn | 笔画 | 部首 | 结构 | 五笔 | 造字法 |
|---|---|---|---|---|---|
| 论 | 6 | 讠 | 左右 | YWXN | 形声 |
| 笔顺 | 丶 讠 讠 讼 论 论 | | | | |

【解 释】❶讲；说明。❷评论。❸学说；主张。❹评定；判定。❺按照；根据。❻姓。

【组 词】论断 论理 论述 辩论

【造 句】辩论——我们班今天下午要举办一场辩论会。

【形近字】沦（沦陷）

【成 语】论功行赏 不刊之论 长篇大论 相提并论

【反义词】长篇大论/言简意赅

【近义词】论说/评论

【谚 语】论旁人斤斤计较，说自己花好稻好。

【英 语】论点 issue [ˈisjuː]

【多音字】lún（见466页）

## LUO ㄌㄨㄛ

| luó | 笔画 | 部首 | 结构 | 五笔 | 造字法 |
|---|---|---|---|---|---|
| 罗 | 8 | 罒 | 上下 | LQU | 会意 |
| 笔顺 | 丶 冖 罒 罒 罒 罗 罗 罗 | | | | |

【解 释】❶张网捕捉。❷一种用来筛东西的器具。❸收集；招请。❹网。❺一种丝织品。❻陈列。❼姓。

甲骨文 金文 小篆 隶书 楷书

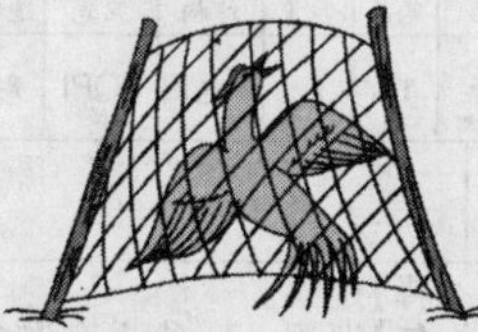

【字源释义】"罗"的本义指捕鸟的网。甲骨文的字形是一张网捉住了"隹"（鸟）；后来加上了"糸"旁，表示结网用的材料，又引申为搜罗、收集之义。

【组 词】罗网 罗汉 张罗 罗列

【造 句】罗列——博物馆里罗列了各种各样的文物。

【同音字】逻（巡逻）

【形近字】萝（萝卜）

【近义词】罗列/陈列

【歇后语】罗汉请观音——客少主多。

【谚 语】罗盘指航向，路线定乾坤。

【英 语】罗网 net [net]

| luó | 笔画 | 部首 | 结构 | 五笔 | 造字法 |
|---|---|---|---|---|---|
| 萝 | 11 | 艹 | 上下 | ALQU | 形声 |
| 笔顺 | 一 十 艹 艹 苎 苎 苎 苎 萝 萝 萝 | | | | |

【解 释】❶能爬蔓的植物。❷萝卜。

【组 词】萝卜 萝藦

【同音字】罗（张罗）

【形近字】箩（箩筐）

【谚 语】萝卜是根，耕地要深。

【英 语】萝卜 radish [ˈrædiʃ]

| luó | 笔画 | 部首 | 结构 | 五笔 | 造字法 |
|---|---|---|---|---|---|
| 逻 | 11 | 辶 | 半包围 | LQPI | 形声 |
| 笔顺 | 丨 冂 冂 罒 罒 罗 罗 罗 逻 逻 逻 | | | | |

【解　释】巡察。
【造　句】巡逻——街上有许多交警在巡逻。
【组　词】巡逻　逻辑
【同音字】罗(罗列)
【形近字】罗(罗列)
【英　语】逻辑　logic [ˈlɔdʒik]

| luó | 笔画 | 部首 | 结构 | 五笔 | 造字法 |
|---|---|---|---|---|---|
| 锣 | 13 | 钅 | 左右 | QLQY | 形声 |
| 笔顺 | 丿 𠂉 𠂊 钅 钅 钔 钔 钔 钔 锣 锣 锣 锣 | | | | |

【解　释】铜制打击乐器，形状像盘子。
【组　词】打锣　敲锣
【造　句】敲锣——村民们敲锣打鼓，为山村里的第一名大学生送行。
【同音字】萝(萝卜)
【形近字】逻(巡逻)
【成　语】鸣锣开道
【歇后语】锣齐鼓不齐——敲不在点子上。
【谚　语】锣鼓听声，说话听音。
【英　语】锣　gong [gɔŋ]

| luó | 笔画 | 部首 | 结构 | 五笔 | 造字法 |
|---|---|---|---|---|---|
| 箩 | 14 | ⺮ | 上下 | TLQU | 形声 |
| 笔顺 | 丿 𠂉 𥫗 𥫗 𥫗 竹 竹 竹 竹 竹 竹 箩 箩 箩 | | | | |

【解　释】竹编器具，多为方底圆口，可用来盛粮食、装菜、淘米等。
【组　词】箩筐
【同音字】罗(罗列)
【形近字】萝(萝卜)
【英　语】箩筐　large bamboo-baske [lɑːdʒ bæmˈbuː ˈbɑːskit]

| luó | 笔画 | 部首 | 结构 | 五笔 | 造字法 |
|---|---|---|---|---|---|
| 骡 | 14 | 马 | 左右 | CLXI | 形声 |
| 笔顺 | 乛 马 马 马 马 马 马 马 骡 骡 骡 骡 骡 骡 | | | | |

【解　释】骡子，家畜，驴和马交配所生。寿命长，力气大，耐力强能拉车、驮物。
【英　语】骡子　mule [mjuːl]

| luó | 笔画 | 部首 | 结构 | 五笔 | 造字法 |
|---|---|---|---|---|---|
| 螺 | 17 | 虫 | 左右 | JLXI | 形声 |
| 笔顺 | 丨 冂 口 中 虫 虫 虫 虫 虫 虫 虫 虫 螺 螺 螺 螺 螺 | | | | |

【解　释】❶软体动物，体外包着锥形、纺锤形或扁椭圆形的硬壳。❷螺旋形的指纹。
【组　词】田螺　海螺
【同音字】罗(罗列)
【形近字】累(劳累)　骡(骡子)
【歇后语】螺丝帽——尽绕弯子。
【英　语】螺钉　screw [skruː]

| luǒ | 笔画 | 部首 | 结构 | 五笔 | 造字法 |
|---|---|---|---|---|---|
| 裸 | 13 | 衤 | 左右 | PUJS | 形声 |
| 笔顺 | 丶 ㇇ 礻 礻 衤 衤 衵 衵 衵 袒 裈 裸 裸 | | | | |

【解　释】露着；没有遮盖。
【组　词】裸体　裸露　赤裸裸
【造　句】裸露——这棵树的根

L

露在地面还能成活,真奇怪。
【辨 音】不读 kē。
【形近字】棵(一棵树)
【英 语】裸露 uncovered [ʌn'kʌvəd]

| luò | 笔画 | 部首 | 结构 | 五笔 | 造字法 |
|---|---|---|---|---|---|
| 洛 | 9 | 氵 | 左右 | ITKG | 形声 |
| 笔顺 | 丶 丶 氵 氵 汐 洛 洛 洛 洛 | | | | |

【解 释】❶洛河,水名,发源于陕西省,流入河南省。❷姓。
【组 词】洛河 洛阳
【同音字】落(落下)
【形近字】络(网络)

| luò | 笔画 | 部首 | 结构 | 五笔 | 造字法 |
|---|---|---|---|---|---|
| 骆 | 9 | 马 | 左右 | CTKG | 形声 |
| 笔顺 | 乛 马 马 马 驴 驼 骆 骆 骆 | | | | |

【解 释】❶(古)黑鬃的白马。❷姓。
【组 词】骆驼
【同音字】落(落后)
【形近字】洛(洛阳)
【歇后语】骆驼安鼻子——装相(象)。
【英 语】骆驼 camel ['kæməl]

| luò | 笔画 | 部首 | 结构 | 五笔 | 造字法 |
|---|---|---|---|---|---|
| 络 | 9 | 纟 | 左右 | XTKG | 形声 |
| 笔顺 | 纟 纟 纟 纟 纱 纹 终 络 络 | | | | |

【解 释】❶网状的东西。❷缠绕。❸用网状物兜住。
【组 词】网络 经络 络纱 络丝
【造 句】络绎不绝——每天到这里观光的游客络绎不绝。
【同音字】洛(洛阳)
【形近字】洛(洛河)
【成 语】络绎不绝
【近义词】络绎不绝/川流不息
【英 语】网络 net [net]
【多音字】lào(见 423 页)

| luò | 笔画 | 部首 | 结构 | 五笔 | 造字法 |
|---|---|---|---|---|---|
| 烙 | 10 | 火 | 左右 | OTKG | 形声 |
| 笔顺 | 丶 丷 火 火 火 灯 炆 炆 烙 烙 | | | | |

【解 释】炮烙,古代的一种酷刑。
【组 词】炮烙
【同音字】落(落下)
【多音字】lào(见 423 页)

| luò | 笔画 | 部首 | 结构 | 五笔 | 造字法 |
|---|---|---|---|---|---|
| 落 | 12 | 艹 | 上下 | AITK | 形声 |
| 笔顺 | 一 十 艹 艹 艹 莎 莎 莎 莈 莈 落 落 | | | | |

【解 释】❶物体因失去支持而掉下来。❷下降。❸衰败;飘零。❹遗留在后面。❺停留;留下。❻停留的地方。❼得到。❽用笔写。❾归属。
【组 词】落地 落伍 落款 落汤鸡
【造 句】落地——这次成绩公布了,我心里的一块石头总算落地了。
【同音字】洛(洛阳)
【形近字】蓉(芙蓉)
【成 语】落井下石
【谚 语】落花有意,流水无情。
【英 语】落下 fall [fɔːl]

【多音字】lǎ(见 415 页)

| luò | 笔画 | 部首 | 结构 | 五笔 | 造字法 |
|---|---|---|---|---|---|
| 摞 | 14 | 扌 | 左右 | RLXI | 形声 |
| 笔顺 | 一 扌 扌 扌 扌 扌 扌 扌 扌 扌 扌 扌 扌 摞 | | | | |

【解　释】❶把东西重叠地往上放。❷量词。用于重叠放置的东西。
【组　词】一摞　摞起来
【同音字】落(落下)
【形近字】骡(骡子)

L

# M

## MA ㄇㄚ

| mā | 笔画 | 部首 | 结构 | 五笔 | 造字法 |
|---|---|---|---|---|---|
| 妈 | 6 | 女 | 左右 | VCG | 象形 |
| 笔顺 | ㄑ 女 女 女フ 妈 妈 | | | | |

【解　释】❶母亲。❷对年长已婚妇女的称呼。
【组　词】妈妈　大妈　姑妈
【同音字】抹(抹布)
【形近字】吗(是吗)
【英　语】妈妈　mother [ˈmʌðə]

| mā | 笔画 | 部首 | 结构 | 五笔 | 造字法 |
|---|---|---|---|---|---|
| 抹 | 8 | 扌 | 左右 | RGSY | 形声 |
| 笔顺 | 一 十 扌 扌 扌 扌 抹 抹 | | | | |

【解　释】❶擦;揩。❷用手按着移动。
【组　词】抹布　抹桌子
【近义词】抹/擦
【英　语】抹布　rag [ræg]
【多音字】mǒ(见500页)
【多音字】mò(见501页)

| mā | 笔画 | 部首 | 结构 | 五笔 | 造字法 |
|---|---|---|---|---|---|
| 摩 | 15 | 广 | 半包围 | YSSR | 形声 |
| 笔顺 | 丶 亠 广 广 庁 床 府 府 府 麻 麻 麻 摩 摩 摩 | | | | |

解　释】用手按着慢慢地移动。
同音字】抹(抹布)
形近字】麻(麻烦)
多音字】mó(见499页)

| má | 笔画 | 部首 | 结构 | 五笔 | 造字法 |
|---|---|---|---|---|---|
| 吗 | 6 | 口 | 左右 | KCG | 形声 |
| 笔顺 | 丨 冂 口 口フ 吗 吗 | | | | |

【解　释】(方)啥;什么。
【同音字】麻(麻雀)
【多音字】mǎ(见472页)
【多音字】ma(见473页)

| má | 笔画 | 部首 | 结构 | 五笔 | 造字法 |
|---|---|---|---|---|---|
| 麻 | 11 | 麻 | 半包围 | YSSI | 会意 |
| 笔顺 | 丶 亠 广 广 庁 床 府 府 府 府 麻 | | | | |

【解　释】❶多种草本植物的简称。❷芝麻的简称。❸表面粗糙不平或带细碎的斑点。❹感觉麻木或不灵。❺姓。
【组　词】麻布　麻烦
【造　句】麻烦——小刚的弟弟很调皮,老爱在外边惹麻烦。
【形近字】床(河床)
【成　语】麻木不仁
【反义词】麻木不仁/满腔热忱
【近义词】麻木/麻痹
【歇后语】麻雀虽小——五脏俱全。
【英　语】麻烦　troublesome [ˈtrʌblsəm]

| mǎ | 笔画 | 部首 | 结构 | 五笔 | 造字法 |
|---|---|---|---|---|---|
| 马 | 3 | 马 | 独体 | CNNG | 象形 |
| 笔顺 | フ 马 马 | | | | |

【解　释】❶哺乳动物,有蹄善跑,是供拉车、耕地、乘骑用的家畜,皮可制革。❷姓。

甲骨文　金文　小篆　隶书　楷书

【字源释义】“马”字为象形字。甲骨文和金文的字形都像腾身侧立的奔马。小篆以后逐渐变得不那么像了。
【组　词】马达　马车
【形近字】乌(乌龟)
【成　语】马到成功
【反义词】马虎/认真
【近义词】马到成功/旗开得胜
【歇后语】马陷入泥坑——出不了蹄。
【谚　语】马看牙板,树看年轮。
【英　语】马虎　careless　[ˈkɛəlis]

| mǎ | 笔画 | 部首 | 结构 | 五笔 | 造字法 |
|---|---|---|---|---|---|
| 吗 | 6 | 口 | 左右 | KCG | 形声 |
| 笔顺 | 丨 ㄇ 口 口ㄱ 吗 吗 | | | | |

【解　释】[吗啡]由鸦片制成的白色粉末,可做镇痛药,也是一种毒品,连续服用会使人成瘾中毒。
【组　词】吗啡
【同音字】马(马车)
【英　语】吗啡　morphine　[ˈmɔːfiːn]

【多音字】má(见471页)
【多音字】ma(见473页)

| mǎ | 笔画 | 部首 | 结构 | 五笔 | 造字法 |
|---|---|---|---|---|---|
| 玛 | 7 | 王 | 左右 | GCG | 形声 |
| 笔顺 | 一 二 于 王 王ㄱ 玛 玛 | | | | |

【解　释】玛瑙,矿物,质硬耐磨,颜色美丽。
【组　词】玛瑙
【同音字】码(码头)
【形近字】妈(妈妈)
【英　语】玛瑙　agate　[ˈægət]

| mǎ | 笔画 | 部首 | 结构 | 五笔 | 造字法 |
|---|---|---|---|---|---|
| 码 | 8 | 石 | 左右 | DCG | 形声 |
| 笔顺 | 一 ア ブ 石 石 石ㄱ 码 码 | | | | |

【解　释】❶表数目的符号。❷表示数目的用具。❸堆叠。❹量词。指一类或一件事。❺长度单位。
【组　词】码放　码头　码洋　码子
【造　句】码头——船靠岸了,码头上挤满了来接亲友的人。
【同音字】驾(驾驶)
【形近字】蚂(蚂蚁)
【英　语】码头　wharf　[wɔːf]

| mǎ | 笔画 | 部首 | 结构 | 五笔 | 造字法 |
|---|---|---|---|---|---|
| 蚂 | 9 | 虫 | 左右 | JCG | 形声 |
| 笔顺 | 丨 ㄇ 口 中 虫 虫 虫ㄱ 蚂 蚂 | | | | |

【解　释】某些动物的名词,不单独用,如蚂蟥、蚂蚁。
【组　词】蚂蟥　蚂蚁
【形近字】码(码头)

M

【歇后语】热锅上的蚂蚁——团团转。
【谚　语】蚂蚁垒窝，大雨成河。
【英　语】蚂蚁　ant［ænt］

| mà | 笔画 | 部首 | 结构 | 五笔 | 造字法 |
|---|---|---|---|---|---|
| 骂 | 9 | 马 | 上下 | KKCF | 形声 |
| 笔顺 | 丨 ㄇ 口 口丨 口口 吅 骂 骂 骂 | | | | |

【解　释】❶用粗野或恶意的话侮辱人。❷斥责。
【组　词】骂街　谩骂　骂骂咧咧
【造　句】骂骂咧咧——这个人缺乏修养，说话总是骂骂咧咧。
【形近字】驾（驾驶）
【反义词】责骂/表扬
【近义词】责骂/斥骂
【谚　语】骂人无好口，打人无好手。
【英　语】骂人　curse at sb.［kəːs æt ˈsʌmbədi］

| ma | 笔画 | 部首 | 结构 | 五笔 | 造字法 |
|---|---|---|---|---|---|
| 吗 | 6 | 口 | 左右 | KCG | 形声 |
| 笔顺 | 丨 ㄇ 口 口ㄱ 吗 吗 | | | | |

【解　释】助词。表疑问或停顿。
【同音字】嘛（好嘛）
【形近字】妈（妈妈）
【多音字】má（见 471 页）
【多音字】mǎ（见 472 页）

| ma | 笔画 | 部首 | 结构 | 五笔 | 造字法 |
|---|---|---|---|---|---|
| 嘛 | 14 | 口 | 左右 | KYSS | 形声 |
| 笔顺 | 丨 ㄇ 口 口丶 吂 吂 吂 吂 嘛 嘛 嘛 嘛 嘛 嘛 | | | | |

【解　释】助词。表示道理明显。
【同音字】吗（是吗）

## MAI　ㄇㄞ

| mái | 笔画 | 部首 | 结构 | 五笔 | 造字法 |
|---|---|---|---|---|---|
| 埋 | 10 | 土 | 左右 | FJFG | 会意 |
| 笔顺 | 一 十 土 扌 圴 坦 坦 坤 埋 埋 | | | | |

【解　释】❶用土、沙、叶等盖住。❷藏；隐没。
【组　词】埋伏　掩埋
【造　句】埋伏——敌人进了我军的埋伏圈，被我军歼灭了。
【形近字】理（道理）
【成　语】埋头苦干
【反义词】隐姓埋名/抛头露面
【近义词】埋藏/隐藏
【英　语】埋没　cover up［ˈkʌvə ʌp］
【多音字】mán（见 474 页）

| mǎi | 笔画 | 部首 | 结构 | 五笔 | 造字法 |
|---|---|---|---|---|---|
| 买 | 6 | 乛 | 上下 | NUDU | 会意 |
| 笔顺 | 乛 乛 冖 㓁 买 买 | | | | |

【解　释】❶用钱交换。❷用财物贿赂；拉拢。❸姓。
【组　词】采买　购买　买单　买菜
【造　句】买菜——今天是星期天，我陪妈妈到市场去买菜。
【辨　音】不读 mài。
【形近字】实（实在）
【成　语】买椟还珠
【反义词】买/卖
【近义词】采买/购买
【谚　语】买不来有钱在，卖不出有货在。

【英　语】买卖 business ['biznis]

| mài | 笔画 | 部首 | 结构 | 五笔 | 造字法 |
|---|---|---|---|---|---|
| 迈 | 6 | 辶 | 半包围 | DNPV | 形声 |
| 笔顺 | 一 丂 万 㔾 迈 迈 | | | | |

【解　释】❶提脚向前走；跨。❷年纪大；老。
【组　词】迈步　年迈　迈进
【造　句】迈进——我们的体育健儿充满自信地迈进体育场。
【辨　音】不读 wàn。
【同音字】麦（小麦）
【形近字】边（旁边）
【英　语】迈步 make a step [meik ə step]

| mài | 笔画 | 部首 | 结构 | 五笔 | 造字法 |
|---|---|---|---|---|---|
| 麦 | 7 | 麦 | 上下 | GTU | 象形 |
| 笔顺 | 一 = 丰 丰 夫 麦 麦 | | | | |

【解　释】❶一年或二年生草本植物，子实可做食物。❷专指小麦等。❸姓。
【组　词】大麦　小麦　麦苗
【同音字】卖（买卖）
【形近字】青（青年）
【歇后语】麦秆吹火——小气。
【谚　语】麦望四月雨，谷盼五月晴。
【英　语】麦芽 malt [mɔːlt]

| mài | 笔画 | 部首 | 结构 | 五笔 | 造字法 |
|---|---|---|---|---|---|
| 卖 | 8 | 十 | 上下 | FNUD | 会意 |
| 笔顺 | 一 十 土 士 去 去 卖 卖 | | | | |

【解　释】❶出售，把东西换钱。❷背叛。❸尽量使出来。❹故意表现或显示自己。❺量词。旧时饭馆里称一个菜为一卖。
【组　词】卖唱　卖力　出卖　卖弄
【造　句】卖力——小明特别勤快，做事特别卖力。
【辨　音】不读 mǎi。
【同音字】麦（小麦）
【反义词】卖/买
【英　语】卖主 seller ['selə]

| mài | 笔画 | 部首 | 结构 | 五笔 | 造字法 |
|---|---|---|---|---|---|
| 脉 | 9 | 月 | 左右 | EYNI | 会意 |
| 笔顺 | 丿 刀 月 月 月 肜 肜 脉 脉 | | | | |

【解　释】❶动脉和静脉的统称。❷脉搏的简称。❸像血管一样分布的东西。
【组　词】动脉　叶脉　山脉　脉搏
【造　句】山脉——这条山脉是南北走向。
【同音字】迈（老迈）
【形近字】泳（游泳）
【英　语】脉搏 pulse [pʌls]
【多音字】mò（见502页）

## MAN ㄇㄢ

| mán | 笔画 | 部首 | 结构 | 五笔 | 造字法 |
|---|---|---|---|---|---|
| 埋 | 10 | 土 | 左右 | FJFG | 会意 |
| 笔顺 | 一 十 土 圠 坦 坦 坦 坦 埋 埋 | | | | |

【解　释】［埋怨］因为事情不如意而对人或事表示不满。
【组　词】埋怨
【造　句】埋怨——我们成绩不好时不能埋怨题太难，而应努力提

M

高自己的水平。
【同音字】馒(馒头)
【英　语】埋怨　blame［bleim］
【多音字】mái(见 473 页)

| mán | 笔画 | 部首 | 结构 | 五笔 | 造字法 |
|---|---|---|---|---|---|
| 蛮 | 12 | 虫 | 上下 | YOJU | 形声 |
| 笔顺 | 丶 亠 亣 亣 亦 亦 亦 峦 峦 蛮 蛮 蛮 | | | | |

【解　释】❶粗野；不讲理。❷古代对南方少数民族的泛称。❸很。
【组　词】蛮干　野蛮
【造　句】蛮干——做事情要按规律去做，不能蛮干。
【同音字】瞒(隐瞒)
【形近字】峦(山峦)
【谚　语】蛮人自有曲道理。
【英　语】蛮干　act rashly［ækt-ræʃli］

| mán | 笔画 | 部首 | 结构 | 五笔 | 造字法 |
|---|---|---|---|---|---|
| 谩 | 13 | 讠 | 左右 | YJLC | 形声 |
| 笔顺 | 丶 讠 讠 讵 诇 诇 诇 谒 谒 谒 谒 谩 谩 | | | | |

【解　释】欺骗；蒙蔽。
【组　词】欺谩　谩天谩地
【同音字】蛮(蛮干)
【形近字】慢(快慢)
【英　语】欺谩　deceive［di'siːv］
【多音字】màn(见 476 页)

| mán | 笔画 | 部首 | 结构 | 五笔 | 造字法 |
|---|---|---|---|---|---|
| 蔓 | 14 | 艹 | 上下 | AJLC | 形声 |
| 笔顺 | 一 十 艹 艹 艿 苩 苩 苩 莒 莒 莒 蔓 蔓 蔓 | | | | |

【解　释】蔓菁，两年生草本植物，块根可做蔬菜。
【组　词】蔓菁
【同音字】瞒(隐瞒)
【英　语】蔓菁　turnip［'təːnip］
【多音字】màn(见 476 页)
【多音字】wàn(见 733 页)

| mán | 笔画 | 部首 | 结构 | 五笔 | 造字法 |
|---|---|---|---|---|---|
| 馒 | 14 | 饣 | 左右 | QNJC | 形声 |
| 笔顺 | ノ 𠂊 饣 饣 饣 饣 饣 饣 饣 饣 饣 饣 馒 馒 | | | | |

【解　释】馒头，一种用面粉发酵而蒸成的食品。
【组　词】馒头
【同音字】蛮(野蛮)
【形近字】慢(快慢)
【谚　语】馒头落地狗造化。
【英　语】馒头　steamed bun［stiːmd bʌn］

| mán | 笔画 | 部首 | 结构 | 五笔 | 造字法 |
|---|---|---|---|---|---|
| 瞒 | 15 | 目 | 左右 | HAGW | 形声 |
| 笔顺 | 丨 冂 冃 月 目 目 目 目 目 目 目 瞒 瞒 瞒 瞒 | | | | |

【解　释】隐藏实情，不让人知道。
【组　词】隐瞒　瞒骗　欺瞒　瞒报
【造　句】瞒天过海——为了防止他伪造发票，搞瞒天过海的伎俩，上级决定封查他的底账。
【同音字】馒(馒头)
【形近字】满(满意)
【成　语】瞒上欺下　瞒天过海
【反义词】隐瞒/公开
【近义词】瞒天过海/瞒上欺下
【英　语】瞒哄　deceive［di'siːv］

M

| mǎn | 笔画 | 部首 | 结构 | 五笔 | 造字法 |
|---|---|---|---|---|---|
| 满 | 13 | 氵 | 左右 | IAGW | 形声 |
| 笔顺 | 丶 冫 氵 汀 汁 泄 泄 泄 满 满 满 满 满 | | | | |

【解　释】❶全部充实；饱和；达到容量的极点。❷达到一定的限度、期限。❸全。❹符合心意；感到满足。❺骄傲。❻满族。❼姓。
【组　词】满怀　满意　满面　满仓
【造　句】满面春风——老师满面春风地走进教室，把本班通考总分名列前茅的消息告诉了大家。
【同音字】螨（螨虫）
【形近字】瞒（瞒天过海）
【成　语】满腹经纶　满不在乎
【反义词】满腹经纶/胸无点墨
【近义词】满城风雨/街谈巷议
【歇后语】满架的葡萄——一条根。
【谚　语】满瓶不响，半瓶晃荡。
【英　语】满意　satisfied　[ˈsætisfaid]

| màn | 笔画 | 部首 | 结构 | 五笔 | 造字法 |
|---|---|---|---|---|---|
| 曼 | 11 | 曰 | 上中下 | JLCU | 形声 |
| 笔顺 | 丨 冂 日 日 旦 昌 昌 昌 昌 曼 曼 | | | | |

【解　释】❶动作柔美；细腻。❷长；远。
【组　词】曼声　曼延　曼妙　曼陀铃
【造　句】曼延——他走在曼延曲折的羊肠小道上。
【同音字】漫（漫长）
【形近字】漫（漫步）
【英　语】曼延　stretch　[stretʃ]

| màn | 笔画 | 部首 | 结构 | 五笔 | 造字法 |
|---|---|---|---|---|---|
| 谩 | 13 | 讠 | 左右 | YJLC | 形声 |
| 笔顺 | 丶 讠 讠 讠 讠 讠 讠 谒 谒 谒 谒 谩 谩 | | | | |

【解　释】态度傲慢，没有礼貌。
【组　词】谩骂
【造　句】谩骂——不要用谩骂来回应任何爱的表示。
【同音字】慢（慢慢）
【多音字】mán（见 475 页）

| màn | 笔画 | 部首 | 结构 | 五笔 | 造字法 |
|---|---|---|---|---|---|
| 蔓 | 14 | 艹 | 上下 | AJLC | 形声 |
| 笔顺 | 一 十 艹 艹 节 苗 苗 苗 莒 莒 莒 莒 蔓 蔓 | | | | |

【解　释】❶草本植物细而软且不能直立的枝、茎。❷滋生；扩展。
【组　词】蔓草　蔓延
【造　句】蔓延——困意在脑海里逐渐蔓延。
【同音字】慢（缓慢）
【英　语】蔓延　spread　[spred]
【多音字】mán（见 475 页）
【多音字】wàn（见 733 页）

| màn | 笔画 | 部首 | 结构 | 五笔 | 造字法 |
|---|---|---|---|---|---|
| 幔 | 14 | 巾 | 左右 | MHJC | 形声 |
| 笔顺 | 丨 冂 巾 巾 巾 巾 巾 巾 帼 帼 帼 帼 幔 幔 | | | | |

【解　释】悬挂起来起遮拦作用的布、纱、绸等织物。
【组　词】幔帐　窗幔　布幔　帷幔
【同音字】漫（漫步）

M

【英　语】慢帐 curtain [ˈkəːtən]

| màn | 笔画 | 部首 | 结构 | 五笔 | 造字法 |
|---|---|---|---|---|---|
| 慢 | 14 | 忄 | 左右 | NJLC | 形声 |
| 笔顺 | 丶 丶丶 忄 忄 忄 忄 忄 忄 忄 忄 忄 忄 慢 慢 | | | | |

【解　释】❶速度低;迟缓。❷态度冷淡;不热情。❸从缓。❹莫;不要。
【组　词】慢走　慢车　怠慢　傲慢　快慢　慢坡　慢件　慢火　慢待
【造　句】缓慢——乌龟在陆地上行动缓慢,在水中却十分敏捷。
【同音字】漫(漫山遍野)
【形近字】漫(漫长)
【成　语】慢条斯理
【谚　语】慢工出细活。
【英　语】慢慢 slowly [ˈsləuli]

| màn | 笔画 | 部首 | 结构 | 五笔 | 造字法 |
|---|---|---|---|---|---|
| 漫 | 14 | 氵 | 左右 | IJLC | 形声 |
| 笔顺 | 丶 丶 氵 氵 氵 氵 氵 氵 氵 氵 氵 氵 漫 漫 | | | | |

【解　释】❶水过满,向外流。❷到处都是;遍布。❸随便;不受约束。❹不要;莫。
【组　词】漫长　漫笔　漫谈　漫画
【造　句】漫不经心——李老师作画,看似漫不经心、下笔随意,其实是极具匠心的。
【同音字】慢(缓慢)
【形近字】慢(慢车)
【成　语】漫山遍野　漫不经心
【反义词】漫不经心/专心致志
【近义词】漫无边际/无边无际
【歇后语】漫山的杜鹃——火红火红。
【英　语】漫步 saunter [ˈsɔːntə]

## MANG ㄇㄤ

| máng | 笔画 | 部首 | 结构 | 五笔 | 造字法 |
|---|---|---|---|---|---|
| 芒 | 6 | 艹 | 上下 | AYNB | 形声 |
| 笔顺 | 一 十 艹 艹 芒 芒 | | | | |

【解　释】❶多年生草本植物,叶子条状,果实多毛。❷某些禾本科植物子实的外壳上的针状物。
【组　词】芒果　芒草　光芒　锋芒
【同音字】盲(盲人)
【形近字】忙(忙活)
【成　语】芒刺在背
【英　语】芒果 mango [ˈmæŋgəu]

| máng | 笔画 | 部首 | 结构 | 五笔 | 造字法 |
|---|---|---|---|---|---|
| 忙 | 6 | 忄 | 左右 | NYNN | 形声 |
| 笔顺 | 丶 丶丨 忄 忄 忙 忙 | | | | |

【解　释】❶事情多;不得空(跟"闲"相对)。❷急迫;急着做;加紧。
【组　词】繁忙　忙乱　忙于　急忙
【造　句】忙碌——他很忙碌,一整天都没休息一会儿。
【同音字】盲(盲人)　芒(芒果)
【形近字】虻(牛虻)
【反义词】繁忙/空闲
【近义词】繁忙/忙碌
【谚　语】忙碌幸福多,消闲是苦恼。
【英　语】忙碌 busy [ˈbizi]

| máng | 笔画 | 部首 | 结构 | 五笔 | 造字法 |
|---|---|---|---|---|---|
| 盲 | 8 | 目 | 上下 | YNHF | 形声 |
| 笔顺 | 丶 亠 亡 盲 盲 盲 盲 盲 | | | | |

M

【解　释】❶看不见东西；瞎子。❷对某种事物不能辨别或分辨不清。❸盲目地。
【组　词】盲人　盲肠　夜盲　盲动
【造　句】盲人摸象——只看到问题的某一个侧面就急于下结论，难免有盲人摸象之嫌。
【同音字】忙（繁忙）
【形近字】肓（膏肓）
【成　语】盲人摸象
【近义词】盲人摸象/以偏概全
【谚　语】盲人骑瞎马，夜半临深渊。
【英　语】盲人　blind man [blaind mæn]

| máng | 笔画 | 部首 | 结构 | 五笔 | 造字法 |
|---|---|---|---|---|---|
| 氓 | 8 | 亠 | 左右 | YNNA | 形声 |
| 笔顺 | 丶 亠 亡 亡 亡 氓 氓 氓 | | | | |

【解　释】［流氓］❶原指无业游民，后指不务正业、为非作歹的人。❷指放刁、耍赖、施展下流手段等恶劣行为。
【组　词】流氓　耍流氓
【同音字】忙（忙乱）
【形近字】抿（抿嘴）
【英　语】流氓 rascal [ˈrɑːskəl]
【多音字】méng（见486页）

| máng | 笔画 | 部首 | 结构 | 五笔 | 造字法 |
|---|---|---|---|---|---|
| 茫 | 9 | 艹 | 上下 | AIYN | 形声 |
| 笔顺 | 一 十 艹 艹 艹 芒 芒 茫 茫 | | | | |

【解　释】❶形容水或其他事物没有边际，看不清楚。❷模糊不清；无所知。
【组　词】茫然　白茫茫　渺茫
【造　句】白茫茫——一场大雪，满山遍野白茫茫一片。
【同音字】盲（盲人）
【形近字】忙（繁忙）
【成　语】茫无头绪
【反义词】茫然不解/茅塞顿开
【近义词】茫然不解/百思不解
【歇后语】驴子听相声——茫然不解。
【英　语】茫然　ignorant [ˈignərənt]

| mǎng | 笔画 | 部首 | 结构 | 五笔 | 造字法 |
|---|---|---|---|---|---|
| 莽 | 10 | 艹 | 上下 | ADAJ | 会意 |
| 笔顺 | 一 十 艹 艹 芦 芡 芡 莽 莽 莽 | | | | |

【解　释】❶密生的草。❷大。❸鲁莽。❹姓。
【组　词】莽撞　鲁莽　草莽　莽汉
【造　句】莽撞——他做事总是很莽撞，这次又闯祸了。
【同音字】蟒（蟒蛇）
【形近字】蟒（蟒蛇）
【近义词】莽撞/鲁莽
【英　语】鲁莽 reckless [ˈreklis]

| mǎng | 笔画 | 部首 | 结构 | 五笔 | 造字法 |
|---|---|---|---|---|---|
| 蟒 | 16 | 虫 | 左右 | JADA | 形声 |
| 笔顺 | 丶 口 口 中 虫 虫 虫 虻 蚌 蚌 蚌 蛈 蛈 蟒 蟒 蟒 | | | | |

【解　释】❶蟒蛇。❷蟒袍的简称。
【组　词】蟒蛇　蟒袍
【同音字】莽（鲁莽）
【形近字】莽（莽撞）
【英　语】蟒　boa [ˈbəuə]

M

# MAO ㄇㄠ

| māo | 笔画 | 部首 | 结构 | 五笔 | 造字法 |
|---|---|---|---|---|---|
| 猫 | 11 | 犭 | 左右 | QTAL | 形声 |
| 笔顺 | ノ 犭 犭 犭 犭 犭 犭 犭 猫 猫 猫 | | | | |

【解　释】哺乳动物,面部略圆,躯干长,耳壳短小,眼大,四肢较短,掌部有肉质的垫,行动敏捷,毛柔软,能捕鼠。
【组　词】花猫　猫眼　猫鱼　猫步
【形近字】瞄(瞄准)
【谚　语】猫急上树,狗急跳墙|猫怕过冬狗怕夏,穷苦人怕过年。
【英　语】猫　cat [kæt]
【多音字】máo(见 480 页)

| máo | 笔画 | 部首 | 结构 | 五笔 | 造字法 |
|---|---|---|---|---|---|
| 毛 | 4 | 毛 | 独体 | TFNV | 象形 |
| 笔顺 | ノ 二 三 毛 | | | | |

【解　释】❶动植物的皮上所生的丝状物。❷东西上长的霉。❸生的草木。❹未加工的;粗糙的。❺不纯净的。❻惊慌。❼不稳重;冒失。❽小。❾人民币单位"角"的俗称。❿姓。
【组　词】眉毛　羊毛　毛利　纤毛
【造　句】毛茸茸——才出壳的小鸡,毛茸茸的真可爱。
【同音字】牦(牦牛)　矛(矛盾)
【形近字】手(手掌)
【成　语】火烧眉毛　毛遂自荐
【近义词】火烧眉毛/迫在眉睫
【英　语】毛毯　blanket [ˈblæŋkit]

| máo | 笔画 | 部首 | 结构 | 五笔 | 造字法 |
|---|---|---|---|---|---|
| 矛 | 5 | 矛 | 上下 | CBTR | 象形 |
| 笔顺 | ㇇ ㇇ 乛 予 矛 | | | | |

【解　释】古代兵器,在长杆的一端装有青铜或铁制的枪头。
【组　词】矛盾　矛头
【造　句】矛盾——文章有些地方自相矛盾,希望你把它修改好。
【同音字】毛(毛发)
【成　语】自相矛盾
【反义词】自相矛盾/自圆其说
【英　语】矛盾　contradiction [kɔntrəˈdikʃən]

| máo | 笔画 | 部首 | 结构 | 五笔 | 造字法 |
|---|---|---|---|---|---|
| 茅 | 8 | 艹 | 上下 | ACBT | 形声 |
| 笔顺 | 一 十 艹 艹 艹 茅 茅 茅 | | | | |

【解　释】❶茅草,多年生草本植物,有白茅、青茅等。❷姓。
【组　词】茅屋　白茅　青茅　茅房
【造　句】茅塞顿开——爸爸的话使我茅塞顿开,心里立刻豁亮起来。
【同音字】毛(毛病)
【形近字】矛(矛盾)
【成　语】茅塞顿开
【反义词】茅塞顿开/茫然不解
【近义词】茅塞顿开/豁然开朗
【谚　语】茅屋出高贤。
【英　语】茅厕　toilet [ˈtɔilit]

| máo | 笔画 | 部首 | 结构 | 五笔 | 造字法 |
|---|---|---|---|---|---|
| 牦 | 8 | 牛 | 左右 | TRTN | 形声 |
| 笔顺 | ノ ㄏ 牛 牛 牜 牜 牜 牦 | | | | |

【解　释】牦牛,牛的一种,全身有

长毛，脚短，是我国青藏高原地区的主要力畜。
【组　词】牦牛
【造　句】牦牛——在青藏高原上牦牛是主要的运输工具。
【同音字】毛（毛皮）
【形近字】耗（耗子）
【英　语】牦牛　yak［jæk］

| máo | 笔画 | 部首 | 结构 | 五笔 | 造字法 |
|---|---|---|---|---|---|
| 猫 | 11 | 犭 | 左右 | QTAL | 形声 |
| 笔顺 | 丿 犭 犭 犭 犭 犭 犭 犸 猫 猫 猫 | | | | |

【解　释】用于“猫腰”，即弯腰。
【同音字】毛（皮毛）
【英　语】猫腰　stoop［stuːp］
【多音字】māo（见 479 页）

| máo | 笔画 | 部首 | 结构 | 五笔 | 造字法 |
|---|---|---|---|---|---|
| 锚 | 13 | 钅 | 左右 | QALG | 形声 |
| 笔顺 | 丿 𠂉 𠂉 𠂉 钅 钅 钅 钅 钅 锚 锚 锚 锚 | | | | |

【解　释】船停泊时所用的器具，用铁制成。
【组　词】锚泊　抛锚　锚位　锚地
【同音字】毛（毛皮）
【形近字】猫（花猫）
【英　语】锚　anchor［ˈæŋkə］

| mào | 笔画 | 部首 | 结构 | 五笔 | 造字法 |
|---|---|---|---|---|---|
| 茂 | 8 | 艹 | 上下 | ADNT | 形声 |
| 笔顺 | 一 十 艹 艹 芦 芃 茂 茂 | | | | |

【解　释】❶茂盛；繁茂。❷丰富精美。
【组　词】茂盛　茂密
【造　句】茂盛——山上的树木长得十分茂盛。
【同音字】冒（冒昧）
【谚　语】茂木之下无丰草。
【英　语】茂密　dense［dens］

| mào | 笔画 | 部首 | 结构 | 五笔 | 造字法 |
|---|---|---|---|---|---|
| 冒 | 9 | 曰 | 上下 | JHF | 会意 |
| 笔顺 | 丨 冂 冃 冃 冃 冃 冒 冒 冒 | | | | |

【解　释】❶升起；透出。❷冲撞；鲁莽。❸以假充真。❹不顾；顶着。❺姓。
【组　词】冒犯　冒尖　感冒　假冒
【造　句】冒名顶替——教育部门规定准考证上必须贴相片，这是为了防止有人冒名顶替代考。
【同音字】帽（帽子）
【形近字】昌（昌盛）
【英　语】冒犯　offend［əˈfend］

| mào | 笔画 | 部首 | 结构 | 五笔 | 造字法 |
|---|---|---|---|---|---|
| 贸 | 9 | 贝 | 上下 | QYVM | 形声 |
| 笔顺 | ′ ⺈ 𠂎 卯 卯 贸 贸 贸 贸 | | | | |

【解　释】交易；贸易；做买卖。
【组　词】贸易　贸然
【造　句】贸然——这样贸然去打扰王老师，不好吧？
【同音字】冒（冒犯）
【形近字】贷（贷款）
【英　语】贸然　rashly［ˈræʃli］

| mào | 笔画 | 部首 | 结构 | 五笔 | 造字法 |
|---|---|---|---|---|---|
| 帽 | 12 | 巾 | 左右 | MHJH | 形声 |
| 笔顺 | 丨 冂 巾 巾 巾 巾 巾 巾 帽 帽 帽 帽 | | | | |

M

【解　释】❶帽子,戴在头上用于取暖、装饰或保护的用品。❷罩或套在器物上、形状或作用像帽子的东西。
【组　词】帽翅　帽花　帽徽　帽盔
【同音字】贸(贸易)
【形近字】冒(冒泡)
【歇后语】帽子小了耳朵冷,靴子小了脚趾痛。
【英　语】帽子　hat [hæt]

| mào | 笔画 | 部首 | 结构 | 五笔 | 造字法 |
|---|---|---|---|---|---|
| 貌 | 14 | 豸 | 左右 | EERQ | 形声 |
| 笔顺 | 丿 ㇀ 𠃋 ⺁ 豸 豸 豸 豸 貌 貌 貌 貌 貌 貌 | | | | |

【解　释】❶相貌;长相。❷外表的形象;样子。
【组　词】貌似　相貌　面貌
【造　句】貌合神离——他们的隔阂并没有消除,看似友好,其实貌合神离。
【同音字】帽(帽子)
【形近字】藐(藐视)
【成　语】貌合神离
【反义词】貌合神离/情投意合
【近义词】貌合神离/同床异梦
【谚　语】貌不惊人,艺不压众。
【英　语】面貌　looks [luks]

## ME ㄇㄜ

| me | 笔画 | 部首 | 结构 | 五笔 | 造字法 |
|---|---|---|---|---|---|
| 么 | 3 | 丿 | 独体 | TCU | 指事 |
| 笔顺 | 丿 ㄥ 么 | | | | |

【解　释】❶后缀。❷歌词中的衬字。
【组　词】多么　怎么　这么　那么
【造　句】这么——这孩子多么勤奋啊,这么早就起床看书。
【英　语】多么　how [hau]

## MEI ㄇㄟ

| méi | 笔画 | 部首 | 结构 | 五笔 | 造字法 |
|---|---|---|---|---|---|
| 没 | 7 | 氵 | 左右 | IMCY | 形声 |
| 笔顺 | 丶 冫 氵 氵 沪 没 没 | | | | |

【解　释】❶没有,无。❷未曾。
【组　词】没有　没事　没命　没门
【造　句】没精打采——一看他那没精打采的样子,就知道他今天考砸了。
【同音字】眉(眉毛)
【形近字】设(假设)
【成　语】没精打采
【反义词】没精打采/神采奕奕
【近义词】没精打采/垂头丧气
【歇后语】没病抓药——自讨苦吃。
【英　语】没人　nobody ['nəubədi]
【多音字】mò(见501页)

| méi | 笔画 | 部首 | 结构 | 五笔 | 造字法 |
|---|---|---|---|---|---|
| 玫 | 8 | 王 | 左右 | GTY | 形声 |
| 笔顺 | 一 二 干 王 玎 玠 玫 玫 | | | | |

【解　释】玫瑰,落叶灌木,花紫红色或白色,有香气,可供观赏。有时也指这种植物的花。
【组　词】玫瑰
【造　句】玫瑰——送你一枝红玫瑰,祝你生日快乐。
【同音字】眉(眉毛)
【形近字】枚(不胜枚举)
【英　语】玫瑰　rose [rəuz]

| méi | 笔画 | 部首 | 结构 | 五笔 | 造字法 |
|---|---|---|---|---|---|
| 枚 | 8 | 木 | 左右 | STY | 会意 |
| 笔顺 | 一 十 才 木 朩 朾 杦 枚 | | | | |

【解　释】❶量词。形容小的东西。❷古人行军为防士兵发声而衔在口中类似筷子的东西。❸姓。
【组　词】衔枚　一枚针
【造　句】不胜枚举——利用害虫的天敌来保护农作物的例子不胜枚举。
【同音字】眉(眉毛)　没(没有)
【形近字】权(权利)　玫(玫瑰)
【成　语】不胜枚举
【反义词】不胜枚举/屈指可数
【近义词】不胜枚举/数不胜数

| méi | 笔画 | 部首 | 结构 | 五笔 | 造字法 |
|---|---|---|---|---|---|
| 眉 | 9 | 目 | 半包围 | NHD | 象形 |
| 笔顺 | ㇇ ㇇ 𠃌 尸 屃 眉 眉 眉 眉 | | | | |

【解　释】❶眉毛,眼眶上面的毛。❷书眉,指书页上方空白的地方。
【组　词】眉毛　眉目　眉批　眉笔
【造　句】眉飞色舞——一讲起他们比赛夺冠的经过,他就眉飞色舞,滔滔不绝。
【同音字】玫(玫瑰)
【形近字】肩(肩头)
【成　语】眉清目秀　眉飞色舞
【反义词】眉清目秀/其貌不扬
【近义词】眉开眼笑/喜笑颜开
【谚　语】眉头一皱,计上心来。
【英　语】眉毛 eyebrow [ˈaibrau]

| méi | 笔画 | 部首 | 结构 | 五笔 | 造字法 |
|---|---|---|---|---|---|
| 莓 | 10 | 艹 | 上下 | ATXU | 形声 |
| 笔顺 | 一 ⺈ 艹 艹 艹 芒 莓 莓 莓 莓 | | | | |

【解　释】草本植物,种类很多,有草莓、蛇莓等。
【组　词】草莓　蛇莓
【同音字】没(没有)
【形近字】每(每天)
【英　语】草莓 strawberry [ˈstrɔː-bəri]

| méi | 笔画 | 部首 | 结构 | 五笔 | 造字法 |
|---|---|---|---|---|---|
| 梅 | 11 | 木 | 左右 | STXU | 形声 |
| 笔顺 | 一 十 才 木 木 杧 杚 梅 梅 梅 梅 | | | | |

【解　释】❶落叶乔木,品种很多,耐寒,花香。果实青色,成熟了可吃,味酸。❷这种植物的花或果。❸姓。
【组　词】梅花　梅子　梅雨　梅花鹿
【同音字】没(没有)　眉(眉毛)
【形近字】海(大海)
【歇后语】梅兰芳唱《霸王别姬》——拿手好戏。
【英　语】梅花 plum blossoms [plʌm ˈblɔsəms]

| méi | 笔画 | 部首 | 结构 | 五笔 | 造字法 |
|---|---|---|---|---|---|
| 媒 | 12 | 女 | 左右 | VAFS | 形声 |
| 笔顺 | ㇛ 女 女 女 奷 姅 姅 媒 媒 媒 媒 媒 | | | | |

【解　释】❶媒人,介绍婚姻的人。❷媒介。

【组　词】媒人　媒介　做媒　媒婆
【造　句】媒介——随着家用电器的普及，电视已成为最重要的大众传播媒介。
【同音字】没（没有）
【形近字】煤（煤炭）
【歇后语】媒婆跟着食盒走——有理（礼）。
【英　语】媒介　intermediary [inˈtəˈmiːdiəri]

| méi | 笔画 | 部首 | 结构 | 五笔 | 造字法 |
|---|---|---|---|---|---|
| 煤 | 13 | 火 | 左右 | OAFS | 形声 |
| 笔顺 | 丶 丷 火 火 炉 炉 烘 烘 烘 烘 烘 煤 煤 | | | | |

【解　释】固体矿物，黑色，由古代植物在不透空气或空气不足的情况下受到地下高温高压而形成的，是重要的燃料和化工原料。也叫煤炭。
【组　词】煤矿　煤灰　煤层　煤气
【同音字】没（没有）
【形近字】媒（做媒）
【歇后语】煤炭下水——一辈子洗不清。
【英　语】煤气　gas [gæs]

| méi | 笔画 | 部首 | 结构 | 五笔 | 造字法 |
|---|---|---|---|---|---|
| 霉 | 15 | 雨 | 上下 | FTXU | 形声 |
| 笔顺 | 一 𠂆 冖 ⻗ 雨 雨 雨 雨 雫 雫 雫 霉 霉 霉 霉 | | | | |

【解　释】❶霉菌，真菌的一类，用孢子繁殖，种类很多。❷东西因受潮生菌而变质。❸遇事不利。
【组　词】霉变　霉烂　霉气　发霉
【造　句】倒霉——真倒霉，出门就遇上这鬼天气。
【同音字】没（没有）
【近义词】霉烂/腐烂
【英　语】霉菌　mould [məuld]

| měi | 笔画 | 部首 | 结构 | 五笔 | 造字法 |
|---|---|---|---|---|---|
| 每 | 7 | 母 | 上下 | TXGU | 会意 |
| 笔顺 | ノ 𠂉 𠂉 每 每 每 每 | | | | |

【解　释】❶指全体中的任何一个或一组；各；各个。❷凡是；每每。

甲骨文　金文　小篆　隶书　楷书

【字源释义】“每”是“母”的异体字。甲骨文“每”字字形像一个跪坐在地上的女子，头上插着饰物。金文铭文中有时借“每”为“晦”、“敏”。
【组　词】每个　每年　每每
【同音字】美（美丽）
【形近字】母（母亲）
【成　语】每况愈下
【反义词】每况愈下/蒸蒸日上
【近义词】每况愈下/江河日下
【英　语】每当　whenever [wenˈevə]

M

| měi | 笔画 | 部首 | 结构 | 五笔 | 造字法 |
|---|---|---|---|---|---|
| 美 | 9 | 𦍌 | 上下 | UGDU | 会意 |
| 笔顺 | 丶 丷 䒑 兰 𦍌 羊 𦍌 美 美 | | | | |

【解　释】❶漂亮；好看（跟“丑”相对）。❷美好的事物；好事。❸满意；得意；好。

甲骨文　金文　小篆　隶书　楷书

【字源释义】“美”的本义是“美好”。字形像一个人，头上戴着类似羊形的头饰。引申为“甘美”、“赞美”等义。
【组　词】美丽　美好　美满　完美
【造　句】美不胜收——三峡风景，气象万千，真是美不胜收。
【同音字】每（每当）
【形近字】姜（生姜）
【成　语】美中不足　美不胜收
【反义词】美不胜收/不堪入目
【近义词】美不胜收/目不暇接
【歇后语】美术展览馆——话（画）多。
【谚　语】美人不在穿，好马不在鞍。
【英　语】美妙　wonderful [ˈwʌndəful]

| mèi | 笔画 | 部首 | 结构 | 五笔 | 造字法 |
|---|---|---|---|---|---|
| 妹 | 8 | 女 | 左右 | VFIY | 形声 |
| 笔顺 | 𡿨 女 女 女一 女二 妹 妹 妹 | | | | |

【解　释】❶妹妹。❷同辈中比自己小的女子。❸年轻女子；女孩子。
【组　词】妹妹　表妹　师妹　外来妹
【同音字】昧（拾金不昧）
【形近字】昧（愚昧）
【英　语】妹妹　sister [ˈsistə]

| mèi | 笔画 | 部首 | 结构 | 五笔 | 造字法 |
|---|---|---|---|---|---|
| 昧 | 9 | 日 | 左右 | JFIY | 形声 |
| 笔顺 | 丨 冂 日 日 日一 日二 昧 昧 昧 | | | | |

【解　释】❶糊涂；不明白；头脑不清。❷隐藏。❸昏暗。
【组　词】昧死　冒昧　昧心
【造　句】拾金不昧——我们从小就被教育要拾金不昧，养成良好的道德品质。
【辨　音】不读 wèi。
【同音字】媚（妩媚）　妹（妹妹）　寐（梦寐以求）
【形近字】妹（姐妹）
【成　语】素昧平生　拾金不昧
【反义词】愚昧无知/冰雪聪明
【近义词】拾金不昧/路不拾遗
【英　语】愚昧　ignorant [ˈignərənt]

| mèi | 笔画 | 部首 | 结构 | 五笔 | 造字法 |
|---|---|---|---|---|---|
| 寐 | 12 | 宀 | 上下 | PNHI | 形声 |
| 笔顺 | 丶 丶 宀 宀 宀 宀 宀 宀 宀 寐 寐 寐 | | | | |

【解　释】睡；睡觉。
【组　词】假寐
【造　句】梦寐以求——清华大学的一纸录取通知书使他梦寐以求的愿望得以实现。
【同音字】昧(愚昧)
【成　语】梦寐以求
【近义词】梦寐以求/朝思暮想
【英　语】假寐 catnap [ˈkætnæp]

| mèi | 笔画 | 部首 | 结构 | 五笔 | 造字法 |
| --- | --- | --- | --- | --- | --- |
| 媚 | 12 | 女 | 左右 | VNHG | 形声 |
| 笔顺 | 𡿨 𡿨 女 女 女 女 女 女 媚 媚 媚 媚 | | | | |

【解　释】❶有意讨人喜欢；讨好；巴结。❷美好。
【组　词】妩媚　谄媚　崇洋媚外
【造　句】崇洋媚外——慈禧太后崇洋媚外，出卖国家主权。
【同音字】昧(愚昧)　妹(妹妹)
【形近字】眉(眉毛)
【近义词】献媚/讨好
【英　语】谄媚 flatter [ˈflætə]

| mèi | 笔画 | 部首 | 结构 | 五笔 | 造字法 |
| --- | --- | --- | --- | --- | --- |
| 魅 | 14 | 鬼 | 半包围 | RQCI | 形声 |
| 笔顺 | ′ 〳 白 白 白 甶 鬼 鬼 鬼 鬼 鬽 魅 魅 魅 | | | | |

【解　释】❶传说中的鬼怪。❷吸引；诱惑。
【组　词】鬼魅　魅力
【造　句】魅力——这是一出富有艺术魅力的新编历史京剧。
【同音字】妹(妹妹)
【英　语】魅力 charm [tʃɑːm]

## MEN ㄇㄣ

| mēn | 笔画 | 部首 | 结构 | 五笔 | 造字法 |
| --- | --- | --- | --- | --- | --- |
| 闷 | 7 | 门 | 半包围 | UNI | 形声 |
| 笔顺 | 丶 冂 门 门 闷 闷 闷 | | | | |

【解　释】❶密闭；空气不流通；使人感到不舒服。❷不让透气。❸声音不响亮；不做声。
【组　词】闷气　闷热　沉闷　闷声闷心　闷声不响
【造　句】闷声不响——他在学校挨了批评，回到家里闷声不响的。
【英　语】闷热 sultry [ˈsʌltri]
【多音字】mèn(见486页)

| mén | 笔画 | 部首 | 结构 | 五笔 | 造字法 |
| --- | --- | --- | --- | --- | --- |
| 门 | 3 | 门 | 独体 | UYHN | 象形 |
| 笔顺 | 丶 冂 门 | | | | |

【解　释】❶房屋、车船等进出口，也指安在进出口上能开关的装置。❷形状像门或作用像门的东西。❸家。❹器物可以开关的部分。❺诀窍；办法。❻种类。❼量词。❽宗教派别。❾姓。
【组　词】房门　柜门　门道　门槛
【造　句】开门见山——李校长是个心直口快的人，她说话开门见山，从不拐弯抹角。
【辨　音】韵母是en，不是eng。
【成　语】门庭若市　开门见山
【反义词】开门见山/拐弯抹角
【近义词】开门见山/直截了当
【歇后语】门里的马——闯。
【英　语】门票 entrance ticket [ˈentrəns ˈtikit]

| mèn | 笔画 | 部首 | 结构 | 五笔 | 造字法 |
|---|---|---|---|---|---|
| 闷 | 7 | 门 | 半包围 | UNI | 形声 |
| 笔顺 | 丶 丨 门 门 闩 闷 闷 | | | | |

【解　释】心情不舒畅。
【组　词】愁闷　解闷　纳闷　闷气
【造　句】愁闷——他整天呆在家里，心里很愁闷。
【辨　音】韵母是 en，不是 eng。
【形近字】闲（闲人）
【反义词】闷闷不乐/大快人心
【近义词】闷闷不乐/郁郁寡欢
【歇后语】闷心人做事——使暗劲。
【谚　语】闷上心来瞌睡多｜闷热三天，大雨就在眼前。
【英　语】闷闷不乐　depressed [di'prest]
【多音字】mēn（见 485 页）

| men | 笔画 | 部首 | 结构 | 五笔 | 造字法 |
|---|---|---|---|---|---|
| 们 | 5 | 亻 | 左右 | WUN | 形声 |
| 笔顺 | ノ 亻 亻 们 们 | | | | |

【解　释】词尾，表示多数。
【组　词】他们　我们
【形近字】扪（扪心自问）
【英　语】我们的　our ['auə]

## MENG ㄇㄥ

| mēng | 笔画 | 部首 | 结构 | 五笔 | 造字法 |
|---|---|---|---|---|---|
| 蒙 | 13 | 艹 | 上下 | APGE | 形声 |
| 笔顺 | 一 十 艹 艹 芦 芦 苎 苎 蒙 蒙 蒙 蒙 蒙 | | | | |

【解　释】❶欺骗。❷乱猜。❸昏迷。
【组　词】蒙骗　瞎蒙
【造　句】瞎蒙——考虑好了再举手回答，别瞎蒙。
【近义词】蒙骗/欺骗
【英　语】蒙骗　deceive [di'si:v]
【多音字】méng（见 486 页）
【多音字】měng（见 487 页）

| méng | 笔画 | 部首 | 结构 | 五笔 | 造字法 |
|---|---|---|---|---|---|
| 氓 | 8 | 亠 | 左右 | YNNA | 形声 |
| 笔顺 | 丶 亠 亡 亡 氏 氓 氓 氓 | | | | |

【解　释】古代指外来的百姓。
【同音字】蒙（启蒙）
【多音字】máng（见 478 页）

| méng | 笔画 | 部首 | 结构 | 五笔 | 造字法 |
|---|---|---|---|---|---|
| 萌 | 11 | 艹 | 上下 | AJEF | 形声 |
| 笔顺 | 一 十 艹 艹 苎 芇 苜 萌 萌 萌 萌 | | | | |

【解　释】❶萌芽，植物发芽。比喻新生的事物。❷发生；发动。
【组　词】萌芽　萌生　萌动　萌发
【造　句】萌发——雨后春草萌发，空气清新。
【辨　音】韵母是 eng，不是 en。
【同音字】盟（同盟）　蒙（蒙住）
【形近字】荫（荫凉）
【成　语】故态复萌
【英　语】萌芽　sprout [spraut]

| méng | 笔画 | 部首 | 结构 | 五笔 | 造字法 |
|---|---|---|---|---|---|
| 蒙 | 13 | 艹 | 上下 | APGE | 形声 |
| 笔顺 | 一 十 艹 艹 芦 芦 苎 苎 蒙 蒙 蒙 蒙 蒙 | | | | |

【解　释】❶没有知识；愚昧。❷遮盖。❸受到；蒙受。❹姓。

M

【组　词】蒙昧　蒙住　承蒙　蒙受
【造　句】蒙混——他作业没做完，想用以前的作业蒙混过关。
【辨　音】韵母是 eng，不是 en。
【同音字】盟(同盟)
【形近字】檬(柠檬)
【多音字】mēng(见 486 页)
【多音字】měng(见 487 页)

| méng | 笔画 | 部首 | 结构 | 五笔 | 造字法 |
|---|---|---|---|---|---|
| 盟 | 13 | 皿 | 上下 | JELF | 形声 |
| 笔顺 | 丨 冂 日 日 町 明 明 明 明 明 明 盟 盟 | | | | |

【解　释】❶旧时指宣誓缔约，现指团体和团体、阶级和阶级、国家和国家的联合。❷结拜的兄弟。❸内蒙古自治区的行政区域，包括若干族、县、市。
【组　词】盟誓　同盟　盟国　联盟
【造　句】盟誓——他们对天盟誓，决不把这件事说出去。
【同音字】萌(萌芽)
【近义词】盟誓/发誓
【谚　语】盟兄把弟，过河听戏，吃喝有我，打架不去。
【英　语】盟国　ally　['ælai]

| méng | 笔画 | 部首 | 结构 | 五笔 | 造字法 |
|---|---|---|---|---|---|
| 檬 | 17 | 木 | 左右 | SAPE | 形声 |
| 笔顺 | 一 十 才 木 木 木 术 术 栏 栏 栏 栏 樗 樗 檬 檬 檬 | | | | |

【解　释】柠檬树，常绿小乔木，叶子长椭圆形，质厚，花外面粉红，里面白色。果实肉极酸，可制饮料，果皮黄色，可提取柠檬油。
【组　词】柠檬　柠檬汁　柠檬树
【同音字】盟(结盟)
【形近字】蒙(蒙古)　朦(朦胧)

| méng | 笔画 | 部首 | 结构 | 五笔 | 造字法 |
|---|---|---|---|---|---|
| 朦 | 17 | 月 | 左右 | EAPE | 形声 |
| 笔顺 | 丿 刀 月 月 月 月 月 月 月 月 月 月 月 朦 朦 朦 朦 | | | | |

【解　释】[朦胧]❶月光不明。❷不清楚；模糊。
【组　词】朦胧
【造　句】朦胧——朦胧的月光照在湖面上，就像蒙上了一层纱。
【同音字】盟(盟约)
【形近字】檬(柠檬)
【近义词】朦胧/模糊
【英　语】朦胧　hazy　['heizi]

| měng | 笔画 | 部首 | 结构 | 五笔 | 造字法 |
|---|---|---|---|---|---|
| 猛 | 11 | 犭 | 左右 | QTBL | 形声 |
| 笔顺 | ノ 犭 犭 犭 犭 犭 犭 猛 猛 猛 猛 | | | | |

【解　释】❶力量大；猛烈。❷忽然；突然。❸急速；猛进。
【组　词】猛烈　勇猛　凶猛　猛然
【造　句】猛然——他猛然一惊，想起有件事还没做。
【辨　音】韵母是 eng，不是 en。
【同音字】蒙(蒙古族)
【形近字】蜢(蚱蜢)
【近义词】猛然/忽然
【英　语】猛然　suddenly　['sʌdənli]

| měng | 笔画 | 部首 | 结构 | 五笔 | 造字法 |
|---|---|---|---|---|---|
| 蒙 | 13 | 艹 | 上下 | APGE | 形声 |
| 笔顺 | 一 十 艹 艹 芦 芦 茜 茜 蒙 蒙 蒙 蒙 蒙 | | | | |

【解 释】用于"蒙古族"、"蒙古包"等。
【组 词】蒙古族 蒙古包
【同音字】猛(凶猛)
【谚 语】蒙古人夸马,大木匠夸锯。
【多音字】mēng(见486页)
【多音字】méng(见486页)

| mèng | 笔画 | 部首 | 结构 | 五笔 | 造字法 |
|---|---|---|---|---|---|
| 孟 | 8 | 子 | 上下 | BLF | 形声 |
| 笔顺 | 一 了 子 孑 孟 孟 孟 孟 | | | | |

【解 释】❶指农历一季的第一个月。❷兄弟姐妹中排行最大的。❸姓。
【组 词】孟春 孟夏 孟孙
【同音字】梦(梦见)
【形近字】盂(痰盂)

| mèng | 笔画 | 部首 | 结构 | 五笔 | 造字法 |
|---|---|---|---|---|---|
| 梦 | 11 | 夕 | 上下 | SSQU | 会意 |
| 笔顺 | 一 十 才 木 木 村 林 林 梦 梦 梦 | | | | |

【解 释】❶睡眠时,大脑受外界和体内的弱刺激而产生的幻象。❷做梦。❸比喻幻想。
【组 词】做梦 梦幻 梦想 梦乡
【造 句】梦幻——赤壁一战,曹操一统天下的雄心成了梦幻泡影。
【同音字】孟(孟春)
【形近字】禁(禁止)
【成 语】梦寐以求
【近义词】梦寐以求/朝思暮想
【歇后语】梦里戴花——想得美。
【谚 语】梦是心头想。
【英 语】梦境 dream world [dri:m wə:ld]

# MI ㄇㄧ

| mī | 笔画 | 部首 | 结构 | 五笔 | 造字法 |
|---|---|---|---|---|---|
| 咪 | 9 | 口 | 左右 | KOY | 形声 |
| 笔顺 | 丨 口 口 口 吖 吖 咩 咪 咪 | | | | |

【解 释】[咪咪]象声词。形容猫叫的声音。
【组 词】咪咪
【造 句】咪咪——小猫咪咪地叫,吓得老鼠不敢出窝。
【同音字】眯(眯眼)
【形近字】眯(眯眼)

| mī | 笔画 | 部首 | 结构 | 五笔 | 造字法 |
|---|---|---|---|---|---|
| 眯 | 11 | 目 | 左右 | HOY | 形声 |
| 笔顺 | 丨 冂 月 月 目 目 目 目 眯 眯 眯 | | | | |

【解 释】❶眼皮稍稍合上。❷(方)小睡一会儿。
【组 词】眯眼 眯瞪 眯缝
【造 句】眯瞪——他困了,就在沙发上眯瞪了一会儿。
【同音字】咪(咪咪)
【形近字】咪(咪咪)
【近义词】眯盹儿/打盹儿
【歇后语】眯缝眼睛看太湖——浪白。
【英 语】眯眼 narrow one's eyes ['nærəu wʌnz aiz]

| mí | 笔画 | 部首 | 结构 | 五笔 | 造字法 |
|---|---|---|---|---|---|
| 弥 | 8 | 弓 | 左右 | XQIY | 形声 |
| 笔顺 | 乛 コ 弓 弓 弘 弥 弥 弥 | | | | |

【解 释】❶满;到处。❷填补;

补。❸更加。❹姓。
【组　词】弥漫　弥补　弥合　弥缝
【造　句】弥天大罪——抗日战争时期,日本侵略者屠杀了几百万中国同胞,对人类犯下了弥天大罪。
【同音字】谜(谜语)
【形近字】你(你好)
【成　语】弥天大谎　欲盖弥彰
【反义词】弥合/破裂
【近义词】弥天大谎/无稽之谈
【英　语】弥补　make up [meik ʌp]

| mí | 笔画 | 部首 | 结构 | 五笔 | 造字法 |
|---|---|---|---|---|---|
| 迷 | 9 | 辶 | 半包围 | OPY | 形声 |
| 笔顺 | 丶 丷 䒑 半 米 米 迷 迷 迷 | | | | |

【解　释】❶失去分辨、判断能力。❷沉醉于某事物。❸沉醉于某事物的人。❹使看不清,使陶醉。
【组　词】迷惑　沉迷　球迷　迷人
【造　句】球迷——巴西和阿根廷的球赛吸引了大量球迷前来观看。
【同音字】弥(弥补)
【成　语】财迷心窍　迷途知返
【英　语】球迷　fan [fæn]

| mí | 笔画 | 部首 | 结构 | 五笔 | 造字法 |
|---|---|---|---|---|---|
| 谜 | 11 | 讠 | 左右 | YOPY | 形声 |
| 笔顺 | 丶 讠 讠 讠 讠 讠 讠 讠 谜 谜 谜 | | | | |

【解　释】❶谜语,叫人猜的隐话。❷比喻还没理解或没弄明白的事物。
【组　词】谜语　谜面　谜底　灯谜
【造　句】灯谜——每年元宵节,公园里都有灯谜游园会。
【同音字】迷(迷路)
【形近字】迷(迷宫)
【英　语】谜语　riddle [ˈridl]

| mǐ | 笔画 | 部首 | 结构 | 五笔 | 造字法 |
|---|---|---|---|---|---|
| 米 | 6 | 米 | 独体 | OYTY | 象形 |
| 笔顺 | 丶 丷 䒑 半 米 米 | | | | |

【解　释】❶稻米,也指某些去掉壳的植物种子。❷像米的东西。❸长度单位。❹姓。

【字源释义】甲骨文"米"字像散开的米粒中间有一横木,表示放置谷类的架子的间隔。到了小篆以后,字形的中间开始演变为"十"字形。
【组　词】米粒　米饭　稻米　米粉
【形近字】木(木头)
【谚　语】米粉越磨越细,语言越学越精|米靠碾,面靠磨,遇到难题靠琢磨。
【英　语】米饭　rice [rais]

| mì | 笔画 | 部首 | 结构 | 五笔 | 造字法 |
|---|---|---|---|---|---|
| 觅 | 8 | 爫 | 上下 | EMQB | 会意 |
| 笔顺 | 一 ⺈ 爫 爫 爫 觅 觅 觅 | | | | |

M

【解　释】寻找；寻觅。
【组　词】寻觅　觅食　觅取　觅求
【造　句】觅食——小鸡整天到处觅食。
【同音字】泌（分泌）
【形近字】见（看见）
【近义词】寻觅/寻找
【英　语】寻觅　look for [luk fɔː]

| mì | 笔画 | 部首 | 结构 | 五笔 | 造字法 |
|---|---|---|---|---|---|
| 泌 | 8 | 氵 | 左右 | INTT | 形声 |
| 笔顺 | 丶 丶 氵 氵 氵 沁 泌 泌 | | | | |

【解　释】从体内产生出的物质。
【组　词】分泌　泌尿　泌乳
【同音字】觅（寻觅）
【形近字】必（必须）
【英　语】分泌　secrete [si'kriːt]
【多音字】bì（见42页）

| mì | 笔画 | 部首 | 结构 | 五笔 | 造字法 |
|---|---|---|---|---|---|
| 秘 | 10 | 禾 | 左右 | TNTT | 形声 |
| 笔顺 | 一 二 千 禾 禾 禾 秒 秘 秘 秘 | | | | |

【解　释】❶使人琢磨不透；不公开的。❷保守秘密。❸罕见；稀有。
【组　词】秘密　秘方　秘籍
【同音字】泌（分泌）　觅（寻觅）
【形近字】泌（分泌）
【成　语】秘而不宣
【反义词】秘密/公开
【谚　语】秘方治大病。
【英　语】秘书　secretary ['sekrətəri]
【多音字】bì（见43页）

| mì | 笔画 | 部首 | 结构 | 五笔 | 造字法 |
|---|---|---|---|---|---|
| 密 | 11 | 宀 | 上下 | PNTM | 形声 |
| 笔顺 | 丶 丶 宀 宀 宓 宓 宓 宓 密 密 密 | | | | |

【解　释】❶事物之间距离近；空隙小。❷感情好；关系近。❸细致；精致。❹秘密。❺姓。
【组　词】稠密　紧密　严密　亲密
【造　句】保密——你对我还保密呢，我早就知道了。
【同音字】觅（寻觅）　泌（分泌）
【形近字】蜜（蜂蜜）
【反义词】密集/稀疏
【近义词】密切/亲密
【谚　语】密溪水，神潭茶。
【英　语】亲密　close [kləuz]

| mì | 笔画 | 部首 | 结构 | 五笔 | 造字法 |
|---|---|---|---|---|---|
| 蜜 | 14 | 宀 | 上下 | PNTJ | 形声 |
| 笔顺 | 丶 丶 宀 宀 宓 宓 宓 宓 宓 宓 蜜 蜜 蜜 蜜 | | | | |

【解　释】❶蜂蜜，由花蜜酿成的黏稠液体，黄白色，有甜味，供食用和药用。❷像蜂蜜样甜美的东西。❸甜美。
【组　词】蜜蜂　蜂蜜　蜜枣　甜蜜
【造　句】甜言蜜语——做领导的不能被下属的甜言蜜语给蒙蔽了。
【同音字】秘（秘密）
【形近字】密（密封）
【反义词】甜言蜜语/肺腑之言
【近义词】甜言蜜语/花言巧语
【歇后语】蜜罐里放糖——甜上加甜|蜜饯黄连——同甘共苦。
【谚　语】蜜多不甜，油多不香|蜜

糖算最甜,友谊的话比蜜糖还甜。
【英　语】蜜蜂　bee [biː]

## NIAN　ㄇㄧㄢ

| mián | 笔画 | 部首 | 结构 | 五笔 | 造字法 |
|---|---|---|---|---|---|
| 眠 | 10 | 目 | 左右 | HNAN | 形声 |
| 笔顺 | 丨 冂 冃 月 目 眀 眂 眂 眂 眠 | | | | |

【解　释】❶睡眠。❷某些动物的生理现象,在一个较长的时间里不吃东西,也不活动。
【组　词】睡眠　冬眠　失眠　安眠
【同音字】绵(缠绵)　棉(棉衣)
【形近字】民(人民)　泯(泯灭)
【近义词】睡眠/睡觉
【英　语】睡眠　sleep [sliːp]

| mián | 笔画 | 部首 | 结构 | 五笔 | 造字法 |
|---|---|---|---|---|---|
| 绵 | 11 | 纟 | 左右 | XRMH | 会意 |
| 笔顺 | 𠃋 纟 纟 纟' 纟' 约 约 绐 绵 绵 绵 | | | | |

【解　释】❶丝绵。❷绵延;延展。❸薄弱;柔软。
【组　词】绵羊　绵绸　绵绵　绵延　绵和　绵甜　软绵绵
【造　句】连绵不绝——北京西枕军都山,再往西,便是连绵不绝的太行山脉。
【辨　音】不读 jǐn。
【同音字】眠(睡眠)
【形近字】棉(棉花)
【成　语】绵里藏针
【近义词】连绵不绝/络绎不绝
【歇后语】绵羊走到狼群里——头也不敢抬。
【谚　语】绵羊赶急了,也会跳涧｜绵羊打架要下雨。
【英　语】绵羊　sheep [ʃiːp]

| mián | 笔画 | 部首 | 结构 | 五笔 | 造字法 |
|---|---|---|---|---|---|
| 棉 | 12 | 木 | 左右 | SRMH | 会意 |
| 笔顺 | 一 十 才 木 木' 杓 杓 柏 棉 棉 棉 棉 | | | | |

【解　释】❶草棉,重要的经济作物。果实叫棉桃或棉铃。也指草棉和木棉的统称。俗称棉花。❷像棉花的絮状物。
【组　词】棉花　草棉　木棉　棉桃
【同音字】眠(睡眠)
【形近字】绵(绵羊)
【谚　语】棉里之针,肉里之刺｜棉花不治虫,秋后一场空。
【英　语】棉花　cotton [ˈkɔtn]

| miǎn | 笔画 | 部首 | 结构 | 五笔 | 造字法 |
|---|---|---|---|---|---|
| 免 | 7 | ⺈ | 上下 | QKQB | 会意 |
| 笔顺 | ノ ⺈ ⺈ 𠂊 色 免 免 | | | | |

【解　释】❶去掉;除去。❷避开;免去。❸不要。
【组　词】避免　任免　免除　减免　免职　难免
【造　句】难免——年少气盛,难免犯这样或那样的错误,但还是要提高修养。
【同音字】勉(勉强)
【形近字】兔(兔子)
【反义词】减免/增加
【近义词】减免/免除
【英　语】免除　prevent [priˈvent]

| miǎn | 笔画 | 部首 | 结构 | 五笔 | 造字法 |
|---|---|---|---|---|---|
| 勉 | 9 | 力 | 半包围 | QKQL | 形声 |
| 笔顺 | ノ ⺈ ⺈ ⺈ 𠂊 免 免 免 勉 | | | | |

【解　释】❶尽力;努力。❷勉励;鼓励人上进。❸力量不够而尽力做。
【组　词】勉励　勉强　自勉
【造　句】勉励——他这次期末考试成绩不错,老师勉励他继续努力。
【同音字】免(免除)
【形近字】兔(兔子)
【反义词】勉励/打击
【近义词】勉励/鼓励
【英　语】勉励　encourage　[in'-kʌridʒ]

| miǎn | 笔画 | 部首 | 结构 | 五笔 | 造字法 |
|---|---|---|---|---|---|
| 冕 | 11 | 曰 | 上下 | JQKQ | 形声 |
| 笔顺 | 丨 冂 冃 曰 ⺜ 冐 冐 冐 冐 冕 冕 | | | | |

【解　释】古代帝王、诸侯、卿、大夫戴的礼帽,后专指帝王的帽子。
【组　词】冠冕　加冕
【造　句】加冕——1804 年,拿破仑在法国的巴黎圣母院里加冕。
【同音字】勉(勉励)
【英　语】冕　crown　[kraun]

| miàn | 笔画 | 部首 | 结构 | 五笔 | 造字法 |
|---|---|---|---|---|---|
| 面 | 9 | 一 | 独体 | DMJD | 象形 |
| 笔顺 | 一 ア 丆 丙 而 而 而 面 面 | | | | |

【解　释】❶头的前部,脸。❷物体的表面,有时特指物体上部一层。❸朝着;向着。❹当面。❺量词。❻粮食磨成的粉。❼几何学上称一条线移动所构成的图形。❽部位或方面。❾指某些食物纤维少而柔软。
【组　词】面部　面前　面粉　面糊
【造　句】面面俱到——他讲话虽然面面俱到,但大多不关痛痒,一带而过。
【形近字】而(而且)
【成　语】面面俱到　面目全非
【反义词】面面俱到/顾此失彼
【近义词】面目一新/气象一新
【歇后语】面筋放在油锅里——越大越空。
【谚　语】面前起火,背后冒烟。
【英　语】面积　area　['ɛəriə]

## MIAO　ㄇㄧㄠ

| miáo | 笔画 | 部首 | 结构 | 五笔 | 造字法 |
|---|---|---|---|---|---|
| 苗 | 8 | 艹 | 上下 | ALF | 会意 |
| 笔顺 | 一 十 艹 艹 芇 苗 苗 苗 | | | | |

【解　释】❶初生的植物或初生的动物。❷后代。❸疫苗。❹形状像苗的。❺姓。
【组　词】禾苗　苗族　火苗　鱼苗　蒜苗　苗条　苗圃
【造　句】苗条——很多人羡慕表姐苗条的身材。
【同音字】描(描写)
【形近字】喵(喵喵)
【成　语】苗而不秀
【反义词】苗条/肥胖
【近义词】苗条/纤柔
【谚　语】苗多欺草,草多欺苗。
【英　语】苗条　slim　[slim]

| miáo | 笔画 | 部首 | 结构 | 五笔 | 造字法 |
|---|---|---|---|---|---|
| 描 | 11 | 扌 | 左右 | RALG | 形声 |
| 笔顺 | 一 十 扌 扌 扌 扌 扌 拈 描 描 描 | | | | |

【解　释】❶照样子画或写。❷在原来颜色淡或需要改正的地方重复地涂抹。

【组　词】描摹　描绘　描红　描述　描图

【造　句】描述——这篇文章真实地描述了农民的生活。

【同音字】瞄(瞄准)

【形近字】猫(花猫)

【谚　语】描云绣花不算能，纺线织布不受穷。

【英　语】描述 describe [di'skraib]

| miáo | 笔画 | 部首 | 结构 | 五笔 | 造字法 |
|---|---|---|---|---|---|
| 瞄 | 13 | 目 | 左右 | HALG | 形声 |
| 笔顺 | 丨 冂 冃 月 目 目 目 目 瞄 瞄 瞄 瞄 瞄 | | | | |

【解　释】把视力集中在一点上；注视。

【组　词】瞄准

【造　句】瞄准——这个工厂瞄准市场的需求，生产出多种规格的产品。

【同音字】描(描写)

【形近字】描(描绘)

【谚　语】瞄准还不是射中。

【英　语】瞄准 aim at [eim æt]

| miǎo | 笔画 | 部首 | 结构 | 五笔 | 造字法 |
|---|---|---|---|---|---|
| 秒 | 9 | 禾 | 左右 | TITT | 形声 |
| 笔顺 | ㇀ 二 千 禾 禾 利 利 秒 秒 | | | | |

【解　释】计量单位名称，表示时间、平面角的最小单位。

【组　词】秒针　秒表　争分夺秒

【造　句】争分夺秒——当他得知自己得了绝症之后，更加争分夺秒地投入到工作当中去，希望多做一些贡献。

【同音字】渺(渺茫)

【形近字】吵(吵架)　妙(巧妙)

【反义词】争分夺秒/蹉跎岁月

【近义词】争分夺秒/只争朝夕

【英　语】秒表　stopwatch ['stɔpwɔtʃ]

| miǎo | 笔画 | 部首 | 结构 | 五笔 | 造字法 |
|---|---|---|---|---|---|
| 渺 | 12 | 氵 | 左右 | IHIT | 形声 |
| 笔顺 | ㇔ 冫 氵 氵 汨 汨 汨 泪 渺 渺 渺 渺 | | | | |

【解　释】❶渺茫；微小。❷形容水大。

【组　词】渺小　渺茫　渺然　渺远　渺无人烟

【造　句】渺无人烟——他们这个兵团在渺无人烟的荒原上安营扎寨，一住就是十年。

【同音字】秒(分秒必争)

【形近字】沙(沙子)

【成　语】烟波浩渺

【反义词】渺小/巨大

【近义词】渺无人烟/杳无人烟

【英　语】渺小　tiny ['taini]

| miào | 笔画 | 部首 | 结构 | 五笔 | 造字法 |
|---|---|---|---|---|---|
| 妙 | 7 | 女 | 左右 | VITT | 形声 |
| 笔顺 | ㄑ 女 女 如 如 妙 妙 | | | | |

【解　释】❶美妙；好。❷奥妙；

奇妙。

【组　词】妙计　妙用　妙语　妙诀

【造　句】莫名其妙——对他突如其来的责备，我感到莫名其妙。

【辨　音】不读 shǎo。

【同音字】庙（庙宇）

【形近字】秒（秒针）

【成　语】妙不可言　妙手回春　莫名其妙　妙趣横生

【近义词】妙趣横生/饶有风趣

【谚　语】妙药难治冤孽（niè）病，横财不富命穷人。

【英　语】妙计　excellent plan [ˈeksələnt plæn]

| miào | 笔画 | 部首 | 结构 | 五笔 | 造字法 |
| --- | --- | --- | --- | --- | --- |
| 庙 | 8 | 广 | 半包围 | YMD | 形声 |
| 笔顺 | 丶 亠 广 广 庁 庙 庙 庙 | | | | |

【解　释】❶旧时供祖宗神位或历史上有名人物的处所。❷指朝廷。❸庙会。❹已死的皇帝的代称。

【组　词】庙会　庙宇　庙堂　太庙

【同音字】妙（妙用）

【形近字】届（应届）

【英　语】庙宇　temple [ˈtempl]

## MIE ㄇㄧㄝ

| miē | 笔画 | 部首 | 结构 | 五笔 | 造字法 |
| --- | --- | --- | --- | --- | --- |
| 咩 | 9 | 口 | 左右 | KUDH | 会意 |
| 笔顺 | 丨 ㄇ 口 口' 口'' 口⺷ 咩 咩 咩 | | | | |

【解　释】象声词。形容羊叫的声音。

【组　词】咩咩

【形近字】洋（洋气）

| miè | 笔画 | 部首 | 结构 | 五笔 | 造字法 |
| --- | --- | --- | --- | --- | --- |
| 灭 | 5 | 火 | 上下 | GOI | 指事 |
| 笔顺 | 一 丆 丆 丆 灭 | | | | |

【解　释】❶熄灭；熄掉。❷淹没。❸消灭；消亡。❹使消灭；不存在。

【组　词】灭火　灭绝　灭门　熄灭

【造　句】灭绝——华南虎是一种濒临灭绝的珍稀动物。

【同音字】蔑（蔑视）

【形近字】火（火灾）

【成　语】灭顶之灾

【反义词】熄灭/点燃

【近义词】灭绝人性/伤天害理

【谚　语】灭自己志气，长他人威风｜灭虱没有巧，换衣常洗澡。

【英　语】灭火　put out a fire [putautəfaiə]

| miè | 笔画 | 部首 | 结构 | 五笔 | 造字法 |
| --- | --- | --- | --- | --- | --- |
| 蔑 | 14 | 艹 | 上中下 | ALDT | 会意 |
| 笔顺 | 一 十 艹 艹 苎 苎 苎 苎 苎 茈 茈 蔑 蔑 蔑 | | | | |

【解　释】❶轻；小。❷没有。❸造谣毁坏别人的名誉。

【组　词】蔑视　蔑称

【造　句】蔑视——面对敌人的威胁，他露出蔑视的神情。

【同音字】灭（消灭）

【形近字】篾（篾匠）

【反义词】蔑视/仰视

【近义词】蔑视/轻视

【英　语】蔑视　despise [diˈs-paiz]

# MIN ㄇㄧㄣ

| mín | 笔画 | 部首 | 结构 | 五笔 | 造字法 |
|---|---|---|---|---|---|
| 民 | 5 | 一 | 独体 | NAV | 指事 |
| 笔顺 | 乛 コ 尸 𠃜 民 | | | | |

【解　释】❶人民。❷指某种人。❸民间的。❹非军人;非军事的。
【组　词】人民　民权　民歌　民警　民办　民兵　民法　民房　民工
【造　句】民生凋敝——明朝末年政治腐败,民生凋敝。
【形近字】岷(岷山)
【成　语】民生凋敝　民不聊生
【反义词】民生凋敝/国富民安
【近义词】民生凋敝/民穷财尽
【歇后语】民航局开张——有机可乘。
【谚　语】民不举,官不究|民以食为天。
【英　语】民歌　folk song [fəuk sɔŋ]

| mǐn | 笔画 | 部首 | 结构 | 五笔 | 造字法 |
|---|---|---|---|---|---|
| 皿 | 5 | 皿 | 独体 | LHNG | 象形 |
| 笔顺 | 丨 冂 冊 冊 皿 | | | | |

【解　释】器皿,碗、碟等一类用具的总称。

甲骨文　金文　小篆　隶书　楷书

【字源释义】"皿"字为象形字。甲骨文和金文的字形像一个盛食物的容器的形状。由"皿"字组成的字一般多与器皿有关,例如"盆"、"盘"、"盂"等。
【组　词】器皿
【辨　音】韵母是 in,不是 ing。
【同音字】悯(怜悯)
【形近字】血(鲜血)
【英　语】器皿　vessel [ˈvesl]

| mǐn | 笔画 | 部首 | 结构 | 五笔 | 造字法 |
|---|---|---|---|---|---|
| 闵 | 7 | 门 | 半包围 | UYI | 形声 |
| 笔顺 | 丶 丨 门 门 闩 闵 闵 | | | | |

【解　释】姓。
【同音字】闽(闽南)
【形近字】闲(闲着)

| mǐn | 笔画 | 部首 | 结构 | 五笔 | 造字法 |
|---|---|---|---|---|---|
| 抿 | 8 | 扌 | 左右 | RNAN | 形声 |
| 笔顺 | 一 十 扌 扌 打 护 抿 抿 | | | | |

【解　释】❶用小刷子蘸水或油抹(头发等)。❷稍稍合拢。❸用嘴唇略微喝一点。
【组　词】抿着　抿子　抿头发
【造　句】抿着——她站在那里抿着嘴笑。
【辨　音】不读 mín。
【同音字】敏(敏捷)
【形近字】泯(泯灭)

| mǐn | 笔画 | 部首 | 结构 | 五笔 | 造字法 |
|---|---|---|---|---|---|
| 泯 | 8 | 氵 | 左右 | INAN | 形声 |
| 笔顺 | 丶 冫 氵 氵 泗 泗 泯 泯 | | | | |

【解　释】消灭;丧失。

【组　词】泯灭　童心未泯
【造　句】童心未泯——张爷爷虽然六十多岁了，但仍然童心未泯，喜欢翻阅儿童读物。
【同音字】敏(灵敏)
【形近字】抿(抿着)
【反义词】童心未泯/未老先衰
【近义词】泯灭/消灭
【英　语】泯灭 die out [dai aut]

| mǐn | 笔画 | 部首 | 结构 | 五笔 | 造字法 |
|---|---|---|---|---|---|
| 闽 | 9 | 门 | 半包围 | UJI | 形声 |
| 笔顺 | 丶 丨 门 门 闩 闩 闸 闽 闽 | | | | |

【解　释】❶闽江，水名，在福建省。❷福建省的别称。
【组　词】闽剧　闽语
【同音字】泯(泯灭)
【形近字】闵(姓)

| mǐn | 笔画 | 部首 | 结构 | 五笔 | 造字法 |
|---|---|---|---|---|---|
| 悯 | 10 | 忄 | 左右 | NUYY | 形声 |
| 笔顺 | 丶 丷 忄 忄 忄 忛 悯 悯 悯 悯 | | | | |

【解　释】❶怜悯，对遭遇不幸的人表示同情。❷忧愁。
【组　词】怜悯　悯恤
【造　句】怜悯——看到这位双目失明的残疾人，我的怜悯之情油然而生。
【同音字】皿(器皿)
【形近字】闷(苦闷)

| mǐn | 笔画 | 部首 | 结构 | 五笔 | 造字法 |
|---|---|---|---|---|---|
| 敏 | 11 | 攵 | 左右 | TXGT | 形声 |
| 笔顺 | 丿 𠂉 𠂉 每 每 每 每 每 敏 敏 敏 | | | | |

【解　释】❶快速；灵敏。❷聪明；机灵。❸姓。
【组　词】敏捷　机敏　敏感　灵敏　敏锐　聪敏　敏慧
【造　句】敏捷——他长得瘦，行动起来敏捷得像猴子。
【同音字】抿(抿着)　泯(泯灭)
【形近字】海(海水)　悔(忏悔)
【反义词】敏捷/迟缓
【近义词】灵敏/机灵
【英　语】敏捷 quick [kwik]

## MING ㄇㄧㄥ

| míng | 笔画 | 部首 | 结构 | 五笔 | 造字法 |
|---|---|---|---|---|---|
| 名 | 6 | 口 | 上下 | QKF | 会意 |
| 笔顺 | 丿 ク 夕 夕 名 名 | | | | |

【解　释】❶人的名字或事物的名称。❷名义；借口。❸名声；名誉。❹出名的；有名声的。❺说出。❻量词。用于人。❼姓。
【组　词】姓名　名声　名誉　名句　名望　名利　名堂　名义
【造　句】名副其实——骆驼是名副其实的"沙漠之舟"。
【同音字】明(明天)
【形近字】古(古人)　各(各位)
【成　语】名副其实　名列前茅　名垂青史　名不虚传　名不副实
【反义词】名垂青史/臭名远扬
【近义词】名副其实/名不虚传
【谚　语】名医难治心头病｜名誉比生命可贵。
【英　语】名字 name [neim]

| míng | 笔画 | 部首 | 结构 | 五笔 | 造字法 |
|---|---|---|---|---|---|
| 明 | 8 | 日 | 左右 | JEG | 会意 |
| 笔顺 | 丨 冂 月 日 日) 明 明 明 | | | | |

M

【解　释】❶亮（跟“暗”相对）。❷清楚；明了。❸不隐蔽；公开。❹对事物看得清；眼力好。❺光明。❻磊落；正派。❼了解；懂得。❽显示；表明。❾朝代名。❿姓。

甲骨文　金文　小篆　隶书　楷书

【字源释义】在人们看来，天空中所能见到最明亮的星体就是“日”和“月”，日和月合起来就是“明”，本义是“明亮”。

【组　词】明天　明亮　明显　文明　精明

【造　句】明察暗访——经过他长时间的明察暗访，这件案子终于水落石出。

【同音字】名（名声）

【形近字】朋（朋友）

【成　语】明辨是非　明察秋毫　明目张胆　明哲保身　明察暗访

【反义词】明察秋毫/雾里看花

【近义词】明察秋毫/洞若观火

【谚　语】明知山有虎，偏向虎山行|明日复明日，明日何其多？路从脚下起，事从今日做。

【英　语】明显 obvious [ˈɔbviəs]

| míng | 笔画 | 部首 | 结构 | 五笔 | 造字法 |
|---|---|---|---|---|---|
| 鸣 | 8 | 口 | 左右 | KQYG | 会意 |
| 笔顺 | 丨 ㄇ 口 口′ 口ㄅ 口ㄅ 鸣 鸣 | | | | |

【解　释】❶鸟兽或昆虫叫。❷发音。❸表达；发表。

甲骨文　金文　小篆　隶书　楷书

【字源释义】“鸣”的本义是“鸟叫”。字形像一只鸟在张口鸣叫。也泛指其他的动物叫，如“虎鸣”、“鹿鸣”、“蝉鸣”等。后引申为“使物发声”，如“鸣佩”、“鸣枪”等。

【组　词】蝉鸣　鸣冤　鸣叫　共鸣

【造　句】自鸣得意——他刚在报刊上发表了一两篇小文章，就自鸣得意，以作家自居。

【同音字】铭（铭记）

【形近字】鸟（鸟叫）

【成　语】孤掌难鸣　自鸣得意

【反义词】自鸣得意/自惭形秽

【近义词】自鸣得意/自命不凡

【英　语】鸣笛 blow a whistle [bləu ə ˈwisl]

| míng | 笔画 | 部首 | 结构 | 五笔 | 造字法 |
|---|---|---|---|---|---|
| 冥 | 10 | 冖 | 上中下 | PJUU | 形声 |
| 笔顺 | 丶 冖 冖 冖 冖 冖 冖 冥 冥 冥 | | | | |

【解　释】❶昏暗。❷深沉；深奥。❸愚昧；糊涂。❹迷信的人称人死后进入的世界。

M

【组　词】冥暗　冥府　冥钞
【造　句】冥思苦想——他坐在那里一声不响，为那道题目冥思苦想。
【同音字】名(名人)　明(明天)
【形近字】溟(北溟)
【成　语】冥思苦想
【反义词】冥思苦想/无所用心
【近义词】冥思苦想/挖空心思
【英　语】冥想　contemplate [ˈkɔntəmpleit]

| míng | 笔画 | 部首 | 结构 | 五笔 | 造字法 |
| --- | --- | --- | --- | --- | --- |
| 铭 | 11 | 钅 | 左右 | QQKG | 形声 |
| 笔顺 | 丿 𠂉 𠂇 乍 钅 钅 钞 钞 铭 铭 铭 | | | | |

【解　释】❶在器物上刻字，多表示纪念等，也比喻永远记住。❷在碑碣等上面记述事实、功德等文字或鞭策、勉励自己的文字。
【组　词】铭记　铭刻　铭感　墓志铭　座右铭
【造　句】刻骨铭心——他的热心与温情，特别是在困难时期的无私援助，使我刻骨铭心。
【同音字】明(明白)
【形近字】名(名人)
【成　语】刻骨铭心
【近义词】刻骨铭心/铭肌镂骨
【英　语】铭记　bear in mind [bɛə in maind]

| mìng | 笔画 | 部首 | 结构 | 五笔 | 造字法 |
| --- | --- | --- | --- | --- | --- |
| 命 | 8 | 人 | 上下 | WGKB | 会意 |
| 笔顺 | 丿 人 亼 今 合 合 命 命 | | | | |

【解　释】❶生物的生存能力；生命；寿命。❷迷信，指人一生中生命、贫富、祸福等遭遇。❸命令；指示。❹给予(名称等)。
【组　词】命运　命令　命脉　命名　命题　命相　命中
【造　句】命运——他一生遭遇过无数磨难，但从没向命运低头。
【形近字】令(命令)　伞(雨伞)
【反义词】命令/听命
【近义词】命令/指示
【英　语】命令　order [ˈɔːdə]

## MO ㄇㄛ

| mō | 笔画 | 部首 | 结构 | 五笔 | 造字法 |
| --- | --- | --- | --- | --- | --- |
| 摸 | 13 | 扌 | 左右 | RAJD | 形声 |
| 笔顺 | 一 十 扌 扌 扌 扌 扌 扌 扌 扌 扌 摸 摸 | | | | |

【解　释】❶用手轻触或接触后轻轻移动。❷用手探取。❸试着做；试着了解。❹在黑暗中行动，在认不清的道路上行走。
【组　词】摸底　抚摸　摸黑　估摸　摸透　摸奖　摸索
【造　句】摸透——爸爸摸透了我的脾气，他怎么也不相信我的谎言。
【辨　音】不读 mò 或 mó。
【形近字】模(模型)
【近义词】估摸/估计
【歇后语】摸黑吃桃子——只拣软的捏。
【谚　语】摸索走黑路的人，才知道火把可贵。
【英　语】摸索 feel out [fiːl aut]

M

| mó | 笔画 | 部首 | 结构 | 五笔 | 造字法 |
|---|---|---|---|---|---|
| 馍 | 13 | 饣 | 左右 | QNAD | 形声 |
| 笔顺 | 丿 ⺈ 饣 饣一 饣十 饣艹 饣艹 饣苜 饣苩 饣莒 饣莫 馍 馍 | | | | |

【解　释】馒头。也叫馍馍。
【组　词】馍馍　蒸馍
【同音字】磨(磨刀)
【形近字】模(模型)　摸(摸透)
【英　语】馍馍　steamed bread [stiːmd bred]

| mó | 笔画 | 部首 | 结构 | 五笔 | 造字法 |
|---|---|---|---|---|---|
| 摹 | 14 | 艹 | 上下 | AJDR | 形声 |
| 笔顺 | 一 十 艹 艹 苩 苩 莒 莒 莫 莫 莫 莫 摹 摹 | | | | |

【解　释】❶依照原样写作书画。❷模仿；效仿。
【组　词】临摹　摹刻　摹绘　摹写　摹本
【造　句】临摹——他临摹的这幅《八骏图》可真像。
【同音字】膜(隔膜)　磨(磨蹭)
【形近字】慕(羡慕)
【近义词】临摹/描摹
【英　语】临摹　copy [ˈkɔpi]

| mó | 笔画 | 部首 | 结构 | 五笔 | 造字法 |
|---|---|---|---|---|---|
| 模 | 14 | 木 | 左右 | SAJD | 形声 |
| 笔顺 | 一 十 才 木 木一 木十 木艹 木艹 栌 栌 桓 模 模 模 | | | | |

【解　释】❶标准；规范。❷模范；可以作为榜样的人或事。❸仿效；模仿。
【组　词】模型　楷模　模仿　模范　模本　模块
【造　句】模棱两可——他奉行明哲保身的处世原则，在大家发生争论时，他的态度总是模棱两可，摇摆不定。
【辨　音】不读 mé。
【同音字】馍(馍馍)　磨(磨刀)
【形近字】摸(触摸)
【成　语】模棱两可
【反义词】模棱两可/旗帜鲜明
【近义词】模棱两可/依违两可
【英　语】模型　model [ˈmɔdl]
【多音字】mú(见 504 页)

| mó | 笔画 | 部首 | 结构 | 五笔 | 造字法 |
|---|---|---|---|---|---|
| 膜 | 14 | 月 | 左右 | EAJD | 形声 |
| 笔顺 | 丿 刀 月 月 月一 月十 月艹 月艹 月苜 月苩 月莒 膜 膜 膜 | | | | |

【解　释】❶人或动物体内的薄皮状组织。❷像膜的薄皮。
【组　词】内膜　薄膜　耳膜　隔膜
【造　句】顶礼膜拜——这座庙虽不大，但香火很盛，总有一些香客前来顶礼膜拜。
【同音字】磨(磨刀)
【形近字】模(模样)
【成　语】顶礼膜拜
【英　语】耳膜 eardrum [ˈiədrʌm]

| mó | 笔画 | 部首 | 结构 | 五笔 | 造字法 |
|---|---|---|---|---|---|
| 摩 | 15 | 广 | 半包围 | YSSR | 形声 |
| 笔顺 | 丶 亠 广 广 广 庐 庐 庐 庠 庠 麻 麻 摩 摩 摩 | | | | |

【解　释】❶接触；擦。❷摸。❸研究切磋。❹摩尔的简称。
【组　词】摩擦　摩天　揣摩　按摩
【造　句】摩肩接踵——节日的大街上，人群摩肩接踵，热闹非凡。
【同音字】馍(馍馍)

【形近字】靡(风靡全球)
【成　语】摩肩接踵　摩拳擦掌
【近义词】摩肩接踵/摩肩挨背
【英　语】摩擦　rub [rʌb]
【多音字】mā(见 471 页)

| mó | 笔画 | 部首 | 结构 | 五笔 | 造字法 |
|---|---|---|---|---|---|
| 磨 | 16 | 广 | 半包围 | YSSD | 形声 |
| 笔顺 | 丶 亠 广 广 广 庁 庁 庁 庁 庥 麻 麻 麽 摩 磨 磨 | | | | |

【解　释】❶摩擦。❷研。❸纠缠。❹耗时间;拖延。❺磨灭;消灭。
【组　词】磨合　磨难　磨灭　磨砺
【造　句】磨砺——经过岁月的磨砺,他变得愈发成熟和自信了。
【同音字】模(模仿)
【形近字】魔(魔鬼)
【成　语】磨杵成针　磨穿铁砚
【反义词】磨灭/永存
【近义词】磨炼/磨砺
【谚　语】磨刀不误砍柴工。
【英　语】磨难　suffering [ˈsʌfəriŋ]
【多音字】mò(见 503 页)

| mó | 笔画 | 部首 | 结构 | 五笔 | 造字法 |
|---|---|---|---|---|---|
| 蘑 | 19 | 艹 | 上下 | AYSD | 形声 |
| 笔顺 | 一 十 艹 艹 艹 芦 芦 芦 芦 芦 芦 芦 芦 蔴 蔴 蔴 蘑 蘑 蘑 | | | | |

【解　释】蘑菇,菌类植物名。
【英　语】蘑菇　mushroom [ˈmʌʃrum]

| mó | 笔画 | 部首 | 结构 | 五笔 | 造字法 |
|---|---|---|---|---|---|
| 魔 | 20 | 广 | 半包围 | YSSC | 形声 |
| 笔顺 | 丶 亠 广 广 广 庁 庁 庁 庁 庥 麻 麻 麻 麽 麽 麽 麽 魔 魔 魔 | | | | |

【解　释】❶魔鬼,神话传说中的害人的鬼怪。❷神秘的;奇异的。
【组　词】恶魔　魔鬼　魔力　魔方　魔法　魔掌　邪魔　病魔
【造　句】病魔——病魔夺去了他年轻的生命。
【同音字】馍(馍馍)
【形近字】磨(磨豆浆)
【谚　语】魔高一尺,道高一丈。
【英　语】魔鬼　devil [ˈdevl]

| mǒ | 笔画 | 部首 | 结构 | 五笔 | 造字法 |
|---|---|---|---|---|---|
| 抹 | 8 | 扌 | 左右 | RGSY | 形声 |
| 笔顺 | 一 十 扌 扌 扌 扌 抹 抹 | | | | |

【解　释】❶涂抹。❷擦;揩。❸除去;勾销。❹量词。用于云霞等。
【组　词】抹灰　涂抹　抹杀　抹泪　抹黑
【造　句】抹黑——他很正直,决不会给集体抹黑的。
【形近字】昧(拾金不昧)
【谚　语】抹黑脸照镜子,自己吓唬自己。
【英　语】抹掉　erase [iˈreiz]
【多音字】mā(见 471 页)
【多音字】mò(见 501 页)

| mò | 笔画 | 部首 | 结构 | 五笔 | 造字法 |
|---|---|---|---|---|---|
| 万 | 3 | 一 | 独体 | DNV | 形声 |
| 笔顺 | 一 丆 万 | | | | |

【解　释】[万俟](Mòqí)姓。
【同音字】末(末尾)
【多音字】wàn(见 732 页)

| mò | 笔画 | 部首 | 结构 | 五笔 | 造字法 |
|---|---|---|---|---|---|
| 末 | 5 | 一 | 独体 | GSI | 指事 |
| 笔顺 | 一 二 丰 未 末 | | | | |

【解　释】❶梢；尽头。❷不重要的；不根本的。❸最后；终了。❹粉状物。❺传统戏曲里的角名。
【组　词】末尾　末日　末代　始末
【造　句】细枝末节——同志之间应该求大同存小异，不宜在细枝末节上过分计较。
【辨　音】不读 wèi。
【同音字】没（沉没）
【形近字】未（未来）
【成　语】穷途末路　细枝末节
【近义词】细枝末节/鸡毛蒜皮
【英　语】末尾　end [end]

| mò | 笔画 | 部首 | 结构 | 五笔 | 造字法 |
|---|---|---|---|---|---|
| 没 | 7 | 氵 | 左右 | IMC | 形声 |
| 笔顺 | 丶 丶 氵 氵 沙 沙 没 | | | | |

【解　释】❶人或物体沉入水中。❷超过或漫过人或物体。❸隐没或者隐藏。❹将财物收归公有。❺终；尽；一直到终结。
【组　词】淹没　没落　没收　没世
【造　句】淹没——这场山洪，淹没了庄稼，也淹没了房屋。
【同音字】茉（茉莉）
【成　语】没齿不忘
【近义词】没齿不忘/刻骨铭心
【英　语】没收　confiscate [ˈkɔnfiskeit]
【多音字】méi（见 481 页）

| mò | 笔画 | 部首 | 结构 | 五笔 | 造字法 |
|---|---|---|---|---|---|
| 茉 | 8 | 艹 | 上下 | AGSU | 形声 |
| 笔顺 | 一 十 艹 艹 苎 苹 茉 茉 | | | | |

【解　释】茉莉，常绿灌木，夏、秋开花，花也叫茉莉，白色，香味浓郁，可观赏。
【组　词】茉莉　茉莉花
【同音字】没（沉没）
【形近字】莱（莱菔）
【英　语】茉莉　jasmine [ˈdʒæsmin]

| mò | 笔画 | 部首 | 结构 | 五笔 | 造字法 |
|---|---|---|---|---|---|
| 沫 | 8 | 氵 | 左右 | IGS | 形声 |
| 笔顺 | 丶 丶 氵 氵 汀 汗 沫 沫 | | | | |

【解　释】❶液体形成的小泡；沫子。❷唾液。
【组　词】沫子　泡沫　白沫
【造　句】相濡以沫——张大山和他妻子勤俭持家、相濡以沫。
【成　语】相濡以沫

| mò | 笔画 | 部首 | 结构 | 五笔 | 造字法 |
|---|---|---|---|---|---|
| 抹 | 8 | 扌 | 左右 | RGSY | 形声 |
| 笔顺 | 一 十 扌 扌 扌 抹 抹 抹 | | | | |

【解　释】❶涂上泥灰再弄平。❷绕。
【组　词】抹墙　转弯抹角
【造　句】转弯抹角——你就实话实说吧，别转弯抹角了。
【同音字】末（岁末）
【英　语】抹墙　plaster a wall [ˈplɑːstə əwɔːl]
【多音字】mā（见 471 页）
【多音字】mǒ（见 500 页）

| mò | 笔画 | 部首 | 结构 | 五笔 | 造字法 |
|---|---|---|---|---|---|
| 陌 | 8 | 阝 | 左右 | BDJG | 形声 |
| 笔顺 | 阝 阝 阝 阝 阡 陌 陌 陌 | | | | |

【解　释】❶田间（东西向的）小路。❷街道。❸姓。

M

【组　词】阡陌　陌路　陌生
【造　句】陌生——我和她虽说是第一次见面,但彼此都不感觉陌生。
【同音字】没(淹没)
【形近字】伯(伯伯)
【反义词】陌生/熟悉
【近义词】陌生/生疏
【英　语】陌生 strange [streindʒ]

| mò | 笔画 | 部首 | 结构 | 五笔 | 造字法 |
| --- | --- | --- | --- | --- | --- |
| 脉 | 9 | 月 | 左右 | EYNI | 会意 |
| 笔顺 | 丿 刀 月 月 月` 肑 肪 肪 脉 | | | | |

【解　释】脉脉,用眼神或行动表达情意。
【组　词】脉脉　含情脉脉
【造　句】脉脉——他脉脉地看着远去的孩子。
【同音字】陌(陌生)
【成　语】含情脉脉
【反义词】含情脉脉/冷若冰霜
【近义词】含情脉脉/温情脉脉
【英　语】含情脉脉 quietly sending the message of love [ˈkwaiətli ˌsendiŋ ðə ˈmesidʒ əv lʌv]
【多音字】mài(见 474 页)

| mò | 笔画 | 部首 | 结构 | 五笔 | 造字法 |
| --- | --- | --- | --- | --- | --- |
| 莫 | 10 | 艹 | 上下 | AJDU | 会意 |
| 笔顺 | 一 十 艹 艹 苎 苩 苗 莒 莫 莫 | | | | |

【解　释】❶代词。相当于"没有谁"或"没有什么"。❷副词。不;不能。❸不要。❹表示揣测或反问。❺姓。

甲骨文　金文　小篆　隶书　楷书

【字源释义】"莫"字为会意字。本义指日落的时候。字形像太阳从草丛中落下去的样子。后来"莫"字假借为"不要"等义,于是便在莫的基础上加"日",新造了"暮"字以表本义。
【组　词】莫非　莫如　莫不　莫若
【造　句】莫名其妙——她叫我一声"大姑",我感到莫名其妙,因为我根本不认识她呀!
【同音字】没(淹没)
【形近字】漠(沙漠)
【成　语】莫测高深　莫名其妙　一筹莫展　莫逆之交　莫衷一是
【反义词】莫逆之交/泛泛之交
【近义词】莫逆之交/生死之交
【歇后语】莫揭早了蒸笼盖——免得夹生。
【谚　语】莫问收获,但问耕耘。
【英　语】莫逆 intimate [ˈintimit]

| mò | 笔画 | 部首 | 结构 | 五笔 | 造字法 |
| --- | --- | --- | --- | --- | --- |
| 漠 | 13 | 氵 | 左右 | IAJD | 形声 |
| 笔顺 | 丶 冫 氵 氵一 氵十 氵艹 氵艹 氵艹 淠 漠 漠 漠 漠 | | | | |

【解　释】❶沙漠,指为沙覆盖的不毛之地。❷冷淡;不经心。
【组　词】沙漠　漠然　漠视　荒漠

M

冷漠

【造　句】漠不关心——对同学应该满腔热忱，不能漠不关心、麻木不仁。

【同音字】没（淹没）

【形近字】模（模样）

【成　语】漠然置之　漠不关心

【反义词】漠然置之/关怀备至

【近义词】漠然置之/置之不理

【英　语】冷漠　indifferent [in'difrənt]

| mò | 笔画 | 部首 | 结构 | 五笔 | 造字法 |
|---|---|---|---|---|---|
| 寞 | 13 | 宀 | 上下 | PAJD | 形声 |
| 笔顺 | 丶 宀 宀 宀 宀 宀 宀 宀 宀 宀 宀 宀 寞 | | | | |

【解　释】安静；清静；冷落。

【组　词】寂寞　落寞

【造　句】寂寞——奶奶一个人待在乡下，很寂寞。

【同音字】没（淹没）

【形近字】漠（沙漠）

【反义词】寂寞/喧闹

【近义词】寂寞/孤独

【英　语】寂寞　lonely ['ləunli]

| mò | 笔画 | 部首 | 结构 | 五笔 | 造字法 |
|---|---|---|---|---|---|
| 墨 | 15 | 黑 | 上下 | LFOF | 会意 |
| 笔顺 | 丨 冂 冂 冂 冂 甲 甲 里 里 里 黑 黑 黑 墨 墨 | | | | |

【解　释】❶写字、画画的用品。❷泛指写字、画画或印刷用的颜料。❸借指写的字和画的画。❹比喻读书识字的能力或学问。❺墨线，借指规矩、准则。❻黑。❼姓。

【组　词】墨宝　墨迹　墨客　墨汁　墨鱼　墨水

【造　句】墨守成规——我们的学习不能墨守成规，应该有所创新。

【同音字】没（淹没）

【形近字】黑（黑色）

【成　语】墨守成规

【反义词】墨守成规/推陈出新

【近义词】墨守成规/因循守旧

【英　语】墨镜　sunglasses [sʌn'glɑːsiz]

| mò | 笔画 | 部首 | 结构 | 五笔 | 造字法 |
|---|---|---|---|---|---|
| 默 | 16 | 黑 | 左右 | LFOD | 形声 |
| 笔顺 | 丨 冂 冂 冂 冂 甲 甲 里 里 里 黑 黑 黑 默 默 默 | | | | |

【解　释】❶不说话；不做声。❷凭记忆写。

【组　词】沉默　默写　默哀

【造　句】默默无闻——这位老工人在岗位上默默无闻地工作了近三十年。

【同音字】没（淹没）

【形近字】黑（黑色）

【成　语】默默无语　默默无闻

【反义词】默默无闻/赫赫有名

【近义词】默默无闻/无声无息

【英　语】默读　read silently [riːd 'sailəntli]

| mò | 笔画 | 部首 | 结构 | 五笔 | 造字法 |
|---|---|---|---|---|---|
| 磨 | 16 | 广 | 半包围 | YSSD | 形声 |
| 笔顺 | 丶 亠 广 广 广 庐 庐 庐 庥 庥 麻 磨 磨 磨 磨 磨 | | | | |

【解　释】❶把粮食等磨成粉状的工具。❷用磨操作。❸掉转。

M

【组　词】石磨　磨坊　磨面
【同音字】没(沉没)
【英　语】磨坊　mill [mil]
【多音字】mó(见 500 页)

## MOU　ㄇㄡ

| móu | 笔画 | 部首 | 结构 | 五笔 | 造字法 |
|---|---|---|---|---|---|
| 眸 | 11 | 目 | 左右 | HCRH | 形声 |
| 笔顺 | 丨 ꓵ 目 目 目 旷 旷 旷 眫 眸 眸 | | | | |

【解　释】眸子，本指瞳仁，泛指眼睛。
【组　词】眸子　凝眸
【造　句】明眸皓齿——那个明眸皓齿的小姑娘今年才 15 岁。
【同音字】谋(谋取)
【形近字】牟(牟取)
【成　语】明眸皓齿
【英　语】眸子　pupil (of the eye) [ˈpjuːpl (əv ðə ai)]

| móu | 笔画 | 部首 | 结构 | 五笔 | 造字法 |
|---|---|---|---|---|---|
| 谋 | 11 | 讠 | 左右 | YAFS | 形声 |
| 笔顺 | 丶 讠 讠 讠 讠 讠 讠 谌 谋 谋 谋 | | | | |

【解　释】❶计策；主意。❷谋求；图谋。❸商议。
【组　词】计谋　阴谋　谋略　谋取　谋生　谋私
【造　句】不谋而合——太好了，你的建议和我们讨论的结果不谋而合。
【同音字】眸(眸子)
【形近字】煤(煤炭)
【成　语】谋财害命　足智多谋　不谋而合
【近义词】不谋而合/异口同声
【谚　语】谋生计拙须从俭，处世才疏学谨言。
【英　语】谋生　make a living [meik ə ˈliviŋ]

| mǒu | 笔画 | 部首 | 结构 | 五笔 | 造字法 |
|---|---|---|---|---|---|
| 某 | 9 | 木 | 上下 | AFSU | 会意 |
| 笔顺 | 一 十 卄 卄 甘 甘 苴 草 某 | | | | |

【解　释】指示代词。❶指代不确定的人或事。❷指代一定的人或事。❸替代自己的名字。
【组　词】某事　某人　某部　某时　某年　某地
【造　句】某地——他们相约在某地见面，每个人都准时赶到了。
【形近字】果(果子)
【英　语】某处　somewhere [ˈsʌmwɛə]

## MU　ㄇㄨ

| mú | 笔画 | 部首 | 结构 | 五笔 | 造字法 |
|---|---|---|---|---|---|
| 模 | 14 | 木 | 左右 | SAJD | 形声 |
| 笔顺 | 一 十 才 木 木 村 栉 栉 栉 栉 栉 档 模 模 | | | | |

【解　释】形状；容貌。
【组　词】模样　模子　字模儿
【造　句】模样——看模样，这家饭馆是快要关门了。
【英　语】模样 appearance [əˈpiərəns]
【多音字】mó(见 499 页)

M

| mǔ | 笔画 | 部首 | 结构 | 五笔 | 造字法 |
|---|---|---|---|---|---|
| 母 | 5 | 母 | 独体 | XGU | 象形 |
| 笔顺 | ㄥ 𠃋 𠃋 毋 母 | | | | |

【解　释】❶妈妈;母亲;娘。❷对长辈妇女的称呼。❸雌性的(跟“公”相对)。❹有产生其他事物的能力或作用的。❺姓。

甲骨文　金文　小篆　隶书　楷书

【字源释义】“母”的本义是“母亲”。甲骨文与金文的“母”字字形是一个妇女跪坐着,胸前两个点表示一对乳房,这是母亲的象征。也作“女性的长辈”(如“祖母”、“伯母”等)、“雌性的”(如“母畜”)讲。

【组　词】母亲　母爱　母音　母鸡　姨母　母语　母系　母体　母机　母校　母性　母乳

【造　句】母校——无论我走到哪里,都不会忘记我的母校。

【同音字】姆(保姆)

【形近字】每(每天)

【谚　语】母鸡的理想只不过是一把糠。

【英　语】母亲　mother [ˈmʌðə]

| mǔ | 笔画 | 部首 | 结构 | 五笔 | 造字法 |
|---|---|---|---|---|---|
| 亩 | 7 | 亠 | 上下 | YLF | 会意 |
| 笔顺 | 丶 亠 亠 亣 亩 亩 亩 | | | | |

【解　释】原市制土地面积单位,100 亩为 1 顷,1 市亩等于 60 平方丈。

【组　词】亩数　亩产　公亩　市亩　英亩　田亩　地亩

【造　句】亩产——今年的亩产量比去年增长了一倍,这都是科学种田带来的效益。

【同音字】牡(牡丹)

【形近字】田(田间)

| mǔ | 笔画 | 部首 | 结构 | 五笔 | 造字法 |
|---|---|---|---|---|---|
| 牡 | 7 | 牛 | 左右 | TRFG | 形声 |
| 笔顺 | 丿 𠂉 牛 牛 牜 牡 牡 | | | | |

【解　释】❶雄性鸟兽。❷牡丹,观赏植物,初夏开花,花单生,大型,呈白色、红色或紫色。

【组　词】牡丹　牡蛎

【同音字】母(母爱)

【形近字】杜(杜绝)

【谚　语】牡丹虽好空入目,刺枣花小结实成|牡丹花儿虽好,还要绿叶儿扶持。

【英　语】牡丹　peony [ˈpiəni]

| mǔ | 笔画 | 部首 | 结构 | 五笔 | 造字法 |
|---|---|---|---|---|---|
| 拇 | 8 | 扌 | 左右 | RXGU | 形声 |
| 笔顺 | 一 十 扌 扌 扣 扣 拇 拇 | | | | |

【解　释】拇指,手或脚的大指。

M

【组　词】拇指
【同音字】母(母亲)
【形近字】姆(保姆)
【英　语】拇指　thumb [θʌm]

| mǔ | 笔画 | 部首 | 结构 | 五笔 | 造字法 |
|---|---|---|---|---|---|
| 姆 | 8 | 女 | 左右 | VXGU | 形声 |
| 笔顺 | ㄑ 女 女 女ㄴ 奴 姆 姆 姆 | | | | |

【解　释】保姆，受雇为人照管儿童或为人从事家务劳动的妇女。
【组　词】保姆
【同音字】母(母亲)
【形近字】拇(拇指)
【英　语】保姆 housekeeper [ˈhauskiːpə]

| mù | 笔画 | 部首 | 结构 | 五笔 | 造字法 |
|---|---|---|---|---|---|
| 木 | 4 | 木 | 独体 | SSSS | 象形 |
| 笔顺 | 一 十 才 木 | | | | |

【解　释】❶树木，树类植物的通称。❷木料，木材。❸木制的。❹指棺材。❺感觉不灵敏，反应迟钝。❻麻木，失去知觉。❼姓。

甲骨文　金文　小篆　隶书　楷书

【字源释义】"木"为象形字。甲骨文、金文的字形像一棵树的样子。向上的笔画为树枝，向下的笔画为树根。本义是"树"，也是木本植物的通称。引申为"木材"、"木料"等。
【组　词】木头　木柱　松木　木讷　木耳　枕木
【造　句】大兴土木——慈禧太后为了庆祝自己的六十大寿，大兴土木，修建了闻名中外的颐和园。
【同音字】目(目光)
【形近字】禾(禾苗)
【成　语】大兴土木　枯木逢春　木已成舟
【近义词】木已成舟/覆水难收
【歇后语】木匠进山——尽是材料。
【谚　语】木不凿不通，人不学不懂|木不钻不透，功不到不成。
【英　语】木材　wood [wud]

| mù | 笔画 | 部首 | 结构 | 五笔 | 造字法 |
|---|---|---|---|---|---|
| 目 | 5 | 目 | 独体 | HHHH | 象形 |
| 笔顺 | 丨 冂 冃 冃 目 | | | | |

【解　释】❶眼睛。❷看。❸孔；网眼。❹名称。❺大项中再分的小项。❻条目；目录。❼生物分类系统上所用的等级之一。

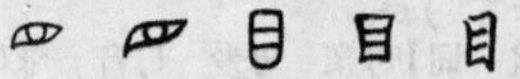
甲骨文　金文　小篆　隶书　楷书

【字源释义】"目"字为象形字。甲骨文和金文的"目"字像一只逼真

的眼睛，小篆以后把眼睛竖起来写，就不怎么象形了。引申为“孔眼”，如“纲举目张”。

【组　词】目光　网目　数目　题目　盲目

【造　句】目光——目光短浅的人总舍不得在教育上投资。

【同音字】木（木头）

【形近字】日（日子）

【成　语】目不斜视　目瞪口呆　目不暇接　目不转睛　目空一切

【反义词】目光短浅/目光如炬

【近义词】目瞪口呆/瞠目结舌

【谚　语】目不旁视，耳不杂听|目下一言为定，早晚市价不同。

【英　语】目的 purpose [ˈpəːpəs]

| mù | 笔画 | 部首 | 结构 | 五笔 | 造字法 |
|---|---|---|---|---|---|
| 沐 | 7 | 氵 | 左右 | ISY | 形声 |
| 笔顺 | 丶 丶 氵 汀 汁 汴 沐 | | | | |

【解　释】❶洗头发。❷洗澡。❸姓。

【组　词】沐浴　沐雨栉风

【造　句】沐雨栉风——地质队员们跋山涉水，沐雨栉风，走遍了全国的山山水水。

【同音字】目（目光）

【形近字】木（木头）

【英　语】沐浴 bathe [beið]

| mù | 笔画 | 部首 | 结构 | 五笔 | 造字法 |
|---|---|---|---|---|---|
| 牧 | 8 | 牛 | 左右 | TRTY | 会意 |
| 笔顺 | ノ 𠂉 𠂤 牛 牜 牪 牧 牧 | | | | |

【解　释】放养牲口。

甲骨文　金文　小篆　隶书　楷书

【字源释义】“牧”的本义是放养牲畜，字形像一只手拿着鞭正在赶一头牲畜；也指放养牲畜的人，如“牧人”、“牧童”等。在古代还引申为“统治”义，如“牧万民”。

【组　词】游牧　放牧　畜牧　牧羊　牧童　牧场

【同音字】木（木头）

【形近字】故（故事）

【英　语】牧羊 tend sheep [tend ʃiːp]

| mù | 笔画 | 部首 | 结构 | 五笔 | 造字法 |
|---|---|---|---|---|---|
| 募 | 12 | 艹 | 上下 | AJDL | 形声 |
| 笔顺 | 一 十 艹 艹 芢 苔 苗 莒 莫 莫 募 募 | | | | |

【解　释】广泛征集。

【组　词】募集　募捐　招募

【造　句】募捐——我们学校为白血病患者彦芳同学募捐。

【同音字】木（木头）

【形近字】墓（墓地）

【近义词】募集/招募

【英　语】募集 raise [reiz]

M

| mù | 笔画 | 部首 | 结构 | 五笔 | 造字法 |
|---|---|---|---|---|---|
| 墓 | 13 | 艹 | 上下 | AJDF | 形声 |
| 笔顺 | 一 十 艹 艹 节 苩 苜 荁 荁 莫 莫 莫 墓 | | | | |

【解　释】坟墓,埋死人的地方。
【组　词】坟墓　墓地　公墓　盗墓　古墓　祭墓
【造　句】扫墓——清明时节,我们到烈士陵园去扫墓。
【同音字】目(目光)
【形近字】幕(幕布)
【英　语】墓碑　tombstone [ˈtuːmstəun]

| mù | 笔画 | 部首 | 结构 | 五笔 | 造字法 |
|---|---|---|---|---|---|
| 幕 | 13 | 艹 | 上下 | AJDH | 形声 |
| 笔顺 | 一 十 艹 艹 节 苩 苜 荁 荁 莫 莫 幕 幕 | | | | |

【解　释】❶舞台或放电影的场所悬挂的大块的布、绸、丝绒等。❷帐蓬;覆盖在上面的或垂挂着的大块的布、绸子等。❸古代将帅办公的地方。
【组　词】夜幕　幕布　银幕　帐幕　揭幕　幕后　幕墙
【同音字】墓(墓地)
【形近字】暮(暮霭)
【英　语】屏幕　screen [skriːn]

| mù | 笔画 | 部首 | 结构 | 五笔 | 造字法 |
|---|---|---|---|---|---|
| 睦 | 13 | 目 | 左右 | HFWF | 形声 |
| 笔顺 | 丨 冂 冃 冃 目 目一 目十 目土 盽 眭 眭 睦 睦 | | | | |

【解　释】❶和好;亲近。❷姓。
【组　词】和睦　和睦相处
【造　句】和睦——嫂嫂和家人相处得非常和睦。
【同音字】目(目光)
【近义词】和睦/融洽
【英　语】和睦 peaceful [ˈpiːsful]

| mù | 笔画 | 部首 | 结构 | 五笔 | 造字法 |
|---|---|---|---|---|---|
| 暮 | 14 | 艹 | 上下 | AJDJ | 形声 |
| 笔顺 | 一 十 艹 艹 节 苩 苜 荁 荁 莫 莫 暮 暮 暮 | | | | |

【解　释】❶傍晚。❷将尽;晚了。
【组　词】暮色　日暮　暮年
【同音字】目(目光)
【形近字】墓(墓地)
【成　语】暮鼓晨钟　朝三暮四
【反义词】朝三暮四/始终不渝
【近义词】朝三暮四/反复无常
【英　语】暮色　dusk [dʌsk]

| mù | 笔画 | 部首 | 结构 | 五笔 | 造字法 |
|---|---|---|---|---|---|
| 慕 | 14 | 艹 | 上下 | AJDN | 形声 |
| 笔顺 | 一 十 艹 艹 节 苩 苜 荁 荁 莫 莫 慕 慕 慕 | | | | |

【解　释】❶羡慕;仰慕。❷思念。❸姓。
【组　词】思慕　仰慕　爱慕　倾慕　羡慕
【同音字】目(目光)
【形近字】墓(墓地)
【反义词】羡慕/鄙视
【近义词】羡慕/仰慕
【英　语】羡慕　admiration [ˌædməˈreiʃn]

M

# N

## NA ㄋㄚ

| nā | 笔画 | 部首 | 结构 | 五笔 | 造字法 |
|---|---|---|---|---|---|
| 那 | 6 | 阝 | 左右 | VFB | 形声 |
| 笔顺 | 𠃌 ㇕ 彐 𭕄 𨙶 那 | | | | |

【解　释】姓。
【多音字】nà(见 509 页)
【多音字】nèi(见 515 页)

| ná | 笔画 | 部首 | 结构 | 五笔 | 造字法 |
|---|---|---|---|---|---|
| 拿 | 10 | 手 | 上下 | WGKR | 会意 |
| 笔顺 | ノ 人 𠆢 合 合 合 合 拿 拿 拿 | | | | |

【解　释】❶用手取;握。❷挟制;刁难。❸掌握;把握。❹擒捉;逮捕。❺侵害;侵蚀。❻用强力攻取。❼介词。相当于"把"、"用"。❽故意做出。❾领取。
【组　词】拿取　拿手　捉拿　拿下　拿住　拿办　拿获　拿事　擒拿
【造　句】拿手——跳民族舞她很拿手。
【形近字】掌(鼓掌)
【成　语】拿手好戏
【反义词】拿手好戏/一无所长
【歇后语】拿着金碗讨饭吃——装穷。
【谚　语】拿不出真本事就像打不出水的井|拿到场里算庄稼,收到家里算粮食。
【英　语】拿主意　make a decision [meik ə di'siʒən]

| nǎ | 笔画 | 部首 | 结构 | 五笔 | 造字法 |
|---|---|---|---|---|---|
| 哪 | 9 | 口 | 左右 | KVFB | 形声 |
| 笔顺 | 丨 ㇕ 口 叨 叨 呁 明 哪 哪 | | | | |

【解　释】❶疑问代词。表示反问。❷指示代词。表示任指。
【组　词】哪儿　哪里　哪怕　哪样　哪敢　哪位　哪会
【形近字】挪(挪动)　娜(婀娜)
【谚　语】哪把钥匙,开哪扇门。
【英　语】哪里　where [wɛə]
【多音字】na(见 510 页)
【多音字】né(见 514 页)
【多音字】něi(见 515 页)

| nà | 笔画 | 部首 | 结构 | 五笔 | 造字法 |
|---|---|---|---|---|---|
| 那 | 6 | 阝 | 左右 | VFB | 形声 |
| 笔顺 | 𠃌 ㇕ 彐 𭕄 𨙶 那 | | | | |

【解　释】❶代词。指比较远的时间、地点或人物(跟"这"相对)。❷连词。连接上文说的结果,常和"如果"一起用,相当于"那么"。
【组　词】那时　那样　那些　那儿　那人　那天
【造　句】那年——那年,他才8岁。
【同音字】呐(呐喊)
【形近字】哪(哪些)
【英　语】那里　there [ðɛə]
【多音字】nā(见 509 页)
【多音字】nèi(见 515 页)

| nà | 笔画 | 部首 | 结构 | 五笔 | 造字法 |
|---|---|---|---|---|---|
| 呐 | 7 | 口 | 左右 | KMWY | 形声 |
| 笔顺 | 丨 ㇕ 口 叼 叨 呐 呐 | | | | |

N

【解　释】呐喊，大声喊叫。
【组　词】呐喊
【造　句】呐喊——我们为中国足球队冲出亚洲摇旗呐喊。
【同音字】那（那么）
【形近字】纳（采纳）
【近义词】呐/喊
【英　语】呐喊　shout loudly [ʃaut ˈlaudli]

| nà | 笔画 | 部首 | 结构 | 五笔 | 造字法 |
|---|---|---|---|---|---|
| 纳 | 7 | 纟 | 左右 | XMWY | 形声 |
| 笔顺 | ⼃ 纟 纟 纟 纫 纳 纳 | | | | |

【解　释】❶收进来；放进。❷交付；交缴。❸接受。❹享受。❺用针线密密地缝。
【组　词】出纳　采纳　纳税　纳鞋底
【造　句】归纳——我们每学完一篇课文就要归纳其中心思想。
【同音字】捺（按捺）
【形近字】呐（呐喊）
【成　语】纳士招贤
【反义词】接纳/拒绝
【近义词】纳凉/乘凉
【歇后语】纳鞋不用锥——真（针）好。
【谚　语】纳上钱粮不怕官，孝顺父母不怕天。
【英　语】纳税　pay tax [pei ˈtæks]

| nà | 笔画 | 部首 | 结构 | 五笔 | 造字法 |
|---|---|---|---|---|---|
| 娜 | 9 | 女 | 左右 | VVFB | 形声 |
| 笔顺 | ㄑ 女 女 如 妇 妇 娴 娜 娜 | | | | |

【解　释】人名用字。
【多音字】nuó（见 528 页）

| nà | 笔画 | 部首 | 结构 | 五笔 | 造字法 |
|---|---|---|---|---|---|
| 捺 | 11 | 扌 | 左右 | RDFI | 形声 |
| 笔顺 | 一 十 扌 扌 扩 抆 抆 捺 捺 捺 捺 | | | | |

【解　释】❶用手按。❷抑制。❸汉字的一种笔画。
【组　词】按捺　捺住
【造　句】按捺——拿到大学录取通知书时，她按捺不住心中的喜悦。
【辨　音】不读 nài。
【形近字】奈（无奈）
【反义词】按捺/爆发
【近义词】按捺/抑制
【英　语】按捺 restrain [riˈstrein]

| na | 笔画 | 部首 | 结构 | 五笔 | 造字法 |
|---|---|---|---|---|---|
| 哪 | 9 | 口 | 左右 | KVFB | 形声 |
| 笔顺 | 丨 ㄇ 口 叮 叮 叨 明 明 哪 | | | | |

【解　释】用在句尾，表示语气。如：说话哪，听哪。
【多音字】nǎ（见 509 页）
【多音字】né（见 514 页）
【多音字】něi（见 515 页）

## NAI　ㄋㄞ

| nǎi | 笔画 | 部首 | 结构 | 五笔 | 造字法 |
|---|---|---|---|---|---|
| 乃 | 2 | 丿 | 独体 | ETN | 象形 |
| 笔顺 | ㇋ 乃 | | | | |

【解　释】❶于是。❷你；你的。❸才。❹就是；实在是。
【组　词】乃至　乃父　乃心　乃兄

N

【造　句】乃至——他要出国了，他的家人乃至所有的亲人都来为他送行。
【同音字】奶(牛奶)
【形近字】及(涉及)
【近义词】乃至/甚至
【英　语】乃至　and even [ænd-ˈiːvən]

| nǎi | 笔画 | 部首 | 结构 | 五笔 | 造字法 |
|---|---|---|---|---|---|
| 奶 | 5 | 女 | 左右 | VEN | 形声 |
| 笔顺 | ㄑ 女 女 奶 奶 | | | | |

【解　释】❶乳房。❷乳汁。❸用人的奶水喂孩子。❹乳制品。❺[奶奶]1.祖母。2.称与祖母同辈的妇女。
【组　词】牛奶　奶粉　奶油　奶酪
【同音字】乃(乃至)
【形近字】仍(仍旧)　扔(扔掉)
【谚　语】奶奶疼孙子，胜似攒金子。
【英　语】牛奶　milk [milk]

| nài | 笔画 | 部首 | 结构 | 五笔 | 造字法 |
|---|---|---|---|---|---|
| 奈 | 8 | 大 | 上下 | DFIU | 形声 |
| 笔顺 | 一 ナ 大 太 夳 夻 奈 奈 | | | | |

【解　释】❶奈何；用反问的方式表示没有办法。❷怎奈；无奈。
【组　词】奈何　无奈　怎奈
【造　句】无可奈何——我对她的那些愚蠢想法无可奈何。
【同音字】耐(耐人寻味)
【成　语】无可奈何
【近义词】无奈/无法
【英　语】无奈　cannot help but [kæn nɔt help bʌt]

| nài | 笔画 | 部首 | 结构 | 五笔 | 造字法 |
|---|---|---|---|---|---|
| 耐 | 9 | 寸 | 左右 | DMJF | 会意 |
| 笔顺 | 一 丆 丆 丙 而 而 而 耐 耐 | | | | |

【解　释】❶禁得起；受得住。❷不急躁；不怕麻烦。
【组　词】耐性　能耐　耐用　耐热　耐久　耐寒　耐烦　耐心
【造　句】耐心——做任何事情必须要有耐心才能成功。
【同音字】奈(无奈)
【成　语】俗不可耐　耐人寻味
【反义词】耐心/急躁
【近义词】耐久/经久
【谚　语】耐得心头气，方为有志人。
【英　语】耐心　patient [ˈpeiʃənt]

## NAN　ㄋㄢ

| nán | 笔画 | 部首 | 结构 | 五笔 | 造字法 |
|---|---|---|---|---|---|
| 男 | 7 | 田 | 上下 | LLB | 会意 |
| 笔顺 | 丨 冂 日 田 田 男 男 | | | | |

【解　释】❶男子；男人(跟"女"相对)。❷儿子。❸我国古代封建五等爵位的第五等。

甲骨文　金文　小篆　隶书　楷书

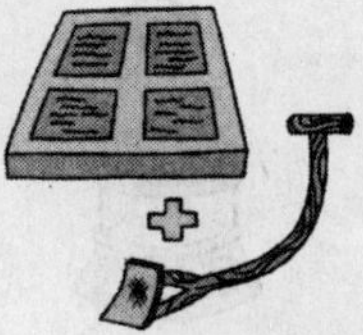

【字源释义】“男”字是由“田”、“力”两部分构成。“力”就是古农具“耒”。在田里耕作是古代男人的主要职责，因此用“田”、“力”来表示“男人”。与“女”相对；又专指儿子。
【组　词】男生　男孩　男性　男爵　男女　男儿　重男轻女
【造　句】重男轻女——重男轻女是封建意识的表现，早已为现代社会所不取。
【同音字】南（南京）
【形近字】另（另外）　界（世界）
【歇后语】男人不打女——好福气（夫妻）。
【谚　语】男怕入错行，女怕嫁错郎|男人勤，吃得饱；女人勤，穿得好。
【英　语】男孩　boy [bɔi]

| nán | 笔画 | 部首 | 结构 | 五笔 | 造字法 |
|---|---|---|---|---|---|
| 南 | 9 | 十 | 上下 | FMUF | 象形 |
| 笔顺 | 一 十 𠂇 冂 冇 冇 冇 冇 南 南 | | | | |

【解　释】方向名，早晨面对太阳时右手的一边（跟“北”相对）。

甲骨文　金文　小篆　隶书　楷书

【字源释义】“南”原是乐器名和乐舞名。从甲骨文与金文的字形看像悬挂着的钏形乐器，上端有纽可以悬挂。后来多假借表示南方的“南”。
【组　词】南方　南部　南极　南国
【造　句】天南地北——好朋友碰到一起时总爱天南地北地神侃一通。
【同音字】难（困难）　男（男孩）
【形近字】喃（喃喃）
【成　语】山南海北　天南地北　走南闯北　南柯一梦　南辕北辙
【反义词】南/北
【近义词】南辕北辙/背道而驰
【歇后语】南北聚会——无东西。
【谚　语】南人不梦驼，北人不梦象。
【英　语】南方　the south [ðə sauθ]

| nán | 笔画 | 部首 | 结构 | 五笔 | 造字法 |
|---|---|---|---|---|---|
| 难 | 10 | 又 | 左右 | CWYG | 形声 |
| 笔顺 | 𠃌 又 对 对 对 对 对 难 难 难 | | | | |

【解　释】❶不容易；干起来费劲（跟“易”相对）。❷不大可能。❸使人为难；不好办。❹不好。
【组　词】难题　难关　疑难　难听
【同音字】南（南纬）　男（男儿）
【形近字】准（准时）　淮（淮河）
【成　语】难言之隐　难能可贵　左右为难　难分难解
【反义词】难受/痛快
【近义词】难看/丑陋
【谚　语】难者不会，会者不难。
【英　语】难忘　memorable [ˈmemərəbl]

【多音字】nàn(见 446 页)

| nàn | 笔画 | 部首 | 结构 | 五笔 | 造字法 |
|---|---|---|---|---|---|
| 难 | 10 | 又 | 左右 | CWYG | 形声 |
| 笔顺 | ㇇ 又 又 对 对 对 难 难 难 难 | | | | |

【解　释】❶灾害、祸患等不幸的遭遇。❷责问;质问。

【组　词】灾难　责难　难民　逃难

【造　句】责难——你不要责难别人了,首先应检讨自己。

【反义词】遭难/幸运

【近义词】遭难/受难

【英　语】难友　fellow sufferer [ˈfeləu ˈsʌfərə]

【多音字】nán(见 513 页)

## NANG　ㄋㄤ

| nāng | 笔画 | 部首 | 结构 | 五笔 | 造字法 |
|---|---|---|---|---|---|
| 囊 | 22 | 一 | 上中下 | GKHE | 形声 |
| 笔顺 | 一 ⼀ ⼀ ⼀ ⼀ ⼀ ⼀ ⼀ ⼀ ⼀ ⼀ ⼀ ⼀ ⼀ ⼀ ⼀ ⼀ ⼀ ⼀ ⼀ ⼀ 囊 | | | | |

【解　释】猪胸腹部的肥而松的肉。

【多音字】náng(见 513 页)

| náng | 笔画 | 部首 | 结构 | 五笔 | 造字法 |
|---|---|---|---|---|---|
| 囊 | 22 | 一 | 上中下 | GKHE | 形声 |
| 笔顺 | 一 ⼀ ⼀ ⼀ ⼀ ⼀ ⼀ ⼀ ⼀ ⼀ ⼀ ⼀ ⼀ ⼀ ⼀ ⼀ ⼀ ⼀ ⼀ ⼀ ⼀ 囊 | | | | |

【解　释】❶口袋。❷像口袋的东西。

【组　词】皮囊　囊括　胆囊　胶囊

【造　句】行囊——她背起行囊,头也不回地走出了家门。

【形近字】襄(襄理)

【成　语】囊空如洗　囊括四海

【近义词】囊括/包括

【英　语】囊括　include [inˈkluːd]

【多音字】nāng(见 513 页)

## NAO　ㄋㄠ

| náo | 笔画 | 部首 | 结构 | 五笔 | 造字法 |
|---|---|---|---|---|---|
| 挠 | 9 | 扌 | 左右 | RATQ | 形声 |
| 笔顺 | 一 十 扌 扌 扩 抁 挠 挠 挠 | | | | |

【解　释】❶用手指轻轻地抓。❷弯曲,比喻屈服。❸阻止;扰乱。

【组　词】阻挠　挠头

【造　句】百折不挠——百折不挠的精神是取得成功的前提。

【形近字】绕(围绕)　哓(拂哓)

【成　语】不屈不挠　百折不挠

【反义词】不屈不挠/卑躬屈膝

【近义词】阻挠/阻止

【英　语】挠头　scratch one's head [skrætʃ wʌnz hed]

| nǎo | 笔画 | 部首 | 结构 | 五笔 | 造字法 |
|---|---|---|---|---|---|
| 恼 | 9 | 忄 | 左右 | NYBH | 形声 |
| 笔顺 | 丶 丷 忄 忄 忙 忙 忟 恼 恼 | | | | |

【解　释】❶苦闷;厌烦。❷生气;愤恨。

【组　词】苦恼　懊恼　烦恼　恼怒

【造　句】烦恼——一切烦恼都会过去的,我们一起迎接美好的明天吧。

【同音字】脑(头脑)

【形近字】脑(脑筋)

【成　　语】恼羞成怒
【反义词】苦恼/快乐
【近义词】恼恨/怨恨
【英　　语】恼恨　hate ［heit］

| nǎo | 笔画 | 部首 | 结构 | 五笔 | 造字法 |
|---|---|---|---|---|---|
| 脑 | 10 | 月 | 左右 | EYBH | 形声 |
| 笔顺 | 丿 刀 月 月 月' 肀 肸 脉 脑 脑 | | | | |

【解　　释】❶人和高等动物神经系统的主要部分，位于颅脑之内，由大脑、小脑、脑干三部分组成，主管感觉和运动。人的脑子又是管思考、记忆等活动的。❷人脑的思考、记忆等功能。❸形状或颜色像脑的东西。❹具有像人脑功能的东西。
【组　　词】脑门　脑汁　脑袋　脑筋
【造　　句】脑海——爸爸对我说过的话又浮现在我的脑海里。
【同音字】恼（烦恼）
【形近字】恼（恼火）
【成　　语】摇头晃脑　呆头呆脑
【英　　语】脑筋 brains ［breinz］

| nào | 笔画 | 部首 | 结构 | 五笔 | 造字法 |
|---|---|---|---|---|---|
| 闹 | 8 | 门 | 半包围 | UYMH | 会意 |
| 笔顺 | 丶 丨 门 门 闩 闩 闹 闹 | | | | |

【解　　释】❶喧哗；不安静（跟“静”相对）。❷戏耍。❸吵嚷；扰乱。❹发生。❺发泄。❻搞；干；弄。
【组　　词】吵闹　闹市　喧闹　热闹
【造　　句】热闹——国庆节那天，天安门广场上真热闹啊。
【形近字】闯（闯荡）
【成　　语】无理取闹
【反义词】吵闹/安静
【近义词】热闹/红火
【谚　　语】闹处赚钱，静处安身。
【英　　语】闹声　noise ［nɔiz］

## NE ㄋㄜ

| né | 笔画 | 部首 | 结构 | 五笔 | 造字法 |
|---|---|---|---|---|---|
| 哪 | 9 | 口 | 左右 | KVFB | 形声 |
| 笔顺 | 丨 口 口 叼 叼 叼 呀 呀 哪 | | | | |

【解　　释】哪吒（zhā），神话人物名。
【多音字】nǎ（见 509 页）
【多音字】na（见 510 页）
【多音字】něi（见 515 页）

| nè | 笔画 | 部首 | 结构 | 五笔 | 造字法 |
|---|---|---|---|---|---|
| 讷 | 6 | 讠 | 左右 | YMWY | 形声 |
| 笔顺 | 丶 讠 讠 访 讷 讷 | | | | |

【解　　释】不善讲话；说话迟钝。
【组　　词】口讷　木讷
【造　　句】木讷——他性格内向，很木讷，不善与人交往。
【辨　　音】不读 nèi。
【形近字】纳（采纳）

| ne | 笔画 | 部首 | 结构 | 五笔 | 造字法 |
|---|---|---|---|---|---|
| 呢 | 8 | 口 | 左右 | KNXN | 形声 |
| 笔顺 | 丨 口 口 口' 口' 叩 呢 呢 | | | | |

【解　　释】助词。❶表示疑问。❷表示肯定语气。❸表示正在进行的动作。❹表示句子略为停顿。
【组　　词】早着呢　怎么办呢

N

【多音字】ní(见516页)

## NEI　ㄋㄟ

| něi | 笔画 | 部首 | 结构 | 五笔 | 造字法 |
|---|---|---|---|---|---|
| 哪 | 9 | 口 | 左右 | KVFB | 形声 |
| 笔顺 | 丨 口 口 叮 叨 叼 明 哪 哪 | | | | |

【解　释】"哪(nǎ)"跟"一"两个字说快了的合音,如:哪支笔?
【同音字】馁(气馁)
【多音字】nǎ(见509页)
【多音字】na(见510页)
【多音字】né(见514页)

| něi | 笔画 | 部首 | 结构 | 五笔 | 造字法 |
|---|---|---|---|---|---|
| 馁 | 10 | 饣 | 左右 | QNEV | 形声 |
| 笔顺 | 丿 ㇇ 饣 饣 饣 饣 饣 饣 馁 馁 | | | | |

【解　释】❶饥饿。❷比喻缺乏勇气。❸腐烂。
【组　词】气馁
【造　句】气馁——不要气馁,再来一次!相信自己就一定会成功。
【同音字】哪(哪些)
【形近字】绥(绥靖)
【近义词】气馁/怯弱
【英　语】气馁　become dejected [bi'kʌm di'jektid]

| nèi | 笔画 | 部首 | 结构 | 五笔 | 造字法 |
|---|---|---|---|---|---|
| 内 | 4 | 冂 | 独体 | MWI | 会意 |
| 笔顺 | 丨 冂 内 内 | | | | |

【解　释】❶里面;里面的(跟"外"相对)。❷指妻子和妻子的房屋。
【组　词】内部　内疚　内地　内幕
【造　句】内行——叔叔经商很内行。
【同音字】那(那个)
【形近字】肉(肥肉)
【成　语】内忧外患
【反义词】内行/外行
【近义词】内行/行家
【谚　语】内行看门道,外行看热闹。
【英　语】内容　content ['kɔntent]

| nèi | 笔画 | 部首 | 结构 | 五笔 | 造字法 |
|---|---|---|---|---|---|
| 那 | 6 | 阝 | 左右 | VFBH | 形声 |
| 笔顺 | ㇆ ㇕ 彐 尹 那 那 | | | | |

【解　释】同"哪(něi)"一样的合音。
【组　词】那个
【同音字】内(内部)
【多音字】nā(见509页)
【多音字】nà(见509页)

## NEN　ㄋㄣ

| nèn | 笔画 | 部首 | 结构 | 五笔 | 造字法 |
|---|---|---|---|---|---|
| 嫩 | 14 | 女 | 左中右 | VGKT | 形声 |
| 笔顺 | ㇛ 女 女 女 女 女 女 女 女 女 女 女 女 嫩 | | | | |

【解　释】❶新生而柔弱的东西。❷指烹调时间短,脆而易口嚼。❸颜色新鲜浅淡。
【组　词】嫩芽　娇嫩　嫩黄　柔嫩
【形近字】嗽(咳嗽)
【反义词】鲜嫩/干枯
【近义词】鲜嫩/新鲜
【歇后语】才出壳的鸡崽儿——嫩得很。

【英　语】嫩叶 tender leaves [ˈtendə liːvz]

## NENG ㄋㄥ

| néng | 笔画 | 部首 | 结构 | 五笔 | 造字法 |
|---|---|---|---|---|---|
| 能 | 10 | 厶 | 左右 | CEXX | 象形 |
| 笔顺 | ⺈ 厶 㣺 ⺼ 育 育 育 能 能 能 | | | | |

【解　释】❶才能；才干。❷有本事的；有才干的。❸表示允许。❹能够；胜任。❺表示会（有可能实现）。❻能量的简称。

【组　词】能力　智能　本能　能干

【造　句】能力——每天写日记，可以提高写作能力。

【形近字】熊（熊猫）

【成　语】难能可贵　各尽其能　能工巧匠　能屈能伸　能忍自安

【反义词】能言善辩/笨嘴拙舌

【近义词】能说会道/伶牙俐齿

【英　语】能力 ability [əˈbiliti]

## NI ㄋㄧ

| nī | 笔画 | 部首 | 结构 | 五笔 | 造字法 |
|---|---|---|---|---|---|
| 妮 | 8 | 女 | 左右 | VNXN | 形声 |
| 笔顺 | ㄑ 女 女 女 妒 妒 妮 妮 | | | | |

【解　释】（方）女孩子。

【组　词】妮子　小妮儿

【形近字】尼（尼姑）

【英　语】妮 girl [gəːl]

| ní | 笔画 | 部首 | 结构 | 五笔 | 造字法 |
|---|---|---|---|---|---|
| 尼 | 5 | 尸 | 半包围 | NXV | 会意 |
| 笔顺 | ㇆ コ 尸 尸 尼 | | | | |

【解　释】❶佛教指出家修行的女子。❷一种合成纤维的商品名。

【组　词】尼龙　尼姑　尼古丁

【同音字】泥（水泥）

【形近字】尾（结尾）

【英　语】尼龙 nylon [ˈnailɔn]

| ní | 笔画 | 部首 | 结构 | 五笔 | 造字法 |
|---|---|---|---|---|---|
| 呢 | 8 | 口 | 左右 | KNXN | 形声 |
| 笔顺 | 丨 ㇕ 口 口 口 呎 呢 呢 | | | | |

【解　释】❶一种较厚的毛织品。❷呢喃（nán），燕子叫的声音。

【组　词】呢绒　呢子　呢喃

【造　句】呢喃——春天到了，梁间燕子呢喃不休，像是在拉家常。

【同音字】尼（尼龙）

【形近字】泥（泥土）

【英　语】呢绒 woolen goods [ˈwulən gudz]

【多音字】ne（见 514 页）

| ní | 笔画 | 部首 | 结构 | 五笔 | 造字法 |
|---|---|---|---|---|---|
| 泥 | 8 | 氵 | 左右 | INXN | 形声 |
| 笔顺 | 丶 丶 氵 氵 沪 沪 泥 泥 | | | | |

【解　释】❶土和水的混合物。❷泥状物质。

【组　词】水泥　泥土　泥泞　泥人

【造　句】泥泞——这条路下雨时满地泥泞，很不好走。

【同音字】呢（呢喃）

【成　语】泥沙俱下　泥塑木雕

【近义词】泥牛入海/石沉大海

【歇后语】泥潭里滚石——越陷越深。

【英　语】泥巴 mud [mʌd]

【多音字】nì（见 517 页）

N

| ní | 笔画 | 部首 | 结构 | 五笔 | 造字法 |
|---|---|---|---|---|---|
| 怩 | 8 | 忄 | 左右 | NNXN | 形声 |
| 笔顺 | 丶 丶 忄 忄 忄 忄 怩 怩 | | | | |

【解　释】见 525 页"忸"。

| ní | 笔画 | 部首 | 结构 | 五笔 | 造字法 |
|---|---|---|---|---|---|
| 霓 | 16 | 雨 | 上下 | FVQB | 形声 |
| 笔顺 | 一 ㇀ 冖 冖 帀 雨 雨 雨 雨 雨 雨 雨 雨 雨 雨 霓 | | | | |

【解　释】雨后天空中出现的两条虹，由太阳先射入水滴经两次折射和两次反射而成。颜色鲜红的叫主虹，暗淡的一种叫霓。也称副虹。

【组　词】霓裳　霓虹灯

【造　句】霓虹灯——一到晚上，街上五颜六色的霓虹灯便亮了起来。

【同音字】尼（尼姑）

【英　语】霓虹　neon［ˈniːɔn］

| nǐ | 笔画 | 部首 | 结构 | 五笔 | 造字法 |
|---|---|---|---|---|---|
| 拟 | 7 | 扌 | 左右 | RNYW | 形声 |
| 笔顺 | 一 十 扌 扌 扌 扌 拟 | | | | |

【解　释】❶设计；起草。❷打算。❸模仿；仿照。❹相比。❺猜测。

【组　词】草拟　模拟　拟定　拟人

【造　句】拟人——这篇文章多处用到拟人手法。

【辨　音】不读 sì。

【同音字】你（你好）

【形近字】似（相似）

【近义词】拟定/起草

【英　语】拟订 draw up［drɔː ʌp］

| nǐ | 笔画 | 部首 | 结构 | 五笔 | 造字法 |
|---|---|---|---|---|---|
| 你 | 7 | 亻 | 左右 | WQIY | 形声 |
| 笔顺 | ノ 亻 亻 你 你 你 你 | | | | |

【解　释】代词。称对方，泛指任何人。

【组　词】你们

【造　句】你追我赶——田径场上你追我赶，比赛十分激烈。

【同音字】拟（拟题）

【形近字】弥（弥补）

【成　语】你死我活　你追我赶

【近义词】你追我赶/争先恐后

【英　语】你们　you［juː］

| nì | 笔画 | 部首 | 结构 | 五笔 | 造字法 |
|---|---|---|---|---|---|
| 泥 | 8 | 氵 | 左右 | INXN | 形声 |
| 笔顺 | 丶 丶 氵 氵 氵 氵 泥 泥 | | | | |

【解　释】❶用土或灰等涂抹。❷泥子，涂抹木器或铁器的泥状物。也称腻子。❸死板；不灵活。

【组　词】泥墙　泥子　拘泥

【造　句】拘泥——我们做任何事不能拘泥于固定的模式，而应灵活处理。

【同音字】逆（逆流）

【英　语】泥子　putty［ˈpʌti］

【多音字】ní（见 516 页）

| nì | 笔画 | 部首 | 结构 | 五笔 | 造字法 |
|---|---|---|---|---|---|
| 昵 | 9 | 日 | 左右 | JNXN | 形声 |
| 笔顺 | 丨 冂 日 日 日 日 昵 昵 昵 | | | | |

【解　释】亲近；亲热；亲密。

【组　词】亲昵　昵称　昵友　昵爱

N

【造 句】亲昵——她在梦中听见妈妈在亲昵地叫她。
【同音字】逆(逆水)
【形近字】呢(呢喃)
【反义词】亲昵/疏远
【近义词】亲昵/亲热
【英 语】亲昵 close [kləuz]

| nì | 笔画 | 部首 | 结构 | 五笔 | 造字法 |
|---|---|---|---|---|---|
| 逆 | 9 | 辶 | 半包围 | UBTP | 会意 |
| 笔顺 | 丶 丷 䒑 䒑 屰 屰 屰 逆 逆 | | | | |

【解 释】❶方向相反(跟"顺"相对)。❷不顺从。❸预先;预测。❹背叛。❺谋反。

甲骨文 金文 小篆 隶书 楷书

【字源释义】"逆"原作"屰"。甲骨文与金文的字形像一个头朝下、脚朝上的人。后来加上"彳"旁、"止"旁或"辵"(音 chuò)旁,表示行动义。本义是"不顺",引申为"反向"、"非常规"等义。
【组 词】叛逆 逆产 逆境 逆转
【造 句】逆水行舟——学习如同逆水行舟,不努力进取就会后退。
【同音字】昵(昵称)
【形近字】送(送别)
【成 语】逆水行舟 倒行逆施
【反义词】逆水行舟/顺风使舵
【近义词】逆风/顶风
【谚 语】逆水行舟,不进则退。
【英 语】逆风 against the wind [ə'geinst ðə wind]

| nì | 笔画 | 部首 | 结构 | 五笔 | 造字法 |
|---|---|---|---|---|---|
| 匿 | 10 | 匚 | 半包围 | AADK | 形声 |
| 笔顺 | 一 二 ⺈ 𠀎 𠀎 𠀎 𠀎 𠀎 若 匿 | | | | |

【解 释】隐瞒,不让人知道。
【组 词】隐居 匿名 藏匿
【造 句】藏匿——那个逃犯在山洞里藏匿了好几天。
【同音字】逆(逆转)
【成 语】销声匿迹
【英 语】藏匿 hide [haid]

| nì | 笔画 | 部首 | 结构 | 五笔 | 造字法 |
|---|---|---|---|---|---|
| 腻 | 13 | 月 | 左右 | EAFM | 形声 |
| 笔顺 | 丿 月 月 月 月 月 月 月 月 月 腻 腻 腻 | | | | |

【解 释】❶食品中油脂过多。❷因次数过多而令人厌烦。❸光滑细致。❹污垢。
【组 词】油腻 腻烦 细腻 垢腻
【造 句】腻烦——我最腻烦说大话的人。
【同音字】逆(逆流)
【形近字】贰(贰元)
【反义词】腻烦/喜欢
【近义词】细腻/细致
【歇后语】吃油条蘸大油——腻透了。
【英 语】腻烦 be bored with

N

[biː bɔːd wið]

| nì | 笔画 | 部首 | 结构 | 五笔 | 造字法 |
|---|---|---|---|---|---|
| 溺 | 13 | 氵 | 左右 | IXUU | 形声 |
| 笔顺 | 丶 丶 氵 氵 氵 汅 汅 溺 溺 溺 溺 溺 溺 | | | | |

【解　释】❶淹没在水中。❷沉迷而无节制;过分。
【组　词】溺死　溺爱　沉溺　溺水
【造　句】沉溺——有一段时间他沉溺于武侠小说,导致学习成绩明显下降。
【辨　音】不读 ruò。
【同音字】逆(逆境)
【形近字】弱(瘦弱)
【反义词】溺爱/厌恶
【近义词】溺爱/宠爱
【谚　语】溺爱者不明,贪得者无厌。
【英　语】溺爱　spoil [spɔil]
【多音字】niào(见 522 页)

## NIAN　ㄋㄧㄢ

| niān | 笔画 | 部首 | 结构 | 五笔 | 造字法 |
|---|---|---|---|---|---|
| 拈 | 8 | 扌 | 左右 | RHKG | 形声 |
| 笔顺 | 一 十 扌 扌 扌 扌 拈 拈 | | | | |

【解　释】用手指头夹物;拿。
【组　词】拈花　拈须　拈阄儿
【造　句】拈阄儿——玩捉迷藏前,我们拈阄儿决定谁扮瞎子。
【辨　音】不读 niǎn。
【形近字】站(站起)　惦(惦记)
【成　语】拈轻怕重
【歇后语】扔下铁锤拿灯草——拈轻怕重。
【英　语】拈阄儿 draw lots [drɔːlɔts]

| nián | 笔画 | 部首 | 结构 | 五笔 | 造字法 |
|---|---|---|---|---|---|
| 年 | 6 | 丿 | 独体 | RHFK | 会意 |
| 笔顺 | 丿 𠂉 𠂉 𠂉 乍 年 | | | | |

【解　释】❶地球绕太阳一周的时间,平年 365 日,闰年 366 日。❷年节。❸岁数。❹每年的。❺人一生按年龄划分的阶段。❻一年中庄稼的收成。❼时期,时代。

甲骨文　金文　小篆　隶书　楷书

【字源释义】"年"的本义是"收成"。甲骨文与金文的字形是一个人扛着成熟的庄稼回家的情景。本义是"谷物成熟"。引申为"岁"的意思。
【组　词】年画　年代　新年　童年
【造　句】新年——新年到了,家家放鞭炮,真是热闹。
【同音字】黏(黏着)
【形近字】牟(牟取)

N

【成　语】年富力强　年深日久
【反义词】丰年/荒年
【近义词】年华/时光
【歇后语】年糕落锅——真(蒸)的。
【谚　语】年年防俭,夜夜防贼。
【英　语】年龄　age［eidʒ］

| nián | 笔画 | 部首 | 结构 | 五笔 | 造字法 |
|---|---|---|---|---|---|
| 粘 | 11 | 米 | 左右 | OHKG | 形声 |
| 笔顺 | 丶 丷 䒑 半 米 米 米丨 米⺊ 米卜 粘 粘 | | | | |

【解　释】❶同“黏”。❷姓。
【同音字】年(年代)
【形近字】站(站岗)　沾(沾沾自喜)
【多音字】zhān(见900页)

| nián | 笔画 | 部首 | 结构 | 五笔 | 造字法 |
|---|---|---|---|---|---|
| 黏 | 17 | 黍 | 左右 | TWIK | 形声 |
| 笔顺 | 一 二 千 禾 禾 秂 秂 黍 黍 黍 黍 黍 黍丨 黍⺊ 黍卜 黏 黏 | | | | |

【解　释】像糨糊或胶水等能使物体粘(zhān)连的性质。
【同音字】年(年代)
【英　语】黏合　bind［baind］

| niǎn | 笔画 | 部首 | 结构 | 五笔 | 造字法 |
|---|---|---|---|---|---|
| 撵 | 15 | 扌 | 左右 | RFWL | 形声 |
| 笔顺 | 一 十 扌 扌 扌 扌 扌 扌 扌 扌 扌 扌 撵 撵 撵 | | | | |

【解　释】❶驱逐;驱赶。❷追赶。
【组　词】撵走
【造　句】撵走——我把那个调皮的小男孩撵走后,就开始写作业了。

【近义词】撵走/赶走
【歇后语】撵走狐狸住上狼——一伙比一伙凶。
【英　语】撵走　drive away［draiv əˈwei］

| niǎn | 笔画 | 部首 | 结构 | 五笔 | 造字法 |
|---|---|---|---|---|---|
| 碾 | 15 | 石 | 左右 | DNAE | 形声 |
| 笔顺 | 一 丆 丆 石 石 石 石 石 石 石 石 石 石 碾 碾 | | | | |

【解　释】❶碾子,轧东西的工具。❷用碾子轧。
【组　词】石碾　碾磨　碾米
【造　句】碾磨——这米太糙,最好碾磨一次再吃。
【英　语】碾子　roll［rəul］

| niàn | 笔画 | 部首 | 结构 | 五笔 | 造字法 |
|---|---|---|---|---|---|
| 念 | 8 | 心 | 上下 | WYNN | 形声 |
| 笔顺 | 丿 人 人 今 今 念 念 念 | | | | |

【解　释】❶常常地想;没有忘记。❷诵读。❸数字“廿”的大写。❹想法;思想。
【组　词】怀念　观念　纪念　概念
【形近字】忿(忿怒)
【成　语】念念有词
【反义词】挂念/遗忘
【近义词】挂念/挂记
【歇后语】小学生看书——念念不忘。
【谚　语】念完经打和尚。
【英　语】念书　read［riːd］

## NIANG ㄋㄧㄤ

| niáng | 笔画 | 部首 | 结构 | 五笔 | 造字法 |
|---|---|---|---|---|---|
| 娘 | 10 | 女 | 左右 | VYVE | 形声 |

笔顺：㇛ 女 女 女' 女' 女 女 娘 娘 娘

【解　释】❶母亲。❷称年轻女子。❸称长一辈或年长的已婚妇女。
【组　词】姑娘　新娘　爹娘　大娘　姨娘　娘家　红娘
【形近字】浪(浪花)
【歇后语】娘家门上的人——格外亲|从娘胎里带来的——改不了。
【英　语】姑娘　young lady [jʌŋ ˈleidi]

| niàng | 笔画 | 部首 | 结构 | 五笔 | 造字法 |
|---|---|---|---|---|---|
| 酿 | 14 | 酉 | 左右 | SGYE | 形声 |

笔顺：一 丆 厅 币 两 西 酉 酉 酉' 酉' 酉' 酿 酿 酿

【解　释】❶利用发酵作用制作。❷渐渐形成。❸酒。❹蜜蜂做蜜。
【组　词】酿造　酿酒　酿蜜　佳酿
【造　句】酝酿——爸爸在灯下酝酿文章的构思。
【辨　音】不读 liáng。
【形近字】娘(娘亲)
【近义词】酿造/制造
【英　语】酝酿　brew [bruː]

## NIAO ㄋㄧㄠ

| niǎo | 笔画 | 部首 | 结构 | 五笔 | 造字法 |
|---|---|---|---|---|---|
| 鸟 | 5 | 鸟 | 独体 | QYNG | 象形 |

笔顺：丿 ㄅ 勹 鸟 鸟

【解　释】脊椎动物的一纲，卵生，全身有羽毛，用肺呼吸。一般会飞，后肢能行走。

【字源释义】“鸟”字为象形字。甲骨文和金文的字形都将鸟的形象刻画得十分逼真，突出了它尖尖的嘴和细细的脚爪。“鸟”旁的字基本都与禽类有关。
【组　词】鸟害　小鸟　鸟瞰　候鸟
【造　句】鸟语花香——春天的花园里，处处鸟语花香。
【辨　音】不读 wū。
【形近字】乌(乌鸦)
【成　语】鸟语花香　惊弓之鸟
【歇后语】百灵戏牡丹——鸟语花香。
【谚　语】鸟美在羽毛，人美是学问|鸟无翅膀不能飞，人无志气无作为。
【英　语】鸟类　birds [bəːdz]

| niào | 笔画 | 部首 | 结构 | 五笔 | 造字法 |
|---|---|---|---|---|---|
| 尿 | 7 | 尸 | 半包围 | NII | 会意 |

笔顺：㇕ コ 尸 尸 尿 尿 尿

【解　释】❶小便。❷排出小便。

N

【组　词】撒尿　尿壶　尿道　尿素
【形近字】屎（耳屎）
【英　语】尿素　urea [ˈjuəriə]
【多音字】suī（见 683 页）

| niào | 笔画 | 部首 | 结构 | 五笔 | 造字法 |
|---|---|---|---|---|---|
| 溺 | 13 | 氵 | 左右 | IXUU | 形声 |
| 笔顺 | 丶 丶 氵 氵 氵 汚 汚 溺 溺 溺 溺 溺 溺 | | | | |

【解　释】同“尿”。
【多音字】nì（见 519 页）

## NIE ㄋㄧㄝ

| niē | 笔画 | 部首 | 结构 | 五笔 | 造字法 |
|---|---|---|---|---|---|
| 捏 | 10 | 扌 | 左右 | RJFG | 形声 |
| 笔顺 | 一 十 扌 扌 扣 扣 押 押 捍 捏 | | | | |

【解　释】❶用拇指和别的手指夹。❷用手指将软的东西做成一定形状。❸假造事实；虚构。
【组　词】捏弄　捏造　捏住　捏紧　捏一把汗
【造　句】捏住——他捏住救命恩人的手，一时竟说不出话来。
【形近字】捍（捍卫）　担（负担）
【成　语】扭扭捏捏
【反义词】捏/放
【近义词】捏/夹
【英　语】捏造　fabricate [ˈfæbrikeit]

| niè | 笔画 | 部首 | 结构 | 五笔 | 造字法 |
|---|---|---|---|---|---|
| 聂 | 10 | 耳 | 上下 | BCCU | 会意 |
| 笔顺 | 一 厂 丌 丌 丌 耳 耳 聂 聂 聂 | | | | |

【解　释】姓。
【辨　音】不读 shè。
【形近字】耸（耸立）

| niè | 笔画 | 部首 | 结构 | 五笔 | 造字法 |
|---|---|---|---|---|---|
| 蹑 | 17 | 𧾷 | 左右 | KHBC | 形声 |
| 笔顺 | 丨 口 口 早 早 𧾷 𧾷 𧾷 𧾷 𧾷 𧾷 𧾷 蹑 蹑 蹑 蹑 蹑 | | | | |

【解　释】❶踩。❷放轻脚步。❸追随。
【组　词】蹑足　蹑踪　蹑手蹑脚
【造　句】他蹑手蹑脚地走进了病房。

## NIN ㄋㄧㄣ

| nín | 笔画 | 部首 | 结构 | 五笔 | 造字法 |
|---|---|---|---|---|---|
| 您 | 11 | 心 | 上下 | WQIN | 形声 |
| 笔顺 | 丿 亻 亻 仒 仴 仴 你 你 您 您 您 | | | | |

【解　释】人称代词。“你”的敬称。
【组　词】您好　您早
【形近字】你（你们）
【英　语】您　you [juː]

## NING ㄋㄧㄥ

| níng | 笔画 | 部首 | 结构 | 五笔 | 造字法 |
|---|---|---|---|---|---|
| 宁 | 5 | 宀 | 上下 | PSJ | 形声 |
| 笔顺 | 丶 丶 宀 宀 宁 | | | | |

【解　释】❶安静。❷使安宁；使安定。❸南京的别称。❹宁夏回族自治区的简称。
【组　词】宁静　安宁　宁日　宁亲
【造　句】宁静——黄昏时分，校

园里十分宁静。
【同音字】拧(拧紧)
【形近字】宇(宇宙)
【反义词】宁静/喧哗
【近义词】宁静/安静
【英　语】宁静　quiet [ˈkwaiət]
【多音字】nìng(见 523 页)

| níng | 笔画 | 部首 | 结构 | 五笔 | 造字法 |
|---|---|---|---|---|---|
| 拧 | 8 | 扌 | 左右 | RPSH | 形声 |
| 笔顺 | 一 十 扌 扌 扌 扩 护 拧 | | | | |

【解　释】用手握住物体的两端向相反的方向用力。
【组　词】拧干　拧毛巾
【造　句】拧干——我把刚洗过的衣服都拧干了。
【形近字】泞(泥泞)
【近义词】拧干/绞干
【英　语】拧　twist [twist]
【多音字】nǐng(见 523 页)
【多音字】nìng(见 524 页)

| níng | 笔画 | 部首 | 结构 | 五笔 | 造字法 |
|---|---|---|---|---|---|
| 咛 | 8 | 口 | 左右 | KPSH | 形声 |
| 笔顺 | 丨 口 口 口 叫 咛 咛 咛 | | | | |

【解　释】[叮咛]反复嘱咐。
【英　语】叮咛　urge again and again [əːdʒ əˈgein ænd əˈgein]

| níng | 笔画 | 部首 | 结构 | 五笔 | 造字法 |
|---|---|---|---|---|---|
| 凝 | 16 | 冫 | 左右 | UXTH | 形声 |
| 笔顺 | 丶 冫 冫 冫 冫 冫 冫 冫 冫 冫 冫 冫 冫 凝 凝 凝 | | | | |

【解　释】❶气体变成液体或液体遇冷变为固体。❷注意力集中。
【组　词】凝固　凝视　凝聚　凝思
【造　句】凝视——她凝视着这张发黄的照片,陷入了沉思。
【辨　音】不读 yí。
【同音字】拧(拧脾气)
【形近字】疑(怀疑)
【反义词】凝聚/分散
【近义词】凝思/沉思
【英　语】凝固　solidify [səˈlidifai]

| nǐng | 笔画 | 部首 | 结构 | 五笔 | 造字法 |
|---|---|---|---|---|---|
| 拧 | 8 | 扌 | 左右 | RPSH | 形声 |
| 笔顺 | 一 十 扌 扌 扌 扩 护 拧 | | | | |

【解　释】控制着物体向一个方向扭转。
【组　词】拧紧　拧开
【造　句】拧开——他拧开饮料瓶盖,大口大口地喝起来。
【英　语】拧开　screw off [skruː ɔːf]
【多音字】níng(见 523 页)
【多音字】nìng(见 524 页)

| nìng | 笔画 | 部首 | 结构 | 五笔 | 造字法 |
|---|---|---|---|---|---|
| 宁 | 5 | 宀 | 上下 | PSJ | 形声 |
| 笔顺 | 丶 丶 宀 宁 宁 | | | | |

【解　释】❶情愿。❷姓。
【组　词】宁愿　宁可
【造　句】宁愿——我宁愿去爬山,也不去逛街。
【同音字】泞(泥泞)
【成　语】宁死不屈　宁缺毋滥
【歇后语】榆木扁担——宁折不弯。
【英　语】宁肯　would rather [wud ˈrɑːðə]

【多音字】níng(见 522 页)

| nìng | 笔画 | 部首 | 结构 | 五笔 | 造字法 |
|---|---|---|---|---|---|
| 拧 | 8 | 扌 | 左右 | RPSH | 形声 |
| 笔顺 | 一 十 扌 扌 扌 扩 拧 拧 | | | | |

【解　释】固执;不服劝导。
【同音字】宁(宁可)
【多音字】níng(见 523 页)
【多音字】nǐng(见 523 页)

| nìng | 笔画 | 部首 | 结构 | 五笔 | 造字法 |
|---|---|---|---|---|---|
| 泞 | 8 | 氵 | 左右 | IPSH | 形声 |
| 笔顺 | 丶 丶 氵 氵 氵 泞 泞 泞 | | | | |

【解　释】❶路有烂泥不好走。❷淤积的烂泥。
【组　词】泥泞　泞路　泞滑
【造　句】泥泞——下雨后，道路泥泞不好走。
【辨　音】不读 níng。
【形近字】拧(拧脾气)
【英　语】泥泞　muddy ['mʌdi]

## NIU　ㄋㄧㄡ

| niū | 笔画 | 部首 | 结构 | 五笔 | 造字法 |
|---|---|---|---|---|---|
| 妞 | 7 | 女 | 左右 | VNFG | 形声 |
| 笔顺 | 𡿨 女 女 女 如 妞 妞 | | | | |

【解　释】女孩子。
【组　词】妞儿　小妞
【形近字】纽(纽扣)
【英　语】妞儿　girl [gəːl]

| niú | 笔画 | 部首 | 结构 | 五笔 | 造字法 |
|---|---|---|---|---|---|
| 牛 | 4 | 牛 | 独体 | RHK | 象形 |
| 笔顺 | ノ 𠂉 ⺧ 牛 | | | | |

【解　释】❶哺乳动物，种类很多，有黄牛、水牛、牦牛等，力量很大，能耕田、拉车，肉和奶可用，皮可制革，角、骨可做器物。❷二十八星宿之一。❸姓。

【字源释义】"牛"字为象形字。字形像牛的头部，突出了牛弯曲粗壮的角。
【组　词】奶牛　吹牛　牛皮　牛奶
【形近字】午(午餐)
【成　语】牛头马面　牛鬼蛇神
【近义词】吹牛/吹嘘
【歇后语】牛皮上打针——无反应 | 牛头不对马嘴——胡拉乱扯。
【谚　语】牛马羊群肥壮的好，品质性格诚实的好。
【英　语】牛肉　beef [biːf]

| niǔ | 笔画 | 部首 | 结构 | 五笔 | 造字法 |
|---|---|---|---|---|---|
| 扭 | 7 | 扌 | 左右 | RNFG | 形声 |
| 笔顺 | 一 十 扌 扌 扣 扭 扭 | | | | |

【解　释】❶掉转。❷身体摇摆转动。❸用力拧。❹因转动而受伤。❺扳转;转变情势。❻揪住。❼不自

然;不顺心。
【组 词】扭转 扭头 扭断 别扭
【造 句】扭头——那小孩子一见我扭头就跑了。
【同音字】纽(纽扣)
【形近字】忸(忸怩)
【反义词】别扭/自然
【近义词】别扭/拘束
【英 语】扭转 turn around [tə:n ə'raund]

| niǔ | 笔画 | 部首 | 结构 | 五笔 | 造字法 |
|---|---|---|---|---|---|
| 忸 | 7 | 忄 | 左右 | NNFG | 形声 |
| 笔顺 | 丶 丷 忄 忄㇆ 忄刀 忄丑 忸 | | | | |

【解 释】[忸怩]形容不好意思或不大方的样子。
【组 词】忸怩
【造 句】忸怩——面对这么多陌生人,小姑娘显得特别忸怩。
【同音字】扭(扭转)
【形近字】纽(纽带)
【反义词】忸怩/大方
【近义词】忸怩/拘束
【歇后语】木偶演戏——忸怩作态。
【英 语】忸怩 blushing ['blʌʃiŋ]

| niǔ | 笔画 | 部首 | 结构 | 五笔 | 造字法 |
|---|---|---|---|---|---|
| 纽 | 7 | 纟 | 左右 | XNFG | 形声 |
| 笔顺 | 𠃋 纟 纟 纟㇆ 纟刀 纟丑 纽 | | | | |

【解 释】❶器物上可以提起抓住的部分。❷可以把衣服扣合起来的球状物或片状物。❸枢纽。
【组 词】秤纽 衣纽 纽扣 纽带
【造 句】纽带——共同的语言和文化背景是全世界华人互相联结的纽带。
【同音字】钮(电钮)
【形近字】扭(扭转)
【近义词】枢纽/关键
【英 语】纽带 link [liŋk]

| niǔ | 笔画 | 部首 | 结构 | 五笔 | 造字法 |
|---|---|---|---|---|---|
| 钮 | 9 | 钅 | 左右 | QNFG | 形声 |
| 笔顺 | ノ 𠂉 𠂉 𠂉 钅 钅㇆ 钅刀 钅丑 钮 | | | | |

【解 释】❶同"纽"。❷电器的开关。
【组 词】电钮 按钮 旋钮
【同音字】纽(纽带)
【形近字】纽(纽带)
【近义词】电钮/按钮
【英 语】电钮 push button [puʃ 'bʌtən]

| niù | 笔画 | 部首 | 结构 | 五笔 | 造字法 |
|---|---|---|---|---|---|
| 拗 | 8 | 扌 | 左右 | RXLN | 形声 |
| 笔顺 | 一 十 扌 扌 扌 扌 扚 拗 | | | | |

【解 释】固执;不顺从。
【组 词】执拗 拗劲
【造 句】执拗——我们再三邀请他一起去野炊,他却执拗不去。
【近义词】执拗/固执
【多音字】ǎo(见10页)
【多音字】ào(见11页)

## NONG ㄋㄨㄥ

| nóng | 笔画 | 部首 | 结构 | 五笔 | 造字法 |
|---|---|---|---|---|---|
| 农 | 6 | 丶 | 独体 | PEI | 会意 |
| 笔顺 | 丶 冖 𠃌 𠃌 𠃌 农 | | | | |

N

【解　释】❶农业。❷种庄稼的。❸农民。

甲骨文　金文　小篆　隶书　楷书

【字源释义】甲骨文“农”字由“林”和“辰”构成；“辰”下部为手形。金文“农”字的“林”旁多变为“田”，表示农田收割之事。“农”本义为耕种。又指耕种之人，即农民。
【组　词】农业　务农　农场　农田
【造　句】农业——农业是国民经济的基础。
【同音字】浓(浓厚)
【形近字】浓(浓郁)
【歇后语】农夫洗谷，屠夫洗猪——干一行爱一行。
【谚　语】农民不种田，城市断炊烟。
【英　语】农民 peasant [ˈpezənt]

| nóng | 笔画 | 部首 | 结构 | 五笔 | 造字法 |
|---|---|---|---|---|---|
| 浓 | 9 | 氵 | 左右 | IPEY | 形声 |
| 笔顺 | 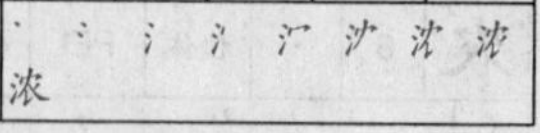 | | | | |

【解　释】❶含某种成分多(跟“淡”相对)。❷程度深；不淡薄。
【组　词】浓云　浓艳　浓淡　浓烈　浓郁　浓密　浓重　浓茶　浓厚　浓度　浓缩
【造　句】浓云——天空浓云密布，眼看就要下雨了。
【同音字】农(农活)
【形近字】农(农事)
【成　语】浓妆艳抹
【反义词】浓密/稀疏
【近义词】浓密/稠密
【谚　语】浓霜偏打无根草，祸来直奔福轻人。
【英　语】浓密 dense [dens]

| nóng | 笔画 | 部首 | 结构 | 五笔 | 造字法 |
|---|---|---|---|---|---|
| 脓 | 10 | 月 | 左右 | EPEY | 形声 |
| 笔顺 | 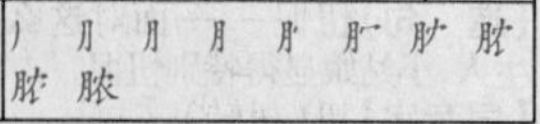 | | | | |

【解　释】皮肉由于炎症(病)所生的黄白色汁液。
【组　词】脓包　化脓
【同音字】农(农村)
【形近字】浓(浓烈)
【英　语】脓包 pustule [ˈpʌstjuːl]

| nòng | 笔画 | 部首 | 结构 | 五笔 | 造字法 |
|---|---|---|---|---|---|
| 弄 | 7 | 王 | 上下 | GAJ | 会意 |
| 笔顺 | 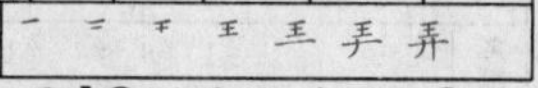 | | | | |

【解　释】❶用手玩、戏耍。❷做；搞。❸耍；显出有能力。❹搅扰。❺设法取得。

甲骨文　金文　小篆　隶书　楷书

N

【字源释义】"弄"的本义是"用手抚摸玩赏"。字形像双手捧着一块玉，玉是古今之人极其喜爱且常抚弄鉴赏的珍品 。后引申为"戏耍"、"欺侮"等义。
【组　词】戏弄　愚弄　玩弄　捉弄
【造　句】摆弄——小弟弟正在摆弄爸爸刚给他买的魔方。
【辨　音】不读 nèng。
【形近字】异(异常)　卉(花卉)
【成　语】弄假成真　弄巧成拙
【近义词】戏弄/玩弄
【歇后语】东吴招亲——弄假成真|魔术师的本事——弄虚作假。
【英　语】弄错　make a mistake [meik ə misˈteik]
【多音字】lòng(见457页)

NU　ㄋㄨ

| nú | 笔画 | 部首 | 结构 | 五笔 | 造字法 |
|---|---|---|---|---|---|
| 奴 | 5 | 女 | 左右 | VCY | 象形 |
| 笔顺 | ㄑ ㄑ 女 女 奴 | | | | |

【解　释】❶旧社会中受剥削阶级役使的没有自由的人。❷旧指婢仆在主人面前的自称。❸把人当奴隶使用。
【组　词】奴隶　奴仆　奴婢　奴化　奴役　奴才　农奴　洋奴
【形近字】如(如果)　仅(不仅)
【成　语】奴颜婢膝
【反义词】奴颜婢膝/不卑不亢
【近义词】奴颜婢膝/摧眉折腰
【英　语】奴隶　slave [sleiv]

| nǔ | 笔画 | 部首 | 结构 | 五笔 | 造字法 |
|---|---|---|---|---|---|
| 努 | 7 | 力 | 上下 | VCLB | 形声 |
| 笔顺 | ㄑ ㄑ 女 女 奴 奴 努 | | | | |

【解　释】❶尽量使出力气、力量等。❷向外突出；鼓起。
【组　词】努力　努嘴
【造　句】努嘴——老师向我努嘴，叫我先回答她提出的问题。
【形近字】怒(愤怒)
【反义词】努力/松懈
【近义词】努力/尽力
【英　语】努力　try hard [trai hɑːd]

| nù | 笔画 | 部首 | 结构 | 五笔 | 造字法 |
|---|---|---|---|---|---|
| 怒 | 9 | 心 | 上下 | VCNU | 形声 |
| 笔顺 | ㄑ ㄑ 女 女 奴 奴 怒 怒 怒 | | | | |

【解　释】❶很生气；恼火。❷形容气势很盛。
【组　词】怒火　息怒　怒目　愤怒
【造　句】喜怒无常——她这人喜怒无常，真让人难以琢磨。
【形近字】努(努力)
【成　语】怒发冲冠　喜怒哀乐　怒不可遏　喜怒无常　恼羞成怒
【反义词】怒气冲冲/喜气洋洋
【近义词】恼怒/愤怒

N

【歇后语】乌眼鸡——怒目相识。
【谚　语】怒从心上起，恶向胆边生。
【英　语】愤怒　anger [ˈæŋgə]

## Nü　ㄋㄩ

| nǚ | 笔画 | 部首 | 结构 | 五笔 | 造字法 |
|---|---|---|---|---|---|
| 女 | 3 | 女 | 独体 | VVVV | 象形 |
| 笔顺 | ㄑ 女 女 | | | | |

【解　释】❶女子；女人（跟“男”相对）。❷女儿。❸二十八星宿之一。
【组　词】女人　妇女　女士　女生
【歇后语】花木兰从军——女扮男装。
【谚　语】女大十八变。
【英　语】女士　lady [ˈleidi]

## NUAN　ㄋㄨㄢ

| nuǎn | 笔画 | 部首 | 结构 | 五笔 | 造字法 |
|---|---|---|---|---|---|
| 暖 | 13 | 日 | 左右 | JEFC | 形声 |
| 笔顺 | 丨 日 日 日 日 日 日 日 日 日 日 暖 暖 | | | | |

【解　释】❶不冷不热。❷使暖和。
【组　词】暖和　温暖　暖流　暖洋洋
【造　句】暖和——春天到了，天气一天比一天暖和了。
【辨　音】不读 ài。
【形近字】援（援助）
【反义词】温暖/寒冷
【近义词】暖流/热流
【英　语】暖和　warm [wɔːm]

## NüE　ㄋㄩㄝ

| nüè | 笔画 | 部首 | 结构 | 五笔 | 造字法 |
|---|---|---|---|---|---|
| 虐 | 9 | 虍 | 半包围 | HAAG | 会意 |
| 笔顺 | 丨 ⺊ 上 广 卢 卢 虍 虐 虐 | | | | |

【解　释】❶残暴狠恶。❷灾害。
【组　词】虐待　暴虐　虐政　虐杀
【造　句】虐待——虐待妇女儿童是犯罪行为。
【反义词】虐待/善待
【英　语】虐待　maltreat [mælˈtriːt]

## NUO　ㄋㄨㄛ

| nuó | 笔画 | 部首 | 结构 | 五笔 | 造字法 |
|---|---|---|---|---|---|
| 挪 | 9 | 扌 | 左右 | RVFB | 形声 |
| 笔顺 | 一 十 扌 扌 扌 扌 扌 扌 挪 | | | | |

【解　释】移动。
【组　词】挪用　挪动　挪移　挪位
【造　句】挪动——请把桌子上的杯子挪动一下。
【形近字】哪（哪里）
【近义词】挪位/移位
【歇后语】放牧的换草场——挪挪窝儿。
【英　语】挪动　move [muːv]

| nuó | 笔画 | 部首 | 结构 | 五笔 | 造字法 |
|---|---|---|---|---|---|
| 娜 | 9 | 女 | 左右 | VVFB | 形声 |
| 笔顺 | ㄑ 女 女 女 女 女 女 女 娜 | | | | |

【解　释】见 187 页“婀”。
【多音字】nà（见 510 页）

N

| nuò | 笔画 | 部首 | 结构 | 五笔 | 造字法 |
|---|---|---|---|---|---|
| 诺 | 10 | 讠 | 左右 | YADK | 形声 |
| 笔顺 | 丶 讠 讠一 讠十 讠廾 讠艹 讠艹 讠芓 诺 诺 | | | | |

【解　释】❶答应；允许。❷（书）答应的声音。
【组　词】诺言　允诺　唯唯诺诺
【造　句】诺言——做人要信守诺言。
【同音字】懦（懦夫）
【英　语】诺言　promise [ˈprɔmis]

| nuò | 笔画 | 部首 | 结构 | 五笔 | 造字法 |
|---|---|---|---|---|---|
| 懦 | 17 | 忄 | 左右 | NFDJ | 形声 |
| 笔顺 | 丶 丶丶 忄 忄一 忄𠂊 忄𠂊 忄雨 忄雨 忄雨 忄雨 忄雨 忄雨 忄雨 忄需 懦 懦 懦 | | | | |

【解　释】软弱无能；胆小怕事。
【组　词】懦弱　懦夫　怯懦
【造　句】懦弱——性情懦弱的人干不了大事。
【辨　音】不读 rú。
【同音字】糯（糯米）
【形近字】糯（糯米）
【反义词】懦弱/胆大
【近义词】懦弱/怯懦
【英　语】懦弱　cowardly [ˈkauədli]

| nuò | 笔画 | 部首 | 结构 | 五笔 | 造字法 |
|---|---|---|---|---|---|
| 糯 | 20 | 米 | 左右 | OFDJ | 形声 |
| 笔顺 | 丶 丶丶 丷 半 米 米 米一 米𠂊 米𠂊 米雨 米雨 米雨 米雨 米雨 米雨 米雨 米需 糯 糯 糯 | | | | |

【解　释】一种有黏性的米谷。
【组　词】糯米　糯稻
【同音字】懦（懦夫）
【形近字】懦（懦夫）
【歇后语】糯米做饭——黏糊。
【英　语】糯米　glutinous rice [ˈgluːtinəs rais]

N

# O

## O ㄛ

| ō | 笔画 | 部首 | 结构 | 五笔 | 造字法 |
| --- | --- | --- | --- | --- | --- |
| 噢 | 15 | 口 | 左右 | KTMD | 形声 |
| 笔顺 | 丨 ㄇ 口 口′ 口″ 口白 口白 口白 口白 口白 口白 口白 噢 噢 噢 | | | | |

【解　释】叹词。❶表示醒悟、了解。❷表示惊异、痛苦。
【组　词】噢唷　噢哟
【造　句】噢哟——噢哟，好长的甘蔗呀！
【形近字】澳(澳洲)
【英　语】噢　oh [əu]

| ó | 笔画 | 部首 | 结构 | 五笔 | 造字法 |
| --- | --- | --- | --- | --- | --- |
| 哦 | 10 | 口 | 左右 | KTRT | 形声 |
| 笔顺 | 丨 ㄇ 口 口′ 口⺅ 吁 呀 吙 哦 哦 | | | | |

【解　释】叹词。表示疑问、惊奇等。
【造　句】哦——哦，你喝水呀！
【形近字】俄(俄国)
【多音字】é(见187页)
【多音字】ò(见530页)

| ò | 笔画 | 部首 | 结构 | 五笔 | 造字法 |
| --- | --- | --- | --- | --- | --- |
| 哦 | 10 | 口 | 左右 | KTRT | 形声 |
| 笔顺 | 丨 ㄇ 口 口′ 口⺅ 吁 呀 吙 哦 哦 | | | | |

【解　释】叹词。表示明白、醒悟。
【多音字】é(见187页)
【多音字】ó(见530页)

## OU ㄡ

| ōu | 笔画 | 部首 | 结构 | 五笔 | 造字法 |
| --- | --- | --- | --- | --- | --- |
| 区 | 4 | 匚 | 半包围 | AQ | 会意 |
| 笔顺 | 一 ㄱ 又 区 | | | | |

【解　释】姓。
【同音字】鸥(海鸥)
【多音字】qū(见593页)

| ōu | 笔画 | 部首 | 结构 | 五笔 | 造字法 |
| --- | --- | --- | --- | --- | --- |
| 讴 | 6 | 讠 | 左右 | YAQY | 形声 |
| 笔顺 | 丶 讠 订 讧 讴 讴 | | | | |

【解　释】歌唱。
【组　词】讴歌　讴吟
【造　句】讴歌——这篇文章的主题是讴歌伟大的祖国。
【同音字】欧(欧洲)
【英　语】讴歌　eulogize [ˈjuːlədʒaiz]

| ōu | 笔画 | 部首 | 结构 | 五笔 | 造字法 |
| --- | --- | --- | --- | --- | --- |
| 欧 | 8 | 欠 | 左右 | AQQW | 形声 |
| 笔顺 | 一 ㄱ 又 区 区′ 区⺈ 欧 欧 | | | | |

【解　释】❶欧洲，世界七大洲之一。❷姓。
【组　词】欧洲　欧元　欧化　欧美　欧亚
【造　句】欧洲——他去欧洲好多年了，言行、习惯都有些欧化了。
【同音字】鸥(海鸥)
【形近字】殴(殴打)

【英 语】欧洲 Europe [ˈjuərəp]

| ōu | 笔画 | 部首 | 结构 | 五笔 | 造字法 |
| --- | --- | --- | --- | --- | --- |
| 殴 | 8 | 殳 | 左右 | AQMC | 形声 |
| 笔顺 | 一 ㄱ 区 区 区 区⺈ 殴 殴 | | | | |

【解 释】打;打击。

【组 词】殴打 殴斗 殴伤 殴辱 斗殴

【造 句】斗殴——有些游手好闲的小青年总是找碴斗殴闹事。

【辨 音】不读 ǒu。

【同音字】鸥(海鸥)

【形近字】欧(欧洲)

【近义词】殴打/打架

【英 语】殴斗 fight [fait]

| ōu | 笔画 | 部首 | 结构 | 五笔 | 造字法 |
| --- | --- | --- | --- | --- | --- |
| 鸥 | 9 | 鸟 | 左右 | AQQG | 形声 |
| 笔顺 | 一 ㄱ 区 区 区 区 区 鸥 鸥 | | | | |

【解 释】水鸟,羽毛多为白色,翅尖长,善游泳,生活在湖海上,捕食鱼螺等。

【组 词】海鸥 燕鸥 银鸥

【同音字】殴(殴打)

【形近字】欧(欧洲)

【英 语】海鸥 seagull [ˈsiːgʌl]

| ǒu | 笔画 | 部首 | 结构 | 五笔 | 造字法 |
| --- | --- | --- | --- | --- | --- |
| 呕 | 7 | 口 | 左右 | KAQY | 形声 |
| 笔顺 | 丨 口 口 口一 叮 呕 呕 | | | | |

【解 释】吐。

【组 词】呕吐 呕血 呕心 作呕

【造 句】作呕——他这种行为真令人作呕。

【辨 音】不读 ōu。

【同音字】偶(偶然)

【形近字】欧(欧洲)

【成 语】呕心沥血

【英 语】呕吐 vomit [ˈvɔmit]

| ǒu | 笔画 | 部首 | 结构 | 五笔 | 造字法 |
| --- | --- | --- | --- | --- | --- |
| 偶 | 11 | 亻 | 左右 | WJMY | 形声 |
| 笔顺 | 丿 亻 亻 伄 伄 伊 伊 偶 偶 偶 偶 | | | | |

【解 释】❶双;对;成双或成对(跟"奇(jī)"相对)。❷碰巧;不是必然。❸偶像,用木头、泥土等做成的人形。❹伙伴;同伴。

【组 词】对偶 配偶 偶尔 偶然 偶像 木偶 偶遇

【造 句】偶尔——周末,我偶尔上上网,看有没有同学给我来"伊妹儿"。

【同音字】呕(呕吐)

【形近字】遇(遭遇)

【成 语】偶一为之 无独有偶

【反义词】偶数/奇数

【近义词】偶尔/间或

【谚 语】偶然犯错叫做过,存心犯错叫做恶。

【英 语】偶然 accidental [ˌæksiˈdentl]

| ǒu | 笔画 | 部首 | 结构 | 五笔 | 造字法 |
| --- | --- | --- | --- | --- | --- |
| 藕 | 18 | 艹 | 上下 | ADIY | 形声 |
| 笔顺 | 一 十 艹 艹 艹 艹 莘 莘 莘 萩 萩 萩 萩 萩 藕 藕 藕 藕 | | | | |

O

【解　释】莲的地下茎，肥大有节，中间有许多管状小孔，折断后有丝，可食用。
【组　词】藕粉　藕色　藕节
【同音字】偶（偶尔）
【形近字】藉（狼藉）
【成　语】藕断丝连
【谚　语】藕断丝不断，月圆人未圆|藕叶莲生，十指连心。
【英　语】藕粉　lotus root starch [ˈləutəs ruːt stɑːtʃ]

# P

## PA ㄆㄚ

| pā | 笔画 | 部首 | 结构 | 五笔 | 造字法 |
|---|---|---|---|---|---|
| 趴 | 9 | 足 | 左右 | KHWY | 形声 |
| 笔顺 | 丨 ㄇ 口 ⺊ 口 ⻊ 𧾷 ⻊丿 趴 | | | | |

【解　释】❶卧倒，胸腹部朝下。❷身体向前，靠在物体上；伏。
【组　词】趴下
【辨　音】不读 bā。
【同音字】啪（啪啪）
【形近字】扒（扒窃）
【英　语】趴下 lie down [lai daun]

| pā | 笔画 | 部首 | 结构 | 五笔 | 造字法 |
|---|---|---|---|---|---|
| 啪 | 11 | 口 | 左右 | KRRG | 形声 |
| 笔顺 | 丨 ㄇ 口 口⺊ 叶 呏 呏' 呏 啪 啪 啪 | | | | |

【解　释】象声词。形容放枪或东西撞击等的声音。
【组　词】啪啪
【造　句】啪啪——听到啪啪的枪响，他知道战斗已经打响了。
【同音字】趴（趴下）
【形近字】拍（拍球）

| pá | 笔画 | 部首 | 结构 | 五笔 | 造字法 |
|---|---|---|---|---|---|
| 扒 | 5 | 扌 | 左右 | RWY | 形声 |
| 笔顺 | 一 亅 扌 扌丿 扒 | | | | |

【解　释】❶用工具或手使东西聚拢或散开。❷抓；挠；用手搔。❸偷窃；扒窃。❹烹调法，用小火将食物炖烂。
【组　词】扒草　扒痒　扒窃
【同音字】爬（爬行）
【英　语】扒手　pickpocket [ˈpikˌpɔkit]
【多音字】bā（见 13 页）

| pá | 笔画 | 部首 | 结构 | 五笔 | 造字法 |
|---|---|---|---|---|---|
| 爬 | 8 | 爪 | 半包围 | RHYC | 形声 |
| 笔顺 | ˊ 𠂆 𠂇 爪 爫 爫 爫 爬 | | | | |

【解　释】❶动物行动的方式或人用手和脚一起着地向前移动。❷攀登。❸多指由倒卧而坐起或站起来。
【组　词】爬行　爬虫　爬梯　爬起　爬树　爬山　爬山虎
【造　句】爬树——我哥哥小时候特别爱爬树。
【同音字】耙（耙子）
【形近字】爪（爪子）
【歇后语】爬上高山喝汽水——又痛快又凉爽。
【谚　语】爬山越岭要互助，渡江过河要齐心。
【英　语】爬行　crawl [krɔːl]

| pá | 笔画 | 部首 | 结构 | 五笔 | 造字法 |
|---|---|---|---|---|---|
| 耙 | 10 | 耒 | 左右 | DICN | 形声 |
| 笔顺 | 一 二 三 丰 耒 耒 耒 耙 耙 耙 | | | | |

【解　释】❶耙子，一种农具。❷用耙子操作。
【组　词】钉耙　竹耙
【同音字】爬（爬行）
【多音字】bà（见 16 页）

P

| pá | 笔画 | 部首 | 结构 | 五笔 | 造字法 |
|---|---|---|---|---|---|
| 琶 | 12 | 王 | 上下 | GGCB | 形声 |
| 笔顺 | 一 二 千 王 王一 王二 王千 珏 琹 琹 琹 琶 | | | | |

【解　释】见548页“琶”。

| pà | 笔画 | 部首 | 结构 | 五笔 | 造字法 |
|---|---|---|---|---|---|
| 帕 | 8 | 巾 | 左右 | MHRG | 形声 |
| 笔顺 | 丨 冂 巾 巾′ 帄 帕 帕 帕 | | | | |

【解　释】❶手帕，用来擦手擦脸的纺织品。❷帕斯卡（压强单位）的简称。

【组　词】手帕　帕子　帕斯卡

【同音字】怕（害怕）

【形近字】怕（怕事）　伯（伯父）

【英　语】手帕　handkerchief［'hæŋkətʃif］

| pà | 笔画 | 部首 | 结构 | 五笔 | 造字法 |
|---|---|---|---|---|---|
| 怕 | 8 | 忄 | 左右 | NRG | 形声 |
| 笔顺 | 丶 丷 忄 忄′ 忄 怕 怕 怕 | | | | |

【解　释】❶害怕；恐惧。❷表示担心。❸表示估计；也许。

【组　词】害怕　怕事　恐怕　怕羞

【造　句】怕羞——我表妹很怕羞，一见到生人就躲妈妈身后去了。

【同音字】帕（手帕）

【形近字】伯（伯父）

【反义词】欺软怕硬/锄强扶弱

【近义词】害怕/恐惧

【谚　语】心正不怕邪，路正不怕鬼。

【英　语】怕羞　shy［ʃai］

## PAI　ㄆㄞ

| pāi | 笔画 | 部首 | 结构 | 五笔 | 造字法 |
|---|---|---|---|---|---|
| 拍 | 8 | 扌 | 左右 | RRG | 形声 |
| 笔顺 | 一 十 扌 扌′ 扚 拍 拍 拍 | | | | |

【解　释】❶用手掌打。❷拍子。❸拍摄，用摄影机把人或事物的形象照在底片上。❹发电报。❺拍马屁。

【组　词】拍手　拍戏　拍卖　拍电报

【造　句】拍案叫绝——微雕艺术师可以在米粒上作画，真叫人拍案叫绝。

【形近字】伯（伯父）

【成　语】拍手称快　拍案叫绝

【反义词】拍手称快/痛心疾首

【近义词】拍案叫绝/赞不绝口

【谚　语】拍马屁，没志气。

【英　语】球拍　bat［bæt］

| pái | 笔画 | 部首 | 结构 | 五笔 | 造字法 |
|---|---|---|---|---|---|
| 排 | 11 | 扌 | 左右 | RDJD | 形声 |
| 笔顺 | 一 十 扌 扌 扌 扫 扫 排 排 排 排 | | | | |

【解　释】❶按顺序依次摆放。❷排成的行列。❸演练；排演。❹用竹、木扎成排的水上交通工具。❺消除；除去。❻军队编制单位。❼量词。

【组　词】排列　排队　排除　排演　排查　排污

【造　句】排队——一年级小同学每天放学后排队回家。

【同音字】徘（徘徊）

【形近字】徘(徘徊)
【成　语】排山倒海　排除万难
【反义词】排难解纷/煽风点火
【近义词】排山倒海/雷霆万钧
【英　语】排挤　push aside [puʃə'said]
【多音字】pǎi(见535页)

| pái | 笔画 | 部首 | 结构 | 五笔 | 造字法 |
|---|---|---|---|---|---|
| 徘 | 11 | 彳 | 左右 | TDJD | 形声 |
| 笔顺 | 丿 彡 彳 彳 彳 彳 彳 徘 徘 徘 徘 | | | | |

【解　释】[徘徊]❶在一个地方走来走去。❷比喻拿不定主意。
【组　词】徘徊
【造　句】徘徊——他好像有心事，一直在花园里徘徊。
【同音字】排(排列)　牌(纸牌)
【形近字】排(排列)
【反义词】徘徊/果断
【近义词】徘徊/犹豫
【英　语】徘徊　hover ['hɔvə]

| pái | 笔画 | 部首 | 结构 | 五笔 | 造字法 |
|---|---|---|---|---|---|
| 牌 | 12 | 片 | 左右 | THGF | 形声 |
| 笔顺 | 丿 丿 片 片 片 片 片 片 牌 牌 牌 牌 | | | | |

【解　释】❶作为标志或凭证用的板。❷商品的名号。❸扑克等娱乐用具。❹词牌;曲牌。❺古代兵器"盾"的俗称。
【组　词】路牌　门牌　牌位　牌子
【造　句】牌子——这种牌子的钢笔好用，我建议大家用这种钢笔。
【同音字】排(排列)
【形近字】脾(脾气)
【英　语】牌子　brand [brænd]

| pǎi | 笔画 | 部首 | 结构 | 五笔 | 造字法 |
|---|---|---|---|---|---|
| 迫 | 8 | 辶 | 半包围 | RPD | 形声 |
| 笔顺 | ′ 亻 白 白 白 白 迫 迫 | | | | |

【解　释】迫击炮，一种从炮口装炮弹的炮。
【歇后语】迫击炮打蚊子——大材小用。
【英　语】迫击炮　mortar ['mɔːtə]
【多音字】pò(见558页)

| pǎi | 笔画 | 部首 | 结构 | 五笔 | 造字法 |
|---|---|---|---|---|---|
| 排 | 11 | 扌 | 左右 | RDJD | 形声 |
| 笔顺 | 一 十 扌 扌 扌 扌 扌 扌 排 排 排 | | | | |

【解　释】填紧新鞋的中空部分使合于某种形状。
【同音字】迫(迫击炮)
【多音字】pái(见534页)

| pài | 笔画 | 部首 | 结构 | 五笔 | 造字法 |
|---|---|---|---|---|---|
| 派 | 9 | 氵 | 左右 | IREY | 形声 |
| 笔顺 | 丶 丶 氵 氵 氵 氵 氵 派 派 | | | | |

【解　释】❶立场、见解或风格接近的一群人。❷分派;委任;派遣。❸作风;风度;气派。
【组　词】派别　党派　流派　气派
【造　句】气派——这座大楼建造得真够气派。
【同音字】湃(澎湃)
【形近字】旅(旅行)
【反义词】气派/小气
【近义词】一派胡言/胡说八道
【英　语】派遣　send [send]

P

| pài | 笔画 | 部首 | 结构 | 五笔 | 造字法 |
|---|---|---|---|---|---|
| 湃 | 12 | 氵 | 左右 | IRDF | 形声 |

笔顺：丶 冫 氵 氵 氵 氵 氵 氵 氵 氵 湃 湃

【解　释】见 545 页“澎”。
【组　词】澎湃　滂湃
【造　句】澎湃——老师写了一首激情澎湃的诗。
【辨　音】不读 bài。
【同音字】派(宗派)
【形近字】拜(拜年)
【英　语】澎湃　surge [sə:dʒ]

## PAN　ㄆㄢ

| pān | 笔画 | 部首 | 结构 | 五笔 | 造字法 |
|---|---|---|---|---|---|
| 番 | 12 | 釆 | 上下 | TOLF | 象形 |

笔顺：一 丆 丆 立 平 乎 采 釆 番 番 番 番

【解　释】番禺(yú)，市名，在广东省。
【同音字】攀(攀登)
【多音字】fān(见 196 页)

| pān | 笔画 | 部首 | 结构 | 五笔 | 造字法 |
|---|---|---|---|---|---|
| 潘 | 15 | 氵 | 左右 | ITOL | 形声 |

笔顺：丶 冫 氵 氵 氵 氵 氵 氵 氵 氵 氵 潘 潘 潘 潘

【解　释】姓。
【同音字】攀(攀登)
【形近字】蟠(蟠桃)

| pān | 笔画 | 部首 | 结构 | 五笔 | 造字法 |
|---|---|---|---|---|---|
| 攀 | 19 | 手 | 上中下 | SQQR | 形声 |

笔顺：一 十 木 木 木 林 林 林 林 林 林 林 林 樊 樊 樊 攀 攀 攀

【解　释】❶抓住物体往上爬。❷巴结、依附有钱或有权的人。
【组　词】攀登　高攀　攀高　攀谈
【造　句】攀扯——我和你的事，别攀扯他。
【同音字】番(番禺)
【形近字】樊(樊笼)
【成　语】攀龙附凤
【近义词】攀龙附凤/趋炎附势
【英　语】攀登　climb [klaim]

| pán | 笔画 | 部首 | 结构 | 五笔 | 造字法 |
|---|---|---|---|---|---|
| 胖 | 9 | 月 | 左右 | EUFH | 形声 |

笔顺：丿 刀 月 月 月 月 月 月 胖

【解　释】舒坦；安逸。
【组　词】心广体胖
【同音字】盘(盘旋)
【英　语】心广体胖　fit and happy [fit ænd ˈhæpi]
【多音字】pàng(见 539 页)

| pán | 笔画 | 部首 | 结构 | 五笔 | 造字法 |
|---|---|---|---|---|---|
| 盘 | 11 | 皿 | 上下 | TELF | 形声 |

笔顺：丿 丿 力 舟 舟 舟 舟 舟 盘 盘 盘

【解　释】❶盛东西的敞口浅底的器具。❷形状或功用像盘子的。❸回旋；缠绕。❹指商品的行情。❺反复查问或清点。❻砌；垒。❼搬运。❽量词。

【组　词】盘踞　盘旋　冷盘　盘活
【造　句】盘根问底——这孩子凡事都要盘根问底，往往问得大人也答不出来。
【同音字】磐（磐石）
【形近字】盈（笑盈盈）
【成　语】盘根错节　盘根问底
【反义词】盘根问底/不闻不问
【英　语】盘子　tray ［trei］

| pán | 笔画 | 部首 | 结构 | 五笔 | 造字法 |
|---|---|---|---|---|---|
| 磐 | 15 | 石 | 上下 | TEMD | 形声 |
| 笔顺 | ′ 丿 月 月 舟 舟 舟 舟 般 般 般 般 般 磐 磐 | | | | |

【解　释】大石头。
【组　词】磐石
【造　句】磐石——江姐对党的忠心坚如磐石，敌人的威胁与引诱都不曾让她动摇。
【同音字】盘（盘子）
【形近字】碧（碧绿）
【英　语】磐石　huge rock ［hjuːdʒ rɔk］

| pán | 笔画 | 部首 | 结构 | 五笔 | 造字法 |
|---|---|---|---|---|---|
| 蹒 | 17 | 𧾷 | 左右 | KHAW | 形声 |
| 笔顺 | 丶 冖 口 ㄗ 𧾷 𧾷 𧾷 𧾷 𧾷 𧾷 𧾷 蹒 蹒 蹒 蹒 蹒 蹒 | | | | |

【解　释】［蹒跚］腿脚不灵便，走路缓慢、摇摆的样子。
【组　词】蹒跚
【造　句】蹒跚——她在表演时，把一个步履蹒跚的老婆婆演得活灵活现。
【同音字】盘（盘子）
【形近字】满（满意）
【成　语】步履蹒跚
【反义词】步履蹒跚/健步如飞
【近义词】步履蹒跚/步履维艰
【英　语】蹒跚　stagger ［ˈstæɡə］

| pàn | 笔画 | 部首 | 结构 | 五笔 | 造字法 |
|---|---|---|---|---|---|
| 判 | 7 | 刂 | 左右 | UDJH | 会意 |
| 笔顺 | 丶 丷 䒑 兰 半 判 判 | | | | |

【解　释】❶分辨；分开。❷显然；不同。❸评定。❹裁定。
【组　词】判断　批判　判决　审判
【造　句】判断——没有事实依据，我们不能判断他是不是坏人。
【同音字】叛（叛变）
【形近字】伴（伙伴）
【成　语】判若两人
【英　语】判断　judge ［dʒʌdʒ］

| pàn | 笔画 | 部首 | 结构 | 五笔 | 造字法 |
|---|---|---|---|---|---|
| 盼 | 9 | 目 | 左右 | HWVN | 形声 |
| 笔顺 | 丨 冂 冃 月 目 盼 盼 盼 盼 | | | | |

【解　释】❶盼望，急切地期待。❷看。
【组　词】盼望　久盼　切盼　顾盼
【造　句】盼望——快过年了，我们全家都盼望台湾的三爷爷回来团聚。
【同音字】判（判断）
【近义词】盼望/期望
【英　语】盼望　hope for ［həup fɔː］

| pàn | 笔画 | 部首 | 结构 | 五笔 | 造字法 |
|---|---|---|---|---|---|
| 叛 | 9 | 丶 | 左右 | UDRC | 形声 |
| 笔顺 | 丶 丷 䒑 兰 半 半 叛 叛 叛 | | | | |

【解　释】背叛；背离。

P

【组　词】背叛　叛变　叛党　平叛
【造　句】背叛——为了名利，他背叛了自己的誓言。
【同音字】判(判断)　畔(湖畔)
【成　语】众叛亲离
【反义词】众叛亲离/众望所归
【近义词】背叛/叛变
【英　语】叛离　betray [biˈtrei]

| pàn | 笔画 | 部首 | 结构 | 五笔 | 造字法 |
|---|---|---|---|---|---|
| 畔 | 10 | 田 | 左右 | LUFH | 形声 |
| 笔顺 | 丨 冂 日 田 田 田' 田' 田⺍ 田⺌ 畔 | | | | |

【解　释】❶江、河、湖、道路等旁边；附近。❷田地的边界。
【组　词】湖畔　枕畔　河畔　池畔
【造　句】湖畔——我们学校坐落在洋澜湖畔。
【辨　音】不读 bàn。
【同音字】判(判断)
【形近字】伴(伙伴)
【英　语】河畔　river bank [ˈrivə bæŋk]

## PANG　ㄆㄤ

| pāng | 笔画 | 部首 | 结构 | 五笔 | 造字法 |
|---|---|---|---|---|---|
| 乓 | 6 | 丿 | 独体 | RGYU | 指事 |
| 笔顺 | ′ 𠂆 𠂆 斤 丘 乓 | | | | |

【解　释】❶象声词。形容枪声、关门声、东西砸破声等。❷乒乓球。
【组　词】乒乓　乒乓球　乒乒乓乓
【造　句】乒乒乓乓——他正在发脾气，弄得房间里乒乒乓乓地响。
【辨　音】不读 bāng。
【同音字】旁(旁边)
【形近字】兵(士兵)
【英　语】乒乓球　table tennis [ˈteibl ˈtenis]

| páng | 笔画 | 部首 | 结构 | 五笔 | 造字法 |
|---|---|---|---|---|---|
| 彷 | 7 | 彳 | 左右 | TYN | 形声 |
| 笔顺 | ′ 彡 彳 彳 彳' 彷 彷 | | | | |

【解　释】[彷徨]在一个地方来回地走，不知往哪里去。

| páng | 笔画 | 部首 | 结构 | 五笔 | 造字法 |
|---|---|---|---|---|---|
| 庞 | 8 | 广 | 半包围 | YDXV | 形声 |
| 笔顺 | ` 亠 广 广 庁 庞 庞 庞 | | | | |

【解　释】❶很大。❷多而杂乱。❸脸盘。❹姓。
【组　词】庞大　庞杂　脸庞
【造　句】庞然大物——这种飞机在地上是庞然大物，到了天上就像只小鸟了。
【辨　音】不读 lóng。
【同音字】旁(旁边)
【成　语】庞然大物
【英　语】庞大　huge [hjuːdʒ]

| páng | 笔画 | 部首 | 结构 | 五笔 | 造字法 |
|---|---|---|---|---|---|
| 旁 | 10 | 方 | 上中下 | UPYB | 形声 |
| 笔顺 | ` 亠 亠 亣 产 产 产 旁 旁 旁 | | | | |

【解　释】❶左右两边；附近。❷其他；另外。❸广泛。❹汉字的偏旁。❺邪；偏。

甲骨文　金文　小篆　隶书　楷书

【字源释义】“旁”的本义是“四面八方”，是“广泛”、“普遍”的意思。字的下部“方”表示“地方”，也表声；上部原是“凡”，表示“所有”、“一切”。
【组　词】旁边　两旁　路旁　旁观
【造　句】旁征博引——这篇文章旁征博引，论证精详。
【同音字】庞（庞大）
【形近字】傍（傍晚）　房（房子）
【成　语】旁若无人　旁征博引
【近义词】旁若无人/目空一切
【谚　语】旁观者清，当局者迷。
【英　语】旁边　side [said]

| páng | 笔画 | 部首 | 结构 | 五笔 | 造字法 |
|---|---|---|---|---|---|
| 膀 | 14 | 月 | 左右 | EUPY | 形声 |
| 笔顺 | 丿 月 月 月 月 月' 月亠 月亠 月亠 月立 月产 月产 膀 膀 | | | | |

【解　释】膀胱，指人或动物体内存尿的器官。
【同音字】旁（旁边）
【英　语】膀胱炎　cystitis [sis'taitis]
【多音字】bǎng（见25页）

| páng | 笔画 | 部首 | 结构 | 五笔 | 造字法 |
|---|---|---|---|---|---|
| 磅 | 15 | 石 | 左右 | DUPY | 形声 |
| 笔顺 | 一 丆 丆 石 石 石' 石亠 石亠 石亠 石亠 石立 石产 石产 磅 磅 | | | | |

【解　释】[磅礴]❶盛大。❷充满。
【组　词】磅礴
【造　句】磅礴——这座建筑气势雄伟，磅礴壮观。
【同音字】旁（旁征博引）
【形近字】螃（螃蟹）
【英　语】磅礴　boundless ['baundlis]
【多音字】bàng（见26页）

| páng | 笔画 | 部首 | 结构 | 五笔 | 造字法 |
|---|---|---|---|---|---|
| 螃 | 16 | 虫 | 左右 | JUPY | 形声 |
| 笔顺 | 丨 口 口 中 虫 虫 虫' 虫亠 虫亠 虫亠 虫亠 虫立 虫产 虫产 螃 螃 | | | | |

【解　释】螃蟹，节肢动物，全身有甲壳。种类很多，生活在淡水或海水中。
【组　词】螃蟹
【同音字】旁（旁边）
【形近字】傍（傍晚）
【英　语】螃蟹　crab [kræb]

| pàng | 笔画 | 部首 | 结构 | 五笔 | 造字法 |
|---|---|---|---|---|---|
| 胖 | 9 | 月 | 左右 | EUFH | 形声 |
| 笔顺 | 丿 月 月 月 月' 月' 月丷 月亠 胖 | | | | |

【解　释】人体内脂肪多；肥大（跟“瘦”相对）。
【组　词】胖子　肥胖　发胖　矮胖
【造　句】胖子——表弟是个小胖子，在家里最怕热。

【形近字】肥(肥料)　伴(伙伴)
【谚　语】胖子不是一口吃的。
【英　语】胖子　fatty [ˈfæti]
【多音字】pán(见 536 页)

## PAO　ㄆㄠ

| pāo | 笔画 | 部首 | 结构 | 五笔 | 造字法 |
|---|---|---|---|---|---|
| 抛 | 7 | 扌 | 左右 | RVLN | 会意 |
| 笔顺 | 一 十 扌 扌 执 抛 抛 | | | | |

【解　释】❶扔;投。❷甩掉。❸大量售出商品。
【组　词】抛弃　抛荒
【形近字】尬(尬尴)
【成　语】抛砖引玉
【近义词】抛头露面/出头露相
【谚　语】抛米撒面,罪过不浅。
【英　语】抛开　throw off [θrəu ɔːf]

| pāo | 笔画 | 部首 | 结构 | 五笔 | 造字法 |
|---|---|---|---|---|---|
| 泡 | 8 | 氵 | 左右 | IQNN | 形声 |
| 笔顺 | 丶 丶 氵 氵 沟 沟 泃 泡 | | | | |

【解　释】❶质地松软。❷鼓起的松软的东西。❸量词。
【组　词】发泡　眼泡　泡桐
【同音字】抛(抛弃)
【英　语】发泡　spongy [ˈspʌndʒi]
【多音字】pào(见 541 页)

| páo | 笔画 | 部首 | 结构 | 五笔 | 造字法 |
|---|---|---|---|---|---|
| 刨 | 7 | 刂 | 左右 | QNJH | 形声 |
| 笔顺 | 丿 ㇇ 勺 匀 包 包 刨 | | | | |

【解　释】❶挖掘。❷减除。
【组　词】刨土　刨冰
【成　语】刨根问底
【同音字】袍(长袍)
【形近字】创(创造)
【多音字】bào(见 30 页)

| páo | 笔画 | 部首 | 结构 | 五笔 | 造字法 |
|---|---|---|---|---|---|
| 咆 | 8 | 口 | 左右 | KQNN | 形声 |
| 笔顺 | 丨 ㇆ 口 叼 叼 吻 吻 咆 | | | | |

【解　释】[咆哮]指猛兽的怒吼、人暴怒时喊叫或水流的奔腾轰鸣声。
【组　词】咆哮
【造　句】咆哮——老虎咆哮着冲入了狼群之中。
【同音字】刨(刨土)
【形近字】泡(泡茶)
【英　语】咆哮　roar [rɔː]

| páo | 笔画 | 部首 | 结构 | 五笔 | 造字法 |
|---|---|---|---|---|---|
| 庖 | 8 | 广 | 半包围 | YQNN | 形声 |
| 笔顺 | 丶 亠 广 广 庐 庐 庖 庖 | | | | |

【解　释】❶厨房。❷厨师。
【组　词】庖厨　庖代　越俎代庖
【同音字】咆(咆哮)
【形近字】袍(长袍)

| páo | 笔画 | 部首 | 结构 | 五笔 | 造字法 |
|---|---|---|---|---|---|
| 炮 | 9 | 火 | 左右 | OQNN | 形声 |
| 笔顺 | 丶 丷 火 火 灼 灼 炮 炮 炮 | | | | |

【解　释】用于“炮制”、“炮烙(luò)”等词。
【组　词】炮制　炮烙
【造　句】炮制——别相信那些经过精心炮制的谎言。

【同音字】袍(旗袍)
【多音字】bāo(见27页)
【多音字】pào(见541页)

| páo | 笔画 | 部首 | 结构 | 五笔 | 造字法 |
|---|---|---|---|---|---|
| 袍 | 10 | 衤 | 左右 | PUQN | 形声 |
| 笔顺 | 丶 ㇇ 礻 礻 衤 衤 衤 袧 袧 袍 | | | | |

【解　释】一种中式长衣。
【组　词】长袍　旗袍
【同音字】刨(刨土)
【形近字】炮(炮弹)
【英　语】袍子　robe [rəub]

| páo | 笔画 | 部首 | 结构 | 五笔 | 造字法 |
|---|---|---|---|---|---|
| 跑 | 12 | ⻊ | 左右 | KHQN | 形声 |
| 笔顺 | 丶 ㇆ 口 𠃊 ⻊ ⻊ ⻊ 𧾷 跁 跑 跑 跑 | | | | |

【解　释】兽类用脚爪扒土。
【组　词】跑土　跑槽
【同音字】袍(长袍)
【英　语】跑　dig [dig]
【多音字】pǎo(见541页)

| pǎo | 笔画 | 部首 | 结构 | 五笔 | 造字法 |
|---|---|---|---|---|---|
| 跑 | 12 | ⻊ | 左右 | KHQN | 形声 |
| 笔顺 | 丶 ㇆ 口 𠃊 ⻊ ⻊ ⻊ 𧾷 跁 跑 跑 跑 | | | | |

【解　释】❶奔;快步前进。❷逃走。❸为某事而奔忙。❹漏出。
【组　词】跑步　跑车　长跑　短跑
【造　句】跑步——我每天早晨都起来跑步。
【形近字】泡(泡面)
【反义词】长跑/短跑
【谚　语】跑了和尚,跑不了庙。

【英　语】跑步　run [rʌn]
【多音字】páo(见541页)

| pào | 笔画 | 部首 | 结构 | 五笔 | 造字法 |
|---|---|---|---|---|---|
| 泡 | 8 | 氵 | 左右 | IQNN | 形声 |
| 笔顺 | 丶 丶 氵 氵 氵 泃 泃 泡 | | | | |

【解　释】❶气体在液体中鼓起的球状或半球状的物体。❷像泡一样的东西。❸浸在水或其他液体中。
【组　词】泡饭　泡面　灯泡
【造　句】泡面——泡面不能多吃,对身体不好。
【同音字】炮(花炮)
【形近字】炮(礼炮)
【英　语】泡沫　foam [fəum]
【多音字】pāo(见540页)

| pào | 笔画 | 部首 | 结构 | 五笔 | 造字法 |
|---|---|---|---|---|---|
| 炮 | 9 | 火 | 左右 | OQNN | 形声 |
| 笔顺 | 丶 丷 火 火 火 灼 灼 灼 炮 | | | | |

【解　释】❶口径较大,远程射击的武器。❷用炸药爆土石等。❸爆竹。
【组　词】火炮　大炮
【造　句】炮火连天——战士们在炮火连天的阵地上冲杀。
【同音字】泡(泡茶)
【成　语】炮火连天
【形近字】咆(咆哮)
【英　语】炮手　gunner ['gʌnə]
【多音字】bāo(见27页)
【多音字】páo(见540页)

# PEI ㄆㄟ

| péi | 笔画 | 部首 | 结构 | 五笔 | 造字法 |
|---|---|---|---|---|---|
| 陪 | 10 | 阝 | 左右 | BUKG | 形声 |
| 笔顺 | ㇋ 阝 阝丶 阝亠 阝亠 阝立 阝立 阝咅 阝咅 陪 | | | | |

【解　释】❶伴同;做伴。❷协助。

【组　词】陪伴　陪审　奉陪　陪读

【造　句】陪伴——这本字典陪伴着我读完小学。

【辨　音】不读 bèi。

【同音字】培(培育)

【形近字】赔(赔钱)

【近义词】陪衬/烘托

【英　语】陪同　accompany　[ə'kʌmpəni]

| péi | 笔画 | 部首 | 结构 | 五笔 | 造字法 |
|---|---|---|---|---|---|
| 培 | 11 | 土 | 左右 | FUKG | 形声 |
| 笔顺 | 一 十 土 土丶 圹 圹 垃 垃 垃 培 培 | | | | |

【解　释】❶往植物、墙或堤等的根基部堆土。❷教育;栽种。

【组　词】培养　培植　栽培

【造　句】培养——大学生是祖国培养的人才,应多为国家做贡献。

【同音字】赔(赔本)

【形近字】陪(陪同)

【反义词】培育/摧毁

【近义词】培育/培养

【英　语】培植　cultivate　['kʌltiveit]

| péi | 笔画 | 部首 | 结构 | 五笔 | 造字法 |
|---|---|---|---|---|---|
| 赔 | 12 | 贝 | 左右 | MUKG | 形声 |
| 笔顺 | 丨 冂 贝 贝 贝丶 贝亠 贝亠 贝立 贝立 赔 赔 赔 | | | | |

【解　释】❶偿还损失。❷向人道歉或认错。❸亏损(跟"赚"相对)。

【组　词】赔礼　赔本　赔款　索赔

【造　句】赔偿——本店商品如有损坏,照价赔偿。

【同音字】陪(陪伴)

【形近字】培(培养)

【反义词】赔本/盈利

【英　语】赔偿　pay for　[pei fɔː]

| pèi | 笔画 | 部首 | 结构 | 五笔 | 造字法 |
|---|---|---|---|---|---|
| 佩 | 8 | 亻 | 左右 | WMGH | 会意 |
| 笔顺 | 丿 亻 亻丿 仉 仉 佩 佩 佩 | | | | |

【解　释】❶带;挂。❷佩服;敬佩。❸古时系在衣带上的装饰品。

【组　词】佩带　敬佩　佩服

【造　句】敬佩——他这种先人后己的精神,使我们很敬佩。

【同音字】配(分配)

【形近字】侃(侃侃而谈)

【英　语】佩服　admire　[əd'maiə]

| pèi | 笔画 | 部首 | 结构 | 五笔 | 造字法 |
|---|---|---|---|---|---|
| 配 | 10 | 酉 | 左右 | SGNN | 会意 |
| 笔顺 | 一 丆 丙 丙 两 西 酉 酉𠃌 酉㇆ 配 | | | | |

【解　释】❶两性结合。❷按一定的标准或比例混合。❸添补。❹分派。❺陪衬。❻成对。

甲骨文 金文 小篆 隶书 楷书

【字源释义】"配"字的字形像一个人跪坐在装酒的器皿旁边，正在调配酒料。字的本义是"配酒"。后来引申为"婚配"、"配偶"、"分配"、"相配"等义。
【组　词】婚配　配比　配方　分配
【造　句】分配——今天下午卫生大扫除，老师给大伙儿分配了任务。
【同音字】佩(佩服)
【英　语】相配　match［mætʃ］

## PEN　ㄆㄣ

| pēn | 笔画 | 部首 | 结构 | 五笔 | 造字法 |
|---|---|---|---|---|---|
| 喷 | 12 | 口 | 左右 | KFAM | 形声 |
| 笔顺 | 丨 冂 口 口一 口十 口土 口土 口卉 口卉 喷 喷 喷 | | | | |

【解　释】受到压力之后物体分散射出。
【组　词】喷泉　喷射　喷香　喷火
【造　句】喷泉——在霓虹灯的映照下，喷泉显得特别漂亮。
【形近字】愤(愤怒)
【歇后语】喷气式飞机——尾巴翘上天。
【英　语】喷洒　spray［sprei］
【多音字】pèn(见 543 页)

| pén | 笔画 | 部首 | 结构 | 五笔 | 造字法 |
|---|---|---|---|---|---|
| 盆 | 9 | 皿 | 上下 | WVLF | 形声 |
| 笔顺 | 丿 八 分 分 分 岔 岔 岔 盆 | | | | |

【解　释】盛东西或洗东西的器皿。
【组　词】盆地　盆景　盆子　脸盆　面盆　花盆
【形近字】忿(忿忿不平)
【歇后语】盆里的山水——假(借)风水｜盆里摆山水——假景。
【英　语】盆子　basin［'beisn］

| pèn | 笔画 | 部首 | 结构 | 五笔 | 造字法 |
|---|---|---|---|---|---|
| 喷 | 12 | 口 | 左右 | KFAM | 形声 |
| 笔顺 | 丨 冂 口 口一 口十 口土 口土 口卉 口卉 喷 喷 喷 | | | | |

【解　释】香味很浓。
【组　词】喷香
【造　句】喷香——妈妈的面饼烤得喷香，勾起了我们的食欲。
【英　语】喷香　fragrant［'freigrənt］
【多音字】pēn(见 543 页)

## PENG　ㄆㄥ

| pēng | 笔画 | 部首 | 结构 | 五笔 | 造字法 |
|---|---|---|---|---|---|
| 抨 | 8 | 扌 | 左右 | RGUH | 形声 |
| 笔顺 | 一 十 扌 扌一 扌丷 扌丷 扌平 抨 | | | | |

【解　释】攻击对方的过失。
【组　词】抨击　抨弹
【造　句】抨击——这篇报告针对

公共安全问题进行了尖锐的抨击。
【同音字】砰
【反义词】挟击/宣扬
【英　语】抨击　attack　[ə'tæk]

| pēng | 笔画 | 部首 | 结构 | 五笔 | 造字法 |
|---|---|---|---|---|---|
| 砰 | 10 | 石 | 左右 | DGUH | 形声 |
| 笔顺 | 一 丆 𠃌 石 石 石 矿 矿 砰 砰 | | | | |

【解　释】象声词。形容物体撞击或重物落地的声音。
【辨　音】不读 píng。
【同音字】烹(烹调)
【形近字】抨(抨击)

| pēng | 笔画 | 部首 | 结构 | 五笔 | 造字法 |
|---|---|---|---|---|---|
| 烹 | 11 | 灬 | 上下 | YBOU | 形声 |
| 笔顺 | 丶 亠 亠 古 古 亨 亨 亨 亨 烹 烹 | | | | |

【解　释】❶烧煮。❷一种做菜的方法,即先用热油略炒,再拌以其他的作料。
【组　词】烹煮　烹调　烹饪
【同音字】砰(砰的一声)
【成　语】烹龙炮凤
【英　语】烹调　cooking　['kukiŋ]

| péng | 笔画 | 部首 | 结构 | 五笔 | 造字法 |
|---|---|---|---|---|---|
| 朋 | 8 | 月 | 左右 | EE | 象形 |
| 笔顺 | 丿 刀 月 月 刖 朋 朋 朋 | | | | |

【解　释】❶彼此熟识或友好的人。❷结成党派。

甲骨文　金文　小篆　隶书　楷书

【字源释义】"朋"字最早的字义是一种货币单位的名称。甲骨文与金文的"朋"字字形正像两挂币的形状。后来引申为"朋友"、"朋党"等义。
【组　词】朋友　朋党
【造　句】朋友——朋友之间应相互帮助,相互理解。
【同音字】蓬(蓬松)
【形近字】明(明亮)
【成　语】朋比为奸
【反义词】朋友/敌人
【近义词】朋比为奸/狼狈为奸
【谚　语】朋友易得,知己难求。
【英　语】朋友　friend　[frend]

| péng | 笔画 | 部首 | 结构 | 五笔 | 造字法 |
|---|---|---|---|---|---|
| 彭 | 12 | 彡 | 左右 | FKUE | 会意 |
| 笔顺 | 一 十 士 吉 吉 吉 吉 吉 壴 彭 彭 彭 | | | | |

【解　释】姓。
【同音字】棚(车棚)
【形近字】膨(膨胀)

| péng | 笔画 | 部首 | 结构 | 五笔 | 造字法 |
|---|---|---|---|---|---|
| 棚 | 12 | 木 | 左右 | SEEG | 形声 |
| 笔顺 | 一 十 才 木 朾 机 机 机 棚 棚 棚 棚 | | | | |

【解　释】❶用竹木等材料做成的遮挡太阳或风雨的简单设备。❷供藤蔓植物攀缘的架子。
【组　词】车棚　瓜棚　天棚　棚子
【同音字】膨(膨胀)
【形近字】朋(朋友)
【英　语】棚子　shed [ʃed]

| péng | 笔画 | 部首 | 结构 | 五笔 | 造字法 |
|---|---|---|---|---|---|
| 蓬 | 13 | 艹 | 上下 | ATDP | 形声 |
| 笔顺 | 一 十 艹 艹 芀 芆 茤 荃 荃 荃 荃 逄 蓬 | | | | |

【解　释】❶松散;散乱。❷飞蓬,多年生草本植物。❸量词。用于繁茂的花草。❹姓。
【组　词】蓬松　蓬乱　蓬勃
【造　句】蓬勃——这片玉米长势蓬勃,肯定比去年收成好。
【同音字】朋(朋友)
【形近字】篷(帐篷)
【成　语】蓬荜生辉　蓬头垢面
【反义词】蓬门荜户/高门大户
【英　语】蓬勃　vigorous [ˈvigərəs]

| péng | 笔画 | 部首 | 结构 | 五笔 | 造字法 |
|---|---|---|---|---|---|
| 鹏 | 13 | 鸟 | 左右 | EEQG | 形声 |
| 笔顺 | 丿 月 月 月 朋 朋 朋 朋 朋 朋 朋 鹏 鹏 | | | | |

【解　释】传说中的一种大鸟。
【组　词】鹏飞
【造　句】鹏程万里——毕业晚会上,李老师祝大家鹏程万里,心想事成。
【同音字】朋(亲朋好友)
【成　语】鹏程万里
【反义词】鹏程万里/穷途末路
【近义词】鹏程万里/前程万里
【英　语】鹏　roc [rɔk]

| péng | 笔画 | 部首 | 结构 | 五笔 | 造字法 |
|---|---|---|---|---|---|
| 澎 | 15 | 氵 | 左右 | IFKE | 形声 |
| 笔顺 | 丶 丶 氵 氵 氵 汢 汢 浡 浡 浡 浡 澍 澍 澎 澎 | | | | |

【解　释】[澎湃]形容波浪互相撞击,比喻声势浩大,气势宏伟。
【组　词】澎湃
【造　句】澎湃——看了这部电影,我心潮澎湃。
【同音字】朋(朋友)
【形近字】膨(膨胀)
【近义词】澎湃/汹涌
【英　语】澎湃　surge [sɜːdʒ]

| péng | 笔画 | 部首 | 结构 | 五笔 | 造字法 |
|---|---|---|---|---|---|
| 篷 | 16 | 竹 | 上下 | TTDP | 形声 |
| 笔顺 | 丿 𠂉 𥫗 𥫗 𥫗 竹 竹 竺 竺 笿 笿 笿 笿 篷 篷 篷 | | | | |

【解　释】❶用来遮挡太阳和风雨的设备。❷船帆。
【组　词】篷船　帐篷　斗篷　敞篷船
【同音字】膨(膨胀)
【形近字】蓬(蓬荜生辉)
【英　语】帐篷　tent [tent]

| péng | 笔画 | 部首 | 结构 | 五笔 | 造字法 |
|---|---|---|---|---|---|
| 膨 | 16 | 月 | 左右 | EFKE | 形声 |
| 笔顺 | 丿 月 月 月 肀 肀 胩 胩 脖 脖 脖 脖 膨 膨 膨 膨 | | | | |

【解　释】❶物体的体积增大。❷事物的增多或扩大。
【组　词】膨大　膨胀　膨化

P

【造　句】膨胀——这些黄豆给开水一泡就慢慢膨胀起来。
【同音字】棚(牛棚)
【反义词】膨胀/缩小
【近义词】膨胀/胀大
【英　语】膨胀　expand　[ik'spænd]

| pěng | 笔画 | 部首 | 结构 | 五笔 | 造字法 |
|---|---|---|---|---|---|
| 捧 | 11 | 扌 | 左右 | RDWH | 形声 |
| 笔顺 | 一 十 扌 扌 扌 扌 扌 扌 扌 扌 捧 | | | | |

【解　释】❶双手托着。❷吹嘘或奉承他人。❸量词。
【组　词】捧起　捧场　吹捧
【造　句】捧腹大笑——小猴子精彩的表演逗得大家捧腹大笑。
【形近字】棒(木棒)
【成　语】捧腹大笑
【歇后语】捧着金碗做乞丐——假穷。
【谚　语】捧你的人是害你的人。
【英　语】吹捧　flatter　['flætə]

| pèng | 笔画 | 部首 | 结构 | 五笔 | 造字法 |
|---|---|---|---|---|---|
| 碰 | 13 | 石 | 左右 | DUOG | 形声 |
| 笔顺 | 一 丆 𠃌 石 石 石 石 石 石 石 石 石 碰 | | | | |

【解　释】❶撞；磕。❷遇到。❸试试。
【组　词】碰杯　碰见　碰巧　碰运气
【造　句】碰运气——我们做事情不能靠碰运气，应实事求是，采用切实可行的办法。
【辨　音】韵母是 eng，不是 en。
【形近字】哑(哑嗓子)
【歇后语】碰到了墙不回头——死强(jiàng)。
【谚　语】碰壁不拐弯丨碰一次钉子，长一次见识。
【英　语】碰巧　by chance　[bai-ʧɑːns]

## PI ㄆㄧ

| pī | 笔画 | 部首 | 结构 | 五笔 | 造字法 |
|---|---|---|---|---|---|
| 批 | 7 | 扌 | 左右 | RXXN | 形声 |
| 笔顺 | 一 十 扌 扌 扌 扌 批 | | | | |

【解　释】❶领导或老师在文件、作业上提的意见。❷指出缺点或错误。❸大量地买卖东西。❹量词。
【组　词】批示　批评　审批　批改　批发　批语　批驳　批准　批判
【造　句】批评——我们应虚心接受别人的批评。
【同音字】披(披挂)
【形近字】比(比较)
【反义词】批评/表扬
【近义词】批评/批驳
【谚　语】批评人，当面好；夸奖人，背后好。
【英　语】批评　criticize　['kritisaiz]

| pī | 笔画 | 部首 | 结构 | 五笔 | 造字法 |
|---|---|---|---|---|---|
| 披 | 8 | 扌 | 左右 | RHCY | 形声 |
| 笔顺 | 一 十 扌 扌 扌 扌 扌 披 | | | | |

【解　释】❶盖在或搭在肩上。❷散开。❸竹、木等裂开。❹打开。❺劈开。
【组　词】披着　披挂　披肩
【造　句】披星戴月——村民们披星戴月，日夜奋战在工地上，为的是赶在汛期前修好大堤。
【同音字】批(批评)
【形近字】坡(山坡)
【成　语】披星戴月　披肝沥胆　披荆斩棘
【反义词】披肝沥胆/两面三刀
【近义词】披星戴月/早出晚归
【歇后语】披麻救火——惹火烧身|披着虎皮进村——吓唬老百姓。
【英　语】披肩　cape [keip]

| pī | 笔画 | 部首 | 结构 | 五笔 | 造字法 |
|---|---|---|---|---|---|
| 劈 | 15 | 刀 | 上下 | NKUV | 形声 |
| 笔顺 | ㇇ ㇇ 尸 尸 𡰪 𡰪 启 启 启 启 启 启 辟 辟 劈 | | | | |

【解　释】❶用刀斧等从纵面破开。❷分开。❸正面对着;迎着。❹雷电毁坏或击毙。❺象声词。
【组　词】劈柴
【造　句】劈柴——爸爸正在院子里劈柴。
【辨　音】不读 pì。
【同音字】批(批评)
【形近字】壁(墙壁)
【成　语】劈头盖脸
【谚　语】劈柴看柴势,入门看人意|劈柴看纹理,说话凭道理。
【英　语】劈开　split [split]
【多音字】pǐ(见 548 页)

| pí | 笔画 | 部首 | 结构 | 五笔 | 造字法 |
|---|---|---|---|---|---|
| 皮 | 5 | 皮 | 独体 | HCI | 会意 |
| 笔顺 | ㇇ 厂 广 庁 皮 | | | | |

【解　释】❶动、植物体表面的一层组织。❷制过的畜兽皮。❸包在物体外面的东西。❹表面的。❺像皮的薄片状物。❻有韧性;不松脆。❼淘气;顽皮。❽指橡胶。❾姓。
【组　词】皮肤　树皮　猪皮　皮袄　顽皮　皮球　皮衣　皮草　皮具
【造　句】顽皮——小佳虽然是个女孩,但是很顽皮。
【同音字】疲(疲惫)
【形近字】波(波涛)
【成　语】皮开肉绽
【歇后语】皮球擦油——又圆又滑|皮条打人——软收拾。
【英　语】皮肤　skin [skin]

| pí | 笔画 | 部首 | 结构 | 五笔 | 造字法 |
|---|---|---|---|---|---|
| 疲 | 10 | 疒 | 半包围 | UHCI | 形声 |
| 笔顺 | 丶 亠 广 广 疒 疒 疒 疒 疲 疲 | | | | |

【解　释】❶劳累;疲倦。❷疲软。
【组　词】疲劳　疲倦　疲惫　疲乏
【造　句】疲惫——爸爸工作了一天,下班后很疲惫,我们不应该再烦他了。
【同音字】皮(皮肤)
【形近字】坡(山坡)
【成　语】疲于奔命
【反义词】疲惫不堪/精神抖擞
【谚　语】疲马不渡混水。
【英　语】疲倦　tired ['taiəd]

| pí | 笔画 | 部首 | 结构 | 五笔 | 造字法 |
|---|---|---|---|---|---|
| 啤 | 11 | 口 | 左右 | KRTF | 形声 |
| 笔顺 | 丨 ㇕ 口 口′ 口′ 吖 吖 吖 啤 啤 啤 | | | | |

【解　释】啤酒,以大麦和酒花为主要原料发酵制成的低浓度酒精饮料。

P

【组　词】啤酒　啤酒花
【同音字】疲(疲劳)
【形近字】脾(脾气)
【英　语】啤酒　beer [biə]

| pí | 笔画 | 部首 | 结构 | 五笔 | 造字法 |
|---|---|---|---|---|---|
| 琵 | 12 | 王 | 上下 | GGXX | 形声 |
| 笔顺 | 一 二 干 王 王一 王二 王千 王王 王王 王王 王王 琵 | | | | |

【解　释】琵琶,弦乐器,用木料制成,有四根弦。
【组　词】琵琶　琵琶骨
【同音字】疲(疲惫)
【形近字】瑟(瑟瑟发抖)
【英　语】琵琶　lute [ljuːt]

| pí | 笔画 | 部首 | 结构 | 五笔 | 造字法 |
|---|---|---|---|---|---|
| 脾 | 12 | 月 | 左右 | ERTF | 形声 |
| 笔顺 | 丿 刀 月 月 月' 月' 胪 胪 胪 胪 脾 脾 | | | | |

【解　释】❶脾脏,人或动物的内脏之一,是贮藏血液的场所,具有过滤血液、调节血量等功能。❷指人的兴趣爱好或性格习性。
【组　词】脾脏 脾气 脾胃 脾寒
【造　句】脾气——罗老师脾气好,从不对我们发火。
【同音字】皮(皮肤)
【形近字】啤(啤酒)
【英　语】脾气　temper [ˈtempə]

| pí | 笔画 | 部首 | 结构 | 五笔 | 造字法 |
|---|---|---|---|---|---|
| 裨 | 13 | 衤 | 左右 | PURF | 形声 |
| 笔顺 | 丶 ラ 衤 衤 衤 衤' 衤' 衤' 衤' 衤' 裨 裨 裨 | | | | |

【解　释】辅佐的;副。
【组　词】裨将　偏裨
【多音字】bì(见44页)

| pǐ | 笔画 | 部首 | 结构 | 五笔 | 造字法 |
|---|---|---|---|---|---|
| 匹 | 4 | 匚 | 半包围 | AQV | 会意 |
| 笔顺 | 一 丆 兀 匹 | | | | |

【解　释】❶相当;比得上。❷独自;单独。❸量词。用于马、骡等。❹量词。用于整块的绸或布。
【组　词】匹配　匹夫　匹敌　布匹
【造　句】单枪匹马——现在的社会,单枪匹马、各干各的是不行的。
【同音字】否(否极泰来)
【形近字】四(四通八达)
【成　语】匹夫之勇　单枪匹马
【反义词】单枪匹马/人多势众
【近义词】匹配/相配
【谚　语】匹夫不可夺志。
【英　语】匹夫　ordinary man [ˈɔːdinəri mæn]

| pǐ | 笔画 | 部首 | 结构 | 五笔 | 造字法 |
|---|---|---|---|---|---|
| 否 | 7 | 口 | 上下 | GIKF | 形声 |
| 笔顺 | 一 丆 不 不 不 否 否 | | | | |

【解　释】❶恶;不好。❷贬斥。
【组　词】否极泰来　臧否人物
【同音字】匹(匹夫)
【反义词】否极泰来/乐极生悲
【近义词】否极泰来/苦尽甘来
【多音字】fǒu(见214页)

| pǐ | 笔画 | 部首 | 结构 | 五笔 | 造字法 |
|---|---|---|---|---|---|
| 劈 | 15 | 刀 | 上下 | NKUV | 形声 |
| 笔顺 | 乛 コ 尸 尸 吊 启 启 启 启 启 启 辟 辟 劈 劈 | | | | |

【解　释】❶分开。❷两条腿大叉开。
【组　词】劈账　劈叉　劈柴
【同音字】匹(马匹)
【英　语】劈开　split [split]
【多音字】pī(见547页)

| pì | 笔画 | 部首 | 结构 | 五笔 | 造字法 |
|---|---|---|---|---|---|
| 屁 | 7 | 尸 | 半包围 | NXXV | 形声 |
| 笔顺 | ㇇ コ 尸 尸 尸 屁 屁 | | | | |

【解　释】❶从肛门排出的臭气。❷比喻没用或微不足道的事物。❸泛指任何事，多用于否定或斥责。
【组　词】屁股
【造　句】屁滚尿流——游击队把日寇打得屁滚尿流，无处容身。
【辨　音】不读bǐ。
【同音字】辟(开辟)
【形近字】尿(尿道)
【成　语】屁滚尿流
【英　语】屁股　buttocks [ˈbʌtəks]

| pì | 笔画 | 部首 | 结构 | 五笔 | 造字法 |
|---|---|---|---|---|---|
| 辟 | 13 | 辛 | 左右 | NKUH | 会意 |
| 笔顺 | ㇇ コ 尸 尸 启 启 启 启 启 启 启 辟 辟 | | | | |

【解　释】❶开通；开拓。❷透彻；精当。❸驳斥或排除不正确的言论或谣言。❹刑法。
【组　词】开辟　精辟　透辟　辟谣
【造　句】开辟——这片土地将被开辟成一个棉花种植区。
【同音字】僻(偏僻)
【形近字】壁(石壁)
【反义词】精辟/粗浅
【近义词】精辟/透彻
【多音字】bì(见44页)

| pì | 笔画 | 部首 | 结构 | 五笔 | 造字法 |
|---|---|---|---|---|---|
| 僻 | 15 | 亻 | 左右 | WNKU | 形声 |
| 笔顺 | ノ 亻 亻 亻 伊 伊 伊 伊 伊 伊 伊 伊 僻 僻 僻 | | | | |

【解　释】❶偏远；远离中心。❷性格古怪，和一般人合不来。❸不常见的。
【组　词】偏僻　冷僻　生僻　孤僻
【造　句】穷乡僻壤——这个以前被看作穷乡僻壤的地方，如今已经通了公路，建起了工厂，到处是一派欣欣向荣的景象。
【同音字】辟(开辟)
【形近字】辟(开辟)
【成　语】穷乡僻壤
【英　语】偏僻　remote [riˈməut]

## PIAN　ㄆㄧㄢ

| piān | 笔画 | 部首 | 结构 | 五笔 | 造字法 |
|---|---|---|---|---|---|
| 片 | 4 | 片 | 独体 | THGN | 指事 |
| 笔顺 | 丿 丿 片 片 | | | | |

【解　释】同"片(piàn)①"，用于口语中的一部分词里，如"唱片儿"、"歌片儿"等。
【同音字】扁(扁舟)
【多音字】piàn(见551页)

| piān | 笔画 | 部首 | 结构 | 五笔 | 造字法 |
|---|---|---|---|---|---|
| 扁 | 9 | 户 | 半包围 | YNMA | 会意 |
| 笔顺 | 丶 ㇇ コ 户 户 肩 肩 扁 扁 | | | | |

【解　释】扁舟，小船。

P

【组　词】一叶扁舟
【同音字】偏(偏向)
【英　语】扁舟　small boat [smɔːl bəut]
【多音字】biǎn(见 47 页)

| piān | 笔画 | 部首 | 结构 | 五笔 | 造字法 |
|---|---|---|---|---|---|
| 偏 | 11 | 亻 | 左右 | WYNA | 形声 |
| 笔顺 | 丿 亻 亻 伫 伫 伊 伊 偏 偏 偏 偏 | | | | |

【解　释】❶不正;歪斜。❷不全面;不公正。❸侧面。❹出乎意料或故意反其道而行之;偏偏。❺冷僻。❻客套语。
【组　词】偏僻　偏爱　偏见　偏食
【造　句】偏见——对人对事都不应存有偏见,要用全面发展的眼光去看待和分析。
【同音字】篇(篇章)
【形近字】扁(扁平)
【成　语】偏听偏信
【反义词】偏听偏信/不偏不倚
【近义词】偏食/挑食
【谚　语】偏方治大病|偏见比无知离真理更远。
【英　语】偏爱　favour ['feivə]

| piān | 笔画 | 部首 | 结构 | 五笔 | 造字法 |
|---|---|---|---|---|---|
| 篇 | 15 | ⺮ | 上下 | TYNA | 形声 |
| 笔顺 | 丿 𠂉 ⺮ 竹 竺 竺 笁 笁 筜 笋 筜 篇 篇 篇 篇 | | | | |

【解　释】❶结构完整的文章。❷量词。用于书籍、报刊等篇页的数量。❸成部作品中的组成部分。
【组　词】篇章　篇名　篇幅　短篇　诗篇　篇目
【造　句】长篇累牍——这是给孩子们办的刊物,不要登那长篇累牍的大文章,让他们读不下去。
【同音字】翩(翩然)
【形近字】遍(遍地)
【成　语】长篇大论　长篇累牍
【反义词】长篇大论/言简意赅
【近义词】长篇大论/连篇累牍
【英　语】篇目　contents ['kɔntents]

| piān | 笔画 | 部首 | 结构 | 五笔 | 造字法 |
|---|---|---|---|---|---|
| 翩 | 15 | 羽 | 左右 | YNMN | 形声 |
| 笔顺 | 丶 ㇇ 𠃌 户 户 肩 肩 扁 扁 扁' 扁㇆ 翩 翩 翩 翩 | | | | |

【解　释】很快地飞,形容动作轻快。
【组　词】翩然　翩跹　翩翩起舞
【造　句】翩翩起舞——联欢会上,姑娘们随着音乐翩翩起舞。
【同音字】偏(偏见)
【形近字】编(编写)
【成　语】翩若惊鸿
【近义词】翩翩起舞/轻歌曼舞
【英　语】翩然　lightly ['laitli]

| pián | 笔画 | 部首 | 结构 | 五笔 | 造字法 |
|---|---|---|---|---|---|
| 便 | 9 | 亻 | 左右 | WGJQ | 会意 |
| 笔顺 | 丿 亻 亻 亻 佰 佰 佰 便 便 | | | | |

【解　释】❶便便,形容肥胖。❷便宜;价钱低或指得到不应得的利益。
【组　词】便宜　大腹便便
【造　句】便宜——这种商品便宜又好用,很多人愿意买。
【成　语】大腹便便

【反义词】便宜/昂贵
【近义词】便宜/廉价
【英　语】便宜 cheap [tʃiːp]
【多音字】biàn(见 48 页)

| piàn | 笔画 | 部首 | 结构 | 五笔 | 造字法 |
| --- | --- | --- | --- | --- | --- |
| 片 | 4 | 片 | 独体 | THGN | 指事 |
| 笔顺 | 丿 丿' 片' 片 | | | | |

【解　释】❶平而薄的物体，一般不大。❷用刀割成薄片。❸零星的；不全的。❹量词。用于片状的东西；也用于地面和水面等。
【组　词】片面　片刻　片时　刀片　卡片
【造　句】片甲不留——这一仗八路军大显神通，杀得日寇片甲不留。
【同音字】骗(欺骗)
【形近字】斤(市斤)
【成　语】片纸只字　片瓦无存
【反义词】片纸只字/长篇大论
【近义词】片甲不留/全军覆没
【歇后语】片汤里放排骨——软里带硬。
【英　语】片言 a few words [ə fjuː wəːdz]
【多音字】piān(见 549 页)

| piàn | 笔画 | 部首 | 结构 | 五笔 | 造字法 |
| --- | --- | --- | --- | --- | --- |
| 骗 | 12 | 马 | 左右 | CYNA | 形声 |
| 笔顺 | 7 马 马 马' 马̀ 骀 驴 驴 骗 骗 骗 骗 | | | | |

【解　释】❶用谎言、假象或诡计使人上当。❷用欺骗的手段获得。
【组　词】骗人　骗子　骗局　受骗　蒙骗　诱骗　拐骗　骗取
【造　句】拐骗——这个专门拐骗儿童的犯罪集团终于被警方一网打尽。
【辨　音】不读 piān。
【同音字】片(片面)
【形近字】偏(偏见)
【近义词】骗取/诈取
【谚　语】骗朋友只一次，害自己是终身。
【英　语】欺骗 cheat [tʃiːt]

## PIAO ㄆㄧㄠ

| piāo | 笔画 | 部首 | 结构 | 五笔 | 造字法 |
| --- | --- | --- | --- | --- | --- |
| 漂 | 14 | 氵 | 左右 | ISFI | 形声 |
| 笔顺 | 丶 氵 氵 汀 汀 沔 洒 洒 洒 洒 湮 湮 漂 漂 | | | | |

【解　释】❶浮在液体上不下沉。❷顺风向水流方向移动。
【组　词】漂流　漂泊　漂浮　漂移　漂游
【造　句】漂移——小船顺水流漂移。
【同音字】飘(飘动)
【形近字】票(船票)
【谚　语】漂洋过海的人，不愁大河的浪。
【英　语】漂浮 float [fləut]
【多音字】piǎo(见 552 页)
【多音字】piào(见 553 页)

| piāo | 笔画 | 部首 | 结构 | 五笔 | 造字法 |
| --- | --- | --- | --- | --- | --- |
| 飘 | 15 | 风 | 左右 | SFIQ | 形声 |
| 笔顺 | 一 ㇀ 丙 丙 襾 西 覀 覀 覀 票 票 票 飘 飘 飘 | | | | |

【解　释】❶随风飞扬。❷不踏

实；轻浮。
【组　词】飘动　飘扬　飘零　飘雪　飘忽　飘尘
【造　句】飘扬——她站在那里，长发随风飘扬，是那么的美丽。
【同音字】漂（漂流）
【形近字】瓢（瓢虫）
【成　语】飘飘欲仙
【近义词】飘飘欲仙/腾云驾雾
【谚　语】飘风不终朝，骤雨不终日。
【英　语】飘动　fly [flai]

| piáo | 笔画 | 部首 | 结构 | 五笔 | 造字法 |
|---|---|---|---|---|---|
| 朴 | 6 | 木 | 左右 | SHY | 形声 |
| 笔顺 | 一 十 才 木 札 朴 | | | | |

【解　释】姓。
【多音字】pō（见 557 页）
【多音字】pò（见 558 页）
【多音字】pǔ（见 560 页）

| piáo | 笔画 | 部首 | 结构 | 五笔 | 造字法 |
|---|---|---|---|---|---|
| 瓢 | 16 | 瓜 | 左右 | SFIY | 形声 |
| 笔顺 | 一 丆 丙 襾 覀 覀 票 票 票 票 票 瓢 瓢 瓢 瓢 瓢 | | | | |

【解　释】❶用对半剖开的葫芦、木料或金属等做的用来舀水或撮取面粉等的器具。❷瓢虫，种类很多，捕食蚜虫的是益虫，也有的是害虫。
【组　词】水瓢　瓢虫　瓢子
【形近字】飘（飘动）
【歇后语】瓢里切菜——滴水不漏。
【英　语】瓢泼大雨　heavy rain [ˈhevi rein]

| piǎo | 笔画 | 部首 | 结构 | 五笔 | 造字法 |
|---|---|---|---|---|---|
| 漂 | 14 | 氵 | 左右 | ISFI | 形声 |
| 笔顺 | 丶 丶 氵 汀 汀 沔 洒 洒 洒 洒 漂 漂 漂 漂 | | | | |

【解　释】❶用水和药物清洗，使东西变成白色或褪色。❷用清水冲洗。
【组　词】漂白　漂一漂
【同音字】瞟（瞟一眼）
【歇后语】漂白布落在染缸里——永世洗不清。
【英　语】漂白　bleach [bliːtʃ]
【多音字】piāo（见 551 页）
【多音字】piào（见 553 页）

| piǎo | 笔画 | 部首 | 结构 | 五笔 | 造字法 |
|---|---|---|---|---|---|
| 瞟 | 16 | 目 | 左右 | HSFI | 形声 |
| 笔顺 | 丨 冂 月 月 目 目 盯 盯 盯 盯 盯 瞟 瞟 瞟 瞟 瞟 | | | | |

【解　释】斜着眼睛看。
【造　句】瞟——他边说话边向周围瞟，像贼似的。
【同音字】漂（漂白）
【形近字】漂（漂亮）
【英　语】瞟　glance sideways at [glaːns ˈsaidweiz æt]

| piào | 笔画 | 部首 | 结构 | 五笔 | 造字法 |
|---|---|---|---|---|---|
| 票 | 11 | 覀 | 上下 | SFIU | 会意 |
| 笔顺 | 一 丆 丙 襾 覀 覀 覀 覀 票 票 票 | | | | |

【解　释】❶印有或写有字的作为凭证的纸片。❷钞票；纸币。❸量词。❹旧指非职业性的戏曲表演。❺被匪盗绑架以勒索赎金的人。

【组　词】票根　钞票　车票　门票　支票　撕票　彩票　邮票　发票　票友
【同音字】漂(漂亮)
【英　语】车票　ticket [ˈtikit]

| piào | 笔画 | 部首 | 结构 | 五笔 | 造字法 |
|---|---|---|---|---|---|
| 漂 | 14 | 氵 | 左右 | ISFI | 形声 |
| 笔顺 | 丶 丶 氵 氵 汀 沪 洒 洒 洒 洒 湮 漂 漂 漂 | | | | |

【解　释】[漂亮]❶好看；美观。❷出色。
【组　词】漂亮　漂亮话
【造　句】漂亮——他的字写得真漂亮。
【反义词】漂亮/丑恶
【近义词】漂亮/美观
【英　语】漂亮　pretty [ˈpriti]
【多音字】piāo(见551页)
【多音字】piǎo(见552页)

## PIE ㄆㄧㄝ

| piē | 笔画 | 部首 | 结构 | 五笔 | 造字法 |
|---|---|---|---|---|---|
| 撇 | 14 | 扌 | 左右 | RUMT | 形声 |
| 笔顺 | 一 十 扌 扌 扌 扩 拍 拍 揃 揃 撇 撇 撇 撇 | | | | |

【解　释】❶抛弃；丢。❷从液体表面上轻轻地取(东西)。
【组　词】撇下　撇弃　撇开　撇油
【造　句】撇开——我们这次开会应把老一套的东西撇开，从新的角度去看待这件事。
【辨　音】不读 bì。
【形近字】敝(敝帚自珍)
【英　语】撇开　put aside [putəˈsaid]
【多音字】piě(见553页)

| piě | 笔画 | 部首 | 结构 | 五笔 | 造字法 |
|---|---|---|---|---|---|
| 撇 | 14 | 扌 | 左右 | RUMT | 形声 |
| 笔顺 | 一 十 扌 扌 扌 扩 拍 拍 揃 揃 撇 撇 撇 撇 | | | | |

【解　释】❶汉字里从上向左下斜的一种笔画。❷平扔出去。
【组　词】撇嘴
【多音字】piē(见553页)

## PIN ㄆㄧㄣ

| pīn | 笔画 | 部首 | 结构 | 五笔 | 造字法 |
|---|---|---|---|---|---|
| 拼 | 9 | 扌 | 左右 | RUAH | 形声 |
| 笔顺 | 一 十 扌 扌 扌 拦 拦 拦 拼 | | | | |

【解　释】❶合在一起；凑在一起。❷不顾一切地干。
【组　词】拼音　拼命　拼搏　拼写　拼合
【造　句】拼合——表弟把模型拆了，然后又重新拼合在一起。
【谚　语】拼命不能算勇敢｜拼得功夫深，铁杵磨成针。
【英　语】拼写　spell [spel]

| pín | 笔画 | 部首 | 结构 | 五笔 | 造字法 |
|---|---|---|---|---|---|
| 贫 | 8 | 贝 | 上下 | WVMU | 形声 |
| 笔顺 | ノ 八 分 分 分 贫 贫 贫 | | | | |

【解　释】❶穷(跟“富”相对)。❷缺乏；不足。❸絮絮叨叨；很多话。❹旧时僧道自称的谦辞。
【组　词】贫穷　贫乏　贫寒　贫贱

贫困　贫僧　贫道

【造　句】贫嘴薄舌——贫嘴薄舌之人不可深交。

【辨　音】韵母是 in，不是 ing。

【同音字】频（频道）

【形近字】贷（贷款）

【成　语】贫嘴薄舌　贫贱不移

【反义词】一贫如洗/腰缠万贯

【近义词】一贫如洗/一无所有

【歇后语】贫家节日——虚度。

【谚　语】贫在闹市无人问，富在深山有远亲|贫不足羞，可羞者是贫而无志。

【英　语】贫穷　poor [puə]

| pín | 笔画 | 部首 | 结构 | 五笔 | 造字法 |
|---|---|---|---|---|---|
| 频 | 13 | 页 | 左右 | HIDM | 会意 |
| 笔顺 | 丨 ⺊ 屮 止 屮 步 步 步一 步丆 步丆 频 频 频 | | | | |

【解　释】屡次；连续几次。

【组　词】频繁　频道　频率　频传

【造　句】频传——在世乒赛上，我国的乒乓健儿表现出色，捷报频传。

【同音字】贫（贫困）

【形近字】颇（颇高）

【英　语】频繁　frequency ['friːkwənsi]

| pǐn | 笔画 | 部首 | 结构 | 五笔 | 造字法 |
|---|---|---|---|---|---|
| 品 | 9 | 口 | 上下 | KKKF | 会意 |
| 笔顺 | 丨 冂 口 口丨 口冂 口口 口口丨 口口冂 品 | | | | |

【解　释】❶物品；东西。❷等级。❸旧时官吏的级别，分九品。❹品质。❺种类。❻判断好坏。❼姓。

【字源释义】“品”的本义是“众多”，字形用三个器皿表示品类很多。后来引申为“种类”、“品质”；再引申为“评定”等义。

【组　词】产品　物品　品种　人品　品德　品读　品味　品尝

【造　句】品尝——昨天姑姑提了一些正宗美国李子来我们家，说是让我们大家都品尝一下。

【形近字】晶（晶体）

【成　语】品头论足　品学兼优

【英　语】品尝　taste [teist]

| pìn | 笔画 | 部首 | 结构 | 五笔 | 造字法 |
|---|---|---|---|---|---|
| 聘 | 13 | 耳 | 左右 | BMGN | 形声 |
| 笔顺 | 一 丆 丌 丌 丌 耳 耳 耳 耳 耳 耳 耳 聘 | | | | |

【解　释】❶请人担任工作。❷定亲。❸女子出嫁。

【组　词】聘请　聘礼　聘问　聘用

【造　句】聘请——我们学校这学期聘请了三位高级教师。

【近义词】聘用/任用

【英　语】聘请　engage [in'geidʒ]

## PING ㄆㄧㄥ

| pīng | 笔画 | 部首 | 结构 | 五笔 | 造字法 |
|---|---|---|---|---|---|
| 乒 | 6 | 丿 | 独体 | RGT | 指事 |
| 笔顺 | ㇀ 𠂆 斤 斤 乒 乒 | | | | |

【解　释】❶象声词。形容枪声、关门声、东西砸破声等。❷乒乓球。
【组　词】乒乓球
【辨　音】不读 bīng。
【形近字】兵(士兵)
【英　语】乒乓球 table tennis [ˈteibl ˈtenis]

| píng | 笔画 | 部首 | 结构 | 五笔 | 造字法 |
|---|---|---|---|---|---|
| 平 | 5 | 一 | 独体 | GUHK | 会意 |
| 笔顺 | 一 ㇀ 丷 亚 平 | | | | |

【解　释】❶没有高低凹凸;不倾斜。❷整治平坦。❸高低相同。❹公证;均衡。❺安定;安静。❻镇压;征服。❼一般的;普通的。❽姓。
【组　词】平均　平坦　平凡　平台
【造　句】平心静气——同学之间产生了矛盾,完全可以平心静气地进行沟通,消除误会。
【同音字】苹(苹果)
【形近字】干(干净)
【成　语】平易近人　平安无事　平白无故　平步青云　平心静气
【反义词】平凡/伟大
【谚　语】平安就是福|平静之时要谨慎,艰险之时要坚强。
【英　语】平等 equality [iːˈkwɔliti]

| píng | 笔画 | 部首 | 结构 | 五笔 | 造字法 |
|---|---|---|---|---|---|
| 评 | 7 | 讠 | 左右 | YGUH | 形声 |
| 笔顺 | 丶 讠 讠 讠 讠 讠 评 | | | | |

【解　释】❶议论。❷判定;裁定。
【组　词】评论　评分　评述　评语
【造　句】评语——我们的每篇作文老师都会写上评语。
【同音字】萍(萍水相逢)
【形近字】坪(草坪)
【反义词】批评/表扬
【近义词】评论/议论
【谚　语】评书看实质,评人看品质|评定一本书,不能凭封面。
【英　语】评价 evaluate [iˈvæljueit]

| píng | 笔画 | 部首 | 结构 | 五笔 | 造字法 |
|---|---|---|---|---|---|
| 坪 | 8 | 土 | 左右 | FGUH | 形声 |
| 笔顺 | 一 十 土 圹 圷 圷 坪 坪 | | | | |

【解　释】平坦的场地。
【组　词】坪坝　草坪　停机坪
【造　句】草坪——几个小孩在草坪上嬉戏。
【同音字】平(平地)
【形近字】评(评价)
【英　语】草坪 lawn [lɔːn]

| píng | 笔画 | 部首 | 结构 | 五笔 | 造字法 |
|---|---|---|---|---|---|
| 苹 | 8 | 艹 | 上下 | AGUH | 形声 |
| 笔顺 | 一 十 艹 艹 芓 苎 苹 苹 | | | | |

【解　释】苹果,落叶乔木,叶为椭圆形,花为白色或淡红色,果实为圆形,味甜或略带酸,是普通水果。
【组　词】苹果　苹果绿

P

【造　句】苹果绿——苹果绿的桌面令人赏心悦目。
【同音字】瓶（花瓶）
【形近字】萍（浮萍）
【英　语】苹果　apple ['æpl]

| píng | 笔画 | 部首 | 结构 | 五笔 | 造字法 |
| --- | --- | --- | --- | --- | --- |
| 凭 | 8 | 几 | 上下 | WTFM | 会意 |
| 笔顺 | ノ 亻 仁 仟 任 任 凭 凭 | | | | |

【解　释】❶依靠；依仗。❷靠在某物上。❸证据。❹根据。❺听任。
【组　词】凭空　凭借　凭据
【造　句】凭空——我们写作文不能凭空想象，而要多去观察，多去体验生活。
【同音字】平（平地）
【形近字】任（任何）
【成　语】不足为凭
【近义词】任凭/听凭
【谚　语】凭肚吃饭，量体裁衣。
【英　语】凭据　evidence ['evidəns]

| píng | 笔画 | 部首 | 结构 | 五笔 | 造字法 |
| --- | --- | --- | --- | --- | --- |
| 屏 | 9 | 尸 | 半包围 | NUAK | 形声 |
| 笔顺 | ㇇ ㇆ 尸 尸 尸 屏 屏 屏 屏 | | | | |

【解　释】❶挡风或分隔房间的东西。❷遮拦。❸挂在墙上的条幅字画等。
【组　词】屏障　屏风　屏条
【造　句】屏障——这道山岭成为我军防御敌人的天然屏障。
【形近字】尿（撒尿）
【同音字】坪（草坪）
【英　语】屏风　screen [skriːn]

【多音字】bǐng（见 56 页）

| píng | 笔画 | 部首 | 结构 | 五笔 | 造字法 |
| --- | --- | --- | --- | --- | --- |
| 瓶 | 10 | 瓦 | 左右 | UAGN | 象形 |
| 笔顺 | 丶 丷 亠 兰 并 并 瓶 瓶 瓶 瓶 | | | | |

【解　释】容器，口小，颈细而腹大。
【组　词】花瓶　酒瓶　瓶颈
【辨　音】韵母是 ing，不是 in。
【同音字】屏（屏风）
【成　语】守口如瓶
【反义词】守口如瓶/和盘托出
【近义词】守口如瓶/三缄其口
【歇后语】瓶口封堵——滴水不漏。
【谚　语】瓶口扎得住，人口扎不住。
【英　语】瓶子　bottle ['bɔtl]

| píng | 笔画 | 部首 | 结构 | 五笔 | 造字法 |
| --- | --- | --- | --- | --- | --- |
| 萍 | 11 | 艹 | 上下 | AIGH | 形声 |
| 笔顺 | 一 十 艹 艹 芦 芦 芦 萍 萍 萍 萍 | | | | |

【解　释】浮萍，一种水草，因浮于水面而得名。可作为药、饲料或绿肥。
【组　词】浮萍
【同音字】凭（任凭）
【形近字】苹（苹果）
【成　语】萍水相逢　萍踪浪迹
【近义词】萍水相逢/不期而遇
【英　语】浮萍　duckweed ['dʌkwiːd]

P

# PO ㄆㄛ

| pō | 笔画 | 部首 | 结构 | 五笔 | 造字法 |
|---|---|---|---|---|---|
| 朴 | 6 | 木 | 左右 | SHY | 形声 |
| 笔顺 | 一 十 才 木 朩 朴 | | | | |

【解　释】朴刀，古代一种刀身窄长、刀柄略长的兵器。
【同音字】坡（山坡）
【多音字】piáo（见 552 页）
【多音字】pò（见 558 页）
【多音字】pǔ（见 560 页）

| pō | 笔画 | 部首 | 结构 | 五笔 | 造字法 |
|---|---|---|---|---|---|
| 坡 | 8 | 土 | 左右 | FHCY | 形声 |
| 笔顺 | 一 十 土 圹 圹 坎 坡 坡 | | | | |

【解　释】倾斜或倾斜的地方。
【组　词】坡地　山坡　坡度　高坡
【造　句】坡度——这座山的坡度很大，爬上去很费力。
【同音字】泼（泼水）
【形近字】波（波浪）
【英　语】坡度　slope［sləup］

| pō | 笔画 | 部首 | 结构 | 五笔 | 造字法 |
|---|---|---|---|---|---|
| 泊 | 8 | 氵 | 左右 | IRG | 形声 |
| 笔顺 | 丶 丶 氵 氵 氵 泊 泊 泊 | | | | |

【解　释】湖。
【组　词】湖泊
【同音字】泼（泼水）
【多音字】bó（见 60 页）

| pō | 笔画 | 部首 | 结构 | 五笔 | 造字法 |
|---|---|---|---|---|---|
| 泼 | 8 | 氵 | 左右 | INTY | 形声 |
| 笔顺 | 丶 丶 氵 氵 汐 泼 泼 泼 | | | | |

【解　释】❶向外倒或洒液体。❷蛮横；不讲理。❸胆大；有魅力。
【组　词】泼墨　活泼　撒泼　泼水节
【造　句】泼水节——泼水节是我国傣族的传统节日。
【同音字】坡（山坡）
【形近字】拔（拔河）
【反义词】泼辣/温柔
【近义词】泼皮/赖皮
【歇后语】泼出去的水——难收。
【谚　语】泼水难收，人逝不返。

| pō | 笔画 | 部首 | 结构 | 五笔 | 造字法 |
|---|---|---|---|---|---|
| 颇 | 11 | 皮 | 左右 | HCDM | 形声 |
| 笔顺 | 一 厂 广 皮 皮 皮 皮 皮 颇 颇 颇 | | | | |

【解　释】❶偏；不正。❷很；相当地。
【组　词】颇似　偏颇
【造　句】偏颇——你这样评价他有失偏颇。
【同音字】泼（泼水）
【英　语】颇　quite［kwait］

| pó | 笔画 | 部首 | 结构 | 五笔 | 造字法 |
|---|---|---|---|---|---|
| 婆 | 11 | 女 | 上下 | IHCV | 形声 |
| 笔顺 | 丶 丶 氵 氵 汇 沪 沙 波 波 婆 婆 | | | | |

【解　释】❶对中老年妇女的尊称。❷指祖母或外祖母。❸丈夫的母亲。
【组　词】婆媳　婆娘　婆姨　婆婆嘴
【造　句】婆婆妈妈——他老认为奶奶对他的关心是婆婆妈妈的表现。
【同音字】鄱（鄱阳湖）

【形近字】娑(婆娑)
【成　语】婆婆妈妈
【英　语】婆婆 old woman [əuld'wumən]

| pó | 笔画 | 部首 | 结构 | 五笔 | 造字法 |
|---|---|---|---|---|---|
| 繁 | 17 | 糸 | 上下 | TXGI | 形声 |
| 笔顺 | 丿 𠂉 𠂉 句 每 每 每 敏 敏 敏 敏 敏 繁 繁 繁 繁 繁 | | | | |

【解　释】姓。
【同音字】婆(外婆)
【多音字】fán(见 197 页)

| pò | 笔画 | 部首 | 结构 | 五笔 | 造字法 |
|---|---|---|---|---|---|
| 朴 | 6 | 木 | 左右 | SHY | 形声 |
| 笔顺 | 一 十 才 木 朴 朴 | | | | |

【解　释】朴树,落叶乔木,树皮可以造纸,木材可用来制器具。
【同音字】破(破坏)
【多音字】piáo(见 552 页)
【多音字】pō(见 557 页)
【多音字】pǔ(见 560 页)

| pò | 笔画 | 部首 | 结构 | 五笔 | 造字法 |
|---|---|---|---|---|---|
| 迫 | 8 | 辶 | 半包围 | RPD | 形声 |
| 笔顺 | ノ 亻 白 白 白 白 迫 迫 | | | | |

【解　释】❶用强力压制;紧紧催逼。❷紧急;急促。❸靠近。
【组　词】迫害　迫使　压迫　迫切
【造　句】迫害——他在监狱里受尽了反动派的迫害。
【同音字】破(破碎)
【形近字】追(追赶)
【成　语】迫不及待　饥寒交迫　迫不得已　迫在眉睫
【反义词】迫不得已/心甘情愿
【近义词】迫不及待/刻不容缓
【英　语】迫使 force [fɔːs]
【多音字】pǎi(见 535 页)

| pò | 笔画 | 部首 | 结构 | 五笔 | 造字法 |
|---|---|---|---|---|---|
| 破 | 10 | 石 | 左右 | DHCY | 形声 |
| 笔顺 | 一 丆 丆 石 石 石 矿 矿 破 破 | | | | |

【解　释】❶不完整,碎。❷分裂;撕开。❸毁坏;损坏。❹超越;超出。❺攻下;冲开。❻查明真相。❼花费。
【组　词】破坏　破碎　破产　破例　破费　破案　破解
【同音字】魄(气魄)
【形近字】波(波浪)
【成　语】乘风破浪　破釜沉舟　支离破碎
【反义词】破坏/建设
【近义词】破例/破格
【歇后语】破庙前的旗杆——独树一帜。
【谚　语】破车损坏道路,坏人殃及邻里|破坏容易建设难。
【英　语】破坏 destroy [di'strɔi]

| pò | 笔画 | 部首 | 结构 | 五笔 | 造字法 |
|---|---|---|---|---|---|
| 魄 | 14 | 白 | 左右 | RRQC | 形声 |
| 笔顺 | ノ 亻 白 白 白 白 白 白 白 白 白 魄 魄 魄 | | | | |

【解　释】❶精神;灵魂。❷精力;胆量;气度。
【组　词】魄力　体魄　魂魄
【造　句】体魄——身体是革命的本钱,我们应努力锻炼,使自己有一个好的体魄。
【同音字】迫(被迫)
【形近字】魂(灵魂)
【成　语】惊心动魄
【反义词】惊心动魄/泰然自若
【近义词】惊心动魄/心惊肉跳
【英　语】魄力 courage [ˈkʌridʒ]

## POU 夂又

| pōu | 笔画 | 部首 | 结构 | 五笔 | 造字法 |
|---|---|---|---|---|---|
| 剖 | 10 | 刂 | 左右 | UKJH | 形声 |
| 笔顺 | 丶 亠 亡 立 立 咅 咅 音 咅 剖 | | | | |

【解　释】❶破开。❷分析;分辨。
【组　词】解剖　剖析　剖白
【形近字】陪(陪伴)
【歇后语】剖了腹藏珍珠——爱财不爱命。
【英　语】剖析 analyse [ˈænəlaiz]

## PU 夂乂

| pū | 笔画 | 部首 | 结构 | 五笔 | 造字法 |
|---|---|---|---|---|---|
| 仆 | 4 | 亻 | 左右 | WHY | 形声 |
| 笔顺 | ノ 亻 亻 仆 | | | | |

【解　释】向前跌倒。
【组　词】仆倒
【同音字】铺(铺垫)
【形近字】扑(扑灭)
【成　语】前仆后继
【反义词】前仆后继/畏缩不前
【近义词】前仆后继/勇往直前
【英　语】仆倒 fall forward [fɔːl ˈfɔːwəd]
【多音字】pú(见 560 页)

| pū | 笔画 | 部首 | 结构 | 五笔 | 造字法 |
|---|---|---|---|---|---|
| 扑 | 5 | 扌 | 左右 | RHY | 形声 |
| 笔顺 | 一 十 扌 扌 扑 | | | | |

【解　释】❶轻打;拍。❷用力向前冲。❸扑粉的用具。
【组　词】扑打　扑粉　扑通　扑鼻
【造　句】扑鼻——我家后院栽种着许多鲜花,每到开花的季节,整个院子香气扑鼻。
【同音字】铺(铺床)
【形近字】仆(仆人)
【成　语】扑朔迷离
【英　语】扑打 beat [biːt]

| pū | 笔画 | 部首 | 结构 | 五笔 | 造字法 |
|---|---|---|---|---|---|
| 铺 | 12 | 钅 | 左右 | QGEY | 形声 |
| 笔顺 | ノ 𠂉 𠂉 钅 钅 钆 钔 钔 铜 铜 铺 铺 | | | | |

【解　释】把东西展开,摊平。
【组　词】铺床　铺盖
【造　句】铺天盖地——一打开电视,就是铺天盖地的广告。
【同音字】仆(仆倒)
【形近字】捕(捕捉)
【成　语】铺天盖地
【近义词】铺天盖地/遮天蔽日
【歇后语】铺着盖头听广告——自得其乐。
【谚　语】铺张浪费,穷困后悔。
【英　语】铺床 make the bed [meik ðə bed]
【多音字】pù(见 561 页)

P

| pú | 笔画 | 部首 | 结构 | 五笔 | 造字法 |
|---|---|---|---|---|---|
| 仆 | 4 | 亻 | 左右 | WHY | 形声 |
| 笔顺 | 丿 亻 仆 仆 | | | | |

【解　释】伺(cì)候人的人(跟“主”相对)。
【组　词】仆人　奴仆　女仆　仆从　风尘仆仆
【造　句】风尘仆仆——看见老人风尘仆仆的样子,大家赶忙找个凳子让他坐下。
【同音字】脯(胸脯)
【近义词】风尘仆仆/满面征尘
【英　语】仆人 servant [ˈsəːvənt]
【多音字】pū(见559页)

| pú | 笔画 | 部首 | 结构 | 五笔 | 造字法 |
|---|---|---|---|---|---|
| 菩 | 11 | 艹 | 上下 | AUKF | 形声 |
| 笔顺 | 一 十 艹 艹 芏 芏 苙 苙 苹 菩 菩 | | | | |

【解　释】用于“菩萨”、“菩提”等词,皆为佛教用语。
【组　词】菩萨　菩提
【形近字】培(培养)

| pú | 笔画 | 部首 | 结构 | 五笔 | 造字法 |
|---|---|---|---|---|---|
| 脯 | 11 | 月 | 左右 | EGEY | 形声 |
| 笔顺 | 丿 月 月 月 月 肎 肟 脜 脜 脯 脯 | | | | |

【解　释】胸部。
【组　词】胸脯
【同音字】蒲(蒲公英)
【英　语】胸脯 chest [tʃest]
【多音字】fǔ(见220页)

| pú | 笔画 | 部首 | 结构 | 五笔 | 造字法 |
|---|---|---|---|---|---|
| 葡 | 12 | 艹 | 上下 | AQGY | 形声 |
| 笔顺 | 一 十 艹 艹 芍 芍 芍 荀 荀 荀 葡 葡 | | | | |

【解　释】[葡萄]藤本植物,果实成熟时呈紫色或黄色,味酸甜。
【组　词】葡萄
【造　句】葡萄——新疆的葡萄最好吃了。
【同音字】仆(仆人)
【谚　语】吃不到葡萄就喊酸。
【英　语】葡萄 grape [greip]

| pú | 笔画 | 部首 | 结构 | 五笔 | 造字法 |
|---|---|---|---|---|---|
| 蒲 | 13 | 艹 | 上下 | AIGY | 形声 |
| 笔顺 | 一 十 艹 艹 芢 芢 茫 茫 浦 浦 蒲 蒲 蒲 | | | | |

【解　释】❶香蒲,草本植物,生长在河滩或池沼中。❷蒲公英,草本植物,根茎可以入药。❸姓。
【组　词】香蒲　蒲棒　蒲包　蒲草　蒲团　蒲扇　蒲公英
【辨　音】不读 pǔ。
【同音字】菩(菩萨)
【形近字】浦(浦口)
【英　语】蒲公英 dandelion [ˈdændilaiən]

| pǔ | 笔画 | 部首 | 结构 | 五笔 | 造字法 |
|---|---|---|---|---|---|
| 朴 | 6 | 木 | 左右 | SHY | 形声 |
| 笔顺 | 一 十 才 木 朴 朴 | | | | |

【解　释】❶朴实的;不华丽的。❷节约;省俭。
【组　词】质朴　朴素　朴陋　朴实　俭朴

【同音字】普(普通) 圃(菜圃)
【形近字】扑(扑灭)
【英 语】朴实 simple [ˈsimpl]
【多音字】piáo(见 552 页)
【多音字】pō(见 557 页)
【多音字】pò(见 558 页)

| pǔ | 笔画 | 部首 | 结构 | 五笔 | 造字法 |
|---|---|---|---|---|---|
| 圃 | 10 | 囗 | 全包围 | LGEY | 形声 |
| 笔顺 | 丨 冂 冂 冋 冋 冋 同 圃 圃 圃 | | | | |

【解 释】种植蔬菜、花卉、树苗的园地。
【组 词】菜圃 花圃
【造 句】花圃——花圃里种植了许多花。

| pǔ | 笔画 | 部首 | 结构 | 五笔 | 造字法 |
|---|---|---|---|---|---|
| 浦 | 10 | 氵 | 左右 | IGEY | 形声 |
| 笔顺 | 丶 丶 氵 汇 汇 沪 洞 洞 浦 浦 | | | | |

【解 释】❶水滨或河流注入江海的地方。❷姓。
【组 词】浦口 乍浦
【同音字】埔(黄埔)
【形近字】捕(捕捉)

| pǔ | 笔画 | 部首 | 结构 | 五笔 | 造字法 |
|---|---|---|---|---|---|
| 普 | 12 | 日 | 上下 | UOGJ | 形声 |
| 笔顺 | 丶 丷 丷 丬 丬 并 並 並 普 普 普 普 | | | | |

【解 释】❶广泛;全面。❷平常;一般。❸姓。
【组 词】普及 普通 普选 普遍 普查 普通话
【造 句】普通——他是一个极普通的公务员。
【同音字】浦(浦口)
【形近字】晋(晋祠)
【成 语】普天同庆
【反义词】普通/特殊
【近义词】普及/普遍
【英 语】普通 ordinary [ˈɔːdinəri]

| pǔ | 笔画 | 部首 | 结构 | 五笔 | 造字法 |
|---|---|---|---|---|---|
| 谱 | 14 | 讠 | 左右 | YUOJ | 形声 |
| 笔顺 | 丶 讠 讠 讠 讠 讠 讠 讠 讠 谱 谱 谱 谱 谱 | | | | |

【解 释】❶按事物的类别或系统编成的手册、图书等资料。❷歌曲音调的符号记录。❸可供示范的格式;样本。❹把握。
【组 词】谱号 棋谱 曲谱 家谱 离谱 脸谱 食谱
【造 句】曲谱——小明对这段曲谱挺熟悉。
【同音字】朴(朴素)
【形近字】普(普通)
【英 语】谱写 compose [kəmˈpəuz]

| pù | 笔画 | 部首 | 结构 | 五笔 | 造字法 |
|---|---|---|---|---|---|
| 铺 | 12 | 钅 | 左右 | QGEY | 形声 |
| 笔顺 | 丿 𠂉 𠂉 𠂉 钅 钅 钌 钌 铜 铜 铺 铺 | | | | |

【解 释】❶商店。❷床位。
【组 词】店铺 卧铺 床铺 铺位 铺板
【英 语】店铺 shop [ʃɔp]
【多音字】pū(见 559 页)

P

| pù | 笔画 | 部首 | 结构 | 五笔 | 造字法 |
|---|---|---|---|---|---|
| 堡 | 12 | 土 | 上下 | WKSF | 形声 |
| 笔顺 | 丿 亻 亻 伫 伫 保 保 保 保 堡 堡 堡 | | | | |

【解　释】地名用字。如五里堡、十里堡。
【同音字】瀑(瀑布)
【多音字】bǎo(见30页)
【多音字】bǔ(见64页)

| pù | 笔画 | 部首 | 结构 | 五笔 | 造字法 |
|---|---|---|---|---|---|
| 暴 | 15 | 日 | 上下 | JAW | 形声 |
| 笔顺 | [illegible] | | | | |

【解　释】(书)晒。同"曝(pù)"。
【同音字】瀑(瀑布)
【形近字】瀑(瀑布)
【多音字】bào(见31页)

| pù | 笔画 | 部首 | 结构 | 五笔 | 造字法 |
|---|---|---|---|---|---|
| 瀑 | 18 | 氵 | 左右 | IJAI | 形声 |
| 笔顺 | [illegible] | | | | |

【解　释】瀑布,从高崖陡壁上直泻而下的水流,因样子像挂着的白布而得名。
【组　词】瀑布　飞瀑
【造　句】瀑布——我长这么大了,还没看到过真正的瀑布。
【辨　音】不读 bào。
【同音字】曝(曝晒)
【形近字】曝(曝晒)
【英　语】瀑布　waterfall [ˈwɔːtəfɔːl]
【多音字】bào(见31页)

| pù | 笔画 | 部首 | 结构 | 五笔 | 造字法 |
|---|---|---|---|---|---|
| 曝 | 19 | 日 | 左右 | JJAI | 形声 |
| 笔顺 | [illegible] | | | | |

【解　释】晒。
【组　词】曝晒　一曝十寒
【造　句】曝晒——经过烈日的曝晒,他的脸变得黑红黑红的。
【同音字】铺(床铺)
【多音字】bào(见31页)

P

# Q

## QI ㄑㄧ

| qī | 笔画 | 部首 | 结构 | 五笔 | 造字法 |
|---|---|---|---|---|---|
| 七 | 2 | 一 | 独体 | AGN | 指事 |
| 笔顺 | 一 七 | | | | |

【解　释】数词。六加一的得数。

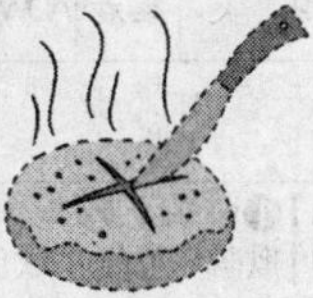

【字源释义】"七"是"切"的本字。甲骨文和金文"七"字都是十字形，像刀刻的痕迹。小篆以后为了避免"七"、"十"相混，就把"七"字的竖画下端改为曲笔。
【组　词】七色　七窍
【造　句】七嘴八舌——听说要换班主任，同学们七嘴八舌地议论开了。
【同音字】妻(妻子)
【形近字】匕(匕首)
【成　语】七上八下　七嘴八舌　七手八脚　七拼八凑　七零八落
【反义词】七嘴八舌/一言不发
【近义词】七窍生烟/怒火中烧
【歇后语】七窍通了六窍——一窍不通|十五只吊桶打水——七上八下。
【谚　语】七嘴八舌，遇事没辙。
【英　语】七　seven [ˈsevən]

| qī | 笔画 | 部首 | 结构 | 五笔 | 造字法 |
|---|---|---|---|---|---|
| 妻 | 8 | 女 | 上下 | GVHV | 会意 |
| 笔顺 | 一 ㇐ 彐 彐 事 妻 妻 妻 | | | | |

【解　释】男子的配偶(跟"夫"相对)。
【组　词】妻子　妻室　妻妾　妻小　夫妻
【造　句】妻离子散——在一个动荡的年代里，人民难免遭受妻离子散的厄运。
【同音字】欺(欺压)
【形近字】凄(凄凉)
【成　语】妻离子散
【谚　语】妻贤夫祸少，子孝父心宽。
【英　语】妻子　wife [waif]

| qī | 笔画 | 部首 | 结构 | 五笔 | 造字法 |
|---|---|---|---|---|---|
| 栖 | 10 | 木 | 左右 | SSG | 形声 |
| 笔顺 | 一 十 才 木 木 朩 杇 柄 柄 栖 | | | | |

【解　释】❶鸟类栖息在树上。❷居住或停留。
【组　词】栖息　栖身　两栖　栖歇
【造　句】栖歇——海鸟栖歇在海岛上。
【同音字】戚(亲戚)
【形近字】洒(洒水)
【近义词】栖身/居住
【英　语】栖息　perch [pəːtʃ]

| qī | 笔画 | 部首 | 结构 | 五笔 | 造字法 |
|---|---|---|---|---|---|
| 凄 | 10 | 冫 | 左右 | UGVV | 形声 |
| 笔顺 | 丶 冫 冫 冫 冫 冫 冫 凄 凄 凄 | | | | |

【解　释】❶寒冷。❷悲伤;悲痛。❸寂静;冷清。
【组　词】凄凉　凄清　凄然　凄惨　凄切　凄厉　凄婉
【造　句】凄凉——一到深秋,草木凋谢,给人一种凄凉的感觉。
【同音字】漆(油漆)
【形近字】妻(妻儿)
【成　语】凄风苦雨
【反义词】凄凉/热闹
【近义词】凄惨/悲惨　凄楚/哀痛
【谚　语】凄凉人偏遇热闹事。
【英　语】凄凉　dreary　['driəri]

| qī | 笔画 | 部首 | 结构 | 五笔 | 造字法 |
|---|---|---|---|---|---|
| 戚 | 11 | 戈 | 半包围 | DHIT | 形声 |
| 笔顺 | 一 厂 厂 厂 厂 戶 戶 戶 戚 戚 戚 | | | | |

【解　释】❶因婚姻关系联成的亲属关系。❷忧愁;悲伤。❸姓。
【组　词】亲戚　哀戚　外戚　悲戚
【同音字】期(期待)
【形近字】威(威武)
【成　语】休戚相关
【反义词】哀戚/欢乐
【近义词】哀戚/悲哀
【英　语】亲戚　relative　['relətiv]

| qī | 笔画 | 部首 | 结构 | 五笔 | 造字法 |
|---|---|---|---|---|---|
| 期 | 12 | 月 | 左右 | ADWE | 形声 |
| 笔顺 | 一 十 卄 卄 甘 甘 甘 其 其 期 期 期 | | | | |

【解　释】❶规定的一段时间。❷预定的时日。❸盼望;希望。❹约定的时日。
【组　词】期限　期求　期间　假期　期望　期待　学期　定期　按期　早期　期刊　时期　期房
【造　句】不期而遇——那天我在街上与一个多年不见的好朋友不期而遇。
【同音字】七(七色)
【形近字】欺(欺骗)
【成　语】不期而遇
【反义词】期望/失望
【近义词】期望/希望
【英　语】期间　period　['piəriəd]

| qī | 笔画 | 部首 | 结构 | 五笔 | 造字法 |
|---|---|---|---|---|---|
| 欺 | 12 | 欠 | 左右 | ADWW | 形声 |
| 笔顺 | 一 十 卄 卄 甘 甘 甘 其 其 欺 欺 欺 | | | | |

【解　释】❶蒙骗。❷压迫;侮辱。
【组　词】欺骗　欺压　欺负　欺侮　欺诈　欺凌
【造　句】欺负——同学之间应该互帮互助,不能欺负别人。
【同音字】凄(凄惨)
【形近字】期(期间)
【成　语】欺软怕硬　仗势欺人　欺人太甚
【反义词】欺侮/敬重
【近义词】欺骗/欺诈
【英　语】欺骗　deceive　[di'siːv]

| qī | 笔画 | 部首 | 结构 | 五笔 | 造字法 |
|---|---|---|---|---|---|
| 缉 | 12 | 纟 | 左右 | XKBG | 形声 |
| 笔顺 | 𠃋 纟 纟 纟 纟 纟 纟 纟 缉 缉 缉 缉 | | | | |

【解　释】一针一线密密地缝。
【组　词】缉边　缉鞋口
【同音字】欺(欺人太甚)

Q

【多音字】jī(见 315 页)

| qī | 笔画 | 部首 | 结构 | 五笔 | 造字法 |
|---|---|---|---|---|---|
| 漆 | 14 | 氵 | 左右 | ISW | 形声 |
| 笔顺 | 丶 丶 氵 氵 氵 汁 汁 沙 泆 泳 泳 漆 漆 漆 | | | | |

【解　释】❶漆树,落叶乔木,用树皮里的黏汁制成的涂料涂在器物上可以防止腐坏,增加光泽。❷油漆、清漆、天然漆等的统称。
【组　词】油漆　漆画　漆匠　漆工　漆雕　朱漆　漆黑
【造　句】漆黑——窗外一片漆黑,只听见青蛙的鸣叫声。
【同音字】期(期望)
【形近字】膝(膝盖)
【反义词】漆黑/雪白
【英　语】油漆 paint [peint]

| qī | 笔画 | 部首 | 结构 | 五笔 | 造字法 |
|---|---|---|---|---|---|
| 蹊 | 17 | 𧾷 | 左右 | KHED | 形声 |
| 笔顺 | 丨 口 口 𠯁 𠯁 𧾷 𧾷 𧾷 𧾷 𧾷 𧾷 𧾷 𧾷 蹊 蹊 蹊 蹊 | | | | |

【解　释】[蹊跷]可疑;奇怪。
【造　句】蹊跷——班里发生了一件很蹊跷的事儿。
【同音字】戚(亲戚)
【形近字】溪(溪水)
【英　语】蹊跷 odd [ɔd]
【多音字】xī(见 761 页)

| qí | 笔画 | 部首 | 结构 | 五笔 | 造字法 |
|---|---|---|---|---|---|
| 齐 | 6 | 文 | 上下 | YJJ | 会意 |
| 笔顺 | 丶 亠 㐅 文 齐 齐 | | | | |

【解　释】❶整齐。❷完备;全。❸同样;一致。❹一起;同时。❺达到同样高度。❻周代诸侯国名,在今山东北部和河北东南部。❼朝代名。❽姓。

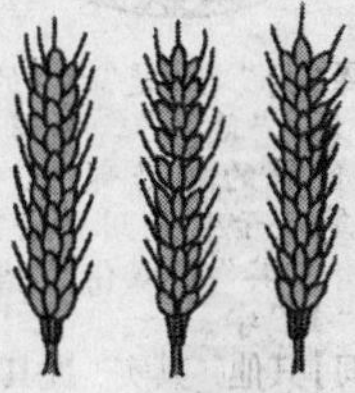

【字源释义】田里的麦子在一般情况下都是长得非常整齐的,难怪古人用三棵麦子表示"齐"的意思。
【组　词】齐备　齐全　齐鸣　整齐
【造　句】整齐——她的字写得很整齐。
【同音字】奇(奇怪)
【形近字】济(经济)
【成　语】齐心协力
【反义词】齐全/短缺
【近义词】齐备/齐全
【谚　语】齐家治国平天下。
【英　语】整齐 neat [niːt]

| qí | 笔画 | 部首 | 结构 | 五笔 | 造字法 |
|---|---|---|---|---|---|
| 其 | 8 | 一 | 独体 | ADW | 象形 |
| 笔顺 | 一 十 卄 廾 甘 其 其 其 | | | | |

【解　释】❶代词。他;他们;他的;他们的。❷那;那个;那些。❸虚指。

Q

甲骨文　金文　小篆　隶书　楷书

【字源释义】"其"是"箕"的本字。它的本义是"簸箕"。字形的上端是类似簸箕的前沿部分，中间交叉的几笔表示它是用竹条或柳条编成的。"其"字假借为虚词后，就另造"箕"字。
【组　词】其他　其实　尤其　其次
【造　句】若无其事——本来就是他的错，他却装出若无其事的样子，真气人！
【同音字】奇（奇迹）
【形近字】棋（象棋）
【成　语】名副其实　各得其所　人尽其才　若无其事　其乐无穷
【谚　语】其人无善言，终非良士。
【英　语】其实　actually [ˈæktʃuəli]

| qí | 笔画 | 部首 | 结构 | 五笔 | 造字法 |
|---|---|---|---|---|---|
| 奇 | 8 | 大 | 上下 | DSKF | 会意 |
| 笔顺 | 一 ナ 大 太 夳 奆 奇 奇 | | | | |

【解　释】❶罕见的；特殊的。❷出人意料的。❸感到惊异。❹姓。
【组　词】奇闻　奇迹　奇技　奇怪　神奇　稀奇　好奇　离奇　奇观
【造　句】奇观——黄山日出是一大奇观。
【同音字】棋（军棋）
【形近字】寄（邮寄）　骑（骑马）
【成　语】奇耻大辱　奇花异草　奇谈怪论　奇形怪状　奇文共赏
【歇后语】哈哈镜里的像——奇形怪状。
【英　语】奇迹　miracle [ˈmirəkl]
【多音字】jī（见314页）

| qí | 笔画 | 部首 | 结构 | 五笔 | 造字法 |
|---|---|---|---|---|---|
| 歧 | 8 | 止 | 左右 | HFCY | 形声 |
| 笔顺 | 丨 ⺊ 屮 止 止 止+ 歧 歧 | | | | |

【解　释】❶岔道；大路分出的（路）。❷不同的。
【组　词】歧路　歧视　歧途　分歧
【造　句】分歧——他们在去留的问题上发生了分歧。
【同音字】奇（奇怪）
【形近字】此（此时）
【英　语】分歧　difference [ˈdifərəns]

| qí | 笔画 | 部首 | 结构 | 五笔 | 造字法 |
|---|---|---|---|---|---|
| 祈 | 8 | 礻 | 左右 | PYRH | 形声 |
| 笔顺 | 丶 ㇇ 礻 礻 礻 祈 祈 祈 | | | | |

【解　释】❶迷信的人向上天或神求福。❷请求；希望。

甲骨文　金文　小篆　隶书　楷书

【字源释义】在甲骨文和金文中，这个字多写作“旂”，即“旂”的异体字。“㫃”是旗帜形，“单”、“斤”都是武器。后来假借为“祈求”的“祈”字。
【组　词】祈祷　祈告　祈求　祈望　祈雨　祈使句
【造　句】祈望——他祈望孩子能平平安安，健康成长。
【同音字】旗（旗帜）
【形近字】折（折断）
【近义词】祈求/恳求
【英　语】祈祷　pray [prei]

| qí | 笔画 | 部首 | 结构 | 五笔 | 造字法 |
|---|---|---|---|---|---|
| 颀 | 10 | 斤 | 左右 | RDMY | 形声 |
| 笔顺 | ㇒ 厂 斤 斤 斤一 斤丆 斤丆 斤万 颀 颀 | | | | |

【解　释】身材修长。
【组　词】颀长
【同音字】奇（惊奇）
【形近字】顾（照顾）　欣（欢欣）
【近义词】颀长/修长

| qí | 笔画 | 部首 | 结构 | 五笔 | 造字法 |
|---|---|---|---|---|---|
| 脐 | 10 | 月 | 左右 | EYJH | 形声 |
| 笔顺 | 丿 月 月 月 月 月亠 月文 月文 脐 脐 | | | | |

【解　释】❶肚脐，胎儿脐带脱落的地方。❷螃蟹肚子下面的甲壳。
【组　词】脐带　肚脐　尖脐
【同音字】其（其中）
【形近字】挤（拥挤）
【英　语】肚脐　navel [ˈneivəl]

| qí | 笔画 | 部首 | 结构 | 五笔 | 造字法 |
|---|---|---|---|---|---|
| 崎 | 11 | 山 | 左右 | MDSK | 形声 |
| 笔顺 | 丨 山 山 山一 山丆 山大 山大 山大 崎 崎 崎 | | | | |

【解　释】[崎岖]形容山路高低不平的样子。
【组　词】崎岖
【造　句】崎岖——通向成功的道路总是崎岖坎坷的。
【同音字】奇（奇怪）
【形近字】骑（骑兵）
【反义词】崎岖/平坦
【近义词】崎岖/坎坷
【谚　语】崎岖路上的石块，磨不破脚底的老茧。
【英　语】崎岖　rugged [ˈrʌgid]

| qí | 笔画 | 部首 | 结构 | 五笔 | 造字法 |
|---|---|---|---|---|---|
| 骑 | 11 | 马 | 左右 | CDSK | 形声 |
| 笔顺 | ㇆ 马 马 马一 马丆 马大 马大 马大 骑 骑 骑 | | | | |

【解　释】❶两腿跨坐在牲畜或其他东西上。❷兼跨两边。❸骑兵；骑马的人。❹骑的马或其他牲畜。
【组　词】骑马　轻骑　铁骑　骑缝　骑士　骑墙　骑手
【造　句】骑马——我梦想有一天能骑马驰骋在草原上。
【同音字】其（其余）
【形近字】崎（崎岖）　椅（竹椅）
【成　语】骑虎难下
【歇后语】骑在老虎背上——身不由己|骑兵打胜仗——马上成功|骑驴看唱本——走着瞧。
【英　语】骑马　ride [raid]

| qí | 笔画 | 部首 | 结构 | 五笔 | 造字法 |
| --- | --- | --- | --- | --- | --- |
| 棋 | 12 | 木 | 左右 | SADW | 形声 |
| 笔顺 | 一 十 才 木 木一 朩卄 朩廾 朩廾 朩甘 棋 棋 棋 | | | | |

【解　释】文娱用品名，由棋子和棋盘组成，在棋盘上按规则移动或摆放棋子来决定胜负。
【组　词】象棋　围棋　下棋　军棋
【同音字】其(其实)
【形近字】旗(国旗)
【成　语】棋逢对手
【近义词】举棋不定/犹豫不决
【歇后语】举着棋子不放——拿不定主意|棋盘里的老将——出不了格。
【谚　语】棋逢对手，将遇良才|棋错一着，满盘皆输。
【英　语】棋　chess [tʃes]

| qí | 笔画 | 部首 | 结构 | 五笔 | 造字法 |
| --- | --- | --- | --- | --- | --- |
| 旗 | 14 | 方 | 左右 | YTAW | 形声 |
| 笔顺 | 丶 亠 亡 方 方 方' 方𠂉 方𠂉 旂 旂 旂 旗 旗 旗 | | | | |

【解　释】❶旗子，用绸、布或纸张制成的方形或三角形标志。❷属于八旗的，特指属于满族的。❸内蒙古自治区的行政区划单位。
【组　词】国旗　彩旗　旗手　旗帜　党旗　旗杆　旗袍　旗号　红旗　八旗
【同音字】奇(奇怪)
【形近字】棋(棋迷)
【成　语】旗开得胜　旗帜鲜明
【谚　语】旗往哪指，兵往哪杀。
【英　语】旗子　flag [flæg]

| qǐ | 笔画 | 部首 | 结构 | 五笔 | 造字法 |
| --- | --- | --- | --- | --- | --- |
| 乞 | 3 | 乙 | 上下 | TNB | 象形 |
| 笔顺 | ノ 𠂉 乞 | | | | |

【解　释】向人讨取。
【组　词】乞求　乞讨　乞恕　乞丐　乞怜　乞食　行乞　乞降　乞巧
【造　句】乞求——不要动不动就向别人乞求，要自己努力去争取。
【辨　音】不读 qì。
【同音字】企(企图)
【形近字】气(气球)
【成　语】乞哀告怜
【反义词】乞讨/施舍
【近义词】乞求/恳求
【歇后语】乞儿身，皇帝嘴——身份不相当。
【英　语】乞求　beg for [beg fɔː]

| qǐ | 笔画 | 部首 | 结构 | 五笔 | 造字法 |
| --- | --- | --- | --- | --- | --- |
| 岂 | 6 | 山 | 上下 | MNB | 形声 |
| 笔顺 | 丨 山 山 岂 岂 岂 | | | | |

【解　释】副词。表示反问语气，起加强语气的作用，相当于“哪里”、“难道”等。
【组　词】岂止　岂不　岂敢　岂可　岂但　岂非
【造　句】岂止——为难的事还多着呢，岂止这一件？
【同音字】乞(乞求)
【形近字】岩(岩石)
【成　语】岂有此理
【反义词】岂有此理/理所当然
【近义词】岂非/难道
【谚　语】岂能尽如人意，但求无愧我心|岂无远道思亲泪，不及高

堂念子心。

| qǐ | 笔画 | 部首 | 结构 | 五笔 | 造字法 |
|---|---|---|---|---|---|
| 企 | 6 | 人 | 上下 | WHF | 会意 |
| 笔顺 | 丿 人 个 仐 佱 企 | | | | |

【解　释】❶踮着脚后跟看。❷盼望；希望。

【组　词】企划　企业　企望　企盼　企图　企求

【造　句】企盼——世界人民企盼和平。

【辨　音】不读 zhǐ。

【同音字】起（起床）

【近义词】企求/渴求

【英　语】企业　enterprise ['entəpraiz]

| qǐ | 笔画 | 部首 | 结构 | 五笔 | 造字法 |
|---|---|---|---|---|---|
| 启 | 7 | 户 | 半包围 | YNKD | 会意 |
| 笔顺 | 丶 ⺈ ⺈ 户 户 启 启 | | | | |

【解　释】❶开；打开。❷开导。❸开始。❹陈述；说明。❺旧时的一种书信文体。

甲骨文　金文　小篆　隶书　楷书

【字源释义】"启"的本义是"开"，甲骨文字形像一只手正在打开一扇门。后引申为"开导"。还有"陈述"义，如"启事"。

【组　词】启蒙　启程　启齿　启封　启发　启示　启事　启用　书启　启迪　启动

【造　句】启程——他们准备明天早上启程去北京。

【同音字】企（企望）

【形近字】居（居住）

【成　语】承上启下　承前启后

【反义词】开启/封闭

【近义词】启齿/开口

【英　语】启发　arouse [ə'rauz]

| qǐ | 笔画 | 部首 | 结构 | 五笔 | 造字法 |
|---|---|---|---|---|---|
| 起 | 10 | 走 | 半包围 | FHNV | 形声 |
| 笔顺 | 一 十 土 丰 丰 走 走 起 起 起 | | | | |

【解　释】❶由卧而坐或由坐而立。❷离开原处。❸拔出。❹长出。❺开始。❻发生。❼表示能不能承受。❽建造。❾拟定。❿量词。⓫表示达到标准。

【组　词】起立　兴起　起草　起用

【造　句】此起彼伏——广场上的歌声此起彼伏，人们尽情欢乐。

【同音字】启（启用）

【形近字】赶（追赶）

【成　语】起死回生　此起彼伏

【反义词】起点/终点

【近义词】起初/起先

【谚　语】起了个五更，赶了个晚集。

【英　语】起立　stand up [stænd ʌp]

Q

| qǐ | 笔画 | 部首 | 结构 | 五笔 | 造字法 |
|---|---|---|---|---|---|
| 绮 | 11 | 纟 | 左右 | XDSK | 形声 |
| 笔顺 | 乙 纟 纟 纟 纡 纩 纮 绔 绔 绮 绮 | | | | |

【解　释】❶古代指有花纹的丝织品。❷美丽。
【组　词】绮罗　绮丽
【造　句】绮丽——这里风光绮丽，如诗如画。
【同音字】企（企求）
【形近字】崎（崎岖）

| qì | 笔画 | 部首 | 结构 | 五笔 | 造字法 |
|---|---|---|---|---|---|
| 气 | 4 | 气 | 独体 | RNB | 象形 |
| 笔顺 | 丿 𠂉 气 气 | | | | |

【解　释】❶没有一定形状、体积，能自由流动的物体。❷呼吸气息。❸特指空气。❹自然界冷热阴晴等现象。❺鼻子闻到的味道。❻指人的精神状态、情绪。❼作风；习俗。❽愤怒的情绪。❾欺负。

甲骨文　金文　小篆　隶书　楷书

【字源释义】“气”字最早的字形为三条横线，表示空中的气流。后来为了与“三”字区别，上下两横逐渐变为折曲。
【组　词】空气　天气　气息　气氛
【造　句】气氛——这次班会的气氛很热烈。
【同音字】弃（放弃）
【形近字】乞（乞讨）
【成　语】气急败坏　气势汹汹　气吞山河　气象万千　气壮山河
【反义词】气馁/发奋
【近义词】气势/气派
【谚　语】气壮如牛，胆小如鼠。
【英　语】气体　gas [gæs]

| qì | 笔画 | 部首 | 结构 | 五笔 | 造字法 |
|---|---|---|---|---|---|
| 弃 | 7 | 廾 | 上下 | YCAJ | 会意 |
| 笔顺 | 丶 亠 𠫓 𠫓 弃 弃 弃 | | | | |

【解　释】丢掉；舍去。

甲骨文　金文　小篆　隶书　楷书

【字源释义】“弃”的本义是“抛弃”。字形像一双手正拿着簸箕把一个婴儿扔掉。
【组　词】抛弃　摒弃　放弃　唾弃
【造　句】放弃——我见父母年老力弱，就放弃了上大学的机会。
【同音字】气（生气）
【形近字】弄（玩弄）　异（异常）
【成　语】弃旧图新　背信弃义

【反义词】嫌弃/喜欢
【近义词】抛弃/舍弃
【英　语】放弃　give up［giv ʌp］

| qì | 笔画 | 部首 | 结构 | 五笔 | 造字法 |
|---|---|---|---|---|---|
| 汽 | 7 | 氵 | 左右 | IRN | 形声 |
| 笔顺 | 丶 冫 氵 氵 汁 汽 汽 | | | | |

【解　释】❶液体或固体受热而变成的气体。❷特指水蒸气。
【组　词】汽车　汽油　汽酒　汽碾　汽暖　汽船　汽笛　汽艇　汽水　汽化
【同音字】砌(砌墙)
【形近字】忾(同仇敌忾)
【歇后语】汽车喇叭——用不着吹。
【英　语】汽车　automobile［ˈɔːtəməbiːl］

| qì | 笔画 | 部首 | 结构 | 五笔 | 造字法 |
|---|---|---|---|---|---|
| 泣 | 8 | 氵 | 左右 | IUG | 形声 |
| 笔顺 | 丶 冫 氵 氵 汁 汁 泣 泣 | | | | |

【解　释】❶小声或低声地哭。❷眼泪。
【组　词】哭泣　抽泣　悲泣　泣诉
【造　句】泣不成声——听到亲人去世的消息，她顿时泣不成声。
【辨　音】不读 lì。
【同音字】汽(汽灯)
【形近字】拉(拉手)
【成　语】可歌可泣　泣不成声
【反义词】泣不成声/笑逐颜开
【近义词】哭泣/哭啼
【英　语】哭泣　weep［wiːp］

| qì | 笔画 | 部首 | 结构 | 五笔 | 造字法 |
|---|---|---|---|---|---|
| 砌 | 9 | 石 | 左右 | DAVN | 形声 |
| 笔顺 | 一 丆 丆 石 石 石 矽 砌 砌 | | | | |

【解　释】❶用砖石加沙灰一层一层地垒起来。❷台阶。
【组　词】玉砌　砌墙　砌灶　堆砌　砌烟囱
【造　句】堆砌——这篇文章堆砌了很多华丽的词藻，却没有把事情交代清楚。
【辨　音】不读 chè。
【同音字】弃(弃权)
【形近字】彻(彻底)
【近义词】堆砌/堆积
【歇后语】砌墙的砖头——后来居上。

| qì | 笔画 | 部首 | 结构 | 五笔 | 造字法 |
|---|---|---|---|---|---|
| 器 | 16 | 口 | 上中下 | KKDK | 会意 |
| 笔顺 | 丨 口 口 口 吅 吅 吅 哭 哭 哭 哭 器 器 器 器 器 | | | | |

【解　释】❶用具的总称。❷生物体的构成部分。❸人的度量。❹重视，看得起。
【组　词】兵器　器材　器官　器量　器重　机器　乐器　武器
【造　句】器量——他是一位很有器量的人。
【同音字】气(气节)
【形近字】哭(哭诉)
【成　语】投鼠忌器
【反义词】器重/轻视
【近义词】器量/气量

【英　语】器材　equipment [iˈkwipmənt]

## QIA ㄑ丨Y

| qiā | 笔画 | 部首 | 结构 | 五笔 | 造字法 |
|---|---|---|---|---|---|
| 掐 | 11 | 扌 | 左右 | RQVG | 形声 |
| 笔顺 | 一 十 扌 扌 扌 扌 扌 扌 掐 掐 掐 | | | | |

【解　释】❶用指甲切断。❷用手指按或捏。❸割断;截去。
【组　词】掐算　掐住　掐花　掐断
【形近字】陷(陷阱)
【歇后语】掐了顶的树苗——节外生枝。

| qiǎ | 笔画 | 部首 | 结构 | 五笔 | 造字法 |
|---|---|---|---|---|---|
| 卡 | 5 | ⺊ | 独体 | HHU | 会意 |
| 笔顺 | 丨 ⺊ 上 卡 卡 | | | | |

【解　释】❶在交通要道上设置的检查或收税的地方。❷夹在中间而导致堵塞。❸一种夹东西的器具。
【组　词】卡住 税卡 关卡 发卡
【造　句】发卡——小女孩头上的漂亮发卡是蝴蝶形的。
【形近字】卞(卞急)
【英　语】卡子　clip [klip]
【多音字】kǎ(见 391 页)

| qià | 笔画 | 部首 | 结构 | 五笔 | 造字法 |
|---|---|---|---|---|---|
| 恰 | 9 | 忄 | 左右 | NWGK | 形声 |
| 笔顺 | 丶 丶 忄 忄 恰 恰 恰 恰 恰 | | | | |

【解　释】❶刚刚;正好。❷适当;合适。
【组　词】恰好　恰似　恰巧　恰当
【造　句】恰巧——你来晚了一步,他恰巧走了。
【同音字】洽(融洽)
【形近字】给(自给自足)
【成　语】恰到好处　恰如其分
【反义词】恰当/不妥
【近义词】恰巧/正巧
【英　语】恰当　proper [ˈprɔpə]

| qià | 笔画 | 部首 | 结构 | 五笔 | 造字法 |
|---|---|---|---|---|---|
| 洽 | 9 | 氵 | 左右 | IWGK | 形声 |
| 笔顺 | 丶 丶 氵 氵 氵 洽 洽 洽 洽 | | | | |

【解　释】❶谐和;融和。❷与人联系;商谈。
【组　词】接洽　洽谈　融洽　商洽
【造　句】融洽——他们宿舍的几个男生相处得很融洽。
【同音字】恰(恰当)
【形近字】恰(恰好)　给(给予)
【反义词】融洽/抵触
【近义词】洽谈/商谈
【英　语】融洽　be in harmony [biː in ˈhɑːməni]

## QIAN ㄑ丨ㄢ

| qiān | 笔画 | 部首 | 结构 | 五笔 | 造字法 |
|---|---|---|---|---|---|
| 千 | 3 | 丿 | 独体 | TFK | 指事 |
| 笔顺 | 一 二 千 | | | | |

【解　释】❶数词。百的十倍。❷表示很多,常跟“百”、“万”连用。❸姓。
【组　词】千万
【同音字】牵(牵挂)
【形近字】干(干净)
【成　语】千言万语　千变万化

千方百计　千锤百炼　千家万户
【反义词】千变万化/一成不变
【歇后语】千年的大树——根深叶茂。
【谚　语】千金易得，一将难求。
【英　语】千　thousand [ˈθauzənd]

| qiān | 笔画 | 部首 | 结构 | 五笔 | 造字法 |
|---|---|---|---|---|---|
| 阡 | 5 | 阝 | 左右 | BTFH | 形声 |
| 笔顺 | ㇇ 阝 阝' 阡 阡 | | | | |

【解　释】田间（南北向的）小道。
【组　词】阡陌
【同音字】千（千篇一律）
【形近字】纤（纤维）

| qiān | 笔画 | 部首 | 结构 | 五笔 | 造字法 |
|---|---|---|---|---|---|
| 迁 | 6 | 辶 | 半包围 | TFP | 形声 |
| 笔顺 | 一 二 千 千 迁 迁 | | | | |

【解　释】❶转移。❷转变。❸调动官职。
【组　词】迁就　迁怒　迁徙　升迁
【造　句】迁徙——每到秋天，大雁就要从北方迁徙到南方过冬。
【同音字】千（千万）
【形近字】纤（纤夫）
【成　语】见异思迁
【英　语】迁移　move [muːv]

| qiān | 笔画 | 部首 | 结构 | 五笔 | 造字法 |
|---|---|---|---|---|---|
| 牵 | 9 | 大 | 上中下 | DPRH | 形声 |
| 笔顺 | 一 ナ 大 太 𡗗 𡗗 𡗗 岙 牵 | | | | |

【解　释】❶拉；引。❷涉及；连累。
【组　词】牵手　牵动　牵连　牵挂
【造　句】牵挂——我们在外求学，应当常给父母写信，以免他们牵挂。
【同音字】千（千军万马）
【形近字】牢（牢记）
【成　语】牵强附会　牵肠挂肚
【歇后语】牵着肠子挂着肚——放心不下。
【谚　语】牵一发而动全身。
【英　语】牵挂　worry [ˈwʌri]

| qiān | 笔画 | 部首 | 结构 | 五笔 | 造字法 |
|---|---|---|---|---|---|
| 铅 | 10 | 钅 | 左右 | QMKG | 形声 |
| 笔顺 | ノ 𠂉 𠂉 乍 钅 钅 钆 钆 铅 铅 | | | | |

【解　释】❶金属元素，符号 Pb，青灰色，质地软，熔点低，耐腐蚀，有毒。可制合金、蓄电池、电缆的外皮等。❷铅笔芯。
【组　词】铅印　铅字　铅笔　铅球
【同音字】签（标签）
【形近字】沿（边沿）　铝（铝条）
【英　语】铅球　shot [ʃɔt]
【多音字】yán（见 819 页）

| qiān | 笔画 | 部首 | 结构 | 五笔 | 造字法 |
|---|---|---|---|---|---|
| 谦 | 12 | 讠 | 左右 | YUVO | 形声 |
| 笔顺 | 丶 讠 讠 讠 讠 讠 讠 谦 谦 谦 谦 谦 | | | | |

【解　释】虚心；不自高自大。
【组　词】谦虚　谦让　谦逊　谦恭
【造　句】谦逊——她待人谦逊有礼。
【辨　音】不读 jiān。
【同音字】千（千方百计）
【形近字】赚（赚钱）
【成　语】谦谦君子
【反义词】谦虚/骄傲

Q

【近义词】谦虚/虚心
【谚　语】谦受益，满招损｜谦虚的人常思己过，骄傲的人只论人非。
【英　语】谦虚　modest　[ˈmɔdist]

| qiān | 笔画 | 部首 | 结构 | 五笔 | 造字法 |
|---|---|---|---|---|---|
| 签 | 13 | ⺮ | 上下 | TWGI | 形声 |
| 笔顺 | ノ 𠂉 ⺮ ⺮ 竺 笁 笅 笅 笒 笒 笒 签 签 | | | | |

【解　释】❶亲自写上姓名或画上记号。❷简要地写出要点。❸用竹木等物做成的细棍或片状物。❹作标志用的纸片。❺刻有文字、符号的竹片。
【组　词】签名　标签　书签　牙签　签注　签字
【辨　音】不读 qiàn 或 jiàn。
【同音字】牵（牵手）
【形近字】鉴（鉴别）
【近义词】签字/签名
【英　语】签字　sign　[sain]

| qián | 笔画 | 部首 | 结构 | 五笔 | 造字法 |
|---|---|---|---|---|---|
| 前 | 9 | 丷 | 上下 | UEJJ | 会意 |
| 笔顺 | 丶 丷 䒑 广 前 前 前 前 前 | | | | |

【解　释】❶表示方位（跟“后”相对）。❷往前行进。❸过去的；较早的（跟“后”相对）。❹次序靠近头里的（跟“后”相对）。
【组　词】前进　从前　前辈　前景
【造　句】前夕——香港回归前夕，我们班绣了一面紫荆花旗表示庆祝。
【辨　音】韵母是 ian，不是 iang。
【同音字】钱（金钱）
【形近字】箭（射箭）
【成　语】前车之鉴　前仆后继　前功尽弃　前俯后仰　前因后果
【反义词】前进/后退
【近义词】前途/前程
【歇后语】前头虎后头狼——进退两难。
【谚　语】前怕狼，后怕虎。
【英　语】前程　future　[ˈfjuːtʃə]

| qián | 笔画 | 部首 | 结构 | 五笔 | 造字法 |
|---|---|---|---|---|---|
| 钱 | 10 | 钅 | 左右 | QGT | 形声 |
| 笔顺 | ノ 𠂉 𠂉 𠂉 钅 钅 钅 钱 钱 钱 | | | | |

【解　释】❶货币。❷费用；款项。❸财物。❹圆形像铜钱的东西。❺旧指重量单位。❻姓。
【组　词】铜钱　钱币　饭钱　价钱
【造　句】本钱——他做这笔生意连本钱都赔了。
【同音字】前（前进）
【形近字】浅（肤浅）　贱（卑贱）
【谚　语】钱财如粪土，仁义值千金。
【英　语】钱包　wallet　[ˈwɔlit]

| qián | 笔画 | 部首 | 结构 | 五笔 | 造字法 |
|---|---|---|---|---|---|
| 钳 | 10 | 钅 | 左右 | QAFG | 形声 |
| 笔顺 | ノ 𠂉 𠂉 𠂉 钅 钅 钅 钳 钳 钳 | | | | |

【解　释】❶用东西夹住。❷夹住或夹断东西的工具。❸约束；限制。
【组　词】钳子　钳制　钳口　焊钳
【造　句】钳子——小弟弟用钳子将墙上的钉子拔了下来。
【同音字】潜（潜力）
【形近字】甜（香甜）
【近义词】钳制/限制

【英　语】钳子 pincers [ˈpinsəz]

| qián | 笔画 | 部首 | 结构 | 五笔 | 造字法 |
|---|---|---|---|---|---|
| 潜 | 15 | 氵 | 左右 | IFWJ | 形声 |
| 笔顺 | 丶 丶 氵 氵 汁 沣 涉 涉 涉 涉 洪 涔 潜 潜 潜 | | | | |

【解　释】❶隐没在水下面。❷隐藏;不露在表面。❸秘密地。

【组　词】潜水　潜入　潜在　潜心　潜藏　潜伏　潜力　潜艇

【造　句】潜力——老师说我很有潜力,但要加紧学习才能挖掘出来。

【辨　音】不读 qiǎn。

【同音字】前(前言)

【形近字】替(更替)

【成　语】潜移默化

【反义词】潜伏/暴露

【近义词】潜能/潜力

【英　语】潜艇 submarine [sʌbməˈriːn]

| qiǎn | 笔画 | 部首 | 结构 | 五笔 | 造字法 |
|---|---|---|---|---|---|
| 浅 | 8 | 氵 | 左右 | IGT | 形声 |
| 笔顺 | 丶 丶 氵 氵 泞 浅 浅 浅 | | | | |

【解　释】❶从表面到底或从外面到里面的距离小(跟“深”相对)。❷程度不深,简单易懂。❸不久;时间短。❹颜色淡。

【组　词】肤浅　清浅　深浅　浅见

【造　句】浅显易懂——这篇文章的内容浅显易懂。

【同音字】谴(谴责)

【形近字】钱(钱财)　线(毛线)

【成　语】才疏学浅

【反义词】浅显/深奥

【近义词】浅色/淡色

【谚　语】浅水养不住大鱼。

【英　语】肤浅 shallow [ˈʃæləu]

| qiǎn | 笔画 | 部首 | 结构 | 五笔 | 造字法 |
|---|---|---|---|---|---|
| 遣 | 13 | 辶 | 半包围 | KHGP | 形声 |
| 笔顺 | 丶 冖 口 中 虫 串 冉 冉 青 貴 貴 谴 遣 | | | | |

【解　释】❶委派;差。❷排解;消磨。

【组　词】差遣　派遣　遣送　消遣

【造　句】消遣——伺弄花草是他的业余消遣。

【辨　音】不读 yí。

【同音字】浅(浅见)

【形近字】遗(遗留)

【成　语】调兵遣将

【英　语】遣散 disband [disˈbænd]

| qiǎn | 笔画 | 部首 | 结构 | 五笔 | 造字法 |
|---|---|---|---|---|---|
| 谴 | 15 | 讠 | 左右 | YKHP | 形声 |
| 笔顺 | 丶 讠 讠 讠 讠 讠 讠 讠 讠 讠 讠 讠 谴 谴 谴 | | | | |

【解　释】责备;斥责。

【组　词】谴责

【造　句】谴责——恐怖分子的恶行遭到全世界人民的谴责。

【同音字】浅(浅陋)

【形近字】遣(遣送)

【近义词】谴责/责备

【英　语】谴责 condemn [kənˈdem]

| qiàn | 笔画 | 部首 | 结构 | 五笔 | 造字法 |
|---|---|---|---|---|---|
| 欠 | 4 | 欠 | 独体 | QWU | 会意 |
| 笔顺 | ノ 𠂊 𠂊 欠 | | | | |

【解　释】❶借别人的财物没还。

❷缺少；不够。❸身体稍微向上移动。❹疲惫时张口出气。

甲骨文 金文 小篆 隶书 楷书

【字源释义】“欠”的本义指打呵欠。甲骨文的字形像一个跪坐着的人，张着嘴巴正在打呵欠。后来引申为“亏欠”、“缺少”义。

【组　词】欠债　欠账　欠缺　欠妥　亏欠　拖欠　赊欠　欠佳　呵欠

【造　句】欠妥——这个词语用在这里欠妥。

【同音字】歉(道歉)

【形近字】久(长久)　文(文学)

【近义词】欠缺/短缺　欠/缺

【英　语】欠债　owe a debt [əu ə det]

| qiàn | 笔画 | 部首 | 结构 | 五笔 | 造字法 |
|---|---|---|---|---|---|
| 纤 | 6 | 纟 | 左右 | XTFH | 形声 |
| 笔顺 | ㄥ 纟 纟 纤 纤 纤 | | | | |

【解　释】❶拉船的绳子。❷拉纤的。

【组　词】纤夫　拉纤　纤手

【造　句】纤夫——纤夫的工作很辛苦。

【同音字】歉(道歉)

【英　语】纤夫　boat tracker [bəut 'trækə]

【多音字】xiān(见768页)

| qiàn | 笔画 | 部首 | 结构 | 五笔 | 造字法 |
|---|---|---|---|---|---|
| 倩 | 10 | 亻 | 左右 | WGEG | 形声 |
| 笔顺 | 丿 亻 亻 仁 仨 倩 倩 倩 倩 倩 | | | | |

【解　释】❶美丽。❷请(别人代替自己做事)。

【组　词】倩影　倩装　倩人执笔

【造　句】倩影——他望着夕阳下她那美丽的倩影，会心地笑了。

【同音字】欠(欠钱)

【形近字】情(情绪)

| qiàn | 笔画 | 部首 | 结构 | 五笔 | 造字法 |
|---|---|---|---|---|---|
| 嵌 | 12 | 山 | 上下 | MAFW | 形声 |
| 笔顺 | 丨 山 山 屮 岂 岢 岢 岢 嵌 嵌 嵌 嵌 | | | | |

【解　释】把较小的物体卡在空隙里。

【组　词】镶嵌　嵌花　嵌边　嵌入

【造　句】镶嵌——她那件衣服上镶嵌的几朵小花真漂亮。

【辨　音】不读 qián。

【同音字】纤(纤夫)　欠(欠账)

【形近字】崩(崩裂)

| qiàn | 笔画 | 部首 | 结构 | 五笔 | 造字法 |
|---|---|---|---|---|---|
| 歉 | 14 | 欠 | 左右 | UVOW | 形声 |
| 笔顺 | 丶 丷 丷 兰 当 当 兼 兼 兼 兼 兼 歉 歉 歉 | | | | |

【解　释】❶感觉对不住人。❷庄稼收成不好。

【组　词】歉收　歉年　歉意　抱歉

【造　句】道歉——做错事情应主动道歉。
【同音字】欠(欠缺)
【形近字】赚(赚钱)　谦(谦虚)
【反义词】歉收/丰收
【近义词】歉疚/愧疚
【英　语】歉意　apology [ə'pɔlədʒi]

## QIANG ㄑㄧㄤ

| qiāng | 笔画 | 部首 | 结构 | 五笔 | 造字法 |
|---|---|---|---|---|---|
| 抢 | 7 | 扌 | 左右 | RWBN | 形声 |
| 笔顺 | 一 扌 才 扌 扌 抡 抢 | | | | |

【解　释】碰;撞。
【组　词】呼天抢地
【造　句】呼天抢地——外婆去世的那天,妈妈哭得呼天抢地。
【同音字】枪(手枪)
【成　语】呼天抢地
【英　语】抢　touch [tʌtʃ]
【多音字】qiǎng(见 578 页)

| qiāng | 笔画 | 部首 | 结构 | 五笔 | 造字法 |
|---|---|---|---|---|---|
| 呛 | 7 | 口 | 左右 | KWBN | 形声 |
| 笔顺 | 丨 口 口 口 吖 呛 呛 | | | | |

【解　释】水或食物误进入气管引起不适或咳嗽。
【同音字】枪(水枪)
【多音字】qiàng(见 578 页)

| qiāng | 笔画 | 部首 | 结构 | 五笔 | 造字法 |
|---|---|---|---|---|---|
| 枪 | 8 | 木 | 左右 | SWBN | 形声 |
| 笔顺 | 一 十 才 木 木 杪 枪 枪 | | | | |

【解　释】❶长柄上装有金属尖头用来刺击的旧式兵器。❷性能或形状类似枪的器具。❸发出子弹的武器。
【组　词】长枪　水枪　手枪　枪杀
【辨　音】不读 qiǎng。
【同音字】腔(口腔)
【形近字】抢(抢购)
【成　语】枪林弹雨
【谚　语】枪打出头鸟。
【英　语】枪　gun [gʌn]

| qiāng | 笔画 | 部首 | 结构 | 五笔 | 造字法 |
|---|---|---|---|---|---|
| 腔 | 12 | 月 | 左右 | EPWA | 会意 |
| 笔顺 | 丿 月 月 月 肸 肸 肸 腔 腔 腔 腔 腔 | | | | |

【解　释】❶动物身体内部空的部分。❷器物中的空处。❸歌曲的调子。❹说话的声音。
【组　词】口腔　胸腔　炉腔　唱腔
【造　句】腔调——他说话的腔调让人听了很不舒服。
【辨　音】不读 kōng。
【同音字】枪(手枪)
【形近字】膛(胸膛)
【成　语】南腔北调
【英　语】腔调　tune [tjuːn]

| qiāng | 笔画 | 部首 | 结构 | 五笔 | 造字法 |
|---|---|---|---|---|---|
| 锵 | 14 | 钅 | 左右 | QUQF | 形声 |
| 笔顺 | 丿 𠂉 𠂉 牟 钅 钅 钅 钔 钋 钋 锵 锵 锵 锵 | | | | |

【解　释】象声词。形容金属或玉石撞击的声音。
【同音字】腔(腔调)

Q

| qiáng | 笔画 | 部首 | 结构 | 五笔 | 造字法 |
|---|---|---|---|---|---|
| 强 | 12 | 弓 | 左右 | XKJY | 形声 |
| 笔顺 | 乛 乛 弓 弓 弓 弓 弓 弘 弘 弜 弜 强 强 | | | | |

【解　释】❶力量大(跟"弱"相对)。❷好过;优越。❸使用强力或硬拼。❹形容程度高。❺使强大或强壮。❻有余;表示略多。❼姓。

【组　词】强健　强盛　坚强　强壮

【造　句】强健——由于每天坚持锻炼,他感觉身体比去年强健多了。

【同音字】墙(墙壁)

【成　语】强弩之末　强干弱枝

【英　语】强调　stress [stres]

【多音字】jiàng(见 344 页)

【多音字】qiǎng(见 578 页)

| qiáng | 笔画 | 部首 | 结构 | 五笔 | 造字法 |
|---|---|---|---|---|---|
| 墙 | 14 | 土 | 左右 | FFUK | 形声 |
| 笔顺 | 一 十 土 圵 圵 坩 坩 埢 埣 墙 墙 墙 墙 墙 | | | | |

【解　释】用土、砖、石等砌成的承架屋顶或作间隔用的建筑物。

【组　词】墙壁　围墙　城墙　墙角

【造　句】墙壁——我们班的墙壁上挂满了奖状。

【同音字】强(强壮)

【形近字】樯(帆樯)

【谚　语】墙里开花墙外香。

【英　语】墙　wall [wɔːl]

| qiǎng | 笔画 | 部首 | 结构 | 五笔 | 造字法 |
|---|---|---|---|---|---|
| 抢 | 7 | 扌 | 左右 | RWBN | 形声 |
| 笔顺 | 一 丨 扌 扌 抡 抢 抢 | | | | |

【解　释】❶用强力争夺;硬拿。❷赶快。❸争先。❹刮或擦去物体表面一层。

【组　词】抢夺　抢劫　抢球　抢先

【造　句】抢险——村长号召全村人去江堤上抢险。

【同音字】强(强迫)

【形近字】抡(抡起)

【近义词】抢救/急救　抢劫/打劫

【英　语】抢劫　rob [rɔb]

【多音字】qiāng(见 577 页)

| qiǎng | 笔画 | 部首 | 结构 | 五笔 | 造字法 |
|---|---|---|---|---|---|
| 强 | 12 | 弓 | 左右 | XKJY | 形声 |
| 笔顺 | 乛 乛 弓 弓 弓 弓 弓 弘 弘 弜 弜 强 强 | | | | |

【解　释】硬要;迫使。

【组　词】勉强

【造　句】勉强——有些事情是不能勉强的。

【同音字】抢(抢夺)

【成　语】强词夺理　强人所难

【英　语】强迫　force [fɔːs]

【多音字】jiàng(见 344 页)

【多音字】qiáng(见 578 页)

| qiàng | 笔画 | 部首 | 结构 | 五笔 | 造字法 |
|---|---|---|---|---|---|
| 呛 | 7 | 口 | 左右 | KWBN | 形声 |
| 笔顺 | 丨 口 口 叺 吟 呛 呛 | | | | |

【解　释】有刺激性的气体进入呼吸器官而引起难受的感觉。

【多音字】qiāng(见 577 页)

Q

# QIAO ㄑㄧㄠ

| qiāo | 笔画 | 部首 | 结构 | 五笔 | 造字法 |
|---|---|---|---|---|---|
| 悄 | 10 | 忄 | 左右 | NIEG | 形声 |
| 笔顺 | 丶 丶丶 忄 忄丨 忄⺌ 忄⺌ 忄⺌ 悄 悄 悄 | | | | |

【解　释】形容寂静或声音很低。
【组　词】悄悄　静悄悄
【造　句】静悄悄——夜深了，院子里静悄悄的，小明还在灯下看书。
【同音字】敲（敲门）
【英　语】静悄悄　quietly ['kwaiətli]
【多音字】qiǎo（见581页）

| qiāo | 笔画 | 部首 | 结构 | 五笔 | 造字法 |
|---|---|---|---|---|---|
| 雀 | 11 | 小 | 上下 | IWYF | 会意 |
| 笔顺 | 丨 丨丶 小 少 少 少 少 雀 雀 雀 雀 | | | | |

【解　释】雀子，脸上的黑斑。也叫雀（què）斑。
【同音字】敲（敲响）
【多音字】qiǎo（见581页）
【多音字】què（见600页）

| qiāo | 笔画 | 部首 | 结构 | 五笔 | 造字法 |
|---|---|---|---|---|---|
| 跷 | 13 | 𧾷 | 左右 | KHAQ | 形声 |
| 笔顺 | 丨 口 口 早 早 𧾷 𧾷 𧾷 跌 跌 跷 跷 跷 | | | | |

【解　释】❶向上抬脚。❷竖起。❸高跷，一种民间舞蹈，表演者踩着有踏脚装置的木棍边走边舞或边唱。
【组　词】跷腿　跷脚　跷跷板　蹊跷
【造　句】跷腿——妹妹坐的时候喜欢跷腿，妈妈总说她这个习惯不好。
【同音字】锹（铁锹）
【形近字】晓（拂晓）　侥（侥幸）
【近义词】蹊跷/奇怪
【歇后语】坐跷跷板——争个你高我低。
【英　语】跷跷板　seesaw ['siːsɔː]

| qiāo | 笔画 | 部首 | 结构 | 五笔 | 造字法 |
|---|---|---|---|---|---|
| 锹 | 14 | 钅 | 左右 | QTOY | 形声 |
| 笔顺 | 丿 𠂉 𠂉 𠂉 钅 钅 钅 钅 钅 钅 钅 钅 锹 锹 | | | | |

【解　释】挖土或铲东西的器具。
【组　词】铁锹
【造　句】铁锹——我用这把铁锹种了好多棵树。
【同音字】敲（敲击）
【英　语】铁锹　spade [speid]

| qiāo | 笔画 | 部首 | 结构 | 五笔 | 造字法 |
|---|---|---|---|---|---|
| 敲 | 14 | 攴 | 左右 | YMKC | 形声 |
| 笔顺 | 丶 亠 六 亠 亠 亨 高 高 高 高 高 高 敲 敲 | | | | |

【解　释】❶打；击。❷通过恐吓榨取财物或索要高价。
【组　词】敲门　敲定　敲击　敲诈
【造　句】敲诈——北洋军阀的敲诈勒索终于激起各地民众的反抗。
【同音字】锹（铁锹）
【歇后语】鸣锣开场——敲边鼓。
【英　语】敲　knock [nɔk]

Q

| qiáo | 笔画 | 部首 | 结构 | 五笔 | 造字法 |
|---|---|---|---|---|---|
| 乔 | 6 | 丿 | 上下 | TDJJ | 形声 |
| 笔顺 | 一 二 チ 夭 乔 乔 | | | | |

【解　释】❶高。❷假装。❸姓。
【组　词】乔木　乔迁
【造　句】乔迁——周末我们全家去舅舅家,祝贺他乔迁之喜。
【同音字】瞧(瞧见)
【形近字】齐(齐全)
【英　语】乔装　dress up [dres ʌp]

| qiáo | 笔画 | 部首 | 结构 | 五笔 | 造字法 |
|---|---|---|---|---|---|
| 侨 | 8 | 亻 | 左右 | WTDJ | 形声 |
| 笔顺 | 丿 亻 亻 仁 仸 侨 侨 侨 | | | | |

【解　释】❶住在国外。❷居住在国外的人。
【组　词】侨胞　华侨　侨居　侨寓
【造　句】侨胞——我国法律规定,要保护侨胞的合法权益。
【同音字】乔(乔木)
【形近字】桥(桥梁)
【英　语】侨居　live abroad [liv əˈbrɔːd]

| qiáo | 笔画 | 部首 | 结构 | 五笔 | 造字法 |
|---|---|---|---|---|---|
| 荞 | 9 | 艹 | 上下 | ATDJ | 形声 |
| 笔顺 | 一 十 艹 艹 芏 芓 茓 荞 荞 | | | | |

【解　释】[荞麦]一年生草本植物,茎紫红色,叶子三角形,开小白花。籽实黑色,磨成面粉供食用。
【英　语】荞麦　buckwheat [ˈbʌkwiːt]

| qiáo | 笔画 | 部首 | 结构 | 五笔 | 造字法 |
|---|---|---|---|---|---|
| 桥 | 10 | 木 | 左右 | STDJ | 形声 |
| 笔顺 | 一 十 才 木 木 杧 杧 桥 桥 桥 | | | | |

【解　释】❶桥梁,架在水上或山上可以通行的建筑物。❷姓。
【组　词】天桥　拱桥　石桥　桥孔
【造　句】桥梁——共产党员是党联系群众的桥梁和纽带。
【同音字】乔(乔木)
【形近字】侨(侨居)
【成　语】过河拆桥
【歇后语】河心桥墩——稳得很。
【英　语】桥　bridge [bridʒ]

| qiáo | 笔画 | 部首 | 结构 | 五笔 | 造字法 |
|---|---|---|---|---|---|
| 翘 | 12 | 羽 | 半包围 | 翘 | 形声 |
| 笔顺 | 一 七 尢 尧 尧 尧 尧 翘 翘 翘 翘 翘 | | | | |

【解　释】❶抬头。❷平的板状物由湿变干后变得不平。
【组　词】翘企　翘首　翘望
【造　句】翘首——人们在机场翘首企盼奥运健儿们归来。
【同音字】桥(桥洞)
【形近字】翅(翅膀)
【成　语】翘首企足
【多音字】qiào(见582页)

| qiáo | 笔画 | 部首 | 结构 | 五笔 | 造字法 |
|---|---|---|---|---|---|
| 憔 | 15 | 忄 | 左右 | NWYO | 形声 |
| 笔顺 | 丶 丷 忄 忄 忄 忄 忙 忙 忙 忙 憔 憔 憔 憔 憔 | | | | |

【解　释】[憔悴]黄瘦困顿,面色不好看。也比喻衰败。

【组　词】憔悴
【造　句】憔悴——他生病很久了，看上去十分憔悴。
【同音字】乔（乔迁）
【英　语】憔悴 haggard [ˈhæɡəd]

| qiáo | 笔画 | 部首 | 结构 | 五笔 | 造字法 |
|---|---|---|---|---|---|
| 瞧 | 17 | 目 | 左右 | HWYO | 形声 |
| 笔顺 | 丨 冂 月 月 目 目' 目' 目' 目' 目' 目' 目' 目' 目' 目' 瞧 瞧 | | | | |

【解　释】看。
【组　词】瞧见　瞧不起　瞧一瞧
【造　句】瞧见——我瞧见他时，他正在遛狗。
【辨　音】不读 jiāo。
【同音字】桥（石桥）
【形近字】礁（暗礁）
【近义词】瞧见/看见
【英　语】瞧 look [luk]

| qiǎo | 笔画 | 部首 | 结构 | 五笔 | 造字法 |
|---|---|---|---|---|---|
| 巧 | 5 | 工 | 左右 | AGNN | 形声 |
| 笔顺 | 一 丅 工 工 巧 | | | | |

【解　释】❶高超的技术、技艺。❷灵活；敏捷。❸虚浮不实；虚假。❹刚好；恰好。
【组　词】技巧　巧辩　凑巧　乖巧
【造　句】花言巧语——我们不能被敌人的花言巧语所迷惑。
【同音字】悄（悄然落泪）
【形近字】功（功劳）
【成　语】巧夺天工　心灵手巧
【反义词】灵巧/笨拙
【谚　语】巧从熟中生，天才是苦功。
【英　语】巧克力 chocolate [ˈtʃɔklit]

| qiǎo | 笔画 | 部首 | 结构 | 五笔 | 造字法 |
|---|---|---|---|---|---|
| 悄 | 10 | 忄 | 左右 | NIEG | 形声 |
| 笔顺 | 丶 丶 忄 忄 忄 忄 忄 悄 悄 悄 | | | | |

【解　释】❶忧愁的样子。❷没有声音或声音很低。
【组　词】悄寂　悄声　悄悄　悄然
【造　句】悄然——她们俩对视着，悄然无声。
【同音字】巧（巧合）
【形近字】俏（俊俏）　消（消息）
【反义词】悄寂/喧闹
【近义词】悄寂/寂静
【英　语】悄然 sorrowful [ˈsɔrəuful]
【多音字】qiāo（见 579 页）

| qiǎo | 笔画 | 部首 | 结构 | 五笔 | 造字法 |
|---|---|---|---|---|---|
| 雀 | 11 | 小 | 上下 | IWYF | 会意 |
| 笔顺 | 丨 丿 小 少 少 少 雀 雀 雀 雀 雀 | | | | |

【解　释】同"雀（què）"，用于一些口语词。
【同音字】巧（巧合）
【多音字】qiāo（见 579 页）
【多音字】què（见 600 页）

| qiào | 笔画 | 部首 | 结构 | 五笔 | 造字法 |
|---|---|---|---|---|---|
| 壳 | 7 | 士 | 上中下 | FPMB | 会意 |
| 笔顺 | 一 十 士 士 声 壳 壳 | | | | |

【解　释】坚硬的外皮。
【组　词】地壳　甲壳
【同音字】窍（窍门）
【多音字】ké（见 399 页）

Q

| qiào | 笔画 | 部首 | 结构 | 五笔 | 造字法 |
|---|---|---|---|---|---|
| 俏 | 9 | 亻 | 左右 | WIEG | 形声 |
| 笔顺 | 丿 亻 亻' 亻'' 亻''' 亻⺌ 俏 俏 俏 | | | | |

【解　释】❶漂亮；相貌好看。❷货物的销路好。
【组　词】俏丽　俊俏　俏皮　走俏
【造　句】走俏——这种商品近年来一直很走俏。
【辨　音】不读 xiāo。
【同音字】峭（陡峭）
【形近字】销（销售）　消（消灭）
【反义词】俊俏/丑陋　难看
【英　语】俊俏　pretty　['priti]

| qiào | 笔画 | 部首 | 结构 | 五笔 | 造字法 |
|---|---|---|---|---|---|
| 峭 | 10 | 山 | 左右 | MIEG | 形声 |
| 笔顺 | 丨 山 山 山' 山'' 山⺌ 峭 峭 峭 峭 | | | | |

【解　释】❶山势陡。❷严峻；严厉。
【组　词】陡峭　峭壁　峭立　峻峭
【造　句】峭壁——看着四周的峭壁，真感叹大自然的鬼斧神工。
【辨　音】不读 xiāo。
【同音字】窍（诀窍）
【形近字】消（消失）　捎（捎信）
【成　语】悬崖峭壁
【近义词】峻峭/陡峭
【英　语】峭壁　crag　[kræg]

| qiào | 笔画 | 部首 | 结构 | 五笔 | 造字法 |
|---|---|---|---|---|---|
| 窍 | 10 | 穴 | 上下 | PWAN | 形声 |
| 笔顺 | 丶 宀 宀 穴 穴 穴 空 空 空 窍 | | | | |

【解　释】窟窿，比喻事情的关键。
【组　词】窍门　诀窍　开窍　七窍
【造　句】诀窍——做事情要抓住诀窍，不要盲目地去干。
【辨　音】不读 qiǎo。
【同音字】俏（俏皮）
【形近字】窃（盗窃）
【成　语】一窍不通
【近义词】窍门/诀窍
【英　语】诀窍　knack　[næk]

| qiào | 笔画 | 部首 | 结构 | 五笔 | 造字法 |
|---|---|---|---|---|---|
| 翘 | 12 | 羽 | 半包围 | ATGN | 形声 |
| 笔顺 | 一 十 土 土 尧 尧 尧 尧 翘 翘 翘 翘 | | | | |

【解　释】一边向上仰起。
【组　词】翘辫子　翘尾巴
【造　句】翘尾巴——我们不能刚取得这么一点成绩就翘尾巴。
【同音字】俏（俊俏）
【形近字】翅（鱼翅）
【多音字】qiáo（见 580 页）

## QIE　ㄑㄧㄝ

| qiē | 笔画 | 部首 | 结构 | 五笔 | 造字法 |
|---|---|---|---|---|---|
| 切 | 4 | 刀 | 左右 | AVN | 形声 |
| 笔顺 | 一 七 切 切 | | | | |

【解　释】❶用刀分割东西。❷几何学上直线、圆或平面等与圆、弧或球只有一个交点时叫做切。
【组　词】切断　切除　切开　切磋
【造　句】切磋——他经常与高段位棋手切磋棋艺。
【形近字】功（功绩）
【近义词】切磋/商榷

【英　语】切断　cut off ［kʌt ɔːf］
【多音字】qiè（见 583 页）

| qié | 笔画 | 部首 | 结构 | 五笔 | 造字法 |
|---|---|---|---|---|---|
| 茄 | 8 | 艹 | 上下 | ALKF | 形声 |
| 笔顺 | 一 十 艹 艹 芀 芀 茄 茄 | | | | |

【解　释】茄子，一年生草本植物，花紫色，果实球形或长圆形，是常见蔬菜。
【组　词】番茄　茄子
【形近字】加（加工）
【谚　语】茄子也让三分老。
【英　语】茄子　eggplant ［ˈegplɑːnt］
【多音字】jiā（见 327 页）

| qiě | 笔画 | 部首 | 结构 | 五笔 | 造字法 |
|---|---|---|---|---|---|
| 且 | 5 | 丨 | 独体 | EGD | 象形 |
| 笔顺 | 丨 冂 月 目 且 | | | | |

【解　释】❶连词。表示进一层的意思，相当于“又”。❷连词。相当于“尚”、“还”。❸暂时。❹表示两种动作同时进行。❺姓。

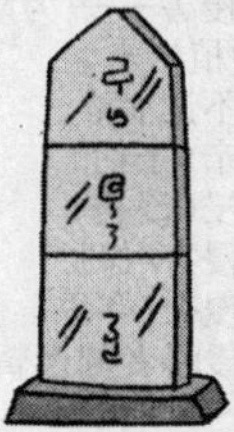

【字源释义】“且”是“祖”的本字。字形像一块祭祀死去祖先的牌位，义指祖先。后来假借为虚词，于是加“示”旁另造“祖”字，两字才有了分别。
【组　词】并且　而且　况且　姑且　且说　且慢　尚且　暂且　苟且
【造　句】且慢——且慢，我先问大家一个问题。
【形近字】目（掩人耳目）　旦（元旦）
【近义词】暂且/暂时
【谚　语】且存方寸地，留与子孙耕。

| qiè | 笔画 | 部首 | 结构 | 五笔 | 造字法 |
|---|---|---|---|---|---|
| 切 | 4 | 刀 | 左右 | AVN | 形声 |
| 笔顺 | 一 七 切 切 | | | | |

【解　释】❶符合；相合。❷亲近；接近。❸急迫。❹必须。❺两个物体相互摩擦。
【组　词】关切　确切　贴切　一切　切脉　切齿　切记
【造　句】贴切——小明在这句话中选用“坚持”一词，用得很贴切。
【同音字】怯（怯弱）
【成　语】切肤之痛
【英　语】切合　suit ［sjuːt］
【多音字】qiē（见 582 页）

| qiè | 笔画 | 部首 | 结构 | 五笔 | 造字法 |
|---|---|---|---|---|---|
| 怯 | 8 | 忄 | 左右 | NFCY | 形声 |
| 笔顺 | 丶 丷 忄 忄 忄 忄 怯 怯 | | | | |

【解　释】胆小；畏缩。
【组　词】胆怯　怯生　怯弱　怯懦　羞怯　畏怯　怯场
【辨　音】不读 què。

Q

【同音字】窃(窃笑)
【形近字】法(办法)
【反义词】怯弱/勇敢
【近义词】胆怯/胆小
【英　语】胆怯　timid [ˈtimid]

| qiè | 笔画 | 部首 | 结构 | 五笔 | 造字法 |
|---|---|---|---|---|---|
| 窃 | 9 | 穴 | 上下 | PWAV | 形声 |
| 笔顺 | [illegible] 宀 宀 穴 穴 穵 窃 窃 窃 | | | | |

【解　释】❶偷;盗。❷暗中;偷偷地。❸谦词。指自己。
【组　词】行窃　盗窃　偷窃　窃听
【造　句】窃窃私语——听说小红要休学,同学们开始窃窃私语。
【同音字】切(急切)
【形近字】窍(窍门)
【成　语】窃窃私语
【反义词】窃窃私语/高谈阔论
【近义词】行窃/偷窃
【谚　语】窃钩者诛,窃国者侯。
【英　语】窃　steal [stiːl]

## QIN　ㄑㄧㄣ

| qīn | 笔画 | 部首 | 结构 | 五笔 | 造字法 |
|---|---|---|---|---|---|
| 钦 | 9 | 钅 | 左右 | WYPC | 会意 |
| 笔顺 | ノ 𠂉 𠂉 乍 钅 钅 钅 钦 钦 | | | | |

【解　释】❶恭敬;敬重。❷指皇帝亲自做。
【组　词】钦佩　钦敬　钦仰　钦差
【造　句】钦佩——他的爱国精神值得钦佩。
【同音字】侵(侵略)
【英　语】钦佩　admire [ədˈmaiə]

| qīn | 笔画 | 部首 | 结构 | 五笔 | 造字法 |
|---|---|---|---|---|---|
| 侵 | 9 | 亻 | 左右 | WVPC | 会意 |
| 笔顺 | ノ 亻 亻 仴 仴 侵 侵 侵 侵 | | | | |

【解　释】❶夺取;进犯。❷接近;临近。

【字源释义】"侵"的本义是"渐进"。甲骨文的字形像一只手拿着扫帚在给牛扫土,表示逐渐的意思。后多引申为"进攻"、"侵犯"。
【组　词】侵占　侵犯　侵吞　侵害　侵蚀　侵略　侵扰　侵入
【造　句】侵害——为防止风沙侵害,应多种植树木。
【辨　音】不读 jìn。
【同音字】亲(亲切)
【形近字】浸(浸透)
【反义词】侵害/保护
【近义词】侵夺/夺取
【歇后语】侵略者的逻辑——得寸进尺。
【英　语】侵入　invade [inˈveid]

| qīn | 笔画 | 部首 | 结构 | 五笔 | 造字法 |
| --- | --- | --- | --- | --- | --- |
| 亲 | 9 | 立 | 上下 | USU | 形声 |
| 笔顺 | 丶 亠 亠 立 立 立 辛 辛 亲 | | | | |

【解　释】❶有血统或婚姻关系的亲属。❷特指父母。❸指新娘。❹关系密切,感情好。❺用嘴唇接触人或物,表示喜爱。❻亲自。
【组　词】亲戚　亲人　双亲　亲密　娶亲　亲眼　亲吻　乡亲　探亲　亲笔
【造　句】亲密——他们是一起创业的亲密战友。
【同音字】侵(侵占)
【形近字】妾(小妾)
【成　语】亲密无间　亲如手足
【反义词】亲近/疏远
【近义词】亲密/亲热
【歇后语】一张席子两人睡——亲密无间。
【谚　语】亲身下河知深浅,亲口尝梨知酸甜|亲不亲故乡人,美不美乡中水。
【多音字】qìng(见590页)

| qín | 笔画 | 部首 | 结构 | 五笔 | 造字法 |
| --- | --- | --- | --- | --- | --- |
| 芹 | 7 | 艹 | 上下 | ARJ | 形声 |
| 笔顺 | 一 十 艹 艹 芦 芦 芹 | | | | |

【解　释】芹菜,草本植物,叶柄肥大,是普通蔬菜。
【组　词】芹菜
【造　句】芹菜——多吃芹菜有助于预防血压高。
【同音字】秦(秦朝)
【形近字】芋(山芋)
【英　语】芹菜 celery [ˈseləri]

| qín | 笔画 | 部首 | 结构 | 五笔 | 造字法 |
| --- | --- | --- | --- | --- | --- |
| 秦 | 10 | 禾 | 上下 | DWTU | 会意 |
| 笔顺 | 一 二 三 声 夫 夫 春 春 秦 秦 | | | | |

【解　释】❶周代诸侯国名。❷朝代名。❸陕西省的别称。
【组　词】秦国　秦代　秦俑
【同音字】琴(钢琴)
【形近字】泰(泰山)
【成　语】秦晋之好
【歇后语】秦椒就酒——辣对辣。
【谚　语】秦椒无补,两头受苦。

| qín | 笔画 | 部首 | 结构 | 五笔 | 造字法 |
| --- | --- | --- | --- | --- | --- |
| 琴 | 12 | 王 | 上下 | GGWN | 形声 |
| 笔顺 | 一 二 Ŧ 王 王一 王二 王王 珏 珡 珡 琹 琴 | | | | |

【解　释】❶一种弦乐器。俗称古琴。❷某些乐器的统称。
【组　词】风琴　钢琴　口琴　琴师　琴弦　提琴　琴声
【造　句】对牛弹琴——给他讲这些道理,无异于对牛弹琴,他根本就听不懂。
【同音字】秦(秦朝)
【形近字】瑟(琴瑟)
【成　语】对牛弹琴
【英　语】琴弦 string [striŋ]

| qín | 笔画 | 部首 | 结构 | 五笔 | 造字法 |
| --- | --- | --- | --- | --- | --- |
| 禽 | 12 | 人 | 上下 | WYBC | 形声 |
| 笔顺 | 丿 人 𠆢 亼 今 今 含 貪 禽 禽 禽 禽 | | | | |

【解　释】❶鸟类的总称。❷鸟兽的

Q

总称。

甲骨文　金文　小篆　隶书　楷书

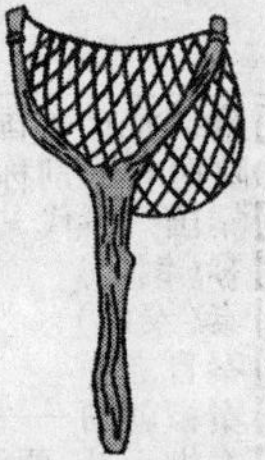

【字源释义】“禽”是“擒”的本字，本义是“捕捉”。甲骨文“禽”字像一把捕捉鸟类的长柄网具，是用来捕捉鸟雀的工具；金文再加上了声旁“今”。“禽”字后来指鸟类的总称，同时也泛指鸟兽。

【组　词】家禽　禽兽

【造　句】禽兽不如——日本侵略者奸淫掳掠，禽兽不如，犯下的滔天罪行是不容抵赖的。

【同音字】秦（秦朝）

【形近字】离（分离）

【成　语】飞禽走兽　禽兽不如

【歇后语】树林里起火——禽兽遭殃。

【谚　语】禽有禽言，兽有兽语。

【英　语】禽　birds [bəːdz]

| qín | 笔画 | 部首 | 结构 | 五笔 | 造字法 |
|---|---|---|---|---|---|
| 勤 | 13 | 力 | 左右 | AKGL | 形声 |
| 笔顺 | 一 十 廾 廿 廿 芇 苩 苩 堇 堇 堇 勤 勤 | | | | |

【解　释】❶尽力地做事；不偷懒（跟“惰”相对）。❷经常；次数多。❸在规定的时间上班工作。❹杂务工作。❺姓。

【组　词】勤奋　勤劳　勤快　勤苦　勤勉　勤务　勤俭　勤恳　辛勤　值勤

【造　句】勤俭节约——我们要养成勤俭节约的好习惯。

【同音字】禽（飞禽）

【形近字】谨（严谨）

【成　语】勤学苦练　勤能补拙

【谚　语】勤能补拙，俭能养廉。

【英　语】勤劳　diligent [di'lidʒənt]

| qín | 笔画 | 部首 | 结构 | 五笔 | 造字法 |
|---|---|---|---|---|---|
| 擒 | 15 | 扌 | 左右 | RWYC | 形声 |
| 笔顺 | 一 十 扌 扌 扑 扒 拎 拎 拎 捦 捦 捦 擒 擒 擒 | | | | |

【解　释】捉拿；捕捉。

【组　词】擒拿　擒获

【造　句】擒获——罪犯已被公安人员擒获。

【同音字】勤（勤劳）

【形近字】禽（飞禽）

【成　语】束手就擒　生擒活捉

【近义词】擒获/捕获

【谚　语】擒贼先擒王。

【英　语】擒拿　arrest [ə'rest]

| qǐn | 笔画 | 部首 | 结构 | 五笔 | 造字法 |
|---|---|---|---|---|---|
| 寝 | 13 | 宀 | 上下 | PUVC | 形声 |
| 笔顺 | 丶 丶 宀 宀 宀 宀 宀 宀 宀 宀 寖 寝 寝 | | | | |

【解　释】❶睡觉。❷卧室。❸帝王的坟墓。❹停止进行。

甲骨文 金文 小篆 隶书 楷书

【字源释义】“寝”的本义指休息或睡觉。甲骨文与金文的字形像在一间房屋里有一把扫帚，表示把屋子打扫干净好让人休息。

【组 词】寝室 就寝 陵寝

【造 句】就寝——我每晚10:30准时就寝。

【成 语】废寝忘食 寿终正寝

【辨 音】韵母是in，不是ing。

【近义词】就寝/睡觉

【英 语】寝室 bedroom [ˈbedruːm]

| qìn | 笔画 | 部首 | 结构 | 五笔 | 造字法 |
|---|---|---|---|---|---|
| 沁 | 7 | 氵 | 左右 | INY | 形声 |
| 笔顺 | 丶 冫 氵 氵 沁 沁 沁 | | | | |

【解 释】❶香味或水浸入；浸润。❷垂下头。❸透出。

【造 句】沁人心脾——走进花园，一阵花香沁人心脾。

【形近字】泌（分泌）

【成 语】沁人心脾

【英 语】沁人心脾 seep into the heart [siːp ˈintu ðə hɑːt]

## QING ㄑㄧㄥ

| qīng | 笔画 | 部首 | 结构 | 五笔 | 造字法 |
|---|---|---|---|---|---|
| 青 | 8 | 青 | 上下 | GEF | 会意 |
| 笔顺 | 一 二 キ 丰 丰 青 青 青 | | | | |

【解 释】❶颜色名，一般指绿色或蓝色。❷青草或未成熟的农作物。❸比喻年轻。❹指青年。

【组 词】青草 青史 青春 青山 青椒 青松

【造 句】青草——一眼望去，那碧绿的青草真惹人喜爱。

【同音字】轻（轻视） 清（清水）

【形近字】晴（晴朗）

【成 语】青天白日 青云直上 青黄不接 青出于蓝 青梅竹马

【反义词】青云直上/一落千丈

【近义词】青出于蓝/后来居上

【歇后语】青蛙走路——有蹦有跳。

【谚 语】青出于蓝而胜于蓝，冰生于水而寒于水｜青年饱经忧患，老来不畏风霜。

【英 语】青春 youth [juːθ]

| qīng | 笔画 | 部首 | 结构 | 五笔 | 造字法 |
|---|---|---|---|---|---|
| 轻 | 9 | 车 | 左右 | LCAG | 形声 |
| 笔顺 | 一 七 车 车 轩 轻 轻 轻 轻 | | | | |

【解 释】❶重量或比重小（跟“重”相对）。❷装备简单。❸数量少。❹程度浅。❺不重视。❻不庄重，随便。❼用力不猛。❽负担小，不感到吃力。

【组 词】轻装 年轻 轻伤 轻视 轻率 轻快

【造 句】轻快——放学后我迈着轻快的步子，哼着歌儿回家了。
【辨 音】韵母是 ing，不是 in。
【同音字】青（青翠）
【形近字】径（直径）
【成 语】轻而易举 轻举妄动 轻描淡写 轻于鸿毛
【谚 语】轻敌者必败｜轻浮之人，必多忽略；急遽之人，必期速效。
【英 语】轻便 light [lait]

| qīng | 笔画 | 部首 | 结构 | 五笔 | 造字法 |
|---|---|---|---|---|---|
| 倾 | 10 | 亻 | 左右 | WXDM | 形声 |
| 笔顺 | 丿 亻 亻 亻 亻 亻 亻 亻 倾 倾 | | | | |

【解 释】❶歪；斜。❷倒塌。❸偏向；倾向。❹倒出器物里面的东西。❺用尽；毫无保留。❻爱慕；钦佩。
【组 词】倾斜 倾向 倾倒 倾覆 倾诉 倾慕 倾注 倾谈 倾心 倾销 倾吐 倾盆大雨
【造 句】倾盆大雨——六月的天，孩子的脸，刚才还阳光普照，这会儿却倾盆大雨。
【辨 音】韵母是 ing，不是 in。
【同音字】轻（年轻） 蜻（蜻蜓）
【形近字】顷（顷刻）
【成 语】倾家荡产 倾国倾城 倾箱倒箧
【反义词】倾斜/端正
【近义词】倾慕/爱慕
【歇后语】倾巢的黄蜂——各散四方。
【英 语】倾销 dump [dʌmp]

| qīng | 笔画 | 部首 | 结构 | 五笔 | 造字法 |
|---|---|---|---|---|---|
| 清 | 11 | 氵 | 左右 | IGEG | 形声 |
| 笔顺 | 丶 冫 氵 氵 氵 氵 氵 氵 清 清 清 | | | | |

【解 释】❶纯净透明；无混杂物。❷安静。❸单纯。❹明白的。❺彻底清除。❻冷淡。❼除去不纯成分。❽点验。❾朝代名。
【组 词】清水 清静 清纯 清楚 清除 清唱 清仓 清晰
【造 句】清静——黄昏时分，校园里十分清静。
【同音字】青（青山）
【形近字】倩（倩影）
【成 语】清规戒律
【反义词】清澈/浑浊
【近义词】清贫/贫穷
【歇后语】清洁工遇垃圾——一扫光。
【谚 语】清官难断家务事｜清晨的阳光不算温暖，瞬息的安逸不算幸福。
【英 语】清澈 limpid ['limpid]

| qīng | 笔画 | 部首 | 结构 | 五笔 | 造字法 |
|---|---|---|---|---|---|
| 蜻 | 14 | 虫 | 左右 | JGEG | 形声 |
| 笔顺 | 丶 口 口 中 虫 虫 虫 虫 虫 虫 蜻 蜻 蜻 蜻 | | | | |

【解 释】[蜻蜓]一种昆虫，身体细长，胸部的背面有翅两对，薄且透明。生活在水边，常捕食蚊子等小虫，是益虫。
【组 词】蜻蜓
【同音字】清（清纯）
【形近字】精（精神）

【成　语】蜻蜓点水
【反义词】蜻蜓点水/脚踏实地
【谚　语】蜻蜓飞得高，明日似火烧|蜻蜓飞在房檐，有雨下在眼前。
【英　语】蜻蜓 dragonfly [ˈdrægənflai]

| qíng | 笔画 | 部首 | 结构 | 五笔 | 造字法 |
| --- | --- | --- | --- | --- | --- |
| 情 | 11 | 忄 | 左右 | NGEG | 形声 |
| 笔顺 | 丶 丷 忄 忄一 忄二 忄丰 情 情 情 情 情 | | | | |

【解　释】❶感情。❷情面；情分。❸爱情。❹状况。
【组　词】激情　豪情　求情　人情　情歌　病情　情谊　柔情　情商
【造　句】情同手足——他俩同学三年，如今情同手足。
【辨　音】不读 qīng。
【同音字】晴(晴天)
【形近字】倩(倩影)
【成　语】情不自禁　情同手足　情投意合　情有可原
【反义词】情不自禁/无动于衷
【谚　语】情深恭敬少，知己笑谈多|情极百病生，情舒百病除。
【英　语】情报 information [ˌinfəˈmeiʃn]

| qíng | 笔画 | 部首 | 结构 | 五笔 | 造字法 |
| --- | --- | --- | --- | --- | --- |
| 晴 | 12 | 日 | 左右 | JGEG | 形声 |
| 笔顺 | 丨 冂 月 日 日一 日二 日丰 晴 晴 晴 晴 晴 | | | | |

【解　释】天空无云或云彩很少。
【组　词】晴空　晴天　晴朗
【造　句】晴空万里——今天太阳高照，晴空万里，正是出外游玩的好日子。
【同音字】轻(轻重)
【形近字】睛(眼睛)　情(感情)
【成　语】晴天霹雳　晴空万里
【反义词】晴/阴　晴朗/阴沉
【谚　语】晴带雨伞，饱带干粮。
【英　语】晴朗 sunny [ˈsʌni]

| qǐng | 笔画 | 部首 | 结构 | 五笔 | 造字法 |
| --- | --- | --- | --- | --- | --- |
| 顷 | 8 | 页 | 左右 | XDMY | 会意 |
| 笔顺 | 一 匕 匕一 匕丆 匕丆 顷 顷 顷 | | | | |

【解　释】❶量词。田地面积的单位。❷短时间；一会儿。❸刚才；刚刚。
【组　词】顷刻　少顷　公顷　俄顷　市顷
【造　句】顷刻——狂风过后，顷刻间大雨瓢泼。
【同音字】请(请进)
【形近字】顾(顾及)
【近义词】少顷/顷刻
【英　语】公顷 hectare [ˈhektɑː]

| qǐng | 笔画 | 部首 | 结构 | 五笔 | 造字法 |
| --- | --- | --- | --- | --- | --- |
| 请 | 10 | 讠 | 左右 | YGEG | 形声 |
| 笔顺 | 丶 讠 讠一 讠二 讠丰 请 请 请 请 请 | | | | |

【解　释】❶要求对方做某事时的礼貌用语。❷邀约。❸有礼貌地提出要求。
【组　词】请求　请假　请示　邀请　请安　申请　聘请　宴请
【造　句】邀请——我们邀请校长参加我们班元旦晚会。
【同音字】顷(顷刻)

Q

【形近字】清(清水)
【成　语】负荆请罪　请君入瓮
【近义词】请安/问安
【谚　语】请将不如激将。
【英　语】请求　request [ri'kwest]

| qìng | 笔画 | 部首 | 结构 | 五笔 | 造字法 |
|---|---|---|---|---|---|
| 庆 | 6 | 广 | 半包围 | YDI | 会意 |
| 笔顺 | 丶 亠 广 庀 庂 庆 | | | | |

【解　释】❶为喜事而祝贺。❷可庆祝的日子。❸幸福;吉祥。❹姓。
【组　词】庆祝　国庆　校庆　吉庆　喜庆
【造　句】普天同庆——香港回归祖国之夜,普天同庆,整个神州大地都欢腾起来。
【同音字】亲(亲家)
【形近字】庄(庄稼)
【成　语】普天同庆
【反义词】庆祝/哀悼
【近义词】庆/祝
【英　语】庆祝　celebrate ['selibreit]

| qìng | 笔画 | 部首 | 结构 | 五笔 | 造字法 |
|---|---|---|---|---|---|
| 亲 | 9 | 立 | 上下 | USU | 形声 |
| 笔顺 | 丶 亠 亣 亣 立 立 辛 辛 亲 | | | | |

【解　释】亲家,夫妻双方的父母间相互的称呼。
【组　词】亲家
【同音字】庆(庆祝)
【多音字】qīn(见585页)

## QIONG　ㄑㄩㄥ

| qióng | 笔画 | 部首 | 结构 | 五笔 | 造字法 |
|---|---|---|---|---|---|
| 穷 | 7 | 穴 | 上下 | PWLB | 形声 |
| 笔顺 | 丶 丷 宀 穴 穴 穹 穷 | | | | |

【解　释】❶贫困;没有物质财富。❷完;尽。❸极端;达到极点。❹彻底。
【组　词】贫穷　穷酸　穷苦
【造　句】贫穷——家境的贫穷使他不得不退学。
【同音字】琼(琼崖)
【形近字】穹(天穹)
【成　语】其乐无穷　无穷无尽　穷山恶水　层出不穷　穷年累月
【反义词】贫穷/富裕
【近义词】贫穷/穷苦
【歇后语】穷木匠开张——空有一句(锯)。
【谚　语】穷家难舍,热土难离|穷当益坚,老当益壮。
【英　语】贫穷　poor [puə]

| qióng | 笔画 | 部首 | 结构 | 五笔 | 造字法 |
|---|---|---|---|---|---|
| 琼 | 12 | 王 | 左右 | GYIY | 形声 |
| 笔顺 | 一 二 干 王 王 玗 玗 玗 玗 琼 琼 琼 | | | | |

【解　释】❶美玉。❷泛指精美的好东西。
【造　句】玉液琼浆——传说中的仙人都饮着玉液琼浆。
【同音字】穷(穷苦)
【形近字】凉(凉快)
【成　语】琼楼玉宇　玉液琼浆

# QIU ㄑㄧㄡ

| qiū | 笔画 | 部首 | 结构 | 五笔 | 造字法 |
|---|---|---|---|---|---|
| 丘 | 5 | 丿 | 独体 | RGD | 象形 |
| 笔顺 | ′ 𠂆 𠂇 斤 丘 | | | | |

【解　释】❶小土堆;土坡。❷量词。❸坟墓。❹姓。

甲骨文　金文　小篆　隶书　楷书

【字源释义】"丘"字为象形字。本义是小土山。甲骨文的字形很像地平面上突出的两座小山的样子;金文和小篆逐渐有了变化,到隶书以后就失去了本来的面目。
【组　词】土丘　丘陵　荒丘　沙丘　山丘
【造　句】荒丘——我们经常到村外那片荒丘上玩耍。
【同音字】蚯(蚯蚓)
【形近字】兵(骑兵)
【成　语】一丘之貉
【英　语】丘陵　hill　[hil]

| qiū | 笔画 | 部首 | 结构 | 五笔 | 造字法 |
|---|---|---|---|---|---|
| 邱 | 7 | 阝 | 左右 | RGBH | 形声 |
| 笔顺 | ′ 𠂆 𠂇 斤 丘 丘⁷ 邱 | | | | |

【解　释】姓。
【同音字】秋(秋天)
【形近字】蚯(蚯蚓)

| qiū | 笔画 | 部首 | 结构 | 五笔 | 造字法 |
|---|---|---|---|---|---|
| 龟 | 7 | ⺈ | 上下 | QJNB | 象形 |
| 笔顺 | ノ ⺈ 𠂊 鱼 龟 龟 龟 | | | | |

【解　释】龟兹(cí),古代西域国名,在今新疆库车一带。
【同音字】秋(秋季)
【多音字】guī(见263页)
【多音字】jūn(见388页)

| qiū | 笔画 | 部首 | 结构 | 五笔 | 造字法 |
|---|---|---|---|---|---|
| 秋 | 9 | 禾 | 左右 | TOY | 会意 |
| 笔顺 | ′ 二 千 禾 禾 禾 禾′ 秒 秋 | | | | |

【解　释】❶一年中的第三季。❷庄稼成熟的时节。❸指一年的时间。❹指某个时期。
【组　词】秋天　秋季　立秋　秋风
【同音字】丘(沙丘)
【形近字】种(种植)
【成　语】平分秋色　秋高气爽　秋毫无犯
【近义词】秋景/秋色
【歇后语】秋后的南瓜——皮老心不老。
【谚　语】秋风扫落叶|秋分早,霜降迟,寒露种麦正当时。
【英　语】秋季　autumn　[ˈɔːtəm]

| qiū | 笔画 | 部首 | 结构 | 五笔 | 造字法 |
|---|---|---|---|---|---|
| 蚯 | 11 | 虫 | 左右 | JRGG | 形声 |
| 笔顺 | 丶 口 口 中 虫 虫 虫′ 虾 虾 虾 蚯 | | | | |

【解　释】[蚯蚓]一种环节动物,身体柔软,圆而长,环节上有刚毛。生

活在土壤里,可以使土壤疏松、肥沃,是益虫。通称曲蟮(shàn)。
【组　词】蚯蚓
【同音字】丘(沙丘)
【形近字】邱(姓邱)
【谚　语】蚯蚓难成龙,树叶搓不成绳|蚯蚓出了洞,无雨也有风。
【英　语】蚯蚓　earthworm [ˈəːθwəːm]

| qiú | 笔画 | 部首 | 结构 | 五笔 | 造字法 |
|---|---|---|---|---|---|
| 仇 | 4 | 亻 | 左右 | WVN | 形声 |
| 笔顺 | 丿 亻 仉 仇 | | | | |

【解　释】姓。
【多音字】chóu(见 110 页)

| qiú | 笔画 | 部首 | 结构 | 五笔 | 造字法 |
|---|---|---|---|---|---|
| 囚 | 5 | 囗 | 全包围 | LWI | 会意 |
| 笔顺 | 丨 冂 冈 囚 囚 | | | | |

【解　释】❶拘禁;监禁。❷被监禁的人。

Q

甲骨文　金文　小篆　隶书　楷书

【字源释义】“囚”的本义是“拘禁”,其字形像用监牢把一个人关起来。

【组　词】囚犯　囚牢　囚困　囚禁　囚徒　囚车　囚房　囚笼
【同音字】求(要求)
【形近字】困(困苦)
【反义词】囚困/自由
【近义词】囚禁/囚困
【谚　语】囚人梦赦,渴人梦浆。
【英　语】囚禁　imprison [imˈprizən]

| qiú | 笔画 | 部首 | 结构 | 五笔 | 造字法 |
|---|---|---|---|---|---|
| 求 | 7 | 一 | 独体 | FIYI | 指事 |
| 笔顺 | 一 十 寸 才 汞 求 求 | | | | |

【解　释】❶想办法得到。❷恳求。❸请人帮忙。❹需要。
【组　词】追求　探求　谋求　求学　求饶　请求　恳求　求助　求见　需求
【造　句】追求——我们应该努力追求更美好的生活。
【同音字】囚(囚徒)
【形近字】水(水平)　永(永远)
【成　语】供不应求　有求必应　求之不得　求同存异　求全责备
【反义词】求之不得/唾手可得
【近义词】要求/需求
【歇后语】烧香遇上活菩萨——求之不得。
【谚　语】求人不如求己,他乡不如故乡。
【英　语】请求　ask [ɑːsk]

| qiú | 笔画 | 部首 | 结构 | 五笔 | 造字法 |
|---|---|---|---|---|---|
| 球 | 11 | 王 | 左右 | GFIY | 形声 |
| 笔顺 | 一 二 干 王 王一 玗 玗 玗 球 球 球 | | | | |

【解　释】❶数学上指圆形的立体。❷球形的东西。❸特指地球,也泛指其他星体。❹指球形的体育用品。
【组　词】球形　球体　煤球　眼球　星球　篮球　环球
【同音字】求(追求)
【形近字】珠(珠宝)
【英　语】球　ball [bɔːl]

## QU ㄑㄩ

| qū | 笔画 | 部首 | 结构 | 五笔 | 造字法 |
|---|---|---|---|---|---|
| 区 | 4 | 匚 | 半包围 | AQI | 会意 |
| 笔顺 | 一 フ 又 区 | | | | |

【解　释】❶划分;分别。❷一定范围的地方;地域。❸行政区划单位。

甲骨文　金文　小篆　隶书　楷书

【字源释义】"区"是"瓯"的本字,本义是藏匿。字形像放置在橱架上的三个小容器,后引申为"区别"、"区域"等义。
【组　词】区别　区分　区域　郊区　灾区　边区　城区　雨区　林区　矿区
【造　句】区别——这两个字音同形不同,我们要区别开来。

【同音字】躯(躯体)
【形近字】叵(居心叵测)
【反义词】区分/混淆
【近义词】区分/划分
【英　语】地区　area ['ɛəriə]
【多音字】ōu(见530页)

| qū | 笔画 | 部首 | 结构 | 五笔 | 造字法 |
|---|---|---|---|---|---|
| 曲 | 6 | 丨 | 独体 | MAD | 象形 |
| 笔顺 | 丨 冂 日 由 曲 曲 | | | | |

【解　释】❶弯(跟"直"相对)。❷不公正;理亏。❸弯曲的地方。❹酿酒或做酱用的发酵物。❺姓。

甲骨文　金文　小篆　隶书　楷书

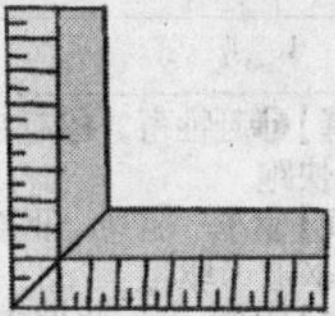

【字源释义】甲骨文和金文"曲"字都像曲尺形。本义是"弯曲",与"直"相对。引申为"曲折"、"隐秘"等。
【组　词】弯曲　曲线　曲解　河曲　歪曲　蜷曲　曲折　曲尺　曲径
【造　句】弯曲——沿着这条弯曲的小道就可以到达那座小亭子。
【同音字】区(区域)
【形近字】典(典故)
【成　语】是非曲直
【反义词】弯曲/笔直
【近义词】曲解/误解
【谚　语】曲木恶直绳,重罚恶明证。

【英　语】弯曲　bent［bent］
【多音字】qǔ(见 595 页)

| qū | 笔画 | 部首 | 结构 | 五笔 | 造字法 |
|---|---|---|---|---|---|
| 岖 | 7 | 山 | 左右 | MAQY | 形声 |
| 笔顺 | 丨 山 山 山一 山フ 山㐅 岖 | | | | |

【解　释】见 567 页“崎”。
【组　词】崎岖
【造　句】崎岖——我们沿着崎岖的小道爬上了山顶。
【同音字】屈(屈服)
【形近字】呕(呕吐)
【英　语】崎岖　rugged［'rʌgid］

| qū | 笔画 | 部首 | 结构 | 五笔 | 造字法 |
|---|---|---|---|---|---|
| 驱 | 7 | 马 | 左右 | CAQY | 形声 |
| 笔顺 | ㇇ 马 马 马一 马フ 马㐅 驱 | | | | |

【解　释】❶赶牲畜。❷赶走。❸快速行进;快跑。
【组　词】驱车　驱马　驱逐　驱除　驱使　驱走　驱散
【造　句】驱散——这群闹事者终于被警察驱散了。
【同音字】曲(曲线)
【形近字】讴(讴歌)
【成　语】并驾齐驱
【反义词】驱赶/迎接
【近义词】驱除/消除
【英　语】驱散　expel［ik'spel］

| qū | 笔画 | 部首 | 结构 | 五笔 | 造字法 |
|---|---|---|---|---|---|
| 屈 | 8 | 尸 | 半包围 | NBMK | 形声 |
| 笔顺 | 一 コ 尸 尸 屉 屉 屈 屈 | | | | |

【解　释】❶弯曲;使弯曲。❷妥协;让步。❸冤枉;被误解。❹理亏。❺屈服;使屈服。❻姓。
【组　词】屈服　屈膝　委屈　冤屈
【造　句】屈服——在困难面前我们要千方百计地想办法,决不能屈服。
【同音字】驱(驱逐)
【形近字】届(应届)
【成　语】屈指可数　宁死不屈　屈打成招　理屈词穷
【反义词】屈指可数/不可胜数
【近义词】屈服/屈从
【英　语】屈服　surrender［sə're-ndə］

| qū | 笔画 | 部首 | 结构 | 五笔 | 造字法 |
|---|---|---|---|---|---|
| 躯 | 11 | 身 | 左右 | TMDQ | 形声 |
| 笔顺 | ノ 丿 介 自 自 自 身 身一 身フ 身㐅 躯 | | | | |

【解　释】身体。
【组　词】身躯　躯体　躯干　捐躯
【同音字】区(区别)
【形近字】驱(驱车)
【成　语】七尺之躯
【近义词】身躯/躯体
【英　语】躯体　body［'bɔdi］

| qū | 笔画 | 部首 | 结构 | 五笔 | 造字法 |
|---|---|---|---|---|---|
| 趋 | 12 | 走 | 半包围 | FHQV | 形声 |
| 笔顺 | 一 十 土 丰 丰 走 走 走 赱 赹 趋 趋 | | | | |

【解　释】❶快走。❷情势向着一定的方向发展。❸鹅或蛇伸头咬人。
【组　词】趋向　趋势　日趋　趋同
【造　句】趋势——近几个月,世界经济有回暖上行的趋势。

【同音字】屈(委屈)
【形近字】超(超过)
【成　语】趋炎附势　趋之若鹜
【反义词】趋炎附势/刚直不阿
【近义词】趋炎附势/攀龙附凤
【谚　语】趋吉避凶者为君子。
【英　语】趋势　trend [trend]

| qū | 笔画 | 部首 | 结构 | 五笔 | 造字法 |
|---|---|---|---|---|---|
| 蛐 | 12 | 虫 | 左右 | JMAG | 形声 |
| 笔顺 | 丶 冂 口 中 虫 虫 虫 虫冂 虫冂 虫内 虫曲 蛐 | | | | |

【解　释】蛐蛐,即蟋蟀。
【组　词】蛐蛐
【同音字】趋(趋势)
【形近字】曲(歌曲)
【英　语】蛐蛐　cricket ['krikit]

| qú | 笔画 | 部首 | 结构 | 五笔 | 造字法 |
|---|---|---|---|---|---|
| 渠 | 11 | 木 | 上下 | IANS | 形声 |
| 笔顺 | 丶 氵 氵 汀 汇 洰 洰 洰 渠 渠 渠 | | | | |

【解　释】❶人工开凿的水道。❷大。
【组　词】渠道　沟渠　渠帅
【造　句】渠道——我们要通过正当的渠道来解决这件事。
【形近字】梁(桥梁)
【成　语】水到渠成
【近义词】水到渠成/瓜熟蒂落
【英　语】渠　canal [kə'næl]

| qǔ | 笔画 | 部首 | 结构 | 五笔 | 造字法 |
|---|---|---|---|---|---|
| 曲 | 6 | 丨 | 独体 | MAD | 象形 |
| 笔顺 | 丨 冂 冃 冇 曲 曲 | | | | |

【解　释】❶歌;歌曲。❷歌谱;乐调。❸古代韵文的一种。
【组　词】曲艺　戏曲　元曲　曲目
【造　句】戏曲——戏曲是中国传统文化的瑰宝。
【同音字】取(争取)
【成　语】曲高和寡
【谚　语】曲不离口,拳不离手|曲子好唱起头难,起了头来也不难。
【英　语】歌曲　song [sɔŋ]
【多音字】qū(见 593 页)

| qǔ | 笔画 | 部首 | 结构 | 五笔 | 造字法 |
|---|---|---|---|---|---|
| 取 | 8 | 耳 | 左右 | BCY | 会意 |
| 笔顺 | 一 厂 丌 丌 丌 耳 取 取 | | | | |

【解　释】❶拿到。❷获得;得到。❸选择;采纳。❹依照一定的根据或条件做。
【组　词】取巧　取决　争取　获取　换取　选取　录取　采取　取胜　取代　取向
【造　句】录取——他被一所名校录取了。
【同音字】娶(娶亲)
【形近字】职(职权)
【成　语】自取灭亡　取之不尽　取长补短　取而代之
【反义词】取笑/称赞
【近义词】取笑/嘲笑　讥笑
【谚　语】取百家之长,补自家之短。
【英　语】取消　cancel ['kænsəl]

| qǔ | 笔画 | 部首 | 结构 | 五笔 | 造字法 |
|---|---|---|---|---|---|
| 娶 | 11 | 女 | 上下 | BCVF | 形声 |
| 笔顺 | 一 厂 丌 丌 丌 耳 取 取 取 娶 娶 | | | | |

【解　释】男子把女子接过来成亲。

【组　词】娶妻　嫁娶　娶亲　迎娶　娶新娘
【同音字】取(获取)
【形近字】聚(聚会)
【成　语】明媒正娶
【英　语】娶　marry ['mæri]

| qù | 笔画 | 部首 | 结构 | 五笔 | 造字法 |
|---|---|---|---|---|---|
| 去 | 5 | 厶 | 上下 | FCU | 会意 |
| 笔顺 | 一 十 土 去 去 | | | | |

【解　释】❶离开。❷到;往。❸除掉;减掉。❹距离;差别。❺用在动词后,表示趋向。❻用在动词后,表示动作的持续。❼汉语中四声之一,即去声。❽已经过去的(表示时间)。

【字源释义】甲骨文的"去"字由"人(大)"和"口"构成。字的上部是一个人形,下面是古人住的洞穴的出口,表示"离开"的意思——这就是"去"字的本义。现在"去"表示"前往"、"到"的意思,与古代的"去"义相反。
【组　词】离去　失去　去年　去处　去路　去掉　过去　去向
【造　句】过去——过去的几年里,她受了不少苦,而如今终于过上了幸福的生活。
【同音字】趣(兴趣)
【形近字】丢(丢失)
【成　语】去伪存真
【反义词】去/来　过去/未来
【近义词】去世/逝世
【谚　语】去东京的朝东走,去西京的往西行|去时留人情,转来好相见。
【英　语】去　go [gəu]

| qù | 笔画 | 部首 | 结构 | 五笔 | 造字法 |
|---|---|---|---|---|---|
| 趣 | 15 | 走 | 半包围 | FHBC | 形声 |
| 笔顺 | 一 十 土 丰 丰 丰 走 走 赱 赳 趄 趄 趄 趣 趣 | | | | |

【解　释】❶有意思的;使人感到愉快的。❷意向。
【组　词】兴趣　情趣　有趣　趣味　打趣　趣事　志趣　趣闻
【造　句】有趣——今天的电影太有趣了。
【辨　音】不读 qǔ。
【同音字】去(回去)
【近义词】情趣/情调
【英　语】趣味　interest ['intrist]

## QUAN　ㄑㄩㄢ

| quān | 笔画 | 部首 | 结构 | 五笔 | 造字法 |
|---|---|---|---|---|---|
| 圈 | 11 | 囗 | 全包围 | LUDB | 形声 |
| 笔顺 | 丨 冂 冂 冂 冂 冂 冂 冂 冂 圈 圈 | | | | |

【解　释】❶环形;环形物。❷指某个范围。❸画圈。❹围住;包围。
【组　词】铁圈　圈地　圆圈　花圈　套圈　圈套　银圈　可圈可点

Q

【造 句】可圈可点——这台戏曲晚会,小演员们的表演绘声绘色,形神俱佳,可圈可点。
【形近字】卷(试卷)
【英 语】圈套 snare [snεə]
【多音字】juān(见 383 页)
【多音字】juàn(见 384 页)

| quán | 笔画 | 部首 | 结构 | 五笔 | 造字法 |
|---|---|---|---|---|---|
| 权 | 6 | 木 | 左右 | SCY | 形声 |
| 笔顺 | 一 十 才 木 杈 权 | | | | |

【解 释】❶古代指秤锤。❷职责或范围内支配和指挥的力量。❸应当享受的利益。❹有利的形势或地位。❺应变;暂时变通。❻暂时;姑且。❼衡量;估计。❽姓。
【组 词】权力 权利 权势 权变 职权 权且 权谋 权衡 版权 强权 权限 权益 主权
【造 句】主权——我们绝不允许别国侵犯我国的领土主权。
【同音字】全(全部)
【形近字】杈(树杈)
【成 语】权衡轻重 权宜之计
【近义词】权宜之计/缓兵之计 权势/权力
【英 语】权力 authority [ɔ:'θɔrəti]

| quán | 笔画 | 部首 | 结构 | 五笔 | 造字法 |
|---|---|---|---|---|---|
| 全 | 6 | 人 | 上下 | WGF | 会意 |
| 笔顺 | 丿 人 亼 仐 仝 全 | | | | |

【解 释】❶齐备;完整。❷都。❸整个。❹保全;使完整。❺姓。
【组 词】完全 齐全 全部 全国 全体 成全 安全 全局 全面 全能 全职
【造 句】全神贯注——同学们正在全神贯注地听老师讲课。
【同音字】权(夺权)
【形近字】金(金色)
【成 语】全心全意 十全十美 全神贯注 全力以赴
【反义词】全心全意/三心二意
【近义词】全力以赴/竭尽全力
【歇后语】燕子造窝——全凭一张嘴|全家疏散——防(房)空。
【谚 语】全家手不闲,不愁吃和穿。
【英 语】完全 complete [kəm'pli:t]

| quán | 笔画 | 部首 | 结构 | 五笔 | 造字法 |
|---|---|---|---|---|---|
| 泉 | 9 | 水 | 上下 | RIU | 象形 |
| 笔顺 | 丿 亻 白 白 白 皁 皃 泉 泉 | | | | |

【解 释】❶泉水,从地下流出的水。❷水源;流出水的洞眼。❸指人死后所在的地方。

【字源释义】"泉"的本义是水源,古文字形像山石间的一个泉眼,泉水由里往外流出。隶书之后就难以看出

其原字形了。

【组　词】甘泉　泉眼　温泉　泉水　源泉　喷泉　黄泉　九泉　涌泉相报

【造　句】涌泉相报——受人滴水之恩，必当涌泉相报，这是中华民族的传统美德之一。

【同音字】全（齐全）

【形近字】泵（水泵）

【近义词】源泉/来源

【谚　语】泉水挑不干，知识学不完。

【英　语】泉水　spring［spriŋ］

| quán | 笔画 | 部首 | 结构 | 五笔 | 造字法 |
|---|---|---|---|---|---|
| 拳 | 10 | 手 | 上下 | UDRJ | 形声 |
| 笔顺 | 丶 丷 䒑 兰 半 关 关 叁 叁 拳 | | | | |

【解　释】❶屈指向掌心卷握起来的手。❷一种徒手操作的武术。❸弯曲。

【组　词】拳头　拳击　握拳　打拳　拳王　练拳　双拳　猜拳

【辨　音】不读 juǎn。

【同音字】泉（山泉）

【形近字】卷（卷起）　券（证券）

【歇后语】拳头春海椒——有点辣手。

【谚　语】拳头上立得人，胳膊上走得马。

【英　语】拳头　fist［fist］

| quán | 笔画 | 部首 | 结构 | 五笔 | 造字法 |
|---|---|---|---|---|---|
| 痊 | 11 | 疒 | 半包围 | UWGD | 形声 |
| 笔顺 | 丶 亠 广 广 疒 疒 疒 疒 痊 痊 痊 | | | | |

【解　释】病好了。

【组　词】痊愈

【造　句】痊愈——奶奶的腰痛病已痊愈了。

【同音字】泉（温泉）

| quán | 笔画 | 部首 | 结构 | 五笔 | 造字法 |
|---|---|---|---|---|---|
| 蜷 | 14 | 虫 | 左右 | JUDB | 形声 |
| 笔顺 | 丨 口 口 中 虫 虫 虫 虫 虯 虯 蛘 蛛 蜷 蜷 | | | | |

【解　释】弯曲身体使呈团状。

【组　词】蜷曲　蜷缩

【造　句】蜷缩——他蜷缩着蹲在墙角。

【同音字】全（全面）

【形近字】倦（倦怠）

| quán | 笔画 | 部首 | 结构 | 五笔 | 造字法 |
|---|---|---|---|---|---|
| 颧 | 23 | 页 | 左右 | AKKM | 形声 |
| 笔顺 | 一 艹 艹 艹 艹 艹 艹 艹 芦 芦 芦 苷 萑 萑 萑 雚 雚 雚 雚 顴 颧 颧 颧 | | | | |

【解　释】颧骨，眼睛下面、两腮上面突起的部分。

【同音字】权（特权）

【形近字】灌（灌输）

【英　语】颧骨　cheekbone［ˈtʃiːkbəun］

| quǎn | 笔画 | 部首 | 结构 | 五笔 | 造字法 |
|---|---|---|---|---|---|
| 犬 | 4 | 犬 | 独体 | DGTY | 象形 |
| 笔顺 | 一 ナ 大 犬 | | | | |

【解　释】狗。

甲骨文　金文　小篆　隶书　楷书

【字源释义】“犬”字为象形字。甲骨文与金文的字形像一只向上卷着尾巴的狗。现代汉语“犬”字一般不单用，常组成多音词。
【组　词】猎犬　警犬　牧犬　军犬　犬齿　鹰犬
【造　句】鸡犬不宁——最近一段时间，犯罪分子在这一小区连续作案多起，搞得鸡犬不宁。
【形近字】大(大学)
【成　语】犬牙交错　鸡犬不宁
【歇后语】犬守夜，鸡司晨——各守本分。
【谚　语】犬不嫌家贫，儿不嫌母丑。
【英　语】犬　dog [dɔg]

| quàn | 笔画 | 部首 | 结构 | 五笔 | 造字法 |
| --- | --- | --- | --- | --- | --- |
| 劝 | 4 | 又 | 左右 | CLN | 形声 |
| 笔顺 | ㇇ 又 刈 劝 | | | | |

【解　释】❶讲道理以说服人。❷鼓励；勉励。
【组　词】劝告　劝说　规劝　劝勉　劝解　劝导　奉劝　相劝
【造　句】劝勉——爸爸在电话里对我劝勉了一番。
【同音字】券(证券)
【形近字】功(功能)
【反义词】劝阻/怂恿
【近义词】劝告/劝说
【谚　语】劝人出世偏知易，事到临头始觉难。
【英　语】劝告　advise [əd'vaiz]

| quàn | 笔画 | 部首 | 结构 | 五笔 | 造字法 |
| --- | --- | --- | --- | --- | --- |
| 券 | 8 | 刀 | 上下 | UDVB | 形声 |
| 笔顺 | 丶 丷 䒑 兰 龹 关 券 券 | | | | |

【解　释】票据或作为凭证的纸片。
【组　词】奖券　餐券　证券　入场券
【造　句】入场券——乒乓球决赛的入场券已于两天前售完。
【辨　音】不读 juàn。
【同音字】劝(劝诫)
【形近字】卷(试卷)
【成　语】稳操胜券
【多音字】xuàn(见 805 页)

## QUE ㄑㄩㄝ

| quē | 笔画 | 部首 | 结构 | 五笔 | 造字法 |
| --- | --- | --- | --- | --- | --- |
| 缺 | 10 | 缶 | 左右 | RMNW | 形声 |
| 笔顺 | ノ 𠂉 𠂉 午 缶 缶 缶 缸 缺 缺 | | | | |

【解　释】❶短少；不足。❷残破；破损。❸该到而未到。❹指职务的空额。
【组　词】缺少　残缺　欠缺　缺乏　缺口　缺席　补缺　缺点　缺陷　缺憾
【造　句】缺陷——我们不能讥笑生理上有缺陷的人。
【形近字】决(决定)　缸(水缸)
【反义词】缺乏/充足
【近义词】缺乏/缺少

【歇后语】缺角的屏风——挡不住门。

【谚　语】缺月重圆，断弦再续|缺口不管好，有水也跑掉。

【英　语】缺少　lack［læk］

| qué | 笔画 | 部首 | 结构 | 五笔 | 造字法 |
|---|---|---|---|---|---|
| 瘸 | 16 | 疒 | 半包围 | ULKW | 形声 |
| 笔顺 | 丶 亠 广 广 疒 疒 疒 疒 疒 疒 疒 疒 瘸 瘸 瘸 瘸 | | | | |

【解　释】跛，腿脚有毛病，行走时身体不平衡。

【组　词】瘸子　瘸脚　瘸腿

【形近字】腐(腐败)

【谚　语】瘸拐李，把眼挤，你糊弄我，我糊弄你。

【英　语】瘸腿　be lame［biː leim］

| què | 笔画 | 部首 | 结构 | 五笔 | 造字法 |
|---|---|---|---|---|---|
| 却 | 7 | 卩 | 左右 | FCBH | 形声 |
| 笔顺 | 一 十 土 去 去 却 却 | | | | |

【解　释】❶后退；退避。❷副词。表示转折。❸拒绝；退还。❹去；掉。

【组　词】推却　忘却　冷却　退却

【造　句】望而却步——对于中小学生来说，背诵一些古典诗词是必要的，不能因为难就望而却步。

【辨　音】不读 qù。

【形近字】劫(打劫)

【成　语】却之不恭　望而却步

【反义词】退却/前进

【近义词】推却/推辞

【谚　语】却之不恭，受之有愧。

【英　语】却步　hang back［hæŋ bæk］

| què | 笔画 | 部首 | 结构 | 五笔 | 造字法 |
|---|---|---|---|---|---|
| 雀 | 11 | 小 | 上下 | IWYF | 会意 |
| 笔顺 | 丨 丨丨 小 少 少 少 少 少 雀 雀 雀 | | | | |

【解　释】❶鸟的一类，体形小，翅膀长，嘴短粗，善鸣叫，吃粮食粒和昆虫。❷特指麻雀。

【组　词】麻雀　黄雀　雀跃　雀斑　孔雀　云雀　山雀

【造　句】欢呼雀跃——广场上的人们得知申奥成功的消息，不禁欢呼雀跃，奔走相告。

【同音字】确(的确)

【形近字】省(反省)

【成　语】鸦雀无声　欢呼雀跃

【谚　语】雀儿只拣旺处飞。

【英　语】雀斑　freckle［ˈfrekl］

【多音字】qiāo(见 579 页)

【多音字】qiǎo(见 581 页)

| què | 笔画 | 部首 | 结构 | 五笔 | 造字法 |
|---|---|---|---|---|---|
| 确 | 12 | 石 | 左右 | DQEH | 形声 |
| 笔顺 | 一 丆 𠂇 石 石 石 石 矿 矿 矿 确 确 | | | | |

【解　释】❶符合事实；实在。❷坚固；坚定。

【组　词】确实　正确　确切　确定　确保　精确　确信　确立　的确

【造　句】确定——老师还没有确定到底让哪几位同学去参加比赛。

【同音字】却(却步)

【形近字】触(触角)

【成　语】千真万确

【反义词】确定/未定

【近义词】确信/坚信

【英　语】确切 definite [ˈdefinit]

| què | 笔画 | 部首 | 结构 | 五笔 | 造字法 |
|---|---|---|---|---|---|
| 鹊 | 13 | 鸟 | 左右 | AJQG | 形声 |
| 笔顺 | 一 十 廾 廿 丗 昔 昔 昔 昔' 昔勹 昔勺 鹊 鹊 | | | | |

【解　释】喜鹊，嘴尖尾长，身体大部分为黑色，肩、颈等部为白色。常停在枝头上将尾巴上下翘动，叫声响亮。

【组　词】鹊桥　鹊起

【同音字】雀(孔雀)

【形近字】鸽(白鸽)

【谚　语】鹊巢知风起，獭穴知水生。

【英　语】鹊 magpie [ˈmægpai]

## QUN ㄑㄩㄣ

| qún | 笔画 | 部首 | 结构 | 五笔 | 造字法 |
|---|---|---|---|---|---|
| 裙 | 12 | 衤 | 左右 | PUVK | 形声 |
| 笔顺 | 丶 ㇇ 礻 衤 衤 衤 衤 衤 衤 裙 裙 裙 | | | | |

【解　释】❶一种服装。❷像裙的东西。

【组　词】短裙　长裙　围裙　墙裙　裙子　裙带　裙裤　背带裙

【造　句】裙带——取得成功应凭真才实学，而不应靠裙带关系走捷径。

【同音字】群(群众)

【形近字】群(人群)

【英　语】裙子 skirt [skəːt]

| qún | 笔画 | 部首 | 结构 | 五笔 | 造字法 |
|---|---|---|---|---|---|
| 群 | 13 | 羊 | 左右 | VTKD | 形声 |
| 笔顺 | ㇆ ㇆ ㇌ 尹 尹 君 君 君 君' 君' 君' 君 群 | | | | |

【解　释】❶指聚在一起的人或物。❷众多的。❸量词。用于成群的人或东西。❹成群的。

【组　词】人群　群集　群力　群居

【造　句】群策群力——公司的全体员工群策群力，苦干加巧干，提前三个月完成了全年的生产任务。

【同音字】裙(衣裙)

【形近字】裙(裙子)　君(君子)

【成　语】群策群力

【谚　语】群居闭口，独坐防心。

【英　语】群体 group [gruːp]

# R

## RAN　ㄖㄢ

| rán | 笔画 | 部首 | 结构 | 五笔 | 造字法 |
|---|---|---|---|---|---|
| 然 | 12 | 灬 | 上下 | QDOU | 形声 |
| 笔顺 | ノ ク 夕 夕 夕 夕 肰 肰 然 然 然 然 | | | | |

【解　释】❶对；是。❷如此；这样。❸不过；但是。❹表示状态的词尾。
【组　词】然而　安然　忽然　黯然　怅然　偶然　自然
【造　句】忽然——我在山路上走着，忽然从草丛中跳出一只小兔子。
【辨　音】不读 rǎn。
【同音字】燃（点燃）
【形近字】燃（燃烧）
【成　语】安然无恙　处之泰然　大义凛然　毛骨悚然
【反义词】偶然/必然
【近义词】安然无恙/平安无事
【英　语】然后　then ［ðen］

| rán | 笔画 | 部首 | 结构 | 五笔 | 造字法 |
|---|---|---|---|---|---|
| 燃 | 16 | 火 | 左右 | OQDO | 形声 |
| 笔顺 | 丶 丷 少 火 灬 炒 炒 炒 炒 炒 烑 烑 燃 燃 燃 燃 | | | | |

【解　释】❶烧。❷用火点着。
【组　词】燃烧　燃料　燃放　点燃
【造　句】燃眉之急——部队送来的捐款解了他们的燃眉之急，使孩子得以如期接受手术治疗。
【辨　音】不读 rǎn。
【同音字】然（忽然）
【形近字】然（然后）
【成　语】燃眉之急
【英　语】燃烧　burn ［bəːn］

| rǎn | 笔画 | 部首 | 结构 | 五笔 | 造字法 |
|---|---|---|---|---|---|
| 染 | 9 | 木 | 上下 | IVSU | 会意 |
| 笔顺 | 丶 冫 氵 氵 氿 氿 氿 卆 染 | | | | |

【解　释】❶用颜料着色。❷感染；沾上。
【组　词】染料　沾染　染坊　染色　染色体
【造　句】沾染——中学毕业后，他在社会上混了两年，沾染了一些不良习气。
【形近字】杂（杂乱）
【成　语】一尘不染
【反义词】一尘不染/污秽不堪
【近义词】洗染/漂染
【歇后语】染布不匀——料不到｜染房里的活计——不给点颜色看不行。
【谚　语】染缸里倒不出白布。
【英　语】染色　dye ［dai］

## RANG　ㄖㄤ

| rāng | 笔画 | 部首 | 结构 | 五笔 | 造字法 |
|---|---|---|---|---|---|
| 嚷 | 20 | 口 | 左右 | KYKE | 形声 |
| 笔顺 | 丨 口 口 口' 口ˊ 吀 吀 吀 吀 吀 吀 吀 噎 噎 噎 噻 噻 噻 嚷 嚷 | | | | |

【解　释】［嚷嚷］❶吵闹。❷传扬；声张。
【组　词】嚷嚷
【造　句】嚷嚷——自习时，千万别嚷嚷。
【形近字】壤（土壤）

R

【英　语】嚷嚷 shout [ʃaut]
【多音字】rāng(见603页)

| rǎng | 笔画 | 部首 | 结构 | 五笔 | 造字法 |
|---|---|---|---|---|---|
| 壤 | 20 | 土 | 左右 | FYKE | 形声 |
| 笔顺 | 一 十 土 圹 圹 圹 圹 圹 圹 圹 圹 圹 圹 圹 圹 圹 圹 壤 壤 壤 | | | | |

【解　释】❶地球表层能生长植物的土。❷地;地面。❸地域;地区。
【组　词】沃壤　红壤　土壤
【造　句】天壤之别——现在的生活水平和解放前相比真是天壤之别。
【辨　音】不读 rǎn。
【同音字】嚷(叫嚷)
【反义词】天壤之别/大同小异
【英　语】土壤 soil [sɔil]

| rǎng | 笔画 | 部首 | 结构 | 五笔 | 造字法 |
|---|---|---|---|---|---|
| 嚷 | 20 | 口 | 左右 | KYKE | 形声 |
| 笔顺 | 丨 口 口 口' 口亠 … 嚷 嚷 嚷 | | | | |

【解　释】叫喊。
【组　词】叫嚷
【造　句】叫嚷——在公共场所不要大声叫嚷。
【同音字】壤(土壤)
【形近字】壤(接壤)
【近义词】叫嚷/叫喊
【多音字】rāng(见602页)

| ràng | 笔画 | 部首 | 结构 | 五笔 | 造字法 |
|---|---|---|---|---|---|
| 让 | 5 | 讠 | 左右 | YHG | 形声 |
| 笔顺 | 丶 讠 讠丨 讠卜 让 | | | | |

【解　释】❶不争夺;给别人。❷请。❸使;叫。❹将东西转给别人。❺被。
【组　词】让步　让开　让位　谦让
【造　句】谦让——同学之间应互相谦让,不要因小事而影响团结。
【形近字】认(认真)
【反义词】退让/进攻
【近义词】忍让/退让
【谚　语】让人三分不为输|让人一首,天宽地阔。
【英　语】让步 make a concession [meik ə kənˈseʃən]

## RAO　ㄖㄠ

| ráo | 笔画 | 部首 | 结构 | 五笔 | 造字法 |
|---|---|---|---|---|---|
| 饶 | 9 | 饣 | 左右 | QNAQ | 形声 |
| 笔顺 | ノ 𠂊 饣 饣 饣 饣 饣 饶 饶 | | | | |

【解　释】❶丰富;丰厚。❷宽恕。❸姓。
【组　词】富饶
【造　句】富饶——这里原本是一片富饶的土地,现在都沙漠化了。
【辨　音】不读 yáo。
【形近字】绕(围绕)
【成　语】饶有兴味
【反义词】富饶/贫瘠
【近义词】饶恕/宽恕
【谚　语】饶人是福,欺人是祸。
【英　语】富饶 rich [ritʃ]

| rǎo | 笔画 | 部首 | 结构 | 五笔 | 造字法 |
|---|---|---|---|---|---|
| 扰 | 7 | 扌 | 左右 | RDNN | 形声 |
| 笔顺 | 一 扌 扌 扌 扌 扰 扰 | | | | |

【解　释】❶搅乱。❷感谢别人款待的客气话。
【组　词】扰乱　打扰　扰民

【造　句】打扰——别人在做事时，我们不要去打扰。
【辨　音】不读 yōu。
【形近字】拢（拉拢）
【反义词】扰乱/安定
【近义词】打扰/惊扰
【英　语】扰乱　harass [ˈhærəs]

| rào | 笔画 | 部首 | 结构 | 五笔 | 造字法 |
|---|---|---|---|---|---|
| 绕 | 9 | 纟 | 左右 | XATQ | 形声 |
| 笔顺 | ㄥ 纟 纟 纟 纤 纩 绕 绕 绕 | | | | |

【解　释】❶缠。❷围着转。❸走弯路。❹纠缠。
【组　词】绕道　缠绕　萦绕　围绕
【造　句】绕道——前面在修路，我上学只有绕道而行了。
【辨　音】不读 rǎo 或 ráo。
【形近字】饶（饶恕）
【反义词】绕嘴/顺口
【近义词】萦绕/环绕
【英　语】缠绕　wind [waind]

## RE　ㄖㄜ

| rě | 笔画 | 部首 | 结构 | 五笔 | 造字法 |
|---|---|---|---|---|---|
| 惹 | 12 | 艹 | 上下 | ADKN | 形声 |
| 笔顺 | 一 十 艹 艹 芋 芏 若 若 若 若 惹 惹 | | | | |

【解　释】❶招引；引起。❷触动。
【组　词】招惹　惹祸
【造　句】惹祸——小明的弟弟老爱惹祸，不是砸了别人的玻璃，就是碰倒别人的自行车。
【形近字】若（假若）
【成　语】惹是生非　惹火烧身
【反义词】惹是生非/安分守己
【近义词】惹是生非/引风揽火
【谚　语】惹祸招灾，问罪应该。
【英　语】惹祸　court disaster [kɔːt diˈzɑːstə]

| rè | 笔画 | 部首 | 结构 | 五笔 | 造字法 |
|---|---|---|---|---|---|
| 热 | 10 | 灬 | 上下 | RVYO | 形声 |
| 笔顺 | 一 十 扌 扌 执 执 执 执 热 热 | | | | |

【解　释】❶温度高。❷加热。❸体温因病升高。❹情意深；情绪高。❺受欢迎。❻急切希望获得；十分羡慕。
【组　词】热情　热心　炎热　热闹　火热　狂热　热卖
【造　句】热闹——节日里，广场上人山人海，非常热闹。
【形近字】垫（铺垫）
【成　语】热泪盈眶　热血沸腾
【反义词】热情/冷淡
【近义词】热烈/强烈
【歇后语】热锅里的蚂蚁——团团转。
【谚　语】热极生风，闷极生雨。
【英　语】热　heat [hiːt]

## REN　ㄖㄣ

| rén | 笔画 | 部首 | 结构 | 五笔 | 造字法 |
|---|---|---|---|---|---|
| 人 | 2 | 人 | 独体 | WWWW | 象形 |
| 笔顺 | 丿 人 | | | | |

【解　释】❶能制造和使用工具进行劳动的高级动物。❷成年人。❸泛指每一个人。❹除自己之外的其他人。❺品性；品质。

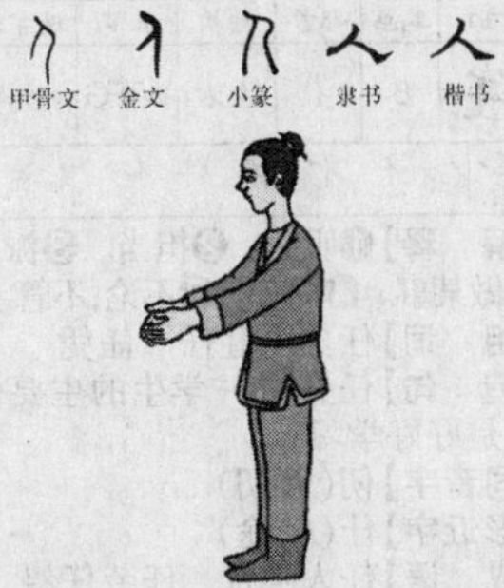


【字源释义】“人”字为象形字。甲骨文和金文“人”字像一个侧立的人形，这个人还向前伸出了一双手。其本义就是人类。
【组　词】工人　人口　人气
【造　句】人云亦云——我们遇事要有主见，不能人云亦云，随声附和。
【辨　音】不读rù。
【同音字】仁(仁爱)
【形近字】入(入口)
【成　语】人才济济　人浮于事　人各有志　人迹罕至　人云亦云
【反义词】人山人海/人烟稀少
【近义词】人心叵测/人心惟危
【谚　语】人不在大小，马不在高低。
【英　语】工人　worker [ˈwəːkə]

| rén | 笔画 | 部首 | 结构 | 五笔 | 造字法 |
|---|---|---|---|---|---|
| 仁 | 4 | 亻 | 左右 | WFG | 形声 |
| 笔顺 | 丿 亻 亻 仁 | | | | |

【解　释】❶同情；关心。❷对别人的尊称。❸果实的内核。❹姓。
【组　词】仁心　仁兄　杏仁　仁慈
【造　句】仁慈——对坏人不能仁慈。
【同音字】人(人民)
【形近字】仕(仕途)
【成　语】仁人志士　仁至义尽
【反义词】仁政/暴政
【近义词】仁爱/慈爱
【谚　语】仁义为友，道德为师。
【英　语】仁爱　kindheartedness [ˈkaindˈhɑːtidnis]

| rén | 笔画 | 部首 | 结构 | 五笔 | 造字法 |
|---|---|---|---|---|---|
| 任 | 6 | 亻 | 左右 | WTFG | 形声 |
| 笔顺 | 丿 亻 亻 仁 仟 任 | | | | |

【解　释】❶姓。❷任县、任丘市，都在河北省。
【同音字】人(人类)
【多音字】rèn(见606页)

| rěn | 笔画 | 部首 | 结构 | 五笔 | 造字法 |
|---|---|---|---|---|---|
| 忍 | 7 | 心 | 上下 | VYNU | 形声 |
| 笔顺 | 刁 刀 刃 刃 忍 忍 忍 | | | | |

【解　释】❶耐着性子承受。❷狠心；硬着心肠。
【组　词】忍受　忍耐　忍让
【造　句】忍受——他一声不哼地忍受着巨大的疼痛。
【形近字】忿(忿恨)
【成　语】忍气吞声　忍辱负重　忍无可忍
【反义词】忍气吞声/扬眉吐气
【近义词】残忍/残酷
【谚　语】忍得一时之气，免去百日之忧。
【英　语】忍受　bear [bɛə]

| rèn | 笔画 | 部首 | 结构 | 五笔 | 造字法 |
|---|---|---|---|---|---|
| 刃 | 3 | 刀 | 独体 | VYI | 指事 |
| 笔顺 | 刁 刀 刃 | | | | |

【解　释】❶刀锋；刀口。❷刀。❸用刀杀人。
【组　词】刃口　刀刃　利刃　白刃战
【造　句】刀刃——这把刀的刀刃很锋利。
【同音字】认（认真）
【形近字】刀（大刀）
【成　语】兵不血刃
【反义词】刀刃/刀背
【近义词】刀刃/刀口
【英　语】刀口　blade ［bleid］

| rèn | 笔画 | 部首 | 结构 | 五笔 | 造字法 |
|---|---|---|---|---|---|
| 认 | 4 | 讠 | 左右 | YWY | 形声 |
| 笔顺 | 丶 讠 讠 认 | | | | |

【解　释】❶识别；辨明。❷赞成；同意。❸跟本来没关系的人建立某种关系。
【组　词】认识　认为　认定
【造　句】认识——小明的表妹两岁就认识许多汉字。
【同音字】刃（刀刃）
【形近字】议（议论）
【成　语】认贼作父
【反义词】认真/马虎
【近义词】认真/仔细
【谚　语】认走十里远，不走一里险。
【英　语】认识　recognize ［'rekəgnaiz］

| rèn | 笔画 | 部首 | 结构 | 五笔 | 造字法 |
|---|---|---|---|---|---|
| 任 | 6 | 亻 | 左右 | WTFG | 形声 |
| 笔顺 | ノ 亻 亻 仁 任 任 | | | | |

【解　释】❶听凭。❷担当。❸派某人做某事。❹职务。❺不论；不管。
【组　词】任务　胜任　任凭
【造　句】任务——学生的主要任务是好好学习。
【同音字】仞（万仞）
【形近字】仕（仕途）
【成　语】任人唯贤　任劳任怨　任重道远
【反义词】任命/罢免
【近义词】任命/委任
【谚　语】任凭风浪起，稳坐钓鱼台。
【英　语】任务　duty ［'dju:ti］
【多音字】rén（见605页）

| rèn | 笔画 | 部首 | 结构 | 五笔 | 造字法 |
|---|---|---|---|---|---|
| 纫 | 6 | 纟 | 左右 | XVY | 形声 |
| 笔顺 | ㄥ 纟 纟 纫 纫 纫 | | | | |

【解　释】❶引线穿针。❷缝。
【组　词】纫针　缝纫
【同音字】认（认真）
【形近字】韧（韧性）
【英　语】缝纫　sew ［səu］

| rèn | 笔画 | 部首 | 结构 | 五笔 | 造字法 |
|---|---|---|---|---|---|
| 韧 | 7 | 韦 | 左右 | FNHY | 形声 |
| 笔顺 | 一 二 彐 韦 韧 韧 韧 | | | | |

【解　释】受外力作用变形而不易折断。
【组　词】韧带　韧性　坚韧

【造　句】韧性——长跑运动员的身体都具有很好的韧性。
【同音字】任(任务)
【形近字】纫(缝纫)
【英　语】韧性　toughness　[ˈtʌfnis]

| rèn | 笔画 | 部首 | 结构 | 五笔 | 造字法 |
|---|---|---|---|---|---|
| 饪 | 7 | 饣 | 左右 | QNTF | 形声 |
| 笔顺 | ノ ㇒ 饣 饣 饣 饪 饪 | | | | |

【解　释】煮熟食物。
【组　词】烹饪
【同音字】刃(刀刃)
【形近字】任(任务)
【英　语】烹饪　cooking　[ˈkukiŋ]

## RENG　ㄖㄥ

| rēng | 笔画 | 部首 | 结构 | 五笔 | 造字法 |
|---|---|---|---|---|---|
| 扔 | 5 | 扌 | 左右 | REN | 形声 |
| 笔顺 | 一 十 扌 扔 扔 | | | | |

【解　释】❶抛;投掷。❷丢弃。
【辨　音】韵母是eng,不是en。
【组　词】扔下　扔掉　扔弃
【形近字】仍(仍然)
【反义词】扔掉/拾起
【近义词】扔弃/丢弃
【歇后语】扔下叫化篓打乞丐——忘本。
【英　语】扔下　throw　[θrəu]

| réng | 笔画 | 部首 | 结构 | 五笔 | 造字法 |
|---|---|---|---|---|---|
| 仍 | 4 | 亻 | 左右 | WEN | 形声 |
| 笔顺 | ノ 亻 仍 仍 | | | | |

【解　释】❶依照。❷频繁。❸还。
【组　词】仍然　仍旧　频仍
【造　句】仍旧——几年不见,我们的李老师仍旧很年轻很漂亮。
【辨　音】韵母是eng,不是en。
【形近字】扔(扔弃)
【近义词】仍旧/依旧
【英　语】仍然　still　[stil]

## RI　ㄖ

| rì | 笔画 | 部首 | 结构 | 五笔 | 造字法 |
|---|---|---|---|---|---|
| 日 | 4 | 日 | 独体 | JJJJ | 象形 |
| 笔顺 | 丨 冂 月 日 | | | | |

【解　释】❶太阳。❷白天(跟“夜”相对)。❸一昼夜。❹泛指每一天。❺指一段时间。❻日本的简称。
【组　词】日头　日记　每日　抗日
【造　句】夜以继日——青年突击队夜以继日地轮班作业,终于使这条路在国庆节前竣工了。
【形近字】曰(子曰诗云)
【成　语】日积月累　日久天长　日理万机　日新月异　夜以继日
【谚　语】日有所思,夜有所梦。
【英　语】日本　Japan　[dʒəˈpæn]

## RONG　ㄖㄨㄥ

| róng | 笔画 | 部首 | 结构 | 五笔 | 造字法 |
|---|---|---|---|---|---|
| 戎 | 6 | 戈 | 半包围 | ADE | 会意 |
| 笔顺 | 一 二 于 戎 戎 戎 | | | | |

【解　释】❶军队;兵器。❷古代我国称西部的民族或部落为戎。❸姓。

甲骨文　金文　小篆　隶书　楷书

【字源释义】“戎”字由“戈”、“甲”构成。“戈”是古代作战的一种武器，“甲”是防护衣，所以“戎”是兵器的总称。后引申为“军队”、“战争”等义。
【组　词】戎装　西戎
【造　句】投笔从戎——在战争年代，许多热血青年投笔从戎，走上了革命的道路。
【同音字】茸（毛茸茸）
【形近字】戒（戒烟）
【成　语】戎马倥偬　投笔从戎
【近义词】戎装/军装
【英　语】戎装　army uniform [ˈɑːmi ˈjuːnifɔːm]

| róng | 笔画 | 部首 | 结构 | 五笔 | 造字法 |
|---|---|---|---|---|---|
| 茸 | 9 | 艹 | 上下 | ABF | 形声 |
| 笔顺 | 一 十 艹 艹 芇 苜 苜 茸 茸 | | | | |

【解　释】❶形容纤细或毛发短密而柔软的样子。❷鹿茸，公鹿头上长出来的嫩角，是名贵的中药。
【组　词】鹿茸　茸毛　参茸　毛茸茸
【造　句】毛茸茸——小松鼠翘着毛茸茸的尾巴在松枝上跳来跳去。
【辨　音】不读 ěr。
【同音字】溶（溶解）
【形近字】耸（耸立）
【英　语】毛茸茸　shaggy [ˈʃægi]

| róng | 笔画 | 部首 | 结构 | 五笔 | 造字法 |
|---|---|---|---|---|---|
| 荣 | 9 | 艹 | 上中下 | APSU | 形声 |
| 笔顺 | 一 十 艹 艹 芦 苎 茔 荣 荣 | | | | |

【解　释】❶茂盛；兴盛。❷受到尊敬或称赞。❸姓。
【组　词】光荣　荣幸　荣誉　繁荣
【造　句】光荣——他被光荣地评为市级三好学生。
【同音字】戎（戎装）
【形近字】荧（荧光）
【成　语】欣欣向荣　荣辱与共
【反义词】光荣/耻辱
【近义词】繁荣/兴盛
【英　语】荣誉　honour [ˈɔnə]

| róng | 笔画 | 部首 | 结构 | 五笔 | 造字法 |
|---|---|---|---|---|---|
| 绒 | 9 | 纟 | 左右 | XADT | 形声 |
| 笔顺 | ㇀ 乡 纟 纟 纩 纡 绒 绒 绒 | | | | |

【解　释】❶细软的短毛。❷带细毛的纺织品。
【组　词】绒布　绒毛　鸭绒　绒线
【同音字】容（容易）　溶（溶化）
【形近字】线（针线）
【英　语】绒衣　sweat shirt [swetʃəːt]

| róng | 笔画 | 部首 | 结构 | 五笔 | 造字法 |
|---|---|---|---|---|---|
| 容 | 10 | 宀 | 上下 | PWWK | 会意 |
| 笔顺 | 丶 丶' 宀 宂 宊 穸 灾 容 容 容 | | | | |

【解　释】❶装;包含。❷宽恕;原谅。❸接受;收留。❹允许;同意。❺外貌;神态。❻也许。❼姓。
【组　词】容纳　容忍　收容　容易　面容　容颜
【造　句】容易——今天的考试题比较容易,我班有多个同学得了满分。
【同音字】茸(茸毛)
【形近字】客(客人)
【成　语】容光焕发
【反义词】容易/困难
【近义词】从容/镇静
【谚　语】容易得到的,也容易失去。
【英　语】容貌　appearance [ə'piərəns]

| róng | 笔画 | 部首 | 结构 | 五笔 | 造字法 |
|---|---|---|---|---|---|
| 蓉 | 13 | 艹 | 上下 | APWK | 形声 |
| 笔顺 | 一 十 艹 艹 芢 芢 茓 茓 萝 荧 蓉 蓉 蓉 | | | | |

【解　释】❶见 187 页[芙蓉]。❷成都市的别称。
【组　词】芙蓉　蓉城
【同音字】榕(榕树)

| róng | 笔画 | 部首 | 结构 | 五笔 | 造字法 |
|---|---|---|---|---|---|
| 溶 | 13 | 氵 | 左右 | IPWK | 形声 |
| 笔顺 | 丶 丶 氵 氵' 氵' 沪 泞 泞 涉 浃 溶 溶 溶 | | | | |

【解　释】溶化;溶解。
【组　词】溶解　溶液　溶质
【造　句】溶解——盐在水里慢慢溶解了。
【形近字】熔(熔化)
【近义词】溶化/溶解
【英　语】溶化　dissolve [di'zɔlv]

| róng | 笔画 | 部首 | 结构 | 五笔 | 造字法 |
|---|---|---|---|---|---|
| 榕 | 14 | 木 | 左右 | SPWK | 形声 |
| 笔顺 | 一 十 才 木 木' 木' 栌 柠 栌 栌 校 榕 榕 榕 | | | | |

【解　释】❶榕树,常绿乔木,长在热带和亚热带。树干分枝多,有气根,树冠大,叶子互生,椭圆或卵形。果实倒卵形,黄色或赤褐色。木料可制器具,叶、气根、树皮可入药。❷福州市的别称。
【组　词】榕树　榕木　榕城
【同音字】融(融化)
【形近字】熔(熔炉)
【英　语】榕树　banyan ['bænjən]

| róng | 笔画 | 部首 | 结构 | 五笔 | 造字法 |
|---|---|---|---|---|---|
| 熔 | 14 | 火 | 左右 | OPWK | 形声 |
| 笔顺 | 丶 丷 火 火 火' 火' 炉 炉 炉 炉 焢 焢 熔 熔 | | | | |

【解　释】固体在高温中变成液体。
【组　词】熔化　熔炉　熔炼　熔岩
【造　句】熔炼——战火熔炼了战士们的钢铁意志。
【同音字】容(形容)
【形近字】榕(榕树)
【英　语】熔炼　smelt [smelt]

| róng | 笔画 | 部首 | 结构 | 五笔 | 造字法 |
|---|---|---|---|---|---|
| 融 | 16 | 虫 | 左右 | GKMJ | 形声 |
| 笔顺 | 一 𠃌 亓 戸 鬲 鬲 鬲 鬲 鬲 鬲 鬲 鬲 融 融 融 融 | | | | |

【解　释】❶指冰雪化为水。❷混合为一体。❸流通。❹暖和。
【组　词】融化　融合　金融
【造　句】融化——南极的雪一年四季都不融化。
【同音字】荣(光荣)
【形近字】隔(阻隔)
【成　语】融会贯通
【反义词】融化/凝固
【近义词】融化/消融
【英　语】融化　melt［melt］

## ROU　ㄖㄡ

| róu | 笔画 | 部首 | 结构 | 五笔 | 造字法 |
|---|---|---|---|---|---|
| 柔 | 9 | 木 | 上下 | CBTS | 形声 |
| 笔顺 | 乛 ㇇ 乛 予 矛 柔 柔 柔 柔 | | | | |

【解　释】❶软;嫩(跟"刚"相对)。❷温和;不强烈(跟"刚"相对)。❸姓。
【组　词】柔软　柔和　柔道
【造　句】柔和——柔和的风迎面扑来,使人惬意。
【同音字】揉(搓揉)
【成　语】柔肠寸断　柔情蜜意
【反义词】柔弱/坚强
【近义词】柔和/温和
【谚　语】柔能克刚,弱能制强。
【英　语】柔软　soft［sɔft］

| róu | 笔画 | 部首 | 结构 | 五笔 | 造字法 |
|---|---|---|---|---|---|
| 揉 | 12 | 扌 | 左右 | RCBS | 形声 |
| 笔顺 | 一 亅 扌 扌 扌 扌 扌 扌 揉 揉 揉 揉 | | | | |

【解　释】❶用手反复地搓弄。❷使东西弯曲。
【组　词】揉搓　揉擦　揉磨
【同音字】柔(柔软)
【形近字】柔(柔和)
【英　语】揉搓　rub［rʌb］

| ròu | 笔画 | 部首 | 结构 | 五笔 | 造字法 |
|---|---|---|---|---|---|
| 肉 | 6 | 冂 | 半包围 | MWWI | 象形 |
| 笔顺 | 丨 冂 内 内 肉 肉 | | | | |

【解　释】❶人或动物体内紧靠皮肤的组织。❷瓜果中可以食用的部分。
【组　词】肌肉　肉体　骨肉
【造　句】心惊肉跳——一场斗牛,险象环生,看得人心惊肉跳。
【形近字】内(内容)
【成　语】心惊肉跳
【谚　语】肉眼不识泰山。
【英　语】肉　meat［miːt］

## RU　ㄖㄨ

| rú | 笔画 | 部首 | 结构 | 五笔 | 造字法 |
|---|---|---|---|---|---|
| 如 | 6 | 女 | 左右 | VKG | 会意 |
| 笔顺 | 𡿨 女 女 如 如 如 | | | | |

【解　释】❶表示假设;假使。❷好像;似乎。❸比得上。❹表示列举。❺姓。❻到;往。❼符合。

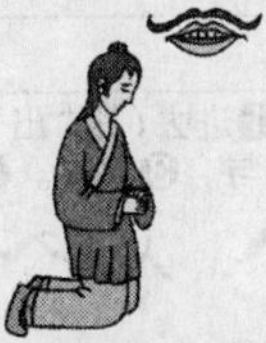

【字源释义】“如”的本义是“随从”、“依照”。字的右边是“口”，表示主人发布的命令；左边是“女”，表示听候命令的女子。后来多用作连词。
【组　词】如果　如同　例如
【造　句】如果——如果明天下雨，我们的比赛就要推迟。
【同音字】儒（儒家）
【形近字】奴（奴隶）
【成　语】如虎添翼　如火如荼　如雷贯耳　如临大敌　如履薄冰
【反义词】如胶似漆/若即若离
【近义词】如狼似虎/凶神恶煞
【谚　语】如果是明珠，放在哪里都闪光。
【英　语】如果　if［if］

| rú | 笔画 | 部首 | 结构 | 五笔 | 造字法 |
| --- | --- | --- | --- | --- | --- |
| 茹 | 9 | 艹 | 上下 | AVKF | 形声 |
| 笔顺 | 一 十 艹 艹 芕 芠 茹 茹 茹 | | | | |

【解　释】❶吃。❷姓。
【组　词】茹素
【造　句】茹毛饮血——原始社会是茹毛饮血的时代，生产力极为低下。
【同音字】如（如果）
【形近字】菇（蘑菇）
【成　语】含辛茹苦　茹毛饮血
【反义词】含辛茹苦/养尊处优
【近义词】含辛茹苦/戴月披星

| rú | 笔画 | 部首 | 结构 | 五笔 | 造字法 |
| --- | --- | --- | --- | --- | --- |
| 儒 | 16 | 亻 | 左右 | WFDJ | 形声 |
| 笔顺 | 丿 亻 亻 亻 仁 伻 伻 侼 侼 侼 偄 偄 偄 儒 儒 儒 | | | | |

【解　释】❶春秋时期以孔子为代表的学派。❷泛指读书人。
【组　词】儒家　儒生　名儒　鸿儒
【造　句】儒家——孔子是儒家学派的创始人。
【同音字】如（如同）
【形近字】孺（妇孺）
【反义词】鸿儒/白丁
【近义词】儒雅/文雅
【英　语】儒教　Confucianism［kən'fjuːʃənizm］

| rú | 笔画 | 部首 | 结构 | 五笔 | 造字法 |
| --- | --- | --- | --- | --- | --- |
| 蠕 | 20 | 虫 | 左右 | JFDJ | 形声 |
| 笔顺 | 丨 口 口 中 虫 虫 虫 虫 虫 虫 蛃 蛃 蛃 蛃 蛃 蛃 蛃 蠕 蠕 蠕 | | | | |

【解　释】蠕动，如蚯蚓般慢慢地爬行。
【组　词】蠕动
【造　句】蠕动——一条小虫在树叶上慢慢地蠕动。
【同音字】儒（儒家）
【近义词】蠕动/挪动
【英　语】蠕动　wriggle［'rigl］

| rǔ | 笔画 | 部首 | 结构 | 五笔 | 造字法 |
|---|---|---|---|---|---|
| 乳 | 8 | 乚 | 左右 | EBNN | 会意 |
| 笔顺 | ˊ ˊ ˊ ˊ ˊ 孚 孚 乳 | | | | |

【解　释】❶乳房。❷奶汁。❸像奶一样的东西。❹初生的；幼小的。
【组　词】乳汁　乳名　乳儿　乳猪　乳酪
【造　句】水乳交融——解放军和人民群众之间是水乳交融的关系，这一点已为无数事例所证明。
【同音字】辱（侮辱）
【形近字】浮（浮萍）
【成　语】乳臭未干　水乳交融
【反义词】水乳交融/格格不入
【近义词】乳臭未干/羽毛未丰
【谚　语】乳名是父母取的，坏名都是自己造成的。
【英　语】乳汁　milk ［milk］

R

| rǔ | 笔画 | 部首 | 结构 | 五笔 | 造字法 |
|---|---|---|---|---|---|
| 辱 | 10 | 辰 | 上下 | DFEF | 会意 |
| 笔顺 | 一 厂 尸 尸 尼 辰 辰 辰 辱 辱 | | | | |

【解　释】❶羞耻。❷使人受羞辱。
【组　词】辱没　辱骂　耻辱　侮辱　羞辱
【造　句】侮辱——人格尊严岂能让人侮辱？
【同音字】乳（乳汁）
【形近字】唇（嘴唇）
【反义词】耻辱/光荣
【近义词】羞辱/羞耻
【英　语】耻辱　disgrace ［dis'greis］

| rù | 笔画 | 部首 | 结构 | 五笔 | 造字法 |
|---|---|---|---|---|---|
| 入 | 2 | 入 | 独体 | TYI | 指事 |
| 笔顺 | 丿 入 | | | | |

【解　释】❶进去（跟“出”相对）。❷参加；参与。❸收入。❹合乎。

甲骨文　金文　小篆　隶书　楷书

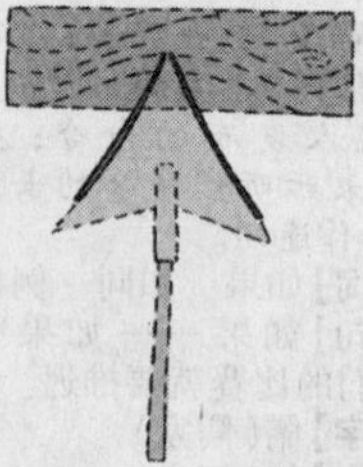

【字源释义】“入”的本义是“由外而内”。其字形像一把尖锐的利器，“入”还有“加入”、“交纳”等义。
【组　词】入场　入伍　收入
【造　句】由浅入深——李老师对这首古诗进行了由浅入深的讲解。
【辨　音】不读 rén。
【同音字】褥（褥子）
【形近字】人（人民）
【成　语】入木三分　入不敷出　入境问禁　由浅入深
【反义词】入/出
【近义词】入情入理/合情合理
【谚　语】入山先探路，出海先探风｜入国问禁，入乡问俗。
【英　语】入场　entrance ［'entrəns］

| rù | 笔画 | 部首 | 结构 | 五笔 | 造字法 |
|---|---|---|---|---|---|
| 褥 | 15 | 衤 | 左右 | PUDF | 形声 |
| 笔顺 | 丶 ㇇ 礻 衤 衤 衤 衦 衦 衦 袗 袗 褥 褥 褥 褥 | | | | |

【解 释】睡觉时用来垫在身体下面的东西，用棉花或兽皮制成。
【组 词】被褥 褥单
【英 语】褥套 bed tick [bed tick]

## RUAN ㄖㄨㄢ

| ruǎn | 笔画 | 部首 | 结构 | 五笔 | 造字法 |
|---|---|---|---|---|---|
| 软 | 8 | 车 | 左右 | LQWY | 形声 |
| 笔顺 | 一 七 车 车 车' 软 软 软 | | | | |

【解 释】❶疏松；不坚硬（跟"硬"相对）。❷柔软和顺。❸意志不坚定。❹懦弱无能。❺没有力气。❻姓。
【组 词】软木 软弱 疲软 软绵绵
【造 句】软绵绵——春天来了，田地泥土变松，踩上去软绵绵的。
【形近字】轶（轶事）
【成 语】软硬兼施
【反义词】软弱/坚强
【近义词】软和/柔和
【歇后语】软藤绑硬柴——服服帖帖。
【谚 语】软藤缠死硬树｜软处好取土，硬处好打墙。
【英 语】松软 soft [sɔft]

## RUI ㄖㄨㄟ

| ruǐ | 笔画 | 部首 | 结构 | 五笔 | 造字法 |
|---|---|---|---|---|---|
| 蕊 | 15 | 艹 | 上下 | ANNN | 形声 |
| 笔顺 | 一 十 艹 艹 芯 芯 芯 芯 芯 芯 芯 蕊 蕊 蕊 蕊 | | | | |

【解 释】花蕊，植物生殖器官的一部分。
【组 词】雄蕊 雌蕊
【形近字】芯（灯芯）
【英 语】花蕊 stamen [ˈsteimən]

| ruì | 笔画 | 部首 | 结构 | 五笔 | 造字法 |
|---|---|---|---|---|---|
| 锐 | 12 | 钅 | 左右 | QUKQ | 形声 |
| 笔顺 | 丿 ㇒ 𠂉 乍 钅 钅 钅' 钅' 锐 锐 锐 锐 | | | | |

【解 释】❶尖而利。❷灵敏；犀利。❸急剧；快速。❹战斗力强。
【组 词】锐利 敏锐 精锐 锐角 锐意 锐气
【造 句】锐利——翠鸟有一双锐利的眼睛。
【同音字】瑞（祥瑞）
【形近字】说（说话） 税（纳税）
【成 语】养精蓄锐
【反义词】敏锐/迟钝
【近义词】锐利/锋利
【英 语】锐利 sharp [ʃɑːp]

| ruì | 笔画 | 部首 | 结构 | 五笔 | 造字法 |
|---|---|---|---|---|---|
| 瑞 | 13 | 王 | 左右 | GMDJ | 形声 |
| 笔顺 | 一 二 干 王 王' 玔 玔 玔 玔 玔 瑞 瑞 瑞 | | | | |

【解 释】❶吉祥。❷姓。

R

【组　词】祥瑞　瑞雪　瑞气
【造　句】瑞雪——俗话说"瑞雪兆丰年",今年下了这么大的雪,明年的小麦收成一定会很好。
【辨　音】不读 duān。
【同音字】锐(锐气)
【形近字】端(端正)
【谚　语】瑞雪兆丰年。
【英　语】瑞典　Sweden [ˈswiːdn]

## RUN　ㄖㄨㄣ

| rùn | 笔画 | 部首 | 结构 | 五笔 | 造字法 |
|---|---|---|---|---|---|
| 闰 | 7 | 门 | 半包围 | UGD | 会意 |
| 笔顺 | 丶 丨 门 门 闩 闫 闰 | | | | |

【解　释】地球公转一周时间为365日5时48分46秒。阳历一年为365天,所余时间每4年积累约成1天,加在2月里;阴历一年为354天或355天,所余时间每3年积累约成1个月,加在一年里。这种方法在历法中叫做闰。
【组　词】闰年　闰月
【造　句】闰月——今年的八月是闰月。
【同音字】润(湿润)
【形近字】闺(闺女)
【反义词】闰年/平年

| rùn | 笔画 | 部首 | 结构 | 五笔 | 造字法 |
|---|---|---|---|---|---|
| 润 | 10 | 氵 | 左右 | IUGG | 形声 |
| 笔顺 | 丶 丶 氵 氵 氵 氵 沪 润 润 润 润 润 | | | | |

【解　释】❶潮湿;不干燥。❷使潮湿。❸细腻而有光泽。❹利益。❺使文章有文采。
【组　词】湿润　润喉　光润　润色
【造　句】湿润——听了这个感人的故事,他的眼睛湿润了。
【反义词】湿润/干燥
【近义词】湿润/滋润
【英　语】润色　touch up [tʌtʃ ʌp]

## RUO　ㄖㄨㄛ

| ruò | 笔画 | 部首 | 结构 | 五笔 | 造字法 |
|---|---|---|---|---|---|
| 若 | 8 | 艹 | 上下 | ADKF | 会意 |
| 笔顺 | 一 十 艹 艹 芋 若 若 若 | | | | |

【解　释】❶好像;似乎。❷假如;如果。❸你;你们。

【字源释义】甲骨文"若"字像一个女子在梳理着头发,本义是"顺"。后来加上"口"字表示"应诺"义,这个意义又写作"诺"。
【组　词】假若　若是　倘若
【造　句】若隐若现——远处的山峰在云雾中若隐若现。
【同音字】弱(弱小)
【形近字】苦(苦难)
【成　语】若隐若现　若明若暗　若无其事

【反义词】若隐若现/历历在目
【近义词】假若/假如
【谚　语】若要人不知,除非己莫为。
【英　语】若是　if［if］

| ruò | 笔画 | 部首 | 结构 | 五笔 | 造字法 |
| --- | --- | --- | --- | --- | --- |
| 弱 | 10 | 弓 | 左右 | XUXU | 会意 |
| 笔顺 | ㇕ ㇕ 弓 弓 弓 弓 弓 弓 弱 弱 | | | | |

【解　释】❶气力小;力量小。❷年纪小。❸不如;比不上。❹在数字后表略小。
【组　词】弱小　瘦弱　软弱　微弱　弱势　虚弱
【造　句】虚弱——他大病初愈,身体还很虚弱。
【同音字】若(倘若)
【成　语】弱肉强食　弱不禁风
【反义词】弱小/强大
【近义词】虚弱/软弱
【谚　语】弱敌不可轻,劲敌不可畏。
【英　语】软弱　weak［wiːk］

R

# S

## SA　ㄙㄚ

| sā | 笔画 | 部首 | 结构 | 五笔 | 造字法 |
|---|---|---|---|---|---|
| 撒 | 15 | 扌 | 左右 | RAET | 形声 |
| 笔顺 | 一 † 扌 扌 扌 扌 扌 扌 扌 扌 扌 撒 撒 撒 撒 | | | | |

【解　释】❶放开；张开。❷尽量施展或表现出来，多含贬义。
【组　词】撒娇　撒风　撒野　撒欢
【造　句】撒娇——爸爸长期出差在外，难得回来一次，每次他回来，妹妹总向他撒娇。
【辨　音】不读 chè。
【形近字】散（分散）
【反义词】撒谎/诚实
【近义词】撒谎/说谎
【谚　语】撒谎的人，只会使自己受辱。
【英　语】撒　cast［kɑːst］
【多音字】sǎ（见 616 页）

| sǎ | 笔画 | 部首 | 结构 | 五笔 | 造字法 |
|---|---|---|---|---|---|
| 洒 | 9 | 氵 | 左右 | ISG | 形声 |
| 笔顺 | 丶 丶 氵 氵 汀 汅 洒 洒 洒 | | | | |

【解　释】❶使水或其他东西分散地落下。❷散落。❸姓。
【组　词】洒水　洒脱　挥洒
【造　句】洒脱——他这人办事洒脱，从不拖泥带水。
【辨　音】不读 jiǔ。
【同音字】撒（撒落）
【形近字】酒（喝酒）
【成　语】洒脱不拘　洋洋洒洒
【谚　语】洒在地上的水收不回，犯的错误可以改正过来。
【英　语】洒水　sprinkle［ˈspriŋkl］

| sǎ | 笔画 | 部首 | 结构 | 五笔 | 造字法 |
|---|---|---|---|---|---|
| 撒 | 15 | 扌 | 左右 | RAET | 形声 |
| 笔顺 | 一 † 扌 扌 扌 扌 扌 扌 扌 扌 扌 撒 撒 撒 撒 | | | | |

【解　释】散布；散落。
【组　词】撒种
【辨　音】不读 chè。
【同音字】洒（洒水）
【英　语】撒种　sow［səu］
【多音字】sā（见 616 页）

| sà | 笔画 | 部首 | 结构 | 五笔 | 造字法 |
|---|---|---|---|---|---|
| 萨 | 11 | 艹 | 上下 | ABUT | 会意 |
| 笔顺 | 一 十 艹 艹 苊 苊 萨 萨 萨 萨 萨 | | | | |

【解　释】❶用于某些外来词的译音。❷姓。
【组　词】菩萨　萨其马　萨克斯管　萨满教
【形近字】产（生产）
【歇后语】泥菩萨过江——自身难保。
【英　语】萨克斯管　saxophone［ˈsæksəfəun］

## SAI　ㄙㄞ

| sāi | 笔画 | 部首 | 结构 | 五笔 | 造字法 |
|---|---|---|---|---|---|
| 腮 | 13 | 月 | 左右 | ELNY | 形声 |
| 笔顺 | 丿 刀 月 月 肌 肌 胛 胛 胛 腮 腮 腮 腮 | | | | |

S

【解　释】脸两边的下半部分。
【组　词】腮腺　腮帮子
【同音字】塞(塞住)
【形近字】思(思念)
【成　语】抓耳挠腮　尖嘴猴腮
【英　语】腮帮子　cheek [ˈtʃiːk]

| sāi | 笔画 | 部首 | 结构 | 五笔 | 造字法 |
|---|---|---|---|---|---|
| 塞 | 13 | 宀 | 上下 | PFJF | 会意 |
| 笔顺 | 丶 丶 宀 宀 宀 宀 宙 宙 宑 宑 寒 寒 塞 | | | | |

【解　释】❶把东西填入有空隙的地方。❷塞子,堵住器物的东西。
【组　词】塞满　塞子　塞车　瓶塞
【造　句】塞车——路上塞车,所以我迟到了。
【形近字】赛(赛跑)
【英　语】塞子　stopper [ˈstɔpə]
【多音字】sài(见617页)
【多音字】sè(见622页)

| sài | 笔画 | 部首 | 结构 | 五笔 | 造字法 |
|---|---|---|---|---|---|
| 塞 | 13 | 宀 | 上下 | PFJF | 会意 |
| 笔顺 | 丶 丶 宀 宀 宀 宀 宙 宙 宑 宑 寒 寒 塞 | | | | |

【解　释】险要的地方。
【组　词】要塞　边塞　塞翁失马
【同音字】赛(赛跑)
【英　语】要塞　fort [fɔːt]
【多音字】sāi(见617页)
【多音字】sè(见622页)

| sài | 笔画 | 部首 | 结构 | 五笔 | 造字法 |
|---|---|---|---|---|---|
| 赛 | 14 | 宀 | 上下 | PFJM | 形声 |
| 笔顺 | 丶 丶 宀 宀 宀 宀 宙 宙 宑 宑 寒 寒 赛 赛 | | | | |

【解　释】❶比赛。❷超过;比得上。❸旧时祭祀酬报神恩。
【组　词】赛跑　比赛　竞赛　参赛　预赛　赛季　赛况　赛制
【造　句】赛跑——这次校运动会上,他参加了长跑比赛。
【同音字】塞(要塞)
【形近字】寒(寒冷)
【近义词】比赛/竞赛
【英　语】比赛　match [mætʃ]

## SAN ㄙㄢ

| sān | 笔画 | 部首 | 结构 | 五笔 | 造字法 |
|---|---|---|---|---|---|
| 三 | 3 | 一 | 独体 | DG | 指事 |
| 笔顺 | 一 二 三 | | | | |

【解　释】❶数词。二加一的得数。❷表示多数或多次。
【组　词】三包　三代　三国　三角形
【造　句】三番五次——她拗不过他三番五次的请求,最后也只能同意了。
【成　语】三番五次　三长两短　三纲五常　三更半夜　三年五载
【近义词】三番五次/屡次三番
【歇后语】三伏天的雨——说来就来。
【谚　语】三百六十行,行行出状元。
【英　语】三　three [θriː]

| sǎn | 笔画 | 部首 | 结构 | 五笔 | 造字法 |
|---|---|---|---|---|---|
| 伞 | 6 | 人 | 上下 | WUHJ | 象形 |
| 笔顺 | ノ 人 人 仒 仒 伞 | | | | |

【解　释】❶遮雨或挡太阳的用具。❷像伞的东西。❸姓。

【组　词】伞兵　伞形　打伞　雨伞　洋伞　纸伞　跳伞　伞架
【同音字】散(散漫)
【谚　语】伞破骨干在。
【英　语】伞　umbrella　[ʌm'brelə]

| sǎn | 笔画 | 部首 | 结构 | 五笔 | 造字法 |
|---|---|---|---|---|---|
| 散 | 12 | 攵 | 左右 | AETY | 形声 |
| 笔顺 | 一 十 廾 廾 廾 昔 昔 昔 昔 昔 散 散 | | | | |

【解　释】❶没有约束;松开。❷零星的;零碎的。❸药末儿。
【组　词】散装　散文　散打　散工　散架　散件　散漫　松散　闲散　散光
【造　句】松散——这个包裹太松散了,应该捆紧一点儿。
【同音字】伞(雨伞)
【形近字】撒(撒谎)
【歇后语】散黄鸡蛋——外头看得里头臭。
【英　语】松散　loose　[luːs]
【多音字】sàn(见 618 页)

| sàn | 笔画 | 部首 | 结构 | 五笔 | 造字法 |
|---|---|---|---|---|---|
| 散 | 12 | 攵 | 左右 | AETY | 形声 |
| 笔顺 | 一 十 廾 廾 廾 昔 昔 昔 昔 昔 散 散 | | | | |

【解　释】❶由聚结而分离。❷散布;分散到各处。❸排除;排遣。❹随意。
【组　词】散会　消散　散发　散步
【造　句】散步——我们吃完晚饭后到湖边散步。
【形近字】撒(撒种)
【成　语】烟消云散
【近义词】消散/消失
【谚　语】散将容易聚将难。
【英　语】散发　send out　[send aut]
【多音字】sǎn(见 618 页)

## SANG　ㄙㄤ

| sāng | 笔画 | 部首 | 结构 | 五笔 | 造字法 |
|---|---|---|---|---|---|
| 丧 | 8 | 十 | 上下 | FUEU | 形声 |
| 笔顺 | 一 十 十 卝 丧 丧 丧 丧 | | | | |

【解　释】跟死人有关的事。

甲骨文　金文　小篆　隶书　楷书

【字源释义】"丧"的字形像一棵桑树。甲骨文"桑"、"丧"是同一个字。
【组　词】丧服　奔丧　吊丧　治丧　丧礼　丧车　丧钟　丧葬
【造　句】丧葬——厂里按规定给了家属一笔丧葬费。
【同音字】桑(桑树)
【英　语】丧礼　funeral　['fjuːnərəl]
【多音字】sàng(见 619 页)

| sāng | 笔画 | 部首 | 结构 | 五笔 | 造字法 |
|---|---|---|---|---|---|
| 桑 | 10 | 木 | 上下 | CCCS | 象形 |
| 笔顺 | ㇇ 又 叉 叒 叒 叒 叒 桒 桑 桑 | | | | |

【解　释】❶桑树，落叶乔木，叶可喂蚕，果实可吃。❷姓。
【组　词】桑树　桑叶　桑葚
【造　句】桑榆暮景——人到了桑榆暮景之年，回忆总比憧憬要多。
【同音字】丧（丧事）
【形近字】嗓（嗓子）
【成　语】桑榆暮景
【反义词】桑榆暮景/年轻力壮
【近义词】桑榆暮景/风烛残年
【谚　语】桑田变沧海，沧海变桑田｜桑要从小育，人要从小教。
【英　语】桑树　mulberry　[ˈmʌlbəri]

| sǎng | 笔画 | 部首 | 结构 | 五笔 | 造字法 |
|---|---|---|---|---|---|
| 嗓 | 13 | 口 | 左右 | KCCS | 形声 |
| 笔顺 | 丨 ㇆ 口 叹 叹 叹 叹 叹 嗓 嗓 嗓 嗓 嗓 | | | | |

【解　释】❶喉咙。❷嗓音。
【组　词】嗓门　嗓子　嗓音　尖嗓子
【形近字】搡（洗搡）
【歇后语】嗓子里安风箱——好响啊｜嗓子塞把胡椒粉——够呛的｜嗓子里拴铜锣——话音响又脆。
【英　语】嗓子　throat　[θrəut]

| sàng | 笔画 | 部首 | 结构 | 五笔 | 造字法 |
|---|---|---|---|---|---|
| 丧 | 8 | 十 | 上下 | FUEU | 形声 |
| 笔顺 | 一 十 十 卝 丧 丧 丧 丧 | | | | |

【解　释】丢失；失去。
【组　词】丧失　丧命　丧胆　丧气　沮丧　丧尽天良　垂头丧气　丧权辱国　丧心病狂　丧魂落魄
【造　句】丧失——他为丧失这次高考机会深感遗憾。
【成　语】丧尽天良
【近义词】丧失/丢失　丧权辱国/卖国求荣
【谚　语】丧家之犬，漏网之鱼｜丧失勇气就会丧失一切。
【英　语】丧失　lose　[luːz]
【多音字】sāng（见 618 页）

## SAO　厶幺

| sāo | 笔画 | 部首 | 结构 | 五笔 | 造字法 |
|---|---|---|---|---|---|
| 搔 | 12 | 扌 | 左右 | RCYJ | 形声 |
| 笔顺 | 一 十 扌 扌 扠 扠 扠 搔 搔 搔 搔 搔 | | | | |

【解　释】用指甲挠、抓。
【组　词】搔痒　搔背
【造　句】搔首弄姿——在电视节目中，表演者过于搔首弄姿往往会引起观众反感。
【同音字】骚（骚动）
【形近字】骚（骚乱）
【成　语】搔首弄姿
【英　语】搔痒　scratch　[skrætʃ]

| sāo | 笔画 | 部首 | 结构 | 五笔 | 造字法 |
|---|---|---|---|---|---|
| 骚 | 12 | 马 | 左右 | CCYJ | 形声 |
| 笔顺 | ㇇ 马 马 驭 驭 驭 驭 骚 骚 骚 骚 骚 | | | | |

【解　释】❶打扰；扰乱；不安定。❷指屈原的《离骚》。❸泛指诗

S

文。❹举止轻浮，作风不正派。
【组 词】骚扰 骚动 骚乱 骚体 骚闹
【造 句】骚动——他的这句话在群众中引起了骚动。
【同音字】搔（搔痒）
【形近字】搔（搔背）
【成 语】骚人墨客
【近义词】骚人墨客/饱学之士
【歇后语】骚人来做客——文到家了。
【形近字】嗓（嗓门）
【英 语】骚动 disturb [dis'təːb]

| sāo | 笔画 | 部首 | 结构 | 五笔 | 造字法 |
|---|---|---|---|---|---|
| 臊 | 17 | 月 | 左右 | EKKS | 形声 |
| 笔顺 | 丿 月 月 月 月' 月'' 月'' 月'' 月'' 月'' 月'' 月'' 月'' 月'' 臊 臊 臊 | | | | |

【解 释】像尿或狐狸的气味。
【组 词】臊气 臊味 狐臊 腥臊
【同音字】骚（骚动）
【英 语】狐臊 the smell of fox [ðə smel əv fɔks]
【多音字】sào（见 621 页）

| sǎo | 笔画 | 部首 | 结构 | 五笔 | 造字法 |
|---|---|---|---|---|---|
| 扫 | 6 | 扌 | 左右 | RVG | 会意 |
| 笔顺 | 一 十 扌 扌 扫 扫 | | | | |

【解 释】❶用扫帚除去尘土垃圾等。❷清除；消除。❸迅速地左右移动。❹所有；归拢在一起的。
【组 词】扫荡 扫尾 扫视 扫描 扫雷 扫灭 扫地 扫清 横扫
【造 句】扫视——老师走进教室，扫视了大家一眼，开始给我们讲课。
【同音字】嫂（嫂子）
【形近字】挡（抵挡）
【成 语】扫地出门
【谚 语】扫盲不离书，增产不离猪。
【英 语】扫除 cleaning ['kliːniŋ]
【多音字】sào（见 620 页）

| sǎo | 笔画 | 部首 | 结构 | 五笔 | 造字法 |
|---|---|---|---|---|---|
| 嫂 | 12 | 女 | 左右 | VVHC | 形声 |
| 笔顺 | ㇛ 𡿨 女 女' 女' 女' 女' 女' 女' 女' 嫂 嫂 | | | | |

【解 释】❶哥哥的妻子。❷泛称年纪不大的已婚妇女。
【组 词】嫂子 大嫂 表嫂 姑嫂 嫂嫂 二嫂 王嫂 堂嫂
【造 句】嫂子——哥哥今年为我们娶了个嫂子，不过我还没见过。
【同音字】扫（扫地）
【形近字】馊（馊主意）
【谚 语】老嫂比母。
【英 语】嫂子 elder brother's wife ['eldə 'brʌðəz waif]

| sào | 笔画 | 部首 | 结构 | 五笔 | 造字法 |
|---|---|---|---|---|---|
| 扫 | 6 | 扌 | 左右 | RVG | 会意 |
| 笔顺 | 一 十 扌 扌 扫 扫 | | | | |

【解 释】扫帚，扫地的用具。
【同音字】臊（害臊）
【歇后语】扫把写字——大话（画）。
【谚 语】扫帚不到，灰尘不掉。
【英 语】扫帚 broom [bruːm]
【多音字】sǎo（见 620 页）

| sào | 笔画 | 部首 | 结构 | 五笔 | 造字法 |
|---|---|---|---|---|---|
| 臊 | 17 | 月 | 左右 | EKKS | 形声 |
| 笔顺 | 丿 刀 月 月 肀 胆 胆 胆 胆 胆 胆 胆 胆 臊 臊 臊 臊 | | | | |

【解　释】难为情;不好意思。
【组　词】害臊
【造　句】害臊——她听了这话,害臊得脸都红了。
【辨　音】不读 cāo。
【同音字】扫(扫帚)
【形近字】操(体操)
【近义词】害臊/害羞
【英　语】害臊　shy [ʃai]
【多音字】sāo(见 620 页)

## SE　ㄙㄜ

| sè | 笔画 | 部首 | 结构 | 五笔 | 造字法 |
|---|---|---|---|---|---|
| 色 | 6 | ⺈ | 上下 | QCB | 会意 |
| 笔顺 | 丿 ⺈ 𠂊 刍 刍 色 | | | | |

【解　释】❶颜色;色彩。❷脸上的表情;神气。❸情景;景象。❹种类。❺物品的质量。❻女子的姿容。❼佛教用语。
【组　词】颜色　色彩　色盲　色素　色调　气色　特色　花色　色泽
【造　句】色厉内荏——他气势汹汹,大喊大叫,实际上是色厉内荏。
【同音字】涩(苦涩)
【形近字】巴(巴结)
【成　语】和颜悦色　色厉内荏　疾言厉色　五光十色　有声有色
【反义词】色厉内荏/外柔内刚
【近义词】色厉内荏/外强中干
【英　语】颜色　colour [ˈkʌlə]
【多音字】shǎi(见 625 页)

| sè | 笔画 | 部首 | 结构 | 五笔 | 造字法 |
|---|---|---|---|---|---|
| 涩 | 10 | 氵 | 左右 | IVYH | 会意 |
| 笔顺 | 丶 冫 氵 汀 汈 汈 汈 汈 涩 涩 | | | | |

【解　释】❶不滑润。❷像明矾或不熟的柿子那样使舌头感到麻木干燥。❸文句不流畅,拗口难读。
【组　词】苦涩　干涩　晦涩　艰涩
【造　句】苦涩——没有成熟的杏子吃起来很苦涩。
【同音字】色(颜色)
【形近字】忍(忍耐)
【英　语】涩　unsmooth [ʌnˈsmuːð]

| sè | 笔画 | 部首 | 结构 | 五笔 | 造字法 |
|---|---|---|---|---|---|
| 啬 | 11 | 十 | 上下 | FULK | 形声 |
| 笔顺 | 一 十 土 圭 卉 卉 卋 啬 啬 啬 啬 | | | | |

【解　释】过分爱惜自己的财物,当用不用。
【组　词】吝啬
【造　句】吝啬——葛朗台是个极其吝啬的人。
【同音字】色(色彩)
【形近字】蔷(蔷薇)

| sè | 笔画 | 部首 | 结构 | 五笔 | 造字法 |
|---|---|---|---|---|---|
| 瑟 | 13 | 王 | 上下 | GGNT | 形声 |
| 笔顺 | 一 二 干 王 王 珏 珏 珏 珏 瑟 瑟 瑟 瑟 | | | | |

【解　释】❶古代的一种弦乐器,像琴。❷形容微风等轻细的声音。
【组　词】瑟缩　琴瑟　萧瑟

【造　句】萧瑟——萧瑟的秋风吹落了最后一片树叶。
【同音字】塞(阻塞)
【形近字】琶(琵琶)
【成　语】胶柱鼓瑟

| sè | 笔画 | 部首 | 结构 | 五笔 | 造字法 |
|---|---|---|---|---|---|
| 塞 | 13 | 宀 | 上中下 | PFJF | 会意 |
| 笔顺 | 丶 丷 宀 宀 宀 宇 宙 室 宰 宲 寒 寒 塞 | | | | |

【解　释】同"塞(sāi)",用于某些合成词中。
【组　词】塞责 搪塞 塞音 阻塞
【造　句】敷衍搪塞——商业部门要树立"顾客第一,信誉第一"的观念,坚决杜绝对顾客敷衍搪塞的现象。
【同音字】色(颜色)
【成　语】敷衍塞责
【多音字】sāi(见 617 页)
【多音字】sài(见 617 页)

## SEN ㄙㄣ

| sēn | 笔画 | 部首 | 结构 | 五笔 | 造字法 |
|---|---|---|---|---|---|
| 森 | 12 | 木 | 上下 | SSS | 会意 |
| 笔顺 | 一 十 才 木 本 杏 杏 杏 森 森 森 森 | | | | |

【解　释】❶林木丛生;茂密。❷繁密;众多。❸阴暗;阴沉。
【组　词】森严 森林 阴森
【造　句】森罗万象——学生除了读书,还要接触生活,主动去认识森罗万象的世界。
【辨　音】不读 shēn。
【形近字】林(树林)
【成　语】森罗万象 森严壁垒
【近义词】森罗万象/丰富多彩
【歇后语】森林里烤火——就地取材(柴)|森林里跑马——施展不开。
【英　语】森林 forest [ˈfɔrist]

## SENG ㄙㄥ

| sēng | 笔画 | 部首 | 结构 | 五笔 | 造字法 |
|---|---|---|---|---|---|
| 僧 | 14 | 亻 | 左右 | WULJ | 形声 |
| 笔顺 | 丿 亻 亻 亻 亻 伫 伫 倄 僧 僧 僧 僧 僧 僧 | | | | |

【解　释】和尚,出家修行的男性佛教徒。
【组　词】僧人 僧舍 僧尼 僧钵 老僧 僧帽 僧侣 僧俗
【辨　音】不读 zēng。
【造　句】僧多粥少——原来的公司机构臃肿,不但人浮于事,而且僧多粥少,矛盾重重,工作效率十分低下。
【形近字】增(增加)
【成　语】僧多粥少
【英　语】僧侣 monk [mʌŋk]

## SHA ㄕㄚ

| shā | 笔画 | 部首 | 结构 | 五笔 | 造字法 |
|---|---|---|---|---|---|
| 杀 | 6 | 朩 | 上下 | QSU | 形声 |
| 笔顺 | 丿 乂 㐅 䒑 杀 杀 | | | | |

【解　释】❶使人或动物失去生命;弄死。❷战斗;打仗。❸消减;清除。❹结束。❺用在动词后,表示程度深。
【组　词】仇杀 杀生 杀戒 自杀 残杀 谋杀 误杀 杀毒

【造　句】杀人如麻——这伙匪徒杀人如麻,无恶不作,最终被绳之以法。
【辨　音】不读 sā。
【同音字】沙(沙土) 刹(刹车)
【形近字】茶(茶叶)
【成　语】杀气腾腾　杀鸡取卵　杀身成仁　杀人如麻
【反义词】杀人如麻/大发慈悲
【近义词】杀一儆百/杀鸡吓猴
【歇后语】杀鸡取蛋——因小失大。
【英　语】杀　kill [kil]

| shā | 笔画 | 部首 | 结构 | 五笔 | 造字法 |
|---|---|---|---|---|---|
| 杉 | 7 | 木 | 左右 | SET | 形声 |
| 笔顺 | 一 十 才 木 杉 杉 杉 | | | | |

【解　释】同"杉(shān)",用于口语。
【组　词】杉树　杉木　杉篙
【辨　音】不读 bīn。
【同音字】沙(沙丘)
【多音字】shān(见 626 页)

| shā | 笔画 | 部首 | 结构 | 五笔 | 造字法 |
|---|---|---|---|---|---|
| 沙 | 7 | 氵 | 左右 | IIT | 形声 |
| 笔顺 | 丶 丶 氵 氵 沙 沙 沙 | | | | |

【解　释】❶细碎的石粒。❷像沙的东西。❸嗓音嘶哑不清。❹姓。
【组　词】沙子　沙丘　沙袋　沙发　沙漠　沙龙　沙尘　沙场　沙雕　沙化
【辨　音】不读 sā。
【同音字】杀(杀猪)
【形近字】砂(砂布)
【成　语】飞沙走石　大浪淘沙
【歇后语】沙滩的鱼——干蹦干跳。
【谚　语】沙石里可以淘出金子,汗水里可以找到幸福。
【英　语】沙发　sofa ['səufə]

| shā | 笔画 | 部首 | 结构 | 五笔 | 造字法 |
|---|---|---|---|---|---|
| 纱 | 7 | 纟 | 左右 | XIT | 形声 |
| 笔顺 | 𠃋 纟 纟 纠 纠 纱 纱 | | | | |

【解　释】❶棉、麻等纺成的细丝。❷纺织类物品。❸像纱一样的制品。
【组　词】纱巾　纱锭　绉纱　羽纱　麻纱　细纱　棉纱　纱帽　纱布　纱罩
【辨　音】不读 sā。
【同音字】沙(沙子)
【形近字】砂(砂布)
【英　语】纱布　gauze [gɔːz]

| shā | 笔画 | 部首 | 结构 | 五笔 | 造字法 |
|---|---|---|---|---|---|
| 刹 | 8 | 刂 | 左右 | QSJH | 形声 |
| 笔顺 | ノ ㄨ 㐅 杀 杀 杀 刹 刹 | | | | |

【解　释】止住。
【组　词】刹车　刹住
【造　句】刹车——幸亏及时刹车,否则后果不堪设想。
【同音字】杀(杀害)
【形近字】杀(杀人)
【近义词】刹车/停车
【多音字】chà(见 83 页)

| shā | 笔画 | 部首 | 结构 | 五笔 | 造字法 |
|---|---|---|---|---|---|
| 砂 | 9 | 石 | 左右 | DIT | 形声 |
| 笔顺 | 一 丆 𠂇 石 石 石 矶 砂 砂 | | | | |

【解　释】❶细碎的石粒，同“沙”。❷像砂的东西。
【组　词】砂布　砂轮　砂型　翻砂　铁砂　钢砂　砂纸　矿砂　砂糖　砂囊
【辨　音】不读 sā。
【同音字】沙(沙石)　莎(莎车)
【形近字】纱(纱窗)
【谚　语】砂锅不捣不漏，木头不凿不通。
【英　语】砂纸　sand paper [sænd'peipə]

| shā | 笔画 | 部首 | 结构 | 五笔 | 造字法 |
|---|---|---|---|---|---|
| 莎 | 10 | 艹 | 上下 | AIIT | 形声 |
| 笔顺 | 一 十 艹 艹 艹 芢 芢 莎 莎 莎 | | | | |

【解　释】用于地名、人名等。
【组　词】莎车
【同音字】刹(刹车)
【形近字】沙(沙丘)
【多音字】suō(见 686 页)

| shā | 笔画 | 部首 | 结构 | 五笔 | 造字法 |
|---|---|---|---|---|---|
| 煞 | 13 | 灬 | 上下 | QVTO | 会意 |
| 笔顺 | 丿 ⺈ 刍 刍 刍 刍 刍 刍 敎 敎 敎 煞 煞 | | | | |

【解　释】❶收尾；结束。❷同“杀”。❸同“刹(shā)”。
【组　词】煞账　煞尾
【同音字】杀(杀气)
【反义词】煞尾/开始
【近义词】煞尾/结尾
【英　语】煞尾　wrap up [ræp ʌp]
【多音字】shà(见 625 页)

| shā | 笔画 | 部首 | 结构 | 五笔 | 造字法 |
|---|---|---|---|---|---|
| 鲨 | 15 | 鱼 | 上下 | IITG | 形声 |
| 笔顺 | 丶 丶 氵 氵 氵 沙 沙 沙 沙 沙 沙 鲨 鲨 鲨 鲨 | | | | |

【解　释】鲨鱼，种类很多，身体纺锤形，生活在海洋中。性凶猛，行动敏捷，捕食其他鱼类。经济价值很高。
【组　词】鲨鱼
【同音字】沙(沙子)
【英　语】鲨鱼　shark [ʃɑːk]

| shá | 笔画 | 部首 | 结构 | 五笔 | 造字法 |
|---|---|---|---|---|---|
| 啥 | 11 | 口 | 左右 | KWFK | 形声 |
| 笔顺 | 丨 口 口 叭 叭 吟 吟 吟 啥 啥 啥 | | | | |

【解　释】(方)什么。
【组　词】啥子　干啥　啥事
【造　句】啥事——你有啥事？快点说，我还忙着呢！

| shǎ | 笔画 | 部首 | 结构 | 五笔 | 造字法 |
|---|---|---|---|---|---|
| 傻 | 13 | 亻 | 左右 | WTLT | 会意 |
| 笔顺 | 丿 亻 亻 亻 亻 亻 亻 亻 亻 亻 亻 傻 傻 | | | | |

【解　释】❶糊涂；不明事理。❷不知变通；死脑筋。
【组　词】傻瓜　傻眼　傻气　傻呵呵
【造　句】傻呵呵——别看他样子傻呵呵的，心里却很有数。
【形近字】俊(俊俏)
【成　语】装疯卖傻
【反义词】傻气/聪明

【近义词】傻气/糊涂
【谚　语】傻子过年看隔壁。
【英　语】傻瓜　fool [fuːl]

| shà | 笔画 | 部首 | 结构 | 五笔 | 造字法 |
|---|---|---|---|---|---|
| 厦 | 12 | 厂 | 半包围 | DDHT | 形声 |
| 笔顺 | 一 厂 厂 厂 厂 厉 厉 厉 厝 厚 厦 厦 | | | | |

【解　释】❶高大的房屋。❷房屋伸出的后檐所遮蔽的地方。
【组　词】广厦　大厦
【造　句】大厦——马路两旁,一座座高楼大厦拔地而起。
【同音字】煞(煞费苦心)
【形近字】夏(夏天)
【英　语】大厦　high building [hai 'bildiŋ]
【多音字】xià(见767页)

| shà | 笔画 | 部首 | 结构 | 五笔 | 造字法 |
|---|---|---|---|---|---|
| 煞 | 13 | 灬 | 上下 | QVTO | 会意 |
| 笔顺 | ノ ク ⺈ 刍 刍 刍 刍 刍 刍 煞 煞 煞 煞 | | | | |

【解　释】❶极;很。❷迷信指凶神。
【组　词】煞白
【造　句】煞白——老师脸色煞白,好像是生病了。
【同音字】厦(广厦)
【成　语】煞费苦心　煞有介事
【反义词】煞费苦心/漠不关心
【近义词】煞费苦心/挖空心思
【英　语】煞费苦心　rack one's brains [ræk wʌns breinz]
【多音字】shā(见624页)

| shà | 笔画 | 部首 | 结构 | 五笔 | 造字法 |
|---|---|---|---|---|---|
| 霎 | 16 | 雨 | 上下 | FUVF | 形声 |
| 笔顺 | 一 ㇀ 亠 币 币 币 雨 雨 雨 雨 雨 雨 雨 霎 霎 霎 | | | | |

【解　释】一会儿;短时间。
【组　词】霎时　一霎
【造　句】霎时——一声雷响,霎时雨就下起来了。
【同音字】厦(大厦)
【近义词】霎时/瞬间
【英　语】霎时　in a twinkling [in ə 'twiŋkliŋ]

## SHAI　ㄕㄞ

| shāi | 笔画 | 部首 | 结构 | 五笔 | 造字法 |
|---|---|---|---|---|---|
| 筛 | 12 | ⺮ | 上下 | TJGH | 形声 |
| 笔顺 | ノ ㇀ 𠂉 𥫗 𥫗 竹 竹 竹 筛 筛 筛 筛 | | | | |

【解　释】❶筛子,用铁丝、竹条等编成的有许多小孔的用具。❷把东西放在筛子里来回摇动,使细的漏下去,粗的留上面。❸温酒。❹斟酒。
【组　词】筛子　竹筛　筛选
【造　句】筛选——科学家们经过多年的杂交试验,筛选出了优质高产的水稻新品种。
【英　语】筛子　sieve [siv]

| shǎi | 笔画 | 部首 | 结构 | 五笔 | 造字法 |
|---|---|---|---|---|---|
| 色 | 6 | ⺈ | 上下 | QCB | 会意 |
| 笔顺 | ノ ク ⺈ 刍 刍 色 | | | | |

【解　释】颜色。
【组　词】掉色　色子　色酒　套色

S

【造　句】掉色——妈妈新买的大衣穿了没多长时间就掉色了。
【英　语】掉色　lose colour [luːz 'kʌlə]
【多音字】sè(见 621 页)

| shài | 笔画 | 部首 | 结构 | 五笔 | 造字法 |
|---|---|---|---|---|---|
| 晒 | 10 | 日 | 左右 | JSG | 形声 |
| 笔顺 | 丨 冂 日 日 日一 日丆 日丙 日丙 晒 晒 | | | | |

【解　释】❶太阳把光热照射到物体上。❷在阳光下吸收光和热。
【组　词】晒干　晒台　晒谷　暴晒
【造　句】暴晒——夏天,人们不应在烈日下暴晒。
【辨　音】不读 sài。
【形近字】洒(洒水)
【英　语】晒太阳　bask [baːsk]

## SHAN　ㄕㄢ

| shān | 笔画 | 部首 | 结构 | 五笔 | 造字法 |
|---|---|---|---|---|---|
| 山 | 3 | 山 | 独体 | MMMM | 象形 |
| 笔顺 | 丨 凵 山 | | | | |

【解　释】❶地面上形成的较高的部分。❷像山的东西。❸蚕蔟(cù)。❹姓。

甲骨文　金文　小篆　隶书　楷书

【字源释义】"山"字的本义指平地上隆起的部分。这是一个象形字,其字形像三个并排耸立的山峰:甲骨文的山峰是等高的;金文以后突出了中间的主峰。
【组　词】山头　山岳　山脉　山洪
【造　句】山洪——连日降雨导致山洪暴发,洪水淹没了无数良田。
【辨　音】不读 sān。
【同音字】珊(珊瑚)
【形近字】出(出去)
【成　语】山崩地裂　山高水长
【反义词】山清水秀/穷山恶水
【英　语】小山　hill [hil]

| shān | 笔画 | 部首 | 结构 | 五笔 | 造字法 |
|---|---|---|---|---|---|
| 杉 | 7 | 木 | 左右 | SET | 形声 |
| 笔顺 | 一 十 才 木 木' 杉 杉 | | | | |

【解　释】常绿乔木,木材白色,质轻,有香味,供建筑和制器具用。
【组　词】杉木　杉树　杉篙
【辨　音】不读 bīn。
【同音字】珊(珊瑚)
【形近字】衫(衬衫)
【英　语】冷杉　fir [fəː]
【多音字】shā(见 623 页)

| shān | 笔画 | 部首 | 结构 | 五笔 | 造字法 |
|---|---|---|---|---|---|
| 删 | 7 | 刂 | 左右 | MMGJ | 形声 |
| 笔顺 | 丿 刀 刀 冂 册 册 删 | | | | |

【解　释】去掉;减去。
【组　词】删除　删改　删节
【造　句】删除——这一段描写应当删除,这样文章才更出彩。
【同音字】山(山顶)
【反义词】删/增加

【成　语】删繁就简

| shān | 笔画 | 部首 | 结构 | 五笔 | 造字法 |
|---|---|---|---|---|---|
| 苫 | 8 | 艹 | 上下 | AHKF | 形声 |
| 笔顺 | 一 十 卄 艹 艹 芐 苫 苫 | | | | |

【解　释】用草做成的盖东西或垫东西的器物。

【多音字】shàn（见 628 页）

| shān | 笔画 | 部首 | 结构 | 五笔 | 造字法 |
|---|---|---|---|---|---|
| 衫 | 8 | 衤 | 左右 | PUET | 形声 |
| 笔顺 | 丶 ㇇ 礻 衤 衤 衤 衫 衫 | | | | |

【解　释】❶单上衣。❷泛指衣服。

【组　词】长衫　线衫　汗衫　衬衫

【造　句】衬衫——她穿着一件花衬衫，看起来很美丽。

【同音字】珊（珊瑚）

【形近字】杉（杉树）

【英　语】衬衫　shirt［ʃəːt］

| shān | 笔画 | 部首 | 结构 | 五笔 | 造字法 |
|---|---|---|---|---|---|
| 姗 | 8 | 女 | 左右 | VMMG | 形声 |
| 笔顺 | ㄑ 女 女 女 如 姗 姗 姗 | | | | |

【解　释】［姗姗］形容走路缓慢从容的样子。

【同音字】删（删改）

【形近字】栅（栅栏）

【成　语】姗姗来迟

| shān | 笔画 | 部首 | 结构 | 五笔 | 造字法 |
|---|---|---|---|---|---|
| 珊 | 9 | 王 | 左右 | GMMG | 形声 |
| 笔顺 | 一 二 干 王 玎 玑 珈 珊 珊 | | | | |

【解　释】［珊瑚］珊瑚虫分泌的石灰质骨骼的聚集体，形状像树枝，有红、白、黑等色。可供玩赏，也用作装饰品。

【组　词】珊瑚　珊瑚礁　珊瑚虫

【造　句】珊瑚——这株血色珊瑚是十分珍贵的收藏品。

【同音字】杉（杉树）

【形近字】栅（栅栏）

【英　语】珊瑚　coral［ˈkɔrəl］

| shān | 笔画 | 部首 | 结构 | 五笔 | 造字法 |
|---|---|---|---|---|---|
| 栅 | 9 | 木 | 左右 | SMMG | 形声 |
| 笔顺 | 一 十 才 木 机 机 机 栅 栅 | | | | |

【解　释】栅极，多极电子管靠阴极的一个电极。

【同音字】珊（珊瑚）

【英　语】栅极　grid［grid］

【多音字】zhà（见 897 页）

| shān | 笔画 | 部首 | 结构 | 五笔 | 造字法 |
|---|---|---|---|---|---|
| 扇 | 10 | 户 | 半包围 | YNND | 会意 |
| 笔顺 | 丶 ㇇ ㇇ 户 户 肩 肩 肩 扇 扇 | | | | |

【解　释】摇动扇子一类的东西，加速空气流动。

【组　词】扇动　扇扇子

【同音字】杉（杉树）

【英　语】扇动　flap［flæp］

【多音字】shàn（见 628 页）

| shān | 笔画 | 部首 | 结构 | 五笔 | 造字法 |
|---|---|---|---|---|---|
| 跚 | 12 | 𧾷 | 左右 | KHMG | 形声 |
| 笔顺 | 丶 口 口 甲 早 足 𧾷 趴 趴 跏 蹒 跚 | | | | |

【解　释】见 537 页“蹒”。

| shān | 笔画 | 部首 | 结构 | 五笔 | 造字法 |
|---|---|---|---|---|---|
| 煽 | 14 | 火 | 左右 | OYNN | 形声 |
| 笔顺 | 丶 丷 火 炉 炉 炉 炉 炉 炉 炉 炉 煽 煽 煽 | | | | |

【解　释】❶同"扇"。❷鼓动(别人做不该做的事)。
【组　词】煽动　煽情
【造　句】煽情——这部小说不免有些煽情的味道。
【同音字】扇(扇动)
【形近字】扇(扇子)
【成　语】煽风点火

| shǎn | 笔画 | 部首 | 结构 | 五笔 | 造字法 |
|---|---|---|---|---|---|
| 闪 | 5 | 门 | 半包围 | UWI | 会意 |
| 笔顺 | 丶 门 门 闪 闪 | | | | |

【解　释】❶闪电。❷闪避。❸身体猛然晃动。❹突然出现。❺光亮忽明忽暗。❻姓。
【组　词】闪光　闪电　闪失　闪念
【造　句】闪烁其词——你有话就直说,不要这么闪烁其词、拐弯抹角的。
【同音字】陕(陕西)
【形近字】闲(闲人)
【成　语】闪烁其词
【近义词】闪烁其词/支支吾吾
【英　语】闪失　mishap　['mishæp]

| shǎn | 笔画 | 部首 | 结构 | 五笔 | 造字法 |
|---|---|---|---|---|---|
| 陕 | 8 | 阝 | 左右 | BGUW | 形声 |
| 笔顺 | 阝 阝 阝 阝 阝 阝 陕 陕 | | | | |

【解　释】❶陕西省的简称。❷姓。
【辨　音】不读 xiá。

【同音字】闪(闪烁)
【形近字】挟(挟持)

| shàn | 笔画 | 部首 | 结构 | 五笔 | 造字法 |
|---|---|---|---|---|---|
| 苫 | 8 | 艹 | 上下 | AHKF | 形声 |
| 笔顺 | 一 十 艹 艹 艹 苎 苫 苫 | | | | |

【解　释】❶遮盖。❷遮盖货物用的大雨布。
【组　词】苫被　苫布
【解　释】善(善良)
【多音字】shān(见 627 页)

| shàn | 笔画 | 部首 | 结构 | 五笔 | 造字法 |
|---|---|---|---|---|---|
| 单 | 8 | 丷 | 上下 | UJFJ | 象形 |
| 笔顺 | 丶 丷 丷 当 当 当 单 单 | | | | |

【解　释】地名、姓氏用字。
【同音字】善(善良)
【多音字】chán(见 85 页)
【多音字】dān(见 142 页)

| shàn | 笔画 | 部首 | 结构 | 五笔 | 造字法 |
|---|---|---|---|---|---|
| 扇 | 10 | 户 | 半包围 | YNND | 会意 |
| 笔顺 | 丶 ㇇ ㇇ 户 户 户 户 扇 扇 扇 | | | | |

【解　释】❶扇子,用手摇动或靠电力转动生风的用具。❷呈板状或片状的东西。❸量词。用于门窗等。
【组　词】扇子　团扇　扇贝　门扇
【同音字】善(善良)
【形近字】遍(一遍)
【英　语】扇子　fan　[fæn]
【多音字】shān(见 627 页)

| shàn | 笔画 | 部首 | 结构 | 五笔 | 造字法 |
|---|---|---|---|---|---|
| 掸 | 11 | 扌 | 左右 | RUJF | 形声 |
| 笔顺 | 一 十 扌 [illegible] [illegible] [illegible] [illegible] [illegible] [illegible] [illegible] 掸 | | | | |

【解　释】❶古代称傣族。❷缅甸民族之一，大部分住在掸邦。
【组　词】掸邦
【同音字】善(善良)
【多音字】dǎn(见 143 页)

| shàn | 笔画 | 部首 | 结构 | 五笔 | 造字法 |
|---|---|---|---|---|---|
| 善 | 12 | 羊 | 上下 | UDUK | 会意 |
| 笔顺 | 丶 丷 [illegible] [illegible] [illegible] 羊 [illegible] [illegible] [illegible] [illegible] [illegible] 善 | | | | |

【解　释】❶品行好；善良。❷慈善的事或行为。❸友好。
【组　词】友善　善良　善意　善待
【造　句】能言善辩——他思想灵活，反应快，能言善辩，有一定的组织能力。
【同音字】扇(扇子)
【形近字】膳(膳食)
【成　语】善始善终　能言善辩
【反义词】能言善辩/笨嘴拙舌
【英　语】善意　goodwill　[ˌgud'wil]

| shàn | 笔画 | 部首 | 结构 | 五笔 | 造字法 |
|---|---|---|---|---|---|
| 禅 | 12 | 礻 | 左右 | PYUF | 形声 |
| 笔顺 | 丶 ㇇ 礻 礻 [illegible] [illegible] [illegible] [illegible] [illegible] [illegible] [illegible] 禅 | | | | |

【解　释】禅让，帝王把帝位让给别人。
【组　词】禅让
【英　语】禅让　abdicate　['æbdikeit]
【多音字】chán(见 86 页)

| shàn | 笔画 | 部首 | 结构 | 五笔 | 造字法 |
|---|---|---|---|---|---|
| 擅 | 16 | 扌 | 左右 | RYLG | 形声 |
| 笔顺 | 一 十 扌 [illegible] [illegible] [illegible] [illegible] [illegible] [illegible] [illegible] [illegible] [illegible] [illegible] [illegible] [illegible] 擅 | | | | |

【解　释】❶超出职权范围而自作主张。❷善于；长于。
【组　词】擅场　擅长　擅自　擅断
【造　句】擅长——他不擅长交际。
【同音字】扇(扇子)
【形近字】颤(颤抖)
【成　语】擅离职守
【英　语】擅长　be good at　[bi: gud æt]

| shàn | 笔画 | 部首 | 结构 | 五笔 | 造字法 |
|---|---|---|---|---|---|
| 膳 | 16 | 月 | 左右 | EUDK | 形声 |
| 笔顺 | 丿 [illegible] 月 月 [illegible] [illegible] [illegible] [illegible] [illegible] [illegible] [illegible] [illegible] [illegible] [illegible] [illegible] 膳 | | | | |

【解　释】饭食。
【组　词】早膳　进膳　用膳　膳食
【同音字】扇(扇子)
【英　语】膳食　meals　[mi:lz]

| shàn | 笔画 | 部首 | 结构 | 五笔 | 造字法 |
|---|---|---|---|---|---|
| 赡 | 17 | 贝 | 左右 | MQDY | 形声 |
| 笔顺 | 丨 冂 [illegible] 贝 [illegible] [illegible] [illegible] [illegible] [illegible] [illegible] [illegible] [illegible] [illegible] [illegible] [illegible] [illegible] 赡 | | | | |

【解　释】❶子女供养父母。❷(书)充足；富足。
【组　词】赡养　宏赡
【造　句】赡养——他们夫妇俩不愿赡养父母，这是很不道德的。
【辨　音】不读 zhān。
【同音字】扇(扇子)

【形近字】檐(屋檐)
【近义词】赡养/供养
【英 语】赡养 support [sə'pɔːt]

| shàn | 笔画 | 部首 | 结构 | 五笔 | 造字法 |
|---|---|---|---|---|---|
| 鳝 | 20 | 鱼 | 左右 | QGUK | 形声 |
| 笔顺 | 丿 ⺈ ⺈ 各 鱼 鱼 鱼 鱼 鱼' 鱼'' 鲜 鲜 鲜 鲜 鲜 鳝 鳝 鳝 鳝 鳝 | | | | |

【解 释】鳝鱼,形状像蛇,没有鳞,肉可吃。也叫黄鳝。
【组 词】鳝鱼 黄鳝
【同音字】扇(扇子)
【形近字】膳(膳食)
【英 语】鳝鱼 eel [iːl]

S

## SHANG ㄕㄤ

| shāng | 笔画 | 部首 | 结构 | 五笔 | 造字法 |
|---|---|---|---|---|---|
| 伤 | 6 | 亻 | 左右 | WTLN | 形声 |
| 笔顺 | 丿 亻 亻' 亻⺈ 伤 伤 | | | | |

【解 释】❶人身体或其他物体受到损伤。❷损害;损伤。❸悲哀。❹因过度而感到厌烦。❺妨碍。
【组 词】伤心 重伤 损伤 伤害
【造 句】伤心——那件事想起来就让人伤心。
【同音字】商(商量)
【形近字】肋(肋骨)
【成 语】伤风败俗 伤天害理
【近义词】伤天害理/丧尽天良
【歇后语】伤风鼻塞——半通半不通。
【英 语】伤害 injure ['indʒə]

| shāng | 笔画 | 部首 | 结构 | 五笔 | 造字法 |
|---|---|---|---|---|---|
| 商 | 11 | 亠 | 上下 | UMWK | 形声 |
| 笔顺 | 丶 亠 亠 产 产 产 产 产 商 商 商 | | | | |

【解 释】❶相互交换意见;讨论。❷做买卖;从事经济贸易活动。❸做买卖的人。❹除法中的得数。❺古代五音之一。❻星宿名。❼朝代名。❽姓。
【组 词】商品 商议 商机 商量
【造 句】商量——爸爸妈妈正在商量让我去补习班的事。
【同音字】伤(伤心)
【形近字】滴(滴下)
【歇后语】商店里的货物——明摆着。
【英 语】商场 store [stɔː]

| shǎng | 笔画 | 部首 | 结构 | 五笔 | 造字法 |
|---|---|---|---|---|---|
| 上 | 3 | ⺊ | 独体 | H | 指事 |
| 笔顺 | 丨 ⺊ 上 | | | | |

【解 释】上声,汉语四声之一。
【同音字】赏(欣赏)
【多音字】shàng(见 631 页)

| shǎng | 笔画 | 部首 | 结构 | 五笔 | 造字法 |
|---|---|---|---|---|---|
| 晌 | 10 | 日 | 左右 | JTMK | 形声 |
| 笔顺 | 丨 ㄇ 日 日 日' 日' 的 昫 晌 晌 | | | | |

【解 释】❶一天中的一段时间。❷(方)中午。
【组 词】晌午 半晌 前晌
【造 句】晌午——我趁晌午的时间去他那一趟吧。

【同音字】赏（赏月）
【形近字】晌（声响）
【近义词】晌午/中午
【英　语】晌午　midday [ˈmiddei]

| shǎng | 笔画 | 部首 | 结构 | 五笔 | 造字法 |
|---|---|---|---|---|---|
| 赏 | 12 | 贝 | 上下 | IPKM | 形声 |
| 笔顺 | 丨 ⺌ ⺌ 𫩏 𫩏 尚 尚 尚 赏 赏 赏 赏 | | | | |

【解　释】❶赐予；奖励。❷赐予或奖给的物品。❸观看；享受；领略。❹器重；崇仰。❺姓。
【组　词】欣赏　赏赐　奖赏　赏析
【造　句】欣赏——雪后，我们纷纷跑到户外去欣赏雪景。
【形近字】常（经常）
【成　语】赏罚分明　赏心悦目
【反义词】赏罚分明/官官相护
【近义词】赏罚分明/赏功罚罪
【谚　语】赏以劝善，罚以惩恶。
【英　语】欣赏　appreciate [əˈpriːʃieit]

| shàng | 笔画 | 部首 | 结构 | 五笔 | 造字法 |
|---|---|---|---|---|---|
| 上 | 3 | ⺊ | 独体 | H | 指事 |
| 笔顺 | 丨 ⺊ 上 | | | | |

【解　释】❶位置在高处。❷地位、职别高的。❸品质或等级高。❹从低处往高处。❺向上级呈送。❻到某个地方去。❼向前。❽进场。❾添加。❿安装。⓫旋紧。⓬搽；涂抹。⓭刊登；载录。⓮开始工作。⓯达到一定的数量或程度。

【字源释义】“上”字在甲骨文与金文中由两横构成，下面较长的一横是地平线，上面较短的一横是指事符号。为了避免与形近的“二”字相混，小篆以后字形逐渐有所变化。
【组　词】上班　上级　上诉　上游
【造　句】上下同心——只要咱们上下同心，共同奋斗，厂子一定会有起色。
【同音字】尚（和尚）
【形近字】土（土地）
【成　语】上行下效　上下其手　上蹿下跳　上下同心
【歇后语】上街走窗户——没门。
【谚　语】上山看山势，入门看人意。
【英　语】上班　go to work [gəu tuː wəːk]
【多音字】shǎng（见 630 页）

| shàng | 笔画 | 部首 | 结构 | 五笔 | 造字法 |
|---|---|---|---|---|---|
| 尚 | 8 | ⺌ | 上下 | IMKF | 会意 |
| 笔顺 | 丨 ⺌ ⺌ 𫩏 尚 尚 尚 尚 | | | | |

【解　释】❶还。❷重视；尊重。❸和尚。❹姓。
【组　词】高尚　尚且　时尚　和尚
【造　句】高尚——每个公民都应该做一个品德高尚的人。
【同音字】上（上面）

【形近字】敞(宽敞)
【反义词】高尚/低贱
【近义词】高尚/崇高
【英　语】崇尚　uphold [ʌp'həuld]

| shang | 笔画 | 部首 | 结构 | 五笔 | 造字法 |
| --- | --- | --- | --- | --- | --- |
| 裳 | 14 | ⺌ | 上下 | IPKE | 形声 |
| 笔顺 | 丨 ⺌ ⺌ 𫩏 ⺌ 尚 尚 尚 尚 堂 尝 堂 裳 裳 | | | | |

【解　释】(口)指衣服。
【组　词】衣裳
【辨　音】不读 shān。
【多音字】cháng(见90页)

## SHAO　ㄕㄠ

| shāo | 笔画 | 部首 | 结构 | 五笔 | 造字法 |
| --- | --- | --- | --- | --- | --- |
| 捎 | 10 | 扌 | 左右 | RIEG | 形声 |
| 笔顺 | 一 十 扌 扌 扌 扌 扌 捎 捎 捎 | | | | |

【解　释】顺便带(东西)。
【组　词】捎带　捎脚
【造　句】捎带——明天你出去时,捎带把这包东西寄一下。
【同音字】烧(烧火)
【形近字】梢(树梢)

| shāo | 笔画 | 部首 | 结构 | 五笔 | 造字法 |
| --- | --- | --- | --- | --- | --- |
| 烧 | 10 | 火 | 左右 | OATQ | 形声 |
| 笔顺 | 丶 丷 火 火 火 炏 烧 烧 烧 烧 | | | | |

【解　释】❶使着火。❷加热使物体起变化。❸烹饪方法。❹因病体温过高。❺肥料过多使植物枯死。
【组　词】燃烧　烧毁　红烧　发烧
【造　句】发烧——他昨晚发烧,妈妈守在他身边整夜未眠。
【辨　音】不读 jiāo。
【同音字】梢(树梢)
【形近字】浇(浇水)
【成　语】惹火烧身
【英　语】燃烧　burn [bəːn]

| shāo | 笔画 | 部首 | 结构 | 五笔 | 造字法 |
| --- | --- | --- | --- | --- | --- |
| 梢 | 11 | 木 | 左右 | SIEG | 形声 |
| 笔顺 | 一 十 才 木 木 木 木 木 梢 梢 梢 | | | | |

【解　释】❶树枝的末端;树尖。❷条状物较细的一端。❸事情的结束。
【组　词】树梢　眼梢　鞭梢　眉梢
【造　句】眉梢——妈妈眉梢有颗痣。
【辨　音】不读 qiāo。
【同音字】稍(稍微)
【形近字】捎(捎口信)
【英　语】梢　tip [tip]

| shāo | 笔画 | 部首 | 结构 | 五笔 | 造字法 |
| --- | --- | --- | --- | --- | --- |
| 稍 | 12 | 禾 | 左右 | TIEG | 形声 |
| 笔顺 | ノ 二 千 禾 禾 禾 禾 禾 禾 稍 稍 稍 | | | | |

【解　释】稍微,数量不多或程度不深。
【组　词】稍为　稍微　稍许　稍息
【造　句】稍纵即逝——回到家中,他立即把在车上想到的东西写下来,唯恐这些念头稍纵即逝。
【辨　音】不读 qiāo。
【同音字】梢(树梢)
【形近字】捎(捎口信)

【成　语】稍纵即逝
【近义词】稍纵即逝/白驹过隙
【英　语】稍微　a little [ə 'litl]
【多音字】shào(见 634 页)

| sháo | 笔画 | 部首 | 结构 | 五笔 | 造字法 |
|---|---|---|---|---|---|
| 勺 | 3 | 勹 | 半包围 | QYI | 象形 |
| 笔顺 | 丿 勹 勺 | | | | |

【解　释】❶一种有柄、外形略呈半球状的舀东西的器具。❷容量单位。
【组　词】汤勺　勺子　漏勺　脑勺
【同音字】芍(芍药)
【形近字】匀(均匀)
【谚　语】勺子无把,两头挨骂。
【英　语】勺子　ladle ['leidl]

| sháo | 笔画 | 部首 | 结构 | 五笔 | 造字法 |
|---|---|---|---|---|---|
| 芍 | 6 | 艹 | 上下 | AQYU | 形声 |
| 笔顺 | 一 十 艹 艹 芍 芍 | | | | |

【解　释】芍药,多年生草本植物,花大而美丽,可供观赏,根可入药。
【组　词】芍药　白芍　赤芍
【同音字】勺(汤勺)
【形近字】药(药品)
【英　语】芍药　peony ['piəni]

| sháo | 笔画 | 部首 | 结构 | 五笔 | 造字法 |
|---|---|---|---|---|---|
| 韶 | 14 | 音 | 左右 | UJVK | 形声 |
| 笔顺 | 丶 亠 亠 立 立 产 音 音 音 韶 韶 韶 韶 韶 | | | | |

【解　释】(书)美。
【组　词】韶光　韶华
【造　句】韶华——韶华易逝,我们一定要好好努力啊。

【同音字】芍(芍药)
【形近字】昭(昭示)

| shǎo | 笔画 | 部首 | 结构 | 五笔 | 造字法 |
|---|---|---|---|---|---|
| 少 | 4 | 小 | 独体 | ITR | 指事 |
| 笔顺 | 丨 亅 小 少 | | | | |

【解　释】❶数量小(跟"多"相对)。❷短缺;比原有或应有的数量少。❸不经常。❹欠。❺丢失;遗失。❻稍微;暂时。

甲骨文　金文　小篆　隶书　楷书

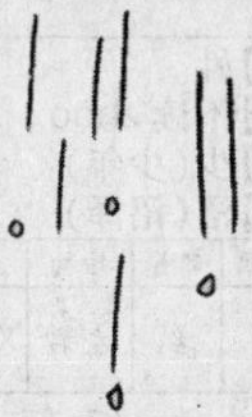

【字源释义】"少"是"沙"的本字。甲骨文的字形是四个小竖点。"少"字后来多表示"不多"的意思,于是又加"水"旁另造了"沙"字。
【组　词】少许　少量　稀少　缺少
【形近字】小(小事)
【成　语】少见多怪
【反义词】少见多怪/见多识广
【近义词】少见多怪/孤陋寡闻
【谚　语】少吃多滋味,多吃坏肚皮。
【英　语】少量　a few [ə fjuː]
【多音字】shào(见 634 页)

| shào | 笔画 | 部首 | 结构 | 五笔 | 造字法 |
|---|---|---|---|---|---|
| 少 | 4 | 小 | 独体 | ITR | 指事 |
| 笔顺 | 丨 ⺆ 小 少 | | | | |

【解　释】❶年纪轻（跟“老”相对）。❷旧时称有钱人家的儿子。
【组　词】少男　少女　少儿　少先队
【谚　语】少壮不努力，老大徒伤悲。
【英　语】少儿　children [ˈtʃildrən]
【多音字】shǎo（见 633 页）

| shào | 笔画 | 部首 | 结构 | 五笔 | 造字法 |
|---|---|---|---|---|---|
| 邵 | 7 | 阝 | 左右 | VKBH | 形声 |
| 笔顺 | ㇆ 刀 卲 召 召 召⻏ 邵 | | | | |

【解　释】姓。
【辨　音】不读 zhāo。
【同音字】少（少年）
【形近字】沼（沼泽）

| shào | 笔画 | 部首 | 结构 | 五笔 | 造字法 |
|---|---|---|---|---|---|
| 绍 | 8 | 纟 | 左右 | XVKG | 形声 |
| 笔顺 | 𠃋 幺 纟 纫 绍 绍 绍 绍 | | | | |

【解　释】❶（介绍）使相互认识。❷连续；承继。❸地名，指浙江绍兴市。
【组　词】绍兴　介绍
【辨　音】不读 zhāo。
【同音字】哨（口哨）
【形近字】沼（沼泽）
【英　语】介绍　introduce [ˌintrəˈdjuːs]

| shào | 笔画 | 部首 | 结构 | 五笔 | 造字法 |
|---|---|---|---|---|---|
| 哨 | 10 | 口 | 左右 | KIEG | 形声 |
| 笔顺 | 丨 口 口 口⺌ 口⺌ 口⺌ 口⺌ 哨 哨 哨 | | | | |

【解　释】❶防卫、侦察的岗位。❷用金属等制成的能吹响的器物。❸量词。
【组　词】哨子　口哨　哨兵　哨所
【造　句】哨所——他在唐古拉山上的哨所服役。
【同音字】绍（绍兴）
【形近字】消（消失）
【成　语】花里胡哨
【英　语】哨兵　sentry [ˈsentri]

| shào | 笔画 | 部首 | 结构 | 五笔 | 造字法 |
|---|---|---|---|---|---|
| 稍 | 12 | 禾 | 左右 | TIEG | 形声 |
| 笔顺 | ㇒ 二 千 禾 禾 禾⺌ 禾⺌ 禾⺌ 禾⺌ 稍 稍 稍 | | | | |

【解　释】［稍息］军事或体操口令，命令从立正姿势变为休息姿势。
【多音字】绍（绍兴）
【形近字】哨（口哨）
【多音字】shāo（见 633 页）

## SHE ㄕㄜ

| shē | 笔画 | 部首 | 结构 | 五笔 | 造字法 |
|---|---|---|---|---|---|
| 奢 | 11 | 大 | 上下 | DFTJ | 形声 |
| 笔顺 | 一 ナ 大 大 夲 夲 奓 奓 奢 奢 奢 | | | | |

【解　释】❶花费大量钱财，追求过分享受。❷过分的。
【组　词】奢侈　奢望　奢求　奢靡
【造　句】奢侈——我们要崇尚节俭，杜绝奢侈。
【同音字】赊（赊购）
【形近字】者（记者）
【成　语】穷奢极欲
【反义词】穷奢极欲/节衣缩食

【近义词】穷奢极欲/骄奢淫逸
【英　语】奢侈 luxury [ˈlʌkʃəri]

| shē | 笔画 | 部首 | 结构 | 五笔 | 造字法 |
|---|---|---|---|---|---|
| 赊 | 11 | 贝 | 左右 | MWFI | 形声 |
| 笔顺 | 丨 冂 贝 贝 贝 贝 贝 贝 赊 赊 赊 | | | | |

【解　释】买东西时暂不付款或收款，记在账上，以后结算。
【组　词】赊账　赊购　赊欠　赊销
【造　句】赊账——本店从今天开始，概不赊账。
【同音字】涂（涂上）
【英　语】赊购 buy on credit [bai ɔn ˈkredit]

| shé | 笔画 | 部首 | 结构 | 五笔 | 造字法 |
|---|---|---|---|---|---|
| 舌 | 6 | 舌 | 上下 | TDD | 象形 |
| 笔顺 | ノ 二 千 千 舌 舌 | | | | |

【解　释】❶人和动物嘴里能辨别味道、帮助咀嚼和发言的器官。❷像舌头的东西。❸铃中的锤。
【组　词】舌头　喉舌　口舌　舌战
【同音字】蛇（青蛇）
【形近字】古（古代）
【成　语】舌敝唇焦
【反义词】张口结舌/对答如流
【英　语】舌头 tongue [tʌŋ]

| shé | 笔画 | 部首 | 结构 | 五笔 | 造字法 |
|---|---|---|---|---|---|
| 折 | 7 | 扌 | 左右 | RRH | 会意 |
| 笔顺 | 一 十 扌 扌 扩 扩 折 | | | | |

【解　释】❶断。❷亏损。❸姓。
【组　词】折本　折秤　折耗　撞折
【造　句】撞折——刚买的遥控车被表弟三下两下便撞折了轮轴。
【同音字】舌（舌头）
【近义词】折本/赔本
【多音字】zhē（见 910 页）
【多音字】zhé（见 910 页）

| shé | 笔画 | 部首 | 结构 | 五笔 | 造字法 |
|---|---|---|---|---|---|
| 蛇 | 11 | 虫 | 左右 | JPXN | 形声 |
| 笔顺 | 丨 口 口 中 虫 虫 虫 虫 蛇 蛇 蛇 | | | | |

【解　释】一种爬行动物，身体圆而长，有鳞无肢，种类很多，有的有毒。
【组　词】蛇胆　蛇毒　蛇行　蛇头
【同音字】舌（舌头）
【形近字】驼（骆驼）
【成　语】牛鬼蛇神　打草惊蛇
【歇后语】蛇吞大象——胃口不小。
【谚　语】蛇无头不走，兵无将自乱|蛇怕打七寸，鼠怕捏耳门。
【英　语】蛇 snake [sneik]
【多音字】yí（见 838 页）

| shě | 笔画 | 部首 | 结构 | 五笔 | 造字法 |
|---|---|---|---|---|---|
| 舍 | 8 | 人 | 上下 | WFKF | 象形 |
| 笔顺 | ノ 人 人 仝 仝 全 舍 舍 | | | | |

【解　释】❶丢掉；不要；不顾。❷施舍。
【组　词】舍得　施舍　舍近求远
【造　句】舍生忘死——革命先烈为了中华人民共和国的建立，舍生忘死，献出了宝贵的生命。
【反义词】舍生取义/苟且偷生
【近义词】舍生忘死/视死如归
【谚　语】舍己为人，公而忘私。
【英　语】施舍 give alms [giv ɑːmz]

【多音字】shè(见 636 页)

| shè | 笔画 | 部首 | 结构 | 五笔 | 造字法 |
|---|---|---|---|---|---|
| 设 | 6 | 讠 | 左右 | YMCY | 会意 |
| 笔顺 | 丶 讠 讠 讥 设 设 | | | | |

【解　释】❶建立;布置。❷筹划。❸假如;如果。
【组　词】建设　设计　设法　摆设
【造　句】建设——为了满足人民群众对体育健身的需求,政府投资建设了很多新的体育场馆。
【同音字】社(社会)
【形近字】没(没有)
【成　语】设身处地
【反义词】建设/破坏
【谚　语】设身处地,将心比心。
【英　语】建设　build [bild]

| shè | 笔画 | 部首 | 结构 | 五笔 | 造字法 |
|---|---|---|---|---|---|
| 社 | 7 | 礻 | 左右 | PYFG | 会意 |
| 笔顺 | 丶 ㇇ 礻 礻 礻 社 社 | | | | |

【解　释】❶指某些团体或机构。❷古代指土地神和祭土地神的地方、日子、祭礼。
【组　词】社会　社戏　社交　社区
【同音字】设(设想)
【形近字】杜(杜绝)
【近义词】社稷/国家
【英　语】社会　society [sə'saiəti]

| shè | 笔画 | 部首 | 结构 | 五笔 | 造字法 |
|---|---|---|---|---|---|
| 舍 | 8 | 人 | 上下 | WFKF | 象形 |
| 笔顺 | 丿 人 亼 亼 仐 仐 舍 舍 | | | | |

【解　释】❶房子。❷对人谦称自己的家或家人。❸古代三十里为一舍。❹养牲畜的地方。❺姓。
【组　词】校舍　舍下　宿舍
【造　句】打家劫舍——那个年代,土匪闹事、打家劫舍是常有的事。
【同音字】射(射箭)
【形近字】舒(舒服)
【成　语】打家劫舍
【近义词】打家劫舍/明火执仗
【英　语】校舍　school buildings [sku:l 'bildiŋz]
【多音字】shě(见 635 页)

| shè | 笔画 | 部首 | 结构 | 五笔 | 造字法 |
|---|---|---|---|---|---|
| 射 | 10 | 身 | 左右 | TMDF | 会意 |
| 笔顺 | 丿 ㇒ 冂 自 自 身 身 身 射 射 | | | | |

【解　释】❶用弹力或推力发送出物体。❷液体受到压力迅速流出。❸放出。❹另有所指。
【组　词】射手　射箭　射出　射击　放射　照射　投射　射影
【同音字】舍(宿舍)
【形近字】谢(谢谢)
【歇后语】射击场上的靶子——漏洞百出。
【谚　语】射人先射马,擒贼先擒王|射箭看靶子,弹琴看听众。
【英　语】射手　shooter ['ʃu:tə]

| shè | 笔画 | 部首 | 结构 | 五笔 | 造字法 |
|---|---|---|---|---|---|
| 涉 | 10 | 氵 | 左右 | IHIT | 会意 |
| 笔顺 | 丶 丶 氵 氵 氵 氵 沚 沚 涉 涉 | | | | |

【解　释】❶徒步过水,后泛指渡水。❷经历。❸关联;牵连。

甲骨文 金文 小篆 隶书 楷书

【字源释义】"涉"的本义是趟水过河。甲骨文与金文的"涉"字,中间的曲线表示水,河的两旁各有一只脚,是一个会意字。

【组 词】涉外 涉及 涉足 涉笔 涉世 涉嫌 干涉 交涉 涉案

【造 句】涉足——他还是初次涉足这一行呢!

【同音字】射(射击)

【形近字】步(步调)

【成 语】跋山涉水

【谚 语】涉浅水者得虾,涉深水者得蛟龙|涉水不要怕旋涡,过江不要怕巨浪。

【英 语】涉及 involve [inˈvɔlv]

| shè | 笔画 | 部首 | 结构 | 五笔 | 造字法 |
|---|---|---|---|---|---|
| 摄 | 13 | 扌 | 左右 | RBCC | 形声 |
| 笔顺 | 一 十 扌 扌 扌 扌 扌 扌 扌 扌 扌 摄 摄 | | | | |

【解 释】❶照相;拍照。❷吸取;吸收。❸代理。❹保养。

【组 词】摄影 摄像 摄取 摄政 拍摄 摄理 摄制 摄食

【造 句】摄影——他表哥在职业学校学摄影。

【辨 音】不读 niè。

【同音字】涉(涉足) 射(射手)

【形近字】聂(聂耳)

【英 语】摄影 photography [fəˈtɔgrəfi]

| shè | 笔画 | 部首 | 结构 | 五笔 | 造字法 |
|---|---|---|---|---|---|
| 慑 | 13 | 忄 | 左右 | NBCC | 形声 |
| 笔顺 | 丶 丷 忄 忄 忄 忄 忄 忄 忄 忄 忄 慑 慑 | | | | |

【解 释】使人害怕。

【组 词】威慑 慑服

【造 句】慑服——他的威信慑服了她。

【同音字】社(社会)

【形近字】摄(摄取)

【英 语】慑服 succumb [səˈkʌm]

## SHEI ㄕㄟ

| shéi | 笔画 | 部首 | 结构 | 五笔 | 造字法 |
|---|---|---|---|---|---|
| 谁 | 10 | 讠 | 左右 | YWYG | 形声 |
| 笔顺 | 丶 讠 讠 讠 讠 讠 讠 讠 谁 谁 | | | | |

【解 释】❶哪个;什么人。❷泛指任何人;无论什么人。

【形近字】难(艰难)

【谚 语】谁不肯听取忠告,就是愿意接受谴责|谁要有知识,就得多请教。

【英 语】谁 who [huː]

S

# SHEN ㄕㄣ

| shēn | 笔画 | 部首 | 结构 | 五笔 | 造字法 |
|---|---|---|---|---|---|
| 申 | 5 | 丨 | 独体 | JHK | 象形 |
| 笔顺 | 丨 冂 日 日 申 | | | | |

【解　释】❶说明；表述。❷地支的第九位。❸申时，指下午3时到5时。❹姓。

【组　词】申斥　申诉　申时　申请　申述　重申　申办

【造　句】三令五申——学校三令五申不许打架，他俩还明知故犯。

【同音字】绅（绅士）

【形近字】甲（甲等）

【成　语】三令五申

【近义词】三令五申/发号施令

【英　语】申明　declare [di'klɛə]

| shēn | 笔画 | 部首 | 结构 | 五笔 | 造字法 |
|---|---|---|---|---|---|
| 伸 | 7 | 亻 | 左右 | WJHH | 形声 |
| 笔顺 | 丿 亻 亻 们 伯 伸 伸 | | | | |

【解　释】❶舒展；展开；拉长。❷说明；表明。

【组　词】伸手　伸长　伸冤　伸直　伸缩　延伸　伸张　伸展

【造　句】能屈能伸——大家说他能屈能伸，善于适应环境。

【同音字】深（深处）

【形近字】呻（呻吟）

【成　语】能屈能伸

【反义词】伸展/收缩

【近义词】延伸/展开

【英　语】伸展　extend [ik'stend]

| shēn | 笔画 | 部首 | 结构 | 五笔 | 造字法 |
|---|---|---|---|---|---|
| 呻 | 8 | 口 | 左右 | KJHH | 形声 |
| 笔顺 | 丨 口 口 叩 呾 呻 呻 呻 | | | | |

【解　释】呻吟，由于痛苦而发出声音。

【组　词】呻吟

【造　句】呻吟——奶奶病了，难受得在床上直呻吟。

【同音字】伸（伸手）

【形近字】伸（伸手）

【近义词】呻吟/呼唤

【英　语】呻吟　groan [grəun]

| shēn | 笔画 | 部首 | 结构 | 五笔 | 造字法 |
|---|---|---|---|---|---|
| 参 | 8 | 厶 | 上下 | CDER | 形声 |
| 笔顺 | 𠃋 厶 厶 厽 叁 叁 参 参 | | | | |

【解　释】人参，多年生草本植物，根有香味，可入药。

【组　词】人参

【同音字】身（身体）

【英　语】人参　ginseng ['dʒinseŋ]

【多音字】cān（见70页）

【多音字】cēn（见77页）

| shēn | 笔画 | 部首 | 结构 | 五笔 | 造字法 |
|---|---|---|---|---|---|
| 绅 | 8 | 纟 | 左右 | XJHH | 形声 |
| 笔顺 | 𠃋 纟 纟 纟 纠 纲 绅 绅 | | | | |

【解　释】❶旧时地方上有地位、权势或名望的人。❷古代士大夫束腰的大带子。

【组　词】绅士　缙绅　官绅　乡绅

【造　句】绅士——他的言行举止像一个绅士。

【同音字】深（深度）

S

【形近字】伸(伸长)
【英　语】绅士 gentleman [ˈdʒentlmən]

| shēn | 笔画 | 部首 | 结构 | 五笔 | 造字法 |
|---|---|---|---|---|---|
| 身 | 7 | 身 | 独体 | TMDT | 指事 |
| 笔顺 | ′ 亻 介 有 自 身 身 | | | | |

【解　释】❶人或动物的躯体。❷生命。❸本身。❹声望;地位。❺修养。❻物体中段或主要部分。❼量词。

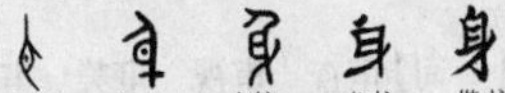
甲骨文 金文 小篆 隶书 楷书

【字源释义】“身”的本义是“妊娠”。甲骨文与金文的字形像一个侧立的妇女,突出了她的腹部,上面的一点是指事符号。后引申为“身体”、“亲自”等义。
【组　词】身体 身子 身上 身份 身躯 翻身 身影 献身
【造　句】身败名裂——这人卖国求荣,终于落得个身败名裂的下场。
【同音字】参(人参)
【形近字】射(射击)
【成　语】身强力壮 身败名裂 身不由己 身临其境 身体力行
【反义词】身败名裂/功成名就
【近义词】身败名裂/声名狼藉
【歇后语】身上拔根汗毛——无伤大体。
【谚　语】身正不怕影子歪。
【英　语】身体 body [ˈbɔdi]

| shēn | 笔画 | 部首 | 结构 | 五笔 | 造字法 |
|---|---|---|---|---|---|
| 深 | 11 | 氵 | 左右 | IPWS | 形声 |
| 笔顺 | 丶 冫 氵 氵 氵 氵 氵 氵 泙 深 深 | | | | |

【解　释】❶往下或往里的距离大(跟“浅”相对)。❷道理难懂;内容不易理解。❸程度高;透彻。❹浓厚;密切。❺颜色重。❻经历的时间久。❼十分;很。
【组　词】深度 深信 深刻 深厚 深入 深思 深化
【造　句】深情厚谊——礼物虽轻,里面却包含着他对咱们的深情厚谊呀!
【同音字】伸(伸展) 绅(绅士)
【成　语】深仇大恨 深入人心 深明大义 深谋远虑 深入浅出 深情厚谊
【反义词】深谋远虑/鼠目寸光
【近义词】深谋远虑/深思熟虑
【歇后语】深田里敲钉桩——不能自拔。
【谚　语】深山出俊鸟,深水有大鱼。
【英　语】深长 profound [prəˈfaund]

| shén | 笔画 | 部首 | 结构 | 五笔 | 造字法 |
|---|---|---|---|---|---|
| 什 | 4 | 亻 | 左右 | WFH | 形声 |
| 笔顺 | 丿 亻 仁 什 | | | | |

S

【解　释】用于"什么"。❶表示疑问。❷表示不确定的。
【组　词】什么
【同音字】神(神仙)
【英　语】什么 what [wɔt]
【多音字】shí(见647页)

| shén | 笔画 | 部首 | 结构 | 五笔 | 造字法 |
|---|---|---|---|---|---|
| 神 | 9 | 礻 | 左右 | PYJH | 形声 |
| 笔顺 | 丶 ㇇ 礻 礻 礻 礽 神 神 神 | | | | |

【解　释】❶宗教指天地万物的创造者;神话故事的神灵。❷有超人的能力。❸能力超乎寻常的。❹精神;精力。❺气色;表情。❻姓。
【组　词】神仙　心神　神秘　提神　伤神　入神
【造　句】神采奕奕——大妈穿着一身崭新的蓝布裤褂,神采奕奕,谈笑风生。
【同音字】什(什么)
【形近字】伸(伸出)
【成　语】聚精会神　神不守舍　神气活现　神气十足　神机妙算　神通广大　神不知鬼不觉　神采奕奕
【近义词】神出鬼没/出没无常　神采奕奕/容光焕发
【谚　语】神不居功,圣不居德|神仙鬼怪全是假,巫婆治病尽坑人。
【英　语】神奇 magical [ˈmædʒikəl]

| shěn | 笔画 | 部首 | 结构 | 五笔 | 造字法 |
|---|---|---|---|---|---|
| 沈 | 7 | 氵 | 左右 | IPQN | 形声 |
| 笔顺 | 丶 丶 氵 氵 氵 沙 沈 | | | | |

【解　释】❶辽宁省沈阳市的简称。❷姓。
【组　词】沈阳　辽沈
【辨　音】不读 chén。
【同音字】审(审问)
【形近字】枕(枕头)

| shěn | 笔画 | 部首 | 结构 | 五笔 | 造字法 |
|---|---|---|---|---|---|
| 审 | 8 | 宀 | 上下 | PJHJ | 形声 |
| 笔顺 | 丶 丶 宀 宀 宁 宙 审 审 | | | | |

【解　释】❶检查;讯问。❷详细;周密。❸检查核对。❹果然;确实。
【组　词】审查　审视　审美　审问　审判　审批　审议　审订　审定　审核　审改　审读　审题　审结　审验
【造　句】审查——他现在还在被审查期间,不能随便走动。
【同音字】沈(沈阳)
【形近字】申(申诉)
【成　语】审时度势
【近义词】审时度势/度德量力
【英　语】审查 examine [igˈzæmin]

| shěn | 笔画 | 部首 | 结构 | 五笔 | 造字法 |
|---|---|---|---|---|---|
| 婶 | 11 | 女 | 左右 | VPJH | 形声 |
| 笔顺 | 𡿨 女 女 女 女 女 女 婶 婶 婶 婶 | | | | |

【解　释】❶叔父的妻子。❷对女性长辈的称呼。
【组　词】婶子　大婶　婶母　婶婆　婶娘　表婶
【同音字】审(审问)
【形近字】审(审查)
【英　语】婶婶 aunt [ɑːnt]

| shèn | 笔画 | 部首 | 结构 | 五笔 | 造字法 |
|---|---|---|---|---|---|
| 肾 | 8 | 月 | 上下 | JCEF | 形声 |
| 笔顺 | 丨 〢 〢ㄋ 〢又 〢又 肾 肾 肾 | | | | |

【解　释】肾脏，人和某些动物分泌尿液的器官。俗称腰子。
【组　词】肾炎　肾脏　左肾　右肾　肾囊
【同音字】甚（甚至）
【形近字】背（脊背）
【英　语】肾　kidney　[ˈkidni]

| shèn | 笔画 | 部首 | 结构 | 五笔 | 造字法 |
|---|---|---|---|---|---|
| 甚 | 9 | 一 | 上下 | ADWN | 会意 |
| 笔顺 | 一 十 廾 廿 甘 甚 甚 甚 甚 | | | | |

【解　释】❶很；极。❷超过；胜过。
【组　词】甚至　幸甚　甚而　甚好　甚为
【造　句】甚至——他最近工作很忙，甚至连吃饭的时间都没有。
【形近字】其（其实）
【成　语】欺人太甚　不求甚解　甚嚣尘上
【英　语】甚至　even　[ˈiːvən]

| shèn | 笔画 | 部首 | 结构 | 五笔 | 造字法 |
|---|---|---|---|---|---|
| 渗 | 11 | 氵 | 左右 | ICDE | 形声 |
| 笔顺 | 丶 丶 氵 氵 氵 氵 氵 渗 渗 渗 渗 | | | | |

【解　释】液体慢慢地透入或漏出。
【组　词】渗坑　渗漏　渗入　渗出　渗透
【造　句】渗透——汗水渗透了他的衣衫。
【辨　音】不读 cān。
【同音字】甚（甚至）
【形近字】惨（惨景）
【英　语】渗透　permeate　[ˈpəːmieit]

| shèn | 笔画 | 部首 | 结构 | 五笔 | 造字法 |
|---|---|---|---|---|---|
| 慎 | 13 | 忄 | 左右 | NFHW | 形声 |
| 笔顺 | 丶 丶 忄 忄 忄 忄 忄 忄 忄 忄 慎 慎 慎 | | | | |

【解　释】❶小心；不大意。❷姓。
【组　词】审慎　慎重　谨慎　失慎　慎独
【造　句】慎终如始——眼看就要大功告成，大家一定要慎终如始，保证不出差错。
【同音字】渗（渗透）
【形近字】真（真实）
【成　语】谨言慎行　慎终如始
【反义词】慎重/粗心
【近义词】慎重/小心
【英　语】慎重　cautious　[ˈkɔːʃəs]

## SHENG　ㄕㄥ

| shēng | 笔画 | 部首 | 结构 | 五笔 | 造字法 |
|---|---|---|---|---|---|
| 升 | 4 | 丿 | 独体 | TAK | 指事 |
| 笔顺 | ノ 二 チ 升 | | | | |

【解　释】❶向上移动（跟“降”相对）。❷提高。❸量粮食的器具。❹法定容量单位，1 升等于 1000 毫升。❺市制容量单位，10 升等于 1 斗。
【组　词】升天　上升　回升　升学　升华　升官　提升　升旗
【造　句】上升——国歌响起，国旗缓缓上升。

S

【同音字】生(生死)
【形近字】井(井水)
【成　语】歌舞升平
【反义词】升官/降职
【近义词】上升/高升
【英　语】升起 rise [raiz]

| shēng | 笔画 | 部首 | 结构 | 五笔 | 造字法 |
|---|---|---|---|---|---|
| 生 | 5 | 生 | 独体 | TG | 指事 |
| 笔顺 | 丿 𠂉 𠂒 牛 生 | | | | |

【解　释】❶生存;生命(跟"死"相对)。❷产出来。❸成长;长出来。❹维持生活的办法。❺人的一辈子;整个的生活阶段。❻出现;产出。❼活的;有生命力的。❽燃起。❾未成熟的或未煮熟的。❿不熟悉或不熟练的。⓫未经过进一步加工或冶炼的。⓬生硬;勉强。⓭很。⓮在校读书或向老师学习的人。⓯旧称读书人。⓰戏曲中扮演男子的人。⓱某些专业人士。

甲骨文 金文 小篆 隶书 楷书

【字源释义】"生"字的字形像地面上长出了一株嫩苗。本义是"生长"、"萌发"。后引申出"生命"、"生活"等义。
【组　词】生日 生物 生火 生机 生根 生长 生命 生芽 生词 生产 生存 生动
【造　句】生机盎然——春天的植物园,处处生机盎然。
【同音字】升(升天)
【形近字】姓(姓名)
【成　语】生不逢时 生机勃勃 生离死别 生灵涂炭 生龙活虎 生死存亡 生吞活剥 生机盎然
【反义词】生/死
【近义词】生机/活力
【谚　语】生命有尽头,学问无止境|生育有计划,利国又利家。
【英　语】生长 grow [grəu]

| shēng | 笔画 | 部首 | 结构 | 五笔 | 造字法 |
|---|---|---|---|---|---|
| 声 | 7 | 士 | 上下 | FNR | 会意 |
| 笔顺 | 一 十 士 吉 吉 吉 声 | | | | |

【解　释】❶物体振动发出的声音。❷宣布;扬言。❸名气;名誉。❹汉语字音的声母。❺汉语的声调。
【组　词】名声 声浪 声色 声音 响声 声势 呼声 相声 心声 声乐 声誉 声援 歌声
【造　句】歌声——她的歌声声情并茂,动人心弦。
【同音字】生(生活)
【形近字】芦(芦苇)
【成　语】声势浩大 声情并茂 声名狼藉 声泪俱下 声色俱厉
【反义词】声色俱厉/和颜悦色
【近义词】声色俱厉/疾言厉色
【英　语】声音 sound [saund]

| shēng | 笔画 | 部首 | 结构 | 五笔 | 造字法 |
|---|---|---|---|---|---|
| 牲 | 9 | 牛 | 左右 | TRTG | 形声 |
| 笔顺 | 丿 𠂉 牛 牛 牛 牜 牪 牪 牲 | | | | |

【解　释】❶牛、马、猪、羊等家畜。❷古代祭礼用的牛、羊、猪等。
【组　词】牲口　牲畜　牺牲　献牲
【辨　音】不读 xìng。
【同音字】生(生活)
【形近字】姓(姓名)
【英　语】牲口　domestic animal [dəˌmestik ˈænimәl]

| shéng | 笔画 | 部首 | 结构 | 五笔 | 造字法 |
|---|---|---|---|---|---|
| 绳 | 11 | 纟 | 左右 | XKJN | 形声 |
| 笔顺 | 𠃋 纟 纟 纟 纟 绀 绀 绢 绳 绳 绳 | | | | |

【解　释】❶绳子,用两条以上的棉、麻、丝、棕、草等拧成,可以捆东西。❷制裁;约束。
【组　词】麻绳　草绳　绳梯　绳索
【造　句】绳之以法——无论犯罪分子如何狡猾,最终都将被绳之以法,受到人民的审判。
【辨　音】不读 yíng。
【形近字】蝇(蝇虫)
【成　语】绳之以法
【歇后语】绳牵羊羔——让它往哪儿走,它就跟着往哪儿走|绳子绑住脚——动不了身。
【谚　语】绳锯木断,水滴石穿。
【英　语】绳子　rope [rәup]

| shěng | 笔画 | 部首 | 结构 | 五笔 | 造字法 |
|---|---|---|---|---|---|
| 省 | 9 | 目 | 上下 | ITHF | 会意 |
| 笔顺 | 丨 ⺌ 小 少 少 𡭔 省 省 省 | | | | |

【解　释】❶节约;节俭。❷简略;减法。❸我国第一级行政区。
【组　词】省事　省时　省略　省会　省心
【辨　音】不读 què。
【形近字】雀(麻雀)
【成　语】省吃俭用
【反义词】省/费
【近义词】省略/简略
【谚　语】省事不如省官。
【英　语】省略　leave out [liːv aut]
【多音字】xǐng(见 793 页)

| shèng | 笔画 | 部首 | 结构 | 五笔 | 造字法 |
|---|---|---|---|---|---|
| 圣 | 5 | 土 | 上下 | CFF | 会意 |
| 笔顺 | 𠃌 又 圣 圣 圣 | | | | |

【解　释】❶极其崇高与庄严的。❷旧称最高尚、最高明的人。❸封建社会对帝王的称呼。❹称学问、技艺有极高成就的人。❺宗教徒尊称所崇拜的事物。

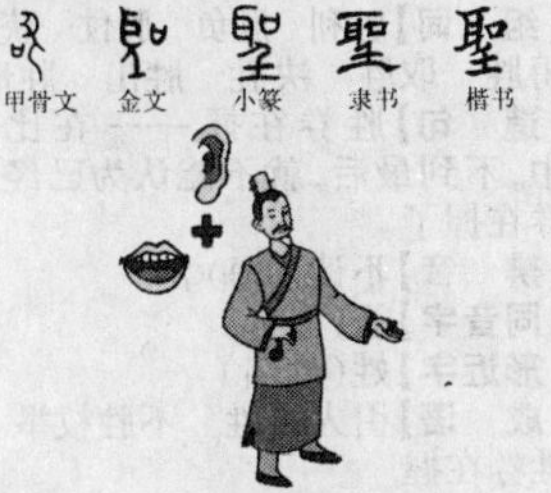


S

【字源释义】“圣”字原来指聪明的人；后来指具有最高智慧和道德的人。字形的右边是耳朵，耳朵下面是一个人，左边是口字，有听清楚、说明的意思。金文以后“口”变到右边。
【组　词】圣者　圣旨　圣水　大圣　圣明　圣诞　圣洁
【同音字】胜（胜利）
【形近字】尘（尘土）
【成　语】圣经贤传
【反义词】圣人/凡人
【近义词】圣人/高人
【谚　语】圣人千虑必有一失；愚人千虑必有一得｜圣贤言语，雅俗并举，人能体此，万无一失。
【英　语】圣诞节 Christmas [ˈkrisməs]

| shèng | 笔画 | 部首 | 结构 | 五笔 | 造字法 |
|---|---|---|---|---|---|
| 胜 | 9 | 月 | 左右 | ETGG | 形声 |
| 笔顺 | 丿 月 月 月 月' 月' 月' 胖 胜 | | | | |

【解　释】❶打败对方或达到目的；赢（跟“败”相对）。❷超过；比另一个优越。❸优美的。❹能够承担起来。❺尽。
【组　词】胜利　胜负　胜仗　获胜　得胜　取胜　决胜　胜出　胜地
【造　句】胜券在握——在比赛中，不到最后，就不能认为已经胜券在握了。
【辨　音】不读 shēng。
【同音字】圣（圣人）
【形近字】姓（姓名）
【成　语】引人入胜　不胜枚举　胜券在握
【歇后语】胜大人的兵——没账（仗）。
【谚　语】胜败是兵家常事。
【英　语】胜利 victory [ˈviktəri]

| shèng | 笔画 | 部首 | 结构 | 五笔 | 造字法 |
|---|---|---|---|---|---|
| 乘 | 10 | 丿 | 独体 | TUXV | 会意 |
| 笔顺 | 一 二 千 千 千 乖 乖 乖 乘 乘 | | | | |

【解　释】古代称四匹马拉的车一辆为一乘。
【组　词】千乘之国
【同音字】剩（剩余）
【多音字】chéng（见 102 页）

| shèng | 笔画 | 部首 | 结构 | 五笔 | 造字法 |
|---|---|---|---|---|---|
| 盛 | 11 | 皿 | 上下 | DNNL | 形声 |
| 笔顺 | 一 厂 万 成 成 成 成 成 盛 盛 盛 | | | | |

【解　释】❶兴旺；繁茂（跟“衰”相对）。❷规模大；隆重。❸浓厚的。❹丰富；华美。❺程度深；力度大。❻广泛；普遍。
【组　词】茂盛　昌盛　盛赞　盛大　强盛　旺盛　气盛
【造　句】盛极一时——交谊舞在 20 世纪 50 年代盛极一时，现在六七十岁的人还会跳。
【同音字】胜（胜利）
【形近字】诚（诚实）
【成　语】繁荣昌盛　盛气凌人　盛极一时
【反义词】盛气凌人/平易近人
【近义词】盛气凌人/目中无人
【谚　语】盛极必衰，物极必反。
【英　语】盛大 grand [grænd]

【多音字】chéng(见 102 页)

| shèng | 笔画 | 部首 | 结构 | 五笔 | 造字法 |
|---|---|---|---|---|---|
| 剩 | 12 | 刂 | 左右 | TUXJ | 形声 |
| 笔顺 | 一 二 千 千 千 乖 乖 乖 乘 乘 乘 剩 | | | | |

【解　释】多余;余留下来的。
【组　词】剩菜　剩余　残剩　过剩　剩磁
【造　句】剩余——妈妈把买衣服剩余的零钱给了我。
【同音字】胜(胜利)
【形近字】乘(乘法)
【反义词】剩余/缺乏
【近义词】剩余/过剩
【谚　语】剩钱犹如针挑土,用钱犹如水冲沙。
【英　语】剩余　surplus [ˈsəːpləs]

## SHI 尸

| shī | 笔画 | 部首 | 结构 | 五笔 | 造字法 |
|---|---|---|---|---|---|
| 尸 | 3 | 尸 | 独体 | NNGT | 象形 |
| 笔顺 | ㇕ ㇕ 尸 | | | | |

【解　释】人或动物死后的身体。
【组　词】尸体　尸首　尸身　尸骨　死尸　尸蜡　验尸　五马分尸
【造　句】五马分尸——几个球迷抢着一张新的《足球报》,差点把它“五马分尸”。
【辨　音】不读 hù。
【同音字】失(失去)
【形近字】户(户口)
【英　语】尸体　corpse [kɔːps]

| shī | 笔画 | 部首 | 结构 | 五笔 | 造字法 |
|---|---|---|---|---|---|
| 失 | 5 | 丿 | 独体 | RWI | 形声 |
| 笔顺 | ノ 𠂉 二 午 失 | | | | |

【解　释】❶失去;丢掉(跟“得”相对)。❷没有控制住。❸找不着。❹过错;错误。❺违背;不合;背弃。❻发生意外。❼改变常态。
【组　词】失败　失去　失业　失火　失计　失节　失足　失声　闪失　过失
【造　句】失魂落魄——他站在被告席上,一副失魂落魄的样子。
【同音字】尸(尸体)
【形近字】天(天上)
【成　语】失之交臂
【反义词】失去/得到
【近义词】失魂落魄/惊惶失措
【歇后语】失火唱山歌——幸灾乐祸。
【谚　语】失败是成功之母|失之毫厘,差之千里。
【英　语】失误　fault [fɔːlt]

| shī | 笔画 | 部首 | 结构 | 五笔 | 造字法 |
|---|---|---|---|---|---|
| 师 | 6 | 巾 | 左右 | JGMH | 会意 |
| 笔顺 | 丨 丿 丿一 丿𠂇 师 师 | | | | |

【解　释】❶传授知识文化或技术的人。❷掌握专门技术的人。❸可供效法或借鉴的榜样。❹学习;效仿。❺军队的编制单位。❻军队。❼姓。
【组　词】老师　教师　师兄　师范　军师　巫师　师资
【造　句】老师——我虽然升入中学了,但常常去看望小学老师。

S

【辨　音】不读 shuài。
【同音字】尸(尸体)
【形近字】帅(将帅)
【成　语】师出有名　好为人师
【反义词】好为人师/不耻下问
【近义词】师道尊严/尊师重道
【歇后语】师字去一横——帅。
【谚　语】师傅领进门,修行在个人。
【英　语】老师　teacher [ˈtiːtʃə]

| shī | 笔画 | 部首 | 结构 | 五笔 | 造字法 |
|---|---|---|---|---|---|
| 诗 | 8 | 讠 | 左右 | YFFY | 形声 |
| 笔顺 | 丶 讠 讠一 讠十 讠土 讠土 诗 诗 | | | | |

【解　释】文学体裁的一种,大多分行押韵,有节奏、有韵律而又精炼。
【组　词】诗句　题诗　诗歌　诗经　诗词　诗论　史诗　吟诗　诗仙
【造　句】诗情画意——月光皎洁,柳丝拂拂,充满着诗情画意。
【同音字】师(老师)
【形近字】待(等待)
【成　语】诗朋酒友　诗情画意
【英　语】诗人　poet [ˈpəuit]

| shī | 笔画 | 部首 | 结构 | 五笔 | 造字法 |
|---|---|---|---|---|---|
| 狮 | 9 | 犭 | 左右 | QTJH | 形声 |
| 笔顺 | ノ 犭 犭 犭 犭 犭 狮 狮 狮 | | | | |

【解　释】狮子,一种哺乳动物,全身毛为黄褐色,四肢强壮,生性凶猛,以羚羊、斑马等为食,被称为"兽中之王"。
【组　词】狮子　狮吼　舞狮　海狮
【造　句】舞狮——我国杂技团表演的舞狮深受中外观众的欢迎。
【同音字】尸(尸体)
【形近字】师(老师)
【成　语】河东狮吼
【英　语】狮子　lion [ˈlaiən]

| shī | 笔画 | 部首 | 结构 | 五笔 | 造字法 |
|---|---|---|---|---|---|
| 施 | 9 | 方 | 左右 | YTBN | 形声 |
| 笔顺 | 丶 亠 方 方 方 方 方 方 施 | | | | |

【解　释】❶施展。❷使用;加上。❸给予;赠送。❹姓。
【组　词】措施　施肥　施工　施威　施用　施展　施主　设施
【造　句】软硬兼施——敌人对方志敏软硬兼施,但都没能令他屈服。
【同音字】师(老师)
【形近字】池(水池)
【成　语】倒行逆施　发号施令　软硬兼施
【近义词】软硬兼施/恩威并济
【谚　语】施肥一大片,不如一条线｜施人慎勿念,受施慎勿忘。
【英　语】施工　construction [kənˈstrʌkʃən]

| shī | 笔画 | 部首 | 结构 | 五笔 | 造字法 |
|---|---|---|---|---|---|
| 湿 | 12 | 氵 | 左右 | IJOG | 形声 |
| 笔顺 | 丶 冫 氵 氵 沪 沪 沪 浬 湿 湿 湿 湿 | | | | |

【解　释】沾了水或含水分多的。
【组　词】潮湿　湿润　湿度　沾湿　湿冷　湿气　湿淋淋
【造　句】湿淋淋——下雨了,他没有雨具,从学校回来后,全身都湿淋淋的。
【同音字】师(老师)

【形近字】显(显示)
【反义词】潮湿/干燥
【近义词】潮湿/湿润
【歇后语】湿木头——点不起火|湿水炮仗——死(湿)瘾(引)。
【谚　语】湿柴无潮饭,干柴无干水|湿不种田,风不浇地。
【英　语】湿度 humidity [hjuː'miditi]

| shí | 笔画 | 部首 | 结构 | 五笔 | 造字法 |
|---|---|---|---|---|---|
| 十 | 2 | 十 | 独体 | FGH | 指事 |
| 笔顺 | 一 十 | | | | |

【解　释】❶数词。九加一的得数。❷表示完美或达到顶点。
【组　词】十分　十足
【造　句】十全十美——他现在儿孙满堂,觉得这辈子十全十美了。
【同音字】石(石头)
【形近字】干(干净)
【成　语】十全十美　十恶不赦　十拿九稳　十指连心　十年寒窗　十年树木　十万火急
【近义词】十全十美/尽善尽美
【歇后语】十个指头有长短——凡事不一般齐。
【谚　语】十步之内必有芳草|十年树木,百年树人。
【英　语】十 ten [ten]

| shí | 笔画 | 部首 | 结构 | 五笔 | 造字法 |
|---|---|---|---|---|---|
| 什 | 4 | 亻 | 左右 | WFH | 形声 |
| 笔顺 | ノ 亻 仁 什 | | | | |

【解　释】各式各样的。
【组　词】什物　什锦糖
【同音字】石(石头)
【形近字】千(千万)
【英　语】什物 sundries ['sʌndriz]
【多音字】shén(见 639 页)

| shí | 笔画 | 部首 | 结构 | 五笔 | 造字法 |
|---|---|---|---|---|---|
| 石 | 5 | 石 | 独体 | DGTG | 象形 |
| 笔顺 | 一 ア 不 石 石 | | | | |

【解　释】❶石头。❷石刻。❸姓。
【组　词】石头　岩石　金石　石油　石匠　石锁　火石　顽石
【造　句】石沉大海——我一连给她去了三封信,都石沉大海。
【同音字】时(时间)
【形近字】右(右边)
【成　语】石沉大海
【反义词】落井下石/雪中送炭
【近义词】石破惊天/惊天动地
【歇后语】石头蛋腌咸菜——一"盐"难进。
【谚　语】石看纹理山看脉,人看志气树看材。
【英　语】岩石 stone [stəun]
【多音字】dàn(见 143 页)

| shí | 笔画 | 部首 | 结构 | 五笔 | 造字法 |
|---|---|---|---|---|---|
| 时 | 7 | 日 | 左右 | JFY | 形声 |
| 笔顺 | 丨 冂 月 日 旪 时 时 | | | | |

【解　释】❶年代;时期。❷季节。❸当前的;眼下的。❹规定的时间。❺最有利的机会。❻量词。计时单位。❼经常。
【组　词】时代　时间　时期　时令　工时　有时　暂时
【造　句】时过境迁——时过境迁,回想起当年那些争执,她俩都觉得好笑。
【同音字】石（石头）
【形近字】付（付给）
【成　语】时过境迁　时来运转
【反义词】时运不济/吉星高照
【近义词】时来运转/苦尽甘来
【谚　语】时势造英雄｜时间就是知识，时间就是力量，时间就是生命。
【英　语】时光　time ［taim］

| shí | 笔画 | 部首 | 结构 | 五笔 | 造字法 |
|---|---|---|---|---|---|
| 识 | 7 | 讠 | 左右 | YKWY | 形声 |
| 笔顺 | 丶 讠 讠 讠 讠 识 识 | | | | |

【解　释】❶认得；能辨别。❷所知道的道理、学问等。❸见解。
【组　词】认识　识别　识字
【辨　音】不读 shì。
【同音字】石（石头）
【形近字】帜（旗帜）
【谚　语】识时务者为俊杰。
【英　语】认识　know ［nəu］
【多音字】zhì（见 927 页）

| shí | 笔画 | 部首 | 结构 | 五笔 | 造字法 |
|---|---|---|---|---|---|
| 实 | 8 | 宀 | 上下 | PUDU | 会意 |
| 笔顺 | 丶 丶 宀 宀 宀 宀 实 实 | | | | |

【解　释】❶真实，符合客观实际的。❷充满，没有空隙的。❸客观存在的事物或情况。❹植物结的果或种子。
【组　词】实力　实话　实地　实现　实战　老实　忠实　现实　实名
【造　句】名副其实——骆驼是名副其实的"沙漠之舟"。
【同音字】拾（拾起）
【形近字】头（头发）
【成　语】实事求是　实心实意
【反义词】名副其实/名不副实
【歇后语】实心饺子——不掺假。
【谚　语】实践出真知，斗争长才干。
【英　语】实际　reality ［ri'æləti］

| shí | 笔画 | 部首 | 结构 | 五笔 | 造字法 |
|---|---|---|---|---|---|
| 拾 | 9 | 扌 | 左右 | RWGK | 形声 |
| 笔顺 | 一 扌 扌 扌 扌 扌 拾 拾 拾 | | | | |

【解　释】❶把东西从地上拿起来。❷整理；收拾。❸"十"的大写。
【组　词】拾取　拾遗　收拾　拾趣
【造　句】拾人牙慧——这篇文章全是拾人牙慧，东拼西凑起来的，没有任何价值。
【同音字】时（时代）
【形近字】蛤（蛤蟆）
【成　语】拾金不昧　拾人牙慧
【近义词】拾金不昧/路不拾遗
【谚　语】拾金不昧，于心无愧。
【英　语】拾取　pick up ［pik ʌp］

| shí | 笔画 | 部首 | 结构 | 五笔 | 造字法 |
|---|---|---|---|---|---|
| 食 | 9 | 食 | 上下 | WYVE | 指事 |
| 笔顺 | 丿 人 今 今 今 今 今 食 食 | | | | |

【解　释】❶吃。❷食物，人吃的东西。❸专指吃饭。❹饲料，动物吃的东西。❺吞没。❻日、月亏缺的现象。

甲骨文　金文　小篆　隶书　楷书

【字源释义】本义是“食物”。字形像一个盛食物的器皿。常用作动词，意思是“吃”。作“把食物给人吃”义时读 sì，通“饲”。《诗经》：“饮之食之，教之诲之”。
【组　词】食量　食堂　食物　食品　食油　偏食　蚕食　食用
【同音字】时（时间）
【形近字】良（良好）
【成　语】食古不化　节衣缩食　丰衣足食
【反义词】丰衣足食/饥寒交迫
【近义词】废寝忘食/夜以继日
【谚　语】食多伤身，话多伤人。
【英　语】食物　eating [ˈiːtiŋ]
【多音字】sì（见 676 页）

| shí | 笔画 | 部首 | 结构 | 五笔 | 造字法 |
|---|---|---|---|---|---|
| 蚀 | 9 | 饣 | 左右 | QNJY | 会意 |
| 笔顺 | ノ　𠂉　饣　饣　饣　饣　蚀　蚀　蚀 | | | | |

【解　释】❶损失；损伤。❷同“食”⑥。
【组　词】蚀本　腐蚀　侵蚀　月蚀
【同音字】食（食品）
【形近字】烛（蜡烛）
【近义词】腐蚀/侵蚀
【英　语】腐蚀　erode [iˈrəud]

| shǐ | 笔画 | 部首 | 结构 | 五笔 | 造字法 |
|---|---|---|---|---|---|
| 史 | 5 | 丨 | 独体 | KQI | 会意 |
| 笔顺 | 丶　口　口　史　史 | | | | |

【解　释】❶历史，对已经过去的事情或对过去事实的描述和记载。❷古代掌管记载史事的官。❸姓。
【组　词】历史　史记　史迹　史学　史书　史话　秘史　史籍　史前　史册
【同音字】驶（驾驶）
【成　语】史无前例
【近义词】史无前例/亘古未有
【英　语】历史　history [ˈhistəri]

| shǐ | 笔画 | 部首 | 结构 | 五笔 | 造字法 |
|---|---|---|---|---|---|
| 矢 | 5 | 矢 | 独体 | TDU | 形声 |
| 笔顺 | ノ　𠂉　𠂉　午　矢 | | | | |

【解　释】❶箭。❷发誓。

【字源释义】本义是“箭”。在古文字中明确无误地是一支箭的形状：上端是箭头，中间是箭杆，下

面是箭尾。现在还有"有的放矢"这样的成语。
【组　词】矢量　矢口　流矢　遗矢
【造　句】矢口否认——他矢口否认曾接受过我的采访。
【同音字】始(开始)
【形近字】失(失去)
【成　语】众矢之的　矢志不移　矢口否认
【近义词】矢志不渝/忠贞不渝
【英　语】矢　arrow [ˈærəu]

| shǐ | 笔画 | 部首 | 结构 | 五笔 | 造字法 |
|---|---|---|---|---|---|
| 使 | 8 | 亻 | 左右 | WGKQ | 形声 |
| 笔顺 | ノ 亻 亻 仁 仁 佢 佢 使 使 | | | | |

【解　释】❶派遣;命令。❷用。❸令;叫;让。❹假如。❺纵任。❻派驻外国办理外交的人。
【组　词】使用　使命　使劲　支使　即使　指使　驱使
【造　句】使用——小明爷爷八十多岁了,还学会了使用计算机。
【辨　音】不读 sǐ。
【同音字】始(开始)
【形近字】驶(驾驶)
【成　语】看风使舵
【近义词】使唤/支使
【歇后语】使唤丫头带钥匙——当家不做主。
【谚　语】使人钱财,与人消灾。
【英　语】使用　make use of [meik juːz əv]

| shǐ | 笔画 | 部首 | 结构 | 五笔 | 造字法 |
|---|---|---|---|---|---|
| 始 | 8 | 女 | 左右 | VCKG | 形声 |
| 笔顺 | 𡿨 ㄑ 女 女 始 始 始 始 | | | | |

【解　释】❶开头;最早(跟"终"相对)。❷副词。才。
【组　词】开始　创始　始祖　始末　始终　原始
【造　句】始终如一——他的语调很平稳,始终如一,不流露任何情绪。
【同音字】使(即使)
【形近字】如(如果)
【成　语】始终不渝　周而复始　始终如一
【反义词】始终如一/反复无常
【近义词】始终如一/始终不渝
【谚　语】始如处子,后如脱兔。
【英　语】开始　begin [biˈgin]

| shǐ | 笔画 | 部首 | 结构 | 五笔 | 造字法 |
|---|---|---|---|---|---|
| 驶 | 8 | 马 | 左右 | CKQY | 形声 |
| 笔顺 | ㇇ 马 马 马 驴 驴 驶 驶 | | | | |

【解　释】❶操纵;驾驶。❷车、马、船飞快地跑。
【组　词】驶入　驾驶　驶出　行驶　驶动　疾驶　奔驶
【造　句】行驶——汽车在宽阔的公路上行驶。
【辨　音】不读 yù。
【同音字】始(开始)
【形近字】使(使者)
【反义词】疾驶/慢行
【近义词】奔驶/奔驰
【英　语】驾驶　drive [draiv]

| shǐ | 笔画 | 部首 | 结构 | 五笔 | 造字法 |
|---|---|---|---|---|---|
| 屎 | 9 | 尸 | 半包围 | NOI | 会意 |
| 笔顺 | ㇇ コ 尸 尸 尸 屖 屖 屎 屎 | | | | |

【解　释】❶大便,从肛门排出的排泄物。❷眼、耳的分泌物。
【组　词】屎尿　眼屎　鼻屎　猪屎　马屎　屎壳郎
【同音字】始(开始)
【形近字】尿(撒尿)
【英　语】屎　faeces [ˈfiːsiːz]

| shì | 笔画 | 部首 | 结构 | 五笔 | 造字法 |
|---|---|---|---|---|---|
| 士 | 3 | 士 | 独体 | FGHG | 会意 |
| 笔顺 | 一 十 士 | | | | |

【解　释】❶军人;士兵。❷军衔中的级,在尉以下。❸对人的尊称。❹指某些专业人士。❺旧时指读书人。
【组　词】女士　壮士　士气　兵士　医士　学士　硕士　博士
【造　句】硕士——他哥哥今年拿下了硕士学位。
【辨　音】不读 tǔ。
【同音字】事(事情)
【形近字】土(土地)
【反义词】礼贤下士/目中无人
【谚　语】士别三日,刮目相看|士各有志,人各有能。
【英　语】士兵　soldier [ˈsəuldʒə]

| shì | 笔画 | 部首 | 结构 | 五笔 | 造字法 |
|---|---|---|---|---|---|
| 氏 | 4 | 氏 | 独体 | QAV | 象形 |
| 笔顺 | 一 𠂆 𠂇 氏 | | | | |

【解　释】❶姓。❷称名人、专家。❸旧时称已婚妇女,常在她的夫姓和父姓的后面加氏。

甲骨文　金文　小篆　隶书　楷书

【字源释义】从战国文字看,“氏”字像一根木杆,上面有样子怪诞的龙蛇状图腾,这是一个宗族的标志。“氏”字的本义是“宗族的称号”。这种称号在古时只是贵族才有。
【组　词】姓氏　氏族
【同音字】士(士兵)
【形近字】民(民众)
【英　语】氏族　clan [klæn]
【多音字】zhī(见 921 页)

| shì | 笔画 | 部首 | 结构 | 五笔 | 造字法 |
|---|---|---|---|---|---|
| 示 | 5 | 示 | 上下 | FIU | 指事 |
| 笔顺 | 一 二 亍 亓 示 | | | | |

【解　释】❶把事物告诉人或给人看。❷对人来信的敬称。

甲骨文　金文　小篆　隶书　楷书

【字源释义】原来是祭神的石制供桌，呈“T”形。后来才演变为“示”（音 qí，同“祇”），而且与下“𥘅”（音 shì）混同。“示”旁的字大都与祭祀、崇拜、祷祝有关。

【组　词】表示　示意　宣示　显示　指示　揭示　预示　暗示　启示　展示

【造　句】展示——他向观众展示了他的新作品。

【辨　音】不读 sì。

【同音字】事（事情）

【形近字】禾（禾苗）

【近义词】显示/展示

【英　语】示意　signal　[ˈsignəl]



| shì | 笔画 | 部首 | 结构 | 五笔 | 造字法 |
|---|---|---|---|---|---|
| 世 | 5 | 一 | 独体 | AN | 指事 |
| 笔顺 | 一 十 卄 廿 世 | | | | |

【解　释】❶人的一生。❷一代又一代。❸血脉相传的辈分。❹时代。❺世界，地球上所有的地方。❻指有世交的关系。❼姓。

【组　词】世界　世代　举世　逝世

【造　句】举世无双——我们的祖先以无比的智慧和勤劳建造了举世无双的万里长城。

【同音字】事（事实）

【形近字】甘（甘心）

【成　语】世态炎凉　举世无双

【反义词】举世闻名/默默无闻

【近义词】举世闻名/闻名遐迩

【歇后语】世界地图吞在肚里——胸怀全球。

【谚　语】世上无难事，只怕有心人｜世间最宝贵的就是今天，最容易丧失的也是今天。

【英　语】世界　world　[wəːld]

| shì | 笔画 | 部首 | 结构 | 五笔 | 造字法 |
|---|---|---|---|---|---|
| 市 | 5 | 亠 | 上下 | YMHJ | 会意 |
| 笔顺 | 丶 亠 亣 市 市 | | | | |

【解　释】❶集中买卖东西的地方。❷城市，人口集中、经济文化发达、居民多为非农业人口的地区。❸行政区划单位，分直辖市和市。❹收买；换取。❺市制的度量衡单位。

【组　词】市长　城市　市政　行市　市集　米市　集市　都市　门市　市值

【造　句】门庭若市——这部影片很受欢迎，所以连日来影院门庭若市，场场满座。

【同音字】事（事情）

【形近字】吊（吊起）

【成　语】门庭若市

【反义词】门庭若市/门可罗雀

【近义词】门庭若市/车马盈门

【谚　语】市上无鱼蛤蟆贵。

【英　语】市场　market　[ˈmɑːkit]

| shì | 笔画 | 部首 | 结构 | 五笔 | 造字法 |
|---|---|---|---|---|---|
| 式 | 6 | 弋 | 半包围 | AA | 形声 |
| 笔顺 | 一 二 亍 亍 式 式 | | | | |

【解　释】❶样子。❷一定的规格。❸举行典礼的形式。❹一种语法形式。❺自然科学中表明某种规律的一组符号。

【组　词】式子　方式　款式　格式　发式　版式

【造　句】款式——小冬的妈妈和小明的妈妈做了相同款式、相同颜色的衣服。
【同音字】示(示意)
【形近字】或(或许)
【英　语】式样　style [stail]

| shì | 笔画 | 部首 | 结构 | 五笔 | 造字法 |
|---|---|---|---|---|---|
| 似 | 6 | 亻 | 左右 | WNYW | 形声 |
| 笔顺 | 丿 亻 亻 亻 仦 似 | | | | |

【解　释】与"的"连用,表示跟某种事物或情况相像。
【组　词】似的
【同音字】事(事情)
【英　语】似的　as if [æz if]
【多音字】sì(见676页)

| shì | 笔画 | 部首 | 结构 | 五笔 | 造字法 |
|---|---|---|---|---|---|
| 事 | 8 | 一 | 独体 | GK | 会意 |
| 笔顺 | 一 一 亓 亓 亓 亖 亖 事 | | | | |

【解　释】❶职业;工作。❷人类所进行的一切活动和所遇到的一切社会现象。❸变故或灾难。❹责任;关系。❺侍奉。
【组　词】事情　事业　事态　事实　事件　事例　事故
【同音字】拭(拭去)
【形近字】秉(秉公办理)
【成　语】事半功倍　事不宜迟　事与愿违　事在人为　一事无成　无济于事
【反义词】事在人为/听天由命
【歇后语】事务长打他爹——公事公办。
【谚　语】事有凑巧,物有偶然|事不三思终有悔,人能百忍自无忧。
【英　语】事情　matter [ˈmætə]

| shì | 笔画 | 部首 | 结构 | 五笔 | 造字法 |
|---|---|---|---|---|---|
| 势 | 8 | 力 | 上下 | RVYL | 形声 |
| 笔顺 | 一 十 扌 扌 执 执 执 势 势 | | | | |

【解　释】❶权力;力量。❷姿态;状态。❸情况;趋向。❹社会活动状况或形势。
【组　词】优势　势力　姿势　势利　势必　架势　笔势
【造　句】势不两立——科学和迷信是势不两立的,我们应大力提倡科学,坚决反对迷信。
【同音字】事(事实)
【形近字】热(热情)
【成　语】势不可挡　势不两立　势均力敌　势如破竹　装腔作势　势在必行　气势磅礴
【近义词】势不两立/不共戴天
【谚　语】势不可使尽,福不可享尽。
【英　语】趋势　tendency [ˈtendənsi]

| shì | 笔画 | 部首 | 结构 | 五笔 | 造字法 |
|---|---|---|---|---|---|
| 侍 | 8 | 亻 | 左右 | WFFY | 形声 |
| 笔顺 | 丿 亻 仁 仕 仕 佳 侍 侍 | | | | |

【解　释】陪伴;侍候。
【组　词】侍从　侍奉　服侍　侍候　侍弄　侍女　陪侍
【造　句】侍奉——奶奶生病期间,妈妈寸步不离,精心侍奉。
【辨　音】不读 dài。
【同音字】事(事件)
【形近字】待(等待)
【英　语】侍候　wait upon [weit əˈpɔn]

S

| shì | 笔画 | 部首 | 结构 | 五笔 | 造字法 |
| --- | --- | --- | --- | --- | --- |
| 饰 | 8 | 饣 | 左右 | QNTH | 形声 |
| 笔顺 | ノ 𠂉 饣 饣 饣 饣 饰 饰 | | | | |

【解　释】❶装点;美化。❷用来装扮的物品。❸掩盖缺点、错误等。❹扮演。

【组　词】饰物　掩饰　衣饰　头饰　服饰　花饰

【造　句】文过饰非——有了错误,就老实承认,自己心里也踏实些,文过饰非反而害了自己。

【同音字】事(事实)

【形近字】柿(柿子)

【成　语】文过饰非

【近义词】掩饰/掩盖

【英　语】装饰　decoration [dekə'reiʃən]

| shì | 笔画 | 部首 | 结构 | 五笔 | 造字法 |
| --- | --- | --- | --- | --- | --- |
| 试 | 8 | 讠 | 左右 | YAA | 形声 |
| 笔顺 | 丶 讠 讠 讠 讠 讠 试 试 | | | | |

【解　释】❶试验;尝试。❷考核;考查。

【组　词】考试　试点　试问　试卷　试车　试看　复试　测试　试播　试行

【造　句】试行——这种新式教育方法要先试行,再推广。

【同音字】事(事情)

【形近字】拭(拭去)

【反义词】跃跃欲试/无动于衷

【近义词】跃跃欲试/摩拳擦掌

【谚　语】试金以石,试人以财。

【英　语】考试　examination [igzæmi'neiʃən]

| shì | 笔画 | 部首 | 结构 | 五笔 | 造字法 |
| --- | --- | --- | --- | --- | --- |
| 视 | 8 | 礻 | 左右 | PYMQ | 形声 |
| 笔顺 | 丶 ラ 礻 礻 礻 初 视 视 | | | | |

【解　释】❶看。❷对待;看待。❸考察;察看。

【组　词】视察　视觉　视力　近视　正视　歧视　透视

【造　句】视如草芥——吕布仗恃武艺高强,把关外的诸侯视如草芥。

【同音字】事(事实)

【形近字】现(现在)

【成　语】视而不见　视死如归　一视同仁　熟视无睹　视如草芥

【反义词】视死如归/贪生怕死

【近义词】视死如归/舍生忘死

【谚　语】视而不见,听而不闻。

【英　语】视力　vision ['viʒən]

| shì | 笔画 | 部首 | 结构 | 五笔 | 造字法 |
| --- | --- | --- | --- | --- | --- |
| 柿 | 9 | 木 | 左右 | SYMH | 形声 |
| 笔顺 | 一 十 才 木 木 木 杧 柿 柿 | | | | |

【解　释】柿子树,落叶乔木,叶椭圆或长圆形,结浆果,红色或橙红色,果实可吃,叫柿子。木材可做器具。

【组　词】柿子　柿饼　西红柿

【同音字】事(事情)

【形近字】沛(充沛)

【英　语】柿子　persimmon [pə'simən]

| shì | 笔画 | 部首 | 结构 | 五笔 | 造字法 |
|---|---|---|---|---|---|
| 拭 | 9 | 扌 | 左右 | RAA | 形声 |
| 笔顺 | 一 亅 扌 扌 扌 扌 扌 拭 拭 | | | | |

【解　释】揩;擦。
【组　词】拭擦　拭泪　拭枪　拂拭
【造　句】拭目以待——我们对他的研究成果拭目以待。
【同音字】示(告示)
【形近字】试(考试)
【成　语】拭目以待
【近义词】拭去/擦掉
【英　语】拭去　wipe [waip]

| shì | 笔画 | 部首 | 结构 | 五笔 | 造字法 |
|---|---|---|---|---|---|
| 是 | 9 | 日 | 上下 | J | 会意 |
| 笔顺 | 丨 冂 日 日 旦 早 早 昰 是 | | | | |

【解　释】❶表示判断、肯定或解释。❷表示有、存在或全都是。❸表示状态。❹表示加强语气。❺表示凡是,只要是。❻这,此。❼姓。
【组　词】是非　但是　是时　是否
【造　句】明辨是非——学校要他不经考试录取一名研究生,他明辨是非,当即拒绝了这一要求。
【同音字】事(事情)
【形近字】堤(堤岸)
【成　语】明辨是非　是非不分　是非曲直　是古非今
【反义词】是非分明/混淆是非
【近义词】是非分明/明辨是非
【谚　语】是亲三分向,是火就热炕。
【英　语】是的　yes [jes]

| shì | 笔画 | 部首 | 结构 | 五笔 | 造字法 |
|---|---|---|---|---|---|
| 适 | 9 | 辶 | 半包围 | TDPD | 形声 |
| 笔顺 | ノ 二 千 千 舌 舌 舌 适 适 | | | | |

【解　释】❶符合;相合。❷恰好;正好。❸舒服。❹往;去。
【组　词】舒适　适时　适合　适意　适应　适用　安适　不适　适量　适宜
【造　句】适宜——这种天气适宜出去散步。
【辨　音】不读 zào。
【同音字】室(室内)
【形近字】括(括号)
【成　语】适得其反　适可而止
【近义词】适得其反/事与愿违
【英　语】适合　suit [sjuːt]

| shì | 笔画 | 部首 | 结构 | 五笔 | 造字法 |
|---|---|---|---|---|---|
| 室 | 9 | 宀 | 上下 | PGCF | 形声 |
| 笔顺 | 丶 丶 宀 宀 宀 宝 宝 室 室 | | | | |

【解　释】❶房间;屋子。❷机关、团体、工厂、学校等的工作部门。
【组　词】教室　房室　心室　内室　画室　室外　皇室　王室　寝室　室女
【造　句】引狼入室——你把这种心术不正的人拉到我们的队伍中,岂不是引狼入室?
【辨　音】不读 zhì。
【同音字】是(是非)
【形近字】窒(窒息)
【成　语】引狼入室
【近义词】十室九空/门庭冷落

S

【谚　语】室雅何须大，花香不在多。
【英　语】室内　indoor [ˈindɔː]

| shì | 笔画 | 部首 | 结构 | 五笔 | 造字法 |
|---|---|---|---|---|---|
| 逝 | 10 | 辶 | 半包围 | RRPK | 形声 |
| 笔顺 | 一 十 扌 扌 扩 扩 折 `折 浙 逝 | | | | |

【解　释】❶过去；离去。❷死去，多表示对死者的敬意。
【组　词】逝世　病逝　流逝　消逝
【造　句】逝世——大家对他的逝世表示沉痛的哀悼。
【同音字】誓（誓言）
【形近字】浙（浙江）
【反义词】稍纵即逝/亘古不变
【近义词】逝者如斯/光阴如箭
【英　语】逝世　pass away [pɑːs əˈwei]

| shì | 笔画 | 部首 | 结构 | 五笔 | 造字法 |
|---|---|---|---|---|---|
| 释 | 12 | 釆 | 左右 | TOCH | 形声 |
| 笔顺 | 丿 ⺈ ⺈ 立 平 采 采 釆7 釆又 释 释 释 | | | | |

【解　释】❶说明；分析。❷消除；清散。❸放开；放下。❹把罪犯从监牢放出来，恢复自由。
【组　词】释放　释典　释义　释然　注释　释文
【造　句】如释重负——他看到儿子进了家门，这才如释重负地长出了一口气。
【同音字】誓（誓言）
【形近字】泽（沼泽）
【成　语】爱不释手　如释重负
【反义词】释放/被捕
【近义词】解释/说明
【英　语】解释　explain [ikˈsplein]

| shì | 笔画 | 部首 | 结构 | 五笔 | 造字法 |
|---|---|---|---|---|---|
| 誓 | 14 | 言 | 上下 | RRYF | 形声 |
| 笔顺 | 一 十 扌 扌 扩 扩 折 折 折 誓 誓 誓 誓 誓 | | | | |

【解　释】❶发誓，表示一定要做到。❷表示决心的话。
【组　词】誓言　发誓　毒誓　宣誓　起誓　誓约　盟誓
【造　句】誓不两立——我跟这股恶势力誓不两立！
【同音字】释（释放）
【形近字】势（势力）
【成　语】誓不两立
【近义词】誓不两立/不共戴天
【英　语】誓言　oath [əuθ]

| shi | 笔画 | 部首 | 结构 | 五笔 | 造字法 |
|---|---|---|---|---|---|
| 匙 | 11 | 日 | 半包围 | JGHX | 形声 |
| 笔顺 | 丨 冂 日 日 旦 早 早 是 是 是 匙 | | | | |

【解　释】钥匙，开锁用的工具。
【组　词】钥匙
【造　句】钥匙——我的自行车钥匙不小心丢了，只有让修车的人给打开。
【英　语】钥匙　key [kiː]
【多音字】chí（见 105 页）

## SHOU　ㄕㄡ

| shōu | 笔画 | 部首 | 结构 | 五笔 | 造字法 |
|---|---|---|---|---|---|
| 收 | 6 | 攵 | 左右 | NHTY | 会意 |
| 笔顺 | 丨 丩 丩' 丩𠂉 收 收 | | | | |

【解　释】❶接到;接受。❷聚集;拿出来。❸藏;保管。❹取回原本属于自己的东西。❺获取劳动果实。❻结束;停止。❼逮捕;拘禁。❽约束;控制。
【组　词】收获　收拾　收购　收集　收入　丰收　签收　没收
【造　句】收获——今天我和小明一起去钓鱼,收获不少,共计钓了足足六斤鱼。
【辨　音】不读 mù。
【形近字】牧(牧童)
【反义词】收入/支出
【近义词】吸收/吸取
【歇后语】收紧拳头——保守(手)|收音机里听唱戏——听到声音不见人。
【谚　语】收船好在顺风时|收拾不清,吵闹四邻。
【英　语】收到　receive [ri'siːv]

| shǒu | 笔画 | 部首 | 结构 | 五笔 | 造字法 |
|---|---|---|---|---|---|
| 手 | 4 | 手 | 独体 | RT | 象形 |
| 笔顺 | 一 二 三 手 | | | | |

【解　释】❶人体上肢能拿东西的部分。❷自己做的。❸拥有;拿着。❹小而便于拿的。❺擅长于某一方面的人。❻本领。❼量词。
【组　词】手气　凶手　杀手　手足　手工　手巾　手机　手袋　手续　手指
【造　句】手足——他俩情同手足,亲密无间。
【同音字】首(首领)
【形近字】毛(毛笔)
【成　语】手不释卷　手到病除　手到擒来　手忙脚乱　手舞足蹈　手足无措
【反义词】手到擒来/海底捞针
【近义词】手无寸铁/赤手空拳
【歇后语】大小姐织布——手忙脚乱。
【谚　语】手大遮不住天|手长能着天,知识多了最方便。
【英　语】手　hand [hænd]

| shǒu | 笔画 | 部首 | 结构 | 五笔 | 造字法 |
|---|---|---|---|---|---|
| 守 | 6 | 宀 | 上下 | PFU | 会意 |
| 笔顺 | 丶 丷 宀 宀 守 守 | | | | |

【解　释】❶防守(跟"攻"相对)。❷看护;照料。❸遵照;依照。❹保持;坚持。❺依靠。
【组　词】守时　严守　失守　守卫　守护　坚守　守业　留守
【造　句】守时——他平时挺守时的,今天不知怎么迟到了。
【同音字】首(首先)
【形近字】宁(宁静)
【成　语】守口如瓶　守株待兔
【近义词】守正不阿/刚正不阿
【谚　语】守着矮人别说短话。
【英　语】守卫　guard [gɑːd]

| shǒu | 笔画 | 部首 | 结构 | 五笔 | 造字法 |
|---|---|---|---|---|---|
| 首 | 9 | 首 | 上下 | UTH | 象形 |
| 笔顺 | 丶 丷 䒑 䒑 䒑 首 首 首 首 | | | | |

【解　释】❶头,脑袋。❷最高的;领导人。❸第一;最先。❹告发或自己投案。❺开头;初始。❻方向。❼量词。❽姓。

甲骨文 金文 小篆 隶书 楷书

【字源释义】甲骨文“首”字是一个头的形状，但是不太像人类的头，而更像是兽类的头。金文只用一只眼睛和头发作为头部的象征性的文字符号。

【组　词】首都　首先　首发　首播　首领　首位

【造　句】首都——我国的首都是北京。

【同音字】手(手足)

【形近字】酋(酋长)

【成　语】首当其冲　首屈一指

【反义词】首鼠两端/当机立断

【近义词】首领/头领

【英　语】首先　first [fə:st]

| shòu | 笔画 | 部首 | 结构 | 五笔 | 造字法 |
|---|---|---|---|---|---|
| 寿 | 7 | 寸 | 半包围 | DTF | 形声 |
| 笔顺 | 一 = 三 丰 耂 寿 寿 | | | | |

【解　释】❶生命；年岁。❷生日。❸活得岁数大。❹婉辞，装殓(liàn)死人的东西。❺姓。

【组　词】寿命　寿衣　长寿　祝寿　寿辰　寿星　寿斑

【造　句】寿比南山——外公七十岁生日那天，我们祝他寿比南山，福如东海。

【同音字】兽(野兽)

【形近字】麦(小麦)

【成　语】寿比南山　人寿年丰

【近义词】寿比南山/万寿无疆

【英　语】寿命　lifespan ['laif-spæn]

| shòu | 笔画 | 部首 | 结构 | 五笔 | 造字法 |
|---|---|---|---|---|---|
| 受 | 8 | 爫 | 上下 | EPCU | 会意 |
| 笔顺 | 丿 ⺈ ⺈ 爫 爫 爫 受 受 | | | | |

【解　释】❶得到；接受。❷遭到。❸适合。❹忍耐；禁受。

甲骨文 金文 小篆 隶书 楷书

【字源释义】甲骨文“受”字的字形是一只手把盘子交到另一个人的手里，表示“给予”(“授”)，同时也表示“接受”(“受”)。在较早的古文中，“授”、“受”是同一个字。

【组　词】接受　受伤　受理　好受　难受　受气　忍受

【造　句】受伤——我的脚在跳高比赛中受伤了。

【辨　音】不读 ài。

【同音字】售(出售)
【形近字】爱(爱好)
【成　语】受宠若惊
【反义词】受宠若惊/宠辱不惊
【近义词】自作自受/自食其果
【歇后语】受惊的老鼠——怕出头露面。
【谚　语】受人之托,终人之事|受得苦中苦,才能甜上甜。
【英　语】接受　receive [ri'si:v]

| shòu | 笔画 | 部首 | 结构 | 五笔 | 造字法 |
|---|---|---|---|---|---|
| 授 | 11 | 扌 | 左右 | REPC | 形声 |
| 笔顺 | 一 十 扌 扌 扌 扌 扌 扌 扌 授 授 | | | | |

【解　释】❶交付;给予。❷教;传授。
【组　词】授予　授命　教授　讲授
【造　句】授予——学校授予他"学习标兵"称号。
【同音字】寿(寿星)
【形近字】受(受用)
【成　语】授人以柄
【反义词】授予/剥夺
【近义词】授予/给予
【英　语】授课　give lessons [giv 'lesəns]

| shòu | 笔画 | 部首 | 结构 | 五笔 | 造字法 |
|---|---|---|---|---|---|
| 售 | 11 | 隹 | 上下 | WYK | 形声 |
| 笔顺 | 丿 亻 亻 亻 亻 亻 亻 隹 隹 售 售 | | | | |

【解　释】❶卖。❷施展。
【组　词】出售　销售　售票　零售
【造　句】零售——这家商店只批发不零售。
【同音字】受(受罪)
【形近字】焦(焦点)
【反义词】出售/买进
【近义词】销售/出售
【英　语】出售　sell [sel]

| shòu | 笔画 | 部首 | 结构 | 五笔 | 造字法 |
|---|---|---|---|---|---|
| 兽 | 11 | 丷 | 上中下 | ULGK | 象形 |
| 笔顺 | 丶 丷 丷 ... 兽 兽 兽 | | | | |

【解　释】❶指有四条腿、全身生毛的哺乳动物。❷比喻野蛮,低下。

甲骨文　金文　小篆　隶书　楷书

【字源释义】字的左半部是捕兽的武器——"单";右半部是一头猎犬。本义是"狩猎"。后来用本义时作"狩";指被狩猎的对象作"獸",简化为"兽"。
【组　词】兽性　走兽　兽行　野兽
【同音字】瘦(瘦长)
【形近字】鲁(鲁莽)
【成　语】人面兽心
【谚　语】兽医多了治死牛。

【英　语】兽类　beasts ［biːsts］

| shòu | 笔画 | 部首 | 结构 | 五笔 | 造字法 |
|---|---|---|---|---|---|
| 瘦 | 14 | 疒 | 半包围 | UVHC | 形声 |

笔顺：丶 亠 广 广 疒 疒 疒 疒 疒 疒 疸 疸 瘦 瘦

【解　释】❶脂肪少（跟“胖”、“肥”相对）。❷薄；不肥沃。❸小；单薄。
【组　词】瘦弱　瘦小　干瘦　精瘦
【造　句】瘦小——小红的身材太瘦小了，要注意补充营养。
【辨　音】不读 sòu。
【同音字】寿（长寿）
【成　语】面黄肌瘦　挑肥拣瘦
【反义词】瘦弱/肥胖
【近义词】瘦弱/瘦小
【谚　语】瘦了绵羊，肥了羔羊。
【英　语】瘦　thin ［θin］

S

## SHU　ㄕㄨ

| shū | 笔画 | 部首 | 结构 | 五笔 | 造字法 |
|---|---|---|---|---|---|
| 书 | 4 | 乛 | 独体 | NNHY | 会意 |

笔顺：乛 ㄗ 书 书

【解　释】❶装订成册的著作。❷信。❸文件。❹写字。❺字体。
【组　词】书本　读书　秘书　书籍
【造　句】书籍——书籍是人类的精神财富。
【同音字】叔（叔叔）
【近义词】书本/书册
【谚　语】书不尽言，言不尽意。
【英　语】书　book ［buk］

| shū | 笔画 | 部首 | 结构 | 五笔 | 造字法 |
|---|---|---|---|---|---|
| 抒 | 7 | 扌 | 左右 | RCBH | 形声 |

笔顺：一 十 扌 扌 扌 抒 抒

【解　释】表达；发表。
【组　词】抒情　抒发
【造　句】抒发——这首歌曲抒发了人民对党无比深厚的感情。
【同音字】舒（舒服）
【形近字】舒（舒畅）
【近义词】抒发/表达
【英　语】抒发　express ［ik'spres］

| shū | 笔画 | 部首 | 结构 | 五笔 | 造字法 |
|---|---|---|---|---|---|
| 枢 | 8 | 木 | 左右 | SAQY | 形声 |

笔顺：一 十 才 木 木 朾 枢 枢

【解　释】❶门上的转轴。❷事物的中心部分。
【组　词】枢纽　中枢
【造　句】枢纽——郑州是中国铁路的枢纽城市。
【同音字】书（书写）
【形近字】抠（抠门）
【成　语】户枢不蠹
【英　语】枢纽　pivot ［'pivət］

| shū | 笔画 | 部首 | 结构 | 五笔 | 造字法 |
|---|---|---|---|---|---|
| 叔 | 8 | 又 | 左右 | HICY | 会意 |

笔顺：丨 ⺊ 上 卡 未 赤 叔 叔

【解　释】❶旧时在兄弟排行中代表第三。❷称呼和父亲辈分相同而又年纪比较小的男子。❸丈夫的弟弟。
【组　词】叔父　大叔　叔伯　叔叔
【同音字】书（书本）

【形近字】淑(淑女)
【英　语】叔叔 uncle [ˈʌŋkl]

| shū | 笔画 | 部首 | 结构 | 五笔 | 造字法 |
|---|---|---|---|---|---|
| 殊 | 10 | 歹 | 左右 | GQRI | 形声 |
| 笔顺 | 一 丆 歹 歹 歹 歼 歼 殊 殊 殊 | | | | |

【解　释】❶差异;不同。❷特别;与众不同。❸很;极。
【组　词】殊荣　殊死　特殊
【造　句】特殊——大家都一样,你为什么搞特殊?
【同音字】抒(抒发)
【近义词】特殊/特别
【反义词】特殊/普遍
【成　语】殊途同归
【英　语】特殊 special [ˈspeʃəl]

| shū | 笔画 | 部首 | 结构 | 五笔 | 造字法 |
|---|---|---|---|---|---|
| 梳 | 11 | 木 | 左右 | SYCQ | 形声 |
| 笔顺 | 一 十 才 木 木 杧 杧 梳 梳 梳 梳 | | | | |

【解　释】梳子,理头发的工具。
【组　词】梳理　梳头　梳妆　梳子
【同音字】蔬(蔬菜)
【形近字】疏(疏通)
【歇后语】梳头姑娘吃火腿——游(油)手好闲(咸)。
【英　语】梳子 comb [kəum]

| shū | 笔画 | 部首 | 结构 | 五笔 | 造字法 |
|---|---|---|---|---|---|
| 淑 | 11 | 氵 | 左右 | IHIC | 形声 |
| 笔顺 | 丶 丶 氵 氵 氵 汁 汼 汼 淑 淑 淑 | | | | |

【解　释】温和善良。
【组　词】淑女　淑静　贤淑
【同音字】梳(梳头)　殊(特殊)
【形近字】叔(叔叔)

| shū | 笔画 | 部首 | 结构 | 五笔 | 造字法 |
|---|---|---|---|---|---|
| 舒 | 12 | 人 | 左右 | WFKB | 形声 |
| 笔顺 | 丿 人 𠆢 今 今 全 舍 舍 舒 舒 舒 舒 | | | | |

【解　释】❶缓慢;从容。❷展开;宽解。❸姓。
【组　词】舒服　舒坦　舒适　舒缓
【造　句】舒服——初春的阳光照在身上多舒服呀!
【同音字】输(运输)
【反义词】舒服/难受
【近义词】舒畅/愉快
【英　语】舒服 comfortable [ˈkʌmfətəbl]

| shū | 笔画 | 部首 | 结构 | 五笔 | 造字法 |
|---|---|---|---|---|---|
| 疏 | 12 | 𤴔 | 左右 | NHYQ | 形声 |
| 笔顺 | 一 丁 下 正 正 𤴔 𤴔 𤴔 疏 疏 疏 疏 | | | | |

【解　释】❶事物之间的距离大。❷分散;由密变疏。❸不熟悉;生疏。❹疏忽。❺清除阻塞。❻古书中详细的注解。❼古代向君主上书陈述的文字。❽姓。
【组　词】疏忽　疏散　疏远　疏导
【造　句】志大才疏——光有美好的理想而没有实际本领就是志大才疏。
【同音字】叔(叔伯)
【形近字】蔬(蔬菜)
【成　语】志大才疏　才疏学浅
【反义词】疏远/亲密
【近义词】疏忽/大意

【谚　语】疏栽桐，密栽松。
【英　语】疏松　loose [luːs]

| shū | 笔画 | 部首 | 结构 | 五笔 | 造字法 |
|---|---|---|---|---|---|
| 输 | 13 | 车 | 左右 | LWGJ | 形声 |
| 笔顺 | 一 𠂇 车 车 车 轮 轮 轮 输 输 输 输 输 | | | | |

【解　释】❶运送东西。❷失败；负。❸注入。❹送给；捐献。
【组　词】输送　运输　输出　输入　认输　服输　输血　输赢　输电　输家
【造　句】输赢——今天的比赛可热闹了，两个球队非要见个输赢不可。
【同音字】梳（梳子）
【形近字】榆（榆树）
【反义词】输出/收入
【近义词】服输/认输
【谚　语】输了官司才想出理来。
【英　语】运输　transport [træns'pɔːt]

| shū | 笔画 | 部首 | 结构 | 五笔 | 造字法 |
|---|---|---|---|---|---|
| 蔬 | 15 | 艹 | 上下 | ANHQ | 形声 |
| 笔顺 | 一 十 艹 艹 艹 艹 艹 艹 蔬 蔬 蔬 蔬 蔬 蔬 蔬 | | | | |

【解　释】可做菜的草本植物。
【组　词】蔬菜
【同音字】输（运输）
【形近字】疏（疏忽）
【英　语】蔬菜　vegetable ['vedʒitəbl]

| shú | 笔画 | 部首 | 结构 | 五笔 | 造字法 |
|---|---|---|---|---|---|
| 塾 | 14 | 土 | 上下 | YBVF | 形声 |
| 笔顺 | 丶 亠 亠 亡 古 亨 享 享 孰 孰 孰 孰 孰 塾 | | | | |

【解　释】旧时由私人设立的学校。
【组　词】私塾　塾师　学塾　村塾
【造　句】私塾——三味书屋以前是个私塾。
【同音字】熟（煮熟）
【形近字】熟（熟识）
【英　语】私塾　family school ['fæməli skuːl]

| shú | 笔画 | 部首 | 结构 | 五笔 | 造字法 |
|---|---|---|---|---|---|
| 熟 | 15 | 灬 | 上下 | YBVO | 形声 |
| 笔顺 | 丶 亠 亠 亡 古 亨 享 享 孰 孰 孰 孰 熟 熟 熟 | | | | |

【解　释】❶食物加热到了可吃的程度。❷成熟，植物的果实完全长成。❸熟练。经常从事某项工作而达到的程度。❹程度深。❺因经常见到或常用而知道得很清楚。❻经过加工炼制的。
【组　词】成熟　睡熟　早熟　熟悉
【造　句】熟悉——我对北京的交通很熟悉。
【同音字】塾（私塾）
【形近字】塾（塾师）
【成　语】熟能生巧　瓜熟蒂落
【反义词】熟悉/陌生
【近义词】熟识/熟知
【歇后语】熟透的石榴——心红透亮。
【谚　语】熟能生巧，巧能生精。
【英　语】熟人　acquaintance [ə'kweintəns]

| shǔ | 笔画 | 部首 | 结构 | 五笔 | 造字法 |
|---|---|---|---|---|---|
| 暑 | 12 | 日 | 上下 | JFTJ | 形声 |
| 笔顺 | 丨 冂 日 日 旦 早 早 暑 暑 暑 暑 暑 | | | | |

【解　释】热(跟"寒"相对)。
【组　词】暑假　大暑　小暑　酷暑
【造　句】暑假——暑假里我们做了一次社会调查。
【同音字】鼠(老鼠)
【形近字】署(公署)
【反义词】暑/寒　酷暑/严寒
【歇后语】暑天烤红炭——真热火|暑天落雪——风云突变。
【谚　语】暑伏不热,五谷不结;寒冬不冷,六畜不稳|暑去寒来觉夜长。
【英　语】暑假　summer vacation [ˈsʌmə vəˈkeiʃən]

| shǔ | 笔画 | 部首 | 结构 | 五笔 | 造字法 |
|---|---|---|---|---|---|
| 属 | 12 | 尸 | 半包围 | NTKY | 形声 |
| 笔顺 | 尸 尸 尸 尸 … 属 属 属 属 | | | | |

【解　释】❶有同类关系的;类别。❷有归附关系的。❸有血统关系的。❹有领导关系的。❺符合;是。
【组　词】属于　属实　归属　家属
【造　句】属于——中华人民共和国的武装力量属于人民。
【同音字】署(署名)
【形近字】嘱(嘱咐)
【歇后语】属刺猬的——谁碰扎谁手。
【英　语】属于 belong to [biˈlɔŋ tuː]
【多音字】zhǔ(见941页)

| shǔ | 笔画 | 部首 | 结构 | 五笔 | 造字法 |
|---|---|---|---|---|---|
| 署 | 13 | 罒 | 上下 | LFTJ | 形声 |
| 笔顺 | 罒 罒 罒 罒 罒 罒 罒 罒 … 署 署 署 | | | | |

【解　释】❶布置。❷办公的地方。❸签名。❹代理。
【组　词】署名　部署　签署　行署
【造　句】署名——我第一个在保护环境的协议书上署名。
【同音字】属(属于)
【形近字】暑(中暑)
【近义词】署名/签名
【英　语】署名　sign [sain]

| shǔ | 笔画 | 部首 | 结构 | 五笔 | 造字法 |
|---|---|---|---|---|---|
| 蜀 | 13 | 罒 | 上下 | LQJU | 象形 |
| 笔顺 | 罒 罒 罒 罒 罒 罒 … 蜀 蜀 蜀 蜀 | | | | |

【解　释】四川的别称。
【同音字】属(属于)
【成　语】乐不思蜀

| shǔ | 笔画 | 部首 | 结构 | 五笔 | 造字法 |
|---|---|---|---|---|---|
| 鼠 | 13 | 鼠 | 上下 | VNUN | 象形 |
| 笔顺 | 臼 臼 臼 臼 … 鼠 | | | | |

【解　释】哺乳动物的一类,种类很多,门齿发达,一般尾巴长,身体小,毛褐色或黑色,繁殖能力强。
【组　词】老鼠　家鼠　灰鼠　田鼠
【同音字】属(归属)
【形近字】舅(舅妈)
【成　语】鼠目寸光　鼠肚鸡肠
【反义词】鼠目寸光/高瞻远瞩
【近义词】鼠目寸光/目光如豆
【歇后语】老鼠的眼睛——鼠目寸光。
【英　语】鼠　mouse [maus]

| shǔ | 笔画 | 部首 | 结构 | 五笔 | 造字法 |
|---|---|---|---|---|---|
| 数 | 13 | 攵 | 左右 | OVTY | 形声 |
| 笔顺 | 丶 丷 丷 半 米 米 娄 娄 娄 数 数 数 数 | | | | |

【解　释】❶责备;列举过错。❷算起来最突出的。❸查点数目。
【组　词】数落　数一数　数一数二
【造　句】数一数二——那个男孩是学校里数一数二的数学尖子。
【同音字】属(属于)
【成　语】数不胜数　数九寒天
【近义词】数一数二/首屈一指
【谚　语】数不尽的土粒,渡不尽的学海。
【英　语】数一数　count [kaunt]
【多音字】shù(见 666 页)
【多音字】shuò(见 672 页)

S

| shǔ | 笔画 | 部首 | 结构 | 五笔 | 造字法 |
|---|---|---|---|---|---|
| 薯 | 16 | 艹 | 上下 | ALFJ | 形声 |
| 笔顺 | 一 十 艹 艹 芇 芇 苎 苎 苎 萝 萝 萝 萝 萝 薯 薯 | | | | |

【解　释】甘薯、马铃薯等农作物的统称。
【组　词】红薯　白薯　甘薯　马铃薯
【同音字】署(署名)　暑(暑假)
【英　语】薯　potato [pə'teitəu]

| shǔ | 笔画 | 部首 | 结构 | 五笔 | 造字法 |
|---|---|---|---|---|---|
| 曙 | 17 | 日 | 左右 | JLFJ | 形声 |
| 笔顺 | 丨 ㄇ 日 日 日' 日冖 日罒 日罒 日罒 日罒 曙 曙 曙 曙 曙 曙 曙 | | | | |

【解　释】天刚刚亮的时候。
【组　词】曙光　曙色
【造　句】曙光——希望的曙光就在前头,大家加油啊!
【同音字】数(数数)
【形近字】薯(红薯)
【成　语】曙后星孤
【英　语】曙光　dawn [dɔːn]

| shù | 笔画 | 部首 | 结构 | 五笔 | 造字法 |
|---|---|---|---|---|---|
| 术 | 5 | 木 | 独体 | SYI | 象形 |
| 笔顺 | 一 十 才 木 术 | | | | |

【解　释】❶技艺;本领。❷方法;策略。
【组　词】美术　算术　马术　巫术　学术　医术　战术　武术　权术
【造　句】美术——美术课上,老师教同学们画风景。
【辨　音】不读 mù。
【同音字】述(陈述)
【形近字】木(树木)　禾(禾苗)
【成　语】不学无术
【英　语】艺术　art [ɑːt]
【多音字】zhú(见 939 页)

| shù | 笔画 | 部首 | 结构 | 五笔 | 造字法 |
|---|---|---|---|---|---|
| 戍 | 6 | 戈 | 半包围 | DYNT | 会意 |
| 笔顺 | 一 厂 𠂈 戊 戍 戍 | | | | |

【解　释】驻守;防卫;防守。

甲骨文　金文　小篆　隶书　楷书

【字源释义】字形像一个士兵握着武器。本义是“防守边疆”，引申为“守边的兵士”。
【组　词】卫戍　戍边　戍守
【造　句】戍守——他自愿参军戍守边疆。
【辨　音】不读 wù 或 xū。
【同音字】竖(竖立)
【形近字】戌(戌功)
【英　语】戍守　defend [di'fend]

| shù | 笔画 | 部首 | 结构 | 五笔 | 造字法 |
| --- | --- | --- | --- | --- | --- |
| 束 | 7 | 一 | 独体 | GKII | 会意 |
| 笔顺 | 一 𠃌 𠃌 𠃌 申 𣎵 束 | | | | |

【解　释】❶扎；系(jì)。❷量词。用于捆在一起的东西。❸控制；限制。❹聚集成一条的东西。
【组　词】结束　束缚　拘束　管束
【造　句】结束——晚会结束时，台下响起了经久不息的掌声。
【辨　音】不读 lái。
【同音字】术(算术)
【形近字】柬(请柬)
【成　语】无拘无束　束手无策
【反义词】拘束/自然
【近义词】约束/束缚
【英　语】束缚　tie [tai]

| shù | 笔画 | 部首 | 结构 | 五笔 | 造字法 |
| --- | --- | --- | --- | --- | --- |
| 述 | 8 | 辶 | 半包围 | SYPI | 形声 |
| 笔顺 | 一 十 才 木 术 术 沭 述 | | | | |

【解　释】陈说；讲。
【组　词】述说　述评　论述　陈述
【造　句】陈述——他将事情的经过陈述了一遍。
【同音字】束(约束)
【形近字】迷(迷藏)
【成　语】述而不作
【近义词】陈述/叙述
【英　语】述说　state [steit]

| shù | 笔画 | 部首 | 结构 | 五笔 | 造字法 |
| --- | --- | --- | --- | --- | --- |
| 树 | 9 | 木 | 左右 | SCFY | 形声 |
| 笔顺 | 一 十 才 木 权 权 权 树 树 | | | | |

【解　释】❶木本植物的总称。❷种植；培养。❸建立；树立。
【组　词】树木　树干　树梢　树立
【同音字】术(技术)
【近义词】树立/建立
【谚　语】树怕动根，人怕伤心。
【英　语】树　tree [triː]

| shù | 笔画 | 部首 | 结构 | 五笔 | 造字法 |
| --- | --- | --- | --- | --- | --- |
| 竖 | 9 | 立 | 上下 | JCUF | 会意 |
| 笔顺 | 丨 刂 刂⺈ 収 収 坚 竖 竖 竖 | | | | |

【解　释】❶垂直的(跟“横”相对)。❷上下或前后方向。❸使直立。❹汉字的一种笔画，自上往下写的笔形(丨)。
【组　词】竖立　横竖　竖琴　竖直
【造　句】竖立——操场正中央竖立着一根旗杆。
【辨　音】不读 jiān。
【同音字】树(树林)
【形近字】坚(坚固)　贤(贤惠)
【成　语】横七竖八
【反义词】竖立/横放
【近义词】竖立/竖直
【谚　语】竖起招军旗，就有吃粮人。

S

【英　语】竖立 erect [iˈrekt]

| shù | 笔画 | 部首 | 结构 | 五笔 | 造字法 |
|---|---|---|---|---|---|
| 恕 | 10 | 心 | 上下 | VKNU | 形声 |
| 笔顺 | ㄑ 女 女 如 如 如 如 恕 恕 恕 | | | | |

【解　释】❶原谅；不计较（别人的）过错。❷客套话；请对方不要计较。
【组　词】宽恕　饶恕　恕罪
【造　句】不可饶恕——恐怖分子对世界人民犯下了不可饶恕的罪行。
【辨　音】不读 nù。
【同音字】束（结束）
【形近字】怒（发怒）
【近义词】宽恕/原谅
【英　语】饶恕 pardon [ˈpɑːdn]

| shù | 笔画 | 部首 | 结构 | 五笔 | 造字法 |
|---|---|---|---|---|---|
| 数 | 13 | 攵 | 左右 | OVTY | 形声 |
| 笔顺 | 丶 丷 丬 半 米 米 米 娄 娄 娄 数 数 数 | | | | |

【解　释】❶数目，划分或计算出来的量。❷数词，表示数目的词。❸几；几个，表示概数。❹劫数；天数。
【组　词】数量　数目　单数　分数　点数　次数　岁数　数列
【同音字】树（树立）
【形近字】教（教导）
【成　语】不计其数　滥竽充数
【反义词】不计其数/寥寥无几
【近义词】滥竽充数/鱼目混珠
【英　语】数目 number [ˈnʌmbə]
【多音字】shǔ（见 664 页）
【多音字】shuò（见 672 页）

# SHUA ㄕㄨㄚ

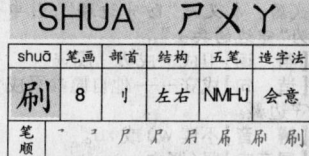

| shuā | 笔画 | 部首 | 结构 | 五笔 | 造字法 |
|---|---|---|---|---|---|
| 刷 | 8 | 刂 | 左右 | NMHJ | 会意 |
| 笔顺 | ㇇ コ 尸 尸 吊 吊 刷 刷 | | | | |

【解　释】❶刷子，清除东西或涂抹东西的用具。❷用刷子或类似刷子的用具来清除或涂抹。❸比喻淘汰，除名。❹象声词。形容物体迅速擦过去的声音。
【组　词】刷牙　刷子　刷新　刷鞋　刷墙　粉刷　印刷　冲刷　刷卡
【造　句】刷新——在这届奥运会上，她刷新了一万米长跑的世界纪录。
【形近字】剧（戏剧）
【英　语】刷子 brush [brʌʃ]
【多音字】shuà（见 667 页）

| shuǎ | 笔画 | 部首 | 结构 | 五笔 | 造字法 |
|---|---|---|---|---|---|
| 耍 | 9 | 而 | 上下 | DMJV | 会意 |
| 笔顺 | 一 ㇐ 丆 丙 而 而 耍 耍 耍 | | | | |

【解　释】❶（方）玩。❷表演。❸施展；卖弄。❹戏弄；捉弄。
【组　词】玩耍　耍笑　耍赖　耍弄　戏耍　耍滑　耍人　耍闹
【造　句】耍闹——孩子们在院子里嘻嘻哈哈地耍闹着。
【辨　音】不读 yào。
【形近字】要（要求）
【反义词】耍弄/尊重
【近义词】耍弄/玩弄
【歇后语】耍大刀的唱小生——改了行。

【谚　语】耍把戏靠猴，种田靠牛。
【英　语】玩耍　play ［plei］

| shuà | 笔画 | 部首 | 结构 | 五笔 | 造字法 |
| --- | --- | --- | --- | --- | --- |
| 刷 | 8 | 刂 | 左右 | NMHJ | 会意 |
| 笔顺 | ㇐ ㇕ 尸 尸 吊 屌 刷 刷 | | | | |

【解　释】色白而略微发青。
【组　词】刷白
【造　句】刷白——听到狗叫声，他的脸色立刻变得刷白。
【英　语】刷白　pale ［peil］
【多音字】shuā(见666页)

## SHUAI　ㄕㄨㄞ

| shuāi | 笔画 | 部首 | 结构 | 五笔 | 造字法 |
| --- | --- | --- | --- | --- | --- |
| 衰 | 10 | 衣 | 上中下 | YKGE | 象形 |
| 笔顺 | 丶 亠 亡 亡 亩 亩 衰 衰 衰 衰 | | | | |

【解　释】微弱；事物发展由强转弱(跟"盛"相对)。
【组　词】衰老　衰败　衰弱　衰亡　衰朽　衰替　兴衰　衰落　衰迈
【造　句】衰老——两年没见，老人显得衰老多了。
【辨　音】不读 āi。
【同音字】摔(摔跤)
【形近字】哀(悲哀)　衷(衷心)
【反义词】衰败/兴盛
【近义词】衰败/衰落
【英　语】衰弱　weak ［wiːk］

| shuāi | 笔画 | 部首 | 结构 | 五笔 | 造字法 |
| --- | --- | --- | --- | --- | --- |
| 摔 | 14 | 扌 | 左右 | RYXF | 形声 |
| 笔顺 | 一 十 扌 扌 扩 扩 挞 挞 挞 挞 挞 摔 摔 摔 | | | | |

【解　释】❶用力扔。❷很快地往下掉。❸因掉下而破损。❹身体失去平衡而倒下。❺摔打。
【组　词】摔打　摔跤　摔倒　摔破
【造　句】摔跤——路太滑，小心别摔跤。
【同音字】衰(衰退)
【形近字】蟀(蟋蟀)
【反义词】摔破/完好
【近义词】摔倒/跌倒
【歇后语】摔到五味瓶里——甜酸苦辣都尝到。
【谚　语】摔跤也要向前倒。
【英　语】摔跤　tumble ［ˈtʌmbl］

| shuǎi | 笔画 | 部首 | 结构 | 五笔 | 造字法 |
| --- | --- | --- | --- | --- | --- |
| 甩 | 5 | 冂 | 独体 | ENV | 指事 |
| 笔顺 | 丿 冂 月 月 甩 | | | | |

【解　释】❶挥动。❷扔。❸抛开。
【组　词】甩掉　甩车　甩手　甩卖
【造　句】甩卖——许多沿街商店都贴着赔本大甩卖的广告。
【辨　音】不读 yòng。
【形近字】用(用途)　龟(乌龟)
【英　语】甩卖　reduction sale ［riˈdʌkʃən seil］

| shuài | 笔画 | 部首 | 结构 | 五笔 | 造字法 |
| --- | --- | --- | --- | --- | --- |
| 帅 | 5 | 巾 | 左右 | JMHH | 形声 |
| 笔顺 | 丨 リ 帅 帅 帅 | | | | |

【解　释】❶军队中最高的指挥官。❷英俊；潇洒；漂亮。
【组　词】将帅　统帅　帅旗　帅气
【造　句】帅气——我们的体育老师是一位帅气的年轻人。
【辨　音】不读 shī。

【同音字】率(草率)
【形近字】师(老师)
【近义词】帅气/英俊
【英 语】帅气 handsome [ˈhænsəm]

| shuài | 笔画 | 部首 | 结构 | 五笔 | 造字法 |
| --- | --- | --- | --- | --- | --- |
| 率 | 11 | 亠 | 上中下 | YXIF | 象形 |
| 笔顺 | 丶 亠 亠 玄 玄 玄 玄 玄 玄 玄 率 | | | | |

【解 释】❶带领。❷轻易地;不慎重;不仔细。❸坦白;爽直。❹大略;大概。❺顺着;遵循。❻模范。
【组 词】率领 率性 率直 率先 率真 表率 坦率 直率 轻率
【造 句】率领——他率领一个访问团出国了。
【同音字】帅(元帅)
【形近字】卒(士卒)
【反义词】草率/慎重
【近义词】直率/直爽
【英 语】率领 lead [liːd]
【多音字】lǜ(见 464 页)

| shuài | 笔画 | 部首 | 结构 | 五笔 | 造字法 |
| --- | --- | --- | --- | --- | --- |
| 蟀 | 17 | 虫 | 左右 | JYXF | 形声 |
| 笔顺 | 丶 口 口 中 虫 虫 虫 虫 虫 虫 虫 虫 虫 虫 虫 虫 蟀 | | | | |

【解 释】见 761 页"蟋"。

## SHUAN ㄕㄨㄢ

| shuān | 笔画 | 部首 | 结构 | 五笔 | 造字法 |
| --- | --- | --- | --- | --- | --- |
| 拴 | 9 | 扌 | 左右 | RWGG | 形声 |
| 笔顺 | 一 十 扌 扌 扌 扌 扌 扌 拴 | | | | |

【解 释】❶用绳子系(jì)上。❷比喻被缠住而不能自由行动。
【组 词】拴住 拴上 拴马 拴结
【造 句】拴住——这件事情把大伙儿给拴住了。
【辨 音】不读 quán。
【同音字】栓(枪栓)
【形近字】栓(消火栓)
【反义词】拴住/松开
【近义词】拴住/缠住
【歇后语】拴上绳套的猴子——任人摆布。
【英 语】拴 tie [tai]

| shuān | 笔画 | 部首 | 结构 | 五笔 | 造字法 |
| --- | --- | --- | --- | --- | --- |
| 栓 | 10 | 木 | 左右 | SWGG | 形声 |
| 笔顺 | 一 十 木 木 木 木 木 木 木 栓 | | | | |

【解 释】❶器物上可以开关的机件。❷塞子或跟塞子作用相仿的东西。
【组 词】栓塞 栓子 枪栓 消火栓
【同音字】拴(拴车)
【形近字】拴(拴马) 检(检查)
【英 语】栓子 stopper [ˈstɔpə]

| shuàn | 笔画 | 部首 | 结构 | 五笔 | 造字法 |
| --- | --- | --- | --- | --- | --- |
| 涮 | 11 | 氵 | 左右 | INMJ | 形声 |
| 笔顺 | 丶 丶 氵 氵 氵 氵 氵 氵 氵 氵 涮 | | | | |

【解 释】❶把水放在器物里面摇动,把器物冲洗干净。❷把生肉片等放在开水里烫一下就取出来蘸作料吃。
【组 词】涮洗 涮锅子 涮羊肉

【造　句】涮洗——每个周末妈妈都将厨房里的炊具清理涮洗一遍。
【形近字】刷(刷牙)
【英　语】涮洗 rinse [rins]

## SHUANG ㄕㄨㄤ

| shuāng | 笔画 | 部首 | 结构 | 五笔 | 造字法 |
|---|---|---|---|---|---|
| 双 | 4 | 又 | 左右 | CC | 会意 |
| 笔顺 | ㇇ 又 双 双 | | | | |

【解　释】❶两个;一对(跟"单"相对)。❷偶数的。❸加倍的。❹量词。用于成对的东西。
【组　词】双方　双重　双枪　双亲　双响　双向　双关　双赢
【造　句】双赢——中美双方本着平等互利的精神,谈判取得了双赢的结果。
【同音字】霜(霜冻)
【形近字】欢(欢快)
【成　语】一箭双雕　双管齐下
【反义词】智勇双全/有勇无谋
【近义词】双生/孪生
【谚　语】双桥好走,独木难行。
【英　语】双胞胎 twins [twins]

| shuāng | 笔画 | 部首 | 结构 | 五笔 | 造字法 |
|---|---|---|---|---|---|
| 霜 | 17 | 雨 | 上下 | FSHF | 形声 |
| 笔顺 | 一 ㇒ 𠘨 币 币 𤴓 雨 雨 雨 雫 雫 雫 霜 霜 霜 霜 霜 | | | | |

【解　释】❶在零摄氏度以下,接近地面的水蒸气在地面或靠近地面的物体上凝结而成的微细的冰粒。❷比喻白色。❸像霜的东西。
【组　词】霜冻　霜天　霜降　霜叶
【造　句】饱经风霜——从他那饱经风霜的脸上,你就能知道他在旧社会吃过多少苦,受过多少罪。
【同音字】双(双目)
【形近字】箱(信箱)
【成　语】雪上加霜　饱经风霜　冷若冰霜
【反义词】雪上加霜/锦上添花
【近义词】饱经风霜/含辛茹苦
【歇后语】霜打的红柿子——甜透了|霜降的蚊子——没几天活头。
【谚　语】霜打的葱心不死。
【英　语】霜 frost ['frɔst]

| shuǎng | 笔画 | 部首 | 结构 | 五笔 | 造字法 |
|---|---|---|---|---|---|
| 爽 | 11 | 大 | 独体 | DQQQ | 会意 |
| 笔顺 | 一 ㇒ 㐅 ... 爽 爽 | | | | |

【解　释】❶明朗;清亮。❷清凉。❸舒服;畅快。❹痛快;率直。❺违背;不合。❻差错。
【组　词】爽朗　爽利　爽气　爽心　爽口　爽快　爽直　爽性　凉爽　豪爽　爽约
【造　句】凉爽——虽然是炎炎夏日,但山顶的温度犹如深秋。
【形近字】夹(皮夹)
【近义词】直爽/率直　凉爽/凉快
【谚　语】爽口不要多食。
【英　语】爽直 frank [fræŋk]

S

# SHUI ㄕㄨㄟ

| shuǐ | 笔画 | 部首 | 结构 | 五笔 | 造字法 |
|---|---|---|---|---|---|
| 水 | 4 | 水 | 独体 | III | 象形 |
| 笔顺 | 亅 刁 水 水 | | | | |

【解　释】❶一种无色无味透明的液体。❷河流。❸江、河、湖、海的通称。❹稀的汁。❺指额外附加的费用。❻姓。

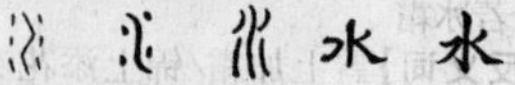

甲骨文　金文　小篆　隶书　楷书

【字源释义】这是一个象形字，中间蜿蜒的曲线表示水流；旁边的几个点儿表示水滴或浪花。古文"水"字也作"河流"讲。
【组　词】水果　冷水　苦水　泪水　生水　香水　水车　水兵　水平
【造　句】水滴石穿——我们在学习上就是要有水滴石穿的精神。
【形近字】泵(水泵)
【成　语】千山万水　水深火热　水滴石穿　水火不容　水落石出　水乳交融　水泄不通
【反义词】水乳交融/水火不容
【近义词】水到渠成/马到成功
【歇后语】水面浮萍——没有根基|水上鸡毛——轻浮。
【谚　语】水能载舟，亦能覆舟|水滴集多成大海，读书集多成学问。
【英　语】水　water [ˈwɔːtə]

| shuì | 笔画 | 部首 | 结构 | 五笔 | 造字法 |
|---|---|---|---|---|---|
| 说 | 9 | 讠 | 左右 | YUKQ | 形声 |
| 笔顺 | 丶 讠 讠 讠 讠 讠 讠 讠 说 | | | | |

【解　释】用话劝说别人，使人听从自己的意见。
【组　词】游说　说客
【造　句】游说——为了使别人相信自己的观点，他四处游说。
【同音字】税(税务)
【英　语】游说　canvass for [ˈkænvəs fɔː]
【多音字】shuō(见 672 页)
【多音字】yuè(见 879 页)

| shuì | 笔画 | 部首 | 结构 | 五笔 | 造字法 |
|---|---|---|---|---|---|
| 税 | 12 | 禾 | 左右 | TUKQ | 形声 |
| 笔顺 | 丿 二 千 禾 禾 禾 禾 禾 秎 秎 秎 税 | | | | |

【解　释】国家按照一定的规定向企业、集体或个人征收的钱或实物。
【组　词】税收　税务　杂税　偷税　逃税　纳税
【造　句】税收——国家的税收取之于民，用之于民。
【同音字】睡(睡觉)
【形近字】说(说话)
【近义词】纳税/上税
【英　语】税　tax [tæks]

S

| shuì | 笔画 | 部首 | 结构 | 五笔 | 造字法 |
|---|---|---|---|---|---|
| 睡 | 13 | 目 | 左右 | HTGF | 会意 |
| 笔顺 | 丨 冂 月 月 目 目 目 盽 盽 盽 睡 睡 睡 | | | | |

【解 释】闭目安息，大脑皮质处于休息状态。
【组 词】睡觉 睡衣 午睡 甜睡 沉睡 睡眠 睡莲 入睡
【造 句】入睡——带着一身的疲惫，他很快入睡了。
【同音字】税（杂税）
【形近字】捶（捶打） 唾（唾液）
【反义词】昏睡/清醒
【近义词】安睡/熟睡
【歇后语】睡鞋——底儿软。
【谚 语】睡觉不蒙首，清晨郊外走。
【英 语】睡眠 sleep [sliːp]

## SHUN ㄕㄨㄣ

| shǔn | 笔画 | 部首 | 结构 | 五笔 | 造字法 |
|---|---|---|---|---|---|
| 吮 | 7 | 口 | 左右 | KCQN | 形声 |
| 笔顺 | 丨 口 口 吖 吣 吮 吮 | | | | |

【解 释】把嘴唇聚拢来吸。
【组 词】吮吸 吮乳
【造 句】吮吸——他用劲将伤口里的毒汁吮吸出来。
【辨 音】不读 yǔn。
【形近字】允（允许）
【近义词】吮吸/吸取
【英 语】吮吸 suck [sʌk]

| shùn | 笔画 | 部首 | 结构 | 五笔 | 造字法 |
|---|---|---|---|---|---|
| 顺 | 9 | 页 | 左右 | KDMY | 形声 |
| 笔顺 | 丿 丿 川 川 川 川 顺 顺 顺 | | | | |

【解 释】❶向着同一个方向（跟“逆”相对）。❷沿着；循着。❸就便；顺便。❹适合；没阻碍。❺整理；使有条理。❻服从；不违背。
【组 词】顺耳 恭顺 柔顺 顺心 顺利 通顺 和顺 依顺 顺手
【造 句】通顺——小明的这篇作文很通顺，是一篇范文。
【同音字】瞬（瞬间）
【形近字】须（必须）
【成 语】顺理成章 顺手牵羊 顺水推舟
【反义词】顺从/违抗 顺/逆
【近义词】顺心/称心
【谚 语】顺情说好话，耿直讨人嫌|顺水行舟一人易，逆水划船十人难。
【英 语】顺便 conveniently [kən'viːniəntli]

| shùn | 笔画 | 部首 | 结构 | 五笔 | 造字法 |
|---|---|---|---|---|---|
| 瞬 | 17 | 目 | 左右 | HEPH | 形声 |
| 笔顺 | 丨 冂 月 月 目 目 目 目 目 瞬 瞬 瞬 瞬 瞬 瞬 瞬 瞬 | | | | |

【解 释】一眨眼；转眼。
【组 词】瞬间 瞬时 一瞬
【造 句】瞬间——飞机飞上天空，瞬间消失在我的视线中。
【同音字】顺（顺利）
【成 语】瞬息万变
【反义词】瞬间/长久

S

【近义词】瞬间/刹那
【英　语】瞬息　momentary [ˈməuməntəri]

## SHUO　ㄕㄨㄛ

| shuō | 笔画 | 部首 | 结构 | 五笔 | 造字法 |
|---|---|---|---|---|---|
| 说 | 9 | 讠 | 左右 | YUKQ | 形声 |
| 笔顺 | 丶 讠 讠' 讠'' 讠ᐟ 讠凵 讠口 讠兑 说 | | | | |

【解　释】❶用话来表达意思。❷说合;介绍。❸解释。❹批评;责备。❺言论;主张。
【组　词】说话　据说　说唱　说理　说明　说亲　说服
【造　句】说服——只是这么几句话,说服不了人。
【形近字】悦(悦耳)
【成　语】道听途说　自圆其说　说长道短　说一不二
【反义词】说服/压服
【近义词】说理/讲理
【歇后语】说话带奶气——幼稚。
【谚　语】说的无意,听的有心|说得好不如做得好。
【英　语】说　say [sei]
【多音字】shuì(见 670 页)
【多音字】yuè(见 879 页)

| shuò | 笔画 | 部首 | 结构 | 五笔 | 造字法 |
|---|---|---|---|---|---|
| 烁 | 9 | 火 | 左右 | OQIY | 形声 |
| 笔顺 | 丶 丷 火 火 火' 炉 炘 烁 烁 | | | | |

【解　释】光亮的样子。
【组　词】闪烁　烁烁
【造　句】闪烁——遥远的夜空中,星星闪烁着美丽的光芒。
【同音字】硕(硕果)
【形近字】砾(瓦砾)
【反义词】闪烁/熄灭
【近义词】闪烁/闪耀
【英　语】闪烁　twinkle [ˈtwiŋkl]

| shuò | 笔画 | 部首 | 结构 | 五笔 | 造字法 |
|---|---|---|---|---|---|
| 硕 | 11 | 石 | 左右 | DDMY | 形声 |
| 笔顺 | 一 ア 石 石 石 石一 石ㄏ 石丆 矿 硕 硕 | | | | |

【解　释】❶大。❷硕士,学位的一级,在学士之上,博士之下。
【组　词】硕大　硕果　硕士　硕鼠
【造　句】硕大无朋——整个地球就像一块硕大无朋的磁石。
【同音字】烁(闪烁)
【形近字】顾(照顾)
【成　语】硕大无朋　硕果仅存
【反义词】硕大无朋/小巧玲珑
【近义词】硕果/成果
【英　语】硕果　rich fruits [ritʃ fruːts]

| shuò | 笔画 | 部首 | 结构 | 五笔 | 造字法 |
|---|---|---|---|---|---|
| 数 | 13 | 攵 | 左右 | OVTY | 形声 |
| 笔顺 | 丶 丷 䒑 半 米 米 娄 娄 娄 娄 数 数 数 | | | | |

【解　释】屡次。
【组　词】数见不鲜
【同音字】烁(闪烁)
【英　语】频数　frequency [ˈfriːkwənsi]
【多音字】shǔ(见 664 页)
【多音字】shù(见 666 页)

## SI ㄙ

| sī | 笔画 | 部首 | 结构 | 五笔 | 造字法 |
|---|---|---|---|---|---|
| 司 | 5 | 𠃌 | 半包围 | NGKD | 会意 |
| 笔顺 | 𠃌 𠃌 司 司 司 | | | | |

【解　释】❶掌管。❷中央各部所属的办事单位。❸姓。

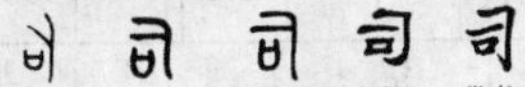

甲骨文　金文　小篆　隶书　楷书

【字源释义】"司"的字形像一个人侧面站着,手向上前方高高举起,张开的大嘴正在发布命令。本义是"主持"、"掌管"。

【组　词】司机　司令　公司　官司　司法　司仪　上司　司职

【造　句】司空见惯——在我们这里,员工们拥有公司的股份是司空见惯的事。

【同音字】思(思想)

【形近字】可(可以)

【成　语】司空见惯

【反义词】司空见惯/闻所未闻

【近义词】司空见惯/不足为奇

【歇后语】司马相如遇文君——一见钟情|司马懿夸诸葛——甘拜下风|司马昭之心——路人皆知。

【英　语】司机　driver [ˈdraivə]

| sī | 笔画 | 部首 | 结构 | 五笔 | 造字法 |
|---|---|---|---|---|---|
| 丝 | 5 | 一 | 上下 | XXGF | 象形 |
| 笔顺 | ㄥ 纟 丝 丝 丝 | | | | |

【解　释】❶蚕吐出的很细很长像线样的东西,是织绸缎等的原料。❷像丝的东西。❸我国旧时长度单位。❹比喻极少;极小;一点点。

【组　词】丝瓜　丝绸　丝巾　铁丝　灯丝　粉丝

【造　句】一丝一毫——他们坚信邪不压正,没有一丝一毫的动摇。

【同音字】私(无私)

【形近字】丛(草丛)

【成　语】一丝不苟　一丝一毫

【反义词】一丝不苟/敷衍了事

【近义词】青丝/头发

【歇后语】丝线搭桥——难过|丝线打结——难解。

【英　语】蚕丝　silk [silk]

| sī | 笔画 | 部首 | 结构 | 五笔 | 造字法 |
|---|---|---|---|---|---|
| 私 | 7 | 禾 | 左右 | TCY | 形声 |
| 笔顺 | 一 二 千 禾 禾 私 私 | | | | |

【解　释】❶个人的(跟"公"相对)。❷为自己的。❸秘密而不合法的。❹暗地里;隐秘的。

【组　词】私人　私车　私房　私念　私有　私语　私自　私企

【造　句】私自——这是公物,不能私自拿走。

【同音字】司(司机)

【形近字】秋(秋季)　利(利益)

【成　语】大公无私　公而忘私

S

假公济私
【反义词】自私/无私
【近义词】大公无私/公而忘私
【谚　语】私中有过，忙中有错。
【英　语】私人　personal　[ˈpəːsənəl]

| sī | 笔画 | 部首 | 结构 | 五笔 | 造字法 |
|---|---|---|---|---|---|
| 思 | 9 | 心 | 上下 | LNU | 会意 |
| 笔顺 | 丨 冂 囗 田 田 田 思 思 思 | | | | |

【解　释】❶想；考虑。❷想念；怀念。❸希望。❹思路。❺姓。
【组　词】思念　思索　思想　思绪　心思　思考　思路
【造　句】思路——他越写越兴奋，思路也越来越清晰。
【同音字】丝（蚕丝）
【形近字】恩（恩情）
【成　语】胡思乱想　深思熟虑　思前想后
【反义词】思念/忘记
【近义词】思考/考虑
【谚　语】思想是活的，办法是死的| 思先者为止，怕后者则晚。
【英　语】思考　think　[θiŋk]

| sī | 笔画 | 部首 | 结构 | 五笔 | 造字法 |
|---|---|---|---|---|---|
| 斯 | 12 | 斤 | 左右 | ADWR | 形声 |
| 笔顺 | 一 十 卄 廾 甘 甘 其 其 其 斯 斯 斯 | | | | |

【解　释】❶这；这个；这里。❷于是；就。❸姓。
【组　词】斯文　斯人　斯时
【造　句】斯文——他说话挺斯文的。
【同音字】司（司令）
【形近字】欺（欺骗）
【成　语】斯文扫地
【反义词】斯文/粗野
【近义词】斯文/文雅
【英　语】斯文　refined　[riˈfaind]

| sī | 笔画 | 部首 | 结构 | 五笔 | 造字法 |
|---|---|---|---|---|---|
| 撕 | 15 | 扌 | 左右 | RADR | 形声 |
| 笔顺 | 一 扌 扌 扌 扌 扌 扌 扌 扌 扌 扌 扌 撕 撕 撕 | | | | |

【解　释】扯开，用手使东西分裂。
【组　词】撕开　撕裂　撕扯　撕毁
【造　句】撕扯——她一气之下把来信撕扯成碎片。
【同音字】思（思念）
【形近字】嘶（嘶哑）
【近义词】撕毁/毁掉
【英　语】撕裂　laceration　[ˌlæsəˈreiʃən]

| sī | 笔画 | 部首 | 结构 | 五笔 | 造字法 |
|---|---|---|---|---|---|
| 嘶 | 15 | 口 | 左右 | KADR | 形声 |
| 笔顺 | 丨 口 口 口 口 口 口 口 口 口 口 口 嘶 嘶 嘶 | | | | |

【解　释】（书）❶马叫。❷声音沙哑。
【组　词】嘶叫　嘶哑
【造　句】嘶哑——经过几天的巡回演讲，他的声音都变嘶哑了。
【同音字】私（私产）
【形近字】撕（撕裂）
【成　语】声嘶力竭
【反义词】嘶哑/清脆
【近义词】嘶哑/沙哑

【英　语】嘶哑　hoarse［hɔːs］

| sǐ | 笔画 | 部首 | 结构 | 五笔 | 造字法 |
|---|---|---|---|---|---|
| 死 | 6 | 歹 | 上下 | GQXB | 会意 |
| 笔顺 | 一　丆　万　歹　歺　死 | | | | |

【解　释】❶生物生命停止（跟“活”、“生”相对）。❷不顾生命；拼死。❸表示坚决。❹表示达到了极点。❺不能调和的；不能相容的。❻不灵活；不活动。❼不通的。

甲骨文　金文　小篆　隶书　楷书

【字源释义】字形的一边是死人的残骨；一边是活着的人在旁边跪拜哀悼。本义是“丧失生命”。

【组　词】死亡　死党　死水　死心　死守　处死　死尸

【造　句】宁死不屈——刘胡兰在敌人面前宁死不屈。

【形近字】苑（文苑）

【成　语】九死一生　宁死不屈　贪生怕死　死不瞑目　死得其所

【反义词】死板/灵活

【近义词】死板/呆板

【歇后语】棺材里爬出个人来——死而复生。

【谚　语】死有重于泰山，死有轻于鸿毛。

【英　语】死　die［dai］

| sì | 笔画 | 部首 | 结构 | 五笔 | 造字法 |
|---|---|---|---|---|---|
| 四 | 5 | 囗 | 全包围 | LH | 指事 |
| 笔顺 | 丨　冂　门　四　四 | | | | |

【解　释】❶数词。三加一的得数。❷姓。

甲骨文　金文　小篆　隶书　楷书

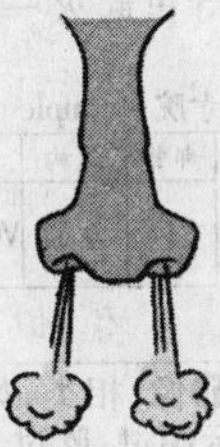

【字源释义】甲骨文和金文“四”字一般写作四横画。后来才假借表示“气息”义的“四”字。

【组　词】四个　四万　四季　四岳

【造　句】四面八方——寒假结束了，同学们从四面八方赶回学校，开始了新学期的学习生活。

【同音字】饲（饲养）

【形近字】皿（器皿）　匹（马匹）

【成　语】五湖四海　四通八达　四分五裂　四海为家　四面八方

【歇后语】四两棉花——没得谈（弹）。

【谚　语】四季无寒暑，一雨便成秋。

【英　语】四　four［fɔː］

| sì | 笔画 | 部首 | 结构 | 五笔 | 造字法 |
|---|---|---|---|---|---|
| 寺 | 6 | 土 | 上下 | FFU | 形声 |
| 笔顺 | 一 十 土 圭 寺 寺 | | | | |

【解　释】❶古代官署名。❷佛教的庙宇。❸伊斯兰教徒礼拜、讲经的地方。
【组　词】寺院　寺庙　佛寺　清真寺
【同音字】四(四周)
【形近字】待(等待)　赤(赤诚)
【近义词】寺庙/庙宇
【歇后语】寺里起火——妙(庙)哉(灾)。
【英　语】寺院　temple [ˈtempl]

| sì | 笔画 | 部首 | 结构 | 五笔 | 造字法 |
|---|---|---|---|---|---|
| 似 | 6 | 亻 | 左右 | WNYW | 形声 |
| 笔顺 | 丿 亻 亻 化 似 似 | | | | |

【解　释】❶像;相类;如同。❷好像。❸表示超过;胜过。
【组　词】似乎　似曾　好似　类似
【造　句】似乎——我似乎在哪里见过他。
【同音字】四(四平八稳)
【形近字】拟(拟人)
【成　语】如花似锦　如饥似渴
【反义词】酷似/不像
【近义词】似乎/好像
【英　语】似乎　as if [æz if]
【多音字】shì(见 653 页)

| sì | 笔画 | 部首 | 结构 | 五笔 | 造字法 |
|---|---|---|---|---|---|
| 伺 | 7 | 亻 | 左右 | WNGK | 形声 |
| 笔顺 | 丿 亻 们 伺 伺 伺 伺 | | | | |

【解　释】❶观察。❷守候。
【组　词】伺机　伺隙　窥伺
【造　句】窥伺——敌人暗中窥伺机会,妄想反扑。
【同音字】四(四季)
【形近字】饲(饲料)
【英　语】窥伺　peep at [piːp æt]
【多音字】cì(见 126 页)

| sì | 笔画 | 部首 | 结构 | 五笔 | 造字法 |
|---|---|---|---|---|---|
| 饲 | 8 | 饣 | 左右 | QNNK | 形声 |
| 笔顺 | 丿 𠂉 饣 饣 饤 饲 饲 饲 | | | | |

【解　释】喂养。
【组　词】饲养　饲料　饲育
【造　句】饲养——我家饲养了一头乳牛。
【同音字】似(似是而非)
【形近字】伺(伺候)
【近义词】饲养/喂养
【谚　语】饲料多样,定时定量。
【英　语】饲料　forage [ˈfɔridʒ]

| sì | 笔画 | 部首 | 结构 | 五笔 | 造字法 |
|---|---|---|---|---|---|
| 食 | 9 | 食 | 上下 | WYVE | 指事 |
| 笔顺 | 丿 人 𠆢 今 今 今 食 食 食 | | | | |

【解　释】拿东西给人吃。
【同音字】四(四季)
【英　语】食之　feed [fiːd]
【多音字】shí(见 648 页)

| sì | 笔画 | 部首 | 结构 | 五笔 | 造字法 |
|---|---|---|---|---|---|
| 肆 | 13 | 聿 | 左右 | DVFH | 形声 |
| 笔顺 | 一 厂 F F 巨 镸 镸 镸 肆 肆 肆 肆 肆 | | | | |

【解　释】❶不顾一切,任意妄为。

❷古时指商店、铺子。❸“四”的大写。
【组　词】肆力　放肆　肆扰　酒肆
【造　句】肆意——现在是法制社会，决不容许这些歹徒肆意妄为。
【同音字】寺(寺院)
【形近字】律(法律)
【成　语】肆无忌惮
【反义词】放肆/规矩
【近义词】肆意/任意
【英　语】肆意　wantonly [ˈwɔntənli]

## SONG ㄙㄨㄥ

| sōng | 笔画 | 部首 | 结构 | 五笔 | 造字法 |
|---|---|---|---|---|---|
| 松 | 8 | 木 | 左右 | SWCY | 形声 |
| 笔顺 | 一 十 才 木 朩 朳 松 松 | | | | |

【解　释】❶常绿乔木，种类很多，叶呈针形。种子叫松子，可以吃，也可榨油。木材和树脂用途很广。❷不紧密；松散(跟“紧”相对)。❸不紧张；不严格。❹使松散。❺用鱼、虾、瘦肉等做成的绒状或碎末状的食品。
【组　词】松树　松手　松花　松子
【造　句】轻松——考试结束后，他感觉浑身轻松。
【同音字】淞(淞江)
【形近字】讼(诉讼)
【反义词】松弛/紧张
【近义词】松弛/放松
【谚　语】松不怕风，梅不怕寒|松柏高山核桃沟，河泊两旁插杨柳。
【英　语】松树　pine [pain]

| sǒng | 笔画 | 部首 | 结构 | 五笔 | 造字法 |
|---|---|---|---|---|---|
| 耸 | 10 | 耳 | 上下 | WWBF | 形声 |
| 笔顺 | 丿 人 𠆢 从 从 从 竹 竹 竹 耸 | | | | |

【解　释】❶高起；直立。❷使人惊动；使人吃惊。❸向上微动。
【组　词】耸立　耸动　耸肩　耸身
【造　句】耸人听闻——这家报纸为了吸引读者，经常刊登一些耸人听闻的消息。
【形近字】怂(怂恿)
【成　语】耸人听闻
【反义词】高耸/低矮
【近义词】耸人听闻/危言耸听
【英　语】耸立　towering [ˈtauəriŋ]

| sòng | 笔画 | 部首 | 结构 | 五笔 | 造字法 |
|---|---|---|---|---|---|
| 讼 | 6 | 讠 | 左右 | YWCY | 形声 |
| 笔顺 | 丶 讠 讠 讣 讼 讼 | | | | |

【解　释】❶打官司。❷争辩是非。
【组　词】诉讼　争讼　聚讼纷纭
【造　句】诉讼——他对此事心怀不满，随后提起了诉讼。
【同音字】讼(赞颂)
【英　语】诉讼　lawsuit [ˈlɔːsjuːt]

| sòng | 笔画 | 部首 | 结构 | 五笔 | 造字法 |
|---|---|---|---|---|---|
| 宋 | 7 | 宀 | 上下 | PSU | 会意 |
| 笔顺 | 丶 丷 宀 宀 宇 宋 宋 | | | | |

【解　释】❶周代诸侯国名，在今河南省商丘一带。❷朝代名。❸一种字体。❹姓。
【组　词】宋代　宋朝　宋律　宋书

【造　句】宋体——工程图上必须写宋体字。
【同音字】诵(诵读)
【形近字】宇(宇宙)　宗(正宗)
【谚　语】宋江难结万人缘。

| sòng | 笔画 | 部首 | 结构 | 五笔 | 造字法 |
|---|---|---|---|---|---|
| 送 | 9 | 辶 | 半包围 | UDPI | 会意 |
| 笔顺 | 丶 丷 䒑 兰 关 关 关 送 送 | | | | |

【解　释】❶运输或传递东西。❷赠给。❸送人;陪着去。
【组　词】欢送　奉送　送别　输送
【造　句】欢送——我们欢送访问团出国访问。
【同音字】宋(宋朝)
【形近字】远(永远)　选(选择)
【反义词】欢送/迎接
【成　语】送旧迎新
【近义词】送别/离别
【谚　语】送君千里,终须一别。
【英　语】送信　deliver [di'livə]

| sòng | 笔画 | 部首 | 结构 | 五笔 | 造字法 |
|---|---|---|---|---|---|
| 诵 | 9 | 讠 | 左右 | YCEH | 形声 |
| 笔顺 | 丶 讠 讠 订 讠 诵 诵 诵 诵 | | | | |

【解　释】❶读出声音来,用高低抑扬的腔调念。❷背诵。❸述说。
【组　词】诵读　背诵　传诵　朗诵
【造　句】传诵——村里人都传诵着老支书大公无私的感人事迹。
【辨　音】不读 yǒng。
【同音字】送(赠送)
【形近字】桶(水桶)　涌(涌现)
【反义词】朗诵/默读
【近义词】传诵/流传
【英　语】背诵　recite [ri'sait]

| sòng | 笔画 | 部首 | 结构 | 五笔 | 造字法 |
|---|---|---|---|---|---|
| 颂 | 10 | 页 | 左右 | WCDM | 形声 |
| 笔顺 | 丿 八 公 公 公 公 公 颂 颂 颂 | | | | |

【解　释】❶赞扬。❷祝愿。❸颂扬的诗歌或文章。
【组　词】颂扬　称颂　传颂　歌颂
【造　句】称颂——小刚同学乐于助人的精神值得称颂。
【同音字】送(送别)
【形近字】项(项目)　硕(硕果)
【成　语】颂古非今
【反义词】颂扬/批评
【近义词】颂扬/称颂
【英　语】颂歌　song [sɔŋ]

## SOU　ㄙㄡ

| sōu | 笔画 | 部首 | 结构 | 五笔 | 造字法 |
|---|---|---|---|---|---|
| 搜 | 12 | 扌 | 左右 | RVHC | 形声 |
| 笔顺 | 一 十 扌 扌 扌 扌 扌 扌 扌 押 搜 搜 | | | | |

【解　释】❶寻找。❷查找;检查。
【组　词】搜查　搜集　搜寻　搜刮
【造　句】搜集——妹妹喜欢搜集邮票。
【同音字】艘(船艘)
【形近字】嫂(嫂子)
【成　语】搜索枯肠
【近义词】搜捕/追捕
【英　语】搜集　collect [kə'lekt]

| sōu | 笔画 | 部首 | 结构 | 五笔 | 造字法 |
|---|---|---|---|---|---|
| 馊 | 12 | 饣 | 左右 | QNVC | 形声 |
| 笔顺 | 丿 𠂊 饣 饣 饣 饣 饣 饣 饣 饣 馊 馊 | | | | |

【解　释】饭菜等变质而发出的酸臭味。
【组　词】馊味　馊主意
【造　句】馊主意——他后悔听了她的馊主意，弄得如今鸡飞蛋打。
【同音字】搜（搜索）
【形近字】艘（一艘船）

| sōu | 笔画 | 部首 | 结构 | 五笔 | 造字法 |
|---|---|---|---|---|---|
| 艘 | 15 | 舟 | 左右 | TEVC | 形声 |
| 笔顺 | ノ 丿 凢 月 舟 舟 舟 舟 舟 舟 舟 舟 舟 艘 艘 | | | | |

【解　释】量词。用于船只的计量单位。
【组　词】三艘　数艘
【同音字】搜（搜寻）
【形近字】搜（搜查）

| sǒu | 笔画 | 部首 | 结构 | 五笔 | 造字法 |
|---|---|---|---|---|---|
| 擞 | 16 | 扌 | 左右 | ROVT | 形声 |
| 笔顺 | 一 十 扌 扌 扌 扌 扌 扌 扌 扌 扌 扌 扌 擞 擞 擞 | | | | |

【解　释】振作；振奋。
【组　词】抖擞
【造　句】抖擞——他抖擞精神，继续干活。
【辨　音】不读 shǔ。
【反义词】抖擞/萎靡
【近义词】抖擞/振奋
【英　语】精神抖擞　full of energy [ful əv ˈenədʒi]

【多音字】sòu（见 679 页）

| sòu | 笔画 | 部首 | 结构 | 五笔 | 造字法 |
|---|---|---|---|---|---|
| 嗽 | 14 | 口 | 左中右 | KGKW | 形声 |
| 笔顺 | 丨 口 口 口 口 口 口 口 口 口 口 口 嗽 嗽 | | | | |

【解　释】咳嗽。
【组　词】干嗽　咳嗽
【造　句】咳嗽——小明感冒了，还有点咳嗽。
【形近字】漱（漱口）
【英　语】咳嗽　cough [kɔf]

| sòu | 笔画 | 部首 | 结构 | 五笔 | 造字法 |
|---|---|---|---|---|---|
| 擞 | 16 | 扌 | 左右 | ROVT | 形声 |
| 笔顺 | 一 十 扌 扌 扌 扌 扌 扌 扌 扌 扌 扌 扌 擞 擞 擞 | | | | |

【解　释】将通条插到火炉里晃动，使炉灰掉下去。
【组　词】擞火
【同音字】嗽（咳嗽）
【多音字】sǒu（见 679 页）

## SU ㄙㄨ

| sū | 笔画 | 部首 | 结构 | 五笔 | 造字法 |
|---|---|---|---|---|---|
| 苏 | 7 | 艹 | 上下 | ALWU | 形声 |
| 笔顺 | 一 十 艹 艻 苏 苏 苏 | | | | |

【解　释】❶植物名。❷从昏迷中醒过来。❸江苏省或苏州市的简称。❹苏维埃。❺姓。
【组　词】苏白　苏打　苏剧　苏醒　复苏　苏区　苏绣　江苏
【造　句】苏醒——经过医生的抢救，他终于苏醒过来了。
【同音字】酥（酥糖）

【形近字】芬(芬芳)
【反义词】苏醒/昏迷
【近义词】苏醒/清醒
【谚　语】苏湖熟,天下足|苏州不断菜,杭州不断笋。
【英　语】苏醒 revive [ri'vaiv]

| sū | 笔画 | 部首 | 结构 | 五笔 | 造字法 |
|---|---|---|---|---|---|
| 酥 | 12 | 酉 | 左右 | SGTY | 形声 |
| 笔顺 | 一 丆 门 丙 两 西 酉 酉 酉 酐 酥 酥 | | | | |

【解　释】❶酥油,从牛羊奶里提取的脂肪。❷食物松脆。❸含油多而松脆的食品。❹软弱无力。
【组　词】酥麻　酥油　桃酥　酥软　酥饼　酥脆
【造　句】酥软——我赶了一天路,累得全身酥软。
【同音字】苏(苏州)
【形近字】稣(耶稣)　醉(陶醉)
【歇后语】酥油插刀子——迎刃而进。
【英　语】酥脆 crisp [krisp]

| sú | 笔画 | 部首 | 结构 | 五笔 | 造字法 |
|---|---|---|---|---|---|
| 俗 | 9 | 亻 | 左右 | WWWK | 形声 |
| 笔顺 | 丿 亻 亻 亻 价 伀 伀 俗 俗 | | | | |

【解　释】❶风俗。❷低级趣味的;令人讨厌的。❸大众化的;常见的;普遍流行的。❹指没出家的人。
【组　词】俗话　俗气　俗尚　俗名　习俗　民俗　粗俗　还俗
【辨　音】不读 yù。
【形近字】浴(沐浴)
【成　语】俗不可耐
【反义词】庸俗/高雅
【近义词】风俗/习惯
【谚　语】俗眼不识神仙。
【英　语】风俗 custom ['kʌstəm]

| sù | 笔画 | 部首 | 结构 | 五笔 | 造字法 |
|---|---|---|---|---|---|
| 诉 | 7 | 讠 | 左右 | YRYY | 形声 |
| 笔顺 | 丶 讠 讠 订 䜣 诉 诉 | | | | |

【解　释】❶叙说。❷控告;告状。
【组　词】诉状　公诉　倾诉　诉苦　控诉　告诉　诉说
【造　句】诉说——她哭着向他诉说了自己的遭遇。
【同音字】肃(严肃)
【形近字】拆(拆除)
【反义词】胜诉/败诉
【近义词】倾诉/倾吐
【谚　语】诉不完穷人苦,打不尽毡上土。
【英　语】诉说 tell [tel]

| sù | 笔画 | 部首 | 结构 | 五笔 | 造字法 |
|---|---|---|---|---|---|
| 肃 | 8 | 肀 | 独体 | VIJK | 会意 |
| 笔顺 | 乛 コ ⺕ 肀 聿 肃 肃 肃 | | | | |

【解　释】❶恭敬。❷认真;庄重。
【组　词】肃然　严肃　肃清　肃立　肃穆　肃静
【造　句】肃穆——毛主席纪念堂内布置得庄严肃穆。
【同音字】素(素质)
【形近字】隶(奴隶)
【成　语】肃然起敬
【反义词】肃穆/活泼
【近义词】肃穆/肃静
【英　语】肃静 solemn silence ['sɔləm 'sailəns]

S

| sù | 笔画 | 部首 | 结构 | 五笔 | 造字法 |
|---|---|---|---|---|---|
| 素 | 10 | 糸 | 上下 | GXIU | 会意 |
| 笔顺 | 一 二 十 丰 丰 妻 麦 素 素 素 | | | | |

【解　释】❶白色；雪白。❷颜色单纯；不艳丽。❸构成事物的基本成分。❹蔬菜瓜果类的食物。❺一向的；向来的。
【组　词】素常　素服　素养　素菜　激素　味素　元素　素描　素材
【造　句】素养——他喜好读小说，又喜欢写作，有较高的文学素养。
【同音字】速（迅速）
【形近字】青（青草）　索（线索）
【成　语】素昧平生　素不相识　我行我素
【反义词】素淡/华丽
【近义词】素质/素养
【谚　语】素食者长寿。
【英　语】素描　sketch［sketʃ］

| sù | 笔画 | 部首 | 结构 | 五笔 | 造字法 |
|---|---|---|---|---|---|
| 速 | 10 | 辶 | 半包围 | GKIP | 形声 |
| 笔顺 | 一 丁 一 ㄧ 市 申 束 束 涑 速 | | | | |

【解　释】❶快。❷速度。❸邀请。
【组　词】速度　快速　速成　从速　加速　光速　速记　急速　迅速　超速
【造　句】快速——他快速地回答了老师提出的问题。
【同音字】诉（诉说）
【形近字】连（连接）
【成　语】不速之客
【反义词】迅速/缓慢
【近义词】迅速/快速
【英　语】速度　speed［spiːd］

| sù | 笔画 | 部首 | 结构 | 五笔 | 造字法 |
|---|---|---|---|---|---|
| 宿 | 11 | 宀 | 上下 | PWDJ | 会意 |
| 笔顺 | 丶 丶 宀 宀 宀 宀 宀 宿 宿 宿 宿 | | | | |

【解　释】❶住下来过夜；夜里睡觉。❷年老的；老练的。❸平素一向有的。❹姓。

甲骨文　金文　小篆　隶书　楷书

【字源释义】本义是“住宿”。字形是在一所房屋里，一个人正躺在竹席上睡觉。
【组　词】宿舍　宿疾　宿业　归宿　住宿　留宿　宿将　宿营
【造　句】宿营——昨晚，我们在枫桥边宿营。
【辨　音】不读 suō。
【同音字】素（平素）
【形近字】缩（缩小）
【成　语】风餐露宿　宿将旧卒
【近义词】宿疾/痼疾
【英　语】宿舍　hostel［ˈhɔstl］
【多音字】xiǔ（见 798 页）
【多音字】xiù（见 799 页）

| sù | 笔画 | 部首 | 结构 | 五笔 | 造字法 |
| --- | --- | --- | --- | --- | --- |
| 粟 | 12 | 覀 | 上下 | SOU | 会意 |
| 笔顺 | 一 冖 襾 覀 覀 覀 覀 覀 覀 覀 粟 粟 粟 | | | | |

【解　释】❶谷类作物,一年生草本植物。❷旧时谷类的统称。❸谷子。
【组　词】粟米
【辨　音】不读 lì。
【同音字】宿(住宿)
【形近字】栗(板栗)
【英　语】粟米　maize [meiz]

| sù | 笔画 | 部首 | 结构 | 五笔 | 造字法 |
| --- | --- | --- | --- | --- | --- |
| 塑 | 13 | 土 | 上下 | UBTF | 形声 |
| 笔顺 | 丶 丷 䒑 䒑 屰 屰 朔 朔 朔 朔 朔 塑 塑 | | | | |

【解　释】用泥土等做成的人物形象。
【组　词】塑造　塑像　泥塑　面塑
【造　句】泥塑——老人的泥塑做得非常逼真。
【辨　音】不读 suò 或 shù。
【同音字】素(因素)
【英　语】塑料　plastic ['plæstik]

## SUAN　ㄙㄨㄢ

| suān | 笔画 | 部首 | 结构 | 五笔 | 造字法 |
| --- | --- | --- | --- | --- | --- |
| 酸 | 14 | 酉 | 左右 | SGCT | 形声 |
| 笔顺 | 一 厂 冂 丙 两 西 酉 酢 酢 酢 酢 酸 酸 酸 | | | | |

【解　释】❶化学上称能在水溶液中产生氢离子的化合物。❷像醋的味道或气味。❸微痛无力的感觉。❹悲伤;悲痛。❺旧时讥讽人迂腐。
【组　词】酸楚　酸痛　酸软　辛酸　尖酸　果酸　寒酸　心酸　酸菜　酸梅
【造　句】酸软——干了一天的活儿,妈妈觉得手脚都酸软了。
【形近字】俊(英俊)　竣(竣工)
【成　语】酸甜苦辣
【反义词】酸楚/喜悦
【近义词】酸楚/辛酸
【谚　语】酸枣当年就卖钱,要吃白果十来年。
【英　语】酸痛　ache [eik]

| suàn | 笔画 | 部首 | 结构 | 五笔 | 造字法 |
| --- | --- | --- | --- | --- | --- |
| 蒜 | 13 | 艹 | 上下 | AFII | 形声 |
| 笔顺 | 一 十 艹 艹 芓 芓 芓 芓 蒜 蒜 蒜 蒜 蒜 | | | | |

【解　释】多年生草本植物,地下茎通常分瓣,味辣,可做调料。
【组　词】蒜头　蒜苗　蒜黄　装蒜
【造　句】装蒜——他这人爱装蒜,假装什么都不懂,其实一肚子主意。
【同音字】算(推算)
【形近字】标(标记)
【英　语】蒜　garlic ['ga:lik]

| suàn | 笔画 | 部首 | 结构 | 五笔 | 造字法 |
| --- | --- | --- | --- | --- | --- |
| 算 | 14 | ⺮ | 上中下 | THAJ | 会意 |
| 笔顺 | 丿 ⺈ ⺮ ⺮ ⺮ ⺮ 笞 笞 笞 笞 筲 筲 算 算 | | | | |

【解　释】❶计数;核计。❷计划。❸推测。❹作为;称得上。❺承认;作数。❻完结。❼总算;终于。
【组　词】算计　口算　算盘　打算
【造　句】神机妙算——诸葛亮神

机妙算，赤壁杀得曹操大败。
【同音字】蒜（蒜头）
【形近字】鼻（鼻子） 箕（簸箕）
【成 语】神机妙算
【近义词】打算/计划
【谚 语】算术不离手，教书不离口。
【英 语】算盘 abacus [ˈæbəkəs]

## SUI ㄙㄨㄟ

| suī | 笔画 | 部首 | 结构 | 五笔 | 造字法 |
|---|---|---|---|---|---|
| 尿 | 7 | 尸 | 半包围 | NII | 形声 |
| 笔顺 | ㇐ ㇕ 尸 尸 屏 屏 尿 | | | | |

【解 释】小便（只作名词）。
【组 词】尿脬（pāo）
【同音字】虽（虽然）
【多音字】niào（见 521 页）

| suī | 笔画 | 部首 | 结构 | 五笔 | 造字法 |
|---|---|---|---|---|---|
| 虽 | 9 | 虫 | 上下 | KJU | 形声 |
| 笔顺 | 丨 口 口 尸 吕 吕 吊 虽 虽 | | | | |

【解 释】连词。❶虽然。❷即使。
【组 词】虽然 虽说 虽则
【造 句】虽然——小刚虽然生病了，但他还是坚持上学。
【形近字】茧（蚕茧） 员（人员）
【成 语】虽死犹生
【谚 语】虽有凶岁，必有丰年。
【英 语】虽然 though [ðəu]

| suí | 笔画 | 部首 | 结构 | 五笔 | 造字法 |
|---|---|---|---|---|---|
| 隋 | 11 | 阝 | 左右 | BDAE | 形声 |
| 笔顺 | 了 阝 阝 阝 阝 阝 陏 陏 隋 隋 隋 | | | | |

【解 释】朝代名，公元 581 年～618 年，杨坚所建。
【组 词】隋朝
【造 句】隋朝——著名的大运河就是在隋朝开凿的。
【同音字】随（跟随）
【形近字】随（随便）

| suí | 笔画 | 部首 | 结构 | 五笔 | 造字法 |
|---|---|---|---|---|---|
| 随 | 11 | 阝 | 左右 | BDEP | 形声 |
| 笔顺 | 了 阝 阝 阝 阝 阝 阝 阝 陏 陏 随 | | | | |

【解 释】❶跟着；跟从。❷顺着；任凭。❸顺便。❹随时，表示前后的动作接着发生。❺（方）像。
【组 词】随从 随即 随意 随和 追随 随风 伴随 相随 随机 随便
【造 句】随便——你们到我家来就随便一点儿，不要太拘束。
【形近字】隋（隋朝）
【成 语】随机应变 随遇而安 随声附和 随波逐流 随心所欲
【反义词】随便/拘谨
【近义词】随和/和气
【歇后语】树叶落到河里——随波逐流。
【谚 语】随机应变，因地制宜|随借随还，再借不难。
【英 语】随和 amiable [ˈeimiəbl]

| suǐ | 笔画 | 部首 | 结构 | 五笔 | 造字法 |
|---|---|---|---|---|---|
| 髓 | 21 | 骨 | 左右 | MEDP | 形声 |
| 笔顺 | 丨 冂 冎 冎 冎 冎 骨 骨 骨 骨 骨 骨 骨 骨 骨 骨 骨 髓 髓 髓 髓 | | | | |

【解 释】❶骨髓，骨头里面像脂

S

肪样的东西。❷像骨髓一样的东西。❸比喻事物精要的部分。
【组　词】骨髓　脑髓　精髓
【造　句】敲骨吸髓——旧中国，统治阶级敲骨吸髓般地盘剥劳苦大众。
【辨　音】不读 suí。
【成　语】敲骨吸髓
【近义词】精髓/精华
【英　语】骨髓　marrow [ˈmærəu]

| suì | 笔画 | 部首 | 结构 | 五笔 | 造字法 |
|---|---|---|---|---|---|
| 岁 | 6 | 山 | 上下 | MQU | 象形 |
| 笔顺 | 丨 山 山 屮 岁 岁 | | | | |

【解　释】❶计算年龄的单位。❷年。❸一年的收成。
【组　词】岁月　年岁　岁数　千岁　压岁　太岁　周岁　辞岁
【造　句】岁月——岁月易逝，我们应抓紧时间多学习知识。
【同音字】碎(破碎)
【形近字】歹(不知好歹)
【近义词】岁数/年龄
【谚　语】岁寒知松柏，患难见真情。
【英　语】岁月　years [jiəz]

| suì | 笔画 | 部首 | 结构 | 五笔 | 造字法 |
|---|---|---|---|---|---|
| 遂 | 12 | 辶 | 半包围 | UEPI | 形声 |
| 笔顺 | 丶 丷 䒑 䒑 ⺷ 㒸 㒸 㒸 㒸 㒸 遂 遂 | | | | |

【解　释】❶顺利；如意。❷就；于是。❸成功。
【组　词】遂意　未遂　顺遂　遂心　遂愿
【造　句】遂心——他感觉近段时间过得很遂心。
【同音字】岁(年岁)
【形近字】逐(追逐)
【英　语】遂意　satisfy [ˈsætisfai]

| suì | 笔画 | 部首 | 结构 | 五笔 | 造字法 |
|---|---|---|---|---|---|
| 碎 | 13 | 石 | 左右 | DYWF | 形声 |
| 笔顺 | 一 丆 丆 石 石 矿 矿 矿 矿 矿 矿 砕 碎 | | | | |

【解　释】❶把完整的东西破成零片零块。❷零星；不完整。❸唠叨。
【组　词】粉碎　琐碎　打碎　破碎　零碎　碎布　碎嘴　揉碎　碾碎
【同音字】岁(岁月)
【形近字】醉(陶醉)　粹(纯粹)
【成　语】闲言碎语　粉身碎骨
【反义词】破碎/完整
【近义词】琐碎/零碎
【谚　语】碎麻搓成绳，能担千斤重。
【英　语】破碎　break [breik]

| suì | 笔画 | 部首 | 结构 | 五笔 | 造字法 |
|---|---|---|---|---|---|
| 隧 | 14 | 阝 | 左右 | BUEP | 形声 |
| 笔顺 | 阝 阝 阝 阝 阝 阝 阝 阝 阝 阝 阝 阝 阝 隧 | | | | |

【解　释】隧道，把山凿穿或在地下挖通修筑成的道路。
【组　词】隧道　隧洞
【辨　音】不读 suí。
【同音字】碎(碎片)
【形近字】遂(遂意)
【英　语】隧道　tunnel [ˈtʌnl]

| suì | 笔画 | 部首 | 结构 | 五笔 | 造字法 |
|---|---|---|---|---|---|
| 穗 | 17 | 禾 | 左右 | TGJN | 形声 |
| 笔顺 | 一 二 千 禾 禾 禾 禾 和 和 和 秱 穐 穐 穐 穗 穗 穗 | | | | |

【解　释】❶谷类作物聚生在茎顶端的花或果实。❷穗子,用丝或纸条等扎的装饰品。❸广州市的别称。
【组　词】穗串　穗子　谷穗　麦穗
【同音字】岁(岁末)
【形近字】惠(惠顾)　稳(稳固)
【英　语】穗子　tassel [ˈtæsl]

## SUN ㄙㄨㄣ

| sūn | 笔画 | 部首 | 结构 | 五笔 | 造字法 |
|---|---|---|---|---|---|
| 孙 | 6 | 子 | 左右 | BI | 会意 |
| 笔顺 | 了 了 子 孑 孙 孙 | | | | |

【解　释】❶儿子的儿子。❷孙子以下的后代。❸跟孙子同辈的亲属。❹姓。

甲骨文　金文　小篆　隶书　楷书

【字源释义】"孙"字由"子"、"系"两部分构成。"系"有"继承"、"连接"义,所以"孙"就是儿子的儿子。

【组　词】儿孙　孙子　孙女　子孙
【造　句】子孙——老人希望子孙后代都有出息。
【形近字】孔(孔子)　弥(弥补)
【歇后语】孙大圣闹天宫——慌了神。
【英　语】孙子　grandson [ˈgrændsʌn]

| sǔn | 笔画 | 部首 | 结构 | 五笔 | 造字法 |
|---|---|---|---|---|---|
| 损 | 10 | 扌 | 左右 | RKMY | 形声 |
| 笔顺 | 一 十 扌 扌 扣 扣 扣 捐 损 损 | | | | |

【解　释】❶失去;减少。❷破坏;毁坏。❸伤害。❹狠毒;刻薄。❺用尖刻的话挖苦人。
【组　词】损坏　损伤　损失　亏损
【造　句】损失——全厂职工下定决心,要在年底之前挽回这些损失。
【同音字】笋(竹笋)
【形近字】陨(陨落)　捐(捐款)
【成　语】损人利己　损兵折将
【反义词】损失/收获
【近义词】损坏/毁坏
【谚　语】损友敬而远,益友敬而亲。
【英　语】损失　lose [luːz]

| sǔn | 笔画 | 部首 | 结构 | 五笔 | 造字法 |
|---|---|---|---|---|---|
| 笋 | 10 | ⺮ | 上下 | TVTR | 形声 |
| 笔顺 | 丿 𠂉 𥫗 𥫗 竹 竹 竺 笋 笋 笋 | | | | |

【解　释】竹子嫩芽,可以做菜吃。
【组　词】笋芽　竹笋　春笋　冬笋
【造　句】笋芽——春雨过后,笋芽逐渐冒出地面。
【同音字】损(损伤)

【形近字】笑(笑话)
【成　语】雨后春笋
【谚　语】笋因薄壳才成竹。
【英　语】竹笋 bamboo shoots [ˌbæmˈbuː ʃuːts]

## SUO ㄙㄨㄛ

| suō | 笔画 | 部首 | 结构 | 五笔 | 造字法 |
|---|---|---|---|---|---|
| 莎 | 10 | 艹 | 上下 | AIIT | 形声 |
| 笔顺 | 一 十 艹 艹 艹 艹 芀 芀 莎 莎 | | | | |

【解　释】莎草，草本植物，块茎叫香附子，可做药。
【组　词】莎草
【同音字】嗦(啰嗦)
【多音字】shā(见 624 页)

| suō | 笔画 | 部首 | 结构 | 五笔 | 造字法 |
|---|---|---|---|---|---|
| 唆 | 10 | 口 | 左右 | KCWT | 形声 |
| 笔顺 | 丨 口 口 口' 口ᐟ 口ᐟ 吣 吣 唆 唆 | | | | |

【解　释】指使或挑动别人做坏事。
【组　词】唆使　挑唆　调唆　教唆
【造　句】唆使——这个坏家伙唆使小孩子偷人家东西。
【同音字】缩(缩短)
【形近字】梭(梭子)　俊(俊俏)
【近义词】挑唆/调唆
【英　语】唆使 instigate [ˈinstigeit]

| suō | 笔画 | 部首 | 结构 | 五笔 | 造字法 |
|---|---|---|---|---|---|
| 梭 | 11 | 木 | 左右 | SCWT | 形声 |
| 笔顺 | 一 十 才 木 木' 木ᐟ 木ᐟ 枱 柃 梭 梭 | | | | |

【解　释】织布时牵引纬线的两头尖、中间粗的工具。
【组　词】梭镖　梭子　穿梭
【造　句】穿梭——他穿梭在闹市中，希望能寻找到失之交臂的朋友。
【同音字】缩(缩小)
【形近字】棱(棱角)
【英　语】梭镖 spear [spiə]

| suō | 笔画 | 部首 | 结构 | 五笔 | 造字法 |
|---|---|---|---|---|---|
| 嗦 | 13 | 口 | 左右 | KFPI | 形声 |
| 笔顺 | 丨 口 口 口一 口十 口十 口𠂉 口𠂉 嗦 嗦 嗦 嗦 嗦 | | | | |

【解　释】见 184 页“哆”。

| suō | 笔画 | 部首 | 结构 | 五笔 | 造字法 |
|---|---|---|---|---|---|
| 缩 | 14 | 纟 | 左右 | XPWJ | 形声 |
| 笔顺 | 𠃋 纟 纟 纟' 纟' 纩 纩 纩 纩 纩 缩 缩 缩 缩 | | | | |

【解　释】❶向后退；不伸出。❷由大变小；由长变短。
【组　词】缩小　压缩　缩减　退缩
【造　句】缩小——这是一张缩小的照片，但人物面目还可以辨清。
【同音字】梭(穿梭)
【形近字】绽(绽开)
【成　语】节衣缩食　缩手缩脚
【反义词】缩小/扩大
【近义词】缩减/削减
【歇后语】蚯蚓爬行——伸伸缩缩。
【英　语】缩小 contract [kənˈtrækt]

| suǒ | 笔画 | 部首 | 结构 | 五笔 | 造字法 |
|---|---|---|---|---|---|
| 所 | 8 | 斤 | 左右 | RN | 形声 |
| 笔顺 | ˊ 厂 户 户 户' 所 所 所 | | | | |

【解 释】❶地方。❷机关或其他办事处的名称。❸量词。用来计算房屋、学校等。❹明代驻兵的地点。❺助词。跟“为”、“被”合用，表示被动。
【组 词】处所 所有 所以 研究所
【造 句】所以——他刚来，所以对这里的情况不了解。
【同音字】索（索性）
【形近字】折（折磨）
【成 语】所向无敌 畅所欲言
【反义词】所有/部分
【近义词】住所/住处
【歇后语】竹管里看天——所见不广。
【谚 语】所文在贤德，岂论富与贫。
【英 语】处所 place [pleis]

| suǒ | 笔画 | 部首 | 结构 | 五笔 | 造字法 |
|---|---|---|---|---|---|
| 索 | 10 | 糸 | 上中下 | FPXI | 会意 |
| 笔顺 | 一 十 ⺊ 士 圭 壶 壶 壶 索 索 | | | | |

【解 释】❶粗大的绳子。❷搜寻；寻找。❸讨取。❹尽；空。❺干脆。❻独自。

甲骨文 金文 小篆 隶书 楷书

【字源释义】“索”的本义是“粗绳”。甲骨文“索”字像一段绳子的样子，上端可以看出绳头的一些股叉。有的字形在绳子旁边还有两只手，表示搓制绳索的意思。
【组 词】线索 搜索 索赔 索性
【同音字】锁（锁门）
【形近字】萦（萦绕）
【成 语】索然无味
【反义词】索取/施舍
【近义词】索性/干脆
【英 语】索取 ask for [ɑːsk fɔː]

| suǒ | 笔画 | 部首 | 结构 | 五笔 | 造字法 |
|---|---|---|---|---|---|
| 琐 | 11 | 王 | 左右 | GIMY | 形声 |
| 笔顺 | 一 二 千 王 玎 玎 玔 玔 琑 琐 琐 | | | | |

【解 释】❶形容细小的；零碎的。❷形容人品卑微。
【组 词】琐事 琐细 繁琐 琐屑
【造 句】琐事——她被一些家务琐事缠得脱不开身。
【同音字】所（所谓）
【形近字】锁（铜锁）
【反义词】繁琐/简捷
【近义词】琐细/琐屑
【英 语】琐事 trifle ['traifl]

| suǒ | 笔画 | 部首 | 结构 | 五笔 | 造字法 |
|---|---|---|---|---|---|
| 锁 | 12 | 钅 | 左右 | QIMY | 形声 |
| 笔顺 | 丿 𠂉 𠂉 乍 钅 钊 钋 钋 钋 锁 锁 锁 | | | | |

【解　释】❶安在门、柜等开合处，必须用钥匙才能开启的器具。❷用锁锁上。❸锁链。❹像锁的东西。❺锁边儿，一种缝物的方法。

【组　词】锁匙　锁骨　拉锁　铜锁

【同音字】索（索取）

【形近字】琐（琐事）

【谚　语】锁得君子，锁不住小人。

【英　语】锁　lock ［lɔk］

S

# T

## TA ㄊㄚ

| tā | 笔画 | 部首 | 结构 | 五笔 | 造字法 |
|---|---|---|---|---|---|
| 他 | 5 | 亻 | 左右 | WB | 形声 |
| 笔顺 | 丿 亻 仁 仲 他 | | | | |

【解　释】❶第三人称，多指男性，有时也泛指另外的。❷虚指，多在口语中用。

【组　词】他人　他们　他日　他乡　吉他　排他　其他

【同音字】它（它们）

【形近字】她（她们）

【谚　语】他敬我一尺，我敬他一丈｜他养我小，我养他老。

【英　语】他人　others [ˈʌðəz]

| tā | 笔画 | 部首 | 结构 | 五笔 | 造字法 |
|---|---|---|---|---|---|
| 它 | 5 | 宀 | 上下 | PXB | 象形 |
| 笔顺 | 丶 丶 宀 宁 它 | | | | |

【解　释】代词。指代人以外的事物。

【组　词】它们

【同音字】他（他日）

【形近字】宅（住宅）

【英　语】它们　they [ðei]

| tā | 笔画 | 部首 | 结构 | 五笔 | 造字法 |
|---|---|---|---|---|---|
| 她 | 6 | 女 | 左右 | VBN | 形声 |
| 笔顺 | 𡿨 女 女 如 她 她 | | | | |

【解　释】❶第三人称，指女性。❷尊称，常用来指代祖国、家乡等。

【组　词】她们

【同音字】塌（倒塌）

【形近字】他（他乡）

【英　语】她　she [ʃiː]

| tā | 笔画 | 部首 | 结构 | 五笔 | 造字法 |
|---|---|---|---|---|---|
| 塌 | 13 | 土 | 左右 | FJNG | 形声 |
| 笔顺 | 一 十 土 坦 坦 坦 坦 坦 塌 塌 塌 塌 塌 | | | | |

【解　释】❶倒坍；下陷。❷凹下去。❸安定；镇静。

【组　词】塌方　塌心　塌陷　塌秧　塌台　塌架　倒塌

【造　句】倒塌——雷峰塔倒塌了。

【同音字】他（他日）

【形近字】蹋（糟蹋）

【英　语】倒塌　collapse [kəˈlæps]

| tā | 笔画 | 部首 | 结构 | 五笔 | 造字法 |
|---|---|---|---|---|---|
| 踏 | 15 | 𧾷 | 左右 | KHIJ | 形声 |
| 笔顺 | 丶 ㄇ 口 早 早 𧾷 𧾷 𧾷 𧾷 𧾷 跶 跶 踏 踏 踏 | | | | |

【解　释】［踏实］❶（工作或学习态度）切实；不虚浮。❷安稳。

【组　词】踏实

【造　句】踏实——事情办完，我心里就踏实了。

【同音字】它（它们）

【反义词】踏实/虚浮

【近义词】踏实/稳重

【英　语】踏实　dependable [diˈpendəbl]

【多音字】tà（见 690 页）

| tǎ | 笔画 | 部首 | 结构 | 五笔 | 造字法 |
|---|---|---|---|---|---|
| 塔 | 12 | 土 | 左右 | FAWK | 形声 |
| 笔顺 | 一 十 扌 圹 圹 垯 垯 塔 塔 塔 塔 塔 | | | | |

【解　释】❶佛教的建筑，有多层，下大上尖。❷像宝塔一样的建筑。❸姓。
【组　词】塔台　塔林　塔影　塔吊　塔钟　宝塔　炮塔　灯塔　砖塔　石塔　铁塔　电视塔　塔吉克族
【形近字】答(答案)
【英　语】宝塔　tower　[ˈtauə]

| tà | 笔画 | 部首 | 结构 | 五笔 | 造字法 |
|---|---|---|---|---|---|
| 拓 | 8 | 扌 | 左右 | RDG | 形声 |
| 笔顺 | 一 十 扌 扌 扩 拓 拓 拓 | | | | |

【解　释】在刻有或铸有文字、图像的器物上蒙一层纸，捶打后使凹凸分明，涂上墨，显出文字、图像等。
【组　词】拓片　拓本
【多音字】tuò（见 726 页）

| tà | 笔画 | 部首 | 结构 | 五笔 | 造字法 |
|---|---|---|---|---|---|
| 沓 | 8 | 水 | 上下 | IJF | 形声 |
| 笔顺 | 丨 刁 水 水 沓 沓 沓 沓 | | | | |

【解　释】多；重复。
【组　词】杂沓
【造　句】纷至沓来——典礼还有 20 多分钟才开始，嘉宾们却已纷至沓来了。
【辨　音】不读 yǎo。
【同音字】踏(踏步)
【形近字】杳(杳无音信)
【成　语】纷至沓来
【近义词】纷至沓来/络绎不绝
【英　语】杂沓　repeated　[riˈpiːtid]
【多音字】dá(见 137 页)

| tà | 笔画 | 部首 | 结构 | 五笔 | 造字法 |
|---|---|---|---|---|---|
| 嗒 | 12 | 口 | 左右 | KAWK | 形声 |
| 笔顺 | 丨 口 口 口 叶 叶 吙 吙 嗒 嗒 嗒 嗒 | | | | |

【解　释】嗒然，形容失意的神情。
【组　词】嗒然
【同音字】踏(践踏)
【英　语】嗒然　dejected　[diˈdʒektid]
【多音字】dā(见 136 页)

| tà | 笔画 | 部首 | 结构 | 五笔 | 造字法 |
|---|---|---|---|---|---|
| 榻 | 14 | 木 | 左右 | SJNG | 形声 |
| 笔顺 | 一 十 木 木 木 杞 杞 栂 栂 栂 榻 榻 榻 榻 | | | | |

【解　释】低而且窄的床，泛指床。
【组　词】竹榻　下榻　病榻
【造　句】下榻——这批贸易代表团成员下榻北京饭店，受到热情接待。
【同音字】踏(踏青)
【形近字】蹋(糟蹋)
【英　语】榻　couch　[kautʃ]

| tà | 笔画 | 部首 | 结构 | 五笔 | 造字法 |
|---|---|---|---|---|---|
| 踏 | 15 | 足 | 左右 | KHIJ | 形声 |
| 笔顺 | 丶 口 口 早 早 足 足 趴 趴 趴 趴 踏 踏 踏 踏 | | | | |

【解　释】❶用脚踩。❷亲自到现场去。

【组 词】踏步 踏青 踏看 踏歌 踩踏 践踏 踏板 踏足 踏访 踏勘 踏春
【造 句】践踏——践踏公共绿地是缺乏环保公德的行为。
【同音字】榻(竹榻)
【形近字】沓(杂沓)
【近义词】践踏/糟蹋
【谚 语】踏破铁鞋无觅处,得来全不费功夫。
【英 语】踏步 mark time [ma:k taim]
【多音字】tā(见689页)

## TAI ㄊㄞ

| tāi | 笔画 | 部首 | 结构 | 五笔 | 造字法 |
|---|---|---|---|---|---|
| 苔 | 8 | 艹 | 上下 | ACKF | 形声 |
| 笔顺 | 一 十 艹 艹 芒 芒 苔 苔 | | | | |

【解 释】舌苔,舌头表面滑腻的东西。观察它的颜色可以帮助诊断病症。
【同音字】胎(车胎)
【多音字】tái(见691页)

| tāi | 笔画 | 部首 | 结构 | 五笔 | 造字法 |
|---|---|---|---|---|---|
| 胎 | 9 | 月 | 左右 | ECKG | 形声 |
| 笔顺 | 丿 刀 月 月 肸 肸 胎 胎 胎 | | | | |

【解 释】❶怀在母体内的幼体。❷量词。怀孕或生育的次数。❸某些物体的坯。❹衬在衣、被里的东西。❺车胎。
【组 词】胎儿 胎动 胎发 胎盘 娘胎 鬼胎 胎气 胎位 胎教 胎记 轮胎 车胎
【辨 音】不读 tái。
【形近字】台(阳台)
【英 语】胎儿 foetus [ˈfi:təs]

| tái | 笔画 | 部首 | 结构 | 五笔 | 造字法 |
|---|---|---|---|---|---|
| 台 | 5 | 厶 | 上下 | CKF | 形声 |
| 笔顺 | ㄥ 厶 台 台 台 | | | | |

【解 释】❶高且平的建筑。❷高出地面以供讲演、表演等用的设备。❸器物的底座。❹像台一样的东西。❺量词。❻台湾省的简称。❼姓。
【组 词】台本 台词 台灯 台钟 台子 台历 拆台 电台 柜台 后台 台北
【造 句】拆台——我们要同心协力完成任务,决不能互相拆台。
【同音字】苔(苔藓)
【形近字】合(合适)
【反义词】拆台/捧场
【歇后语】台上耍魔术——假的。
【谚 语】台上三分钟,台下十年功|台上一招鲜,台下练三年。
【英 语】台阶 steps [steps]

| tái | 笔画 | 部首 | 结构 | 五笔 | 造字法 |
|---|---|---|---|---|---|
| 苔 | 8 | 艹 | 上下 | ACKF | 形声 |
| 笔顺 | 一 十 艹 艹 芒 芒 苔 苔 | | | | |

【解 释】苔藓植物的一种,根、茎、叶区别不大,生长在阴湿的地方。也称青苔。
【组 词】苔藓 青苔
【同音字】台(台湾)
【形近字】抬(抬举)
【英 语】苔原 tundra [ˈtʌndrə]
【多音字】tāi(见691页)

T

| tái | 笔画 | 部首 | 结构 | 五笔 | 造字法 |
|---|---|---|---|---|---|
| 抬 | 8 | 扌 | 左右 | RCKG | 形声 |
| 笔顺 | 一 十 扌 扌 扌 抬 抬 抬 | | | | |

【解　释】❶举起;仰起。❷共同搬或者扛。❸提高。❹争辩。
【组　词】抬杠　抬价　抬举　抬头　哄抬　抬升
【造　句】哄抬——一些不法商人不顾消费者利益,哄抬物价。
【同音字】苔(青苔)
【形近字】胎(胎儿)
【成　语】高抬贵手
【歇后语】抬棺材上阵——拼死打一仗。
【谚　语】低头不见抬头见|抬得高,绊得响;登得高,望得远。
【英　语】抬起　lift up　[lift ʌp]

| tài | 笔画 | 部首 | 结构 | 五笔 | 造字法 |
|---|---|---|---|---|---|
| 太 | 4 | 大 | 独体 | DYI | 指事 |
| 笔顺 | 一 ナ 大 太 | | | | |

【解　释】❶高;大。❷很;极;过于。❸尊称辈分比自己高的人。❹姓。
【组　词】太平　太阳　太古　太后　太岁　太空　老太　太平门
【同音字】态(态度)
【形近字】大(大树)
【反义词】太平盛世/兵荒马乱
【近义词】太仓一粟/九牛一毛
【歇后语】太岁头上动土——胆大包天|太阳底下喝老酒——内外都热火。
【谚　语】太阳下山一片红,明日天气必定晴|太阳发的光辉遮不住,真理的光芒扑不灭。
【英　语】太阳　the sun　[ðə sʌn]

| tài | 笔画 | 部首 | 结构 | 五笔 | 造字法 |
|---|---|---|---|---|---|
| 态 | 8 | 心 | 上下 | DYNU | 形声 |
| 笔顺 | 一 ナ 大 太 太 态 态 态 | | | | |

【解　释】❶形状;样子。❷情况。❸一种语法范畴。
【组　词】态度　失态　病态　神态　动态　丑态　姿态　形态
【造　句】神态自若——瞧他那种神态自若的样子,一看就知道是久经沙场。
【同音字】泰(泰山)
【形近字】悉(熟悉)
【反义词】失态/平静
【英　语】态度　manner　[ˈmænə]

| tài | 笔画 | 部首 | 结构 | 五笔 | 造字法 |
|---|---|---|---|---|---|
| 泰 | 10 | 氺 | 上下 | DWIU | 形声 |
| 笔顺 | 一 二 三 丰 夫 夫 表 泰 泰 泰 | | | | |

【解　释】❶平安;安定。❷极;最。❸(书)太;过甚。❹姓。
【组　词】泰山　泰然　安泰　康泰
【造　句】泰然自若——面对敌人的恐吓,江姐泰然自若。
【同音字】态(态度)
【形近字】秦(秦朝)
【成　语】泰然自若
【反义词】泰然自若/忐忑不安
【近义词】泰然自若/镇定自若
【歇后语】泰山的青松——万古长青。

【英　语】泰然 calm [kɑːm]

## TAN ㄊㄢ

| tān | 笔画 | 部首 | 结构 | 五笔 | 造字法 |
|---|---|---|---|---|---|
| 贪 | 8 | 贝 | 上下 | WYNM | 形声 |
| 笔顺 | 丿 人 亼 今 今 贪 贪 贪 | | | | |

【解　释】❶原指爱财，后来多指贪污。❷对某种事物的欲望不满足。❸片面追求。
【组　词】贪杯　贪嘴　贪心　贪图　贪婪
【造　句】贪得无厌——对钱财贪得无厌的他，终于走上了犯罪的道路。
【辨　音】不读 pín。
【同音字】滩(沙滩)
【形近字】贫(贫困)
【成　语】贪赃枉法　贪得无厌　贪生怕死
【反义词】贪生怕死/舍生忘死
【近义词】贪得无厌/贪心不足
【谚　语】贪嘴鱼儿易上钩|贪图小利，难成大事。
【英　语】贪玩 too fond of playing [tuː fɔnd əv 'pleiiŋ]

| tān | 笔画 | 部首 | 结构 | 五笔 | 造字法 |
|---|---|---|---|---|---|
| 摊 | 13 | 扌 | 左右 | RCWY | 形声 |
| 笔顺 | 一 十 扌 扌 扠 扠 扨 扨 扨 摊 摊 摊 摊 | | | | |

【解　释】❶铺开；摆开。❷分担；分派。❸路边的简易售货处。❹量词。
【组　词】摊子　摊场　摊开　烟摊　摊手　摆摊　摊贩
【造　句】摊开——同学之间应当以诚相待，有问题摊开了说，总会达成谅解的。
【同音字】贪(贪心)
【形近字】滩(沙滩)
【英　语】摊开 spread out [spred aut]

| tān | 笔画 | 部首 | 结构 | 五笔 | 造字法 |
|---|---|---|---|---|---|
| 滩 | 13 | 氵 | 左右 | ICWY | 形声 |
| 笔顺 | 丶 丶 氵 汀 汉 汉 汊 汊 滩 滩 滩 滩 滩 | | | | |

【解　释】❶水边泥沙淤积的平地或沙洲。❷水急且礁石多的地方。
【组　词】沙滩　浅滩　险滩
【造　句】险滩——那片海域到处都是险滩，渔船几乎都不敢过去。
【辨　音】不读 nán。
【同音字】贪(贪污)
【形近字】摊(地摊)
【英　语】海滩 sea beach ['siː biːtʃ]

| tān | 笔画 | 部首 | 结构 | 五笔 | 造字法 |
|---|---|---|---|---|---|
| 瘫 | 15 | 疒 | 半包围 | UCWY | 形声 |
| 笔顺 | 丶 亠 广 广 疒 疒 疒 疒 疒 疒 疒 瘫 瘫 瘫 瘫 | | | | |

【解　释】由于神经机能发生障碍，而使部分肢体麻木不能动。
【组　词】瘫子　瘫痪　偏瘫　瘫软　截瘫　风瘫
【造　句】瘫软——爬到山顶上，我浑身瘫软，一点力气也没有。
【同音字】贪(贪婪)
【形近字】滩(沙滩)
【英　语】瘫软 weak and limp

[wiːk ænd limp]

| tán | 笔画 | 部首 | 结构 | 五笔 | 造字法 |
|---|---|---|---|---|---|
| 坛 | 7 | 土 | 左右 | FFCY | 形声 |
| 笔顺 | 一 十 土 圹 坛 坛 坛 | | | | |

【解　释】❶古时举行仪式或典礼的高台。❷用土堆成的台，多在上面种花。❸某些会道门设立的拜神集会的组织。❹指文艺界或体育界。❺口小腹大的容器。

【组　词】天坛　坛子　讲坛　艺坛　体坛　神坛　歌坛　酒坛　排坛　球坛　花坛　坛坛罐罐

【造　句】花坛——校园花坛里开着五颜六色的花。

【同音字】谈（谈论）

【形近字】芸（芸芸众生）

【歇后语】坛子里和面——插不上手。

【谚　语】坛口封得住，人嘴封不住。

【英　语】坛子 earthen jar [ˈəːθən dʒɑː]

| tán | 笔画 | 部首 | 结构 | 五笔 | 造字法 |
|---|---|---|---|---|---|
| 昙 | 8 | 日 | 上下 | JFCU | 会意 |
| 笔顺 | 丨 冂 日 日 旦 昙 昙 昙 | | | | |

【解　释】❶云彩密布；多云。❷昙花，属仙人掌科植物，花大，为白色，多在夜间开，开花时间较短。

【组　词】昙花

【造　句】昙花一现——有的歌星、影星如昙花一现，红不了多久。

【辨　音】韵母是 an，不是 ang。

【同音字】潭（水潭）

【形近字】旱（干旱）

【成　语】昙花一现

【反义词】昙花一现/经久不衰

【近义词】昙花一现/稍纵即逝

【谚　语】昙天西北闪，有雨没多远。

| tán | 笔画 | 部首 | 结构 | 五笔 | 造字法 |
|---|---|---|---|---|---|
| 谈 | 10 | 讠 | 左右 | YOOY | 形声 |
| 笔顺 | 丶 讠 讠 讠 讠 讠 讠 讠 谈 谈 | | | | |

【解　释】❶说话；对话。❷言论。❸姓。

【组　词】谈话　谈心　谈锋　交谈　漫谈　畅谈　美谈　谈吐　谈天

【造　句】谈心——李老师时常与同学们谈心。

【同音字】昙（昙花）

【形近字】淡（淡水）

【成　语】谈笑风生

【近义词】谈虎色变/闻风丧胆

【谚　语】谈心不见路途远。

【英　语】谈论 talk about [tɔːk əˈbaut]

| tán | 笔画 | 部首 | 结构 | 五笔 | 造字法 |
|---|---|---|---|---|---|
| 弹 | 11 | 弓 | 左右 | XUJF | 形声 |
| 笔顺 | ㇇ コ 弓 弓 弓 弓 弓 弓 弹 弹 弹 | | | | |

【解　释】❶物体受力后变形，失去外力后又恢复原状。❷利用弹性作用发射。❸用指头的弹力触击物体。❹用手指或工具拨弄或敲打乐器。❺抨击。

【组　词】弹力　弹性　弹琴

【同音字】谈（谈话）

【英　语】弹性 elastic [iˈlæstik]

【多音字】dàn(见 145 页)

| tán | 笔画 | 部首 | 结构 | 五笔 | 造字法 |
|---|---|---|---|---|---|
| 痰 | 13 | 疒 | 半包围 | UOOI | 形声 |

笔顺：丶 亠 广 广 疒 疒 疒 疒 疒 疒 痰 痰 痰

【解　释】气管或支气管分泌的黏液。
【组　词】痰气　吐痰　痰盂　祛痰
【同音字】谈(谈论)
【形近字】谈(谈笑)
【英　语】吐痰　spit [spit]

| tán | 笔画 | 部首 | 结构 | 五笔 | 造字法 |
|---|---|---|---|---|---|
| 谭 | 14 | 讠 | 左右 | YSJH | 形声 |

笔顺：丶 讠 讠 讠 讠 讠 讠 讠 讠 谭 谭 谭 谭 谭

【解　释】❶同“谈”，即说话。❷姓。
【组　词】笔谭　奇谭　天方夜谭
【造　句】天方夜谭——人类未来有可能移居到火星上生活，但目前来讲这种说法还只是天方夜谭。
【同音字】弹(弹力)
【形近字】潭(水潭)

| tán | 笔画 | 部首 | 结构 | 五笔 | 造字法 |
|---|---|---|---|---|---|
| 潭 | 15 | 氵 | 左右 | ISJH | 形声 |

笔顺：丶 氵 氵 氵 氵 氵 氵 氵 氵 氵 氵 氵 潭 潭 潭

【解　释】深水坑。
【组　词】水潭　古潭　清潭　深潭
【同音字】昙(昙花)
【形近字】谭(天方夜谭)
【成　语】龙潭虎穴
【近义词】龙潭虎穴/刀山火海
【英　语】深潭　deep pool [di:p pu:l]

| tǎn | 笔画 | 部首 | 结构 | 五笔 | 造字法 |
|---|---|---|---|---|---|
| 忐 | 7 | 心 | 上下 | HNU | 形声 |

笔顺：丨 卜 上 忐 忐 忐 忐

【解　释】[忐忑]心神不安。
【组　词】忐忑
【造　句】忐忑——一定是发生什么事了，他今天一天看上去都很忐忑。
【同音字】坦(坦克)
【形近字】忑(忐忑)

| tǎn | 笔画 | 部首 | 结构 | 五笔 | 造字法 |
|---|---|---|---|---|---|
| 坦 | 8 | 土 | 左右 | FJGG | 形声 |

笔顺：一 十 土 坦 坦 坦 坦 坦

【解　释】❶平。❷平静；开朗。❸真诚；直率。
【组　词】坦白　坦然　坦途　坦克
【造　句】坦白——他坦白地交代了自己所做的一切坏事。
【同音字】毯(地毯)
【形近字】但(但是)
【成　语】坦腹东床
【反义词】坦率/虚伪
【近义词】坦诚/真诚
【英　语】坦白　honest [ˈɔnist]

| tǎn | 笔画 | 部首 | 结构 | 五笔 | 造字法 |
|---|---|---|---|---|---|
| 袒 | 10 | 衤 | 左右 | PUJG | 形声 |

笔顺：丶 ㇇ 礻 衤 衤 衤 袒 袒 袒 袒

【解　释】❶露出。❷无原则地保护。
【组　词】袒护　袒露　偏袒
【造　句】偏袒——他过于偏袒子女，这样对孩子是没有好处的。

T

【同音字】忐(忐忑)
【形近字】坦(坦然)
【英　语】袒护 shield [ʃiːld]

| tǎn | 笔画 | 部首 | 结构 | 五笔 | 造字法 |
|---|---|---|---|---|---|
| 毯 | 12 | 毛 | 半包围 | TFNO | 形声 |
| 笔顺 | ノ 二 三 毛 毛 毛 毛 毛 毛 毛 毯 毯 | | | | |

【解　释】用棉、毛等编织成的较厚的纺织品。
【组　词】毯子　毛毯　地毯　壁毯
【同音字】坦(平坦)
【形近字】毡(毡子)
【英　语】毯子 blanket [ˈblæŋkit]

| tàn | 笔画 | 部首 | 结构 | 五笔 | 造字法 |
|---|---|---|---|---|---|
| 叹 | 5 | 口 | 左右 | KCY | 形声 |
| 笔顺 | 丨 冂 口 叹 叹 | | | | |

【解　释】❶咏诵。❷因忧闷、悲伤而发出声音或呼出长气。❸赞美。
【组　词】叹气　称叹　感叹　惊叹
【造　句】惊叹——面对大海，我惊叹于她的博大，她的激情澎湃。
【同音字】探(警探)
【形近字】汉(汉字)
【成　语】叹为观止　唉声叹气
【近义词】叹为观止/拍案叫绝
【英　语】叹气 sigh [sai]

| tàn | 笔画 | 部首 | 结构 | 五笔 | 造字法 |
|---|---|---|---|---|---|
| 炭 | 9 | 山 | 上下 | MDOU | 形声 |
| 笔顺 | 丨 山 山 屵 岸 岸 炭 炭 炭 | | | | |

【解　释】❶木炭，即将木材通过不完全燃烧得到的黑色燃料。❷煤。
【组　词】炭化　木炭　焦炭　煤炭
【造　句】煤炭——我国地下蕴藏着丰富的煤炭资源。
【同音字】叹(叹息)
【形近字】碳(碳酸)
【英　语】炭 charcoal [ˈtʃɑːkəul]

| tàn | 笔画 | 部首 | 结构 | 五笔 | 造字法 |
|---|---|---|---|---|---|
| 探 | 11 | 扌 | 左右 | RPWS | 形声 |
| 笔顺 | 一 十 扌 扌 扌 扌 扌 扌 探 探 探 | | | | |

【解　释】❶寻求；寻找。❷看望访问。❸头或身子向外伸。❹侦察或侦察的人。
【组　词】探听　探花　探求　打探　侦探　暗探　警探　探望
【造　句】探望——我每年春节前都去探望我的外婆。
【同音字】炭(木炭)
【形近字】深(深度)
【成　语】探囊取物
【近义词】探囊取物/手到擒来
【英　语】探索 explore [ikˈsplɔː]

| tàn | 笔画 | 部首 | 结构 | 五笔 | 造字法 |
|---|---|---|---|---|---|
| 碳 | 14 | 石 | 左右 | DMDO | 形声 |
| 笔顺 | 一 丆 丆 石 石 石 石 石 石 石 石 石 石 碳 | | | | |

【解　释】非金属元素，符号为C。有石墨、金刚石、无定形碳三种形态，是构成有机物的主要成分之一，被广泛地用于工农业和医药上。
【组　词】碳酸　二氧化碳
【同音字】叹(叹气)
【形近字】炭(木炭)

【英　语】二氧化碳 carbon dioxide ['kɑːbən dai'ɔksaid]

## TANG 㐅九

| tāng | 笔画 | 部首 | 结构 | 五笔 | 造字法 |
|---|---|---|---|---|---|
| 汤 | 6 | 氵 | 左右 | INRT | 形声 |
| 笔顺 | 丶 丶 氵 汅 汅 汤 | | | | |

【解　释】❶开水；热水。❷中药；水剂。❸汁液。❹姓。

【组　词】汤水　煮汤　热汤　鸡汤　汤粉　汤锅　肉汤　滚汤

【同音字】趟（趟水）

【形近字】肠（心肠）

【反义词】固若金汤/不堪一击

【近义词】固若金汤/金城汤池

【谚　语】汤水易馊，人急易瘦。

【英　语】汤匙 tablespoon ['teibspuːn]

| tāng | 笔画 | 部首 | 结构 | 五笔 | 造字法 |
|---|---|---|---|---|---|
| 趟 | 15 | 走 | 半包围 | FHIK | 形声 |
| 笔顺 | 一 十 土 丰 丰 未 走 走 走 走 走 趟 趟 趟 趟 | | | | |

【解　释】❶从浅水里走过。❷翻土除草并给苗培土。

【组　词】趟水　趟地

【同音字】汤（鱼汤）

【形近字】超（超过）

【英　语】趟地 plough [plau]

【多音字】tàng（见 699 页）

| táng | 笔画 | 部首 | 结构 | 五笔 | 造字法 |
|---|---|---|---|---|---|
| 唐 | 10 | 广 | 半包围 | YVHK | 形声 |
| 笔顺 | 丶 亠 广 庐 庐 庐 庚 唐 唐 唐 | | | | |

【解　释】❶说大话；吹牛。❷朝代名。❸中国的别称。❹姓。

【组　词】唐人　唐律　荒唐　唐突

【造　句】荒唐——他的想法实在荒唐，真是让人无法接受。

【辨　音】韵母是 ang，不是 an。

【同音字】糖（奶糖）

【形近字】塘（池塘）

【歇后语】唐三藏过平顶山——凶多吉少。

【英　语】唐突 brusque [brusk]

| táng | 笔画 | 部首 | 结构 | 五笔 | 造字法 |
|---|---|---|---|---|---|
| 堂 | 11 | ⺌ | 上下 | IPKF | 形声 |
| 笔顺 | 丨 ⺌ ⺌ 𫩏 𫩏 𫩏 尚 尚 堂 堂 堂 | | | | |

【解　释】❶正房，宽敞的房子。❷母亲。❸同宗而非嫡系的。❹旧时官府办案的处所。❺量词。

【组　词】天堂　学堂　礼堂　令堂

【造　句】礼堂——我们今天在礼堂举行开学典礼。

【辨　音】韵母是 ang，不是 an。

【同音字】唐（唐突）

【形近字】党（党员）

【成　语】堂堂正正　堂而皇之　仪表堂堂

【反义词】天堂/地狱

【近义词】堂而皇之/冠冕堂皇

【英　语】堂皇 grand [grænd]

| táng | 笔画 | 部首 | 结构 | 五笔 | 造字法 |
|---|---|---|---|---|---|
| 棠 | 12 | ⺌ | 上下 | IPKS | 形声 |
| 笔顺 | 丨 ⺌ ⺌ 𫩏 𫩏 𫩏 尚 尚 堂 堂 棠 棠 | | | | |

【解　释】❶棠梨，味道酸。也叫

T

杜梨。❷海棠。❸姓。
【组　词】棠梨　棠棣　秋海棠
【造　句】秋海棠——我们家养了一株秋海棠。
【同音字】堂(会堂)
【形近字】党(党性)
【英　语】棠梨　birchleaf pear [ˈbəːchliːf pεə]

| táng | 笔画 | 部首 | 结构 | 五笔 | 造字法 |
|---|---|---|---|---|---|
| 塘 | 13 | 土 | 左右 | FYVK | 形声 |
| 笔顺 | 一 十 土 圹 圹 圹 圹 垆 垆 埔 塘 塘 塘 | | | | |

【解　释】❶堤岸;堤防。❷水池。❸浴池。
【组　词】塘坝　鱼塘　火塘　泥塘
【辨　音】韵母是ang,不是an。
【同音字】堂(大堂)　唐(唐人)
【形近字】搪(搪塞)
【歇后语】塘里无鱼——虾子贵。
【谚　语】塘深鱼肥,垄高薯壮。
【英　语】池塘　pond [pɔnd]

| táng | 笔画 | 部首 | 结构 | 五笔 | 造字法 |
|---|---|---|---|---|---|
| 膛 | 15 | 月 | 左右 | EIPF | 形声 |
| 笔顺 | 丿 刀 月 月 月' 月'' 月'' 月'' 胖 胖 脾 脾 膛 膛 膛 | | | | |

【解　释】❶胸腔。❷器物的中空部分。
【组　词】枪膛　上膛　开膛　灶膛　出膛　胸膛
【同音字】塘(池塘)
【英　语】胸膛　chest [tʃest]

| táng | 笔画 | 部首 | 结构 | 五笔 | 造字法 |
|---|---|---|---|---|---|
| 糖 | 16 | 米 | 左右 | OYVK | 形声 |
| 笔顺 | 丶 丷 丷 半 米 米 米' 米' 粧 粧 粧 糖 糖 糖 糖 糖 | | | | |

【解　释】❶从甘蔗等提出来的甜质东西。❷碳水化合物,有机物品种。❸糖果。
【组　词】糖化　糖果　糖精　糖浆
【同音字】膛(胸膛)
【形近字】塘(鱼塘)
【成　语】糖衣炮弹
【英　语】糖果　sweets [swiːts]

| táng | 笔画 | 部首 | 结构 | 五笔 | 造字法 |
|---|---|---|---|---|---|
| 螳 | 17 | 虫 | 左右 | JIPF | 形声 |
| 笔顺 | 丨 口 口 中 虫 虫 虫' 虫' 虫'' 虫'' 虫'' 虫'' 蝉 蝉 螳 螳 螳 | | | | |

【解　释】[螳螂]昆虫,全身绿色或土黄色,头呈三角形,触角呈丝状,胸部细长,翅两对,前腿呈镰刀状。活动灵便,捕食害虫,对农业有益。有的地区叫刀螂。
【组　词】螳螂
【同音字】堂(会堂)
【形近字】膛(胸膛)
【成　语】螳臂当车
【英　语】螳螂　mantis [ˈmæntis]

| tǎng | 笔画 | 部首 | 结构 | 五笔 | 造字法 |
|---|---|---|---|---|---|
| 倘 | 10 | 亻 | 左右 | WIMK | 形声 |
| 笔顺 | 丿 亻 亻' 亻' 亻'' 亻'' 倘 倘 倘 倘 | | | | |

【解　释】假如;如果。
【组　词】倘使　倘然　倘若
【造　句】倘若——倘若天晴的

话，我们明天去爬香山。
【同音字】淌（流淌）
【形近字】淌（流淌）
【近义词】倘若/如果
【英　语】倘若 if [if]

| tǎng | 笔画 | 部首 | 结构 | 五笔 | 造字法 |
|---|---|---|---|---|---|
| 淌 | 11 | 氵 | 左右 | IIMK | 形声 |
| 笔顺 | 丶 氵 氵 氵丨 氵⺌ 氵⺌ 氵⺌ 淌 淌 淌 淌 | | | | |

【解　释】流的意思。
【组　词】淌水　流淌
【造　句】流淌——地下的雨水汇在一起，成了一条小溪，缓缓向前流淌。
【同音字】躺（躺倒）
【形近字】倘（倘然）
【谚　语】淌多少汗，吃多少饭。
【英　语】淌汗 perspire [pə'spaiə]

| tǎng | 笔画 | 部首 | 结构 | 五笔 | 造字法 |
|---|---|---|---|---|---|
| 躺 | 15 | 身 | 左右 | TMDK | 形声 |
| 笔顺 | ′ 亻 亻 㐆 㐆 身 身 身 躺 躺 躺 躺 躺 躺 躺 | | | | |

【解　释】❶身体平卧。❷物体横倒。
【组　词】躺柜　躺卧　躺椅　躺倒
【造　句】躺倒——他太累了，一躺倒就睡着了。
【同音字】淌（流淌）
【形近字】躯（躯体）
【反义词】躺/站
【近义词】躺/卧
【谚　语】躺着的土地，站着的人丁。
【英　语】躺倒 lie down [lai daun]

| tàng | 笔画 | 部首 | 结构 | 五笔 | 造字法 |
|---|---|---|---|---|---|
| 烫 | 10 | 火 | 上下 | INRO | 形声 |
| 笔顺 | 丶 氵 氵 汅 汤 汤 汤 汤 烫 烫 | | | | |

【解　释】❶温度高。❷温度高的物体与皮肤接触使之感觉疼痛。❸用热能或药水使头发卷曲美观。
【组　词】烫发　烫伤　火烫
【造　句】烫伤——小明被开水烫伤了，已经住进了医院。
【同音字】趟（一趟）
【形近字】汤（汤料）

| tàng | 笔画 | 部首 | 结构 | 五笔 | 造字法 |
|---|---|---|---|---|---|
| 趟 | 15 | 走 | 半包围 | FHIK | 形声 |
| 笔顺 | 一 十 土 丰 丰 未 走 走 走 走 趟 趟 趟 趟 趟 | | | | |

【解　释】量词。用于走动的次数或成行的东西。
【组　词】一趟
【英　语】一趟 once [wʌns]
【多音字】tāng（见697页）

## TAO 去么

| tāo | 笔画 | 部首 | 结构 | 五笔 | 造字法 |
|---|---|---|---|---|---|
| 叨 | 5 | 口 | 左右 | KVN | 形声 |
| 笔顺 | 丨 ㄇ 口 叨 叨 | | | | |

【解　释】受到好处。
【组　词】叨光　叨扰　叨教
【造　句】叨扰——多有叨扰，过意不去。
【同音字】涛（波涛）
【形近字】叼（叼走）

【多音字】dāo(见 148 页)

| tāo | 笔画 | 部首 | 结构 | 五笔 | 造字法 |
|---|---|---|---|---|---|
| 涛 | 10 | 氵 | 左右 | IDTF | 形声 |
| 笔顺 | 丶 冫 氵 氵 汀 沣 浡 涛 涛 涛 | | | | |

【解　释】❶大浪。❷像波涛的声音。

【组　词】松涛　惊涛　浪涛　波涛

【造　句】波涛——波涛汹涌的大海没有一刻平静过。

【同音字】滔(滔天)

【形近字】寿(长寿)

【英　语】涛　billow [ˈbiləu]

| tāo | 笔画 | 部首 | 结构 | 五笔 | 造字法 |
|---|---|---|---|---|---|
| 掏 | 11 | 扌 | 左右 | RQRM | 形声 |
| 笔顺 | 一 十 扌 扌 扚 扚 扚 掏 掏 掏 掏 | | | | |

【解　释】❶用手或工具取东西。❷挖。

【组　词】掏洞　掏粪　掏腰包

【同音字】叨(叨扰)

【形近字】淘(淘气)

【近义词】掏/挖

【英　语】掏出　take out [teik aut]

| tāo | 笔画 | 部首 | 结构 | 五笔 | 造字法 |
|---|---|---|---|---|---|
| 滔 | 13 | 氵 | 左右 | IEVG | 形声 |
| 笔顺 | 丶 丶 氵 氵 氵 氵 氵 氵 氵 氵 滔 滔 滔 | | | | |

【解　释】弥漫;水大的样子。

【组　词】滔滔　滔天

【造　句】滔天——日本侵略者在中国犯下的滔天罪行,我们永远不会忘记。

【辨　音】不读 dǎo。

【同音字】涛(波涛)

【形近字】稻(稻田)

【成　语】滔滔不绝

【反义词】滔滔不绝/默默无言

【近义词】滔天之罪/罪恶滔天

【英　语】滔滔　torrential [təˈrenʃəl]

| táo | 笔画 | 部首 | 结构 | 五笔 | 造字法 |
|---|---|---|---|---|---|
| 逃 | 9 | 辶 | 半包围 | IQPV | 形声 |
| 笔顺 | 丿 丬 丬 兆 兆 兆 兆 洮 逃 | | | | |

【解　释】躲避;跑开。

【组　词】逃跑　潜逃　逃学

【同音字】萄(葡萄)

【形近字】挑(挑衅)

【成　语】临阵脱逃　逃之夭夭

【近义词】望风而逃/望风披靡

【谚　语】逃得了和尚逃不了庙。

【英　语】逃走　run away [rʌn əˈwei]

| táo | 笔画 | 部首 | 结构 | 五笔 | 造字法 |
|---|---|---|---|---|---|
| 桃 | 10 | 木 | 左右 | SIQN | 形声 |
| 笔顺 | 一 十 才 木 朻 杊 杊 机 桃 桃 | | | | |

【解　释】❶桃树,落叶乔木,果实可吃,桃仁可入药。❷像桃一样的东西。❸核桃。

【组　词】桃仁　桃符　寿桃　桃李

【造　句】桃红柳绿——春天的河堤上,桃红柳绿,十分好看。

【同音字】淘(淘气)

【形近字】挑(挑担)

【成　语】桃红柳绿

【近义词】桃李争辉/桃李争妍

【谚　语】桃李不言，下自成蹊。
【英　语】桃　peach [piːtʃ]

| táo | 笔画 | 部首 | 结构 | 五笔 | 造字法 |
|---|---|---|---|---|---|
| 陶 | 10 | 阝 | 左右 | BQRM | 形声 |
| 笔顺 | 阝 阝 阝' 阝勹 阝勺 阝匀 陶 陶 陶 陶 | | | | |

【解　释】❶用黏土烧制的器物。❷烧制陶器。❸教育；培养。❹愉快；快乐。❺姓。
【组　词】陶土　黑陶　陶醉　陶器
【造　句】陶醉——我被这美妙的音乐陶醉了。
【辨　音】不读 tāo。
【同音字】萄（葡萄）
【形近字】淘（淘气）
【近义词】陶然自得/怡然自得
【歇后语】陶器里的钵头——一套一套的。
【英　语】陶醉　be intoxicated with [biː in'tɔksikeitid wið]

| táo | 笔画 | 部首 | 结构 | 五笔 | 造字法 |
|---|---|---|---|---|---|
| 萄 | 11 | 艹 | 上下 | AQRM | 形声 |
| 笔顺 | 一 十 艹 艹 芍 芍 芍 萄 萄 萄 萄 | | | | |

【解　释】见 560 页"葡"。
【组　词】葡萄
【同音字】逃（逃跑）
【形近字】陶（陶器）

| táo | 笔画 | 部首 | 结构 | 五笔 | 造字法 |
|---|---|---|---|---|---|
| 啕 | 11 | 口 | 左右 | KQRM | 形声 |
| 笔顺 | 丨 口 口 口' 叼 叼 叼 啕 啕 啕 啕 | | | | |

【解　释】大声哭。
【组　词】号啕
【造　句】号啕——听到李兰去世的消息，宋钢当场号啕大哭。
【同音字】逃（逃跑）
【形近字】陶（陶冶）

| táo | 笔画 | 部首 | 结构 | 五笔 | 造字法 |
|---|---|---|---|---|---|
| 淘 | 11 | 氵 | 左右 | IQRM | 形声 |
| 笔顺 | 丶 氵 氵 氵' 沟 沟 沟 淘 淘 淘 淘 | | | | |

【解　释】❶洗去杂质。❷耗费。❸顽皮；捣蛋。
【组　词】淘米　淘气　淘汰　淘金
【造　句】淘气——小晓有一个淘气的弟弟，老给他捣乱。
【同音字】逃（逃犯）　萄（葡萄）
【形近字】陶（陶器）
【反义词】淘气/乖巧
【近义词】淘气/顽皮
【英　语】淘气　naughty ['nɔːti]

| tǎo | 笔画 | 部首 | 结构 | 五笔 | 造字法 |
|---|---|---|---|---|---|
| 讨 | 5 | 讠 | 左右 | YFY | 会意 |
| 笔顺 | 丶 讠 讠一 讨 讨 | | | | |

【解　释】❶攻击；打击。❷研究；推求。❸要；索取。❹请求。❺娶。❻招惹。
【组　词】讨价　讨米　讨饭　乞讨　检讨　讨平　征讨　讨厌　讨亲
【造　句】检讨——他为自己做的错事做了检讨。
【形近字】计（计划）
【反义词】讨厌/可爱
【近义词】讨论/商量
【英　语】讨论　discuss [dis'kʌs]

T

| tào | 笔画 | 部首 | 结构 | 五笔 | 造字法 |
|---|---|---|---|---|---|
| 套 | 10 | 大 | 上下 | DDU | 会意 |
| 笔顺 | 一 ナ 大 太 本 本 杏 查 套 套 | | | | |

【解　释】❶罩在外面。❷互相连接或重叠。❸用绳子结成的环。❹应酬。❺现成的套话。❻量词。❼照样子做。❽骗取。❾拉拢。❿已成为。
【组　词】配套　客套　套语　乱套
【造　句】客套——老朋友之间不必讲那么多客套,直来直去更好。
【英　语】套鞋　overshoes [ˈəuvəʃuːz]

## TE 去さ

| tè | 笔画 | 部首 | 结构 | 五笔 | 造字法 |
|---|---|---|---|---|---|
| 忑 | 7 | 心 | 上下 | GHNU | 形声 |
| 笔顺 | 一 丅 下 下 忑 忑 忑 | | | | |

【解　释】见695页“忐”。

| tè | 笔画 | 部首 | 结构 | 五笔 | 造字法 |
|---|---|---|---|---|---|
| 特 | 10 | 牛 | 左右 | TRFF | 形声 |
| 笔顺 | ノ 〻 牛 牛 牛 牛 牛 牛 特 特 | | | | |

【解　释】❶不同于别的。❷专门的。❸指通过训练从事间谍活动的人。
【组　词】特产　特长　特务　特别　特征　特技　特定　特点　特区
【造　句】特别——今年的雨水特别多。
【形近字】持(主持)
【成　语】特立独行
【反义词】特别/普通
【近义词】特长/专长
【英　语】特殊　special [ˈspeʃəl]

## TENG 去ㄥ

| téng | 笔画 | 部首 | 结构 | 五笔 | 造字法 |
|---|---|---|---|---|---|
| 疼 | 10 | 疒 | 半包围 | UTUI | 形声 |
| 笔顺 | 丶 亠 广 广 疒 疒 疒 疼 疼 疼 | | | | |

【解　释】❶痛。❷心爱;喜爱。
【组　词】疼爱　偏疼　疼痛
【同音字】藤(瓜藤)
【形近字】病(生病)
【反义词】疼爱/厌恶
【近义词】疼爱/喜爱
【英　语】疼痛　pain [pein]

| téng | 笔画 | 部首 | 结构 | 五笔 | 造字法 |
|---|---|---|---|---|---|
| 腾 | 13 | 月 | 左右 | EUDC | 形声 |
| 笔顺 | ノ 月 月 月 月 月′ 月″ 月ᅭ 胖 胅 腠 腾 腾 | | | | |

【解　释】❶飞跑;跳跃。❷上升。❸让出;使空出地方。❹在某些动词之后表反复。❺姓。
【组　词】沸腾　腾身　腾达　升腾　欢腾　奔腾　喧腾　折腾
【造　句】沸腾——火力真大,水一会儿就沸腾了。
【同音字】疼(心疼)
【形近字】滕(滕州)
【成　语】腾云驾雾
【近义词】腾云驾雾/晕头转向
【英　语】腾越　jump over [dʒʌmp ˈəuvə]

| téng | 笔画 | 部首 | 结构 | 五笔 | 造字法 |
|---|---|---|---|---|---|
| 藤 | 18 | 艹 | 上下 | AEUI | 形声 |
| 笔顺 | 一 十 艹 芦 芦 芦 芦 芦 芦 芦 萨 萨 菔 藤 藤 藤 藤 藤 | | | | |

【解　释】❶蔓生植物名。❷指植物的匍匐茎或攀缘茎。❸用藤编制的东西。❹姓。

【组　词】树藤　藤蔓　葛藤　薯藤　青藤　豆藤

【同音字】疼(心疼)

【成　语】顺藤摸瓜

【形近字】滕(滕州)

【近义词】藤/蔓

【谚　语】藤绕树,树绕藤。

【英　语】藤椅　cane chair [kein tʃɛə]

## TI ㄊㄧ

| tī | 笔画 | 部首 | 结构 | 五笔 | 造字法 |
|---|---|---|---|---|---|
| 剔 | 10 | 刂 | 左右 | JQRJ | 形声 |
| 笔顺 | 丨 ㄇ 日 日 月 易 易 易 剔 剔 | | | | |

【解　释】❶将肉从骨头上刮下来。❷把缝隙里的东西挑出来。❸把不好的东西去掉。❹汉字的笔画。

【组　词】剔除　挑剔　剔红

【造　句】挑剔——你别挑剔,他们做得很认真了。

【同音字】梯(楼梯)

【形近字】刎(自刎)

【英　语】剔出　pick out [pik aut]

| tī | 笔画 | 部首 | 结构 | 五笔 | 造字法 |
|---|---|---|---|---|---|
| 梯 | 11 | 木 | 左右 | SUXT | 形声 |
| 笔顺 | 一 十 木 木 木 木 杉 杉 梯 梯 梯 | | | | |

【解　释】❶用来登高的器具或设备。❷像梯子形状的。

【组　词】梯子　云梯　楼梯　电梯　梯田　梯形　梯次　梯队

【造　句】梯队——我们连是作为后备力量的三梯队。

【同音字】踢(踢球)

【形近字】弟(兄弟)

【谚　语】梯子拦不住风。

【英　语】梯子　ladder [ˈlædə]

| tī | 笔画 | 部首 | 结构 | 五笔 | 造字法 |
|---|---|---|---|---|---|
| 踢 | 15 | 𧾷 | 左右 | KHJR | 形声 |
| 笔顺 | 丶 ㄇ 口 ㄗ 早 𧾷 𧾷 𧾷 𧾷 𧾷 𧾷 𧾷 踢 踢 踢 | | | | |

【解　释】提起腿用力伸出或用脚使劲撞击。

【组　词】踢球　踢腿　踢毽子

【同音字】梯(电梯)

【形近字】锡(锡条)

【谚　语】踢人一脚,须防一拳。

【英　语】踢足球　play football [plei ˈfutbɔːl]

| tí | 笔画 | 部首 | 结构 | 五笔 | 造字法 |
|---|---|---|---|---|---|
| 提 | 12 | 扌 | 左右 | RJGH | 形声 |
| 笔顺 | 一 十 扌 扌 扣 押 押 押 捍 捍 提 提 | | | | |

【解　释】❶垂着手拿东西。❷往上或往前移。❸指出或举出。❹取出来。❺一种容器。❻带犯人。❼汉

字的笔画之一。❽说。❾姓。
【组　词】提案　提醒　提审　提神　提拔　提名　提取　提问
【造　句】提问——我们每节语文课都有10分钟的提问时间。
【同音字】题(问题)
【形近字】堤(堤岸)
【成　语】提纲挈领　提心吊胆
【近义词】提名/推荐
【英　语】提醒　remind [ri'maind]
【多音字】dī(见155页)

| tí | 笔画 | 部首 | 结构 | 五笔 | 造字法 |
|---|---|---|---|---|---|
| 啼 | 12 | 口 | 左右 | KUPH | 形声 |
| 笔顺 | 丨 ㄇ 口 口 口 口 口 口 口 口 口 啼 | | | | |

【解　释】❶哭出了声音。❷某些鸟兽鸣叫。
【组　词】啼哭　啼叫　悲啼　啼鸣
【造　句】啼哭——这个婴儿不停地啼哭,急得他妈妈都不知该怎么办了。
【同音字】提(提出)
【形近字】蹄(马蹄)
【成　语】啼笑皆非
【近义词】啼天哭地/呼天喊地
【英　语】啼哭　cry [krai]

| tí | 笔画 | 部首 | 结构 | 五笔 | 造字法 |
|---|---|---|---|---|---|
| 题 | 15 | 页 | 半包围 | JGHM | 形声 |
| 笔顺 | 丨 ㄇ 日 日 旦 早 早 是 是 是 是 题 题 题 题 | | | | |

【解　释】❶题目,概括诗文内容的词句。❷写上。❸问题;中心概要。
【组　词】题目　无题　习题　试题　主题　标题　论题　题库　题材
【造　句】题目——这个作文题目令人难以理解。
【同音字】提(提醒)
【形近字】匙(钥匙)
【成　语】文不对题
【近义词】文不对题/词不达意
【英　语】题目　title ['taitl]

| tí | 笔画 | 部首 | 结构 | 五笔 | 造字法 |
|---|---|---|---|---|---|
| 蹄 | 16 | 𧾷 | 左右 | KHUH | 形声 |
| 笔顺 | 丶 ㄇ 口 早 早 足 足 足 𧾷 𧾷 𧾷 𧾷 𧾷 蹄 蹄 蹄 | | | | |

【解　释】牛、羊、马等动物趾端的角质物,也指具有这种角质的脚。
【组　词】蹄子　蹄筋　猪蹄　蹄印
【同音字】题(问题)
【形近字】啼(啼叫)
【成　语】马不停蹄
【英　语】蹄子　hoof [hu:f]

| tǐ | 笔画 | 部首 | 结构 | 五笔 | 造字法 |
|---|---|---|---|---|---|
| 体 | 7 | 亻 | 左右 | WSG | 会意 |
| 笔顺 | 丿 亻 仁 什 休 休 体 | | | | |

【解　释】❶身体,全身或身子的一部分。❷物体。❸事物的部分或全部。❹格式;形式。❺亲身的。❻制度。❼设身处地(着想)。❽一种语法范畴。
【组　词】体力　体裁　体会　体形　得体　主体　球体　母体　身体　体能
【造　句】体会——这次下乡让我们进一步体会到党的富民政策的重要性。
【辨　音】不读 xiū。

【形近字】休(休息)
【成　语】体贴入微　体无完肤
【反义词】体无完肤/安然无恙
【近义词】体会/领会
【谚　语】体壮人欺病,体弱病欺人。
【英　语】体温　temperature [ˈtempritʃə]

| tì | 笔画 | 部首 | 结构 | 五笔 | 造字法 |
|---|---|---|---|---|---|
| 屉 | 8 | 尸 | 半包围 | NANV | 形声 |
| 笔顺 | ㇐ ㇕ 尸 𡰪 𡰯 屃 屉 屉 | | | | |

【解　释】❶大小相等、可以层叠起来的扁平盛器。❷抽屉。
【组　词】抽屉　笼屉　蒸屉
【造　句】抽屉——我的书桌有三个抽屉。
【同音字】替(替补)
【形近字】届(届时)
【英　语】抽屉　drawer [ˈdrɔːə]

| tì | 笔画 | 部首 | 结构 | 五笔 | 造字法 |
|---|---|---|---|---|---|
| 剃 | 9 | 刂 | 左右 | UXHJ | 形声 |
| 笔顺 | 丶 丷 䒑 当 肖 弟 弟 弟 剃 | | | | |

【解　释】用特制的刀子刮去毛发。
【组　词】剃度　剃头
【同音字】惕(警惕)
【形近字】涕(涕泣)

| tì | 笔画 | 部首 | 结构 | 五笔 | 造字法 |
|---|---|---|---|---|---|
| 涕 | 10 | 氵 | 左右 | IUXT | 形声 |
| 笔顺 | 丶 冫 氵 氵 氵 洴 洴 涕 涕 涕 | | | | |

【解　释】❶眼泪。❷鼻涕。❸哭。
【组　词】涕泪　鼻涕　破涕为笑
【造　句】破涕为笑——他做了个鬼脸,将这个小孩逗得破涕为笑。
【辨　音】不读 dì。
【同音字】替(代替)
【形近字】剃(剃头)
【反义词】感激涕零/恩将仇报
【近义词】哭涕/哭泣
【谚　语】涕泪悲愁,不如捏紧拳头。
【英　语】涕泣　weep [wiːp]

| tì | 笔画 | 部首 | 结构 | 五笔 | 造字法 |
|---|---|---|---|---|---|
| 惕 | 11 | 忄 | 左右 | NJQR | 形声 |
| 笔顺 | 丶 丷 忄 忄 怛 怛 怛 怛 惕 惕 惕 | | | | |

【解　释】小心;谨慎。
【组　词】惕厉　警惕　惕励
【造　句】警惕——我们的战士警惕地守卫着边防。
【同音字】替(代替)
【形近字】剔(挑剔)
【反义词】警惕/松懈
【英　语】警惕　be on the alert [biː ɔn ði əˈləːt]

| tì | 笔画 | 部首 | 结构 | 五笔 | 造字法 |
|---|---|---|---|---|---|
| 替 | 12 | 曰 | 上下 | FWFJ | 形声 |
| 笔顺 | 一 二 扌 夫 夫 夫 扶 扶 替 替 替 替 | | | | |

【解　释】❶代;换。❷为;给。❸衰落;衰败。
【组　词】替补　代替　交替　替换
【造　句】代替——小明请假回去了,我代替他值日。
【同音字】惕(警惕)

T

【形近字】潜(潜水)
【谚　语】替人祝福,自己得福。
【英　语】替代 replace [ri'pleis]

## TIAN ㄊㄧㄢ

| tiān | 笔画 | 部首 | 结构 | 五笔 | 造字法 |
|---|---|---|---|---|---|
| 天 | 4 | 一 | 独体 | GD | 指事 |
| 笔顺 | 一 二 チ 天 | | | | |

【解　释】❶天空。❷大自然。❸白昼。❹一昼夜。❺头顶上的;空中的。❻气候;气象。❼季节。

甲骨文　金文　小篆　隶书　楷书

【字源释义】"天"是"颠"的本字,意思是"头顶"。人们的头顶上面就是天空,所以借以表示"天"。
【组　词】天才　天色　天子　天职　半天　后天　天书　天干　天地　天空
【造　句】天空——天空中的星星眨呀眨的,像在说悄悄话。
【同音字】添(增添)
【形近字】夭(夭折)
【成　语】天崩地裂　天花乱坠　天昏地暗　天经地义　天南地北　天下无敌　天衣无缝　天真烂漫
【反义词】天长地久/弹指之间
【近义词】天壤之别/大相径庭
【歇后语】天上的星星——数不清。
【谚　语】天雷不打饿肚人。
【英　语】天空 sky [skai]

| tiān | 笔画 | 部首 | 结构 | 五笔 | 造字法 |
|---|---|---|---|---|---|
| 添 | 11 | 氵 | 左右 | IGDN | 形声 |
| 笔顺 | 丶 丶 氵 氵 氵 沃 沃 添 添 添 添 | | | | |

【解　释】❶增加;补充。❷(方)指生育。
【组　词】添补　添彩　添乱　增添
【造　句】增添——我们学校又增添了几个实验班。
【同音字】天(天体)
【形近字】舔(舔食)
【成　语】添枝加叶
【反义词】增添/减少
【近义词】增添/增加
【英　语】添补 replenish [ri'pleniʃ]

| tián | 笔画 | 部首 | 结构 | 五笔 | 造字法 |
|---|---|---|---|---|---|
| 田 | 5 | 田 | 独体 | LLLL | 象形 |
| 笔顺 | 丨 冂 冃 田 田 | | | | |

【解　释】❶指能进行种植的土地,有时专指水田。❷指可供开采、蕴藏矿物的地带。❸同"畋(tián)",打猎。❹姓。

甲骨文　金文　小篆　隶书　楷书

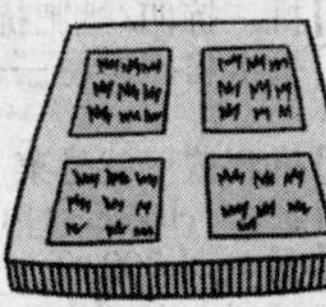

【字源释义】象形字，像一块块的田地。“田”又有“打猎”义，这个意义后来多写作“畋”。
【组　词】田地　田畴　田赋　田径　油田　煤田　种田
【同音字】甜（甜点）
【形近字】由（由来）
【歇后语】田字倒着放——上下一个样。
【谚　语】田怕秋日旱，人怕老来穷｜田不耕不肥，马无夜草不壮。
【英　语】田地　field [fi:ld]

| tián | 笔画 | 部首 | 结构 | 五笔 | 造字法 |
|---|---|---|---|---|---|
| 佃 | 7 | 亻 | 左右 | WLG | 会意 |
| 笔顺 | 丿 亻 仆 们 伯 佃 佃 | | | | |

【解　释】耕种田地。
【同音字】填（填空）
【形近字】细（细心）
【多音字】diàn（见 161 页）

| tián | 笔画 | 部首 | 结构 | 五笔 | 造字法 |
|---|---|---|---|---|---|
| 恬 | 9 | 忄 | 左右 | NTDG | 形声 |
| 笔顺 | 丶 丷 忄 忙 忙 忏 忏 恬 恬 | | | | |

【解　释】❶安静；宁静。❷不在乎；坦然。
【组　词】恬淡　恬适　恬然　恬静
【辨　音】不读 tiǎn。
【同音字】填（填空）
【形近字】话（说话）
【成　语】恬不知耻
【反义词】恬不知耻/无地自容
【近义词】恬静/安静
【英　语】恬静　quiet [ˈkwaiət]

| tián | 笔画 | 部首 | 结构 | 五笔 | 造字法 |
|---|---|---|---|---|---|
| 甜 | 11 | 舌 | 左右 | TDAF | 会意 |
| 笔顺 | 丿 二 千 千 舌 舌 舌一 甜 甜 甜 甜 | | | | |

【解　释】❶像糖或蜜一样的味道。❷形容舒适；愉快。❸比喻美好的生活。
【组　词】甜蜜　香甜　甜美　甜食　甜品　甜滋滋
【造　句】甜美——躺在蓝天下，品尝着甜美的果实，是一件多么快乐的事啊。
【同音字】田（田野）
【形近字】钳（老虎钳）
【成　语】甜言蜜语
【反义词】甜/苦　甜蜜/苦涩
【近义词】甜蜜/幸福
【歇后语】甜酒里掺酱油——真说不出个滋味来。
【谚　语】甜言美语三冬暖，恶语伤人六月寒。
【英　语】甜味　sweet taste [swi:t teist]

| tián | 笔画 | 部首 | 结构 | 五笔 | 造字法 |
|---|---|---|---|---|---|
| 填 | 13 | 土 | 左右 | FFHW | 形声 |
| 笔顺 | 一 十 土 圹 圹 圹 垍 垍 垍 垍 埴 填 填 | | | | |

【解　释】❶把凹陷的地方垫平或塞

满。❷补充。❸按要求书写。
【组　词】填空　填补　填写　填充
【造　句】填补——这项技术填补了我国在永磁材料生产方面的空白。
【辨　音】不读 shèn。
【同音字】田(田地)
【形近字】慎(谨慎)　真(真实)
【反义词】填补/挖空
【近义词】填充/补充
【英　语】填满　fill up [fil ʌp]

| tiǎn | 笔画 | 部首 | 结构 | 五笔 | 造字法 |
|---|---|---|---|---|---|
| 舔 | 14 | 舌 | 左右 | TDGN | 形声 |
| 笔顺 | 丿 二 千 千 舌 舌 舌 舌 舐 舔 舔 舔 舔 舔 | | | | |

【解　释】用舌头接触东西或取出东西。
【组　词】舔食　舔爪子　舔伤口
【辨　音】不读 tiān。
【形近字】添(增添)
【英　语】舔　lap [læp]

## TIAO　ㄊㄧㄠ

| tiāo | 笔画 | 部首 | 结构 | 五笔 | 造字法 |
|---|---|---|---|---|---|
| 挑 | 9 | 扌 | 左右 | RIQN | 形声 |
| 笔顺 | 一 十 扌 扌 扌 扌 扌 挑 挑 挑 | | | | |

【解　释】❶挑选。❷用肩膀担运东西。❸担子。❹量词。
【组　词】挑夫　挑剔　挑选　挑食
【造　句】挑食——小明有挑食的坏习惯,妈妈想帮他改正过来。
【形近字】桃(桃树)
【成　语】挑三拣四　挑肥拣瘦
【近义词】挑三拣四/挑肥拣瘦
【歇后语】挑水扁担进屋——直来直去。
【谚　语】挑到篮里就是菜。
【英　语】挑选　choose [tʃuːz]
【多音字】tiǎo(见 709 页)

| tiáo | 笔画 | 部首 | 结构 | 五笔 | 造字法 |
|---|---|---|---|---|---|
| 条 | 7 | 夂 | 上下 | TSU | 形声 |
| 笔顺 | 丿 夕 夂 夂 冬 条 条 | | | | |

【解　释】❶细长的树枝。❷细长的东西或形状。❸层次;秩序。❹分项目。❺量词。
【组　词】条件　条规　条理　枝条
【造　句】枝条——微风吹过,柔软的枝条随着微风轻轻地摆动。
【同音字】迢(千里迢迢)
【形近字】紊(紊乱)
【成　语】条分缕析
【英　语】条件　condition [kən'diʃən]

| tiáo | 笔画 | 部首 | 结构 | 五笔 | 造字法 |
|---|---|---|---|---|---|
| 迢 | 8 | 辶 | 半包围 | VKPD | 形声 |
| 笔顺 | ㇇ 刀 刀 召 召 召 迢 迢 | | | | |

【解　释】路程遥远。
【组　词】迢迢　迢远
【造　句】千里迢迢——他千里迢迢留洋海外,是为了学成后报效祖国。
【辨　音】不读 chāo。
【同音字】调(调料)
【形近字】超(超过)
【成　语】千里迢迢
【反义词】千里迢迢/近在咫尺
【英　语】迢迢　far away [fɑː ə'wei]

| tiáo | 笔画 | 部首 | 结构 | 五笔 | 造字法 |
| --- | --- | --- | --- | --- | --- |
| 调 | 10 | 讠 | 左右 | YMFK | 形声 |
| 笔顺 | 丶 讠 讠 讠 讠 讠 讠 讠 调 调 | | | | |

【解　释】❶配合得均匀合适。❷调解;处理。❸挑逗。❹挑拨。
【组　词】调味　调和　调适　失调
【造　句】失调——不要暴饮暴食,以免饮食失调得胃病。
【同音字】条(条件)
【形近字】惆(惆怅)
【成　语】风调雨顺
【反义词】风调雨顺/天灾人祸
【英　语】调节　regulate　[ˈregjuleit]
【多音字】diào(见165页)

| tiāo | 笔画 | 部首 | 结构 | 五笔 | 造字法 |
| --- | --- | --- | --- | --- | --- |
| 挑 | 9 | 扌 | 左右 | RIQN | 形声 |
| 笔顺 | 一 扌 扌 扌 扌 扌 扌 挑 挑 | | | | |

【解　释】❶用东西支起。❷用尖的东西向外拨。❸招惹;引起。❹汉字的一种笔画。
【组　词】挑起　挑动　挑衅　挑战
【造　句】挑战——新的世纪,我们面临新的挑战。
【形近字】桃(桃花)
【成　语】挑拨离间
【近义词】挑拨离间/搬弄是非
【英　语】挑战　challenge　[ˈtʃælindʒ]
【多音字】tiāo(见708页)

| tiào | 笔画 | 部首 | 结构 | 五笔 | 造字法 |
| --- | --- | --- | --- | --- | --- |
| 眺 | 11 | 目 | 左右 | HIQN | 形声 |
| 笔顺 | 丨 冂 月 月 目 目 眇 眇 眺 眺 眺 | | | | |

【解　释】从高处往远处看。
【组　词】远眺　眺望
【造　句】远眺——他登上东方明珠远眺,上海景色尽收眼底。
【同音字】跳(跳板)
【形近字】跳(跳高)
【反义词】远眺/近看
【近义词】远眺/远望
【英　语】眺望　look beyond　[luk biˈjɔnd]

| tiào | 笔画 | 部首 | 结构 | 五笔 | 造字法 |
| --- | --- | --- | --- | --- | --- |
| 粜 | 11 | 米 | 上下 | BMOU | 会意 |
| 笔顺 | 𠃌 凵 屮 出 出 出 出 出 粜 粜 粜 | | | | |

【解　释】卖出(粮食)。
【组　词】粜米
【同音字】眺(眺望)
【反义词】粜米/籴(dí)米

| tiào | 笔画 | 部首 | 结构 | 五笔 | 造字法 |
| --- | --- | --- | --- | --- | --- |
| 跳 | 13 | 𧾷 | 左右 | KHIQ | 形声 |
| 笔顺 | 丶 口 口 早 早 𧾷 𧾷 𧾷 𧾷 𧾷 跳 跳 跳 | | | | |

【解　释】❶腿上用力,使身体突然离开所在的地方。❷物体由于弹性作用而向上移动。❸一起一伏地动。❹越过。
【组　词】跳班　跳马　跳远　跳台
【造　句】跳马——昨天的跳马比

赛非常精彩。
【同音字】眺(远眺)
【形近字】眺(眺望)
【成　语】心惊肉跳
【英　语】跳舞　dance [dɑːns]

## TIE　ㄊㄧㄝ

| tiē | 笔画 | 部首 | 结构 | 五笔 | 造字法 |
|---|---|---|---|---|---|
| 帖 | 8 | 巾 | 左右 | MHHK | 形声 |
| 笔顺 | 丨 冂 巾 巾丨 巾卜 巾⺊ 帖 帖 | | | | |

【解　释】❶顺从。❷妥当;合适。❸姓。
【组　词】妥帖　服帖
【造　句】妥帖——这种安排方式很妥帖。
【同音字】贴(体贴)
【英　语】妥帖　fitting [ˈfitiŋ]
【多音字】tiě(见 710 页)
【多音字】tiè(见 710 页)

| tiē | 笔画 | 部首 | 结构 | 五笔 | 造字法 |
|---|---|---|---|---|---|
| 贴 | 9 | 贝 | 左右 | MHKG | 形声 |
| 笔顺 | 丨 冂 贝 贝 贝丨 贝卜 贝⺊ 贴 贴 | | | | |

【解　释】❶粘上。❷紧挨。❸确切;恰当。❹亏损。❺补齐。❻同"帖"。顺从;服从。❼量词。
【组　词】贴边　贴补　贴心　体贴
【造　句】贴边——你讲的话跟这件事根本不贴边。
【形近字】钻(钻石)
【近义词】贴补/补助
【英　语】贴切　pertinent [ˈpəːtinənt]

| tiě | 笔画 | 部首 | 结构 | 五笔 | 造字法 |
|---|---|---|---|---|---|
| 帖 | 8 | 巾 | 左右 | MHHK | 形声 |
| 笔顺 | 丨 冂 巾 巾丨 巾卜 巾⺊ 帖 帖 | | | | |

【解　释】❶便条。❷请客通知。
【组　词】请帖　帖子
【同音字】铁(铁锹)
【英　语】请帖　invitation [inviˈteiʃən]
【多音字】tiē(见 710 页)
【多音字】tiè(见 710 页)

| tiě | 笔画 | 部首 | 结构 | 五笔 | 造字法 |
|---|---|---|---|---|---|
| 铁 | 10 | 钅 | 左右 | QRWY | 形声 |
| 笔顺 | ノ ㇒ 𠂉 乍 钅 钅ノ 钅𠂉 钅⺧ 铁 铁 | | | | |

【解　释】❶金属元属,符号为 Fe。❷指刀枪等武器。❸形容坚硬;坚强。❹形容强暴;精锐。❺形容确定不移。❻表情严肃。❼关系密切。❽姓。
【组　词】铁板　铁饼　铁锤　铁青　白铁　铁匠　铁汉　铁证
【造　句】铁证如山——南京大屠杀铁证如山,日本军国主义者想赖是赖不掉的。
【同音字】帖(请帖)
【成　语】铁证如山　铁面无私
【谚　语】铁棒磨绣针,功到自然成|铁不冶炼不成钢,人不运动不健康。
【英　语】铁道　railway [ˈreilwei]

| tiè | 笔画 | 部首 | 结构 | 五笔 | 造字法 |
|---|---|---|---|---|---|
| 帖 | 8 | 巾 | 左右 | MHHK | 形声 |
| 笔顺 | 丨 冂 巾 巾丨 巾卜 巾⺊ 帖 帖 | | | | |

【解　释】学习写字或绘画时临摹用的样本。
【组　词】字帖　画帖　碑帖　法帖
【造　句】字帖——我买了一本字帖，那是颜真卿的字体。
【形近字】贴(贴上)
【多音字】tiē(见710页)
【多音字】tiě(见710页)

## TING ㄊㄧㄥ

| tīng | 笔画 | 部首 | 结构 | 五笔 | 造字法 |
|---|---|---|---|---|---|
| 厅 | 4 | 厂 | 半包围 | DSK | 形声 |
| 笔顺 | 一 厂 𠂆 厅 | | | | |

【解　释】❶聚会或招待客人用的大房间。❷机关里的办事机构。❸某些省属机关的名称。
【组　词】大厅　客厅　厅房　厅事　花厅　正厅　餐厅　门厅　教育厅
【同音字】听(听见)
【形近字】斤(斤两)
【反义词】正厅/偏房
【近义词】大厅/大堂
【英　语】餐厅　dining hall　[ˈdainiŋ hɔːl]

| tīng | 笔画 | 部首 | 结构 | 五笔 | 造字法 |
|---|---|---|---|---|---|
| 听 | 7 | 口 | 左右 | KRH | 形声 |
| 笔顺 | 丨 口 口 口′ 口Ⲋ 听 听 | | | | |

【解　释】❶用耳朵接受声音。❷顺从；接受。❸治理；判断。❹任凭。❺量词。

甲骨文　金文　小篆　隶书　楷书

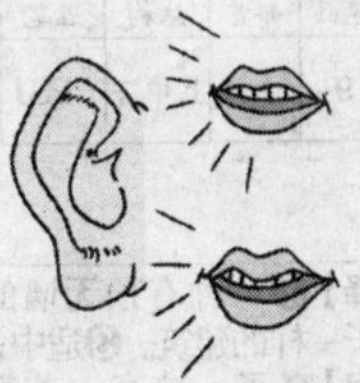

【字源释义】“听”的甲骨文字形像一只耳朵旁边有一张或两张嘴在说话，意为用耳朵感受声音的意思。引申为“听从”、“听任”等义。
【组　词】听候　听力　打听　动听
【造　句】动听——这首曲子很动听。
【同音字】厅(客厅)
【形近字】折(折断)
【反义词】听天由命/人定胜天
【近义词】听而不闻/充耳不闻
【歇后语】听三国流泪——替古人担忧。
【谚　语】听过不如见过，见过不如做过｜听人说话，多用头脑，少用耳朵。
【英　语】听从　obey　[əˈbei]

| tíng | 笔画 | 部首 | 结构 | 五笔 | 造字法 |
|---|---|---|---|---|---|
| 廷 | 6 | 廴 | 半包围 | TFPD | 形声 |
| 笔顺 | ㇒ 二 千 壬 廷 廷 | | | | |

【解　释】朝廷；宫廷。
【组　词】廷试　宫廷　朝廷
【同音字】庭(家庭)　蜓(蜻蜓)
【形近字】延(延安)
【英　语】宫廷　palace　[ˈpælis]

| tíng | 笔画 | 部首 | 结构 | 五笔 | 造字法 |
|---|---|---|---|---|---|
| 亭 | 9 | 亠 | 上中下 | YPSJ | 形声 |
| 笔顺 | 丶 亠 亡 亣 亨 亭 亭 亭 亭 | | | | |

【解　释】❶一种有顶无墙的建筑。❷像亭子一样的建筑。❸适中;均匀。
【组　词】亭子　凉亭　茶亭
【造　句】凉亭——山顶上有一座供游人歇脚的凉亭。
【同音字】廷(宫廷)
【形近字】停(停止)
【成　语】亭亭玉立
【英　语】亭子　pavilion [pə'viljən]

| tíng | 笔画 | 部首 | 结构 | 五笔 | 造字法 |
|---|---|---|---|---|---|
| 庭 | 9 | 广 | 半包围 | YTFP | 形声 |
| 笔顺 | 丶 亠 广 广 庄 庄 庭 庭 庭 | | | | |

【解　释】❶正房前的院子。❷厅堂;大房子。❸指法庭。
【组　词】家庭　庭园　出庭　天庭　开庭　庭院　庭审
【造　句】出庭——不知什么原因,原告这次没能按时出庭。
【同音字】停(停止)　蜓(蜻蜓)
【形近字】廷(朝廷)
【近义词】大庭广众/光天化日
【谚　语】庭院里养不出千里马,花园里育不出万年松。
【英　语】家庭　family ['fæmili]

| tíng | 笔画 | 部首 | 结构 | 五笔 | 造字法 |
|---|---|---|---|---|---|
| 停 | 11 | 亻 | 左右 | WYPS | 形声 |
| 笔顺 | 丿 亻 亻 亻 亻 亻 亻 亻 亻 亻 停 | | | | |

【解　释】❶停止;终止;不再进行。❷逗留。❸放置;泊靠。❹妥当。❺总数平分后,每一份为一停。
【组　词】停业　停工　停留　停车　停泊　停放　停火
【造　句】停业——这家商店因经营不善而停业了。
【同音字】庭(大庭广众)
【形近字】婷(婷婷)
【反义词】停止/开始
【近义词】停止/终止
【谚　语】停得千日货,才是掌财人。
【英　语】停止　stop [stɔp]

| tíng | 笔画 | 部首 | 结构 | 五笔 | 造字法 |
|---|---|---|---|---|---|
| 蜓 | 12 | 虫 | 左右 | JTFP | 形声 |
| 笔顺 | 丨 口 口 中 虫 虫 虫 虫 虫 虫 蜓 蜓 | | | | |

【解　释】见588页“蜻”。
【组　词】蜻蜓
【辨　音】不读yán。
【同音字】亭(亭亭玉立)
【形近字】挺(挺立)

| tíng | 笔画 | 部首 | 结构 | 五笔 | 造字法 |
|---|---|---|---|---|---|
| 婷 | 12 | 女 | 左右 | VYPS | 形声 |
| 笔顺 | 乚 女 女 女 女 女 女 女 女 女 女 婷 | | | | |

【解　释】形容人或花木美好。
【造　句】婷婷玉立——荷花在水池中婷婷玉立,特别美丽。
【同音字】廷(宫廷)
【形近字】停(停当)
【成　语】婷婷玉立
【英　语】婷婷　graceful ['greisful]

| tǐng | 笔画 | 部首 | 结构 | 五笔 | 造字法 |
|---|---|---|---|---|---|
| 挺 | 9 | 扌 | 左右 | RTFP | 形声 |
| 笔顺 | 一 十 扌 扌 扌 扌 扌 扌 挺 | | | | |

【解　释】❶硬而直。❷勉强支持。❸伸直或凸出。❹杰出;很。❺量词。
【组　词】挺拔　挺进　挺秀　挺举　坚挺　硬挺　挺立
【造　句】挺立——雄伟的塑像挺立在大桥两旁。
【同音字】艇(游艇)
【形近字】铤(铤而走险)
【成　语】挺身而出
【反义词】挺身而出/畏缩不前
【近义词】挺立/耸立
【英　语】挺拔　forceful [ˈfɔːsful]

| tǐng | 笔画 | 部首 | 结构 | 五笔 | 造字法 |
|---|---|---|---|---|---|
| 艇 | 12 | 舟 | 左右 | TETP | 形声 |
| 笔顺 | ′ 丿 月 月 舟 舟 舟 舟 舟 舟 艇 艇 | | | | |

【解　释】❶轻快的小船。❷排水量在500吨以下的军用船只。❸潜水艇。
【组　词】汽艇　快艇　舰艇　炮艇
【同音字】挺(挺立)
【形近字】铤(铤而走险)
【英　语】艇　light boat [lait bəut]

## TONG　ㄊㄨㄥ

| tōng | 笔画 | 部首 | 结构 | 五笔 | 造字法 |
|---|---|---|---|---|---|
| 通 | 10 | 辶 | 半包围 | CEPK | 形声 |
| 笔顺 | ㇇ 乛 乛 甬 甬 甬 甬 甬 诵 通 | | | | |

【解　释】❶没有阻塞;可以通过。❷清除阻塞。❸达到。❹交往。❺传达。❻了解。❼顺畅。❽全部。❾一般的。❿姓。
【组　词】通报　通常　通畅　通缉　交通　神通　串通　沟通　精通　通知
【造　句】通知——老师通知我们明天参加义务劳动。
【形近字】诵(吟诵)
【成　语】通情达理
【反义词】通情达理/不近人情
【近义词】通力合作/同心协力
【英　语】通俗　popular [ˈpɔpjulə]
【多音字】tòng(见716页)

T

| tóng | 笔画 | 部首 | 结构 | 五笔 | 造字法 |
|---|---|---|---|---|---|
| 同 | 6 | 冂 | 半包围 | M | 会意 |
| 笔顺 | 丨 冂 冂 冋 同 同 | | | | |

【解　释】❶相同;没有差异。❷相像;相同。❸一起;一齐。❹介词。和;跟。❺同"给",表示替人做事。❻姓。

甲骨文　金文　小篆　隶书　楷书

【字源释义】"同"字的上部是"凡",表示"大都"的意思;下面是"口",表示"说话"的意思。大家

都发出一样的声音，众口同声，本义是“共同”、“相同”。
【组　词】同伴　同伙　同名　同路　同志　同情　共同　合同　协同
【造　句】同甘共苦——这张发黄的相片让老张回忆起当年和战友们在农场同甘共苦的生活情景。
【同音字】桐（梧桐）
【形近字】周（周到）
【成　语】同仇敌忾　同归于尽　同流合污　同心同德　同心协力　同舟共济　同甘共苦
【反义词】同心协力/离心离德
【近义词】同舟共济/风雨同舟
【歇后语】同池塘的水——一样咸淡。
【谚　语】同声相应，同气相求。
【英　语】同意　agree［əˈgriː］
【多音字】tòng（见716页）

| tóng | 笔画 | 部首 | 结构 | 五笔 | 造字法 |
|---|---|---|---|---|---|
| 彤 | 7 | 彡 | 左右 | MYET | 形声 |
| 笔顺 | 丿 刀 月 丹 丹 彤 彤 | | | | |

【解　释】红色。
【组　词】彤红　彤云
【造　句】彤云——天上彤云密布。
【同音字】同（同时）
【近义词】彤云/红云

| tóng | 笔画 | 部首 | 结构 | 五笔 | 造字法 |
|---|---|---|---|---|---|
| 桐 | 10 | 木 | 左右 | SMGK | 形声 |
| 笔顺 | 一 十 才 木 朾 机 机 桐 桐 桐 | | | | |

【解　释】泡桐，落叶乔木，开白花或紫色花，生长快，木材可做琴、船、箱等。
【组　词】油桐　梧桐　泡桐
【造　句】梧桐——杨树高，榕树壮，梧桐树叶像手掌。
【同音字】同（相同）
【形近字】侗（侗族）
【英　语】油桐　tung tree［tʌŋ triː］

| tóng | 笔画 | 部首 | 结构 | 五笔 | 造字法 |
|---|---|---|---|---|---|
| 铜 | 11 | 钅 | 左右 | QMGK | 形声 |
| 笔顺 | 丿 𠂉 𠂉 𠂉 钅 钊 钔 钔 铜 铜 铜 | | | | |

【解　释】金属元素，符号 Cu，淡紫红色，延展性、导电性和导热性都很强，是工业生产上很重要的原料。
【组　词】铜矿　铜钱　铜板　铜元　青铜　红铜　铜钟　铜模
【造　句】铜墙铁壁——根据地军民结成的铜墙铁壁粉碎了日寇的猖狂进攻。
【同音字】同（相同）
【形近字】桐（梧桐）
【成　语】铜墙铁壁
【反义词】铜墙铁壁/不堪一击
【近义词】铜墙铁壁/固若金汤
【歇后语】铜叉碰铜锣——想（响）到一块儿。
【英　语】青铜　bronze［brɔnz］

| tóng | 笔画 | 部首 | 结构 | 五笔 | 造字法 |
|---|---|---|---|---|---|
| 童 | 12 | 立 | 上下 | UJFF | 形声 |
| 笔顺 | 丶 亠 亠 立 立 产 音 音 音 章 章 童 | | | | |

【解　释】❶儿童；小孩子。❷没结婚的。❸旧指未成年的男仆。❹光秃秃。❺姓。

【组　词】童年　儿童　童工　童仆　孩童　神童　顽童
【造　句】童言无忌——这孩子不会说话，您不必在意，童言无忌嘛。
【同音字】同（相同）
【形近字】重（重量）
【成　语】童颜鹤发　童言无忌
【反义词】童年/老年
【近义词】童年/幼年
【英　语】童年　childhood [ˈtʃaildhud]

| tóng | 笔画 | 部首 | 结构 | 五笔 | 造字法 |
|---|---|---|---|---|---|
| 瞳 | 17 | 目 | 左右 | HUJF | 形声 |
| 笔顺 | 丨 ∏ 冂 冃 目 目' 目˙ 目ˊ 目ˉ 目亠 目立 目立 瞕 瞕 瞳 瞳 瞳 | | | | |

【解　释】瞳孔，眼球中央的小孔，可以随着光线的强弱缩小或扩大。
【组　词】瞳孔　瞳仁　瞳人
【造　句】瞳孔——人死的时候，瞳孔就会散大。
【同音字】同（相同）
【形近字】潼（潼关）
【英　语】瞳孔　pupil [ˈpju:pil]

| tǒng | 笔画 | 部首 | 结构 | 五笔 | 造字法 |
|---|---|---|---|---|---|
| 统 | 9 | 纟 | 左右 | XYCQ | 形声 |
| 笔顺 | ㄥ 纟 纟 纟' 纟亠 纟云 纟允 统 统 | | | | |

【解　释】❶事物之间的连续关系。❷全部；总起来。❸总管；率领。❹使一致。
【组　词】统计　统称　统治　正统　血统　传统　统管
【造　句】传统——欢度春节是中华民族千百年来的传统习俗。
【辨　音】不读 chōng。
【同音字】桶（水桶）
【形近字】流（流水）
【反义词】统筹兼顾/顾此失彼
【近义词】统共/总共
【英　语】统计　statistics [stəˈtistiks]

| tǒng | 笔画 | 部首 | 结构 | 五笔 | 造字法 |
|---|---|---|---|---|---|
| 捅 | 10 | 扌 | 左右 | RCEH | 形声 |
| 笔顺 | 一 十 扌 扌' 扌ˊ 扌ˉ 扌丆 捅 捅 捅 | | | | |

【解　释】❶戳；扎；刺。❷戳穿；揭露。❸碰；触。
【组　词】捅烂　捅破　捅娄子
【造　句】捅破——他把窗纸捅破了。
【辨　音】不读 tōng。
【同音字】统（总统）
【形近字】佣（佣人）
【近义词】捅破/揭穿
【英　语】捅　poke [pəuk]

| tǒng | 笔画 | 部首 | 结构 | 五笔 | 造字法 |
|---|---|---|---|---|---|
| 桶 | 11 | 木 | 左右 | SCEH | 形声 |
| 笔顺 | 一 十 才 木 木' 木ˊ 木ˉ 木丆 桶 桶 桶 | | | | |

【解　释】盛水或盛其他东西的器具，深度较大，多为圆形，一般用木、铁皮、塑料等制成。
【组　词】木桶　铁桶　马桶　饭桶
【同音字】统（总统）
【形近字】捅（捅破）
【英　语】水桶　water bucket [ˈwɔ:tə ˈbʌkit]

| tǒng | 笔画 | 部首 | 结构 | 五笔 | 造字法 |
|---|---|---|---|---|---|
| 筒 | 12 | ⺮ | 上下 | TMGK | 形声 |
| 笔顺 | ノ ⺈ ⺮ 竹 竹 竺 笁 筒 筒 筒 筒 筒 | | | | |

【解　释】❶粗大的竹管。❷较粗的管状物。❸衣物的筒状部分。❹中空而能起传递作用的管状物。
【组　词】听筒　话筒　气筒　烟筒
【同音字】捅(捅破)　桶(木桶)
【形近字】简(简单)
【歇后语】筒车打水——团团转。
【英　语】竹筒　bamboo tube [bæmˈbuː tjuːb]

| tòng | 笔画 | 部首 | 结构 | 五笔 | 造字法 |
|---|---|---|---|---|---|
| 同 | 6 | 冂 | 半包围 | M | 会意 |
| 笔顺 | 丨 冂 冂 同 同 同 | | | | |

【解　释】[胡同]小巷道。
【解　释】胡同
【造　句】胡同——穿过这条胡同就能看到那座建筑。
【同音字】痛(痛苦)
【英　语】胡同　lane [lein]
【多音字】tóng(见 714 页)

| tòng | 笔画 | 部首 | 结构 | 五笔 | 造字法 |
|---|---|---|---|---|---|
| 通 | 10 | 辶 | 半包围 | CEPK | 形声 |
| 笔顺 | 乛 マ 乛 丙 甬 甬 甬 甬 通 通 | | | | |

【解　释】量词。用于动作。
【组　词】一通
【同音字】痛(痛苦)
【多音字】tōng(见 713 页)

| tòng | 笔画 | 部首 | 结构 | 五笔 | 造字法 |
|---|---|---|---|---|---|
| 痛 | 12 | 疒 | 半包围 | UCEK | 形声 |
| 笔顺 | 丶 亠 广 广 疒 疒 疒 疒 痛 痛 痛 痛 | | | | |

【解　释】❶因伤病等引起的难受的感觉。❷悲伤。❸尽情的;彻底的;深切的。
【组　词】痛处　痛哭　痛苦　痛痒
【造　句】痛改前非——被提前释放的劳改人员表示一定要痛改前非,重新做人。
【形近字】桶(木桶)
【成　语】痛改前非
【近义词】痛改前非/悔过自新
【英　语】痛快　joyful [ˈdʒɔifəl]

## TOU　ㄊㄡ

| tōu | 笔画 | 部首 | 结构 | 五笔 | 造字法 |
|---|---|---|---|---|---|
| 偷 | 11 | 亻 | 左右 | WWGJ | 形声 |
| 笔顺 | ノ 亻 亻 个 伶 伶 伶 偷 偷 偷 偷 | | | | |

【解　释】❶私下拿别人的东西并据为己有。❷行动瞒着别人。❸抽空儿。❹得过且过;只顾眼前;苟且。
【组　词】偷盗　偷懒　偷巧　偷生
【造　句】偷梁换柱——在文物交易市场上,常常有人偷梁换柱,以假乱真,赚取不义之财。
【形近字】榆(榆树)
【成　语】偷工减料　偷梁换柱
【反义词】偷工减料/精工细做
【近义词】偷工减料/粗制滥造
【歇后语】偷来的喇叭——吹不得。

【英 语】偷窃 steal [stiːl]

| tóu | 笔画 | 部首 | 结构 | 五笔 | 造字法 |
|---|---|---|---|---|---|
| 头 | 5 | 丶 | 独体 | UDI | 形声 |
| 笔顺 | 丶 丶 ⺀ 头 头 | | | | |

【解 释】❶脑袋。❷指头发和发式。❸事物的顶端或末梢。❹事情的起点或终点。❺物品的残余部分。❻首领;领导人。❼方面。❽次序在最前;第一。❾领头的;居先的。❿量词。⓫方位词词尾。

【组 词】头皮 头发 头顶 多头

【造 句】头重脚轻——病好刚下地的那几天,他还是觉得头重脚轻。

【同音字】投(投向)

【形近字】斗(斗争)

【成 语】头头是道 头重脚轻

【反义词】头头是道/语无伦次

【近义词】头破血流/皮开肉绽

【歇后语】篱笆上吊南瓜——头重脚轻。

【谚 语】头马不慌,马群不乱。

【英 语】头发 hair [hɛə]

| tóu | 笔画 | 部首 | 结构 | 五笔 | 造字法 |
|---|---|---|---|---|---|
| 投 | 7 | 扌 | 左右 | RMCY | 会意 |
| 笔顺 | 一 十 扌 扌 扌 投 投 | | | | |

【解 释】❶扔;掷;多指有目标的。❷放进;送进。❸跳进去。❹光线等射向物体。❺寄送。❻报上去;加入。❼合得来。❽抛掷;丢弃。❾送;赠。

【组 词】投案 投标 投产 投机

【造 句】投笔从戎——20世纪三四十年代,许多青年学生投笔从戎,奔赴抗日前线。

【同音字】头(头发)

【成 语】投机取巧 投笔从戎

【反义词】投笔从戎/解甲归农

【近义词】投桃报李/礼尚往来

【歇后语】投石下水——试试深浅。

【谚 语】投瓜得琼,抛砖引玉。

【英 语】投票 vote [vəut]

| tòu | 笔画 | 部首 | 结构 | 五笔 | 造字法 |
|---|---|---|---|---|---|
| 透 | 10 | 辶 | 半包围 | TEPV | 形声 |
| 笔顺 | 丿 二 千 禾 禾 秀 秀 秀 诱 透 | | | | |

【解 释】❶渗过;穿过。❷泄露。❸很通达;极明白。❹显露。❺达到饱满的、充分的程度。

【组 词】透过 透风 透视 透明 透辟 透彻 透顶 深透

【造 句】透彻——老师把这个问题讲解得很透彻。

【反义词】透明/浑浊

【近义词】玲珑剔透/小巧玲珑

【英 语】透彻 penetrating [ˈpeni-treitiŋ]

## TU 去乂

| tū | 笔画 | 部首 | 结构 | 五笔 | 造字法 |
|---|---|---|---|---|---|
| 凸 | 5 | 丨 | 独体 | HGMG | 象形 |
| 笔顺 | 丨 亅 ⺊ 凸 凸 | | | | |

【解 释】周围低,中间高(跟"凹"相对)。

【组 词】凸起 凸版 凸轮 凹凸

【造 句】凸出——这堵墙凸出了

T

一块。
【同音字】秃(秃头)
【形近字】凹(凹下去)
【英　语】凸出　jut [ʤʌt]

| tū | 笔画 | 部首 | 结构 | 五笔 | 造字法 |
|---|---|---|---|---|---|
| 秃 | 7 | 禾 | 上下 | TMB | 会意 |
| 笔顺 | ˊ 二 千 禾 禾 秃 秃 | | | | |

【解　释】❶人没有头发。❷鸟兽头或尾没有毛。❸树木没有枝叶,山岭没有草木。❹物体没有尖端。
【组　词】秃笔　秃顶　秃头　光秃秃
【同音字】突(突出)
【形近字】秀(秀丽)
【歇后语】秃头上的虱(shī)子——明摆着|秃子不点灯——自量(亮)。
【英　语】秃顶　bald head [bɔːld hed]

| tū | 笔画 | 部首 | 结构 | 五笔 | 造字法 |
|---|---|---|---|---|---|
| 突 | 9 | 穴 | 上下 | PWDU | 会意 |
| 笔顺 | ˋ ˊ 宀 宀 穴 空 空 突 突 | | | | |

【解　释】❶打破;冲出。❷忽然。❸鼓起。❹指烟囱。
【组　词】突然　突袭　突围　突出　突击　突现
【造　句】突出——小强学习成绩在班里非常突出。
【同音字】秃(秃山)
【形近字】空(空气)
【成　语】突如其来　突飞猛进
【反义词】突飞猛进/停滞不前
【近义词】突如其来/猝不及防
【英　语】突然　suddenly [ˈsʌdənli]

| tú | 笔画 | 部首 | 结构 | 五笔 | 造字法 |
|---|---|---|---|---|---|
| 图 | 8 | 囗 | 全包围 | LTUI | 会意 |
| 笔顺 | 丨 冂 冂 冈 冈 图 图 图 | | | | |

【解　释】❶图画;画出来的形象。❷绘;画。❸谋略;计划。❹希望得到;谋取。
【组　词】图书　图表　图纸　图片　图解　图钉　图记　图样　插图　雄图　图章　宏图
【造　句】唯利是图——不法商贩唯利是图,把瘟鸡加工出售。
【同音字】涂(涂上)
【形近字】圆(圆形)
【成　语】发愤图强　图穷匕见　图谋不轨　唯利是图
【反义词】唯利是图/大公无私
【近义词】唯利是图/利欲熏心
【歇后语】图书馆的家当——尽是输(书)。
【谚　语】图官在乱世,觅富在荒年|图小利大事不成。
【英　语】图像　picture [ˈpiktʃə]

| tú | 笔画 | 部首 | 结构 | 五笔 | 造字法 |
|---|---|---|---|---|---|
| 徒 | 10 | 彳 | 左右 | TFHY | 形声 |
| 笔顺 | ノ ク 彳 彳 彳 往 往 徒 徒 徒 | | | | |

【解　释】❶弟子;学生。❷步行。❸空;空的。❹枉然;白白地。❺同一派系的人。❻信仰某种宗教的人。❼坏人;有不良嗜好的人。❽刑罚;徒刑。

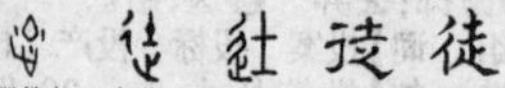
甲骨文　金文　小篆　隶书　楷书

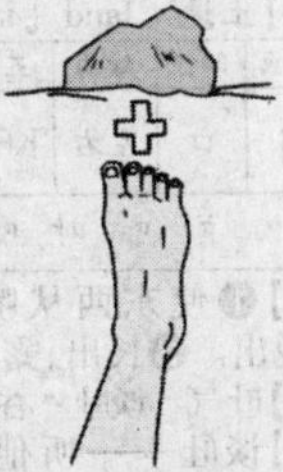

【字源释义】“徒”的本义是“步行”。甲骨文“徒”字上半是“土”(声旁),下半是“止”(足状,形旁)。金文以后又加上一个形旁“彳”(“行走”义),更明显地表意。现在还有“徒步”一词。
【组　词】徒步　徒弟　徒孙　徒工　徒劳　徒刑　教徒　匪徒
【造　句】徒弟——爸爸在工厂带了两个徒弟。
【辨　音】不读 xǐ。
【同音字】涂(涂掉)
【形近字】陡(陡峭)
【成　语】徒劳无功
【反义词】徒劳无功/卓有成效
【近义词】徒劳无功/劳而无功
【歇后语】徒手拿刺猬——不知从哪里下手。
【谚　语】徒手打虎易,开口告人难。
【英　语】徒步 on foot [ɔn fut]

| tú | 笔画 | 部首 | 结构 | 五笔 | 造字法 |
|---|---|---|---|---|---|
| 途 | 10 | 辶 | 半包围 | WTPI | 形声 |
| 笔顺 | 丿 人 亼 今 仐 佘 余 涂 涂 途 | | | | |

【解　释】道路。
【组　词】途径　短途　坦途　归途　通途　旅途　路途　迷途
【造　句】归途——他在外漂泊了多年,今天终于踏上了归途。
【同音字】图(画图)
【形近字】涂(涂掉)
【成　语】殊途同归
【反义词】道听途说/耳闻目睹
【近义词】道听途说/捕风捉影
【英　语】途径 way [wei]

| tú | 笔画 | 部首 | 结构 | 五笔 | 造字法 |
|---|---|---|---|---|---|
| 涂 | 10 | 氵 | 左右 | IWTY | 形声 |
| 笔顺 | 丶 丷 氵 氵丿 汄 氽 汵 涂 涂 涂 | | | | |

【解　释】❶往物体上擦抹油漆、脂粉、药物等。❷为修改而抹去。❸乱写。❹泥泞。❺姓。
【组　词】涂改　涂炭　涂料
【造　句】涂改——老师教导我们写大楷不要涂改,只要多练,总会把字写漂亮的。
【同音字】图(图画)
【形近字】徐(徐徐)
【英　语】涂改 alter [ˈɔːltə]

| tú | 笔画 | 部首 | 结构 | 五笔 | 造字法 |
|---|---|---|---|---|---|
| 屠 | 11 | 尸 | 半包围 | NFTJ | 形声 |
| 笔顺 | 一 コ 尸 尸 尸 屋 屖 屠 屠 屠 屠 | | | | |

【解　释】❶宰杀牲畜。❷残杀人。❸姓。
【组　词】屠杀　屠城　屠夫　屠刀　屠户
【造　句】屠杀——南京大屠杀是日本侵略者残害中国人民的罪证。
【同音字】图(图书)

【形近字】诸(诸侯)
【近义词】屠杀/杀害
【歇后语】屠户对着杀猪佬——同行。
【英　语】屠杀 massacre ['mæsəkə]

| tǔ | 笔画 | 部首 | 结构 | 五笔 | 造字法 |
|---|---|---|---|---|---|
| 土 | 3 | 土 | 独体 | FFFF | 指事 |
| 笔顺 | 一 十 土 | | | | |

【解　释】❶土壤;泥土;地面上的沙、泥等混合物。❷土地。❸本地的;地方性的。❹民间的。❺不开通;不时兴。❻姓。

【字源释义】象形字。甲骨文、金文"土"字看上去像地面上有一堆土。
【组　词】土地　土豆　土壤　黄土　泥土　土戏　土匪　风土　故土　本土　土司　土族　土著　土质　土语　土色
【造　句】土气——小张从贫困山区来,一身土气,但我们并没有看不起他。
【同音字】吐(吐丝)
【形近字】士(士兵)　干(干净)
【成　语】土崩瓦解
【反义词】土崩瓦解/坚如磐石
【近义词】土崩瓦解/分崩离析
【歇后语】土地爷洗澡——一摊泥。
【谚　语】土地无偏心,专爱劳动人。

【英　语】土地 land [lænd]

| tǔ | 笔画 | 部首 | 结构 | 五笔 | 造字法 |
|---|---|---|---|---|---|
| 吐 | 6 | 口 | 左右 | KFG | 形声 |
| 笔顺 | 丨 ㄇ 口 口一 叶 吐 | | | | |

【解　释】❶使东西从嘴里吐出来。❷说出。❸长出;露出。
【组　词】吐气　谈吐　吞吐　倾吐
【造　句】谈吐——听他的谈吐,就知道他是个有学问的人。
【同音字】土(土匪)
【形近字】杜(杜绝)
【成　语】吐故纳新
【反义词】吐故纳新/抱残守缺
【近义词】吐故纳新/推陈出新
【英　语】吐露 reveal [ri'vi:l]
【多音字】tù(见720页)

| tù | 笔画 | 部首 | 结构 | 五笔 | 造字法 |
|---|---|---|---|---|---|
| 吐 | 6 | 口 | 左右 | KFG | 形声 |
| 笔顺 | 丨 ㄇ 口 口一 叶 吐 | | | | |

【解　释】❶呕;胃里的东西从嘴里涌出。❷比喻被迫退还侵吞的财物。
【组　词】呕吐　吐血　吐沫
【造　句】呕吐——他晚上胃一直不舒服,呕吐不止。
【同音字】兔(白兔)
【英　语】吐沫 saliva [sə'laivə]
【多音字】tǔ(见720页)

| tù | 笔画 | 部首 | 结构 | 五笔 | 造字法 |
|---|---|---|---|---|---|
| 兔 | 8 | 勹 | 上下 | QKQY | 象形 |
| 笔顺 | 丿 ⺈ ⺈ 㔾 色 免 兔 兔 | | | | |

【解　释】兔子,哺乳动物,耳长,尾短,上唇中间裂开,跑得快,善

跳跃，有家兔、野兔等种类。肉可吃，毛皮可制衣物。

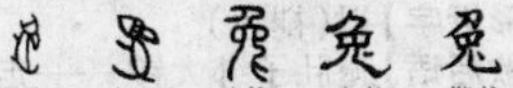

甲骨文 金文 小篆 隶书 楷书

【字源释义】象形字。古文“兔”字十分形象地表现了兔子的特征：长长的耳朵，灵活的身体，还有短小的腿和尾巴。后来就变得不那么象形了。
【组　词】兔子　兔毛　家兔　野兔　玉兔　兔唇　兔崽子
【同音字】吐（吐血）
【形近字】免（免除）
【成　语】兔死狐悲
【近义词】兔死狐悲/物伤其类
【英　语】兔子　hare [hɛə]

## TUAN ㄊㄨㄢ

| tuān | 笔画 | 部首 | 结构 | 五笔 | 造字法 |
|---|---|---|---|---|---|
| 湍 | 12 | 氵 | 左右 | IMDJ | 形声 |
| 笔顺 | 丶 丶 氵 氵 氵 氵 氵 氵 氵 湍 湍 湍 | | | | |

【解　释】急流的水。
【组　词】湍急
【造　句】湍急——流沙河水流湍急。
【辨　音】不读 ruì。
【形近字】瑞（瑞雪）
【英　语】湍流　rushing waters ['rʌʃiŋ 'wɔːtəz]

| tuán | 笔画 | 部首 | 结构 | 五笔 | 造字法 |
|---|---|---|---|---|---|
| 团 | 6 | 囗 | 全包围 | LFT | 形声 |
| 笔顺 | 丨 冂 冃 冃 团 团 | | | | |

【解　释】❶圆形的。❷圆球状食物。❸聚合在一起。❹工作或活动的集体组织。❺青少年的组织，有时特指共产主义青年团。❻军队的编制单位，是营的上一级。
【组　词】团结　团员　团圆　集团　剧团　军团　饭团　疑团　民团
【造　句】团结——只要我们大家团结在一起，没有什么问题解决不了。
【形近字】困（困难）
【反义词】团结/分裂
【近义词】漆黑一团/暗无天日
【谚　语】团结力量大，泰山可搬家|团结一条心，黄土变成金。
【英　语】团结　unite [ju'nait]

## TUI ㄊㄨㄟ

| tuī | 笔画 | 部首 | 结构 | 五笔 | 造字法 |
|---|---|---|---|---|---|
| 推 | 11 | 扌 | 左右 | RWYG | 形声 |
| 笔顺 | 一 十 扌 扌 扌 扌 扌 扌 推 推 推 | | | | |

【解　释】❶使物体顺着用力的方向移动。❷使工具向前移动。❸使事情开展。❹辞让；推卸。❺延缓；往后挪。❻举荐；选择。❼看重；重视。❽拒绝。❾根据已知情况判断。
【组　词】推敲　推动　推测　推托

推算 推翻 推广 推理 推迟 推辞

【造 句】推辞——他因为身体不舒服，推辞了邀请。

【形近字】准（准确）

【成 语】推波助澜 推陈出新 推心置腹

【反义词】推波助澜/息事宁人

【近义词】推波助澜/兴风作浪

【歇后语】推车爬坡——越高越难。

【谚 语】推开窗子说亮话。

【英 语】推迟 put off [put ɔːf]

| tuí | 笔画 | 部首 | 结构 | 五笔 | 造字法 |
|---|---|---|---|---|---|
| 颓 | 13 | 页 | 左右 | TMDM | 形声 |
| 笔顺 | 一 二 千 禾 禾 秃 秃 秃 秃 秃 秃 颓 颓 | | | | |

【解 释】❶崩坏；倒塌。❷衰败。❸意志消沉；精神不振。

【组 词】颓败 颓然 颓丧 颓废 颓唐

【造 句】颓废——他下岗的这些日子，精神一直很颓废。

【辨 音】不读 tuī 或 tuì。

【形近字】颖（新颖）

【英 语】颓丧 dejected [di'jektid]

| tuǐ | 笔画 | 部首 | 结构 | 五笔 | 造字法 |
|---|---|---|---|---|---|
| 腿 | 13 | 月 | 左右 | EVEP | 形声 |
| 笔顺 | 丿 月 月 月 月 月 月 月 月 月 腿 腿 腿 | | | | |

【解 释】❶人和动物的身体器官，用来支撑身体和行走的部分。❷器物上作用和形状像腿的部分。❸指火腿，一种腌制的猪腿。

【组 词】大腿 前腿 腿脚 桌腿

【造 句】腿脚——这位老人虽然八十多岁了，但腿脚还很利索。

【形近字】褪（褪色）

【歇后语】腿肚子绑大锣——走到哪里响到哪里。

【谚 语】腿快不怕路远。

【英 语】腿 leg [leg]

| tuì | 笔画 | 部首 | 结构 | 五笔 | 造字法 |
|---|---|---|---|---|---|
| 退 | 9 | 辶 | 半包围 | VEPI | 会意 |
| 笔顺 | ㄱ ㄱ 彐 艮 艮 艮 艮 退 退 | | | | |

【解 释】❶向后移动（跟“进”相对）。❷使人或物向后移动。❸离开；辞去。❹下降；减退。❺归还；送还；撤销。

【组 词】退后 退亲 退伙 退路

【造 句】退避三舍——见到大象，狮子、老虎也要退避三舍。

【同音字】褪（褪色）

【形近字】很（很好）

【成 语】退避三舍

【反义词】退避三舍/针锋相对

【近义词】退避三舍/敬而远之

【谚 语】退后一步，天宽地阔。

【英 语】退还 return [ri'təːn]

| tuì | 笔画 | 部首 | 结构 | 五笔 | 造字法 |
|---|---|---|---|---|---|
| 蜕 | 13 | 虫 | 左右 | JUKQ | 形声 |
| 笔顺 | 丨 口 口 中 虫 虫 虫 虫 虫 虫 虫 蜕 蜕 | | | | |

【解 释】❶蛇、蝉等脱皮。❷蛇、蝉等脱下的皮。

【组 词】蜕变 蜕化 蜕皮

【造 句】蜕皮——蛇每蜕皮一次就会长大一些。

【同音字】退(退让)
【形近字】说(说话)
【英　语】蜕皮　molt [məult]

| tuì | 笔画 | 部首 | 结构 | 五笔 | 造字法 |
| --- | --- | --- | --- | --- | --- |
| 褪 | 14 | 衤 | 左右 | PUVP | 形声 |
| 笔顺 | 丶 ㇇ 礻 礻 衤 衤ヨ 衤ヨ 衤ヨ 衤艮 衤艮 衤艮 衤艮 衤艮 褪 | | | | |

【解　释】❶颜色变淡或消失。❷鸟兽脱毛。
【组　词】褪毛　褪色
【造　句】褪色——这件衣服才洗一次就褪色了。
【同音字】退(退后)
【形近字】腿(小腿)
【英　语】褪色　fade [feid]
【多音字】tùn(见724页)

## TUN　ㄊㄨㄣ

| tūn | 笔画 | 部首 | 结构 | 五笔 | 造字法 |
| --- | --- | --- | --- | --- | --- |
| 吞 | 7 | 口 | 上下 | GDKF | 形声 |
| 笔顺 | 一 二 チ 天 天 吞 吞 | | | | |

【解　释】❶不经咀嚼，整个咽到肚子里。❷兼并；侵占。
【组　词】吞并　吞吐　独吞　并吞
【造　句】吞吞吐吐——他说话吞吞吐吐，真让人着急。
【形近字】蚕(春蚕)
【成　语】吞吞吐吐
【反义词】吞吞吐吐/脱口而出
【近义词】吞吞吐吐/支支吾吾
【歇后语】没事嗑瓜子——吞吞吐吐。
【谚　语】吞下一口怨气，等于吞下一座山。

【英　语】吞咽　swallow ['swɔləu]

| tún | 笔画 | 部首 | 结构 | 五笔 | 造字法 |
| --- | --- | --- | --- | --- | --- |
| 屯 | 4 | 一 | 独体 | GBNV | 会意 |
| 笔顺 | 一 ㇆ 凵 屯 | | | | |

【解　释】❶聚集，储存。❷驻扎。❸村庄，村落。
【组　词】屯聚　屯粮　屯田　屯兵
【造　句】屯聚——这里的地形适宜屯聚大量的兵力。
【同音字】囤(囤积居奇)
【英　语】屯聚　collect [kə'lekt]
【多音字】zhūn(见950页)

| tún | 笔画 | 部首 | 结构 | 五笔 | 造字法 |
| --- | --- | --- | --- | --- | --- |
| 囤 | 7 | 口 | 全包围 | LGBN | 形声 |
| 笔顺 | 丨 冂 冂 冋 冋 囤 囤 | | | | |

【解　释】积存；储藏。
【组　词】囤粮　囤货　囤积居奇
【造　句】囤积居奇——解放前，每遇战争和灾荒发生，必有奸商囤积居奇，操纵物价，使百姓生活雪上加霜。
【同音字】臀(臀部)
【近义词】囤积居奇/奇货可居
【英　语】囤货　store goods [stɔː gudz]
【多音字】dùn(见182页)

| tún | 笔画 | 部首 | 结构 | 五笔 | 造字法 |
| --- | --- | --- | --- | --- | --- |
| 臀 | 17 | 月 | 上下 | NAWE | 形声 |
| 笔顺 | ㇇ ㇆ 尸 尸 尸 屈 屈 屈 屈 屈 屈 殿 殿 殿 臀 臀 臀 | | | | |

【解　释】屁股，指两股上端与腰相连的部位。

T

【组　词】臀部
【辨　音】不读 diàn。
【形近字】殿(殿下)
【英　语】臀部　buttocks [ˈbʌtəks]

| tùn | 笔画 | 部首 | 结构 | 五笔 | 造字法 |
|---|---|---|---|---|---|
| 褪 | 14 | 礻 | 左右 | PUVP | 形声 |
| 笔顺 | 丶 ㇇ 礻 礻 礻 礻 礻 礻 礻 礻 礻 礻 礻 褪 | | | | |

【解　释】套着的东西往下脱落或使脱掉。
【多音字】tuì(见 723 页)

## TUO　ㄊㄨㄛ

| tuō | 笔画 | 部首 | 结构 | 五笔 | 造字法 |
|---|---|---|---|---|---|
| 托 | 6 | 扌 | 左右 | RTAN | 形声 |
| 笔顺 | 一 十 扌 扌 扌 托 | | | | |

【解　释】❶用手掌或器皿承受东西。❷承受器物的东西。❸陪衬。❹暂放;寄放。❺请别人代办。❻推托;借故推诿或躲闪。
【组　词】托庇　托词　托付　托运
【造　句】托运——他的东西这么多,得找人来帮忙托运。
【同音字】脱(脱落)
【反义词】拖延/抓紧
【近义词】嘱托/托付
【谚　语】托人如托山。
【英　语】托付　entrust to [inˈtrʌst tuː]

| tuō | 笔画 | 部首 | 结构 | 五笔 | 造字法 |
|---|---|---|---|---|---|
| 拖 | 8 | 扌 | 左右 | RTBN | 形声 |
| 笔顺 | 一 十 扌 扌 扌 扌 扌 拖 | | | | |

【解　释】❶牵引;拉着物体使移动。❷耷拉;垂。❸拖延;拉长时间。❹用拖把擦洗。
【组　词】拖拉　拖车　拖延　拖后　拖欠　拖把　拖累　拖堂　拖布　拖带　拖网　拖鞋
【造　句】拖累——我不能这么自私,不能拖累亲朋好友。
【同音字】脱(脱衣)
【形近字】施(措施)
【成　语】拖泥带水
【反义词】拖泥带水/直截了当
【近义词】拖泥带水/连篇累牍
【英　语】拖延　delay [diˈlei]

| tuō | 笔画 | 部首 | 结构 | 五笔 | 造字法 |
|---|---|---|---|---|---|
| 脱 | 11 | 月 | 左右 | EUKQ | 形声 |
| 笔顺 | 丿 刀 月 月 月 月 月 月 月 月 脱 | | | | |

【解　释】❶掉下;脱落。❷去掉;取下。❸离开;断绝。❹漏掉。❺姓。
【组　词】脱产　脱落　脱臼　脱离　脱毛　脱手　脱身　脱位　脱口而出
【造　句】脱离——经过医生的抢救,他终于脱离了危险。
【同音字】拖(拖拉)
【形近字】说(说话)
【成　语】脱胎换骨　脱缰之马　脱颖而出
【反义词】脱口而出/吞吞吐吐
【近义词】脱口而出/信口开河
【谚　语】脱却金钩去,回头再不来|脱离劳动等于犯罪。
【英　语】脱落　drop [drɔp]

| tuó | 笔画 | 部首 | 结构 | 五笔 | 造字法 |
|---|---|---|---|---|---|
| 驮 | 6 | 马 | 左右 | CDY | 形声 |
| 笔顺 | ㇇ 马 马 马一 马ナ 驮 | | | | |

【解　释】用背负载人或物品。
【组　词】驮运　驮米　驮马
【造　句】驮运——现在有些山区还在用马匹驮运粮食。
【同音字】驼(骆驼)
【形近字】汰(淘汰)
【歇后语】驮盐驴子跳河——减轻负担。
【谚　语】驼驮千斤,蚁负粒米。
【英　语】驮　carry on the back [ˈkæri ɔn ðə bæk]
【多音字】duò(见185页)

| tuó | 笔画 | 部首 | 结构 | 五笔 | 造字法 |
|---|---|---|---|---|---|
| 驼 | 8 | 马 | 左右 | CPXN | 形声 |
| 笔顺 | ㇇ 马 马 马丶 马宀 驼 驼 驼 | | | | |

【解　释】❶骆驼。❷脊背弯曲、突起。
【组　词】驼背　驼铃　驼鹿　驼峰　驼色
【形近字】驮(驮运)
【英　语】骆驼　camel [ˈkæməl]

| tuó | 笔画 | 部首 | 结构 | 五笔 | 造字法 |
|---|---|---|---|---|---|
| 砣 | 10 | 石 | 左右 | DPXN | 形声 |
| 笔顺 | 一 丆 丆 石 石 石丶 石宀 石宀 砣 砣 | | | | |

【解　释】❶秤锤。❷碾砣。
【组　词】秤砣　碾砣
【同音字】驮(驮运)
【形近字】驼(骆驼)

| tuó | 笔画 | 部首 | 结构 | 五笔 | 造字法 |
|---|---|---|---|---|---|
| 鸵 | 10 | 鸟 | 左右 | QYNX | 形声 |
| 笔顺 | ′ ㄅ ㄅ 鸟 鸟 鸟 鸟丶 鸟宀 鸟宀 鸵 | | | | |

【解　释】鸵鸟,鸟类中最大的鸟,颈长,翅小,不能飞,但跑得快,多生活在非洲。
【组　词】鸵鸟
【同音字】驮(驮运)
【形近字】驼(骆驼)
【英　语】鸵鸟　ostrich [ˈɔstritʃ]

| tuǒ | 笔画 | 部首 | 结构 | 五笔 | 造字法 |
|---|---|---|---|---|---|
| 妥 | 7 | 爫 | 上下 | EVF | 会意 |
| 笔顺 | ′ ′′ ′′′ 爫 妥 妥 妥 | | | | |

【解　释】❶适当;稳当。❷完毕;齐备。

甲骨文　金文　小篆　隶书　楷书

【字源释义】一只大手按住一个跪着的女子,表示制服了她。本义是"安定"、"安稳",这种意义后来写作"绥"。金文铭文也常以

“妥”为“绥”。
【组 词】妥实 妥协 妥善 欠妥 妥当 平妥 停妥 稳妥
【造 句】妥协——我们坚决不向敌人妥协。
【形近字】悉(熟悉)
【近义词】稳妥/稳当
【英 语】妥当 appropriate [ə'prəupriət]

| tuǒ | 笔画 | 部首 | 结构 | 五笔 | 造字法 |
|---|---|---|---|---|---|
| 椭 | 12 | 木 | 左右 | SBDE | 形声 |
| 笔顺 | 一 十 才 木 杧 村 析 析 椭 椭 椭 椭 | | | | |

【解 释】椭圆,长圆形。
【组 词】椭圆
【造 句】椭圆——这个椭圆的装饰品可真漂亮!
【同音字】妥(妥当)
【形近字】随(随便)
【英 语】椭圆 ellipse [i'lips]

| tuò | 笔画 | 部首 | 结构 | 五笔 | 造字法 |
|---|---|---|---|---|---|
| 拓 | 8 | 扌 | 左右 | RDG | 形声 |
| 笔顺 | 一 十 扌 扩 扩 扩 拓 拓 | | | | |

【解 释】开辟;扩充。
【组 词】拓荒 拓宽 拓展
【多音字】tà(见 690 页)

| tuò | 笔画 | 部首 | 结构 | 五笔 | 造字法 |
|---|---|---|---|---|---|
| 唾 | 11 | 口 | 左右 | KTGF | 形声 |
| 笔顺 | 丨 口 口 口 口 吁 吁 呼 唾 唾 唾 | | | | |

【解 释】❶唾液;唾沫。口腔里的消化液,无色,无臭。❷用力吐出(唾沫等)。❸吐唾沫表示轻视、鄙弃。
【组 词】唾液 唾沫 唾弃
【同音字】拓(开拓)
【形近字】睡(睡觉)
【成 语】唾手可得
【反义词】唾手可得/沙里淘金
【近义词】唾手可得/易如反掌

# W

## WA ㄨㄚ

| wā | 笔画 | 部首 | 结构 | 五笔 | 造字法 |
|---|---|---|---|---|---|
| 挖 | 9 | 扌 | 左右 | RPWN | 形声 |
| 笔顺 | 一 十 才 扌 扌 扩 护 挖 挖 | | | | |

【解　释】❶掏；掘。❷探索。
【组　词】挖方　挖地　挖洞　挖墙　挖掘　挖苦
【造　句】挖地——爷爷一早起来去挖地，准备种果树。
【同音字】洼（低洼）
【形近字】控（控制）
【成　语】挖空心思
【反义词】挖苦/赞美
【近义词】挖苦/讽刺
【歇后语】挖了眼的判官——瞎｜挖肉补疮——顾此失彼。
【谚　语】挖去心头肉，医得眼前｜挖塘泥、挑河泥，防旱防涝又肥。
【英　语】挖苦　ridicule [ˈridikjuːl]

| wā | 笔画 | 部首 | 结构 | 五笔 | 造字法 |
|---|---|---|---|---|---|
| 洼 | 9 | 氵 | 左右 | IFFG | 形声 |
| 笔顺 | 丶 丶 氵 氵 汁 汼 洼 洼 洼 | | | | |

【解　释】❶凹陷的地方。❷深陷；陷。
【组　词】水洼　洼地　低洼　山洼　洼陷　坑坑洼洼
【造　句】坑坑洼洼——雨后的路坑坑洼洼。
【同音字】蛙（牛蛙）
【形近字】桂（桂花）
【反义词】洼陷/隆起
【近义词】低洼/低陷
【谚　语】洼地栽刺槐，棵棵要失败。
【英　语】洼地　depression [diˈpreʃən]

| wā | 笔画 | 部首 | 结构 | 五笔 | 造字法 |
|---|---|---|---|---|---|
| 蛙 | 12 | 虫 | 左右 | JFFG | 形声 |
| 笔顺 | 丶 口 口 中 虫 虫 虫一 虫十 虫土 蛙 蛙 蛙 | | | | |

【解　释】两栖动物的一种，种类很多，无尾，前肢短，后肢长。幼体叫蝌蚪，逐渐变化成蛙。捕食害虫，对农作物有益。青蛙是常见的一种。
【组　词】青蛙　牛蛙　蛙鸣　蛙泳
【造　句】青蛙——青蛙对人类有益，我们不要伤害它。
【同音字】洼（水洼）
【形近字】洼（洼地）
【英　语】青蛙　frog [frɔg]

| wá | 笔画 | 部首 | 结构 | 五笔 | 造字法 |
|---|---|---|---|---|---|
| 娃 | 9 | 女 | 左右 | VFFG | 形声 |
| 笔顺 | ㄑ 女 女 女一 女十 女土 娃 娃 娃 | | | | |

【解　释】❶小孩。❷（方）某些幼小的动物。
【组　词】娃子　女娃　胖娃　泥娃娃　娃娃　娃娃鱼
【形近字】挂（牵挂）
【近义词】娃娃/小孩
【谚　语】娃娃勤，爱死人。

W

【英　语】娃娃　baby [ˈbeibi]

| wǎ | 笔画 | 部首 | 结构 | 五笔 | 造字法 |
|---|---|---|---|---|---|
| 瓦 | 4 | 瓦 | 独体 | GNYN | 形声 |
| 笔顺 | 一 丆 瓦 瓦 | | | | |

【解　释】❶用陶土烧成的东西。❷可以用来覆盖屋顶的东西，多用陶土烧成。❸电的功率单位瓦特的简称。

【组　词】瓦工　瓦片　瓦匠　瓦特　砖瓦　瓦舍　瓦解　瓦当　瓦房　瓦蓝　瓦砾

【造　句】瓦解——那人的一席话瓦解了他内心最后的防线。

【形近字】互(相互)

【成　语】冰消瓦解

【反义词】瓦解/保全

【近义词】瓦砾/碎石

【歇后语】瓦背上的霜——经不起日晒|瓦罐里倒核桃——一个一个地数|瓦沟不漏雨——有言(檐)在先。

【谚　语】瓦罐不离井上破，将军难免阵中亡|瓦片也有翻身日，困龙也有上天时。

【英　语】瓦解　disintegrate [disˈintigreit]

【多音字】wà(见 728 页)

| wà | 笔画 | 部首 | 结构 | 五笔 | 造字法 |
|---|---|---|---|---|---|
| 瓦 | 4 | 瓦 | 独体 | GNYN | 形声 |
| 笔顺 | 一 丆 瓦 瓦 | | | | |

【解　释】把瓦盖在屋顶上。

【组　词】瓦刀

【同音字】袜(袜子)

【多音字】wǎ(见 728 页)

| wà | 笔画 | 部首 | 结构 | 五笔 | 造字 |
|---|---|---|---|---|---|
| 袜 | 10 | 衤 | 左右 | PUGS | 形声 |
| 笔顺 | 丶 ㇇ 礻 衤 衤 衤 衤 衤 袜 袜 | | | | |

【解　释】袜子，穿在脚上的针品或编织品，一般以尼龙、羊毛棉纱为原料。

【组　词】袜套　袜子　袜筒　棉毛袜　丝袜　鞋袜　尼龙袜

【同音字】瓦(瓦刀)

【形近字】沫(泡沫)　抹(抹布)

【歇后语】袜子戴头上——别扭弯了。

【英　语】袜子　socks [sɔks]

## WAI　ㄨㄞ

| wāi | 笔画 | 部首 | 结构 | 五笔 | 造字 |
|---|---|---|---|---|---|
| 歪 | 9 | 一 | 上下 | GIGH | 会意 |
| 笔顺 | 一 丆 オ 不 丕 不 歪 歪 歪 | | | | |

【解　释】❶不正；偏斜(跟“正相对)。❷不正当；不正派。

【组　词】歪曲　歪斜　歪风　歪

【造　句】歪斜——她病后体虚走路还有些歪斜。

【成　语】歪打正着　歪门邪道

【反义词】歪/正　歪风/正气

【近义词】歪/斜　歪曲/扭曲

【歇后语】歪脖子树——成不了材

【谚　语】歪嘴讲直话，歪竹出直笋

【英　语】歪曲　distort [disˈtɔːt]

| wài | 笔画 | 部首 | 结构 | 五笔 | 造字法 |
|---|---|---|---|---|---|
| 外 | 5 | 夕 | 左右 | QHY | 会意 |
| 笔顺 | 丿 ク 夕 外 外 | | | | |

解 释】❶外边(跟“内”、“里”相对)。❷别处的。❸外国;外国的。❹称母亲、姐妹或女儿方面的亲属。❺关系疏远的。❻另外。❼以外。❽非正式的;非正规的。
组 词】外表 外公 外交 外号
造 句】外面——我在家里做作业,外面忽然下雪了。
辨 音】不读 chù。
形近字】处(处理)
成 语】外强中干 外柔内刚
反义词】外表/内心
近义词】外强中干/色厉内荏
歇后语】外甥打灯笼——照旧(舅)|外贸商品不合格——难出口。
谚 语】外头有个挣钱手,家里有个聚钱斗。
英 语】外边 outside [aut'said]

## WAN ㄨㄢ

| wān | 笔画 | 部首 | 结构 | 五笔 | 造字法 |
|---|---|---|---|---|---|
| 弯 | 9 | 弓 | 上下 | YOXB | 形声 |
| 笔顺 | 丶 亠 亣 亣 亦 亦 弯 弯 弯 | | | | |

解 释】❶曲;不直。❷使弯曲。❸弯子;曲折的地方。❹拉。
组 词】弯曲 拐弯 弯腰 转弯
造 句】弯曲——泉水弯曲着流向远方。
同音字】湾(河湾)
形近字】湾(海湾)
【成 语】拐弯抹角
【反义词】拐弯抹角/开门见山
【近义词】弯曲/歪曲
【歇后语】弯刀割麦——拉倒。
【谚 语】弯弓当弯强,用箭当用长。
【英 语】弯曲 bending ['bendiŋ]

| wān | 笔画 | 部首 | 结构 | 五笔 | 造字法 |
|---|---|---|---|---|---|
| 湾 | 12 | 氵 | 左右 | IYOX | 形声 |
| 笔顺 | 丶 氵 氵 氵 汸 汸 浐 浐 浐 湾 湾 湾 | | | | |

【解 释】❶水流弯曲的地方。❷海湾。❸使船停住。
【组 词】河湾 海湾 港湾 水湾
【造 句】港湾——海面上惊涛骇浪,而港湾里却风平浪静。
【同音字】弯(弯曲)
【形近字】弯(弯度)
【英 语】河湾 river bend ['rivə bend]

| wān | 笔画 | 部首 | 结构 | 五笔 | 造字法 |
|---|---|---|---|---|---|
| 蜿 | 14 | 虫 | 左右 | JPQB | 形声 |
| 笔顺 | 丶 口 口 中 虫 虫 虫 虫 蛇 蛇 蛇 蛇 蜿 蜿 | | | | |

【解 释】[蜿蜒]❶蛇类爬行时的形态。❷(山脉、河流)伸展的样子。
【组 词】蜿蜒
【造 句】蜿蜒——从飞机上向下看,长城就像一条巨龙蜿蜒匍匐在中国的北方大地上。
【同音字】弯(弯曲)
【形近字】豌(豌豆)

W

| wān | 笔画 | 部首 | 结构 | 五笔 | 造字法 |
|---|---|---|---|---|---|
| 豌 | 15 | 豆 | 左右 | GKUB | 形声 |
| 笔顺 | 一 ㄒ 币 ... 豆 豆 | 豆 ... 豌 | | | |

【解 释】豌豆，草本植物，结荚果，种子呈球形。嫩荚及种子可供食用。
【组 词】豌豆
【造 句】豌豆——今晚我们吃煮豌豆好不好？
【同音字】湾（港湾）
【形近字】蜿（蜿蜒）
【英 语】豌豆 pea [piː]

| wán | 笔画 | 部首 | 结构 | 五笔 | 造字法 |
|---|---|---|---|---|---|
| 丸 | 3 | 丶 | 独体 | VYI | 指事 |
| 笔顺 | ノ 九 丸 | | | | |

【解 释】❶球形的东西。❷丸药。❸量词。多用于丸药。
【组 词】丸子 肉丸 弹丸 药丸
【造 句】弹丸——20世纪中叶以后，香港这个弹丸之地逐步发展成国际金融中心。
【同音字】完（完成）
【形近字】九（九个）
【英 语】丸剂 pill [pil]

| wán | 笔画 | 部首 | 结构 | 五笔 | 造字法 |
|---|---|---|---|---|---|
| 完 | 7 | 宀 | 上下 | PFQB | 形声 |
| 笔顺 | 丶 丶' 宀 宀 宇 宇 完 | | | | |

【解 释】❶全；完整。❷消耗尽；完结。❸做成。❹交纳。❺姓。
【组 词】完整 完美 完毕 完满
【造 句】完美——这件工艺品太完美了。
【同音字】顽（顽皮）
【形近字】玩（玩弄）
【成 语】完璧归赵 完好无损
【反义词】完整/残缺
【近义词】完满/圆满
【英 语】完备 complete [kəmˈpliːt]

| wán | 笔画 | 部首 | 结构 | 五笔 | 造字法 |
|---|---|---|---|---|---|
| 玩 | 8 | 王 | 左右 | GFQN | 形声 |
| 笔顺 | 一 二 干 王 王 玗 玗 玩 | | | | |

【解 释】❶玩耍；游戏。❷做某些文体活动。❸使用。❹欣赏；观赏❺供欣赏的东西。
【组 词】玩耍 玩具 古玩 玩弄
【造 句】玩耍——小朋友们在公园里尽情玩耍。
【同音字】完（完成）
【形近字】现（现在）
【成 语】玩物丧志 玩火自焚
【近义词】玩火自焚/自作自受
【歇后语】玩魔术的——会变。
【英 语】玩笑 joke [dʒəuk]

| wán | 笔画 | 部首 | 结构 | 五笔 | 造字法 |
|---|---|---|---|---|---|
| 顽 | 10 | 页 | 左右 | FQDM | 形声 |
| 笔顺 | 一 二 ㄗ 元 元 元' 顽 顽 顽 顽 | | | | |

【解 释】❶愚蠢无知。❷固执或不易制伏。❸调皮。
【组 词】顽皮 顽强 顽固 顽症
【造 句】顽强——战士们顽强地坚守阵地，粉碎了敌人的进攻。
【同音字】完（完结）
【形近字】项（项目）
【成 语】顽固不化

【反义词】顽皮/老实
【近义词】顽强/坚强
【英 语】顽强 indomitable [in'dɔmitəbl]

| wǎn | 笔画 | 部首 | 结构 | 五笔 | 造字法 |
|---|---|---|---|---|---|
| 挽 | 10 | 扌 | 左右 | RQKQ | 形声 |
| 笔顺 | 一 十 扌 扌 扌 扌 扌 扌 挽 挽 | | | | |

【解 释】❶拉。❷想办法使情况好转或恢复原样。❸向上卷。❹牵引。❺哀悼死者。
【组 词】挽回 挽救 挽留 挽手
【造 句】挽救——像他这样甘心堕落的人,已经无法挽救了。
【辨 音】不读 huàn。
【同音字】惋(叹惋)
【形近字】换(交换)
【反义词】挽留/驱赶
【近义词】挽救/拯救
【英 语】挽救 save [seiv]

| wǎn | 笔画 | 部首 | 结构 | 五笔 | 造字法 |
|---|---|---|---|---|---|
| 晚 | 11 | 日 | 左右 | JQKQ | 形声 |
| 笔顺 | 丨 冂 日 日 日 日 日 日 日 日 晚 | | | | |

【解 释】❶夜里;日落以后。❷迟。❸时间靠后的。❹后起的;原来的。❺姓。
【组 词】晚安 晚年 晚婚 傍晚
【造 句】傍晚——傍晚了,放羊的孩子赶着羊群往回走。
【同音字】碗(饭碗)
【形近字】挽(挽救)
【反义词】夜晚/清晨
【近义词】傍晚/黄昏

【歇后语】晚上赶集——早就散伙了。
【谚 语】晚晌火烧云,明早晒煞人。
【英 语】晚上 evening ['i:vniŋ]

| wǎn | 笔画 | 部首 | 结构 | 五笔 | 造字法 |
|---|---|---|---|---|---|
| 惋 | 11 | 忄 | 左右 | NPQB | 形声 |
| 笔顺 | 丶 丶 忄 忄 忄 忄 忄 忄 忄 忄 惋 | | | | |

【解 释】叹息,对别人的不幸遭遇或事物的意外变化表示同情或可惜。
【组 词】惋惜 叹惋
【造 句】惋惜——真是太令人惋惜了,我班只差一分就是冠军。
【同音字】挽(挽回)
【形近字】碗(饭碗)
【近义词】惋惜/可惜
【英 语】惋惜 feel sorry for [fi:l 'sɔri fɔ:]

| wǎn | 笔画 | 部首 | 结构 | 五笔 | 造字法 |
|---|---|---|---|---|---|
| 婉 | 11 | 女 | 左右 | VPQB | 形声 |
| 笔顺 | ㄑ 夂 女 女 女 女 女 女 女 女 婉 | | | | |

【解 释】❶温和;不生硬。❷柔顺。❸美丽。
【组 词】婉言 婉辞 柔婉 婉约
【造 句】婉言——他婉言谢绝了小明的帮助。
【同音字】晚(晚上)
【形近字】惋(惋惜)
【反义词】柔婉/生硬
【近义词】婉顺/柔顺
【英 语】婉言 gentle words ['dʒentl wə:dz]

| wǎn | 笔画 | 部首 | 结构 | 五笔 | 造字法 |
|---|---|---|---|---|---|
| 碗 | 13 | 石 | 左右 | DPQB | 形声 |
| 笔顺 | 一 丆 丆 石 石 石' 石' 矿 矿 砂 砂 碗 碗 | | | | |

【解　释】❶盛饮食的器具。❷像碗一样的东西。

【组　词】碗盆　饭碗　碗碟　茶碗

【造　句】饭碗——表弟吃饭时不小心将手里的饭碗打破了。

【同音字】挽(挽留)

【形近字】婉(婉谢)

【歇后语】碗里弄鱼——看得浅|碗里观鱼——目光短浅。

【英　语】碗柜　cupboard　['kʌbəd]

| wàn | 笔画 | 部首 | 结构 | 五笔 | 造字法 |
|---|---|---|---|---|---|
| 万 | 3 | 一 | 独体 | DNV | 象形 |
| 笔顺 | 一 丆 万 | | | | |

【解　释】❶数词,十个千为一万。❷形容很多。❸极;很。❹姓。

甲骨文　金文　小篆　隶书　楷书

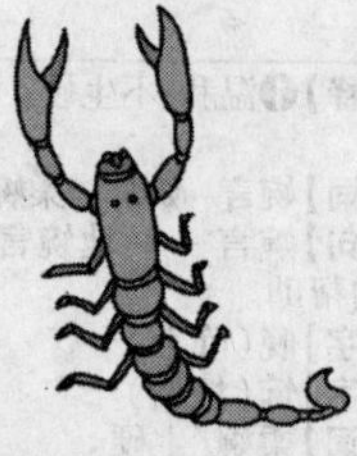

【字源释义】本义是"蝎子"。甲骨文和金文的字形十分形象,蝎子的钳、身、尾俱全。后来代为数目字,本义就写作"蠆"(虿,音chài)。"万"是早在汉代就出现的简体字。

【组　词】千万　万世　万代　万年　万幸　万贯　万丈　万年历　万花筒

【造　句】万众一心——大家万众一心,誓死保卫祖国。

【同音字】腕(大腕)

【形近字】方(方向)

【成　语】万古长青　万不得已　万古流芳　万家灯火　万马奔腾　万马齐喑　万全之策　万事如意

【反义词】遗臭万年/流芳千古

【近义词】万古长存/永恒不变

【歇后语】万丈高楼——固在根基。

【谚　语】万两黄金容易得,人间知音最难求|万丈高楼平地起,有志何怕出身低。

【英　语】万一　in case　[in keis]

【多音字】mò(见500页)

| wàn | 笔画 | 部首 | 结构 | 五笔 | 造字法 |
|---|---|---|---|---|---|
| 腕 | 12 | 月 | 左右 | EPQB | 形声 |
| 笔顺 | 丿 刀 月 月 月' 肸 肸 胺 胺 胺 胺 腕 | | | | |

【解　释】胳膊或小腿下端跟手掌或脚相连的部分。

【组　词】手腕　脚腕　腕力　腕关节

【造　句】铁腕——英国前首相撒切尔夫人可以说是一个铁腕人物。

【辨　音】不读wǎn。

【同音字】万(万一)

【形近字】婉(婉辞)

【近义词】扼腕/叹惜

【英　语】手腕　wrist [rist]

| wàn | 笔画 | 部首 | 结构 | 五笔 | 造字法 |
|---|---|---|---|---|---|
| 蔓 | 14 | 艹 | 上中下 | AJLC | 形声 |
| 笔顺 | 一 十 艹 艹 芇 苜 苜 苜 莒 莒 莒 莒 蔓 蔓 | | | | |

【解　释】植物细长缠绕的茎。
【组　词】瓜蔓　藤蔓
【造　句】藤蔓——据说宝藏就在那片藤蔓下面。
【同音字】腕(手腕)
【英　语】瓜蔓　creeping weed ['kriːpiŋ wiːd]
【多音字】mán(见475页)
【多音字】màn(见476页)

## WANG　ㄨㄤ

| wāng | 笔画 | 部首 | 结构 | 五笔 | 造字法 |
|---|---|---|---|---|---|
| 汪 | 7 | 氵 | 左右 | IGG | 形声 |
| 笔顺 | 丶 丶 氵 氵 汀 汗 汪 | | | | |

【解　释】❶水深而广。❷(液体)聚集。❸小而浅的积水。❹量词。❺象声词。❻姓。
【组　词】汪洋　泪汪汪　水汪汪
【造　句】泪汪汪——小表弟受了委屈,泪汪汪地跑来告诉我。
【形近字】王(王法)
【成　语】汪洋大海　汪洋恣肆
【英　语】汪洋大海　vast ocean [vaːst 'əuʃən]

| wáng | 笔画 | 部首 | 结构 | 五笔 | 造字法 |
|---|---|---|---|---|---|
| 亡 | 3 | 亠 | 独体 | YNV | 会意 |
| 笔顺 | 丶 亠 亡 | | | | |

【解　释】❶逃跑。❷死。❸死去的。❹失去;丢失。

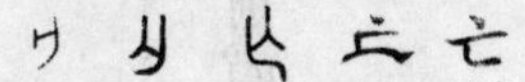
甲骨文　金文　小篆　隶书　楷书

【字源释义】"亡"字像一把刀的刃被斩断了,成了无用的东西。引申为"死亡"、"灭亡"义。
【组　词】死亡　灭亡　亡命　伤亡
【造　句】亡国奴——没有国,哪有家,当了亡国奴还有家可言吗?
【同音字】王(王位)
【形近字】云(云彩)
【成　语】亡羊补牢　名存实亡
【近义词】生死存亡/生死攸关
【歇后语】亡羊补牢——为期不晚。
【英　语】亡故　die [dai]

| wáng | 笔画 | 部首 | 结构 | 五笔 | 造字法 |
|---|---|---|---|---|---|
| 王 | 4 | 王 | 独体 | GGGG | 象形 |
| 笔顺 | 一 二 干 王 | | | | |

【解　释】❶君主;最高统治者。❷封建社会的最高爵位。❸首领。❹辈分高。❺最强的。

甲骨文　金文　小篆　隶书　楷书

W

【字源释义】“王”字最早的字形是一把大斧，上面是斧柄，下面是宽刃。这就是实力和权威的象征，所以古代最高统治者称为“王”。

【组　词】王后　国王　王子　王朝　女王　先王　王储　王法　王府　王公

【造　句】王朝——清朝是中国最后一个封建王朝。

【同音字】亡（亡国）

【形近字】玉（玉石）

【近义词】王法/法律

【歇后语】王小二过年——一年不如一年。

【英　语】王国　kingdom　[ˈkiŋdəm]

【多音字】wàng（见 735 页）

| wǎng | 笔画 | 部首 | 结构 | 五笔 | 造字法 |
|---|---|---|---|---|---|
| 网 | 6 | 冂 | 半包围 | MQQI | 象形 |
| 笔顺 | 丨　冂　冂　冈　冈　网 | | | | |

【解　释】❶用绳线等结成的捕鱼捉鸟的器具。❷像网的东西。❸像网一样的组织或系统。❹用网捕捉。❺像网似的笼罩着。

甲骨文　金文　小篆　隶书　楷书

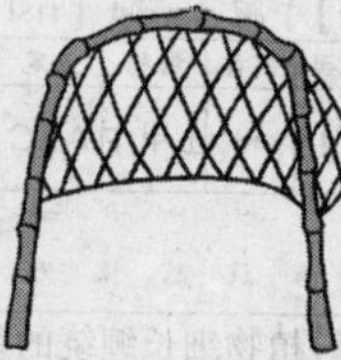

【字源释义】古文的字形是一张捕鸟兽的网，在两根木棍之间用绳索交叉编织而成。后来加了声旁“亡”作“罔”；再后来又加“纟”造了“網”字。简化字其实是恢复了古字。

【组　词】网络　网球　网膜　罗网

【造　句】网络——网络时代的信息传播更为快捷。

【同音字】往（往来）

【形近字】冈（山冈）

【成　语】自投罗网　天罗地网

【谚　语】网好鱼篓破，好人也有过。

【英　语】网球　tennis　[ˈtenis]

| wǎng | 笔画 | 部首 | 结构 | 五笔 | 造字法 |
|---|---|---|---|---|---|
| 枉 | 8 | 木 | 左右 | SGG | 形声 |
| 笔顺 | 一　十　才　木　木　杠　杆　枉 | | | | |

【解　释】❶歪曲；比喻错误或偏差。❷弯曲。❸冤屈。❹白白地。

【组　词】枉费　枉法　枉然

【造　句】徇私枉法——这人因徇私枉法被检察院起诉。

【辨　音】不读 zhù。

【同音字】网（渔网）

【形近字】柱（铁柱）

【成　语】矫枉过正　枉费心机

【反义词】徇私枉法/铁面无私

【近义词】枉费心机/海底捞月
【谚 语】枉自用心机,人欺天不欺。
【英 语】枉费 waste [weist]

| wǎng | 笔画 | 部首 | 结构 | 五笔 | 造字法 |
|---|---|---|---|---|---|
| 往 | 8 | 彳 | 左右 | TYGG | 形声 |
| 笔顺 | 丿 ⺈ 彳 彳丶 彳亠 彳十 彳王 往 | | | | |

【解 释】❶去。❷向(某处去)。❸过去的。

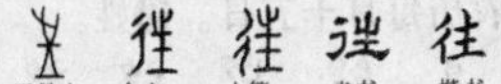

甲骨文 金文 小篆 隶书 楷书

【字源释义】"往"的本义是"去"。甲骨文"往"字上部是"止",表义;下部是"王",表声。金文之后才加上"彳"旁。
【组 词】往来 往常 往事 过往
【造 句】来来往往——我们看着李老师的背影消失在来来往往的人群中。
【辨 音】不读 zhù。
【同音字】惘(怅惘)
【形近字】住(住房)
【成 语】古往今来
【反义词】往昔/将来
【近义词】无往不胜/战无不胜
【歇后语】往死胡同里钻——前途有限。
【谚 语】往者不可谏,来者犹可追。
【英 语】往事 past events [pɑːst-i'vents]

| wǎng | 笔画 | 部首 | 结构 | 五笔 | 造字法 |
|---|---|---|---|---|---|
| 惘 | 11 | 忄 | 左右 | NMUN | 形声 |
| 笔顺 | 丶 丷 忄 忄丨 忄冂 忄冂 忄冂 忄罔 惘 惘 惘 | | | | |

【解 释】失意;精神恍惚。
【组 词】怅惘 迷惘 惘然
【造 句】惘然若失——小明今天不知怎么了,一副惘然若失的样子。
【同音字】往(往事)
【形近字】罔(欺罔)
【成 语】惘然若失
【英 语】惘然 disappointedly [disə'pɔintidli]

| wàng | 笔画 | 部首 | 结构 | 五笔 | 造字法 |
|---|---|---|---|---|---|
| 王 | 4 | 王 | 独体 | GGGG | 形声 |
| 笔顺 | 一 二 干 王 | | | | |

【解 释】古代指统治者取得天下而称王。
【同音字】忘(忘怀)
【多音字】wáng(见 733 页)

| wàng | 笔画 | 部首 | 结构 | 五笔 | 造字法 |
|---|---|---|---|---|---|
| 妄 | 6 | 女 | 上下 | YNVF | 形声 |
| 笔顺 | 丶 亠 亡 妄 妄 妄 | | | | |

【解 释】❶荒谬;不合理。❷非分的。
【组 词】妄念 妄称 妄言 妄为 妄图 妄求

【造　句】妄图——敌人加大火力，妄图攻下我军的阵地。
【同音字】望（希望）
【形近字】忘（忘记）
【成　语】妄自尊大　妄自菲薄
【反义词】妄自菲薄/自高自大
【近义词】妄图/妄想
【英　语】妄想　vain hope [vein həup]

| wàng | 笔画 | 部首 | 结构 | 五笔 | 造字法 |
|---|---|---|---|---|---|
| 忘 | 7 | 心 | 上下 | YNNU | 形声 |
| 笔顺 | 丶 亠 亡 亡 忘 忘 忘 | | | | |

【解　释】不记得。
【组　词】忘记　忘我　忘情　忘怀
【造　句】忘记——小时候的许多事情都是无法忘记的。
【同音字】望（希望）
【形近字】妄（妄图）
【成　语】忘恩负义　忘年之交
【反义词】忘恩负义/感恩戴德
【近义词】忘记/忘却
【谚　语】忘恩负义，禽兽之徒｜忘记祖国的人，好比离开森林的鸟。
【英　语】忘记　forget [fə'get]

| wàng | 笔画 | 部首 | 结构 | 五笔 | 造字法 |
|---|---|---|---|---|---|
| 旺 | 8 | 日 | 左右 | JGG | 形声 |
| 笔顺 | 丨 冂 日 日 日一 日二 旺 旺 | | | | |

【解　释】❶兴盛。❷多；充足。
【组　词】旺盛　兴旺　旺季　旺势
【造　句】兴旺——这个商场的生意特别兴旺。
【同音字】忘（忘记）
【形近字】枉（枉法）
【反义词】兴旺/衰败
【近义词】兴旺/兴盛
【英　语】旺盛　vigorous ['vigərəs]

| wàng | 笔画 | 部首 | 结构 | 五笔 | 造字法 |
|---|---|---|---|---|---|
| 望 | 11 | 王 | 上下 | YNEG | 形声 |
| 笔顺 | 丶 亠 亡 亡 切 切 胡 胡 望 望 望 | | | | |

【解　释】❶往远处看。❷探望；拜访。❸企盼；希望。❹向；朝。❺农历每月十五日。❻姓。

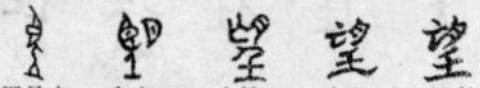

甲骨文　金文　小篆　隶书　楷书

【字源释义】“望”的本义是“向远处看”。字形像一个人站在地上，睁大眼睛远望。金文加上了月形，更明显地表达了“远望”的意思。
【组　词】眺望　望楼　渴望　观望　希望　盼望
【造　句】一望无际——一望无际的大海上，几只海鸥展翅飞翔。
【同音字】旺（旺盛）
【形近字】塑（塑料）
【成　语】望尘莫及　一望无际
【近义词】名望/声望
【谚　语】望梅止渴，画饼充饥。
【英　语】期望　expect [ik'spekt]

# WEI ㄨㄟ

| wēi | 笔画 | 部首 | 结构 | 五笔 | 造字法 |
|---|---|---|---|---|---|
| 危 | 6 | ⺈ | 半包围 | QDBB | 会意 |
| 笔顺 | ノ ⺈ 𠂊 产 厃 危 | | | | |

【解　释】❶危险；不安全。❷损害。❸指人快要死了。❹高；高耸。❺端正；正直。❻二十八星宿之一。❼姓。
【组　词】危险　危重　危机　病危
【造　句】危险——行人不遵守交通法规是相当危险的。
【同音字】威（威力）
【形近字】厄（厄运）
【成　语】危在旦夕
【反义词】危险/安全
【近义词】临危不惧/奋不顾身
【谚　语】危急关头见人心。
【英　语】危机 crisis ['kraisis]

| wēi | 笔画 | 部首 | 结构 | 五笔 | 造字法 |
|---|---|---|---|---|---|
| 威 | 9 | 戈 | 半包围 | DGVT | 会意 |
| 笔顺 | 一 厂 厂 厂 反 反 威 威 威 | | | | |

【解　释】❶能压服人的力量或使人敬畏的态度。❷凭借威力。
【组　词】威力　助威　威吓　威风
【造　句】威逼利诱——面对敌人的威逼利诱，他丝毫不为所动。
【同音字】危（危险）
【形近字】成（成功）
【成　语】威风凛凛　威逼利诱
【反义词】威吓/安抚
【近义词】威胁/恐吓
【谚　语】威武前面不屈膝，困难面前不折腰。
【英　语】威吓 intimidate [in'timideit]

| wēi | 笔画 | 部首 | 结构 | 五笔 | 造字法 |
|---|---|---|---|---|---|
| 偎 | 11 | 亻 | 左右 | WLGE | 形声 |
| 笔顺 | ノ 亻 亻 们 伵 伵 偎 偎 偎 偎 偎 | | | | |

【解　释】亲密地靠着。
【组　词】偎依　偎抱
【造　句】偎依——小狮子偎依在大狮子的身边。
【辨　音】不读 wèi。
【同音字】危（危险）
【形近字】畏（畏惧）
【近义词】偎依/依靠
【英　语】偎抱 hug [hʌg]

| wēi | 笔画 | 部首 | 结构 | 五笔 | 造字法 |
|---|---|---|---|---|---|
| 微 | 13 | 彳 | 左中右 | TMGT | 形声 |
| 笔顺 | ノ 彡 彳 彳 徉 徉 徉 徉 微 微 微 微 微 | | | | |

【解　释】❶细小；轻微。❷主单位的百万分之一。❸稍微。❹精深奥妙。
【组　词】微小　微笑　微妙　卑微
【造　句】微笑——他面带微笑地走上领奖台。
【辨　音】不读 huī。
【同音字】危（危害）
【形近字】徽（徽章）
【成　语】无微不至　微不足道
【反义词】微小/巨大
【近义词】微小/细小
【英　语】微笑 smile [smail]

W

| wēi | 笔画 | 部首 | 结构 | 五笔 | 造字法 |
| --- | --- | --- | --- | --- | --- |
| 巍 | 20 | 山 | 上下 | MTVC | 形声 |

【解　释】高大；挺拔。
【组　词】巍峨　崔巍
【造　句】巍峨——站在巍峨的泰山脚下，我才发现自己原来如此渺小。
【同音字】威（威武）
【形近字】魏（北魏）
【英　语】巍峨　lofty　['lɔfti]

| wéi | 笔画 | 部首 | 结构 | 五笔 | 造字法 |
| --- | --- | --- | --- | --- | --- |
| 为 | 4 | 丶 | 独体 | YLY | 会意 |

笔顺：丶 ソ 为 为

【解　释】❶做；作为。❷能力。❸当；充当。❹是。❺介词。被。
【组　词】因为　为首　为难　为人
【造　句】为人师表——学生尊重教师，教师也要尊重自己，一举一动都要为人师表。
【同音字】围（围拢）　唯（唯独）
【形近字】办（办事）
【成　语】事在人为　为非作歹　为所欲为　为人师表
【反义词】为所欲为/安分守己
【近义词】为所欲为/胡作非为
【谚　语】为人不怕错，就怕不改过|为人不做亏心事，夜半敲门心不惊。
【英　语】为人　behave　[bi'heiv]
【多音字】wèi（见742页）

| wéi | 笔画 | 部首 | 结构 | 五笔 | 造字法 |
| --- | --- | --- | --- | --- | --- |
| 违 | 7 | 辶 | 半包围 | FNHP | 形声 |

笔顺：一 二 三 韦 韦 讳 违

【解　释】❶不依从；背离。❷不见面；离别。
【组　词】违反　违背　违约　久违　违法　违心　违规　违纪
【造　句】违法——我们党绝不会姑息某些干部违法乱纪的行为。
【辨　音】不读 wěi。
【同音字】为（为人）
【形近字】边（一边）
【成　语】违法乱纪
【反义词】违法乱纪/安分守己
【近义词】违法乱纪/贪赃枉法
【英　语】违抗　disobey　[disə'bei]

| wéi | 笔画 | 部首 | 结构 | 五笔 | 造字法 |
| --- | --- | --- | --- | --- | --- |
| 围 | 7 | 口 | 全包围 | LFNH | 形声 |

笔顺：丨 冂 冂 冂 冃 周 围

【解　释】❶四周用围栏挡起来，使里外不通；环绕。❷四周；周围。❸某些物体的长度。❹量词。
【组　词】包围　围困　围城　围棋　围裙　围捕
【造　句】围棋——李东是我们班的围棋高手。
【同音字】为（作为）
【形近字】园（园子）
【近义词】包围/环绕
【歇后语】围着火炉吃西瓜——外面热里面冷。
【英　语】围绕　round　[raund]

| wéi | 笔画 | 部首 | 结构 | 五笔 | 造字法 |
|---|---|---|---|---|---|
| 桅 | 10 | 木 | 左右 | SQDB | 形声 |
| 笔顺 | 一 十 才 木 木' 杧 桁 桅 桅 桅 | | | | |

【解　释】桅杆，帆船上挂帆和桅灯的杆子，也指轮船上的一些装置。
【组　词】桅杆　船桅　桅灯　桅顶
【辨　音】不读 guǐ。
【同音字】为(为人)　唯(唯独)
【形近字】诡(诡计)
【歇后语】桅杆上吹螺号——远近闻名(鸣)。
【英　语】桅杆 mast [mɑːst]

| wéi | 笔画 | 部首 | 结构 | 五笔 | 造字法 |
|---|---|---|---|---|---|
| 唯 | 11 | 口 | 左右 | KWYG | 形声 |
| 笔顺 | 丶 口 口 口' 叫 叫 吖 吖 唯 唯 唯 | | | | |

【解　释】❶单单；只是。❷表示答应。
【组　词】唯独　唯物　唯心　唯恐
【造　句】唯独——大家都来了，唯独缺了主持人。
【同音字】为(为人)
【形近字】准(准备)
【成　语】唯命是听　唯利是图　唯我独尊
【英　语】唯物主义　materialism [məˈtiəriəlizəm]
【多音字】wěi(见 741 页)

| wéi | 笔画 | 部首 | 结构 | 五笔 | 造字法 |
|---|---|---|---|---|---|
| 惟 | 11 | 忄 | 左右 | NWYG | 形声 |
| 笔顺 | 丶 丶 忄 忄' 忄 忄 忄 忄 惟 惟 惟 | | | | |

【解　释】❶同"唯"。❷助词。❸思考。
【组　词】惟其
【造　句】惟妙惟肖——小明将这只猴子画得惟妙惟肖。
【同音字】为(为人)　围(围困)
【形近字】难(困难)
【成　语】惟妙惟肖

| wéi | 笔画 | 部首 | 结构 | 五笔 | 造字法 |
|---|---|---|---|---|---|
| 维 | 11 | 纟 | 左右 | XWYG | 形声 |
| 笔顺 | ㇐ 纟 纟 纟' 纠 纠 纤 纤 维 维 维 | | | | |

【解　释】❶连接。❷保全；保护。❸思想。❹姓。
【组　词】维护　维修　思维　维新　维系　维持　维和　维生素　维吾尔族
【造　句】维护——维护安定团结的局面是每个公民的职责。
【同音字】为(为人)　违(违背)
【形近字】唯(唯一)
【反义词】维护/破坏
【近义词】维护/保护
【英　语】维护　safeguard [ˈseifgɑːd]

| wěi | 笔画 | 部首 | 结构 | 五笔 | 造字法 |
|---|---|---|---|---|---|
| 伟 | 6 | 亻 | 左右 | WFNH | 形声 |
| 笔顺 | ノ 亻 亻 亻 伟 伟 | | | | |

【解　释】❶伟大。❷壮丽；壮美。
【组　词】伟大　伟绩　宏伟　雄伟
【造　句】雄伟——人民英雄纪念碑雄伟、高大。
【同音字】委(委屈)
【形近字】纬(纬度)
【近义词】丰功伟绩/汗马功劳

W

【英　语】伟大　great [greit]

| wěi | 笔画 | 部首 | 结构 | 五笔 | 造字法 |
|---|---|---|---|---|---|
| 伪 | 6 | 亻 | 左右 | WYLY | 形声 |
| 笔顺 | ノ 亻 亻 仂 伪 伪 | | | | |

【解　释】❶假(跟“真”相对)。❷不合法的。
【组　词】伪劣　伪造　伪君子　伪装
【造　句】伪劣——工商局的同志昨天查处了一批伪劣商品。
【辨　音】不读 wéi。
【同音字】尾(尾巴)
【形近字】为(为什么)
【反义词】伪/真　虚伪/真诚
【近义词】去伪存真/去粗取精
【谚　语】伪善是最危险的毒药。
【英　语】伪装　pretend [pri'tend]

| wěi | 笔画 | 部首 | 结构 | 五笔 | 造字法 |
|---|---|---|---|---|---|
| 苇 | 7 | 艹 | 上下 | AFNH | 形声 |
| 笔顺 | 一 十 艹 芒 苎 苇 苇 | | | | |

【解　释】草本植物,多生于水边,茎中空,可用来编席。
【组　词】苇塘　苇席　芦苇
【造　句】芦苇——湖边有一大片芦苇。
【同音字】伟(伟大)
【形近字】为(为什么)
【歇后语】墙上芦苇——头重脚轻根底浅。
【英　语】芦苇　reed [ri:d]

| wěi | 笔画 | 部首 | 结构 | 五笔 | 造字法 |
|---|---|---|---|---|---|
| 尾 | 7 | 尸 | 半包围 | NTFN | 会意 |
| 笔顺 | ㇕ コ 尸 尸 尸 尸 尾 | | | | |

【解　释】❶尾巴。❷末端;末尾。❸量词。用于鱼。❹紧跟在后面。

甲骨文　金文　小篆　隶书　楷书

【字源释义】字形像一个人在臀部接了一条尾巴状的饰物,这是远古的人们在跳舞或庆典时模仿兽类或本族的图腾。
【组　词】尾巴　末尾　尾随　尾气
【造　句】尾随——孩子们尾随着老师走了好一阵子才渐渐散去。
【同音字】伪(伪装)
【形近字】笔(铅笔)
【反义词】末尾/开头
【近义词】末尾/最后
【英　语】尾巴　tail [teil]

| wěi | 笔画 | 部首 | 结构 | 五笔 | 造字法 |
|---|---|---|---|---|---|
| 纬 | 7 | 纟 | 左右 | XFNH | 形声 |
| 笔顺 | ㄥ 纟 纟 纟 纟 纬 纬 | | | | |

【解　释】❶织物上横向的线(跟“经”相对)。❷纬度,地球表面南北距离的度数。
【组　词】纬度　纬线　经纬
【造　句】纬度——北京的纬度是北纬 38° 57′。
【同音字】委(委员)

【形近字】伟(伟大)
【英　语】纬度　latitude [ˈlætitjuːd]·

| wěi | 笔画 | 部首 | 结构 | 五笔 | 造字法 |
|---|---|---|---|---|---|
| 委 | 8 | 禾 | 上下 | TVF | 会意 |
| 笔顺 | 丿 二 千 禾 禾 秂 秂 委 | | | | |

【解　释】❶任用;分派。❷抛弃。❸推卸。❹委员会或委员的简称。❺曲折。❻不振作;无精打采。❼确实。
【组　词】委屈　委托　委任　委实　委靡　原委　常委　委培　委员
【造　句】委员——同学们选他做体育委员。
【同音字】伟(伟大)
【形近字】季(季节)
【反义词】委曲求全/宁折不弯
【近义词】委曲求全/忍气吞声
【英　语】委任　appoint [əˈpɔint]

| wěi | 笔画 | 部首 | 结构 | 五笔 | 造字法 |
|---|---|---|---|---|---|
| 娓 | 10 | 女 | 左右 | VNTN | 形声 |
| 笔顺 | 𡿨 女 女 女 如 妒 娓 娓 娓 娓 | | | | |

【解　释】[娓娓]形容谈话不倦或说话动听。
【造　句】娓娓动听——爷爷讲的故事娓娓动听。
【同音字】伪(伪币)
【形近字】尾(尾巴)
【成　语】娓娓动听　娓娓道来
【英　语】娓娓道来　talk tirelessly [tɔːk ˈtaiəlisli]

| wěi | 笔画 | 部首 | 结构 | 五笔 | 造字法 |
|---|---|---|---|---|---|
| 萎 | 11 | 艹 | 上中下 | ATVF | 形声 |
| 笔顺 | 一 十 廾 艹 苎 芏 苿 苿 萎 萎 萎 | | | | |

【解　释】❶植物干枯。❷衰落。
【组　词】萎缩　萎谢　枯萎
【造　句】枯萎——一到秋天,好多花草就逐渐枯萎了。
【同音字】伟(伟大)
【形近字】委(委任)
【英　语】萎谢　fade [feid]

| wěi | 笔画 | 部首 | 结构 | 五笔 | 造字法 |
|---|---|---|---|---|---|
| 唯 | 11 | 口 | 左右 | KWYG | 形声 |
| 笔顺 | 丨 口 口 叭 叫 吖 吖 咔 唯 唯 唯 | | | | |

【解　释】(书)表示应答的词。
【组　词】唯唯诺诺
【同音字】委(委托)
【多音字】wéi(见739页)

| wèi | 笔画 | 部首 | 结构 | 五笔 | 造字法 |
|---|---|---|---|---|---|
| 卫 | 3 | 卩 | 独体 | BGD | 会意 |
| 笔顺 | 𠃌 卩 卫 | | | | |

【解　释】❶保卫。❷明代驻兵的地点,后来用于地名。❸负责保卫或防守任务的人。❹姓。

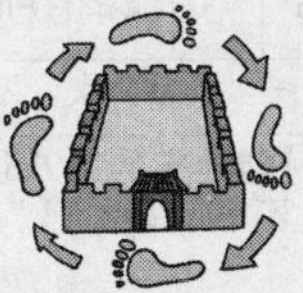

【字源释义】较早的金文"卫"字中间是一座城邑，四周有足形，像卫兵围绕着它巡逻保卫。后来多以"韦"为声旁，以"行"为形旁。
【组　词】保卫　门卫　侍卫　卫星
【造　句】卫生——我们从小就应该养成讲卫生的好习惯。
【同音字】未(未来)
【形近字】工(工人)
【近义词】保卫/捍卫
【歇后语】卫生口罩——嘴上一套。
【谚　语】卫生搞得好，疾病不来找。
【英　语】卫星　satellite　['sætəlait]

| wèi | 笔画 | 部首 | 结构 | 五笔 | 造字法 |
|---|---|---|---|---|---|
| 为 | 4 | 、 | 独体 | YLY | 会意 |
| 笔顺 | 丶 ソ 为 为 | | | | |

【解　释】❶给；替。❷表示目的。❸因为。
【组　词】为何　为了
【造　句】为民除害——铲除了无恶不作的黑帮，是政府做的一件为民除害的大好事。
【同音字】卫(卫生)
【成　语】为虎作伥　为人作嫁　为民请命　为民除害
【英　语】为何　why　[wai]
【多音字】wéi(见 738 页)

| wèi | 笔画 | 部首 | 结构 | 五笔 | 造字法 |
|---|---|---|---|---|---|
| 未 | 5 | 一 | 独体 | FII | 指事 |
| 笔顺 | 一 二 キ 未 未 | | | | |

【解　释】❶地支的第八位。❷副词。没；不曾(跟"已"相对)。❸不。
【组　词】未来　未尝　未婚　未知数
【造　句】未来——每个人的未来都掌握在自己的手中。
【辨　音】不读 mò。
【同音字】味(口味)
【形近字】末(末端)
【成　语】未老先衰　未雨绸缪
【反义词】未雨绸缪/临渴掘井
【近义词】未雨绸缪/有备无患
【歇后语】未到衙门先递状——送而不达。
【谚　语】未雨先修路，出门早看天。
【英　语】未来　future　['fju:tʃə]

| wèi | 笔画 | 部首 | 结构 | 五笔 | 造字法 |
|---|---|---|---|---|---|
| 位 | 7 | 亻 | 左右 | WUG | 会意 |
| 笔顺 | 丿 亻 亻 亻 亻 位 位 | | | | |

【解　释】❶所在或所占据的地方。❷职位；地位。❸量词。❹算术上的数位。❺姓。
【组　词】座位　学位　名位　位于
【造　句】位置——武汉的地理位置非常重要，是南北水陆交通要道。
【同音字】味(味道)　未(未来)
【形近字】泣(哭泣)
【英　语】位于　be located　[bi:ləu'keitid]

| wèi | 笔画 | 部首 | 结构 | 五笔 | 造字法 |
|---|---|---|---|---|---|
| 味 | 8 | 口 | 左右 | KFIY | 形声 |
| 笔顺 | 丨 ㄇ 口 口 口 口 口 味 | | | | |

【解　释】❶舌头尝或鼻子闻东西所得到的感觉。❷趣味；情趣。❸体会；辨别味道。❹量词。用于中药。

【组　词】味道　气味　香味　趣味　无味　甜味　味精　口味

【造　句】味同嚼蜡——这些诗说是诗，其实跟白话一样，读起来味同嚼蜡。

【辨　音】不读 mèi。

【同音字】未（未来）

【形近字】昧（拾金不昧）

【成　语】味同嚼蜡　耐人寻味

【反义词】味同嚼蜡/津津有味

【近义词】味同嚼蜡/枯燥无味

【英　语】味道　taste ［teist］

| wèi | 笔画 | 部首 | 结构 | 五笔 | 造字法 |
|---|---|---|---|---|---|
| 畏 | 9 | 田 | 上下 | LGEU | 会意 |
| 笔顺 | 丨 冂 冃 冄 田 罒 畀 畏 畏 | | | | |

【解　释】❶害怕。❷敬佩；佩服。

甲骨文　金文　小篆　隶书　楷书

【字源释义】字形像一个鬼魂手持棍棒要追打或抓住活人，这是非常可怕的事。“畏”的本义就是“害怕”、“恐惧”，引申为“敬服”。

【组　词】畏罪　畏友　畏缩　畏难　敬畏　畏忌　大无畏

【造　句】畏难——小红对数学有畏难的情绪，我们应该帮她克服。

【同音字】位（位子）

【形近字】辰（时辰）

【成　语】畏首畏尾

【反义词】畏缩不前/勇往直前

【近义词】畏缩不前/裹足不前

【谚　语】畏惧大海的人不会成为航海家。

【英　语】畏惧　fear ［fiə］

| wèi | 笔画 | 部首 | 结构 | 五笔 | 造字法 |
|---|---|---|---|---|---|
| 胃 | 9 | 月 | 上下 | LEF | 会意 |
| 笔顺 | 丨 冂 冃 田 田 冑 胃 胃 胃 | | | | |

【解　释】❶人或动物的消化器官。❷二十八星宿之一。

【组　词】胃炎　胃病　胃口　胃液　反胃　肠胃

【造　句】反胃——他消化不好，经常反胃吐酸水。

【同音字】为（为什么）

【形近字】谓（所谓）

【英　语】胃病　stomachache ［'stʌməkeik］

| wèi | 笔画 | 部首 | 结构 | 五笔 | 造字法 |
|---|---|---|---|---|---|
| 谓 | 11 | 讠 | 左右 | YLEG | 形声 |
| 笔顺 | 丶 讠 讠 讠 讠 讠 讠 讠 谓 谓 谓 | | | | |

【解　释】❶说；告诉。❷叫做；称呼。

【组　词】所谓　无谓　谓语　称谓　可谓

【同音字】为（为什么）

【形近字】猬（刺猬）

【英　语】所谓　socalled [ˈsəuˈkɔːld]

| wèi | 笔画 | 部首 | 结构 | 五笔 | 造字法 |
|---|---|---|---|---|---|
| 喂 | 12 | 口 | 左右 | KLGE | 形声 |
| 笔顺 | 丨 口 口 口l 口口 口田 口田 口田 口田 口甼 口畏 喂 | | | | |

【解　释】❶叹词。打招呼的声音。❷把食物送进别人或动物嘴里。
【组　词】喂奶　喂食　喂养　喂饭　喂牲口
【造　句】喂饭——奶奶瘫痪了，每天得有人给她喂饭。
【同音字】为(为什么)
【形近字】畏(畏惧)
【英　语】喂养　feed [fiːd]

| wèi | 笔画 | 部首 | 结构 | 五笔 | 造字法 |
|---|---|---|---|---|---|
| 猬 | 12 | 犭 | 左右 | QTLE | 形声 |
| 笔顺 | 丿 犭 犭 犭丨 犭口 犭口 犭田 犭田 犭甲 犭胃 猬 猬 | | | | |

【解　释】刺猬，哺乳动物，全身有硬刺，可保护自己，皮和刺可做药。
【组　词】刺猬　猬集
【同音字】为(为何)
【形近字】谓(所谓)
【英　语】刺猬　hedgehog [ˈhedʒhɔg]

| wèi | 笔画 | 部首 | 结构 | 五笔 | 造字法 |
|---|---|---|---|---|---|
| 蔚 | 14 | 艹 | 上下 | ANFF | 形声 |
| 笔顺 | 一 十 艹 艹 艹 芦 芦 蔚 蔚 蔚 蔚 蔚 蔚 蔚 | | | | |

【解　释】❶茂盛；盛大。❷有文采的。
【组　词】蔚然　蔚蓝
【造　句】蔚然成风——尊师重道在当今社会已经蔚然成风。
【同音字】为(为什么)
【形近字】慰(慰问)
【成　语】蔚为大观　蔚然成风
【近义词】蔚为大观/洋洋大观
【英　语】蔚蓝　azure [ˈæʒə]
【多音字】yù(见760页)

| wèi | 笔画 | 部首 | 结构 | 五笔 | 造字法 |
|---|---|---|---|---|---|
| 慰 | 15 | 心 | 上下 | NFIN | 形声 |
| 笔顺 | 一 コ 尸 尸 尸 尸 尽 尉 尉 尉 尉 尉 慰 慰 慰 | | | | |

【解　释】❶使人心里安适。❷心安。
【组　词】安慰　告慰　欣慰　劝慰　宽慰　慰问
【造　句】慰问——我们的总理亲自到灾区慰问灾民。
【同音字】为(为什么)
【形近字】蔚(蔚蓝)
【近义词】慰问/问候
【英　语】安慰　comfort [ˈkʌmfət]

| wèi | 笔画 | 部首 | 结构 | 五笔 | 造字法 |
|---|---|---|---|---|---|
| 魏 | 17 | 鬼 | 左右 | TVRC | 形声 |
| 笔顺 | 一 二 千 禾 禾 委 委 委 委 委 委 委 委 委 魏 魏 魏 | | | | |

【解　释】❶周朝国名。❷三国之一，曹丕所建。❸北魏，朝代名。❹姓。
【组　词】魏碑　东魏　西魏
【同音字】为(为什么)
【形近字】瑰(瑰丽)

# WEN ㄨㄣ

| wēn | 笔画 | 部首 | 结构 | 五笔 | 造字法 |
|---|---|---|---|---|---|
| 温 | 12 | 氵 | 左右 | IJLG | 形声 |
| 笔顺 | 丶 冫 氵 氵 汩 泪 泪 泪 渭 渭 温 温 | | | | |

【解　释】❶不冷不热。❷温度;冷热的程度。❸稍稍加热。❹性情温和。❺复习;温习。❻姓。

【组　词】温柔　温暖　温水　温和　温带　温度

【造　句】温故知新——温故知新,才能取得更好的学习成绩。

【形近字】湿(潮湿)

【成　语】温故知新　温文尔雅

【反义词】温文尔雅/蛮不讲理

【近义词】温文尔雅/文质彬彬

【歇后语】温度计掉进冰箱里——直线下降|温水煮板栗——半生不熟。

【谚　语】温室的花草,经不起风霜|温柔天下去得,刚强寸步难移。

【英　语】温习　review [ri'vjuː]

| wén | 笔画 | 部首 | 结构 | 五笔 | 造字法 |
|---|---|---|---|---|---|
| 文 | 4 | 文 | 独体 | YYGY | 指事 |
| 笔顺 | 丶 亠 ナ 文 | | | | |

【解　释】❶字。❷文章、单篇作品。❸文言,用古代汉语表达的书面语言。❹非军事的(跟"武"相对)。❺指文科。❻旧时指礼节仪式。❼温和;不猛烈。❽自然界的某些现象。❾掩饰。❿量词。用于铜钱。⓫姓。

【组　词】文人　文字　文本　文才　文采　文体　文学　文思　文秘　文笔

【造　句】文秘——她大学毕业后,找到了一份文秘工作。

【辨　音】不读 wéng。

【同音字】蚊(蚊虫)

【形近字】方(方向)

【成　语】文过饰非　文质彬彬

【反义词】文质彬彬/出言不逊

【近义词】文不对题/离题万里

【歇后语】孔夫子挎大刀——文武双全。

【谚　语】文官动动嘴,武官跑断腿文章要写好,腿脚要多跑。

【英　语】文化　culture ['kʌltʃə]

| wén | 笔画 | 部首 | 结构 | 五笔 | 造字法 |
|---|---|---|---|---|---|
| 纹 | 7 | 纟 | 左右 | XYY | 形声 |
| 笔顺 | ㄥ 幺 纟 纟 纟 纺 纹 | | | | |

【解　释】❶泛指各种花纹。❷丝织品上的图案花样。❸条痕;皱痕。

【组　词】花纹　纹理　指纹　皱纹

【造　句】纹丝不动——守卫国旗的战士站在那儿纹丝不动。

【辨　音】不读 wēn。

【同音字】文(文字)

【形近字】蚊(蚊子)

【成　语】纹丝不动

【歇后语】蚂蚁拉火车——纹丝不动。

【英　语】皱纹　wrinkle ['riŋkl]

| wén | 笔画 | 部首 | 结构 | 五笔 | 造字法 |
|---|---|---|---|---|---|
| 闻 | 9 | 门 | 半包围 | UBD | 形声 |
| 笔顺 | 丶 丨 门 门 闩 闩 闸 闻 闻 | | | | |

【解　释】❶听见。❷听见的事情或消息。❸用鼻子闻;嗅。❹有声望。

甲骨文　金文　小篆　隶书　楷书

【字源释义】"闻"字像一个人跪着,用手掩嘴,被夸张化的耳朵在听着什么声音。本义是"听见"。
【组　词】闻名　闻讯　丑闻　见闻　耳闻　怪闻　奇闻
【造　句】闻风丧胆——在我各路大军的包围下,敌人闻风丧胆,四处溃逃。
【同音字】文(文字)
【形近字】闲(悠闲)
【成　语】闻风而动　闻过则喜　闻所未闻　闻风丧胆
【反义词】闻所未闻/司空见惯
【近义词】闻所未闻/见所未见
【谚　语】闻名不如见面,见面胜似闻名。
【英　语】闻名　well-known [wel nəun]

| wén | 笔画 | 部首 | 结构 | 五笔 | 造字法 |
|---|---|---|---|---|---|
| 蚊 | 10 | 虫 | 左右 | JYY | 形声 |
| 笔顺 | 丨 口 口 中 虫 虫 虫 虫 虻 蚊 | | | | |

【解　释】蚊子,昆虫,幼虫和蛹都生长在水中,雄蚊吸食植物汁液,雌蚊吸血,传播疾病。
【组　词】蚊虫　蚊子　蚊蝇　蚊香
【同音字】文(文字)
【形近字】纹(花纹)
【歇后语】蚊叮牛角——不入耳。
【谚　语】蚊因口亡。
【英　语】蚊子　mosquito [məˈskiːtəu]

| wěn | 笔画 | 部首 | 结构 | 五笔 | 造字法 |
|---|---|---|---|---|---|
| 吻 | 7 | 口 | 左右 | KQRT | 形声 |
| 笔顺 | 丨 口 口 叩 叻 吻 吻 | | | | |

【解　释】❶嘴唇。❷用嘴唇接触人或物,表示喜欢。❸动物的嘴。
【组　词】口吻　吻别　亲吻　吻合
【造　句】吻合——他提供的证据跟公安机关的调查结果相吻合。
【辨　音】不读 wù。
【同音字】稳(稳当)
【形近字】勿(勿动)
【近义词】吻合/符合
【英　语】亲吻　kiss [kis]

| wěn | 笔画 | 部首 | 结构 | 五笔 | 造字法 |
|---|---|---|---|---|---|
| 紊 | 10 | 文 | 上下 | YXIU | 形声 |
| 笔顺 | 丶 亠 𠂇 文 文 紊 紊 紊 紊 紊 | | | | |

【解　释】纷乱;杂乱。

【组　词】紊乱
【造　句】紊乱——你现在的症状是神经功能紊乱的表现。
【同音字】稳(稳定)
【形近字】絮(柳絮)
【近义词】紊乱/杂乱
【成　语】有条不紊
【英　语】紊乱 disorder [dis'ɔːdə]

| wěn | 笔画 | 部首 | 结构 | 五笔 | 造字法 |
|---|---|---|---|---|---|
| 稳 | 14 | 禾 | 左右 | TQVN | 形声 |
| 笔顺 | 丿 二 千 ⺧ 禾 禾' 秂 秂 秂 稳 稳 稳 稳 稳 | | | | |

【解　释】❶稳固;不动摇。❷稳重;不轻浮。❸牢靠;可靠;使稳定。
【组　词】稳重　稳定　稳妥　稳固
【造　句】稳操胜算——以逸待劳,以众御寡,可以稳操胜算。
【同音字】吻(亲吻)
【形近字】急(急匆匆)
【成　语】稳扎稳打　稳操胜算
【反义词】稳扎稳打/操之过急
【近义词】稳扎稳打/步步为营
【谚　语】稳坐钓鱼台。
【英　语】稳固 firm [fəːm]

| wèn | 笔画 | 部首 | 结构 | 五笔 | 造字法 |
|---|---|---|---|---|---|
| 问 | 6 | 门 | 半包围 | UKD | 形声 |
| 笔顺 | 丶 门 门 问 问 问 | | | | |

【解　释】❶向人请教;求人解答(跟"答"相对)。❷表示关切而询问。❸审问;追究。❹管;干预。❺姓。
【组　词】询问　问题　问答　审问
【造　句】问道于盲——我一点也不懂天文学,你来问我,真是问道于盲。
【形近字】间(房间)
【成　语】问心无愧　问道于盲
【反义词】问/答
【近义词】问心无愧/于心无愧
【谚　语】问路先施礼,少走十来里。
【英　语】问题 question ['kwestʃən]

## WENG ㄨㄥ

| wēng | 笔画 | 部首 | 结构 | 五笔 | 造字法 |
|---|---|---|---|---|---|
| 翁 | 10 | 羽 | 上下 | WCNF | 形声 |
| 笔顺 | 丿 八 公 公 弁 弁 翁 翁 翁 翁 | | | | |

【解　释】❶老头儿;年老的男子。❷父亲。❸丈夫的父亲。❹妻子的父亲。❺姓。
【组　词】老翁　渔翁　主人翁
【造　句】老翁——李刚的爷爷已是八旬老翁。
【同音字】嗡(嗡嗡)
【形近字】瓮(瓮中之鳖)
【英　语】老翁 old man [əuld mæn]

| wēng | 笔画 | 部首 | 结构 | 五笔 | 造字法 |
|---|---|---|---|---|---|
| 嗡 | 13 | 口 | 左右 | KWCN | 形声 |
| 笔顺 | 丨 口 口 口' 叭 吣 吣 吣 吣 嗡 嗡 嗡 嗡 | | | | |

【解　释】象声词。形容飞机、蚊子、苍蝇等飞的声音。
【组　词】嗡嗡叫　嗡嗡响
【形近字】翁(渔翁)
【英　语】嗡嗡叫 buzz [bʌz]

# WO ㄨㄛ

| wō | 笔画 | 部首 | 结构 | 五笔 | 造字法 |
|---|---|---|---|---|---|
| 涡 | 10 | 氵 | 左右 | IKMW | 形声 |
| 笔顺 | 丶 丶 氵 氵 汀 沪 沪 涡 涡 涡 | | | | |

【解　释】旋涡，水流旋转时形成的中间的低洼处。
【组　词】涡流　水涡
【造　句】涡流——江水湍急，江心处形成了涡流。
【英　语】旋涡 whirlpool [ˈwəːlpuːl]
【多音字】guō（见 265 页）

| wō | 笔画 | 部首 | 结构 | 五笔 | 造字法 |
|---|---|---|---|---|---|
| 喔 | 12 | 口 | 左右 | KNGF | 形声 |
| 笔顺 | 丨 冂 口 口 吗 叹 呢 喔 喔 喔 喔 喔 | | | | |

【解　释】象声词。形容公鸡叫的声音。
【组　词】喔唷　喔喔
【辨　音】不读 wū。
【同音字】蜗(蜗牛)　窝(鸡窝)
【形近字】屋(屋里)　握(握手)

| wō | 笔画 | 部首 | 结构 | 五笔 | 造字法 |
|---|---|---|---|---|---|
| 窝 | 12 | 穴 | 上下 | PWKW | 形声 |
| 笔顺 | 丶 丶 宀 穴 穴 穴 窊 窊 窊 窝 窝 窝 | | | | |

【解　释】❶鸟兽、昆虫住的地方。❷比喻坏人聚居的地方。❸凹进去的地方。❹窝藏。❺蜷缩或呆在某处不活动。❻使弯曲或曲折。❼量词。用于一胎所生的或一次孵出的动物。
【组　词】窝藏　窝主　窝头　窝心
【造　句】窝工——这么多人干这件事，能不窝工那才怪哩。
【同音字】涡(漩涡)
【形近字】涡(漩涡)
【谚　语】窝里斗，外人笑。
【英　语】窝藏 harbour [ˈhaːbə]

| wō | 笔画 | 部首 | 结构 | 五笔 | 造字法 |
|---|---|---|---|---|---|
| 蜗 | 13 | 虫 | 左右 | JKMW | 形声 |
| 笔顺 | 丨 口 口 中 虫 虫 虫 虫 蚆 蚆 蜗 蜗 蜗 | | | | |

【解　释】[蜗牛]软体动物，有螺旋纹硬壳，头部有对触角，吃植物嫩叶，对农作物有害。
【组　词】蜗牛　蜗角　蜗居　蜗杆
【辨　音】不读 wā 或 guō。
【同音字】窝(窝工)
【形近字】涡(漩涡)
【歇后语】蜗牛赴宴——不速之客。
【英　语】蜗牛 snail [sneil]

| wǒ | 笔画 | 部首 | 结构 | 五笔 | 造字法 |
|---|---|---|---|---|---|
| 我 | 7 | 丿 | 独体 | Q | 象形 |
| 笔顺 | 丿 二 于 手 我 我 我 | | | | |

【解　释】代词。称自己。

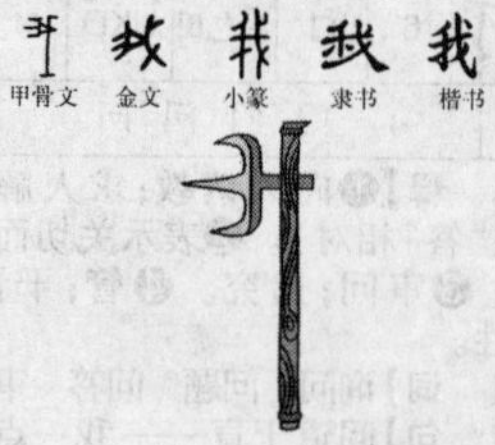

【字源释义】本义是一种武器，有长柄和三齿的锋刃。但是从甲骨文起就借为表示第一人称的代词，如"我受年"、"我伐羌"等。本义早已不存。
【组　词】我们　我军　敌我　忘我
【造　句】我行我素——他从来都是独来独往、我行我素，因而和同学的关系也就很疏远。
【形近字】找（找事）
【成　语】我行我素
【近义词】我行我素/一意孤行
【谚　语】我为人人，人人为我。
【英　语】我们　we [wiː]

| wò | 笔画 | 部首 | 结构 | 五笔 | 造字法 |
|---|---|---|---|---|---|
| 沃 | 7 | 氵 | 左右 | ITDY | 形声 |
| 笔顺 | 丶 丶 氵 氵 氵 沃 沃 | | | | |

【解　释】❶土质肥。❷灌溉；浇。❸姓。
【组　词】沃田　沃野　肥沃　沃土
【造　句】肥沃——这片土地很肥沃。
【辨　音】不读 yāo。
【同音字】卧（卧倒）
【形近字】妖（妖精）
【反义词】肥沃/贫瘠
【英　语】肥沃　fertile [ˈfəːtail]

| wò | 笔画 | 部首 | 结构 | 五笔 | 造字法 |
|---|---|---|---|---|---|
| 卧 | 8 | 臣 | 左右 | AHNH | 会意 |
| 笔顺 | 一 丅 丆 五 五 臣 卧 卧 | | | | |

【解　释】❶卧倒；躺下。❷动物趴着。❸睡觉用的。❹指卧铺。
【组　词】卧病　卧铺　卧室　卧房
【造　句】卧铺——长途火车一般都有卧铺车厢。
【同音字】沃（肥沃）
【形近字】臣（臣民）
【成　语】卧薪尝胆
【近义词】卧薪尝胆/发愤图强
【谚　语】卧榻之侧，怎容他人鼾睡。
【英　语】卧室　bedroom [ˈbedrum]

| wò | 笔画 | 部首 | 结构 | 五笔 | 造字法 |
|---|---|---|---|---|---|
| 握 | 12 | 扌 | 左右 | RNGF | 形声 |
| 笔顺 | 一 十 扌 扌 扌 扌 护 护 握 握 握 握 | | | | |

【解　释】❶用手拿或攥。❷掌握。
【组　词】握手　握别　握拳　把握
【造　句】握手言和——这两个朋友闹了意见，最后又握手言和了。
【同音字】卧（卧倒）
【形近字】幄（帷幄）
【反义词】握手言和/反目成仇
【近义词】握手言和/言归于好
【英　语】握住　grasp [graːsp]

## WU ㄨ

| wū | 笔画 | 部首 | 结构 | 五笔 | 造字法 |
|---|---|---|---|---|---|
| 乌 | 4 | 丿 | 独体 | QNGD | 指事 |
| 笔顺 | ′ 勹 乌 乌 | | | | |

【解　释】❶乌鸦。❷黑色。❸姓。
【组　词】乌发　乌云　乌黑
【造　句】乌烟瘴气——有些人在拼命抽烟，弄得满屋子乌烟瘴气。
【辨　音】不读 niǎo。
【同音字】污（污染）
【形近字】鸟（鸟类）
【成　语】乌合之众　乌烟瘴气
【近义词】乌烟瘴气/天昏地暗

【谚　语】乌飞兔走，寒来暑往。
【英　语】乌龟　tortoise [ˈtɔːtəs]
【多音字】wù（见 755 页）

| wū | 笔画 | 部首 | 结构 | 五笔 | 造字法 |
|---|---|---|---|---|---|
| 污 | 6 | 氵 | 左右 | IFNN | 形声 |
| 笔顺 | 丶 冫 氵 汀 汅 污 | | | | |

【解　释】❶浑浊的水，泛指脏东西。❷弄脏。❸使受耻辱。❹不廉洁。
【组　词】污染　污秽　污垢　污痕
【造　句】污染——化工厂排入小河中的污水，严重污染了小河的水质。
【辨　音】不读 kuī。
【同音字】巫（巫婆）
【形近字】亏（吃亏）
【英　语】污染　pollute [pəˈluːt]

| wū | 笔画 | 部首 | 结构 | 五笔 | 造字法 |
|---|---|---|---|---|---|
| 巫 | 7 | 工 | 独体 | AWWI | 象形 |
| 笔顺 | 一 丅 丌 丌 丌 丌 巫 | | | | |

【解　释】❶指女巫、巫师，专门装神弄鬼骗取钱财的人。❷姓。

甲骨文　金文　小篆　隶书　楷书

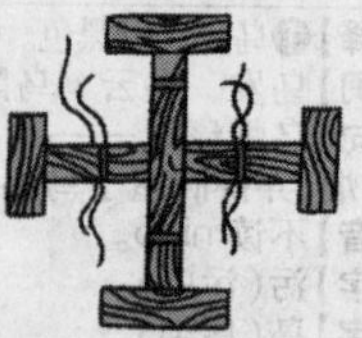

【字源释义】古代以装神弄鬼替人祈祷为职业的人叫“巫”。甲骨文和金文的字形是横竖放置着的几根竹签，这是巫师用来占卜吉凶的道具。
【组　词】巫婆　巫师　巫医　女巫
【造　句】巫师——人们当场揭露了巫师的骗人把戏。
【同音字】污（污染）
【形近字】诬（诬陷）
【英　语】巫术　witchcraft [ˈwitʃkraːft]

| wū | 笔画 | 部首 | 结构 | 五笔 | 造字法 |
|---|---|---|---|---|---|
| 呜 | 7 | 口 | 左右 | KQNG | 形声 |
| 笔顺 | 丨 口 口 口′ 呜 呜 呜 | | | | |

【解　释】象声词。形容汽笛声或孩子的哭声。
【组　词】呜咽　呜呼
【造　句】呜咽——这孩子找不到妈妈，坐在路边呜咽不止。
【同音字】乌（乌鸦）
【形近字】钨（钨矿）
【成　语】呜呼哀哉

| wū | 笔画 | 部首 | 结构 | 五笔 | 造字法 |
|---|---|---|---|---|---|
| 诬 | 9 | 讠 | 左右 | YAWW | 形声 |
| 笔顺 | 丶 讠 订 订 订 订 诬 诬 诬 | | | | |

【解　释】捏造事实去冤枉他人。
【组　词】诬告　诬赖　诬陷
【造　句】诬告——诬告他人是要承担法律责任的。
【同音字】污（污水）
【形近字】巫（巫术）
【英　语】诬蔑　slander [ˈslaːndə]

| wū | 笔画 | 部首 | 结构 | 五笔 | 造字法 |
|---|---|---|---|---|---|
| 屋 | 9 | 尸 | 半包围 | NGCF | 会意 |
| 笔顺 | 一 ㇇ 尸 尸 层 层 层 屖 屋 | | | | |

【解　释】❶房子。❷屋子;房间。
【组　词】房屋　屋子　书屋　屋檐
【造　句】屋子——小明家今年盖了新屋子。
【同音字】污(污水)　巫(巫婆)
【成　语】高屋建瓴
【英　语】屋顶　roof [ruf]

| wú | 笔画 | 部首 | 结构 | 五笔 | 造字法 |
|---|---|---|---|---|---|
| 无 | 4 | 一 | 独体 | FQV | 指事 |
| 笔顺 | 一 二 于 无 | | | | |

【解　释】❶没有(跟"有"相对)。❷不;不论。
【组　词】无比　无边　无非　无际
【造　句】无边无际——这个地方背面靠山,前面是无边无际的大草原。
【同音字】梧(梧桐)
【形近字】天(天天)
【成　语】无地自容　无精打采
【歇后语】无头苍蝇——乱飞乱撞。
【英　语】无畏　fearless [ˈfiəlis]

| wú | 笔画 | 部首 | 结构 | 五笔 | 造字法 |
|---|---|---|---|---|---|
| 毋 | 4 | 毋 | 独体 | XDE | 假借 |
| 笔顺 | ㄥ 𠂎 毌 毋 | | | | |

【解　释】(书)不要;不可以。

| wú | 笔画 | 部首 | 结构 | 五笔 | 造字法 |
|---|---|---|---|---|---|
| 芜 | 7 | 艹 | 上下 | AFQB | 形声 |
| 笔顺 | 一 十 艹 艹 芏 芜 芜 | | | | |

【解　释】❶乱草丛生的地方。❷比喻杂乱的文辞。
【组　词】芜杂　荒芜　繁芜
【造　句】荒芜——他们将这片荒芜的草地开垦为良田。
【同音字】无(无偿)
【反义词】荒芜/肥沃
【英　语】荒　芜　uncultivated [ʌnˈkʌltiveitid]

| wú | 笔画 | 部首 | 结构 | 五笔 | 造字法 |
|---|---|---|---|---|---|
| 吾 | 7 | 口 | 上下 | GKF | 形声 |
| 笔顺 | 一 丅 万 五 吾 吾 吾 | | | | |

【解　释】人称代词。我;我们(多做主语或定语)。
【组　词】吾辈　吾师
【造　句】吾辈——吾辈何德何能,怎敢受此大礼?
【同音字】无(无奈)
【形近字】语(语言)

| wú | 笔画 | 部首 | 结构 | 五笔 | 造字法 |
|---|---|---|---|---|---|
| 吴 | 7 | 口 | 上下 | KGDU | 会意 |
| 笔顺 | 丨 ㄇ 口 口 吕 吴 吴 | | | | |

【解　释】❶周朝国名。❷三国之一,孙权所建。❸姓。
【组　词】吴地　吴语　东吴
【辨　音】不读 wū。
【同音字】梧(梧桐)
【成　语】吴牛喘月

| wú | 笔画 | 部首 | 结构 | 五笔 | 造字法 |
|---|---|---|---|---|---|
| 梧 | 11 | 木 | 左右 | SGKG | 形声 |
| 笔顺 | 一 十 才 木 杠 杠 杯 桮 梧 梧 梧 | | | | |

W

【解　释】梧桐，落叶乔木，花单性，黄绿色。木材白色，可制乐器和其他器具，种子可以吃，也可以榨油。
【组　词】梧桐　魁梧
【造　句】魁梧——他是一位身材魁梧的军人，做事很有军人风范。
【辨　音】不读 wǔ。
【同音字】无（无比）
【形近字】语（语文）
【歇后语】梧桐叶落——归根。
【谚　语】梧桐叶落，天下知秋。
【英　语】魁梧　burly　[ˈbəːli]

| wú | 笔画 | 部首 | 结构 | 五笔 | 造字法 |
|---|---|---|---|---|---|
| 蜈 | 13 | 虫 | 左右 | JKGD | 形声 |
| 笔顺 | 丶 ㄇ 口 中 虫 虫 虫 虫 虸 虸 虸 蜈 蜈 | | | | |

【解　释】蜈蚣，节肢动物，身体长而扁，躯干由许多环节构成。
【组　词】蜈蚣
【同音字】梧（梧桐）
【形近字】吴（吴地）
【歇后语】蜈蚣见公鸡——逃不了的。
【英　语】蜈蚣　centipede　[ˈsentipiːd]

| wǔ | 笔画 | 部首 | 结构 | 五笔 | 造字法 |
|---|---|---|---|---|---|
| 五 | 4 | 一 | 独体 | GGHG | 指事 |
| 笔顺 | 一 丆 五 五 | | | | |

【解　释】❶数词。四加一的得数。❷我国民族音乐音阶上的一级，乐谱上用作记音符号。
【组　词】五律　五更　五色　五味
【造　句】五光十色——这些雨花石五光十色，晶莹可爱。
【同音字】午（中午）
【形近字】互（互相）
【成　语】五湖四海　五花八门
【反义词】五体投地/不屑一顾
【近义词】五体投地/心悦诚服
【歇后语】节日的焰火——五彩缤纷。
【谚　语】三更灯火五更鸡，正是男儿苦读时。
【英　语】五彩　the five colours　[ðə faiv ˈkʌləz]

| wǔ | 笔画 | 部首 | 结构 | 五笔 | 造字法 |
|---|---|---|---|---|---|
| 午 | 4 | 丿 | 独体 | TFJ | 象形 |
| 笔顺 | 丿 𠂉 𠂉 午 | | | | |

【解　释】❶地支的第七位。❷太阳正中的时候。❸午时，指上午十一时到下午一时。

甲骨文　金文　小篆　隶书　楷书

【字源释义】原为象形字，字形像一根舂米用的杵，是“杵”的本字。后来借为干支名称，于是另造“杵”字。
【组　词】午间　中午　午觉　午休
【造　句】午间——爷爷有午间休息的习惯。

【同音字】伍(队伍) 鹉(鹦鹉)
【形近字】牛(牛头)
【英 语】午饭 lunch [lʌntʃ]

| wǔ | 笔画 | 部首 | 结构 | 五笔 | 造字法 |
|---|---|---|---|---|---|
| 伍 | 6 | 亻 | 左右 | WGG | 形声 |
| 笔顺 | 丿 亻 亻一 仃 伍 伍 | | | | |

【解 释】❶古代军队的最小单位,五人为一伍,现泛指军队。❷一伙。❸"五"的大写。❹姓。
【组 词】行伍 队伍 落伍 入伍
【造 句】入伍——我哥今年12月入伍了。
【同音字】午(中午)
【形近字】五(五只)
【谚 语】伍子胥过昭关,一夜头发白。
【英 语】队伍 army [ˈɑːmi]

| wǔ | 笔画 | 部首 | 结构 | 五笔 | 造字法 |
|---|---|---|---|---|---|
| 妩 | 7 | 女 | 左右 | VFQN | 形声 |
| 笔顺 | 〈 女 女 女一 女二 妩 妩 | | | | |

【解 释】形容女子、花木等姿态优美可爱。
【组 词】妩媚
【造 句】妩媚——妆后的她更加妩媚动人。
【同音字】捂(捂住)
【形近字】抚(抚养)

| wǔ | 笔画 | 部首 | 结构 | 五笔 | 造字法 |
|---|---|---|---|---|---|
| 武 | 8 | 止 | 半包围 | GAHD | 会意 |
| 笔顺 | 一 二 千 于 下 正 武 武 | | | | |

【解 释】❶关于军事的(跟"文"相对)。❷关于搏击技术的。❸勇猛。❹姓。

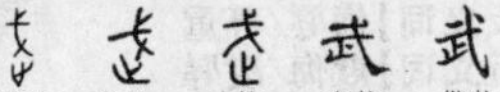

甲骨文 金文 小篆 隶书 楷书

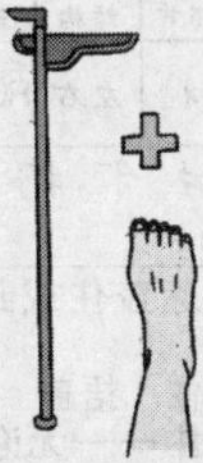

【字源释义】"武"字的上部是"戈",下部是"止",表示拿起武器动身出发去打仗。"武"的本义是军事、技击、强力的通称。
【组 词】武力 武功 武打 武术
【造 句】武术——今年的自由搏击大赛是武术界的一项盛事。
【同音字】午(中午)
【形近字】或(或者)
【成 语】文武双全
【谚 语】武将广机谋,文臣多智谋。
【英 语】武力 force [fɔːs]

| wǔ | 笔画 | 部首 | 结构 | 五笔 | 造字法 |
|---|---|---|---|---|---|
| 侮 | 9 | 亻 | 左右 | WTXU | 形声 |
| 笔顺 | 丿 亻 亻丿 亻𠂉 仁 侮 侮 侮 侮 | | | | |

【解 释】欺负;轻慢。
【组 词】侮辱 侮蔑 欺侮 轻侮
【造 句】侮辱——同学之间无论有多大意见,都不能互相侮辱。
【辨 音】不读 huǐ。
【同音字】午(中午) 鹉(鹦鹉)

【形近字】海(海面)
【反义词】侮辱/尊重
【近义词】欺侮/凌辱
【英　语】侮辱　insult　[in'sʌlt]

| wǔ | 笔画 | 部首 | 结构 | 五笔 | 造字法 |
|---|---|---|---|---|---|
| 捂 | 10 | 扌 | 左右 | RGKG | 形声 |
| 笔顺 | 一 十 扌 扌 打 扌 捂 捂 捂 捂 | | | | |

W

【解　释】❶遮盖住或封闭起来。❷封闭。
【组　词】捂住　捂盖
【造　句】捂住——无论我怎么解释,他就是捂住耳朵不听。
【辨　音】不读 wú。
【同音字】午(中午)
【形近字】语(语文)
【近义词】捂住/遮住
【歇后语】捂着耳朵偷铃铛——自己哄自己。
【英　语】捂　seal　[siːl]

| wǔ | 笔画 | 部首 | 结构 | 五笔 | 造字法 |
|---|---|---|---|---|---|
| 鹉 | 13 | 鸟 | 左右 | GAHG | 形声 |
| 笔顺 | 一 二 干 于 㐅 武 武 武 武 鹉 鹉 鹉 鹉 | | | | |

【解　释】见 852 页"鹦"。
【组　词】鹦鹉
【同音字】午(中午)
【形近字】武(武术)

| wǔ | 笔画 | 部首 | 结构 | 五笔 | 造字法 |
|---|---|---|---|---|---|
| 舞 | 14 | 丿 | 上下 | RLGH | 会意 |
| 笔顺 | ノ 𠂉 二 仁 乍 缶 無 無 舞 舞 舞 舞 舞 舞 | | | | |

【解　释】❶舞蹈。一种表演艺术,按音乐节奏做出各种姿势。❷挥动。❸拿着某种东西而舞蹈。

【字源释义】甲骨文"舞"字像一个人手执牛尾跳舞的样子。后来借为表示"没有"义的"無",于是另造"舞"字。
【组　词】跳舞　舞台　舞曲　飞舞
【造　句】舞弄——他没事老爱舞弄那些玩意。
【同音字】午(中午)
【成　语】舞文弄墨
【英　语】舞蹈　dance　[dɑːns]

| wù | 笔画 | 部首 | 结构 | 五笔 | 造字法 |
|---|---|---|---|---|---|
| 勿 | 4 | 勹 | 半包围 | QRE | 象形 |
| 笔顺 | ノ 勹 勺 勿 | | | | |

【解　释】副词。表示禁止或劝阻,相当于"不要"。

【字源释义】一把刀将一些无用的东西削掉如瓜皮、菜根，表示“不要”的意思，这就是“勿”的本义。
【组　词】勿要　勿动　勿怪　勿言
【造　句】勿动——这个小瓶上贴了一张纸条，上写着“药品，勿动！”
【辨　音】不读 cōng。
【同音字】物（事物）
【形近字】匆（匆匆）
【谚　语】勿贪意外之财，勿饮过量之酒。

| wù | 笔画 | 部首 | 结构 | 五笔 | 造字法 |
|---|---|---|---|---|---|
| 乌 | 4 | 丿 | 独体 | QNGD | 象形 |
| 笔顺 | ′ 勹 乌 乌 | | | | |

【解　释】［乌拉草］多年生草本植物，茎和叶晒干捶软后，垫在鞋或靴子里，可保暖。主要生长在我国东北地区。
【同音字】务（务必）
【英　语】乌拉　leather boot ['leðə buːt]
【多音字】wū（见 749 页）

| wù | 笔画 | 部首 | 结构 | 五笔 | 造字法 |
|---|---|---|---|---|---|
| 务 | 5 | 夂 | 上下 | TLB | 形声 |
| 笔顺 | ′ 𠂊 夂 务 务 | | | | |

【解　释】❶事情。❷致力于；从事。❸旧时收税的关卡。❹务必；一定。❺姓。
【组　词】任务　务必　务农　债务
【造　句】除恶务尽——我们要大力整治图书音像市场，做到除恶务尽，绝不能让黄色出版物毒害广大青少年。
【同音字】勿（勿动）
【形近字】备（准备）
【英　语】务必　must [mʌst]

| wù | 笔画 | 部首 | 结构 | 五笔 | 造字法 |
|---|---|---|---|---|---|
| 物 | 8 | 牛 | 左右 | TR | 形声 |
| 笔顺 | ′ ⺈ 牛 牛 牜 牣 物 物 | | | | |

【解　释】❶东西；事物。❷指自己以外的人或跟自己相对的环境。❸实质；内容。
【组　词】物体　动物　植物　药物
【造　句】物阜民安——改革开放 30 年后的今天，这座沿海小镇呈现一派物阜民安的景象。
【同音字】务（服务）
【形近字】特（特别）
【成　语】物尽其用　物以类聚
【谚　语】物以类聚，人以群分。
【英　语】物理　physics ['fiziks]

| wù | 笔画 | 部首 | 结构 | 五笔 | 造字法 |
|---|---|---|---|---|---|
| 误 | 9 | 讠 | 左右 | YKGD | 形声 |
| 笔顺 | 丶 讠 讠 讠 讵 误 误 误 误 | | | | |

【解　释】❶错误。❷耽搁；耽误。❸使受损害。❹不是故意的。
【组　词】误会　误差　错误　误解
【造　句】错误——老师把试卷发下来，让我们把错误改正过来。
【同音字】勿（勿动）
【形近字】蜈（蜈蚣）
【反义词】错误/正确
【近义词】错误/失误
【英　语】误会　misunderstand [misʌndə'stænd]

W

| wù | 笔画 | 部首 | 结构 | 五笔 | 造字法 |
|---|---|---|---|---|---|
| 恶 | 10 | 心 | 上下 | GOGN | 形声 |
| 笔顺 | 一 丆 丆 亓 亚 亚 亚 恶 恶 恶 | | | | |

【解　释】讨厌；憎恨［跟“好(hào)”相对］。
【组　词】可恶　深恶痛绝
【英　语】可恶　hate［heit］
【多音字】ě(见 188 页)
【多音字】è(见 189 页)

| wù | 笔画 | 部首 | 结构 | 五笔 | 造字法 |
|---|---|---|---|---|---|
| 悟 | 10 | 忄 | 左右 | NGKG | 形声 |
| 笔顺 | 丶 丷 忄 忄 忏 忏 悟 悟 悟 悟 | | | | |

【解　释】了解；领会；觉醒。
【组　词】领悟　省悟　觉悟　悟性
【造　句】悟性——老师说我悟性很高。
【同音字】误(耽误)
【形近字】语(语法)
【反义词】执迷不悟/翻然悔悟
【近义词】深恶痛绝/疾恶如仇
【英　语】醒悟　realize［'riəlaiz］

| wù | 笔画 | 部首 | 结构 | 五笔 | 造字法 |
|---|---|---|---|---|---|
| 晤 | 11 | 日 | 左右 | JGKG | 形声 |
| 笔顺 | 丨 冂 日 日 日 旺 旺 晤 晤 晤 晤 | | | | |

【解　释】会见。
【组　词】晤面　晤谈　会晤
【造　句】晤面——久未晤面，近来可好？
【形近字】悟(领悟)
【英　语】会晤　meet［mi:t］

| wù | 笔画 | 部首 | 结构 | 五笔 | 造字法 |
|---|---|---|---|---|---|
| 雾 | 13 | ⻗ | 上下 | FTLB | 形声 |
| 笔顺 | 一 ㇇ 冖 㪚 ⻗ ⻗ ⻗ ⻗ 雰 雰 雺 雾 雾 | | | | |

【解　释】❶气温下降时，近地面的空气中，水蒸气凝结成的悬浮小水滴。❷指像雾状的水点。
【组　词】大雾　雾气　云雾　晨雾　喷雾
【造　句】大雾——今天早上有大雾，什么都看不见。
【同音字】勿(勿动)
【形近字】雷(雷雨)
【反义词】雾里看花/一目了然
【近义词】雾里看花/若明若暗
【英　语】雾　fog［fɔg］

# X

## XI ㄒㄧ

| xī | 笔画 | 部首 | 结构 | 五笔 | 造字法 |
|---|---|---|---|---|---|
| 夕 | 3 | 夕 | 独体 | QTNY | 指事 |
| 笔顺 | ノ ク 夕 | | | | |

【解 释】❶傍晚;太阳落山的时候。❷泛指夜晚。
【组 词】夕阳 夕照 七夕 除夕
【造 句】朝令夕改——政策要有延续性、稳定性,不能朝令夕改,使人无所适从。
【同音字】西(西方) 吸(吸收)
【形近字】歹(歹徒)
【成 语】危在旦夕 朝令夕改
【反义词】夕/朝 夕阳/晨曦
【近义词】朝令夕改/反复无常
【英 语】夕阳 the setting sun [ðə 'setiŋ sʌn]

| xī | 笔画 | 部首 | 结构 | 五笔 | 造字法 |
|---|---|---|---|---|---|
| 西 | 6 | 西 | 独体 | SGHG | 会意 |
| 笔顺 | 一 丆 丙 襾 西 西 | | | | |

【解 释】❶方向名,太阳落下去的一方。❷欧美各国的通称。
【组 词】西方 西瓜 西学 西域
【造 句】学贯中西——钱老学贯中西,堪称泰斗。
【同音字】夕(夕阳) 希(希望)
【形近字】四(四海为家)
【成 语】声东击西 学贯中西
【反义词】西方/东方
【歇后语】西瓜地里散步——左右逢源(圆)|西北风刮蒺藜——连讽(风)带刺。
【谚 语】西风难吹日影斜|西风随日落止,不止刮倒树。
【英 语】西方 west [west]

| xī | 笔画 | 部首 | 结构 | 五笔 | 造字法 |
|---|---|---|---|---|---|
| 吸 | 6 | 口 | 左右 | KEYY | 形声 |
| 笔顺 | 丨 ㄇ 口 叨 叨 吸 | | | | |

【解 释】❶生物体将液体或气体等收进体内(跟"呼"相对)。❷吸收;收进来。❸吸引。
【组 词】吸收 吸吮 呼吸 吸取 吸烟 吸气 吸附 吸纳
【造 句】吸取——大树的根深深地伸入土中,吸取土中的养分。
【同音字】西(西方) 昔(往昔)
【形近字】极(极端) 汲(汲取)
【反义词】吸取/排除
【近义词】吸取/吸收
【歇后语】吸饱风的帆——鼓足了劲。
【英 语】吸收 absorb [əb'sɔːb]

| xī | 笔画 | 部首 | 结构 | 五笔 | 造字法 |
|---|---|---|---|---|---|
| 希 | 7 | 巾 | 上下 | QDMH | 会意 |
| 笔顺 | ノ 乂 㐅 产 乔 希 希 | | | | |

【解 释】❶同"稀②",表示少。❷期望。
【组 词】希望 希图 希冀 希求 希腊
【造 句】希望——青少年是祖国的希望。
【同音字】析(分析) 息(休息)
【形近字】杀(暗杀) 稀(稀释)
【成 语】希世之宝
【反义词】希望/失望

【近义词】希望/期望
【英　语】希望 hope [həup]

| xī | 笔画 | 部首 | 结构 | 五笔 | 造字法 |
|---|---|---|---|---|---|
| 昔 | 8 | 日 | 上下 | AJF | 会意 |
| 笔顺 | 一 十 廾 丗 丗 昔 昔 昔 | | | | |

【解　释】古;从前;过去。

甲骨文　金文　小篆　隶书　楷书

【字源释义】本义是"从前"、"过去"。古代常有洪水为患,人们记忆犹新,所以用滔滔的大水的形状加上"日"来示这个时间概念。
【组　词】昔日　昔年　今昔　往昔
【造　句】昔日——昔日被破坏的森林现在逐渐被恢复。
【辨　音】不读 xǐ。
【同音字】析(解析)
【成　语】今非昔比
【反义词】昔/今
【英　语】昔日 former days [ˈfɔːmə deiz]

| xī | 笔画 | 部首 | 结构 | 五笔 | 造字法 |
|---|---|---|---|---|---|
| 析 | 8 | 木 | 左右 | SRH | 会意 |
| 笔顺 | 一 十 才 木 木' 木 杧 析 | | | | |

【解　释】❶分开;放开。❷辨别;分解。

甲骨文　金文　小篆　隶书　楷书

【字源释义】本义是"劈开",字由"木"、"斤"两部分构成,"木"是树,"斤"是斧。后来引申为"分析"、"辨析"等义。
【组　词】分析　析义　离析　剖析
【造　句】辨析——老师正在为同学们辨析两组近义词的区别。
【同音字】夕(夕阳)　吸(呼吸)
【形近字】折(折断)
【成　语】分崩离析
【近义词】分析/解析
【英　语】分析 analyse [ˈænəlaiz]

| xī | 笔画 | 部首 | 结构 | 五笔 | 造字法 |
|---|---|---|---|---|---|
| 牺 | 10 | 牛 | 左右 | TRSG | 形声 |
| 笔顺 | ノ ㇒ 牛 牛 牛 牛 牺 牺 牺 牺 | | | | |

【解　释】❶古代做祭品用的毛色纯一的牲畜。❷[牺牲]古代指做祭品的牲畜,今指为了正义事业而舍弃生命,也指舍弃或损害一方的利益。
【组　词】牺牲　牺牲品
【造　句】牺牲——无数革命先烈为了人民的解放事业而光荣牺牲。

【同音字】惜(珍惜)
【形近字】栖(栖息)　洒(洒水)
【近义词】牺牲/捐躯
【英　语】牺牲　sacrifice [ˈsækri-ais]

| xī | 笔画 | 部首 | 结构 | 五笔 | 造字法 |
| --- | --- | --- | --- | --- | --- |
| 息 | 10 | 心 | 上下 | THNU | 会意 |
| 笔顺 | ノ 亻 白 白 白 自 自 息 息 息 | | | | |

【解　释】❶吸进呼出的气。❷音信。❸停止。❹歇;休。❺利钱。❻姓。
【组　词】休息　息怒　信息　歇息　息息　安息　叹息　平息　消息
【造　句】休息——小明患了重感冒,大夫让他休息几天。
【同音字】析(分析)
【成　语】自强不息　川流不息
【歇后语】两个鼻子眼出气——息息相关。
【英　语】消息　news [njuːz]

| xī | 笔画 | 部首 | 结构 | 五笔 | 造字法 |
| --- | --- | --- | --- | --- | --- |
| 悉 | 11 | 心 | 上下 | TONU | 会意 |
| 笔顺 | ノ ノ 丷 二 平 平 釆 釆 悉 悉 悉 | | | | |

【解　释】❶知道;了解。❷全;尽。
【组　词】悉力　熟悉　悉心　获悉
【造　句】悉力——他用毕生的时间悉力钻研科学知识。
【同音字】淅(淅沥)
【近义词】悉力/尽力
【英　语】悉心　wholehearted [həulˈhaːtid]

| xī | 笔画 | 部首 | 结构 | 五笔 | 造字法 |
| --- | --- | --- | --- | --- | --- |
| 淅 | 11 | 氵 | 左中右 | ISRH | 形声 |
| 笔顺 | 丶 氵 氵 氵 汁 汁 汁 汁 淅 淅 淅 | | | | |

【解　释】[淅沥]象声词。形容微风、细雨、落叶等的声音。
【组　词】淅沥
【造　句】淅沥——风吹落叶,淅沥作响。
【同音字】悉(熟悉)
【形近字】浙(浙江)

| xī | 笔画 | 部首 | 结构 | 五笔 | 造字法 |
| --- | --- | --- | --- | --- | --- |
| 惜 | 11 | 忄 | 左右 | NAJG | 形声 |
| 笔顺 | 丶 丶 忄 忄 忄 忄 忄 忄 惜 惜 惜 | | | | |

【解　释】❶重视;珍爱。❷舍不得。❸表示感到遗憾。
【组　词】珍惜　爱惜　惋惜　惜别
【造　句】爱惜——我们要爱惜公共财产。
【同音字】希(希望)
【近义词】爱惜/珍惜
【英　语】爱惜　cherish [ˈtʃeriʃ]

| xī | 笔画 | 部首 | 结构 | 五笔 | 造字法 |
| --- | --- | --- | --- | --- | --- |
| 晰 | 12 | 日 | 左右 | JSRH | 形声 |
| 笔顺 | 丨 冂 日 日 日 旪 时 时 晰 晰 晰 晰 | | | | |

【解　释】清楚;明白。
【组　词】清晰　明晰
【造　句】清晰——漓江的水真清啊,水底的石头清晰可见。
【同音字】析(分析)

【近义词】清晰/清楚
【英　语】清晰　distinct [diˈstiŋkt]

| xī | 笔画 | 部首 | 结构 | 五笔 | 造字法 |
|---|---|---|---|---|---|
| 稀 | 12 | 禾 | 左右 | TQDH | 形声 |
| 笔顺 | 一 二 千 禾 禾 禾' 秎 秎 秎 秎 稀 稀 | | | | |

【解　释】❶事物之间距离远;空隙大。❷数量少。❸水分多;浓度小。
【组　词】稀少　稀疏　稀有　古稀
【造　句】稀有——金丝猴是我国的稀有动物,我们要好好保护它。
【同音字】悉(悉心)　息(气息)
【成　语】稀世珍宝
【近义词】稀有/罕见
【英　语】稀少　few [fjuː]

| xī | 笔画 | 部首 | 结构 | 五笔 | 造字法 |
|---|---|---|---|---|---|
| 锡 | 13 | 钅 | 左右 | QJQR | 形声 |
| 笔顺 | 丿 𠂉 ⺈ 乍 钅 钅 钔 钔 钔 钔 锡 锡 锡 | | | | |

【解　释】❶金属元素,符号为 Sn,纯锡银白色,质软。❷赐给;赏赐。
【同音字】稀(稀罕)
【英　语】锡箔　tinfoil [ˈtinfɔil]

| xī | 笔画 | 部首 | 结构 | 五笔 | 造字法 |
|---|---|---|---|---|---|
| 溪 | 13 | 氵 | 左右 | IEXD | 形声 |
| 笔顺 | 丶 冫 氵 氵 氵 氵 氵 氵 浮 浮 溪 溪 溪 | | | | |

【解　释】山里的小河,泛指小河沟。
【组　词】溪流　山溪　溪水　小溪
【同音字】惜(珍惜)
【形近字】蹊(蹊径)
【近义词】山溪/山涧

【谚　语】溪中杨柳影,不碍小舟行
【英　语】溪流　brook [bruk]

| xī | 笔画 | 部首 | 结构 | 五笔 | 造字 |
|---|---|---|---|---|---|
| 熙 | 14 | 灬 | 上下 | AHKO | 形声 |
| 笔顺 | 一 丆 丅 巪 巪 巪 匝 匝 匝 熙 熙 熙 熙 熙 | | | | |

【解　释】❶光明。❷欢喜和乐。
【组　词】熙朝　熙和
【造　句】熙熙攘攘——集市里熙熙攘攘,人来人往,热闹极了。
【同音字】悉(熟悉)　熄(熄灭)
【形近字】照(照耀)
【成　语】熙来攘往　熙熙攘攘
【近义词】熙熙攘攘/人山人海
【英　语】熙日　sunny [ˈsʌni]

| xī | 笔画 | 部首 | 结构 | 五笔 | 造字 |
|---|---|---|---|---|---|
| 熄 | 14 | 火 | 左右 | OTHN | 形声 |
| 笔顺 | 丶 丷 火 火 炉 炉 炉 炉 炉 炉 熄 熄 熄 熄 | | | | |

【解　释】停止燃烧;灭火。
【组　词】熄灭　熄灯　熄火
【造　句】熄灭——篝火熄灭了,人们进入了梦乡。
【同音字】夕(夕照)
【形近字】息(信息)
【近义词】熄火/停火
【英　语】熄灭　go out [gəu aut]

| xī | 笔画 | 部首 | 结构 | 五笔 | 造字 |
|---|---|---|---|---|---|
| 嘻 | 15 | 口 | 左右 | KFKK | 形声 |
| 笔顺 | 丨 口 口 口一 口十 吉 吉 吉 喜 喜 喜 喜 嘻 嘻 嘻 | | | | |

【解　释】❶表示惊叹。❷形容

的声音。
【组　词】嘻嘻哈哈
【造　句】嘻嘻哈哈——工作要认真，嘻嘻哈哈的可不行。
【同音字】希（希望）
【形近字】嬉（嬉戏）

| xī | 笔画 | 部首 | 结构 | 五笔 | 造字法 |
|---|---|---|---|---|---|
| 膝 | 15 | 月 | 左右 | ESWI | 形声 |
| 笔顺 | 丿 刀 月 月 月一 月十 月木 月木 胪 肤 膝 膝 膝 膝 膝 | | | | |

【解　释】膝盖，连接大小腿的关节的前部。
【组　词】膝盖
【造　句】膝盖——膝盖是我们身体的重要关节。
【英　语】膝盖　knee ［niː］

| xī | 笔画 | 部首 | 结构 | 五笔 | 造字法 |
|---|---|---|---|---|---|
| 嬉 | 15 | 女 | 左右 | VFKK | 形声 |
| 笔顺 | 𡿨 女 女 女一 女十 女士 女士 女吉 女吉 女吉 女吉 嬉 嬉 嬉 嬉 | | | | |

【解　释】游戏；玩耍。
【组　词】嬉戏　嬉闹　嬉笑　嬉耍
【造　句】嬉笑——屋里传来一阵嬉笑声。
【同音字】析（分析）
【形近字】嘻（嘻嘻哈哈）
【成　语】嬉笑怒骂
【英　语】嬉戏　play ［plei］

| xī | 笔画 | 部首 | 结构 | 五笔 | 造字法 |
|---|---|---|---|---|---|
| 蹊 | 17 | 𧾷 | 左右 | KHED | 形声 |
| 笔顺 | 丨 口 口 口 早 𧾷 𧾷 𧾷 𧾷 𧾷 𧾷 𧾷 蹊 蹊 蹊 蹊 蹊 | | | | |

【解　释】小路，比喻事情进行的方法。
【组　词】蹊径　另辟蹊径
【同音字】西（西方）
【多音字】qī（见 565 页）

| xī | 笔画 | 部首 | 结构 | 五笔 | 造字法 |
|---|---|---|---|---|---|
| 蟋 | 17 | 虫 | 左右 | JTON | 形声 |
| 笔顺 | 丨 口 口 中 虫 虫 虫 虫 虫 虫 虫 虫 蟋 蟋 蟋 蟋 蟋 | | | | |

【解　释】蟋蟀，昆虫，身体黑褐色，后腿粗大，善跳跃。雄的好斗。吃植物根茎，北方俗称"蛐蛐儿"。
【组　词】蟋蟀
【同音字】稀（稀少）
【形近字】悉（悉心）
【英　语】蟋蟀　cricket ［ˈkrikit］

| xí | 笔画 | 部首 | 结构 | 五笔 | 造字法 |
|---|---|---|---|---|---|
| 习 | 3 | 乛 | 半包围 | NUD | 会意 |
| 笔顺 | 𠃌 习 习 | | | | |

【解　释】❶学过之后再温习；反复地学与练。❷长期形成的不自觉行为或风尚。❸经常接触而熟悉。❹姓。

甲骨文　金文　小篆　隶书　楷书

X

【字源释义】本义指鸟屡次飞翔。甲骨文和战国楚简“习”字的上部是“羽”，就是鸟翼；下面是“日”，表示鸟常在飞。小篆之后“日”讹变为“白”。
【组　词】学习　实习　陋习　习气
【造　句】学习——小敏学习一向很认真。
【同音字】席(席位)
【形近字】勺(饭勺)
【成　语】习以为常　陈规陋习
【近义词】习惯/习性
【谚　语】学习如逆水行舟，不进则退|习善则善，习恶则恶。
【英　语】练习　practise　[ˈpræktis]

| xí | 笔画 | 部首 | 结构 | 五笔 | 造字法 |
|---|---|---|---|---|---|
| 席 | 10 | 广 | 半包围 | YAMH | 会意 |

笔顺 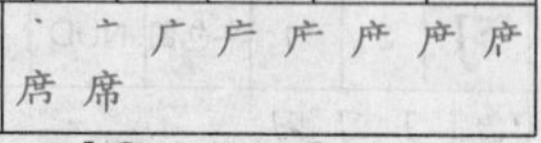

【解　释】❶座位。❷成桌的酒菜。❸席子。❹量词。
【组　词】首席　主席　凉席　枕席
【造　句】虚席——演出开始了，礼堂里座无虚席。
【同音字】习(习惯)
【形近字】度(度假)
【成　语】座无虚席　席地而坐
【反义词】出席/缺席
【近义词】席位/座位
【英　语】席位　seat　[siːt]

| xí | 笔画 | 部首 | 结构 | 五笔 | 造字法 |
|---|---|---|---|---|---|
| 袭 | 11 | 龙 | 上下 | DXYE | 形声 |

笔顺 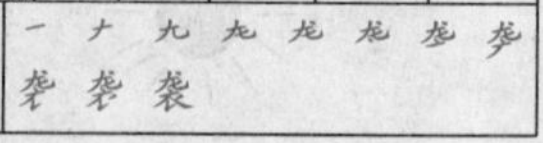

【解　释】❶趁人不备突然攻击
侵入。❷照老样子做；照样子做
下去。
【组　词】袭击　偷袭　空袭　侵袭
【造　句】袭击——台风袭击了沿海的城镇和乡村。
【同音字】席(草席)
【形近字】聋(聋子)
【反义词】袭用/创造
【近义词】沿袭/沿用
【英　语】偷袭　a surprise attack　[ə səˈpraiz əˈtæk]

| xí | 笔画 | 部首 | 结构 | 五笔 | 造字法 |
|---|---|---|---|---|---|
| 媳 | 13 | 女 | 左右 | VTHN | 形声 |

笔顺 

【解　释】❶儿子的妻子。❷晚辈亲属的妻子。
【组　词】媳妇　儿媳　贤媳
【造　句】儿媳——这家儿媳是一位贤惠的女子。
【辨　音】不读 xǐ。
【同音字】习(习俗)
【形近字】熄(熄灭)
【英　语】儿媳　son's wife　[sʌnz waif]

| xǐ | 笔画 | 部首 | 结构 | 五笔 | 造字法 |
|---|---|---|---|---|---|
| 洗 | 9 | 氵 | 左右 | ITFQ | 形声 |

笔顺 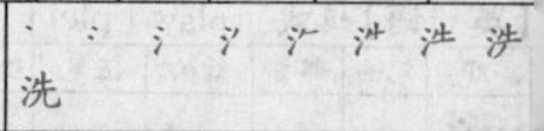

【解　释】❶用水除掉污垢。❷清除干净。❸把冤屈耻辱去掉。❹抢光或杀光。❺洗礼。❻照相的显影定影。

【组　词】洗手　洗礼　洗劫　干洗　洗澡　清洗　洗印
【造　句】洗印——毕业照洗印出来了，大家都抢着看。
【同音字】喜（喜爱）
【成　语】洗心革面　洗耳恭听　一贫如洗
【反义词】一贫如洗/家财万贯
【近义词】洗涤/洗刷
【歇后语】洗脸盆里扎猛子——不知深浅|洗脸毛巾——老是挂着。
【谚　语】洗头洗脚，强似吃药|洗心得真诚，洗耳徒买名。
【英　语】洗　wash [wɔːʃ]
【多音字】xiǎn（见 771 页）

| xǐ | 笔画 | 部首 | 结构 | 五笔 | 造字法 |
|---|---|---|---|---|---|
| 喜 | 12 | 口 | 上中下 | FKUK | 会意 |
| 笔顺 | 一 十 士 吉 吉 吉 吉 吉 喜 喜 喜 喜 | | | | |

【解　释】❶高兴；欢乐。❷可庆贺的。❸爱好。❹适宜于；习惯于。
【组　词】喜爱　喜欢　喜事　喜悦
【造　句】喜气洋洋——全国人民喜气洋洋过春节。
【同音字】洗（洗涤）
【成　语】欢天喜地　沾沾自喜　喜不自禁　喜出望外　喜气洋洋　喜闻乐见　喜笑颜开　喜形于色　喜怒无常　喜从天降
【反义词】喜欢/讨厌
【近义词】喜欢/喜爱
【歇后语】喜鹊窝里捣一竿——乱喳喳|喜鹊的尾巴——老翘着|喜鹊子——嘴甜。
【谚　语】喜笑怒骂皆成文章|喜时多失言，怒时多失理。
【英　语】喜欢　like [laik]

| xì | 笔画 | 部首 | 结构 | 五笔 | 造字法 |
|---|---|---|---|---|---|
| 戏 | 6 | 又 | 左右 | CAT | 形声 |
| 笔顺 | フ ヌ 又 戏 戏 戏 | | | | |

【解　释】❶玩耍；娱乐。❷开玩笑；嘲弄。❸戏剧。❹杂技。
【组　词】戏班　演戏　戏曲　戏言　京戏　戏弄　把戏　戏说　戏剧　戏院
【造　句】戏弄——不要随便戏弄别人。
【同音字】细（仔细）
【形近字】找（寻找）　伐（步伐）
【成　语】视同儿戏　逢场作戏
【反义词】戏言/真话
【近义词】戏弄/捉弄
【歇后语】戏台上的官——做不长|戏台上喝酒——不见得有|戏台上着火——热火加热火|戏子的胡子——假的|戏子的脸蛋——要哭就哭，要笑就笑。
【谚　语】戏无情不感人，戏无理不服人。
【英　语】戏剧　drama [ˈdrɑːmə]

| xì | 笔画 | 部首 | 结构 | 五笔 | 造字法 |
|---|---|---|---|---|---|
| 系 | 7 | 糸 | 上下 | TXIU | 会意 |
| 笔顺 | 一 ㄥ 幺 幺 系 系 系 | | | | |

【解　释】❶按一定关系组成的整体。❷高等学校中按学科分的教学单位。❸关联；联结。❹是。

甲骨文　金文　小篆　隶书　楷书

【字源释义】一只手握着两三束细丝，本义是“联属”。引申为“世系”、“谱系”等义。简化字又把“系”、“係”合并为“系”。
【组　词】联系　关系　体系　水系　系统　系列　系数
【造　句】联系——爸爸和他的老同学经常打电话联系。
【同音字】戏(戏耍)
【形近字】素(元素)
【反义词】系统/零碎
【近义词】系统/体系
【多音字】jì(见 323 页)

| xì | 笔画 | 部首 | 结构 | 五笔 | 造字法 |
|---|---|---|---|---|---|
| 细 | 8 | 纟 | 左右 | XLG | 形声 |
| 笔顺 | ㄥ 乡 纟 纟 纫 纲 细 细 | | | | |

【解　释】❶颗粒小。❷直径小。❸音量小。❹窄。❺精致。❻周密。❼微小的;不重要的。❽平凡;渺小。
【组　词】细心　粗细　细节　细致　细巧　底细　精细
【造　句】细致——她照顾病人细致入微。
【同音字】系(关系)
【形近字】佃(佃农)
【成　语】细枝末节　精打细算　细水长流
【反义词】细心/粗心
【近义词】细长/修长
【谚　语】细工出巧匠|细水长流不
源,闪电虽光转眼消,勤做俭用家富裕
大吃大喝乐一时。
【英　语】细心　careful　[ˈkɛəful]

| xì | 笔画 | 部首 | 结构 | 五笔 | 造字法 |
|---|---|---|---|---|---|
| 隙 | 12 | 阝 | 左右 | BIJI | 形声 |
| 笔顺 | ⺈ 阝 阝 阝 阝 阝 阝 阝 阝 阝 阝 隙 | | | | |

【解　释】❶裂缝。❷机会;漏洞
❸比喻感情上的裂痕。❹没有
西的;空的。
【组　词】空隙　隙地　缝隙　门
间隙　墙隙　怨隙
【造　句】乘隙而入——一个人
果不注意道德品质修养,坏思
就会乘隙而入。
【辨　音】不读 xī。
【同音字】细(细微)　系(关系)
【成　语】无隙可乘　乘隙而入
白驹过隙
【英　语】缝隙　crack　[kræk]

## XIA　TIY

| xiā | 笔画 | 部首 | 结构 | 五笔 | 造字法 |
|---|---|---|---|---|---|
| 虾 | 9 | 虫 | 左右 | JGHY | 形声 |
| 笔顺 | 丶 冂 口 中 虫 虫 虫 虾 虾 | | | | |

【解　释】节肢动物,身体长且分
多体节,头部有长短触角各一对,
壳透明。种类很多,生活在水里,

味鲜美。
【组 词】虾皮 虾米 毛虾 龙虾 河虾 虾仁
【同音字】瞎(瞎眼)
【形近字】吓(吓人)
【成 语】虾兵蟹将
【歇后语】老龙王的部下——虾兵蟹将。
【谚 语】虾儿虽小,却能游过大海。
【英 语】虾 shrimp [ʃrimp]

| xiā | 笔画 | 部首 | 结构 | 五笔 | 造字法 |
|---|---|---|---|---|---|
| 瞎 | 15 | 目 | 左右 | HPDK | 形声 |
| 笔顺 | 丨 冂 月 目 目 目` 目` 目宀 目宀 目宀 目宀 目宀 目宀 瞎 瞎 | | | | |

【解 释】❶眼睛看不见东西;失明。❷胡乱地;没来由地。
【组 词】瞎话 瞎子 瞎扯 瞎闹 瞎掰 摸瞎
【造 句】瞎闹——别瞎闹了,咱们得认真干!
【同音字】虾(龙虾)
【形近字】辖(管辖)
【成 语】黑灯瞎火
【反义词】黑灯瞎火/灯火辉煌
【谚 语】瞎钱用掉千千万,没有买块豆腐烫烫心。
【英 语】瞎话 untruth [ʌn'truːθ]

| xiá | 笔画 | 部首 | 结构 | 五笔 | 造字法 |
|---|---|---|---|---|---|
| 匣 | 7 | 匚 | 半包围 | ALK | 形声 |
| 笔顺 | 一 匚 帀 帀 帀 匣 匣 | | | | |

【解 释】收藏东西的方形有盖的器具。
【组 词】木匣 匣子 黑匣 铁匣 镜匣 梳妆匣
【造 句】木匣——他将一些小常识记在卡片上,装在木匣里。
【辨 音】不读 jiā。
【同音字】侠(侠义)
【形近字】闸(闸门)
【成 语】匣里龙吟
【英 语】匣子 casket ['kɑːskit]

| xiá | 笔画 | 部首 | 结构 | 五笔 | 造字法 |
|---|---|---|---|---|---|
| 侠 | 8 | 亻 | 左右 | WGUW | 形声 |
| 笔顺 | ノ 亻 仁 仨 仨 仨 侠 侠 | | | | |

【解 释】❶旧称扶弱助强、见义勇为的人或行为。❷侠义。
【组 词】大侠 剑侠 豪侠 侠客 侠义 武侠 侠骨
【造 句】侠义——侠义的心肠使他在别人危难时总会伸出援助之手。
【辨 音】不读 jiā。
【同音字】霞(晚霞)
【形近字】峡(峡谷) 狭(狭窄)
【成 语】侠肝义胆
【英 语】侠义 chivalrous ['ʃivəlrəs]

| xiá | 笔画 | 部首 | 结构 | 五笔 | 造字法 |
|---|---|---|---|---|---|
| 峡 | 9 | 山 | 左右 | MGUW | 形声 |
| 笔顺 | 丨 山 山 山一 山" 山" 山兰 峡 峡 | | | | |

【解 释】❶两山夹水的地方。❷两山之间又窄又深的地方。
【组 词】山峡 峡谷 海峡 三峡
【造 句】三峡——三峡美景令人流连忘返。
【辨 音】不读 jiā 或 jiá。
【同音字】匣(黑匣)

【形近字】侠（武侠）
【英　语】峡谷　gorge　[ˈɡɔːdʒ]

| xiá | 笔画 | 部首 | 结构 | 五笔 | 造字法 |
|---|---|---|---|---|---|
| 狭 | 9 | 犭 | 左右 | QTGW | 形声 |
| 笔顺 | 丿 犭 犭 犷 犷 狎 狂 狭 狭 | | | | |

X

【解　释】窄；不宽。
【组　词】狭长　狭小　狭隘　狭窄
【造　句】狭窄——以前狭窄的道路现在已可以通汽车了。
【辨　音】不读 jiá。
【同音字】暇（闲暇）
【形近字】峡（海峡）
【成　语】狭路相逢
【反义词】狭义/广义
【近义词】狭窄/狭隘
【歇后语】窄巷遇仇人——狭路相逢。
【谚　语】狭路相逢，冤家路窄。
【英　语】狭　narrow　[ˈnærəu]

| xiá | 笔画 | 部首 | 结构 | 五笔 | 造字法 |
|---|---|---|---|---|---|
| 瑕 | 13 | 王 | 左右 | GNHC | 形声 |
| 笔顺 | 一 二 干 王 玎 玎 玏 玏 玏 玏 玏 瑕 瑕 | | | | |

【解　释】玉上的斑点，比喻缺点。
【组　词】瑕疵
【同音字】狭（狭窄）
【形近字】暇（闲暇）
【成　语】白璧微瑕　瑕不掩瑜

| xiá | 笔画 | 部首 | 结构 | 五笔 | 造字法 |
|---|---|---|---|---|---|
| 暇 | 13 | 日 | 左右 | JNHC | 形声 |
| 笔顺 | 丨 冂 日 日 日' 旷 旷 旷 旷 旷 旷 暇 暇 | | | | |

【解　释】空闲；无事的时候。
【组　词】暇时　无暇　余暇　闲暇
【造　句】余暇——他常利用余暇时间读一些文学类书籍。
【辨　音】不读 jiǎ。
【同音字】辖（辖区）
【形近字】假（假期）
【成　语】自顾不暇　目不暇接
【反义词】空暇/繁忙
【近义词】闲暇/悠闲
【英　语】闲暇　leisure　[ˈleʒə]

| xiá | 笔画 | 部首 | 结构 | 五笔 | 造字法 |
|---|---|---|---|---|---|
| 辖 | 14 | 车 | 左右 | LPDK | 形声 |
| 笔顺 | 一 𠀎 车 车 车' 车' 车' 车' 车' 车' 辖 辖 辖 辖 | | | | |

【解　释】❶安在车轴两端防止车轮往外脱落的铁插销。❷管治，管理。
【组　词】辖区　辖制　管辖　直辖
【造　句】直辖——我国又增加了一个直辖市——重庆。
【同音字】霞（霞光）
【形近字】瞎（摸瞎）
【近义词】辖制/管制
【英　语】管辖　govern　[ˈɡʌvn]

| xiá | 笔画 | 部首 | 结构 | 五笔 | 造字法 |
|---|---|---|---|---|---|
| 霞 | 17 | 雨 | 上下 | FNHC | 形声 |
| 笔顺 | 一 𠂇 𠂇 币 帀 雨 雨 雨 雨 雨 雨 雨 雨 雨 雨 霞 霞 | | | | |

【解　释】日出或日落前后，受日光斜照而出现于空中的彩色云彩。
【组　词】彩霞　霞光　云霞　晚霞
【同音字】侠（侠骨）
【形近字】霸（霸道）

【英　语】彩霞　rosy clouds　[ˈrəuzi klaudz]

| xià | 笔画 | 部首 | 结构 | 五笔 | 造字法 |
|---|---|---|---|---|---|
| 下 | 3 | 一 | 独体 | GHI | 指事 |
| 笔顺 | 一 丅 下 | | | | |

【解　释】❶位置在低处。❷等级或品级低。❸往下。❹次序或时间在后。❺表示处于某个时节或时间。❻表示属于一定范围、情况等。❼投放。❽卸掉。❾由高往低;到;去。❿用;使。⓫作出;投送。⓬表示动作的继续、完成或趋向。⓭按时结束。⓮进行。⓯低于;少于。⓰动物生产。⓱量词。⓲攻克。

【组　词】下车　下等　下课　下午　下雨　下种　下游　下层　下载　属下

【造　句】下不为例——他经常迟到,但他今天向老师保证下不为例。

【同音字】夏(夏天)

【形近字】卞(卞急)

【成　语】下笔千言　下不为例　每况愈下　承上启下　下笔成章

【反义词】下/上　下降/上升

【近义词】下贱/低贱

【歇后语】下水船走不动——风头不顺|下雪天过独木桥——提心吊胆|下雨不打伞——淋头。

【谚　语】下江不怕旋涡多,打铁不怕火烫脚|下情难于达上,君子不耻下问。

【英　语】下面　below　[biˈləu]

| xià | 笔画 | 部首 | 结构 | 五笔 | 造字法 |
|---|---|---|---|---|---|
| 吓 | 6 | 口 | 左右 | KGHY | 形声 |
| 笔顺 | 丨 冂 口 口一 口丅 吓 | | | | |

【解　释】使害怕。

【组　词】吓唬　吓人　惊吓

【造　句】吓倒——我不会被他的话吓倒的。

【同音字】下(攻下)

【形近字】虾(虾米)

【反义词】吓唬/安抚

【近义词】吓唬/恐吓

【英　语】恐吓　frighten　[ˈfraitən]

【多音字】hè(见280页)

| xià | 笔画 | 部首 | 结构 | 五笔 | 造字法 |
|---|---|---|---|---|---|
| 夏 | 10 | 夊 | 上下 | DHTU | 象形 |
| 笔顺 | 一 丆 丆 万 丙 而 百 頁 頁 夏 | | | | |

【解　释】❶一年中四季的第二季。❷指中国。❸朝代名,禹所建。❹姓。

【组　词】夏天　夏季　盛夏　夏历　夏朝　夏装　立夏　酷夏　夏至

【同音字】下(居高临下)

【形近字】复(复习)

【歇后语】夏天的竹笋——节节高。

【谚　语】夏练三伏,冬练三九|夏走十里不黑,冬走十里不亮。

【英　语】夏天　summer　[ˈsʌmə]

| xià | 笔画 | 部首 | 结构 | 五笔 | 造字法 |
|---|---|---|---|---|---|
| 厦 | 12 | 厂 | 半包围 | DDHT | 形声 |
| 笔顺 | 一 厂 厂 厂 厂 厂 厂 厂 厦 厦 厦 厦 | | | | |

【解　释】厦门，地名，在福建省。
【组　词】厦门
【同音字】吓（吓唬）
【多音字】shà（见 625 页）

## XIAN　ㄒㄧㄢ

| xiān | 笔画 | 部首 | 结构 | 五笔 | 造字法 |
|---|---|---|---|---|---|
| 仙 | 5 | 亻 | 左右 | WMH | 形声 |
| 笔顺 | 丿 亻 仆 仙 仙 | | | | |

【解　释】古代神话中称能超出人世、长生不死并有种种神奇本领的人。
【组　词】神仙　仙女　仙人　仙丹　成仙　天仙　仙姑　仙境　仙鹤　仙人掌
【造　句】仙境——游览杭州西湖，犹如置身人间仙境。
【同音字】先（领先）
【形近字】灿（灿烂）
【成　语】八仙过海　飘飘欲仙
【歇后语】仙女散花——天花乱坠。
【谚　语】仙机人不识，妙算鬼难猜|仙丹妙药灵芝草，不如天天练长跑。
【英　语】仙人掌　cactus　[ˈkæktəs]

| xiān | 笔画 | 部首 | 结构 | 五笔 | 造字法 |
|---|---|---|---|---|---|
| 先 | 6 | 儿 | 上下 | TFQ | 会意 |
| 笔顺 | 丿 𠂉 ⺧ 生 先 先 | | | | |

【解　释】❶时间或次序在前（跟“后”相对）。❷指祖宗，上代。❸对死者的尊称。

甲骨文　金文　小篆　隶书　楷书

【字源释义】本义是“走在前面”。字的上部是一只脚，下部是一个人。跑到人家的前头去，就是“先”。后来引申为“过去”、“祖先”和“已去世的上辈”等义。
【组　词】优先　先前　先生　先进　先知　抢先　领先　先锋　先烈
【造　句】争先恐后——听说新书到货了，大家争先恐后地去买。
【同音字】纤（纤巧）
【形近字】光（光彩）　失（丧失）
【成　语】先见之明　争先恐后　一马当先　先人后己　先睹为快　先发制人　先入为主　先斩后奏
【反义词】先进/落后
【近义词】先辈/前辈
【歇后语】先穿鞋后穿裤——乱了套|先吃黄连后吃甘草——先苦后甜。
【谚　语】先当群众的学生，再当群众的老师。
【英　语】先例　precedent　[priˈsiːdənt]

| xiān | 笔画 | 部首 | 结构 | 五笔 | 造字法 |
|---|---|---|---|---|---|
| 纤 | 6 | 纟 | 左右 | XTFH | 形声 |
| 笔顺 | 𠃋 纟 纟 纟丿 纤 纤 | | | | |

【解　释】细小。
【组　词】纤细　纤维　纤巧　纤尘
【造　句】纤巧——这只花瓶看上去纤巧别致。
【辨　音】不读 qiān。
【同音字】鲜（鲜艳）
【形近字】阡（阡陌）
【反义词】纤细/粗大
【近义词】纤尘/微尘
【英　语】纤巧　dainty　['deinti]
【多音字】qiàn（见 576 页）

| xiān | 笔画 | 部首 | 结构 | 五笔 | 造字法 |
|---|---|---|---|---|---|
| 掀 | 11 | 扌 | 左右 | RRQW | 形声 |
| 笔顺 | 一 丨 扌 扌 扩 扩 折 折 掀 掀 掀 | | | | |

【解　释】❶揭开；打开。❷翻腾；激涌。❸发起；兴起。
【组　词】掀开　掀起　掀翻　掀动
【造　句】掀起——我校掀起了学习雷锋的热潮。
【辨　音】不读 xīn。
【同音字】先（先例）
【形近字】浙（浙江）
【成　语】掀天揭地
【英　语】掀起　lift　[lift]

| xiān | 笔画 | 部首 | 结构 | 五笔 | 造字法 |
|---|---|---|---|---|---|
| 鲜 | 14 | 鱼 | 左右 | QGUD | 形声 |
| 笔顺 | ノ 𠂊 ⺈ 鱼 鱼 鱼 鱼 鱼 鱼 鱼' 鱼' 鲜 鲜 鲜 | | | | |

【解　释】❶刚生产、宰杀、烹调出来的。❷没有枯萎的。❸色彩明亮的。❹味道好。❺新鲜的食品。❻姓。
【组　词】鲜肉　鲜明　新鲜　鲜果　鲜血　尝鲜　鲜花　鲜艳　鲜红　鲜嫩
【造　句】鲜艳——公园里的花开得鲜艳美丽。
【同音字】掀（掀起）
【形近字】洋（洋洋得意）
【成　语】鲜血淋漓　鲜艳夺目　鲜衣美食
【反义词】鲜明/含糊
【近义词】鲜艳/艳丽
【歇后语】鲜花插在牛粪上——不惜材料 | 鲜花插在牛屎上——不配。
【英　语】新鲜　fresh　[freʃ]
【多音字】xiǎn（见 772 页）

| xián | 笔画 | 部首 | 结构 | 五笔 | 造字法 |
|---|---|---|---|---|---|
| 闲 | 7 | 门 | 半包围 | USI | 会意 |
| 笔顺 | 丶 丨 门 闩 闩 闲 闲 | | | | |

【解　释】❶无事可做（跟"忙"相对）。❷放着；不使用。❸没有事的时候。❹与正事无关的。
【组　词】闲话　闲扯　闲居　闲人　闲谈　闲职　闲聊　空闲　等闲　闲荡
【造　句】闲聊——几位老人边晒太阳边闲聊。
【同音字】贤（贤良）
【形近字】闭（闭目养神）
【成　语】闲情逸致　闲云野鹤　闲言闲语
【反义词】悠闲/繁忙　闲/忙
【近义词】闲暇/空闲　闲谈/闲聊
【谚　语】闲时省下忙时用，有钱不忘无钱难 | 闲时做来急时用，渴

了挖井不现成。
【英　语】闲聊　chat [tʃæt]

| xián | 笔画 | 部首 | 结构 | 五笔 | 造字法 |
|---|---|---|---|---|---|
| 贤 | 8 | 贝 | 上下 | JCMU | 形声 |
| 笔顺 | 丨 丨丨 丨ㄱ 臤 収 坚 贤 贤 | | | | |

【解　释】❶品行高尚、才能卓越的人。❷品德良好、才能杰出的。❸敬辞，用于称平辈或晚辈。
【组　词】贤良　贤明　贤惠　先贤　贤弟　贤惠　贤德　圣贤
【造　句】举贤荐能——新上任的厂长举贤荐能，任用了一批能干的人。
【同音字】舷（船舷）
【形近字】坚（坚强）　贸（贸易）
【成　语】举贤荐能　孝子贤孙　任人唯贤
【反义词】贤惠/刁蛮
【近义词】贤惠/贤淑
【谚　语】贤人谈知识，庸人谈吃喝。
【英　语】圣贤　sage [seidʒ]

| xián | 笔画 | 部首 | 结构 | 五笔 | 造字法 |
|---|---|---|---|---|---|
| 弦 | 8 | 弓 | 左右 | XYXY | 形声 |
| 笔顺 | ㇕ ㇖ 弓 弓 弓 弦 弦 弦 | | | | |

【解　释】❶弓上发箭的绳状物。❷乐器上发声的线。❸月亮半圆。❹数学名词。1. 几何学上称一直线与圆相交于两点时在圆周内的部分。2. 我国古代称不等腰直角三角形的斜边。❺发条。
【组　词】弦乐　弓弦　弦月　琴弦
【造　句】扣人心弦——那部电影的情节扣人心弦。
【辨　音】不读 xuán。
【同音字】咸（咸鱼）
【形近字】舷（船舷）
【成　语】弦外之意　扣人心弦　弦外之音
【近义词】弦外之音/话中有话
【英　语】弓弦　string [striŋ]

| xián | 笔画 | 部首 | 结构 | 五笔 | 造字法 |
|---|---|---|---|---|---|
| 咸 | 9 | 戈 | 半包围 | DGKT | 会意 |
| 笔顺 | 一 厂 厂 后 后 后 咸 咸 咸 | | | | |

【解　释】❶全；都。❷像盐的味道。
【组　词】咸水　咸菜　咸鱼　咸水湖
【同音字】衔（官衔）
【形近字】威（威风）　成（成功）
【谚　语】咸吃萝卜，淡操心。
【英　语】咸味　salted [ˈsɔːltid]

| xián | 笔画 | 部首 | 结构 | 五笔 | 造字法 |
|---|---|---|---|---|---|
| 娴 | 10 | 女 | 左右 | VUSY | 形声 |
| 笔顺 | 𡿨 女 女 女 女 女门 娴 娴 娴 娴 | | | | |

【解　释】❶文雅。❷熟练。
【组　词】娴静　娴熟　娴雅
【造　句】娴静——她举止优雅，娴静大方。
【同音字】咸（咸菜）

| xián | 笔画 | 部首 | 结构 | 五笔 | 造字法 |
|---|---|---|---|---|---|
| 衔 | 11 | 彳 | 左中右 | TQFH | 会意 |
| 笔顺 | ノ 彡 彳 彳 彳 彳 彳 彳 彳 彳 衔 | | | | |

【解　释】❶用嘴含着；用嘴叼着。

❷心里怀着。❸职务和级别的名号。
【组　词】衔恨　衔接　军衔　授衔
【造　句】衔接——这篇文章前后衔接得很紧密。
【同音字】闲(闲谈)
【形近字】街(街坊)
【成　语】衔尾相随
【反义词】衔接/脱离
【近义词】衔接/连接
【英　语】衔接　link up [liŋk ʌp]

| xián | 笔画 | 部首 | 结构 | 五笔 | 造字法 |
|---|---|---|---|---|---|
| 舷 | 11 | 舟 | 左右 | TEYX | 形声 |
| 笔顺 | ノ 丿 ⺆ 凢 舟 舟 舟 舟` 舟亠 舟玄 舷 | | | | |

【解　释】船和飞机等两侧的边。
【组　词】舷窗　舷梯　船舷
【同音字】嫌(嫌弃)
【形近字】弦(琴弦)
【英　语】舷窗　porthole [ˈpɔːthəul]

| xián | 笔画 | 部首 | 结构 | 五笔 | 造字法 |
|---|---|---|---|---|---|
| 嫌 | 13 | 女 | 左右 | VUVO | 形声 |
| 笔顺 | 𡿨 女 女 女` 女丷 女䒑 女兰 女𫇦 女兼 女兼 嫌 嫌 嫌 | | | | |

【解　释】❶可疑;被怀疑做了某事。❷厌恶;不满。❸怨恨、不满的情绪。
【组　词】嫌弃　嫌疑　避嫌　涉嫌
【造　句】嫌弃——虽然他是从乡下来的,可谁也不嫌弃他。
【辨　音】不读 qiān。
【同音字】贤(贤能)
【形近字】赚(赚钱)　谦(谦让)
【反义词】嫌弃/喜欢
【近义词】嫌弃/厌恶
【谚　语】嫌这山低,望那山高。
【英　语】嫌疑　suspicion [səˈspiʃən]

| xiǎn | 笔画 | 部首 | 结构 | 五笔 | 造字法 |
|---|---|---|---|---|---|
| 显 | 9 | 日 | 上下 | JOGF | 形声 |
| 笔顺 | 丨 冂 日 日 旦 早 显 显 显 | | | | |

【解　释】❶露在外面容易看出来。❷表露。❸旧指有名声、地位、权势的。
【组　词】显示　显露　明显　显然
【造　句】显露——他脸上显露出高兴的神色。
【同音字】险(危险)
【成　语】显而易见
【反义词】显示/隐藏
【近义词】显示/显露
【英　语】明显　apparent [əˈpærənt]

| xiǎn | 笔画 | 部首 | 结构 | 五笔 | 造字法 |
|---|---|---|---|---|---|
| 冼 | 9 | 冫 | 左右 | ITFQ | 形声 |
| 笔顺 | 丶 冫 冫 冫 冫 冼 冼 冼 冼 | | | | |

【解　释】姓。
【多音字】xǐ(见 762 页)

| xiǎn | 笔画 | 部首 | 结构 | 五笔 | 造字法 |
|---|---|---|---|---|---|
| 险 | 9 | 阝 | 左右 | BWGI | 形声 |
| 笔顺 | 阝 阝 阝 阝 阝 险 险 险 险 | | | | |

【解　释】❶不安全的景况。❷难以通行的地方。❸奸诈狠毒。

❹几乎；差一点。❺可能发生灾难的。
【组　词】危险　险阻　险情　险要
【造　句】险情——经当地百姓的全力抢救，险情终于被排除了。
【同音字】显（显现）
【形近字】俭（节俭）　检（检查）
【成　语】艰难险阻
【反义词】危险/安全
【近义词】险要/惊险
【谚　语】险山要小心，曲路要谨慎。
【英　语】危险　danger [ˈdeindʒə]

| xiǎn | 笔画 | 部首 | 结构 | 五笔 | 造字法 |
|---|---|---|---|---|---|
| 鲜 | 14 | 鱼 | 左右 | QGUD | 会意 |
| 笔顺 | ノ ク ク 各 各 备 备 鱼 鱼' 鱼" 鲜 鲜 鲜 鲜 | | | | |

【解　释】少。
【组　词】鲜有　鲜见
【同音字】显（显示）
【反义词】鲜见/常见
【近义词】鲜见/稀少
【英　语】鲜有　little [ˈlitl]
【多音字】xiān（见 769 页）

| xiàn | 笔画 | 部首 | 结构 | 五笔 | 造字法 |
|---|---|---|---|---|---|
| 见 | 4 | 见 | 独体 | MQB | 会意 |
| 笔顺 | 丨 冂 贝 见 | | | | |

【解　释】❶同"现"。❷现成的。
【同音字】县（县长）
【多音字】jiàn（见 336 页）

| xiàn | 笔画 | 部首 | 结构 | 五笔 | 造字法 |
|---|---|---|---|---|---|
| 县 | 7 | 厶 | 上下 | EGCU | 会意 |
| 笔顺 | 丨 冂 月 日 且 县 县 | | | | |

【解　释】一种行政区划单位，由地区、自治州、直辖市管辖，下管乡。
【组　词】县长　县治　县城　知县
【同音字】线（线索）
【形近字】具（具体）
【谚　语】县官不如现管。
【英　语】县　county [ˈkaunti]

| xiàn | 笔画 | 部首 | 结构 | 五笔 | 造字法 |
|---|---|---|---|---|---|
| 现 | 8 | 王 | 左右 | GMQN | 形声 |
| 笔顺 | 一 二 干 王 玎 玑 珋 现 | | | | |

【解　释】❶显露。❷目前。❸当时；当场。❹实有的；马上可以拿出的。
【组　词】现在　现金　现状　现款
【造　句】现状——我们应该改变当前现状，把班级活动搞起来。
【同音字】县（县城）
【形近字】视（视察）
【成　语】昙花一现　现身说法
【反义词】现象/本质
【近义词】显现/呈现
【谚　语】现时不学用时迟。
【英　语】现在　now [nau]

| xiàn | 笔画 | 部首 | 结构 | 五笔 | 造字法 |
|---|---|---|---|---|---|
| 限 | 8 | 阝 | 左右 | BVEY | 会意 |
| 笔顺 | 了 阝 阝ᄀ 阝ㄱ 阝彐 阴 限 限 | | | | |

【解　释】❶规定的范围。❷规定范围，不许超过。❸（书）门槛。
【组　词】限度　限制　界限　有限　限止　期限　限于　局限　限养
【造　句】限制——这篇作文的字数限制在 400 字左右。
【同音字】现（实现）

【形近字】狠(凶狠) 恨(怨恨)
【英 语】限制 limit ['limit]

| xiàn | 笔画 | 部首 | 结构 | 五笔 | 造字法 |
|---|---|---|---|---|---|
| 线 | 8 | 纟 | 左右 | XGT | 形声 |
| 笔顺 | 𠃋 纟 纟 纟 纟 线 线 线 | | | | |

【解 释】❶用丝、棉、麻或金属等制成的细长的条状物。❷比喻细小的；极小。❸像线的东西。❹边缘地带。❺几何学上指一点任意移动所形成的图形。❻线索。❼交通路线。❽量词。
【组 词】线段 线圈 线条 曲线 线形 防线 路线 光线 线头 线装
【造 句】光线——不要在昏暗的光线下看书。
【同音字】陷(凹陷)
【形近字】贱(低贱) 浅(浅水)
【成 语】穿针引线 飞针走线
【近义词】线索/头绪
【谚 语】放长线，钓大鱼。
【英 语】线条 line [lain]

| xiàn | 笔画 | 部首 | 结构 | 五笔 | 造字法 |
|---|---|---|---|---|---|
| 宪 | 9 | 宀 | 上下 | PTFQ | 形声 |
| 笔顺 | 丶 丷 宀 宀 宀 宀 宀 宪 宪 | | | | |

【解 释】❶法令。❷宪法。
【组 词】宪法 宪兵 制宪 宪章
【造 句】宪法——宪法是国家的根本大法。
【辨 音】不读 xiān。
【同音字】现(出现)
【形近字】宽(宽敞)
【英 语】宪法 constitution [kɔnsti'tjuːʃən]

| xiàn | 笔画 | 部首 | 结构 | 五笔 | 造字法 |
|---|---|---|---|---|---|
| 陷 | 10 | 阝 | 左右 | BQVG | 形声 |
| 笔顺 | 阝 阝 阝 阝 阝 阝 阝 陷 陷 陷 | | | | |

【解 释】❶掉入；没入。❷凹进。❸设计害人。❹不足之处。❺被攻占。

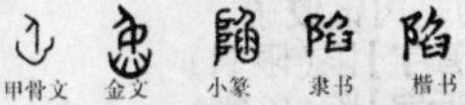

【字源释义】原作"臽"。甲骨文的字形是一个人掉进了陷阱。金文在陷阱上面加了"口"，还在陷阱底部加了尖桩。
【组 词】陷害 陷阱 陷入 陷落 沦陷 陷身 攻陷 缺陷
【造 句】陷害——做事要对得起自己的良心，不能陷害好人。
【同音字】献(奉献)
【形近字】馅(肉馅)
【反义词】陷害/拯救
【近义词】陷害/迫害
【英 语】陷阱 pitfall ['pitfɔːl]

X

X

| xiàn | 笔画 | 部首 | 结构 | 五笔 | 造字法 |
|---|---|---|---|---|---|
| 馅 | 11 | 饣 | 左右 | QNQV | 形声 |
| 笔顺 | 丿 𠂉 饣 饣 饣 饣 饣 饣 馅 馅 馅 | | | | |

【解　释】面食、点心里包的糖、豆沙或细碎的肉、菜等。
【组　词】菜馅　肉馅　馅饼
【造　句】肉馅——我家今天晚上吃的是肉馅饺子。
【同音字】限(限制)
【形近字】陷(陷害)
【英　语】馅　filling [ˈfiliŋ]

| xiàn | 笔画 | 部首 | 结构 | 五笔 | 造字法 |
|---|---|---|---|---|---|
| 羡 | 12 | 𦍌 | 上下 | UGUW | 会意 |
| 笔顺 | 丶 丷 䒑 𦍌 𦍌 𦍌 𦍌 𦍌 𦍌 羡 羡 羡 | | | | |

【解　释】❶看见别人的长处、好处或优点而自己也想有。❷多余的。
【组　词】羡慕　深羡　称羡　欣羡
【造　句】羡慕——我很羡慕她的学习成绩,那么棒。
【同音字】献(献花)
【成　语】临渊羡鱼
【英　语】羡慕　admire [ədˈmaiə]

| xiàn | 笔画 | 部首 | 结构 | 五笔 | 造字法 |
|---|---|---|---|---|---|
| 献 | 13 | 犬 | 左右 | FMUD | 形声 |
| 笔顺 | 一 十 广 内 内 内 内 内 南 南 献 献 献 | | | | |

【解　释】❶恭敬庄严地送上。❷表现出来。❸自愿捐出。

【字源释义】字原由"鬳"、"犬"构成。"鬳"是古代的一种炊具;"犬"是狗。用炊具蒸煮狗作为祭品。"献"的本义是"献祭"。引申为"奉献"。
【组　词】贡献　献计　奉献　献策
【造　句】贡献——我们长大要为祖国的建设贡献自己的力量。
【同音字】宪(宪政)
【反义词】捐献/索取
【近义词】献策/献计
【英　语】奉献　offer [ˈɔfə]

| xiàn | 笔画 | 部首 | 结构 | 五笔 | 造字法 |
|---|---|---|---|---|---|
| 腺 | 13 | 月 | 左右 | ERIY | 形声 |
| 笔顺 | 丿 月 月 月 月 月 胪 胪 胪 腺 腺 腺 腺 | | | | |

【解　释】生物体内有分泌功能的组织。
【组　词】腺细胞　汗腺　泪腺　胰腺
【造　句】胰腺——胰腺是人体的重要器官之一。
【同音字】现(现在)
【英　语】腺　gland [glænd]

# XIANG ㄒㄧㄤ

| xiāng | 笔画 | 部首 | 结构 | 五笔 | 造字法 |
|---|---|---|---|---|---|
| 乡 | 3 | 乛 | 独体 | XTE | 会意 |
| 笔顺 | 𠃋 乡 乡 | | | | |

【解　释】❶城市外的区域。❷出生地或祖籍。❸基层行政区划单位，由区县或区领导。

甲骨文　金文　小篆　隶书　楷书

【字源释义】意思是用酒食招待人。字形是两个人面对面地跪坐着，在他们中间是盛食物的器皿。亦通“享”。又通“飨”、“响”和“卿”。

【组　词】乡村　乡下　乡音　乡间　乡里　乡土　老乡　乡镇　乡长　故乡

【造　句】乡村——乡村的早晨一片鸟语花香。

【同音字】香(清香)

【形近字】幺(幺妹)

【成　语】鱼米之乡　背井离乡

【歇后语】乡下人进城——事事稀奇。

【谚　语】乡风处处异。

【英　语】乡村　village [ˈvilidʒ]

| xiāng | 笔画 | 部首 | 结构 | 五笔 | 造字法 |
|---|---|---|---|---|---|
| 相 | 9 | 木 | 左右 | SHG | 会意 |
| 笔顺 | 一 十 才 木 木丨 机 相 相 相 | | | | |

【解　释】❶彼此交互地。❷表示一方对另一方的动作，用在动词前。❸看。

甲骨文　金文　小篆　隶书　楷书

【字源释义】本义是“细看”、“观察”，音 xiàng。字形是一只眼睛在细细察看一棵树。又有“相互”义，音 xiāng。

【组　词】相等　相对　相反　相逢　相关　相间　相信　互相　相中

【造　句】相信——我相信你一定能完成这个光荣而艰巨的任务。

【同音字】乡(乡音)

【形近字】柏(柏树)

【成　语】相安无事　相依为命　相提并论　相持不下　相得益彰　相去无几

【反义词】相同/相反

【近义词】相信/信任

【谚　语】相见易得好，久住难为人|相互协助事好办，各揣私心事难成。

【英　语】相仿 be similar [biː 'similə]
【多音字】xiàng(见 779 页)

| xiāng | 笔画 | 部首 | 结构 | 五笔 | 造字法 |
|---|---|---|---|---|---|
| 香 | 9 | 禾 | 上下 | TJF | 会意 |
| 笔顺 | 一 二 千 禾 禾 禾 香 香 香 | | | | |

【解　释】❶气味好闻。❷比喻舒服。❸食物味道好。❹受欢迎。❺有香气的东西。❻吃东西胃口好。❼特指香料。
【组　词】香水　香瓜　香花　香片　清香　五香　香气　香喷喷
【造　句】清香——花园里盛开的玫瑰花散发出一阵阵清香。
【同音字】相(相当)
【形近字】杳(yǎo 杳无音信)
【成　语】鸟语花香　古色古香
【反义词】香/臭
【近义词】清香/芳香
【歇后语】香炉里打喷嚏——弄一鼻子灰|香烟头埋进木屑堆——闷在肚里烧。
【谚　语】香饵之下,必有死鱼,重赏之下,必有勇夫|香花不一定好看,会说不一定能干。
【英　语】香料 perfume ['pəːfjuːm]

| xiāng | 笔画 | 部首 | 结构 | 五笔 | 造字法 |
|---|---|---|---|---|---|
| 厢 | 11 | 厂 | 半包围 | DSHD | 形声 |
| 笔顺 | 一 厂 厂 厂 厂 厂 厢 厢 厢 厢 厢 | | | | |

【解　释】❶在正房两边的房子。❷靠近城镇的地方。❸像房子样隔间的地方。❹方面;边。
【组　词】厢房　车厢　西厢　包厢
【辨　音】不读 xiàng。
【同音字】相(相信)
【形近字】湘(湘江)
【英　语】厢房 wing-room [wiŋ ruːm]

| xiāng | 笔画 | 部首 | 结构 | 五笔 | 造字法 |
|---|---|---|---|---|---|
| 湘 | 12 | 氵 | 左右 | ISHG | 形声 |
| 笔顺 | 丶 丶 氵 汁 汁 汁 沐 沐 湘 湘 湘 湘 | | | | |

【解　释】❶湘江,发源于广西,经过湖南,流入洞庭湖。❷湖南省的别称。
【组　词】湘水　湘绣　湘江　湘菜
【造　句】湘绣——湖南的湘绣是非常精美的。
【同音字】香(香蕉)
【形近字】淋(淋湿)
【歇后语】湘绣被面包画册——话(画)中有话(画)。

| xiāng | 笔画 | 部首 | 结构 | 五笔 | 造字法 |
|---|---|---|---|---|---|
| 箱 | 15 | ⺮ | 上下 | TSHF | 形声 |
| 笔顺 | 丿 ⺈ ⺮ ⺮ ⺮ ⺮ 竺 竿 筘 筘 箱 箱 箱 箱 箱 | | | | |

【解　释】❶放置衣物或其他东西的方形器具。❷像箱子的东西。
【组　词】箱笼　箱底　箱子　风箱　信箱　铁箱
【造　句】箱子——爸爸的箱子里装满了书。
【辨　音】不读 xiàng。
【同音字】湘(湘菜)
【形近字】厢(车厢)

【英　语】箱子　chest［tʃest］

| xiáng | 笔画 | 部首 | 结构 | 五笔 | 造字法 |
|---|---|---|---|---|---|
| 详 | 8 | 讠 | 左右 | YUDH | 形声 |
| 笔顺 | 丶 讠 讠 讠' 讠'' 讠兰 讠兰 详 | | | | |

【解　释】❶详密；完备。❷清楚；了解。❸说明；细说。
【组　词】详实　详细　详情　详明　详密　详尽　安详
【造　句】详细——老师对课文进行了详细的讲解。
【同音字】降（投降）
【形近字】样（模样）　洋（海洋）
【反义词】详细/简略
【近义词】详细/仔细
【英　语】详细　detailed［ˈdiːteild］

| xiáng | 笔画 | 部首 | 结构 | 五笔 | 造字法 |
|---|---|---|---|---|---|
| 降 | 8 | 阝 | 左右 | BTAH | 会意 |
| 笔顺 | 阝 阝 阝' 阝夂 陉 陉 陉 降 | | | | |

【解　释】❶顺从；归服。❷降服；使驯服。
【组　词】投降　降服　降顺
【造　句】投降——对方认输了，决定向我方投降。
【同音字】详（详细）
【反义词】投降/抗拒
【近义词】劝降/诱降
【英　语】投降　surrender［səˈrendə］
【多音字】jiàng（见 343 页）

| xiáng | 笔画 | 部首 | 结构 | 五笔 | 造字法 |
|---|---|---|---|---|---|
| 祥 | 10 | 礻 | 左右 | PYUD | 形声 |
| 笔顺 | 丶 ラ 才 礻 礻 礻' 礻'' 礻兰 礻兰 祥 | | | | |

【解　释】❶吉利。❷迷信的人指吉凶的预兆。❸平和。
【组　词】祥瑞　吉祥　祥和　慈祥
【造　句】慈祥——他是一位慈祥的老人。
【同音字】翔（飞翔）
【形近字】详（详尽）
【反义词】吉祥/倒霉
【近义词】吉祥/吉利
【英　语】吉祥　lucky［ˈlʌki］

| xiáng | 笔画 | 部首 | 结构 | 五笔 | 造字法 |
|---|---|---|---|---|---|
| 翔 | 12 | 羊 | 左右 | UDNG | 形声 |
| 笔顺 | 丶 丷 丷 䒑 兰 羊 羊 羊 翔 翔 翔 翔 | | | | |

【解　释】❶盘旋地飞。❷同"详"。
【组　词】飞翔　翔实　滑翔　翱翔　高翔　回翔
【造　句】飞翔——小鸟在蓝天上自由地飞翔。
【同音字】降（投降）
【形近字】翎（雁翎）
【英　语】翱翔　soar［sɔː］

| xiǎng | 笔画 | 部首 | 结构 | 五笔 | 造字法 |
|---|---|---|---|---|---|
| 享 | 8 | 亠 | 上中下 | YBF | 会意 |
| 笔顺 | 丶 亠 亠 古 古 亨 享 享 | | | | |

【解　释】充分取用；得到满足。
【组　词】享受　享乐　享有　安享　享福　分享　同享
【造　句】分享——让我们一起分享快乐与忧愁吧！
【辨　音】不读 hēng。
【同音字】想（想念）
【形近字】亨（万事亨通）

【成　语】坐享其成
【反义词】享福/受罪
【近义词】享受/享用
【英　语】享受 enjoyment [in'dʒɔimənt]

| xiǎng | 笔画 | 部首 | 结构 | 五笔 | 造字法 |
| --- | --- | --- | --- | --- | --- |
| 响 | 9 | 口 | 左右 | KTMK | 形声 |
| 笔顺 | 丨 口 口 口' 口' 向 响 响 响 | | | | |

【解　释】❶声音。❷发出声音。❸使发声。❹响亮；大声。❺回声。❻用言语行动表示赞同。
【组　词】响亮　响声　响器　响应　音响　影响
【造　句】影响——午休时，别大声吵嚷，以免影响别人睡觉。
【同音字】享（享乐）
【形近字】晌（晌午）
【成　语】响彻云霄　不同凡响
【反义词】响亮/嘶哑　低沉
【近义词】响亮/嘹亮　洪亮
【谚　语】响鼓何用重锤。
【英　语】响声 sound [saund]

| xiǎng | 笔画 | 部首 | 结构 | 五笔 | 造字法 |
| --- | --- | --- | --- | --- | --- |
| 想 | 13 | 心 | 上下 | SHNU | 形声 |
| 笔顺 | 一 十 才 木 木 相 相 相 相 相 想 想 想 | | | | |

【解　释】❶思考；动脑子。❷推测；认为。❸希望；打算。❹思念；怀念。
【组　词】想念　想象　联想　想法　思想　想象力
【造　句】想念——我时刻都在想念远方的妈妈。
【同音字】响（反响）
【形近字】相（相同）
【成　语】想入非非　不堪设想
【反义词】想念/忘却
【近义词】想念/思念
【歇后语】天上摘星，水底捞月——想得到，做不到。
【谚　语】想要将来好，田地里头找。
【英　语】想起 remember [ri'membə]

| xiàng | 笔画 | 部首 | 结构 | 五笔 | 造字法 |
| --- | --- | --- | --- | --- | --- |
| 向 | 6 | 丿 | 独体 | TMKD | 会意 |
| 笔顺 | ノ 亻 门 向 向 向 | | | | |

【解　释】❶朝着；对着（跟“背”相对）。❷方向；趋向。❸将近；临近。❹偏袒。❺介词。表示动作的方向或对象。❻从来；从开始到现在。
【组　词】向前　向上　向来　向往　风向　归向　向导　去向
【造　句】向往——他们都向往着美好的未来。
【同音字】相（长相）
【形近字】问（提问）
【反义词】向/背
【近义词】向来/一向
【歇后语】向着太阳的葵花——爱情（晴）｜向阳坡的竹子——横生枝节。
【谚　语】向阳花木易逢春｜向阳的房子先得暖。
【英　语】方向 direction [di'rekʃən]

| xiàng | 笔画 | 部首 | 结构 | 五笔 | 造字法 |
| --- | --- | --- | --- | --- | --- |
| 项 | 9 | 工 | 左右 | ADMY | 形声 |
| 笔顺 | 一 丅 工 工 工' 巧 项 项 项 | | | | |

【解　释】❶颈的后部，俗称"脖子"。❷量词。指事物的种类、条目。❸钱；经费。❹代数中一种单式的名称。
【组　词】项目　项链　项背　款项　事项　强项
【造　句】项目——爸爸正在研究一个新的项目。
【同音字】象(大象)　向(风向)
【形近字】顶(屋顶)
【英　语】项目　item [ˈaitəm]

| xiàng | 笔画 | 部首 | 结构 | 五笔 | 造字法 |
|---|---|---|---|---|---|
| 巷 | 9 | 巳 | 上下 | AWNB | 形声 |
| 笔顺 | 一 十 廾 龷 共 共 巷 巷 巷 | | | | |

【解　释】较窄而小的街道。
【组　词】巷子　小巷　巷口
【造　句】巷口——今天李叔叔结婚，巷口挤满了看热闹的人。
【同音字】像(图像)
【形近字】恭(恭敬)
【成　语】街头巷尾
【歇后语】巷子里扛木头——直来直去。
【英　语】巷子　lane [lein]
【多音字】hàng(见 274 页)

| xiàng | 笔画 | 部首 | 结构 | 五笔 | 造字法 |
|---|---|---|---|---|---|
| 相 | 9 | 木 | 左右 | SHG | 会意 |
| 笔顺 | 一 十 才 木 机 相 相 相 相 | | | | |

【解　释】❶模样。❷坐、立等的姿态。❸仔细察看。❹官名。❺姓。
【组　词】相貌　真相　本相　变相
【同音字】象(大象)
【成　语】相貌堂堂　相时而动
【谚　语】相门有相，将门有将。
【英　语】相貌　looks [luks]
【多音字】xiāng(见 775 页)

| xiàng | 笔画 | 部首 | 结构 | 五笔 | 造字法 |
|---|---|---|---|---|---|
| 象 | 11 | ⺈ | 上下 | QJE | 象形 |
| 笔顺 | ノ ⺈ 𠂊 ... 象 象 象 | | | | |

【解　释】❶哺乳动物，是陆地现存最大的动物，耳朵大，鼻子长，呈圆筒形，能伸卷。多有一对特长的门牙伸出唇外，象牙可制工艺品。❷样子；形状。❸仿效；模仿。

【字源释义】这是一个象形字。字形突出了大象长长的鼻子和宽厚的身躯。
【组　词】大象　印象　象牙　象形　抽象　对象　象征　现象
【造　句】印象——在我的印象中好像见过这个人。
【同音字】项(项目)
【形近字】家(家庭)
【成　语】盲人摸象　包罗万象　气象万千

【近义词】景象/景观
【歇后语】象棋盘上打仗——没船也要过河。
【谚　语】象以齿丧身，蚌以珠剖体。
【英　语】大象　elephant [ˈelifənt]

| xiàng | 笔画 | 部首 | 结构 | 五笔 | 造字法 |
|---|---|---|---|---|---|
| 像 | 13 | 亻 | 左右 | WQJE | 形声 |
| 笔顺 | 丿 亻 亻 亻 亻 伃 伃 伃 侢 侢 傍 像 像 | | | | |

【解　释】❶相似。❷按照人物做成的形象。❸仿佛。❹比方；如同。
【组　词】好像　偶像　群像　圣像　图像　雕像　像章　胸像
【造　句】像章——爷爷保存着许多枚毛主席像章。
【同音字】相（相貌）
【形近字】橡（橡皮）
【成　语】像模像样
【英　语】图像　image [ˈimidʒ]

| xiàng | 笔画 | 部首 | 结构 | 五笔 | 造字法 |
|---|---|---|---|---|---|
| 橡 | 15 | 木 | 左右 | SQJE | 形声 |
| 笔顺 | 一 十 才 木 木 木 木 木 木 木 橡 橡 橡 橡 橡 | | | | |

【解　释】❶橡树，即栎树。❷橡胶树，常生乔木，树脂含胶质，可制橡胶。❸用橡胶树一类植物的汁制成的胶质，用途广泛。
【组　词】橡皮　橡实　橡胶　橡皮筋　橡皮泥
【造　句】橡皮——写错了字，请用橡皮擦掉，不要乱涂乱画。
【同音字】向（方向）
【形近字】像（好像）
【歇后语】橡皮擦字——有错就改。
【英　语】橡树　oak [əuk]

## XIAO　ㄒㄧㄠ

| xiāo | 笔画 | 部首 | 结构 | 五笔 | 造字法 |
|---|---|---|---|---|---|
| 肖 | 7 | ⺌ | 上下 | IEF | 形声 |
| 笔顺 | 丶 丷 ⺌ 𫩏 肖 肖 肖 | | | | |

【解　释】姓。
【同音字】削（削皮）
【形近字】尚（高尚）
【多音字】xiào（见 783 页）

| xiāo | 笔画 | 部首 | 结构 | 五笔 | 造字法 |
|---|---|---|---|---|---|
| 削 | 9 | 刂 | 左右 | IEJH | 形声 |
| 笔顺 | 丨 丷 ⺌ 𫩏 肖 肖 肖 肖 削 | | | | |

【解　释】用刀切去物体的表皮。
【组　词】削皮　刀削　削铅笔
【造　句】削铅笔——小丽已经学会自己削铅笔了。
【同音字】宵（元宵）
【形近字】消（消灭）　稍（稍微）
【谚　语】削尖了脑袋往里钻。
【英　语】削　peel [piːl]
【多音字】xuē（见 806 页）

| xiāo | 笔画 | 部首 | 结构 | 五笔 | 造字法 |
|---|---|---|---|---|---|
| 逍 | 10 | 辶 | 半包围 | IEPD | 形声 |
| 笔顺 | 丨 丷 ⺌ 𫩏 肖 肖 肖 肖 逍 逍 | | | | |

【解　释】[逍遥]没有什么约束，自由自在。

【组　词】逍遥
【造　句】逍遥——决不能让犯罪分子逍遥法外。
【同音字】削(削面)
【形近字】消(消失)
【成　语】逍遥自在　逍遥法外
【反义词】逍遥/拘束
【近义词】逍遥/自在
【英　语】逍遥　free and easy [friː ænd ˈiːzi]

| xiāo | 笔画 | 部首 | 结构 | 五笔 | 造字法 |
|---|---|---|---|---|---|
| 消 | 10 | 氵 | 左右 | IIEG | 形声 |
| 笔顺 | 丶 ⺀ 氵 氵' 氵'' 氵⺌ 汸 消 消 消 | | | | |

【解　释】❶散失;融化。❷除去。❸度过时间;消遣。❹需要。
【组　词】消灭　消磨　消防　消除　消费　消息　消失　消损　消暑　消闲　消沉　消逝
【造　句】消失——小船渐渐消失在海天交接的地方。
【同音字】萧(萧条)
【形近字】悄(静悄悄)
【反义词】消除/保留
【近义词】消除/消灭
【歇后语】消防车出动——十万火急|消防队的救火车——畅行无阻|消防队员救火——刻不容缓。
【谚　语】消忧莫若酒,救贫莫若勤。
【英　语】消除　eliminate [iˈlimineit]

| xiāo | 笔画 | 部首 | 结构 | 五笔 | 造字法 |
|---|---|---|---|---|---|
| 宵 | 10 | 宀 | 上下 | PIEF | 形声 |
| 笔顺 | 丶 丶' 宀 宀' 宀'' 宵 宵 宵 宵 宵 | | | | |

【解　释】夜。
【组　词】通宵　元宵　良宵　宵禁
【造　句】良宵——中秋佳节,我们在北海共度良宵。
【同音字】消(消除)
【形近字】霄(云霄)
【成　语】通宵达旦
【英　语】宵禁　curfew [ˈkəːfjuː]

| xiāo | 笔画 | 部首 | 结构 | 五笔 | 造字法 |
|---|---|---|---|---|---|
| 萧 | 11 | 艹 | 上下 | AVIJ | 形声 |
| 笔顺 | 一 十 艹 艹 艹 艹 萧 萧 萧 萧 萧 | | | | |

【解　释】❶冷落;不兴旺。❷姓。
【组　词】萧疏　萧飒　萧条　萧瑟
【造　句】萧条——这个村子被一场无情的大火烧过后,显得一片萧条。
【同音字】消(消极)
【形近字】箫(吹箫)
【反义词】萧条/繁华
【近义词】萧条/冷落
【英　语】萧条　depression [diˈpreʃən]

| xiāo | 笔画 | 部首 | 结构 | 五笔 | 造字法 |
|---|---|---|---|---|---|
| 销 | 12 | 钅 | 左右 | QIEG | 形声 |
| 笔顺 | ノ 𠂉 𠂉 钅 钅 钅' 钅'' 钅⺌ 钋 销 销 销 | | | | |

【解　释】❶熔化。❷售;卖。❸去掉;撤除。❹消耗;花费。❺销子,机器上像钉子的零件。❻插上销子。
【组　词】销毁　销售　花销　畅销
【造　句】畅销——这本书在市场上很畅销。

【同音字】宵(元宵)
【形近字】消(消费)
【成　语】销声匿迹
【近义词】销毁/毁灭
【歇后语】冬天的蚊子——销声匿迹。
【英　语】销售 sell [sel]

| xiāo | 笔画 | 部首 | 结构 | 五笔 | 造字法 |
|---|---|---|---|---|---|
| 箫 | 14 | ⺮ | 上下 | TVIJ | 形声 |
| 笔顺 | ノ 𠂉 𥫗 𥫗 𥫗 竹 竹 竺 笋 笋 笋 箫 箫 箫 | | | | |

【解　释】用一根竹管做的直着吹的乐器。
【组　词】洞箫　箫乐
【造　句】箫乐——这是她最喜欢的一首箫乐。
【英　语】箫乐 flute music [fluːt ˈmjuːzik]

| xiāo | 笔画 | 部首 | 结构 | 五笔 | 造字法 |
|---|---|---|---|---|---|
| 潇 | 14 | 氵 | 左右 | IAVJ | 形声 |
| 笔顺 | 丶 冫 氵 氵 汁 汁 洋 洋 洋 洋 潇 潇 潇 潇 | | | | |

【解　释】❶水清而深。❷[潇洒]自然大方;不拘束。
【组　词】潇潇　潇洒
【造　句】潇洒——他是个潇洒的人。
【同音字】销(销售)
【近义词】潇洒/洒脱

| xiāo | 笔画 | 部首 | 结构 | 五笔 | 造字法 |
|---|---|---|---|---|---|
| 霄 | 15 | ⻗ | 上下 | FIEF | 形声 |
| 笔顺 | 一 ㇀ 𠘨 币 币 币 币 雨 雨 雨 雨 霄 霄 霄 霄 | | | | |

【解　释】❶云。❷天空。
【组　词】云霄　霄汉
【造　句】九霄云外——没过几天,他就把这件烦恼的事抛到九霄云外了。
【同音字】萧(萧瑟)
【形近字】宵(通宵)
【成　语】响彻云霄　九霄云外
【英　语】云霄 clouds [klaudz]

| xiāo | 笔画 | 部首 | 结构 | 五笔 | 造字法 |
|---|---|---|---|---|---|
| 嚣 | 18 | 页 | 上下 | KKDK | 会意 |
| 笔顺 | 丨 口 口 口 口 口 吅 吅 吅 吅 吅 吅 嚣 嚣 嚣 嚣 嚣 嚣 | | | | |

【解　释】喧哗;吵闹。
【组　词】嚣张　叫嚣　尘嚣
【造　句】嚣张——现在可是法制社会,你不要太嚣张。
【同音字】销(销售)
【形近字】器(器重)
【近义词】嚣张/张狂

| xiǎo | 笔画 | 部首 | 结构 | 五笔 | 造字法 |
|---|---|---|---|---|---|
| 小 | 3 | 小 | 独体 | IH | 指事 |
| 笔顺 | 亅 小 小 | | | | |

【解　释】❶(在面积、体积、数量、程度等方面)低于一般的情况或所比较的情况(跟"大"相对)。❷年幼的人。❸排行最末的人。❹谦辞,称自己或与自己有关的人或事物。❺短时间地。❻将近;略少于。❼稍微。
【组　词】小班　小心　小孩　小组
【造　句】小心——河水很深,你千万要小心。
【同音字】晓(揭晓)
【成　语】小巧玲珑　小心翼翼

近义词】小心翼翼/谨小慎微
英 语】小 small [smɔːl]

| xiǎo | 笔画 | 部首 | 结构 | 五笔 | 造字法 |
|---|---|---|---|---|---|
| 晓 | 10 | 日 | 左右 | JATQ | 形声 |
| 笔顺 | 丨 𠃌 日 日 日̄ 旪 晓 晓 晓 晓 | | | | |

解 释】❶天刚亮的时候。❷使人知道、了解。❸晓得;明白。
组 词】晓得 揭晓 知晓 拂晓
造 句】拂晓——我们打算在拂晓出发。
同音字】小(小学)
成 语】晓风残月 家喻户晓
近义词】晓得/知道
英 语】晓得 know [nəu]

| xiào | 笔画 | 部首 | 结构 | 五笔 | 造字法 |
|---|---|---|---|---|---|
| 孝 | 7 | 子 | 半包围 | FTBF | 会意 |
| 笔顺 | 一 十 土 耂 耂 孝 孝 | | | | |

解 释】❶旧时指晚辈对长辈无条件顺从,现在指尽心奉养和顺从父母。❷指居丧的礼俗。❸丧服。

甲骨文 金文 小篆 隶书 楷书

【字源释义】一个小孩搀扶或背负着一个头发稀疏的老人走路,这就是"孝顺"的表现。
【组 词】孝顺 孝敬 忠孝 戴孝
【造 句】孝顺——他是一个孝顺的孩子。
【同音字】校(学校)
【形近字】考(考试)
【成 语】孝子贤孙
【近义词】孝敬/孝顺
【谚 语】孝敬父母不怕天,纳上钱粮不怕官。
【英 语】孝顺 filial [ˈfiljəl]

| xiào | 笔画 | 部首 | 结构 | 五笔 | 造字法 |
|---|---|---|---|---|---|
| 肖 | 7 | ⺌ | 上下 | IEF | 形声 |
| 笔顺 | 丶 丷 ⺌ 𫩏 肖 肖 肖 | | | | |

【解 释】相似;相像。
【组 词】肖像 生肖 酷肖
【造 句】酷肖——他们父子长相酷肖。
【同音字】孝(孝顺)
【成 语】惟妙惟肖
【英 语】肖像 portrait [ˈpɔːtrit]
【多音字】xiāo(见 780 页)

| xiào | 笔画 | 部首 | 结构 | 五笔 | 造字法 |
|---|---|---|---|---|---|
| 校 | 10 | 木 | 左右 | SUQY | 形声 |
| 笔顺 | 一 十 才 木 木 杧 杧 柼 柼 校 | | | | |

【解 释】❶学校。❷军衔名,在将官之下,尉官之上。
【组 词】校园 校风 少校 上校
【造 句】校园——校园里到处洋溢着欢乐的气氛。
【同音字】效(生效)

X

【形近字】绞(绞杀)
【英　语】学校 school [skuːl]
【多音字】jiào(见 351 页)

| xiào | 笔画 | 部首 | 结构 | 五笔 | 造字法 |
|---|---|---|---|---|---|
| 哮 | 10 | 口 | 左右 | KFTB | 形声 |
| 笔顺 | 丨 ㇕ 口 口一 口十 口土 口耂 哮 哮 哮 | | | | |

【解　释】见 540 页[咆哮]。

| xiào | 笔画 | 部首 | 结构 | 五笔 | 造字法 |
|---|---|---|---|---|---|
| 笑 | 10 | ⺮ | 上下 | TTDU | 会意 |
| 笔顺 | ノ 𠂉 ⺮ ⺮ ⺮ ⺮ 竺 竺 笑 笑 | | | | |

【解　释】❶表现出愉快喜悦的表情,发出欢快的声音。❷讥笑;嘲笑。
【组　词】微笑 笑脸 苦笑 嘲笑
【造　句】嘲笑——别人有缺点,要尽力帮助他们改正,不要嘲笑。
【同音字】孝(孝顺)
【形近字】笔(钢笔)
【成　语】眉开眼笑 笑逐颜开
【反义词】嘲笑/称赞
【近义词】笑话/玩笑
【谚　语】笑一笑,十年少。
【英　语】微笑 smile [smail]

| xiào | 笔画 | 部首 | 结构 | 五笔 | 造字法 |
|---|---|---|---|---|---|
| 效 | 10 | 攵 | 左右 | UQTY | 形声 |
| 笔顺 | 丶 亠 亠 六 方 交 交 交 效 效 | | | | |

【解　释】❶模仿。❷功用;结果。❸献出。
【组　词】效果 效验 无效 有效
【造　句】效果——这场音乐会音响效果非常好。
【同音字】笑(微笑)
【形近字】郊(郊区)
【成　语】卓有成效 行之有效
【反义词】效忠/叛变
【近义词】效劳/效力
【英　语】效果 effect [iˈfekt]

| xiào | 笔画 | 部首 | 结构 | 五笔 | 造字法 |
|---|---|---|---|---|---|
| 啸 | 11 | 口 | 左右 | KVIJ | 形声 |
| 笔顺 | 丨 ㇕ 口 口 口 口 口 口 啸 啸 啸 | | | | |

【解　释】❶撮口发出清脆悠长的声音。❷拉长声音吼叫。❸自然界发出的某种响声。❹形容飞机、子弹等飞过的声音。
【组　词】虎啸 尖啸 海啸 呼啸
【造　句】呼啸——窗外北风呼啸,雪花飘飘。
【同音字】效(功效)
【形近字】潇(潇洒)
【成　语】山呼海啸
【英　语】呼啸 whistle [ˈwisl]

## XIE ㄒㄧㄝ

| xiē | 笔画 | 部首 | 结构 | 五笔 | 造字法 |
|---|---|---|---|---|---|
| 些 | 8 | 止 | 上下 | HXFF | 会意 |
| 笔顺 | 丨 ⺊ 𠃊 止 止 此 此 些 | | | | |

【解　释】❶表示不定的数量。❷用在形容词后表示少许、略微。❸多。
【组　词】一些 些许 险些 些微
【造　句】些微——一阵秋风吹来,她感到些微凉意。
【同音字】歇(歇息)
【形近字】柴(火柴)
【反义词】些微/许多

【近义词】些许/少许
【英　语】一些　some [sʌm]

| xiē | 笔画 | 部首 | 结构 | 五笔 | 造字法 |
|---|---|---|---|---|---|
| 歇 | 13 | 欠 | 左右 | JQWW | 形声 |
| 笔顺 | 丨 冂 日 日 旦 昌 昌 曷 曷 曷 曷 歇 歇 | | | | |

【解　释】❶休息。❷停止。❸睡觉。
【组　词】歇伏　歇凉　歇息　停歇
【造　句】歇息——劳累了一天，他必须歇息一会儿。
【同音字】些(一些)
【形近字】竭(竭力)
【近义词】歇闲/休闲
【谚　语】歇成的懒子，累成的汉子。
【英　语】歇工　stop work [stɔp wəːk]

| xiē | 笔画 | 部首 | 结构 | 五笔 | 造字法 |
|---|---|---|---|---|---|
| 蝎 | 15 | 虫 | 左右 | JJQN | 形声 |
| 笔顺 | 丨 口 口 中 虫 虫 虫 虫 蚂 蚂 蚂 蝎 蝎 蝎 蝎 | | | | |

【解　释】蝎子，节肢动物，尾部有毒钩，用来御敌或捕食。
【组　词】蝎子
【造　句】蝎子——他不小心被蝎子蜇了一下。
【同音字】些(一些)
【英　语】蝎子　scorpion ['skɔːpiən]

| xié | 笔画 | 部首 | 结构 | 五笔 | 造字法 |
|---|---|---|---|---|---|
| 协 | 6 | 十 | 左右 | FLWY | 会意 |
| 笔顺 | 一 十 ㄔ 协 协 协 | | | | |

【解　释】❶共同。❷辅助。❸调和；和谐。
【组　词】协议　协助　协作　协商
【造　句】同心协力——同学们只有同心协力，才能克服困难。
【同音字】邪(邪恶)
【形近字】胁(威胁)
【成　语】同心协力
【反义词】协助/干扰
【近义词】协助/帮助
【谚　语】协力山成玉，同心土变金。
【英　语】协助　assist [ə'sist]

| xié | 笔画 | 部首 | 结构 | 五笔 | 造字法 |
|---|---|---|---|---|---|
| 邪 | 6 | 阝 | 左右 | AHTB | 形声 |
| 笔顺 | 一 二 于 牙 牙 邪 | | | | |

【解　释】❶不正当的。❷不正常的。❸中医指能引起疾病的环境因素。❹迷信的人指鬼神给予的灾祸。
【组　词】邪气　邪道　邪路　邪恶
【造　句】改邪归正——我们为他能改邪归正而感到高兴。
【同音字】挟(要挟)
【形近字】鸦(乌鸦)
【成　语】改邪归正　邪门歪道
【反义词】邪恶/正义
【近义词】邪气/歪风
【谚　语】邪不压正，阴不抵阳。
【英　语】邪恶　evil ['iːvəl]

| xié | 笔画 | 部首 | 结构 | 五笔 | 造字法 |
|---|---|---|---|---|---|
| 胁 | 8 | 月 | 左右 | ELWY | 象形 |
| 笔顺 | 丿 刀 月 月 肋 胁 胁 胁 | | | | |

【解　释】❶从腋下到腰上的部分。❷恐吓；逼迫。

【组　词】威胁　胁迫　诱胁　胁持
【造　句】威胁——我们不能被敌人的威胁所吓倒。
【同音字】斜(斜角)
【形近字】协(协会)
【近义词】威胁/恐吓
【英　语】胁迫　force [fɔːs]

| xié | 笔画 | 部首 | 结构 | 五笔 | 造字法 |
|---|---|---|---|---|---|
| 挟 | 9 | 扌 | 左右 | RGUW | 形声 |
| 笔顺 | 一 十 扌 扌 扌 扌 扌 挟 挟 | | | | |

【解　释】❶用胳膊夹着。❷心里怀着。❸强制;威胁。
【组　词】挟制　要挟　挟仇　挟持　挟嫌
【造　句】挟持——武警战士巧妙地将歹徒挟持的人质解救了出来。
【辨　音】不读 xiá 或 jiā。
【同音字】胁(胁从)
【形近字】陕(陕西)
【近义词】挟带/携带
【英　语】要挟　coerce [kəu'əːs]

| xié | 笔画 | 部首 | 结构 | 五笔 | 造字法 |
|---|---|---|---|---|---|
| 斜 | 11 | 斗 | 左右 | WTUF | 形声 |
| 笔顺 | 丿 人 亼 仒 今 余 余 余 余 斜 斜 | | | | |

【解　释】不正;不平;不直(跟"正"相对)。
【组　词】斜晖　斜面　斜阳　倾斜
【造　句】斜阳——他渐渐消失在斜阳的余晖中。
【同音字】谐(和谐)
【形近字】抖(抖动)　料(资料)
【英　语】斜坡　slope [sləup]

| xié | 笔画 | 部首 | 结构 | 五笔 | 造字法 |
|---|---|---|---|---|---|
| 谐 | 11 | 讠 | 左右 | YXXR | 形声 |
| 笔顺 | 丶 讠 讠 讠 讠 讠 讠 讠 谐 谐 谐 | | | | |

【解　释】❶配合;恰当。❷滑稽有趣。
【组　词】和谐　谐调　谐音　谐趣
【造　句】谐调——这间屋子布置得很谐调。
【辨　音】不读 jiē。
【同音字】协(协议)
【形近字】偕(偕同)
【近义词】和谐/融洽
【英　语】和谐　harmonious [haː'məuniəs]

| xié | 笔画 | 部首 | 结构 | 五笔 | 造字法 |
|---|---|---|---|---|---|
| 携 | 13 | 扌 | 左右 | RWYE | 形声 |
| 笔顺 | 一 十 扌 扌 扌 扌 扌 扌 扌 扌 推 携 携 | | | | |

【解　释】❶随身带着。❷拉着。❸搀扶。❹比喻合作。
【组　词】携手　携带　携眷　携杖
【造　句】携手——我们携手共创美好明天。
【同音字】邪(邪恶)
【形近字】隽(隽永)
【成　语】扶老携幼
【近义词】携手/牵手
【英　语】携带　carry ['kæri]

| xié | 笔画 | 部首 | 结构 | 五笔 | 造字法 |
|---|---|---|---|---|---|
| 鞋 | 15 | 革 | 左右 | AFFF | 形声 |
| 笔顺 | 一 十 廿 廿 廿 苫 苫 堇 革 革 鞋 鞋 鞋 鞋 鞋 | | | | |

【解　释】穿在脚上，走路着地的东西。
【组　词】鞋袜　拖鞋　凉鞋　皮鞋
【造　句】鞋匠——这个鞋匠的手艺真不错。
【同音字】斜（斜坡）
【形近字】靴（皮靴）
【歇后语】鞋内跑马——没多大发展。
【谚　语】鞋不让分，衣不让寸。
【英　语】鞋　shoes［ʃuːz］

| xiě | 笔画 | 部首 | 结构 | 五笔 | 造字法 |
|---|---|---|---|---|---|
| 写 | 5 | 冖 | 上下 | PGNG | 形声 |
| 笔顺 | 丶 冖 冖 写 写 | | | | |

【解　释】❶在纸上或其他东西上做字。❷做文章。❸描绘。❹用文字描写。
【组　词】写字　写生　写书　写真　抄写　听写　书写　简写　连写　缩写
【造　句】书写——我每天坚持书写500个毛笔字。
【同音字】血（血淋淋）
【形近字】与（与狼共舞）
【近义词】写照/写真
【歇后语】写字出了格——不在行。
【谚　语】写书不如解书人。
【英　语】写　write［rait］

| xiě | 笔画 | 部首 | 结构 | 五笔 | 造字法 |
|---|---|---|---|---|---|
| 血 | 6 | 血 | 独体 | TLD | 指事 |
| 笔顺 | ノ 亻 ⺊ 白 血 血 | | | | |

【解　释】同"血（xuè）"，用于口语。
【组　词】血糊糊　血淋淋　献血
【同音字】写（写字）
【多音字】xuè（见807页）

| xiè | 笔画 | 部首 | 结构 | 五笔 | 造字法 |
|---|---|---|---|---|---|
| 泄 | 8 | 氵 | 左右 | IANN | 形声 |
| 笔顺 | 丶 丶 氵 氵 汁 汁 泄 泄 | | | | |

【解　释】❶液体、气体等排出。❷暴露。❸发泄。❹放松。
【组　词】发泄　泄露　泄底　泄气　泄恨　排泄　泄劲
【造　句】水泄不通——节日里，大街上行人摩肩接踵，道路挤得水泄不通。
【同音字】屑（木屑）
【成　语】泄漏天机　水泄不通
【反义词】泄密/保密
【近义词】泄露/暴露
【歇后语】泄了气的皮球——瘪了。
【英　语】泄漏　leak［liːk］

| xiè | 笔画 | 部首 | 结构 | 五笔 | 造字法 |
|---|---|---|---|---|---|
| 泻 | 8 | 氵 | 左右 | IPGG | 形声 |
| 笔顺 | 丶 丶 氵 氵 氵 泻 泻 泻 | | | | |

【解　释】❶很快地向下流。❷拉肚子。
【组　词】泻药　泻肚　腹泻　倾泻
【造　句】一泻千里——黄河水一泻千里，奔流不息。
【同音字】谢（感谢）
【成　语】一泻千里
【歇后语】泻肚子吃补药——白费劲。
【英　语】泻药　laxative［ˈlæksətiv］

| xiè | 笔画 | 部首 | 结构 | 五笔 | 造字法 |
|---|---|---|---|---|---|
| 卸 | 9 | ⺋ | 左右 | RHBH | 形声 |
| 笔顺 | ノ 𠂉 ⺧ 午 㐅 缶 卸 卸 卸 | | | | |

【解　释】❶把东西从运输工具上搬下来或拿下来。❷解除；除去。❸把加在人或马身上的东西解下去。❹把零件从机器上拆下来。
【组　词】卸车　卸任　卸责　卸甲　卸妆　装卸　推卸
【造　句】卸车——货已经拉来了，你赶快卸车吧。
【同音字】泻（泻肚）　泄（泄气）
【形近字】缺（缺少）
【成　语】卸磨杀驴
【反义词】拆卸/安装
【近义词】卸任/离职
【歇后语】卸了套的老骡子——没用了|卸架的黄烟叶儿——蔫了。
【英　语】推卸　get rid of [get rid əv]

| xiè | 笔画 | 部首 | 结构 | 五笔 | 造字法 |
|---|---|---|---|---|---|
| 屑 | 10 | 尸 | 半包围 | NIED | 形声 |
| 笔顺 | ㇆ ㇆ 尸 尸 尸 屰 屑 屑 屑 屑 | | | | |

【解　释】❶碎末；细小的。❷琐碎；琐细。❸认为值得。
【组　词】琐屑　木屑　泥屑　灰屑　纸屑　煤屑　铁屑
【造　句】琐屑——这项工作琐屑、复杂，一定要有高度的责任心才能完成好。
【辨　音】不读 xiāo。
【同音字】械（机械）
【形近字】宵（元宵）
【成　语】不屑一顾
【反义词】琐屑/完整
【近义词】琐屑/琐碎
【英　语】琐碎　trifling [ˈtraifliŋ]

| xiè | 笔画 | 部首 | 结构 | 五笔 | 造字法 |
|---|---|---|---|---|---|
| 械 | 11 | 木 | 左右 | SAAH | 形声 |
| 笔顺 | 一 十 才 木 朩 杧 栭 械 械 械 械 | | | | |

【解　释】❶机器；器物。❷武器。❸旧指刑具、枷锁和镣铐等。
【组　词】械斗　军械　器械　缴械　机械化
【造　句】机械化——我国农业尚未实现机械化。
【辨　音】不读 jiè。
【形近字】诫（劝诫）
【近义词】械斗/斗殴
【英　语】机械　machine [məˈʃiːn]

| xiè | 笔画 | 部首 | 结构 | 五笔 | 造字法 |
|---|---|---|---|---|---|
| 谢 | 12 | 讠 | 左右 | YTMF | 形声 |
| 笔顺 | 丶 讠 讠 讠 访 询 询 询 询 谫 谢 谢 | | | | |

【解　释】❶感激。❷道歉；认错。❸拒绝；推辞。❹凋落；衰退。❺姓。
【组　词】谢意　感谢　凋谢　道谢　面谢　拜谢　谢绝
【造　句】道谢——当失主领回丢失的钱包后，连声向派出所的同志道谢。
【同音字】械（机械）
【形近字】射（射箭）
【反义词】凋谢/开放

【近义词】感谢/感激

【歇后语】谢安做官——东山再起。

【英　语】感谢　thank [θæŋk]

| xiè | 笔画 | 部首 | 结构 | 五笔 | 造字法 |
|---|---|---|---|---|---|
| 解 | 13 | 角 | 左右 | QEVH | 会意 |
| 笔顺 | 丿 ⺈ ⺈ 角 角 角 角 角 角 角 解 解 解 | | | | |

【解　释】❶懂得；明白。❷解池，湖名，在山西。❸姓。❹解数，指武术的架势，也泛指手段、本事。

【同音字】谢（感谢）

【多音字】jiě（见 357 页）

【多音字】jiè（见 360 页）

| xiè | 笔画 | 部首 | 结构 | 五笔 | 造字法 |
|---|---|---|---|---|---|
| 蟹 | 19 | 虫 | 上下 | QEVJ | 形声 |
| 笔顺 | 丿 ⺈ ⺈ 角 角 角 角 角 角 角 角 角 解 解 解 解 解 蟹 蟹 | | | | |

【解　释】见 539 页“螃”。

【组　词】螃蟹　蟹黄　蟹粉　海蟹

【造　句】螃蟹——秋季是螃蟹最肥的时候。

【同音字】泄（发泄）

【形近字】蛰（惊蛰）

【英　语】螃蟹　crab [kræb]

## XIN　ㄒㄧㄣ

| xīn | 笔画 | 部首 | 结构 | 五笔 | 造字法 |
|---|---|---|---|---|---|
| 心 | 4 | 心 | 独体 | NYNY | 象形 |
| 笔顺 | 丶 心 心 心 | | | | |

【解　释】❶心脏，人和高等动物身体里推动血液循环的器官。❷通常也指思想器官及思想、感情等。❸中央或主要部分。❹比喻出自内心的或要害的。❺二十八宿之一。

甲骨文　金文　小篆　隶书　楷书

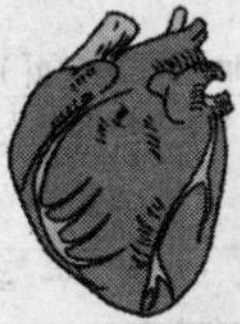

【字源释义】这是一个象形字。甲骨文“心”字很像心脏的形状；后来越变越不像；到隶书以后简直难以辨认出这是心脏的样子了。

【组　词】心思　心情　心脏　甘心　信心　专心　心血　心路　心智

【造　句】心灵手巧——表姐是一个心灵手巧的姑娘。

【同音字】新（新鲜）

【形近字】必（必须）

【成　语】心安理得　心花怒放

【反义词】心不在焉/聚精会神

【近义词】关心/关怀

【歇后语】心字头上放把刀——忍无可忍。

【谚　语】心换心，才能心心相印。

【英　语】心理学　psychology [sai'kɔlədʒi]

| xīn | 笔画 | 部首 | 结构 | 五笔 | 造字法 |
|---|---|---|---|---|---|
| 芯 | 7 | 艹 | 上下 | ANU | 形声 |
| 笔顺 | 一 十 艹 艹 芯 芯 芯 | | | | |

【解　释】❶去皮的灯心草。❷花草等的中心部分。

【组　词】灯芯　芯片
【造　句】芯片——芯片是手机上的主要部件。
【同音字】辛(辛劳)
【形近字】心(心得)
【英　语】灯芯　lamp wick［læmp wik］
【多音字】xìn(见 791 页)

| xīn | 笔画 | 部首 | 结构 | 五笔 | 造字法 |
|---|---|---|---|---|---|
| 辛 | 7 | 辛 | 上下 | UYGH | 象形 |
| 笔顺 | 丶 亠 亠 立 立 产 辛 | | | | |

【解　释】❶辣味。❷身心劳苦;艰难。❸痛苦;悲伤。❹天干的第八位。❺姓。
【组　词】辛苦　辛劳　辛勤　艰辛
【造　句】辛勤——辛勤的蜜蜂整天忙个不停。
【同音字】心(中心)
【形近字】幸(幸运)　卒(士卒)
【成　语】千辛万苦
【反义词】辛苦/闲逸
【近义词】辛苦/辛劳
【谚　语】辛勤寻求智慧的人,永远不向困难低头。
【英　语】辛劳　toil［tɔil］

| xīn | 笔画 | 部首 | 结构 | 五笔 | 造字法 |
|---|---|---|---|---|---|
| 欣 | 8 | 斤 | 左右 | RQWY | 形声 |
| 笔顺 | ′ 厂 斤 斤 斤′ 斤⺈ 欣 欣 | | | | |

【解　释】❶喜悦;快乐。❷草木旺盛的样子。
【组　词】欣然　欣喜　欣赏　欣慰
【造　句】欣欣向荣——春天到了,到处是一派欣欣向荣的景象。
【同音字】辛(辛苦)
【形近字】掀(掀开)
【成　语】欣欣向荣　欣喜若狂
【近义词】欣喜/欢乐
【英　语】欣喜　glad［glæd］

| xīn | 笔画 | 部首 | 结构 | 五笔 | 造字法 |
|---|---|---|---|---|---|
| 新 | 13 | 斤 | 左右 | USRH | 形声 |
| 笔顺 | 丶 亠 亠 立 立 辛 辛 亲 亲 亲′ 新 新 新 | | | | |

【解　释】❶刚出现的。❷没有用过的。❸性质上改变得更好的;更进步的。❹新人或新事物。
【组　词】新年　新书　创新　新鲜
【造　句】新鲜——我们一起出去呼吸新鲜空气吧!
【同音字】心(心脏)
【形近字】折(挫折)
【成　语】耳目一新　焕然一新
【近义词】新颖/新奇
【歇后语】新上市的黄瓜——带刺的。
【谚　语】新官上任三把火。
【英　语】新　new［njuː］

| xīn | 笔画 | 部首 | 结构 | 五笔 | 造字法 |
|---|---|---|---|---|---|
| 薪 | 16 | 艹 | 上下 | AUSR | 形声 |
| 笔顺 | 一 十 艹 艹 艹 艹 艹 苙 苙 莘 莘 莘 薪 薪 薪 薪 | | | | |

【解　释】❶作燃料用的木材;柴火。❷工资。
【组　词】薪金　杯水车薪
【造　句】杯水车薪——这些帮助无疑只是杯水车薪。
【英　语】薪金　salary［ˈsæləri］

| xīn | 笔画 | 部首 | 结构 | 五笔 | 造字法 |
|---|---|---|---|---|---|
| 馨 | 20 | 香 | 上下 | FNMJ | 形声 |
| 笔顺 | 一 十 士 韦 声 声 声 声 声 殸 殸 殸 殸 磬 磬 磬 磬 馨 馨 馨 | | | | |

【解　释】散布得很远的香气。
【组　词】馨香
【造　句】馨香——桂花开了,满院馨香。
【同音字】新(新年)
【形近字】罄(罄尽)

| xīn | 笔画 | 部首 | 结构 | 五笔 | 造字法 |
|---|---|---|---|---|---|
| 芯 | 7 | 艹 | 上下 | ANU | 形声 |
| 笔顺 | 一 十 艹 芯 芯 芯 芯 | | | | |

【解　释】❶芯子,装在蜡烛中心的捻子或爆竹的引线等。❷蛇的舌头。
【同音字】信(信用)
【多音字】xìn(见 789 页)

| xìn | 笔画 | 部首 | 结构 | 五笔 | 造字法 |
|---|---|---|---|---|---|
| 信 | 9 | 亻 | 左右 | WYG | 会意 |
| 笔顺 | ノ 亻 亻 仁 仁 信 信 信 信 | | | | |

【解　释】❶诚实;说话算数。❷不怀疑;认为可靠。❸消息。❹凭证。❺随意。❻函件。
【组　词】信步　威信　信心　信服
【造　句】信心——这次数学比赛,全班同学都信心十足。
【形近字】倍(倍数)
【成　语】信口开河　言而有信
【反义词】相信/怀疑
【近义词】信任/信赖
【英　语】信 letter [ˈletə]

## XING ㄒㄧㄥ

| xīng | 笔画 | 部首 | 结构 | 五笔 | 造字法 |
|---|---|---|---|---|---|
| 兴 | 6 | 八 | 上下 | IWU | 会意 |
| 笔顺 | 丶 丷 ⺍ 兴 兴 兴 | | | | |

【解　释】❶创立;发动。❷起来。❸流行;盛行。❹旺盛。❺准许。
【组　词】兴奋　兴盛　兴办　兴旺
【造　句】兴旺——我们的国家越来越兴旺发达。
【同音字】星(星空)
【形近字】头(头脑)
【近义词】兴旺/兴盛
【成　语】百废俱兴　兴师动众
【英　语】兴建 build [bild]
【多音字】xìng(见 794 页)

| xīng | 笔画 | 部首 | 结构 | 五笔 | 造字法 |
|---|---|---|---|---|---|
| 星 | 9 | 日 | 上下 | JTGF | 形声 |
| 笔顺 | 丨 冂 日 日 尸 旦 早 星 星 | | | | |

【解　释】❶夜空中闪烁发光的天体。❷宇宙中能发射光或反射光的天体。❸细碎或细小的东西。❹秤杆上标记斤、两、钱的小点儿。❺形状像星的。❻比喻有名的演员或运动员等。❼二十八宿之一。
【组　词】星辰　星期　星座　星星
【造　句】星星——农村的夜晚,天空中布满了星星。
【同音字】兴(振兴)
【形近字】晨(早晨)　猩(猩猩)

【成　语】星罗棋布　披星戴月
【英　语】星　star [stɑː]

| xīng | 笔画 | 部首 | 结构 | 五笔 | 造字法 |
|---|---|---|---|---|---|
| 猩 | 12 | 犭 | 左右 | QTJG | 形声 |
| 笔顺 | 丿 犭 犭 犭 犭 犭 犭 犭 犭 犭 犭 猩 | | | | |

【解　释】猩猩，猿类，哺乳动物，赤褐色长毛，前肢长，无尾巴，能直立行走，吃野果。产于苏门答腊等地。
【组　词】猩红　猩猩　黑猩猩
【造　句】猩红——木棉花盛开时，满树都是猩红色。
【同音字】星（星期）
【形近字】腥（血腥）
【英　语】猩猩　orangutan [ɔːr-æŋuːˈtæn]

| xīng | 笔画 | 部首 | 结构 | 五笔 | 造字法 |
|---|---|---|---|---|---|
| 腥 | 13 | 月 | 左右 | EJTG | 形声 |
| 笔顺 | 丿 月 月 月 月 月 月 月 月 月 月 月 腥 | | | | |

【解　释】❶指鱼、肉等食物。❷有腥气。❸像鱼虾等的气味。
【组　词】腥臭　腥气　腥臊
【造　句】腥臭——远处飘来一股腥臭味，难闻死了。
【同音字】兴（兴建）
【形近字】猩（猩红）
【成　语】腥风血雨
【英　语】腥臭　stench [stentʃ]

| xíng | 笔画 | 部首 | 结构 | 五笔 | 造字法 |
|---|---|---|---|---|---|
| 刑 | 6 | 刂 | 左右 | GAJH | 会意 |
| 笔顺 | 一 二 于 开 开 刑 | | | | |

【解　释】❶刑罚，国家依据法律对犯人所施行的法律制裁。❷特指旧时对人身的体罚。
【组　词】刑事　严刑　上刑　刑律
【造　句】严刑——对那些顽固的犯罪分子应施以严刑。
【同音字】形（形象）
【形近字】形（形式）　刊（画刊）
【英　语】刑罚　punishment [ˈpʌniʃmənt]

| xíng | 笔画 | 部首 | 结构 | 五笔 | 造字法 |
|---|---|---|---|---|---|
| 邢 | 6 | 阝 | 左右 | GABH | 会意 |
| 笔顺 | 一 二 于 开 开 邢 | | | | |

【解　释】❶姓。❷邢台，地名，在河北。
【组　词】邢台
【造　句】邢台——邢台是一座历史文化古城。
【同音字】行（行为）
【形近字】刑（刑法）

| xíng | 笔画 | 部首 | 结构 | 五笔 | 造字法 |
|---|---|---|---|---|---|
| 行 | 6 | 彳 | 左右 | TF | 象形 |
| 笔顺 | 丿 彡 彳 彳 彳 行 | | | | |

【解　释】❶走。❷可以。❸和外出有关的。❹流通；推行。❺能干。❻做；办。

甲骨文　金文　小篆　隶书　楷书

【字源释义】甲骨文的字形很明显是一个十字路口,本义是“路”(音háng)。后来多用于“行走”义。
【组　词】行动　行贿　行军　步行
【造　句】步行——我们估计步行半小时就能到海边。
【同音字】型(典型)
【形近字】仃(伶仃)
【成　语】行云流水　行之有效
【反义词】行/止
【近义词】品行/品德
【谚　语】行船要有方向,做人要有理想。
【英　语】行为　behavior [bi'heivjə]
【多音字】háng(见273页)

| xíng | 笔画 | 部首 | 结构 | 五笔 | 造字法 |
|---|---|---|---|---|---|
| 形 | 7 | 彡 | 左右 | GAET | 形声 |
| 笔顺 | 一 二 チ 开 开' 形 形 | | | | |

【解　释】❶形状;样子。❷实体;形体。❸体现;表现。❹比较;对照。
【组　词】形状　形态　形成　形势
【造　句】形影不离——他们俩每天形影不离,大家都说他们像一对亲兄弟。
【同音字】型(类型)
【形近字】刑(刑罚)
【成　语】形形色色　形影不离
【英　语】形状　form [fɔːm]

| xíng | 笔画 | 部首 | 结构 | 五笔 | 造字法 |
|---|---|---|---|---|---|
| 型 | 9 | 土 | 上下 | GAJF | 形声 |
| 笔顺 | 一 二 チ 开 刑 刑 刑 型 型 | | | | |

【解　释】❶制造器物的模子。❷类别;样式。
【组　词】类型　型号　小型　巨型　口型　新型　血型　发型　定型　典型
【同音字】形(形状)
【形近字】垫(铺垫)
【反义词】新型/老式
【近义词】定型/成型
【英　语】型号　model ['mɔdəl]

| xǐng | 笔画 | 部首 | 结构 | 五笔 | 造字法 |
|---|---|---|---|---|---|
| 省 | 9 | 目 | 上下 | ITHF | 会意 |
| 笔顺 | 丨 小 小 少 少 省 省 省 省 | | | | |

【解　释】❶检查自己。❷看望;问候。❸知觉。❹醒悟;觉悟。
【组　词】反省　省亲　省悟　自省
【造　句】省悟——他突然省悟过来,原来刚才看错了小数点,才致使整道题做错了。
【同音字】醒(醒目)
【成　语】不省人事　发人深省
【英　语】省悟　be aware [biː ə'wɛə]
【多音字】shěng(见643页)

| xǐng | 笔画 | 部首 | 结构 | 五笔 | 造字法 |
|---|---|---|---|---|---|
| 醒 | 16 | 酉 | 左右 | SGJG | 形声 |
| 笔顺 | 一 丅 丌 丙 西 西 酉 酉 酊 酲 酲 酲 酲 醒 醒 醒 | | | | |

【解　释】❶睡完觉或还没入睡。❷从酒醉、麻醉或昏迷中恢复到正常状态。❸头脑由模糊变清楚;由迷糊变明白。❹明显;清楚。
【组　词】醒酒　醒目　觉醒　唤醒
【造　句】唤醒——他把我从睡梦中唤醒。
【同音字】省(反省)

【形近字】腥(腥气)
【英　语】醒目　conspicuous　[kən'spikjuəs]

| xìng | 笔画 | 部首 | 结构 | 五笔 | 造字法 |
|---|---|---|---|---|---|
| 兴 | 6 | 八 | 上下 | IWU | 会意 |
| 笔顺 | 丶 丷 ⺍ 𰀁 兴 兴 | | | | |

【解　释】喜爱;愉快。
【组　词】高兴　扫兴　助兴　兴冲冲　兴高采烈
【造　句】高兴——他终于可以上学了,心里非常高兴。
【同音字】幸(幸福)
【反义词】高兴/悲伤
【近义词】高兴/喜悦
【英　语】兴趣　interest　['intrist]
【多音字】xīng(见 791 页)

| xìng | 笔画 | 部首 | 结构 | 五笔 | 造字法 |
|---|---|---|---|---|---|
| 杏 | 7 | 木 | 上下 | SKF | 形声 |
| 笔顺 | 一 十 才 木 木 杏 杏 | | | | |

【解　释】杏树,落叶乔木,花白色或粉红色,果实可吃,种子叫杏仁,也可榨油,或入中药。
【组　词】杏仁　杏子　红杏　银杏　杏树
【同音字】幸(庆幸)
【形近字】杳(杳无音信)
【谚　语】杏熟来年麦,枣熟当年禾。
【英　语】杏树　apricot　['eiprikɔt]

| xìng | 笔画 | 部首 | 结构 | 五笔 | 造字法 |
|---|---|---|---|---|---|
| 幸 | 8 | 土 | 上下 | FUF | 指事 |
| 笔顺 | 一 十 土 圥 去 幸 幸 幸 | | | | |

【解　释】❶意外地得到成功或免去灾难;多亏。❷生活境遇等美满如意。❸感到高兴。❹希望。❺姓。
【组　词】幸亏　幸好　幸而　幸运　幸存　万幸　幸事　庆幸　幸福
【造　句】幸福——中华人民共和国成立后,我国人民逐渐过上了幸福的生活。
【形近字】辛(辛勤)
【成　语】幸灾乐祸
【反义词】幸福/痛苦
【近义词】幸亏/幸好
【谚　语】幸福到来要警惕,灾难到来要坚强|幸灾乐祸人人有,替人分忧半半无。
【英　语】幸福　happiness　['hæpinis]

| xìng | 笔画 | 部首 | 结构 | 五笔 | 造字法 |
|---|---|---|---|---|---|
| 性 | 8 | 忄 | 左右 | NTGG | 形声 |
| 笔顺 | 丶 丶 忄 忄 忄 忄 性 性 | | | | |

【解　释】❶人或事物所具有的特征。❷脾气。❸思想感情方面的表现。❹指范围或方式。❺指功能或作用。❻男女或雌雄的区别。❼有关生殖的。
【组　词】性格　性情　性能　烈性　气性　母性　任性　耐性　个性　纪律性
【造　句】个性——这幅作品很有个性,不同于一般。
【同音字】幸(幸福)　姓(姓名)
【形近字】胜(胜利)　牲(牺牲)
【成　语】性命交关
【近义词】特性/特征
【歇后语】林黛玉的性子——多愁善感。

【谚　语】性急吃不了热粥，走马看不了《春秋》。
【英　语】性格 nature [ˈneitʃə]

| xìng | 笔画 | 部首 | 结构 | 五笔 | 造字法 |
|---|---|---|---|---|---|
| 姓 | 8 | 女 | 左右 | VTGG | 形声 |
| 笔顺 | 𡿨 𡚨 女 女丿 女𠂉 女𠂉 女牛 姓 | | | | |

【解　释】❶表明家族的字；姓名。❷姓是……；以……为姓。
【组　词】姓名　百姓　贵姓　百家姓
【造　句】百姓——中华人民共和国成立以后，老百姓当家做主了。
【同音字】幸(幸福)
【形近字】性(性别)　牲(牺牲)
【成　语】隐姓埋名
【歇后语】姓何的嫁给姓郑的——正(郑)合(何)适(氏)。
【英　语】姓 surname [ˈsəːneim]

## XIONG ㄒㄩㄥ

| xiōng | 笔画 | 部首 | 结构 | 五笔 | 造字法 |
|---|---|---|---|---|---|
| 凶 | 4 | 凵 | 半包围 | QBK | 指事 |
| 笔顺 | 丿 㐅 𠙴 凶 | | | | |

【解　释】❶不吉利的；不幸的(跟"吉"相对)。❷(相貌、性情、行为等)残暴。❸厉害；过甚。❹指伤人或杀人的行为。❺灾害多；庄稼收成不好。
【组　词】凶残　凶狠　吉凶　逞凶　帮凶　凶手　元凶　凶险　凶恶　凶猛
【造　句】凶猛——虎豹都是凶猛的野兽。
【同音字】兄(弟兄)
【形近字】汹(汹涌)
【成　语】凶年饥岁　凶神恶煞
【反义词】凶恶/善良
【近义词】凶残/残忍
【歇后语】凶神扮恶鬼——又丑又恶。
【谚　语】凶拳不打笑脸人。
【英　语】凶恶 fierce [fiəs]

| xiōng | 笔画 | 部首 | 结构 | 五笔 | 造字法 |
|---|---|---|---|---|---|
| 兄 | 5 | 口 | 上下 | KQB | 会意 |
| 笔顺 | 丨 冂 口 口丿 兄 | | | | |

【解　释】❶哥哥。❷尊称同辈而年纪比自己大的男性。

甲骨文　金文　小篆　隶书　楷书

【字源释义】古时作兄长的可以随时命令弟弟去干这个干那个，所以在"人"形上端突出他的大嘴来表示"兄"的意思。又，古籍中有时也以"兄"代"况"(况)。
【组　词】兄弟　兄妹　兄长
【造　句】兄弟——他们俩好得像一对亲兄弟。
【同音字】汹(汹涌)
【形近字】兑(兑换)　见(见闻)
【成　语】称兄道弟

X

【近义词】兄/哥
【歇后语】兄弟打架——有伤手足。
【谚　语】兄弟一条心，黄土变成金。
【英　语】兄弟 brother [ˈbrʌðə]

| xiōng | 笔画 | 部首 | 结构 | 五笔 | 造字法 |
|---|---|---|---|---|---|
| 匈 | 6 | 勹 | 半包围 | QQBK | 形声 |
| 笔顺 | ′ 勹 勺 匀 匈 匈 | | | | |

【解　释】匈奴，我国古代少数民族。

| xiōng | 笔画 | 部首 | 结构 | 五笔 | 造字法 |
|---|---|---|---|---|---|
| 汹 | 7 | 氵 | 左右 | IQBH | 形声 |
| 笔顺 | 丶 丷 氵 氵 汉 汹 汹 | | | | |

【解　释】❶形容水猛烈地往上涌。❷形容声势盛大逼人的样子。
【组　词】汹涌
【造　句】汹涌澎湃——轮船行驶在波涛汹涌澎湃的大海上。
【同音字】胸(胸膛)
【形近字】凶(凶险)
【成　语】汹涌澎湃
【反义词】汹涌澎湃/风平浪静
【近义词】汹涌澎湃/风起云涌
【英　语】汹涌 tempestuous [temˈpestjuəs]

| xiōng | 笔画 | 部首 | 结构 | 五笔 | 造字法 |
|---|---|---|---|---|---|
| 胸 | 10 | 月 | 左右 | EQQB | 形声 |
| 笔顺 | 丿 刀 月 月 肜 肑 朐 朐 胸 胸 | | | | |

【解　释】❶躯干的一部分，处在颈部以下腹部以上的部分。❷比喻思想、气量、志向等。
【组　词】胸膛　胸怀　胸口　胸襟　胸腔　气胸　胸卡
【造　句】胸有成竹——对这次比赛，他已经胸有成竹。
【同音字】凶(凶狠)
【形近字】匈(匈奴)
【成　语】胸有成竹　胸无点墨
【近义词】胸怀/胸襟
【歇后语】胸口上挂钥匙——开心｜胸口揣个小兔子——怦怦地跳。
【谚　语】胸藏锦绣，腹隐珠玑｜胸中有大目标，泰山压顶不弯腰。
【英　语】胸部 chest [tʃest]

| xióng | 笔画 | 部首 | 结构 | 五笔 | 造字法 |
|---|---|---|---|---|---|
| 雄 | 12 | 隹 | 左右 | DCWY | 形声 |
| 笔顺 | 一 ナ 𠂇 厷 厷 厷 厷 厷 雄 雄 雄 雄 | | | | |

【解　释】❶生物中阳性的；公的(跟“雌”相对)。❷强有力的。❸宏伟的；有气魄的。
【组　词】英雄　雄兵　雌雄　称雄　群雄　雄心　奸雄　雄伟　雄壮
【造　句】雄伟——五星红旗高高飘扬在雄伟的天安门广场。
【同音字】熊(熊猫)
【形近字】雌(雌性)
【成　语】一决雌雄　雄心壮志　雄才大略
【反义词】雄厚/薄弱
【歇后语】雄鹰的翅膀——全靠练。
【谚　语】雄鹰不怕大山高，海燕不怕风雨暴｜雄鹰的眼睛不怕迷雾，真理的光辉不怕笼罩。

【英 语】雄伟 grand [grænd]

| xióng | 笔画 | 部首 | 结构 | 五笔 | 造字法 |
|---|---|---|---|---|---|
| 熊 | 14 | 灬 | 上下 | CEXO | 形声 |
| 笔顺 | 𠂊 厶 𠫓 台 自 育 𦚓 能 能 能 能 熊 熊 熊 | | | | |

【解 释】❶哺乳动物，身体肥大，头大尾短，四肢短且粗，能爬树，也能直立行走。种类有黑熊、白熊、棕熊等多种。❷(方)斥责。❸怯懦；没有能力。❹姓。

【组 词】熊猫 熊掌 白熊 人熊 棕熊 熊包 黑熊 熊熊

【造 句】熊熊——熊熊烈火吞噬了英雄的身体，更激起战士们与敌人决一死战的决心。

【同音字】雄(雄心)

【形近字】能(能干)

【成 语】虎背熊腰

【歇后语】熊瞎子掰苞米——掰一个扔一个。

【英 语】熊猫 panda ['pændə]

## XIU ㄒㄧㄡ

| xiū | 笔画 | 部首 | 结构 | 五笔 | 造字法 |
|---|---|---|---|---|---|
| 休 | 6 | 亻 | 左右 | WSY | 会意 |
| 笔顺 | 丿 亻 亻 什 付 休 | | | | |

【解 释】❶歇息。❷停止。❸不要。❹欢乐。

【组 词】休息 休假 休眠 休学 休业 休止 休战 午休 退休 离休

【造 句】休息——大家都走累了，找个地方休息一下吧。

【同音字】修(修理)

【形近字】体(体育)

【成 语】休养生息 休戚与共

【反义词】休息/工作

【近义词】休/歇

【英 语】休养 recuperate [ri'kju:pəreit]

| xiū | 笔画 | 部首 | 结构 | 五笔 | 造字法 |
|---|---|---|---|---|---|
| 修 | 9 | 亻 | 左右 | WHTE | 形声 |
| 笔顺 | 丿 亻 亻 亻 伦 攸 攸 修 修 | | | | |

【解 释】❶整治；使完美。❷装饰。❸兴建；建造。❹学习；钻研。❺编写。

【组 词】修车 修路 修订 修长 专修 自修 修理 装修 修饰 修改

【造 句】修改——老师让我把作文重新修改一下。

【同音字】休(休想)

【形近字】倏(倏忽)

【成 语】修旧利废

【反义词】修理/损坏

【近义词】修改/修正

【歇后语】修手表的借火钳——架(夹)子太大。

【谚 语】修房补漏趁天晴，读书学习趁年轻|修身如执玉，积德胜遗金。

【英 语】修理 repair [ri'pεə]

| xiū | 笔画 | 部首 | 结构 | 五笔 | 造字法 |
|---|---|---|---|---|---|
| 羞 | 10 | 𦍌 | 半包围 | UDNF | 会意 |
| 笔顺 | 丶 丷 䒑 䒑 兰 关 羊 着 着 羞 | | | | |

【解 释】❶难为情；不好意思。

❷使难为情。❸耻辱。
【组 词】羞愧 遮羞 羞人 怕羞 羞耻 害羞 羞怯 羞涩 羞答答
【造 句】羞愧——我真为自己的错误行为感到羞愧。
【同音字】修(修理)
【形近字】差(差错)
【成 语】羞花闭月
【反义词】羞怯/大方
【近义词】羞耻/耻辱 羞辱
【英 语】羞愧 ashamed [ə'ʃeimd]

| xiǔ | 笔画 | 部首 | 结构 | 五笔 | 造字法 |
|---|---|---|---|---|---|
| 朽 | 6 | 木 | 左右 | SGNN | 形声 |
| 笔顺 | 一 十 才 木 朾 朽 | | | | |

【解 释】❶腐烂。❷衰亡;衰老。
【组 词】朽木 不朽 枯朽 腐朽
【造 句】永垂不朽——为了人民的解放事业而牺牲的英雄们永垂不朽。
【形近字】巧(灵巧)
【成 语】朽木不雕 永垂不朽
【近义词】腐朽/腐烂
【歇后语】朽木搭楼房——不稳。
【谚 语】朽木不可为柱,坏人不可为伍。
【英 语】腐朽 rotten ['rɔtn]

| xiǔ | 笔画 | 部首 | 结构 | 五笔 | 造字法 |
|---|---|---|---|---|---|
| 宿 | 11 | 宀 | 上下 | PWDJ | 会意 |
| 笔顺 | 丶 丶 宀 宀 宀 宿 宿 宿 宿 宿 宿 | | | | |

【解 释】量词。用于计算夜。
【多音字】sù(见 681 页)
【多音字】xiù(见 799 页)

| xiù | 笔画 | 部首 | 结构 | 五笔 | 造字法 |
|---|---|---|---|---|---|
| 秀 | 7 | 禾 | 上下 | TEB | 象形 |
| 笔顺 | 一 二 千 禾 禾 秀 秀 | | | | |

【解 释】❶庄稼吐穗开花。❷清新而美丽。❸优异的。
【组 词】秀丽 清秀 新秀 优秀 内秀 秀才 闺秀
【造 句】优秀——小华被评为优秀少先队员。
【同音字】袖(领袖)
【形近字】季(季节)
【成 语】后起之秀 眉清目秀
【反义词】秀美/丑陋
【近义词】秀丽/秀美
【歇后语】秀才看榜——又惊又喜。
【英 语】秀气 delicate ['delikit]

| xiù | 笔画 | 部首 | 结构 | 五笔 | 造字法 |
|---|---|---|---|---|---|
| 臭 | 10 | 犬 | 上下 | THDU | 会意 |
| 笔顺 | 丿 亻 白 白 自 自 皀 臭 臭 臭 | | | | |

【解 释】❶气味。❷用鼻子辨别气味;同"嗅"。
【组 词】无色无臭 乳臭
【同音字】锈(铁锈)
【多音字】chòu(见 112 页)

| xiù | 笔画 | 部首 | 结构 | 五笔 | 造字法 |
|---|---|---|---|---|---|
| 袖 | 10 | 衤 | 左右 | PUMG | 形声 |
| 笔顺 | 丶 ㇇ 衤 衤 衤 衤 衵 衵 袖 袖 | | | | |

【解 释】❶上衣套在胳膊上的筒状部分。❷藏在衣袖里。
【组 词】袖子 水袖 袖珍 领袖

【造　句】领袖——我国人民永远忘不了伟大的领袖毛主席。
【同音字】秀(俊秀)
【形近字】柚(柚子)
【成　语】袖手旁观　两袖清风
【反义词】袖珍/巨型
【近义词】袖手旁观/冷眼旁观
【歇后语】站在高处看打架——袖手旁观。
【谚　语】袖大招风,树大遮阴。
【英　语】衣袖　sleeve [sliːv]

| xiù | 笔画 | 部首 | 结构 | 五笔 | 造字法 |
|---|---|---|---|---|---|
| 绣 | 10 | 纟 | 左右 | XTEN | 形声 |
| 笔顺 | 𠃋 纟 纟 纟 纤 纤 纤 绣 绣 绣 | | | | |

【解　释】❶用彩色丝线等在绸、布上刺出花纹、图案、文字。❷绣成的物品。
【组　词】绣字　绣球　刺绣　湘绣　绣鞋　绣工　苏绣　绣花　锦绣
【造　句】锦绣——祖国的锦绣河山绚丽多彩。
【同音字】袖(袖珍)
【形近字】锈(生锈)
【歇后语】绣花枕头稻草心——外表好看。
【英　语】刺绣　embroider [imˈbrɔidə]

| xiù | 笔画 | 部首 | 结构 | 五笔 | 造字法 |
|---|---|---|---|---|---|
| 宿 | 11 | 宀 | 上下 | PWDJ | 会意 |
| 笔顺 | 丶 宀 宀 宀 宀 宀 宿 宿 宿 宿 宿 | | | | |

【解　释】我国古代天文学家称天上某些星的集合体。
【同音字】秀(秀丽)
【英　语】星宿　constellation [ˌkɔnstəˈleiʃn]
【多音字】sù(见 681 页)
【多音字】xiǔ(见 798 页)

| xiù | 笔画 | 部首 | 结构 | 五笔 | 造字法 |
|---|---|---|---|---|---|
| 锈 | 12 | 钅 | 左右 | QTEN | 形声 |
| 笔顺 | 丿 𠂉 𠂉 𠂉 钅 钅 钅 钅 锈 锈 锈 锈 | | | | |

【解　释】❶金属表面在受潮后所生的氧化物。❷生锈。❸植物的茎叶上出现像锈的斑点,是一种植物病害。
【组　词】铁锈　生锈　锈病　锈蚀
【造　句】生锈——这把锁长时间没用,都生锈了。
【同音字】秀(秀才)
【形近字】绣(刺绣)
【英　语】锈　rust [rʌst]

| xiù | 笔画 | 部首 | 结构 | 五笔 | 造字法 |
|---|---|---|---|---|---|
| 嗅 | 13 | 口 | 左右 | KTHD | 形声 |
| 笔顺 | 丨 口 口 口 口 口 口 口 口 嗅 嗅 嗅 嗅 | | | | |

【解　释】闻,用鼻子来辨别气味。
【组　词】嗅觉　嗅神经
【造　句】嗅觉——警犬的嗅觉特别灵敏。
【同音字】秀(秀美)
【英　语】嗅觉　scent [sent]

X

X

# XU ㄒㄩ

| xū | 笔画 | 部首 | 结构 | 五笔 | 造字法 |
|---|---|---|---|---|---|
| 须 | 9 | 页 | 左右 | EDMY | 会意 |
| 笔顺 | 丿 ㇀ 彡 彡一 彡丆 彡丆丿 须 须 须 | | | | |

【解　释】❶一定要；应当。❷胡子。❸像胡子一样的东西。

【组　词】必须　胡须　玉米须

【造　句】必须——我们必须学好外语，才能适应对外开放的需要。

【同音字】虚(虚荣)

【形近字】顺(顺利)

【近义词】务须/必须

【谚　语】须将有日思无日，休想今人似昔人。

【英　语】必须　must [mʌst]

| xū | 笔画 | 部首 | 结构 | 五笔 | 造字法 |
|---|---|---|---|---|---|
| 虚 | 11 | 虍 | 半包围 | HAOG | 形声 |
| 笔顺 | 丨 ⺊ 卜一 广 卢 卢 虍 虍 虚 虚 虚 | | | | |

【解　释】❶空。❷假；不真实。❸留空。❹白白地。❺不骄傲。❻心中害怕；怯懦。❼衰弱。

【组　词】虚心　虚构　虚伪　虚荣

【造　句】虚心——学习要虚心，才能有所长进。

【同音字】须(必须)

【形近字】虎(老虎)　虑(考虑)

【成　语】虚张声势　虚怀若谷

【近义词】虚伪/虚假

【谚　语】虚心竹有低头叶。

【英　语】空虚　void [vɔid]

| xū | 笔画 | 部首 | 结构 | 五笔 | 造字法 |
|---|---|---|---|---|---|
| 需 | 14 | ⻗ | 上下 | FDMJ | 会意 |
| 笔顺 | 一 ㇇ 一 ⻗ ⻗ ⻗ ⻗ ⻗ 需 需 需 需 需 需 | | | | |

【解　释】❶必须有或应该有。❷要用的东西。

【组　词】需要　需求　供需　急需

【造　句】需要——我现在需要的是时间，不要打扰我。

【同音字】虚(虚名)

【形近字】霎(霎时)

【近义词】需要/需求

【英　语】需要　need [niːd]

| xū | 笔画 | 部首 | 结构 | 五笔 | 造字法 |
|---|---|---|---|---|---|
| 墟 | 14 | 土 | 左右 | FHAG | 形声 |
| 笔顺 | 一 十 土 圵 圵 坫 垆 垆 墟 墟 墟 墟 墟 墟 | | | | |

【解　释】❶已废弃而残存痕迹的聚居区。❷村落。

【组　词】废墟

【造　句】废墟——那里已是一片废墟。

【同音字】须(必须)

【英　语】废墟　ruin [ruin]

| xū | 笔画 | 部首 | 结构 | 五笔 | 造字法 |
|---|---|---|---|---|---|
| 嘘 | 14 | 口 | 左右 | KHAG | 形声 |
| 笔顺 | 丨 ㄇ 口 叮 叶 咔 咛 咛 嘘 嘘 嘘 嘘 嘘 嘘 | | | | |

【解　释】❶慢慢地吐气。❷叹气。❸表示制止或驱除。

【组　词】嘘气　嘘唏

【造　句】嘘——嘘！小点儿声，奶奶在睡觉。

【同音字】虚(虚心)
【成　语】嘘寒问暖

| xú | 笔画 | 部首 | 结构 | 五笔 | 造字法 |
|---|---|---|---|---|---|
| 徐 | 10 | 彳 | 左右 | TWTY | 形声 |
| 笔顺 | 丿 彡 彳 彳 彳 彳 彳 彳 徐 徐 | | | | |

【解　释】❶缓慢地。❷姓。
【组　词】徐图　徐徐　徐步
【造　句】徐徐——开车的时间到了,列车徐徐启动。
【形近字】涂(糊涂)　除(除掉)
【歇后语】徐庶进曹营——一言不发。
【英　语】徐徐　slowly [ˈsləuli]

| xǔ | 笔画 | 部首 | 结构 | 五笔 | 造字法 |
|---|---|---|---|---|---|
| 许 | 6 | 讠 | 左右 | YTFH | 形声 |
| 笔顺 | 丶 讠 讠 讠 讠 许 | | | | |

【解　释】❶同意。❷答应。❸称赞。❹可能。❺表示大概的数量。❻姓。
【组　词】许多　许可　也许　赞许
【造　句】赞许——老师对我的做法表示赞许。
【英　语】许多　many [ˈmeni]

| xǔ | 笔画 | 部首 | 结构 | 五笔 | 造字法 |
|---|---|---|---|---|---|
| 栩 | 10 | 木 | 左右 | SNG | 形声 |
| 笔顺 | 一 十 才 木 木 木 村 栩 栩 栩 | | | | |

【解　释】[栩栩]形容生动的样子。
【英　语】栩栩　vivid [ˈvivid]

| xù | 笔画 | 部首 | 结构 | 五笔 | 造字法 |
|---|---|---|---|---|---|
| 旭 | 6 | 日 | 半包围 | VJD | 形声 |
| 笔顺 | 丿 九 九 旭 旭 旭 | | | | |

【解　释】❶早晨初升的太阳。❷光明;早晨太阳刚出来的样子。
【组　词】旭日　朝旭
【同音字】叙(叙述)
【英　语】朝旭　rising sun [ˈraiziŋ sʌn]

| xù | 笔画 | 部首 | 结构 | 五笔 | 造字法 |
|---|---|---|---|---|---|
| 序 | 7 | 广 | 半包围 | YCBK | 形声 |
| 笔顺 | 丶 亠 广 广 庐 庐 序 | | | | |

【解　释】❶排列的先后。❷开头的;在正式内容以前的。❸排次序。
【组　词】顺序　词序　序言　序幕
【造　句】顺序——大家必须按照顺序上下车。
【同音字】畜(畜牧业)
【英　语】次序　order [ˈɔːdə]

| xù | 笔画 | 部首 | 结构 | 五笔 | 造字法 |
|---|---|---|---|---|---|
| 叙 | 9 | 又 | 左右 | WTCY | 形声 |
| 笔顺 | 丿 人 亼 亽 今 余 余 叙 叙 | | | | |

【解　释】❶说;谈。❷记述。
【组　词】记叙　叙事　叙述　直叙
【造　句】记叙——这篇文章记叙了作者参观历史博物馆的所见所想。
【同音字】序(顺序)
【英　语】记叙　narrate [nəˈreit]

X

| xù | 笔画 | 部首 | 结构 | 五笔 | 造字法 |
|---|---|---|---|---|---|
| 恤 | 9 | 忄 | 左右 | NTLG | 形声 |
| 笔顺 | 丶 丷 忄 忄 忄 恤 恤 恤 恤 | | | | |

【解　释】❶同情;怜悯。❷救济。
【组　词】抚恤　怜恤　体恤
【造　句】体恤——身为父母官,一定要体恤民情。
【英　语】怜恤　pity [ˈpiti]

| xù | 笔画 | 部首 | 结构 | 五笔 | 造字法 |
|---|---|---|---|---|---|
| 畜 | 10 | 田 | 上下 | YXLF | 形声 |
| 笔顺 | 丶 亠 玄 玄 玄 产 斋 斋 畜 畜 | | | | |

【解　释】畜养;饲养。
【组　词】畜养　畜产　畜牧
【造　句】畜养——这里每户人家都畜养了几头猪。
【同音字】序(秩序)
【近义词】畜养/饲养
【英　语】畜养　raise [reiz]
【多音字】chù(见116页)

| xù | 笔画 | 部首 | 结构 | 五笔 | 造字法 |
|---|---|---|---|---|---|
| 绪 | 11 | 纟 | 左右 | XFTJ | 形声 |
| 笔顺 | 纟 纟 纟 纟 纟 纟 绪 绪 绪 绪 绪 | | | | |

【解　释】❶丝头,比喻开端。❷指心情、思想。❸残余。❹事业;功业。
【组　词】情绪　头绪　思绪　绪言
【造　句】头绪——这件事我怎么也理不出头绪来。
【同音字】续(持续)
【形近字】堵(堵塞)
【近义词】情绪/心绪
【英　语】绪言　introduction [ˌintrəˈdʌkʃən]

| xù | 笔画 | 部首 | 结构 | 五笔 | 造字法 |
|---|---|---|---|---|---|
| 续 | 11 | 纟 | 左右 | XFND | 形声 |
| 笔顺 | 纟 纟 纟 纟 纟 纟 续 续 续 续 续 | | | | |

【解　释】❶连接起来。❷添加。❸接在原有的后面。
【组　词】继续　续航　连续　手续
【造　句】陆续——运动员们陆续走进比赛场地。
【同音字】绪(绪言)
【形近字】读(朗读)
【近义词】连续/持续
【英　语】继续　continue [kənˈtinjuː]

| xù | 笔画 | 部首 | 结构 | 五笔 | 造字法 |
|---|---|---|---|---|---|
| 絮 | 12 | 糸 | 上下 | VKXI | 形声 |
| 笔顺 | 𡿨 女 女 如 如 如 如 絮 絮 絮 絮 絮 | | | | |

【解　释】❶弹松的棉花。❷像棉絮的东西。❸在衣、被里铺进棉花。❹说话啰嗦,惹人厌烦。
【组　词】絮叨　絮烦　棉絮　花絮
【同音字】续(手续)
【形近字】恕(宽恕)
【英　语】棉絮　batt [bæt]

| xù | 笔画 | 部首 | 结构 | 五笔 | 造字法 |
|---|---|---|---|---|---|
| 婿 | 12 | 女 | 左右 | VNHE | 形声 |
| 笔顺 | 𡿨 女 女 女 女 女 女 女 婿 婿 婿 婿 | | | | |

【解　释】❶女儿的丈夫。❷丈夫。
【组　词】夫婿　女婿　翁婿
【英　语】夫婿　husband [ˈhʌzbənd]

| xù | 笔画 | 部首 | 结构 | 五笔 | 造字法 |
|---|---|---|---|---|---|
| 蓄 | 13 | 艹 | 上下 | AYXL | 形声 |
| 笔顺 | 一 十 艹 艹 苎 苎 荳 荳 荖 蓄 蓄 蓄 蓄 | | | | |

【解　释】❶积聚；储藏。❷留着；保存。❸心里藏着。
【组　词】积蓄　蓄意　蓄谋　含蓄
【造　句】积蓄——爸爸花掉他多年的积蓄给我买了一台学习机。
【同音字】绪（思绪）
【形近字】畜（畜牧）
【英　语】蓄意　premeditated [ˌpriːˈmediteitid]

## XUAN　ㄒㄩㄢ

| xuān | 笔画 | 部首 | 结构 | 五笔 | 造字法 |
|---|---|---|---|---|---|
| 宣 | 9 | 宀 | 上下 | PGJG | 形声 |
| 笔顺 | 丶 丷 宀 宀 宁 官 宣 宣 宣 | | | | |

【解　释】❶发表出来；正式发布。❷发泄；疏导。❸宣纸。

甲骨文　金文　小篆　隶书　楷书

【字源释义】本义是古代帝王的大宫室。“宀”表示宫室；“亘”（音xuān）原是云气疏卷的样子，由于宫室大，所以似有云气。
【组　词】宣布　宣纸　宣告　宣泄
【造　句】宣传——这幅广告牌宣传的是卫生知识。
【同音字】喧（喧闹）
【形近字】宜（便宜）
【成　语】心照不宣　照本宣科
【近义词】宣告/宣布
【英　语】宣布　declare [diˈklɛə]

| xuān | 笔画 | 部首 | 结构 | 五笔 | 造字法 |
|---|---|---|---|---|---|
| 喧 | 12 | 口 | 左右 | KPGG | 形声 |
| 笔顺 | 丶 口 口 口丶 口丷 口宀 口宀 口宁 口官 口宣 口宣 喧 | | | | |

【解　释】声音大且杂乱。
【组　词】喧哗　喧闹　喧扰　喧嚣
【造　句】喧哗——阅览室内，不要大声喧哗。
【同音字】宣（宣传）
【形近字】暄（寒暄）
【成　语】喧宾夺主
【反义词】喧闹/安静
【英　语】喧嚣　noisy [ˈnɔizi]

| xuán | 笔画 | 部首 | 结构 | 五笔 | 造字法 |
|---|---|---|---|---|---|
| 玄 | 5 | 亠 | 上下 | YXU | 会意 |
| 笔顺 | 丶 亠 玄 玄 玄 | | | | |

【解　释】❶深奥。❷不可靠。❸黑色。
【组　词】玄机　玄虚　玄妙　玄理
【造　句】故弄玄虚——别故弄玄虚了，我们早知道你的鬼点子。

【同音字】悬(悬挂)
【成　语】故弄玄虚
【近义词】玄妙/奥妙
【英　语】玄妙 mysterious [mi'stiəriəs]

| xuán | 笔画 | 部首 | 结构 | 五笔 | 造字法 |
|---|---|---|---|---|---|
| 悬 | 11 | 心 | 上下 | EGCN | 形声 |
| 笔顺 | 丨 冂 冃 日 旦 县 县 县 悬 悬 悬 | | | | |

【解　释】❶吊;挂。❷没有结果;没有着落。❸牵挂;挂念。❹凭空;没有支撑。❺距离远。❻危险。
【组　词】悬念　悬挂　悬案　悬想　悬崖　悬乎　悬壁　悬拟　悬殊
【造　句】悬念——这部作品的结尾给人们留下了一个悬念。
【同音字】旋(旋转)
【形近字】县(县城)
【成　语】悬崖勒马　口若悬河　悬崖峭壁
【近义词】悬浮/飘浮
【歇后语】悬崖上的鲜果——可望而不可得。
【英　语】悬挂 hang [hæŋ]

| xuán | 笔画 | 部首 | 结构 | 五笔 | 造字法 |
|---|---|---|---|---|---|
| 旋 | 11 | 方 | 左右 | YTNH | 会意 |
| 笔顺 | 丶 亠 亍 方 方 方 於 於 旋 旋 旋 | | | | |

【解　释】❶围绕着一个轴心转动。❷归来。❸不久;随即。

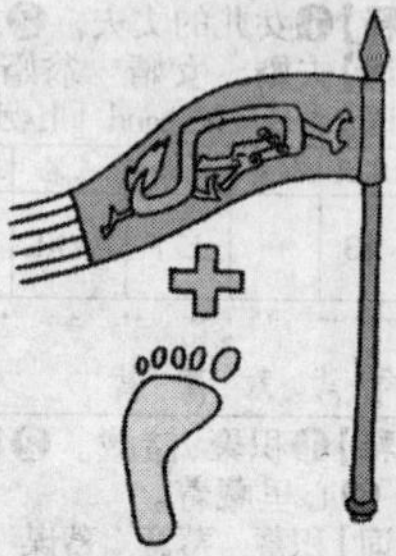

【字源释义】一根旗杆上飘着长条的旗帜,下面有足形,表示军队举着旗胜利归来。现在有"凯旋"一词。
【组　词】旋律　旋转　周旋　盘旋　旋梯　回旋　凯旋
【造　句】旋转——地球在不停地围绕太阳旋转。
【同音字】玄(玄妙)
【形近字】旅(旅行)
【近义词】旋转/转动
【英　语】旋转 revolve [ri'vɔlv]
【多音字】xuàn(见 805 页)

| xuǎn | 笔画 | 部首 | 结构 | 五笔 | 造字法 |
|---|---|---|---|---|---|
| 选 | 9 | 辶 | 半包围 | TFQP | 形声 |
| 笔顺 | ノ ㇐ 𠂇 生 步 先 先 洗 选 | | | | |

【解　释】❶挑拣;拣择。❷推举。❸选出来;被选中。
【组　词】选定　选择　选材　选举　文选　中选　竞选　精选　入选　推选
【造　句】推选——我们推选小强当班长。

【形近字】远(远方) 迭(更迭)
【近义词】推选/推举
【歇后语】选了尺码又挑斤头——德(得)高望重。
【谚　语】选择书籍,仅次于选择朋友。
【英　语】挑选 select [si'lekt]

| xuàn | 笔画 | 部首 | 结构 | 五笔 | 造字法 |
|---|---|---|---|---|---|
| 券 | 8 | 刀 | 上下 | UDVB | 形声 |
| 笔顺 | 丶 丷 䒑 兰 䒒 关 券 券 | | | | |

【解　释】门、窗和桥梁等建筑物上砌成弧形的部分。
【组　词】券门　拱券
【辨　音】不读 juǎn。
【同音字】绚(绚丽)
【英　语】拱券 arch [ɑːtʃ]
【多音字】quàn(见 599 页)

| xuàn | 笔画 | 部首 | 结构 | 五笔 | 造字法 |
|---|---|---|---|---|---|
| 炫 | 9 | 火 | 左右 | OYXY | 形声 |
| 笔顺 | 丶 丷 火 火 火 炏 炏 炫 炫 | | | | |

【解　释】❶光亮耀眼。❷夸耀;卖弄表现。
【组　词】炫耀　炫示　炫目　炫弄　炫光
【造　句】炫耀——公鸡炫耀着自己美丽的冠子。
【同音字】绚(绚丽)
【形近字】眩(眩晕)
【反义词】炫耀/谦虚
【近义词】炫耀/夸耀
【英　语】炫耀 flaunt [flɔːnt]

| xuàn | 笔画 | 部首 | 结构 | 五笔 | 造字法 |
|---|---|---|---|---|---|
| 绚 | 9 | 纟 | 左右 | XQJG | 形声 |
| 笔顺 | 𠃋 纟 纟 纟 约 约 绚 绚 绚 | | | | |

【解　释】色彩华丽。
【组　词】绚丽　绚烂
【造　句】绚丽——大雨过后,天空出现一道绚丽的彩虹。
【辨　音】不读 xún。
【同音字】渲(渲染)
【形近字】殉(殉国)
【近义词】绚丽/华丽
【英　语】绚丽 magnificent [mæ-g'nifisnt]

| xuàn | 笔画 | 部首 | 结构 | 五笔 | 造字法 |
|---|---|---|---|---|---|
| 眩 | 10 | 目 | 左右 | HYXY | 形声 |
| 笔顺 | 丨 冂 月 目 目 目 目' 盿 眩 眩 | | | | |

【解　释】❶(眼睛)昏花。❷迷惑。
【组　词】眩光　眩晕
【造　句】眩晕——他忽然感到一阵眩晕,接着就什么都不知道了。
【同音字】炫(炫耀)
【形近字】炫(炫目)
【成　语】头晕目眩

| xuàn | 笔画 | 部首 | 结构 | 五笔 | 造字法 |
|---|---|---|---|---|---|
| 旋 | 11 | 方 | 左右 | YTNH | 会意 |
| 笔顺 | 丶 亠 方 方 方 方 方 方 旋 旋 旋 | | | | |

【解　释】❶转圈的。❷转着圈切削。
【组　词】旋风
【同音字】绚(绚丽)
【谚　语】旋的不圆砍的圆。
【英　语】旋风 whirlwind [ˈwəːlwind]
【多音字】xuán(见 804 页)

| xuàn | 笔画 | 部首 | 结构 | 五笔 | 造字法 |
|---|---|---|---|---|---|
| 渲 | 12 | 氵 | 左右 | IPGG | 形声 |
| 笔顺 | 丶 丶 氵 氵 氵 氵 泞 泞 淙 渲 渲 渲 | | | | |

【解　释】[渲染]❶画国画时用水墨或淡色涂抹画面以加强艺术效果。❷指夸大地形容。
【组　词】渲染
【造　句】渲染——区区小事用不着那么渲染。
【辨　音】韵母是 uan,不是 uang。
【同音字】绚(绚烂)
【形近字】喧(喧哗)
【英　语】渲染 exaggerate [igˈzædʒəreit]

## XUE ㄒㄩㄝ

| xuē | 笔画 | 部首 | 结构 | 五笔 | 造字法 |
|---|---|---|---|---|---|
| 削 | 9 | 刂 | 左右 | IEJH | 形声 |
| 笔顺 | 丨 ⺌ 小 产 肖 肖 肖 肖 削 | | | | |

【解　释】意思与“削(xiāo)”相同,专用于复合词。
【组　词】剥削　削减
【造　句】剥削——解放前,人民过着被剥削、被压迫的生活。
【形近字】消(消灭)　稍(稍微)
【反义词】削除/增添
【近义词】削减/减少
【英　语】削弱 weaken [ˈwiːkən]
【多音字】xiāo(见 780 页)

| xuē | 笔画 | 部首 | 结构 | 五笔 | 造字法 |
|---|---|---|---|---|---|
| 靴 | 13 | 革 | 左右 | AFWX | 形声 |
| 笔顺 | 一 十 廿 廿 廿 苩 苩 莒 革 革 革 靴 靴 | | | | |

【解　释】长筒的鞋子。
【组　词】靴子　皮靴　马靴　雨靴
【同音字】削(剥削)
【形近字】鞋(布鞋)
【英　语】靴子 boots [buːts]

| xué | 笔画 | 部首 | 结构 | 五笔 | 造字法 |
|---|---|---|---|---|---|
| 穴 | 5 | 穴 | 上下 | PWU | 象形 |
| 笔顺 | 丶 丶 宀 ⺈ 穴 | | | | |

【解　释】❶洞。❷动物的窝。❸埋葬死人的坑。❹针灸的部位。
【组　词】巢穴　孔穴　洞穴　穴位
【造　句】穴位——扎针灸首先要找准穴位。
【辨　音】不读 xuè。
【同音字】学(学习)
【形近字】灾(灾害)
【成　语】空穴来风
【英　语】洞穴 cave [keiv]

| xué | 笔画 | 部首 | 结构 | 五笔 | 造字法 |
|---|---|---|---|---|---|
| 学 | 8 | 子 | 上下 | IP | 会意 |
| 笔顺 | 丶 丶 ⺌ ⺌ 𭕄 学 学 学 | | | | |

【解　释】❶学习。❷模仿。❸学问;知识。❹学科。❺学校。

【组　词】学习　学问　学位　学识　学期　升学　学历　才学　自学成才
【造　句】自学成才——表姐是靠自学成才的，我真佩服她。
【同音字】穴（蚁穴）
【形近字】字（写字）
【成　语】学富五车
【近义词】学识/学问
【歇后语】学生口角——未（为）必（笔）。
【谚　语】学不在多，贵在用。
【英　语】学习　study [ˈstʌdi]

| xuě | 笔画 | 部首 | 结构 | 五笔 | 造字法 |
|---|---|---|---|---|---|
| 雪 | 11 | ⻗ | 上下 | FVF | 形声 |
| 笔顺 | 一 ㄧ 冖 ⻗ ⻗ ⻗ ⻗ 雨 ⻗ 雪 雪 | | | | |

【解　释】❶天空中降落的冰花，是由空气中的水蒸气遇冷凝结而成的，多为六角形。❷颜色或光彩像雪的。❸洗刷；除去。
【组　词】雪花　雪亮　昭雪　雪白
【造　句】雪中送炭——入冬之前，大批防寒物资从全国各地送抵灾区，这真是雪中送炭呀！
【形近字】雷（雷鸣）
【成　语】雪中送炭　雪上加霜
【歇后语】雪里送炭——暖人心。
【谚　语】雪中送炭真君子，锦上添花是小人。
【英　语】雪　snow [snəu]

| xuè | 笔画 | 部首 | 结构 | 五笔 | 造字法 |
|---|---|---|---|---|---|
| 血 | 6 | 血 | 独体 | TLD | 指事 |
| 笔顺 | ノ ㇒ 𠂢 白 皿 血 | | | | |

【解　释】❶人或其他动物心脏和血管里流动的红色液体，由血球、血浆和血小板构成。❷有血统关系的。❸比喻性格刚强、激烈。
【组　词】血迹　血汗　血缘　血统　血书　血型　血压　血性　血泊　血液
【造　句】血肉相连——海峡两岸人民血肉相连，都盼望祖国早日统一。
【形近字】皿（器皿）
【成　语】血口喷人　血肉相连
【歇后语】血口喷人——恶毒。
【谚　语】不出血汗，不能吃饭。
【英　语】血液　blood [blʌd]
【多音字】xiě（见787页）

## XUN ㄒㄩㄣ

| xūn | 笔画 | 部首 | 结构 | 五笔 | 造字法 |
|---|---|---|---|---|---|
| 勋 | 9 | 力 | 左右 | KMLN | 形声 |
| 笔顺 | 丶 口 口 冃 贝 员 员 员 勋 | | | | |

【解　释】❶大功劳。❷有大功劳的人。❸因功授予的荣誉证章。
【组　词】勋劳　勋章　开国元勋
【英　语】勋章　medal [ˈmedl]

| xūn | 笔画 | 部首 | 结构 | 五笔 | 造字法 |
|---|---|---|---|---|---|
| 熏 | 14 | 灬 | 上下 | TGLO | 会意 |
| 笔顺 | 一 二 千 𠂢 𠂢 𠂢 𠂢 重 重 重 重 重 熏 熏 | | | | |

【解　释】❶烟或气等刺激人或物体。❷用烟火烤制食品。❸暖和；温和。❹沾染；感染。
【组　词】熏黑　熏染　熏蒸　熏鸡

熏陶　熏鱼　熏制　熏风

【造　句】熏陶——他出生于书香门第,从小受到良好的文化熏陶。

【形近字】重(重量)

【英　语】熏制　smoking [ˈsməukiŋ]

| xún | 笔画 | 部首 | 结构 | 五笔 | 造字法 |
| --- | --- | --- | --- | --- | --- |
| 旬 | 6 | 勹 | 半包围 | QJD | 会意 |
| 笔顺 | ノ 勹 勺 句 旬 旬 | | | | |

【解　释】❶十天为一旬,一个月分上中下三旬。❷十岁为一旬。

【组　词】上旬　中旬　下旬　旬日　旬刊　初旬

【造　句】下旬——这个月下旬我将去拜访我的老师。

【同音字】寻(寻找)

【形近字】句(句号)

| xún | 笔画 | 部首 | 结构 | 五笔 | 造字法 |
| --- | --- | --- | --- | --- | --- |
| 寻 | 6 | 彐 | 上下 | VFU | 会意 |
| 笔顺 | ㇕ ㇕ 彐 ⺕ 寻 寻 | | | | |

【解　释】❶找。❷姓。

【组　词】寻找　寻觅　寻访　搜寻

【造　句】寻味——这个故事的结局耐人寻味。

【同音字】询(询问)

【形近字】灵(灵活)

【成　语】寻根究底

【反义词】寻找/丢弃

【近义词】寻找/寻觅

【英　语】寻常　ordinary [ˈɔːdinəri]

| xún | 笔画 | 部首 | 结构 | 五笔 | 造字法 |
| --- | --- | --- | --- | --- | --- |
| 巡 | 6 | 辶 | 半包围 | VPV | 形声 |
| 笔顺 | 〈 巛 巛 巡 巡 巡 | | | | |

【解　释】❶来回视察。❷量词。相当于"遍"。

【组　词】巡回　巡视　巡行　巡诊　巡抚　巡查　巡逻　出巡　巡展　巡演

【造　句】巡回——这些小演员正忙着巡回演出。

【同音字】寻(寻访)

【近义词】巡视/巡查

【英　语】巡查　patrol [pəˈtrəul]

| xún | 笔画 | 部首 | 结构 | 五笔 | 造字法 |
| --- | --- | --- | --- | --- | --- |
| 询 | 8 | 讠 | 左右 | YQJG | 形声 |
| 笔顺 | 丶 讠 讠 讠 讠 询 询 询 | | | | |

【解　释】❶征求意见。❷打听。

【组　词】询问　查询　咨询　垂询

【造　句】询问——校长仔细询问了这个班的学习情况。

【同音字】循(循环)

【形近字】峋(嶙峋)

【近义词】询问/打听

【英　语】询问　ask about [ɑːsk əˈbaut]

| xún | 笔画 | 部首 | 结构 | 五笔 | 造字法 |
| --- | --- | --- | --- | --- | --- |
| 峋 | 9 | 山 | 左右 | MQJG | 形声 |
| 笔顺 | 丨 山 山 山 屾 峋 峋 峋 峋 | | | | |

【解　释】见447页"嶙"。

【组　词】嶙峋

【同音字】巡(巡回)

【形近字】询(询问)

【英　语】嶙峋　jagged [ˈdʒægid]

| xún | 笔画 | 部首 | 结构 | 五笔 | 造字法 |
|---|---|---|---|---|---|
| 循 | 12 | 彳 | 左右 | TRFH | 形声 |
| 笔顺 | 丿 ㄔ 彳 彳 彳 彳 彳 彳 循 循 循 循 | | | | |

【解 释】依照；沿袭；遵守。
【组 词】循环 循序 循例 依循 遵循 因循
【造 句】循环——人体内的血液在不停地循环。
【同音字】询（探询）
【形近字】盾（矛盾）
【成 语】循序渐进 循循善诱 循环往复
【反义词】遵循/违背
【近义词】依循/依照
【英 语】循环 circulate [ 'səːkjuleit ]

| xùn | 笔画 | 部首 | 结构 | 五笔 | 造字法 |
|---|---|---|---|---|---|
| 训 | 5 | 讠 | 左右 | YKH | 形声 |
| 笔顺 | 丶 讠 讠 训 训 | | | | |

【解 释】❶斥责。❷教导；教诲。❸准则；法则。
【组 词】训练 训斥 训诫 训令 家训 训示 训导 古训 教训
【造 句】教训——你要吸取这次失败的教训，不要再犯类似的错误。
【同音字】迅（迅速）
【形近字】驯（驯服）
【成 语】不足为训
【近义词】训斥/斥责
【谚 语】训教不严师之惰，学问无成子之过。
【英 语】训练 train [ trein ]

| xùn | 笔画 | 部首 | 结构 | 五笔 | 造字法 |
|---|---|---|---|---|---|
| 讯 | 5 | 讠 | 左右 | YNFH | 形声 |
| 笔顺 | 丶 讠 讥 讯 讯 | | | | |

【解 释】❶问；询问。❷消息；音信。

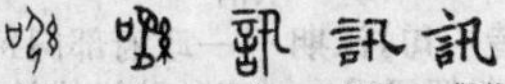

甲骨文 金文 小篆 隶书 楷书

【字源释义】一个俘虏的手被反缚着，脚也被锁住，在他面前有一张嘴在审讯他。本义是“审问”。
【组 词】讯问 传讯 电讯 音讯 喜讯 闻讯 简讯 审讯 讯号 通讯
【造 句】通讯——随着科技的发展，人类的通讯设备越来越先进了。
【同音字】训（教训）
【形近字】汛（防汛）
【英 语】讯问 interrogate [ in'terəgeit ]

X

X

| xùn | 笔画 | 部首 | 结构 | 五笔 | 造字法 |
|---|---|---|---|---|---|
| 汛 | 6 | 氵 | 左右 | INFH | 形声 |
| 笔顺 | 丶 丶 氵 氵 汛 汛 汛 | | | | |

【解　释】江河定期的涨水。
【组　词】防汛　伏汛　潮汛　凌汛　鱼汛　汛期　汛情
【造　句】汛期——政府部门每到汛期都要采取一定的防洪措施。
【同音字】驯(驯服)
【形近字】讯(通讯)
【英　语】伏汛　summer flood [ˈsʌmə flʌd]

| xùn | 笔画 | 部首 | 结构 | 五笔 | 造字法 |
|---|---|---|---|---|---|
| 迅 | 6 | 辶 | 半包围 | NFPK | 形声 |
| 笔顺 | 乁 乁 凡 卂 讯 迅 | | | | |

【解　释】速度快。
【组　词】迅急　迅即　迅猛　迅疾　迅捷　迅速
【造　句】迅猛——这场雨来得迅猛,洼地一会儿就积满了水。
【同音字】汛(汛期)
【形近字】讯(音讯)
【反义词】迅速/缓慢
【近义词】迅即/立刻　迅/快
【英　语】迅速　rapid [ˈræpid]

| xùn | 笔画 | 部首 | 结构 | 五笔 | 造字法 |
|---|---|---|---|---|---|
| 驯 | 6 | 马 | 左右 | CKH | 形声 |
| 笔顺 | 7 马 马 驯 驯 驯 | | | | |

【解　释】❶顺从。❷使和顺。
【组　词】温驯　驯服　驯从　驯良　驯马
【造　句】温驯——这匹马很温驯。
【辨　音】不读 xún。
【同音字】汛(春汛)
【形近字】训(训练)
【反义词】驯从/叛逆
【近义词】驯服/顺从
【英　语】驯化　domestication [dəmestiˈkeiʃən]

| xùn | 笔画 | 部首 | 结构 | 五笔 | 造字法 |
|---|---|---|---|---|---|
| 徇 | 9 | 彳 | 左右 | TQJG | 形声 |
| 笔顺 | ノ ノ 彳 彳 彴 彴 徇 徇 徇 | | | | |

【解　释】曲从。
【组　词】徇情　徇私
【造　句】徇私——我们做人必须讲原则,不能徇私舞弊。
【同音字】讯(通讯)
【形近字】殉(殉情)
【成　语】徇情枉法

| xùn | 笔画 | 部首 | 结构 | 五笔 | 造字法 |
|---|---|---|---|---|---|
| 逊 | 9 | 辶 | 半包围 | BIPI | 形声 |
| 笔顺 | ㇇ 了 孑 孑 孙 孙 孙 逊 逊 | | | | |

【解　释】❶让出(帝王的位子)。❷谦虚;谦恭。❸比不上。
【组　词】逊色　逊位　谦逊
【造　句】逊色——我的成绩比你的可逊色多了。
【同音字】殉(殉职)
【近义词】谦逊/谦虚
【英　语】谦逊　be inferior [biː inˈfiəriə]

| xùn | 笔画 | 部首 | 结构 | 五笔 | 造字法 |
| --- | --- | --- | --- | --- | --- |
| 殉 | 10 | 歹 | 左右 | GQQJ | 形声 |
| 笔顺 | 一 丆 歹 歹 歺 殉 殉 殉 殉 殉 | | | | |

【解　释】为维护某种事业或理想而牺牲生命。

【组　词】殉难　殉职

【造　句】殉职——他因公殉职了，年仅29岁。

【同音字】徇（徇私）

【形近字】询（询问）

【近义词】殉葬/陪葬

# Y

## YA ㄧㄚ

| yā | 笔画 | 部首 | 结构 | 五笔 | 造字法 |
|---|---|---|---|---|---|
| 丫 | 3 | 丶 | 独体 | UHK | 象形 |
| 笔顺 | 丶 丷 丫 | | | | |

【解　释】❶树木或其他物体的分叉。❷(方)指女孩子。
【组　词】树丫　枝丫　丫头
【造　句】丫头——爷爷亲昵地喊我"丫头"。
【同音字】压(压迫)　押(押解)
【形近字】义(意义)
【歇后语】丫鬟带钥匙——当家不做主。
【英　语】丫杈　fork [fɔːk]

| yā | 笔画 | 部首 | 结构 | 五笔 | 造字法 |
|---|---|---|---|---|---|
| 压 | 6 | 厂 | 半包围 | DFYI | 形声 |
| 笔顺 | 一 厂 𠫓 厈 压 压 | | | | |

【解　释】❶从上向下对物体施力。❷超越。❸用威力制服;胜过。❹使稳定;使平静。❺搁着不动;按住不发。❻赌博时在某一门上下注。
【组　词】压力　压迫　压气　压缩　压抑　按压　高压　积压　挤压　重压
【造　句】积压——由于消费需求不旺,这个商店积压了许多商品。
【同音字】押(押送)　鸭(鸭子)
【形近字】庄(村庄)
【反义词】压低/抬高
【近义词】压制/限制
【谚　语】压在心头的话,酒能赶出来。
【英　语】压迫　oppress [əˈpres]

| yā | 笔画 | 部首 | 结构 | 五笔 | 造字法 |
|---|---|---|---|---|---|
| 呀 | 7 | 口 | 左右 | KAHT | 形声 |
| 笔顺 | 丨 冂 口 口一 吀 呀 呀 | | | | |

【解　释】❶叹词。表示惊讶、惊异。❷象声词。形容物体摩擦的声音。
【造　句】呀——门"呀"的一声开了,奶奶从屋里走出来。
【同音字】压(压迫)　押(押车)
【形近字】牙(牙齿)　蚜(蚜虫)
【多音字】ya(见815页)

| yā | 笔画 | 部首 | 结构 | 五笔 | 造字法 |
|---|---|---|---|---|---|
| 押 | 8 | 扌 | 左右 | RLH | 形声 |
| 笔顺 | 一 十 扌 扌 扣 扣 押 押 | | | | |

【解　释】❶在文件或契约上签字或画符号,也指这些字或符号。❷把财物交给对方作为担保。❸把人暂时扣留,不准自由行动。❹跟随着照料或看管。❺姓。
【组　词】押送　押队　押解　押尾　押韵　拘押　签押　关押　抵押
【造　句】抵押——为了让孩子上学,夫妻俩连房子都抵押了。
【辨　音】不读yà。
【同音字】压(压力)　鸭(鸭子)
【形近字】弹(子弹)
【英　语】押金　deposit [diˈpɔzit]

| yā | 笔画 | 部首 | 结构 | 五笔 | 造字法 |
|---|---|---|---|---|---|
| 哑 | 9 | 口 | 左右 | KGOG | 形声 |
| 笔顺 | 丨 ㄇ 口 口一 叮 叮 吅 哑 哑 | | | | |

【解　释】[咿(yī)哑]象声词。形容小孩子学说话或划桨的声音。
【造　句】哑哑——小宝宝在哑哑学语。
【同音字】押(押解)
【多音字】yǎ(见 814 页)

| yā | 笔画 | 部首 | 结构 | 五笔 | 造字法 |
|---|---|---|---|---|---|
| 鸦 | 9 | 鸟 | 左右 | AHTG | 形声 |
| 笔顺 | 一 二 于 牙 牙 犭 犭 犭 鸦 鸦 | | | | |

【解　释】鸟名,全身多为黑色羽毛,嘴大,翼长,吃谷类、果实、昆虫等。
【组　词】乌鸦　鸦片
【造　句】鸦雀无声——教室里鸦雀无声,同学们静候老师讲授新课。
【辨　音】不读 yá。
【同音字】押(押车)　压(压力)
【成　语】鸦雀无声
【反义词】鸦雀无声/人声鼎沸
【近义词】鸦雀无声/万籁俱寂
【谚　语】鸦巢里出凤凰,粪土上长灵芝。
【英　语】乌鸦　crow [krəu]

| yā | 笔画 | 部首 | 结构 | 五笔 | 造字法 |
|---|---|---|---|---|---|
| 鸭 | 10 | 鸟 | 左右 | LQYG | 形声 |
| 笔顺 | 丨 ㄇ 日 日 甲 甲 甲 甲 鸭 鸭 | | | | |

【解　释】鸭子,一种水禽,有家鸭和野鸭之别。嘴扁而腿短,趾间有蹼,善游泳,蛋和肉都可吃。
【组　词】鸭子　鸭毛　鸭肉　鸭掌　鸭绒　野鸭　烤鸭　家鸭
【同音字】压(压力)　押(押解)
【形近字】鸦(乌鸦)
【歇后语】鸭背上泼水——滑过去了|鸭上架——全靠逼|鸭仔下河——不知深浅。
【谚　语】鸭子听雷——不知所云|鸭子的儿子会浮水,老鼠的儿子会打洞。
【英　语】鸭　duck [dʌk]

| yá | 笔画 | 部首 | 结构 | 五笔 | 造字法 |
|---|---|---|---|---|---|
| 牙 | 4 | 一 | 独体 | AHT | 象形 |
| 笔顺 | 一 二 于 牙 | | | | |

【解　释】❶咀嚼食物的器官,牙齿。❷形状像牙齿的东西。❸特指象牙。❹姓。
【组　词】牙齿　牙关　牙刷　牙质　门牙　咬牙　换牙　虫牙　爪牙
【造　句】换牙——表妹到 8 岁时才换牙。
【同音字】蚜(蚜虫)
【形近字】芽(发芽)
【成　语】张牙舞爪　青面獠牙　咬牙切齿
【歇后语】牙长手短——好吃懒做|牙缝里插花——嘴上漂亮。
【谚　语】牙齿打落往肚里咽|牙痛不算病,痛起来真要命。
【英　语】牙齿　tooth [tu:θ]

| yá | 笔画 | 部首 | 结构 | 五笔 | 造字法 |
|---|---|---|---|---|---|
| 芽 | 7 | 艹 | 上下 | AAHT | 形声 |
| 笔顺 | 一 十 艹 艹 芢 芽 芽 | | | | |

【解　释】❶植物刚长出来的可以发育成茎、叶或花的部分。❷形状像芽的东西。
【组　词】豆芽　芽体　芽眼　抽芽　出芽　胚芽　萌芽　嫩芽　发芽
【造　句】发芽——春天来了，树木花草都发芽了。
【同音字】蚜（蚜虫）
【形近字】蚜（蚜虫）
【英　语】芽　bud［bʌd］

| yá | 笔画 | 部首 | 结构 | 五笔 | 造字法 |
|---|---|---|---|---|---|
| 蚜 | 10 | 虫 | 左右 | JAHT | 形声 |
| 笔顺 | 丨 冂 口 中 虫 虫 虫一 虫二 蚜 蚜 | | | | |

【解　释】蚜虫，身体卵圆形，吸食植物的汁液，对农作物的危害很大。种类很多。
【组　词】棉蚜　烟蚜　蚜虫　麦蚜
【同音字】崖（山崖）
【形近字】伢（伢儿）
【歇后语】蚜虫钻板子——无门。
【英　语】蚜虫　aphid［ˈeifid］

| yá | 笔画 | 部首 | 结构 | 五笔 | 造字法 |
|---|---|---|---|---|---|
| 崖 | 11 | 山 | 上下 | MDFF | 形声 |
| 笔顺 | 丨 山 山 岂 岸 岸 岸 崖 崖 崖 崖 | | | | |

【解　释】❶高山陡壁的边。❷边际。
【组　词】山崖　云崖　摩崖　悬崖
【造　句】悬崖——高高的悬崖上长着几棵古老的松树。
【同音字】蚜（蚜虫）
【形近字】涯（天涯）
【英　语】崖　precipice［ˈpresipis］

| yá | 笔画 | 部首 | 结构 | 五笔 | 造字法 |
|---|---|---|---|---|---|
| 涯 | 11 | 氵 | 左右 | IDFF | 形声 |
| 笔顺 | 丶 冫 氵 汇 沂 沂 沂 涯 涯 涯 涯 | | | | |

【解　释】水边；泛指边际。
【组　词】涯际　天涯　生涯　无涯
【造　句】天涯海角——走遍天涯海角，我也不会忘记杨老师的教诲。
【同音字】蚜（蚜虫）
【成　语】天涯海角
【近义词】天涯海角/天南海北

| yá | 笔画 | 部首 | 结构 | 五笔 | 造字法 |
|---|---|---|---|---|---|
| 衙 | 13 | 彳 | 左中右 | TGKH | 形声 |
| 笔顺 | ノ 彡 彳 彳 彳 衎 衎 衎 衎 衎 衎 衙 衙 | | | | |

【解　释】衙门，旧时官员办公的机关。
【组　词】衙门　衙役　官衙　县衙
【同音字】牙（牙齿）
【形近字】街（街道）
【英　语】衙门　government office in feudal China［ˈgʌvənmənt ˈɔfis in ˈfjuːdl ˈtʃainə］

| yǎ | 笔画 | 部首 | 结构 | 五笔 | 造字法 |
|---|---|---|---|---|---|
| 哑 | 9 | 口 | 左右 | KGOG | 形声 |
| 笔顺 | 丨 口 口 口一 叮 吓 吓 哑 哑 | | | | |

【解　释】❶因生理缺陷或疾病而不能说话。❷嗓子干涩发不出声音或发音低而不清楚。❸因发生故障，炮弹、子弹等打不响。
【组　词】哑巴　哑谜　沙哑　聋哑

【造　句】哑口无言——在证据面前，这个骗子哑口无言，不得不认罪。
【同音字】雅(高雅)
【形近字】亚(亚洲)
【成　语】哑然失笑　哑口无言
【英　语】哑剧　pantomime [ˈpæntəmaim]
【多音字】yā(见813页)

| yǎ | 笔画 | 部首 | 结构 | 五笔 | 造字法 |
|---|---|---|---|---|---|
| 雅 | 12 | 牙 | 左右 | AHTY | 形声 |
| 笔顺 | 一 ㄷ 于 牙 牙 牙 牙 牙 牙 牙 雅 雅 | | | | |

【解　释】❶合乎规范的；标准的。❷高尚而不粗俗；优美大方。❸敬辞。❹《诗经》中诗篇的一类。❺很；极。❻向来；平素。
【组　词】雅观　雅兴　雅俗　风雅
【造　句】无伤大雅——虽然他在台上出了一点小问题，但无伤大雅，演出仍然相当成功。
【同音字】哑(哑巴)
【形近字】堆(堆积)
【成　语】雅俗共赏　无伤大雅
【英　语】高雅　refined [riˈfaind]

| yà | 笔画 | 部首 | 结构 | 五笔 | 造字法 |
|---|---|---|---|---|---|
| 轧 | 5 | 车 | 左右 | LNN | 形声 |
| 笔顺 | 一 七 车 车 轧 | | | | |

【解　释】❶用车轮或圆柱形的工具压；碾。❷排挤。
【组　词】轧路　倾轧　挤轧
【造　句】轧——路上小心，别让车轧着。
【英　语】轧道机　road roller [rəud ˈrəulə]
【多音字】zhá(见895页)

| yà | 笔画 | 部首 | 结构 | 五笔 | 造字法 |
|---|---|---|---|---|---|
| 亚 | 6 | 一 | 独体 | GOG | 指事 |
| 笔顺 | 一 丆 丌 丌 亚 亚 | | | | |

【解　释】❶第二的；次一等。❷次于；较差。❸亚洲。
【组　词】亚军　亚洲　亚麻　欧亚
【造　句】亚军——他在这次比赛中取得的名次是亚军。
【辨　音】不读yǎ。
【同音字】讶(惊讶)
【形近字】巫(巫婆)　哑(哑巴)
【英　语】亚洲　Asia [ˈeiʃə]

| yà | 笔画 | 部首 | 结构 | 五笔 | 造字法 |
|---|---|---|---|---|---|
| 讶 | 6 | 讠 | 左右 | YAHT | 形声 |
| 笔顺 | 丶 讠 讠 讠 讶 讶 | | | | |

【解　释】惊奇。
【组　词】惊讶　讶然
【造　句】惊讶——奶奶的到来让我们全家都很惊讶。
【同音字】亚(亚洲)
【近义词】惊讶/吃惊
【英　语】惊讶　surprise [səˈpraiz]

| ya | 笔画 | 部首 | 结构 | 五笔 | 造字法 |
|---|---|---|---|---|---|
| 呀 | 7 | 口 | 左右 | KAHT | 形声 |
| 笔顺 | 丨 口 口 口 口 吁 呀 | | | | |

【解　释】助词。同“啊”。
【多音字】yā(见812页)

# YAN ㄧㄢ

| yān | 笔画 | 部首 | 结构 | 五笔 | 造字法 |
|---|---|---|---|---|---|
| 咽 | 9 | 口 | 左右 | KLDY | 形声 |
| 笔顺 | 丨 冂 口 叮 叮 叩 咽 咽 咽 | | | | |

【解　释】咽部，在鼻腔和口腔的后方，是呼吸和消化的交通要道。
【组　词】咽部　咽喉
【造　句】咽喉——这个地方是咽喉地带，易守难攻。
【同音字】胭(胭脂)　烟(烟火)
【英　语】咽喉　throat［θrəut］
【多音字】yàn(见 822 页)
【多音字】yè(见 834 页)

| yān | 笔画 | 部首 | 结构 | 五笔 | 造字法 |
|---|---|---|---|---|---|
| 胭 | 10 | 月 | 左右 | ELDY | 形声 |
| 笔顺 | 丿 刀 月 月 肌 胛 胭 胭 胭 胭 | | | | |

【解　释】[胭脂]红色化妆品，也是图画颜料。
【组　词】胭脂　胭红　胭脂鱼
【造　句】胭脂——她的脸红得像涂了胭脂。
【同音字】烟(烟花)
【英　语】胭脂　rouge［ruːʒ］

| yān | 笔画 | 部首 | 结构 | 五笔 | 造字法 |
|---|---|---|---|---|---|
| 殷 | 10 | 殳 | 左右 | RVNC | 会意 |
| 笔顺 | ′ 亻 户 户 户 自 身 舡 舡 殷 | | | | |

【解　释】黑红色。
【造　句】殷红——在车祸现场，地上还留着一滩殷红的血。
【同音字】烟(烟火)
【英　语】殷红　dark red［daːk red］
【多音字】yīn(见 848 页)

| yān | 笔画 | 部首 | 结构 | 五笔 | 造字法 |
|---|---|---|---|---|---|
| 烟 | 10 | 火 | 左右 | OLDY | 形声 |
| 笔顺 | 丶 丷 火 火 灯 炯 炯 炯 烟 烟 | | | | |

【解　释】❶物质燃烧时产生的混有未完全燃烧的微小颗粒的气体。❷像烟的东西。❸眼睛受烟刺激而流泪或睁不开。❹烟草，草本植物，是制香烟的主要原料。❺纸烟、烟丝等的统称。❻烟子。
【组　词】烟煤　烟具　烟斗　烟火　烟花
【造　句】烟消云散——经过大妈的调解，一场误会烟消云散了。
【同音字】咽(咽喉)　淹(淹没)
【形近字】胭(胭脂)
【成　语】烟消云散
【近义词】烟消云散/一扫而空
【谚　语】烟多伤肺，食多伤胃。
【英　语】烟　smoke［sməuk］

| yān | 笔画 | 部首 | 结构 | 五笔 | 造字法 |
|---|---|---|---|---|---|
| 淹 | 11 | 氵 | 左右 | IDJN | 形声 |
| 笔顺 | 丶 氵 氵 氵 汁 汏 汏 淹 淹 淹 淹 | | | | |

【解　释】淹没；在水中。
【组　词】淹没　淹死　淹埋
【造　句】淹没——河水涨了，都快淹没庄稼了。
【同音字】烟(香烟)
【形近字】腌(腌肉)
【近义词】淹水/溺水

【谚　语】淹死会水的，吓死怕鬼的。
【英　语】淹没 submerge [səbˈməːdʒ]

| yān | 笔画 | 部首 | 结构 | 五笔 | 造字法 |
|---|---|---|---|---|---|
| 腌 | 12 | 月 | 左右 | EDJN | 形声 |
| 笔顺 | 丿 刀 月 月 肀 肸 肸 胅 胣 腌 腌 腌 | | | | |

【解　释】用盐、糖等物浸渍食物。
【组　词】腌肉　腌咸菜
【造　句】腌肉——我老家过年的时候，家家都腌肉。
【同音字】烟(烟花)
【形近字】淹(淹没)
【多音字】ā(见1页)

| yān | 笔画 | 部首 | 结构 | 五笔 | 造字法 |
|---|---|---|---|---|---|
| 嫣 | 14 | 女 | 左右 | VGHO | 形声 |
| 笔顺 | 𡿨 女 女 女一 女丅 女下 女正 女正 女焉 嫣 嫣 嫣 嫣 嫣 | | | | |

【解　释】❶鲜艳。❷容貌美好。
【组　词】嫣红　嫣然
【造　句】姹紫嫣红——花园里春色满园，迎春、丁香姹紫嫣红，争奇斗艳。
【同音字】烟(烟草)
【形近字】焉(心不在焉)
【成　语】姹紫嫣红
【近义词】姹紫嫣红/万紫千红
【英　语】嫣然 sweet [swiːt]

| yān | 笔画 | 部首 | 结构 | 五笔 | 造字法 |
|---|---|---|---|---|---|
| 燕 | 16 | 灬 | 上中下 | AUKO | 象形 |
| 笔顺 | 一 十 廿 廿 芇 芇 芇 芇 苩 苩 苩 燕 燕 燕 燕 燕 | | | | |

【解　释】❶周代诸侯国名，在今河北省北部和辽宁省南部。❷指河北省北部。❸姓。
【同音字】烟(烟花)
【多音字】yàn(见823页)

| yán | 笔画 | 部首 | 结构 | 五笔 | 造字法 |
|---|---|---|---|---|---|
| 延 | 6 | 廴 | 半包围 | THPD | 形声 |
| 笔顺 | ㇒ 丆 𠂇 正 延 延 | | | | |

【解　释】❶延长。❷时间向后推迟。❸引进；聘请。❹姓。
【组　词】延长　延伸　延续　迁延　延安
【造　句】延长——会议延长了两小时，许多同志都发言了。
【同音字】严(严格)
【形近字】建(建设)
【反义词】延长/缩短
【近义词】延年益寿/祛病延年
【英　语】延伸 extend [ikˈstend]

| yán | 笔画 | 部首 | 结构 | 五笔 | 造字法 |
|---|---|---|---|---|---|
| 严 | 7 | 一 | 独体 | GOD | 形声 |
| 笔顺 | 一 丆 丌 丌 亚 亚 严 | | | | |

【解　释】❶紧密；没有空隙或疏漏。❷严格；认真；不放松。❸程度深。❹指父亲。❺姓。
【组　词】严肃　严重　严正　从严　戒严　严守　严明　严实
【造　句】严惩不贷——对于那些严重扰乱社会治安的犯罪分子，一定要严惩不贷。
【同音字】言(言语)
【成　语】严于律已　严阵以待　严惩不贷
【反义词】严惩不贷/姑息养奸

Y

Y

【近义词】严阵以待/壁垒森严
【歇后语】开局摆开拦河车——严阵以待。
【谚　语】严寒过去一定是春天，乌云背后一定有太阳|严是爱，宠是害，不管不教要变坏。
【英　语】严酷　harsh [hɑːʃ]

| yán | 笔画 | 部首 | 结构 | 五笔 | 造字法 |
| --- | --- | --- | --- | --- | --- |
| 言 | 7 | 言 | 独体 | YYY | 指事 |
| 笔顺 | 丶 亠 亠 亠 言 言 言 | | | | |

【解　释】❶说。❷话。❸汉语的一个字叫一言。❹姓。

甲骨文　金文　小篆　隶书　楷书

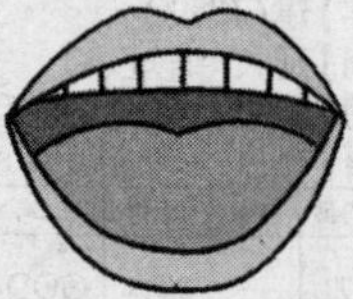

【字源释义】早期的甲骨文“言”字是从嘴里伸出舌头的样子；“舌”上有一横画，是指事符号。后来舌状变成“辛”，就不好理解了。甲骨文还以“言”代“音”。
【组　词】言语　言词　言行
【造　句】言不尽意——信就写到这里吧，言不尽意，见面详谈。
【同音字】严(严格)　延(延安)
【形近字】吉(吉祥)
【成　语】言归正传　言而有信　言不由衷　言而无信　言归于好　言过其实　言简意赅　言行一致　言之无物　言不尽意
【反义词】言不由衷/心口如一
【近义词】言归于好/破镜重圆
【歇后语】说书的开了本——言归正传|刘备对孔明——言听计从|说着正东往西走——言行不一。
【谚　语】言而有信真君子，反复无常是小人。
【英　语】语言　language [ˈlæŋgwidʒ]

| yán | 笔画 | 部首 | 结构 | 五笔 | 造字法 |
| --- | --- | --- | --- | --- | --- |
| 岩 | 8 | 山 | 上下 | MDF | 会意 |
| 笔顺 | 丨 山 山 山 岩 岩 岩 岩 | | | | |

【解　释】❶岩石突起而形成的山峰。❷构成地壳的矿物集合体，岩石。
【组　词】岩石　岩洞　岩浆　花岗岩
【同音字】研(研究)　言(言语)
【形近字】石(石头)
【英　语】岩石　rock [rɔk]

| yán | 笔画 | 部首 | 结构 | 五笔 | 造字法 |
| --- | --- | --- | --- | --- | --- |
| 炎 | 8 | 火 | 上下 | OOU | 会意 |
| 笔顺 | 丶 丷 少 火 火 炏 炎 炎 | | | | |

【解　释】❶指天气很热。❷炎症。身体某部位发生的红肿或痛痒等现象。❸比喻权势。

甲骨文　金文　小篆　隶书　楷书

【字源释义】本义是“火光上升”或“焚烧”。字形是火上加火,表示焚烧之烈。
【组 词】炎热 炎帝 炎黄 炎症 肝炎 肺炎 发炎
【造 句】炎热——炎热的夏天,知了在树上不停地叫。
【同音字】沿(沿用) 研(研究)
【形近字】炙(炙热)
【反义词】趋炎附势/刚直不阿
【近义词】趋炎附势/攀龙附凤
【英 语】炎热 scorching [ˈskɔːtʃiŋ]

| yán | 笔画 | 部首 | 结构 | 五笔 | 造字法 |
|---|---|---|---|---|---|
| 沿 | 8 | 氵 | 左右 | IMKG | 形声 |
| 笔顺 | 丶 丶 氵 氵 氵几 氵几 沿 沿 | | | | |

【解 释】❶顺着。❷依照老方法、老样子继续下去。❸边。❹靠近;靠近的。
【组 词】沿路 沿用 沿线 沿边 沿海 沿江 沿途
【造 句】沿江——沿江居住的人夏天都爱到江边纳凉。
【同音字】岩(岩石) 研(研究)
【形近字】铅(铅笔)
【英 语】沿着 along [əˈlɔŋ]

| yán | 笔画 | 部首 | 结构 | 五笔 | 造字法 |
|---|---|---|---|---|---|
| 研 | 9 | 石 | 左右 | DGAH | 形声 |
| 笔顺 | 一 丆 丆 石 石 石一 石二 石开 研 | | | | |

【解 释】❶细磨。❷探究;思考。
【组 词】研究 研磨 研讨 研制 钻研 研究生
【造 句】研讨——全市的优秀教师集中在礼堂开了一次学术研讨会。
【同音字】岩(岩石) 言(言语)
【形近字】妍(百花争妍)
【近义词】钻研/研究
【英 语】研讨 deliberate [diˈlibəreit]

| yán | 笔画 | 部首 | 结构 | 五笔 | 造字法 |
|---|---|---|---|---|---|
| 铅 | 10 | 钅 | 左右 | QMKG | 形声 |
| 笔顺 | 丿 𠂉 𠂉 𠂉 钅 钅 钅几 钅几 铅 铅 | | | | |

【解 释】铅山,地名,在江西省。
【同音字】沿(沿路)
【多音字】qiān(见 573 页)

| yán | 笔画 | 部首 | 结构 | 五笔 | 造字法 |
|---|---|---|---|---|---|
| 盐 | 10 | 皿 | 上下 | FHLF | 形声 |
| 笔顺 | 一 十 土 圵 圵 圵 圵 圵 盐 盐 | | | | |

【解 释】❶食盐,无机化合物,主要成分是氯化钠。❷化学上指由金属离子和酸根离子组成的化合物。
【组 词】盐湖 盐池 盐巴 盐泉

【同音字】沿(沿路)　研(研究)
【形近字】监(监管)
【歇后语】盐腌过的肉——坏不了。
【谚　语】盐多了咸,话多了烦。
【英　语】盐　salt [sɔːlt]

| yán | 笔画 | 部首 | 结构 | 五笔 | 造字法 |
|---|---|---|---|---|---|
| 蜒 | 12 | 虫 | 左右 | JTHP | 形声 |
| 笔顺 | 丶 口 口 中 虫 虫 虫´ 虫丆 虫下 虫正 蜒 蜒 | | | | |

【解　释】见 729 页"蜿"。

| yán | 笔画 | 部首 | 结构 | 五笔 | 造字法 |
|---|---|---|---|---|---|
| 颜 | 15 | 页 | 左右 | UTEM | 形声 |
| 笔顺 | 丶 亠 亣 立 产 产 彦 彦 彦 彦 彦 颜 颜 颜 颜 | | | | |

【解　释】❶脸;脸上的表情。❷面子;体面。❸色彩。❹姓。
【组　词】颜色　颜面　笑颜　容颜
【造　句】颜面——他的行为让父母丢尽了颜面。
【同音字】沿(沿路)　研(研究)
【形近字】须(胡须)
【成　语】喜笑颜开　鹤发童颜
【反义词】鹤发童颜/老态龙钟
【近义词】颜面/脸面
【英　语】颜色　color [ˈkʌlə]

| yán | 笔画 | 部首 | 结构 | 五笔 | 造字法 |
|---|---|---|---|---|---|
| 檐 | 17 | 木 | 左右 | SQDY | 形声 |
| 笔顺 | 一 十 才 木 木´ 木ク 朩 栌 栌 栌 栌 栌 檐 檐 檐 檐 檐 | | | | |

【解　释】❶屋顶向外伸出的边沿部分。❷形状像房檐的东西。
【组　词】檐沟　帽檐　屋檐　房檐
【造　句】屋檐——雨水从屋檐上滴下来,像断了线的珠子。
【同音字】研(研究)　言(语言)
【形近字】瞻(瞻前顾后)
【英　语】屋檐　eaves [iːvz]

| yǎn | 笔画 | 部首 | 结构 | 五笔 | 造字法 |
|---|---|---|---|---|---|
| 奄 | 8 | 大 | 上下 | DJNB | 会意 |
| 笔顺 | 一 ナ 大 大 夳 奋 奋 奄 | | | | |

【解　释】❶包括;覆盖。❷忽然;突然。❸奄奄,形容气息微弱的样子。
【组　词】奄然　奄奄　奄忽
【造　句】奄奄一息——他把奄奄一息的流浪狗抱回家。
【同音字】掩(掩盖)
【形近字】淹(淹没)
【成　语】奄奄一息
【反义词】奄奄一息/生机勃勃
【近义词】奄奄一息/气息奄奄
【英　语】奄忽　suddenly [ˈsʌdnli]

| yǎn | 笔画 | 部首 | 结构 | 五笔 | 造字法 |
|---|---|---|---|---|---|
| 掩 | 11 | 扌 | 左右 | RDJN | 形声 |
| 笔顺 | 一 十 扌 扌 扌ナ 扐 扐 挊 掩 掩 掩 | | | | |

【解　释】❶遮蔽;遮盖。❷关上;合上。❸趁人不备。
【组　词】掩盖　掩饰　掩蔽　掩埋
【造　句】掩饰——听到这个好消息,他再也掩饰不住内心的喜悦。
【同音字】奄(奄奄一息)
【形近字】淹(淹没)
【成　语】掩耳盗铃
【反义词】掩蔽/暴露

【近义词】掩耳盗铃/自欺欺人　掩藏/隐藏
【歇后语】掩耳盗铃——自骗自。
【谚　语】掩饰一个缺点，等于暴露了一个缺点。
【英　语】掩盖　cover　[ˈkʌvə]

| yǎn | 笔画 | 部首 | 结构 | 五笔 | 造字法 |
|---|---|---|---|---|---|
| 眼 | 11 | 目 | 左右 | HVEY | 形声 |
| 笔顺 | 丨 ⺆ 日 目 目 目ㄱ 目ㄱ 目ヨ 眀 眼 眼 | | | | |

【解　释】❶眼睛，人或动物的视觉器官。❷小孔；窟窿。❸事物的关键；要害。❹戏曲、音乐的节拍。❺量词。用于井、窑洞。
【组　词】眼睛　眼底　眼波　眼岔　眼皮　眼角　眼力　眼光　针眼　泉眼　榜眼　慧眼
【造　句】眼花缭乱——现在电视频道越来越多，节目也各式各样，真让人眼花缭乱。
【同音字】掩（掩盖）
【形近字】银（银子）
【成　语】眼高手低　眼花缭乱　眼疾手快
【近义词】眼高手低/志大才疏
【歇后语】眼睛藏沙——不能忍受｜眼睛只看鼻头尖——目光短浅。
【谚　语】眼见为实，耳听为虚｜眼观六路方向明，耳听八方信息灵。
【英　语】眼睛　eye　[ai]

| yǎn | 笔画 | 部首 | 结构 | 五笔 | 造字法 |
|---|---|---|---|---|---|
| 演 | 14 | 氵 | 左右 | IPGW | 形声 |
| 笔顺 | 丶 氵 氵 氵' 氵' 沪 沪 沪 涫 涫 滀 演 演 演 | | | | |

【解　释】❶当众表现技艺。❷演变；演化。❸根据事理推广、发挥。❹按照程式练习或计算。
【组　词】演戏　演员　演算　演习　导演　排演　上演　会演　演义　演绎
【造　句】排演——我们今天在礼堂排演节目。
【同音字】掩（掩盖）
【形近字】寅（子丑寅卯）
【歇后语】演员教学徒——幕后指点｜演员上台——假装。
【英　语】演化　develop　[diˈveləp]

| yàn | 笔画 | 部首 | 结构 | 五笔 | 造字法 |
|---|---|---|---|---|---|
| 厌 | 6 | 厂 | 半包围 | DDI | 形声 |
| 笔顺 | 一 厂 厂 厌 厌 厌 | | | | |

【解　释】❶因过多而不喜欢。❷憎恶；嫌弃。❸满足。
【组　词】讨厌　厌恶　厌倦　厌战　厌弃　可厌　厌憎
【造　句】厌倦——他对这种无聊的生活感到厌倦。
【同音字】艳（艳丽）　验（实验）
【形近字】庆（庆祝）
【成　语】贪得无厌
【反义词】讨厌/喜欢
【近义词】贪得无厌/得寸进尺
【英　语】厌恶　detest　[diˈtest]

| yàn | 笔画 | 部首 | 结构 | 五笔 | 造字法 |
|---|---|---|---|---|---|
| 砚 | 9 | 石 | 左右 | DMQN | 形声 |
| 笔顺 | 一 𠃌 不 石 石 石 石 砚 砚 砚 | | | | |

【解　释】❶砚台，磨墨用的文具。❷旧时指有同学关系的人。

Y

Y

【组　词】砚台　砚池　砚滴　砚友　端砚
【造　句】砚台——安徽出产的砚台全国闻名。
【同音字】厌(讨厌)　宴(宴请)
【形近字】现(现在)
【英　语】砚台　inkstone [ˈiŋkstəun]

| yàn | 笔画 | 部首 | 结构 | 五笔 | 造字法 |
|---|---|---|---|---|---|
| 咽 | 9 | 口 | 左右 | KLDY | 形声 |
| 笔顺 | 丨 冂 口 叮 叨 叩 咽 咽 咽 | | | | |

【解　释】吞。
【组　词】吞咽　咽气　狼吞虎咽
【造　句】狼吞虎咽——小明饿坏了,吃起饭来狼吞虎咽。
【英　语】狼吞虎咽　gobble up [ˈgɔbl ʌp]
【多音字】yān(见 816 页)
【多音字】yè(见 834 页)

| yàn | 笔画 | 部首 | 结构 | 五笔 | 造字法 |
|---|---|---|---|---|---|
| 艳 | 10 | 一 | 左右 | DHQC | 会意 |
| 笔顺 | 一 二 三 丰 丰 丰 丰 丰 艳 艳 | | | | |

【解　释】❶颜色光泽鲜亮。❷指有关情爱方面的。❸羡慕。
【组　词】鲜艳　艳丽　明艳　浓艳　吐艳　斗艳　娇艳
【造　句】鲜艳——妈妈昨天为我买了一件颜色鲜艳的外套。
【同音字】厌(讨厌)　砚(砚池)
【形近字】绝(绝对)
【反义词】鲜艳/暗淡
【近义词】鲜艳/艳丽
【英　语】艳丽　gorgeous [ˈgɔːdʒəs]

| yàn | 笔画 | 部首 | 结构 | 五笔 | 造字法 |
|---|---|---|---|---|---|
| 宴 | 10 | 宀 | 上下 | PJVF | 形声 |
| 笔顺 | 丶 丷 宀 宀 宁 官 宫 宴 宴 宴 | | | | |

【解　释】❶摆酒席请客。❷酒席。❸安乐;安闲。
【组　词】宴请　设宴　宴会　宴席　赴宴　国宴　欢宴
【造　句】宴请——今天哥哥结婚,在贵宾楼宴请宾客。
【同音字】艳(艳丽)　验(实验)
【形近字】安(安全)
【英　语】宴会　banquet [ˈbæŋkwit]

| yàn | 笔画 | 部首 | 结构 | 五笔 | 造字法 |
|---|---|---|---|---|---|
| 验 | 10 | 马 | 左右 | CWGI | 形声 |
| 笔顺 | 7 马 马 马 马 驴 驴 验 验 验 | | | | |

【解　释】❶察看;考查。❷有效果。
【组　词】验收　验证　验货　灵验　应验　实验　测验　考验　实验室
【造　句】实验室——我们经常在化学实验室上课。
【同音字】雁(大雁)　艳(艳丽)
【形近字】俭(俭朴)
【近义词】验收/检验
【英　语】检验　examine [igˈzæmin]

| yàn | 笔画 | 部首 | 结构 | 五笔 | 造字法 |
|---|---|---|---|---|---|
| 谚 | 11 | 讠 | 左右 | YUTE | 形声 |
| 笔顺 | 丶 讠 讠 讠 讠 讠 讠 谚 谚 谚 谚 | | | | |

【解　释】谚语，民间流传的固定语句，多用简单通俗的话反映出深刻道理。
【组　词】农谚　谚语　古谚
【同音字】艳(艳丽)　厌(讨厌)
【形近字】颜(颜色)
【谚　语】谚语出自胸中，花草出自山中。
【英　语】谚语　proverb [ˈprɔvəːb]

| yàn | 笔画 | 部首 | 结构 | 五笔 | 造字法 |
|---|---|---|---|---|---|
| 雁 | 12 | 厂 | 半包围 | DWWY | 形声 |
| 笔顺 | 一 厂 厂 厂 厂 厂 厂 厂 厂 雁 雁 雁 | | | | |

【解　释】鸟类的一种，候鸟，形状像鹅，善于游泳和飞行。
【组　词】大雁　飞雁　鸿雁　孤雁
【同音字】宴(国宴)　焰(气焰)
【形近字】赝(赝品)
【成　语】沉鱼落雁
【近义词】沉鱼落雁/闭月羞花
【谚　语】雁过留声，人过留名。
【英　语】鸿雁　wild goose [waild guːs]

| yàn | 笔画 | 部首 | 结构 | 五笔 | 造字法 |
|---|---|---|---|---|---|
| 焰 | 12 | 火 | 左右 | OQVG | 形声 |
| 笔顺 | 丶 丷 火 火 火 火 火 火 焰 焰 焰 焰 | | | | |

【解　释】❶火苗。❷比喻威风气势。
【组　词】焰火　气焰　凶焰　烈焰
【造　句】焰火——国庆节的焰火五彩缤纷，引来众多市民观看。
【同音字】谚(谚语)　验(试验)
【形近字】陷(陷阱)
【英　语】焰火　firework [ˈfaiəwəːk]

| yàn | 笔画 | 部首 | 结构 | 五笔 | 造字法 |
|---|---|---|---|---|---|
| 燕 | 16 | 灬 | 上中下 | AUKO | 象形 |
| 笔顺 | 一 十 廿 廿 廿 廿 廿 廿 廿 廿 燕 燕 燕 燕 燕 燕 | | | | |

【解　释】燕子，一种候鸟，翅膀尖长，尾巴像张开的剪刀，背黑肚白，捕食昆虫，对农业有益。
【组　词】燕子　燕窝　飞燕　海燕
【同音字】雁(孤雁)
【歇后语】燕子造窝——全靠嘴厉害。
【谚　语】燕子贴地飞，出门带蓑衣。
【英　语】燕子　swallow [ˈswɔləu]
【多音字】yān(见817页)

## YANG ㄧㄤ

| yāng | 笔画 | 部首 | 结构 | 五笔 | 造字法 |
|---|---|---|---|---|---|
| 央 | 5 | 大 | 独体 | MDI | 会意 |
| 笔顺 | 丨 冂 口 央 央 | | | | |

【解　释】❶中心。❷恳求。❸终止；完了。
【组　词】中央　央求　央告　央托
【造　句】央求——经我再三央求，他才答应办这件事。
【同音字】秧(秧田)
【形近字】英(英雄)

【近义词】央求/请求
【谚　语】央人不如求己。
【英　语】央求 beg [beg]

| yāng | 笔画 | 部首 | 结构 | 五笔 | 造字法 |
|---|---|---|---|---|---|
| 殃 | 9 | 歹 | 左右 | GQMD | 形声 |
| 笔顺 | 一 丆 歹 歹 歹 歹 歼 殃 殃 | | | | |

【解　释】❶灾祸；祸害。❷使受到祸害。
【组　词】祸殃　灾殃　遭殃
【造　句】遭殃——你如果坚持这样做，最终遭殃的还是你自己。
【同音字】央（央求）
【形近字】秧（秧苗）
【近义词】祸国殃民
【英　语】灾殃 calamity [kəˈlæməti]

| yāng | 笔画 | 部首 | 结构 | 五笔 | 造字法 |
|---|---|---|---|---|---|
| 秧 | 10 | 禾 | 左右 | TMDY | 形声 |
| 笔顺 | 一 二 千 禾 禾 禾 和 和 秧 秧 | | | | |

【解　释】❶植物幼苗，特指稻苗。❷某些植物的茎。❸某些初生的小动物。
【组　词】秧田　树秧　插秧　瓜秧
【造　句】插秧——他是我们村的插秧能手。
【同音字】央（中央）
【形近字】殃（遭殃）
【英　语】秧苗 seedling [ˈsiːdliŋ]

| yáng | 笔画 | 部首 | 结构 | 五笔 | 造字法 |
|---|---|---|---|---|---|
| 扬 | 6 | 扌 | 左右 | RNRT | 形声 |
| 笔顺 | 一 十 扌 扔 扬 扬 | | | | |

【解　释】❶高举；向上。❷向上撒。❸传播出去。❹称赞。❺相貌出众。❻指江苏扬州。❼姓。

甲骨文　金文　小篆　隶书　楷书

【字源释义】甲骨文“阳”、“扬”是同一个字。金文“扬”字加上一个跪坐着、右手向前方举起的人形，更清楚地表达出“举起”、“称颂”的意思。
【组　词】悠扬　表扬　发扬　飞扬
【造　句】飞扬——红丝巾在风中飞扬，像一团火焰。
【同音字】杨（杨树）　羊（山羊）
【形近字】杨（杨树）　汤（汤面）
【成　语】扬长避短　扬眉吐气
【反义词】扬眉吐气/忍气吞声
【谚　语】与其扬汤止沸，不若釜底抽薪。
【英　语】扬言 threaten [ˈθretn]

| yáng | 笔画 | 部首 | 结构 | 五笔 | 造字法 |
|---|---|---|---|---|---|
| 羊 | 6 | 羊 | 独体 | UDJ | 象形 |
| 笔顺 | 丶 丷 䒑 兰 兰 羊 | | | | |

【解　释】❶哺乳动物，反刍类，一般头上有一对角，种类很多，毛、皮、骨、角都可做工业原料。❷姓。

甲骨文　金文　小篆　隶书　楷书

【字源释义】字形是一个正面的羊头，两只角向下弯，下端是尖尖的嘴巴。
【组　词】羊毛　羊羔　羊角　替罪羊
【造　句】羊肠小道——我们顺着山间的羊肠小道前行。
【同音字】扬(扬帆)
【形近字】恙(无恙)
【成　语】羊肠小道　顺手牵羊
【反义词】羊肠小道/阳关大道
【歇后语】羊群里的骆驼——独大。
【谚　语】羊羹虽美，众口难调。
【英　语】绵羊　sheep　[ʃiːp]

| yáng | 笔画 | 部首 | 结构 | 五笔 | 造字法 |
|---|---|---|---|---|---|
| 阳 | 6 | 阝 | 左右 | BJG | 会意 |
| 笔顺 | ㇋ 阝 阝丨 阝冂 阝日 阳 | | | | |

【解　释】❶日头；太阳。❷山的南面；水的北面。❸外露的；表面的。❹迷信的说法，指属于活人和人世的。❺我国古代哲学认为宇宙中通贯一切事物的两大对立面之一。❻带正电的。❼姓。

甲骨文　金文　小篆　隶书　楷书

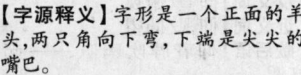

【字源释义】甲骨文"阳"字像太阳升到了祭神的石桌上方。金文加"彡"表示阳光。后来有些字形加上了"阜"旁，"阜"是土山，表示太阳从山上升起。
【组　词】阳光　太阳　朝阳　阳历
【造　句】阳春白雪——《阳春白雪》是高雅音乐。
【同音字】洋(洋人)　杨(杨树)
【形近字】泪(泪水)
【成　语】阳春白雪　阳奉阴违
【近义词】阳奉阴违/口是心非
【谚　语】阳光是宝，常晒身体好。
【英　语】阳光　sunlight　[ˈsʌnlait]

| yáng | 笔画 | 部首 | 结构 | 五笔 | 造字法 |
|---|---|---|---|---|---|
| 杨 | 7 | 木 | 左右 | SNRT | 形声 |
| 笔顺 | 一 十 才 木 杓 杨 杨 | | | | |

【解　释】❶杨树，落叶乔木，种类多，叶子互生，木材可做家具器物。❷姓。
【组　词】杨树　白杨　杨柳
【造　句】百步穿杨——许海峰这位百步穿杨的神枪手为我国夺得了第一枚奥运会金牌。
【同音字】洋(海洋)
【形近字】扬(扬帆)
【成　语】百步穿杨
【近义词】百步穿杨/百发百中

【歇后语】杨家将上阵——全家出马。

【谚　语】杨木扁担,宁折不弯。

【英　语】杨树 poplar [ˈpɔplə]

| yáng | 笔画 | 部首 | 结构 | 五笔 | 造字法 |
| --- | --- | --- | --- | --- | --- |
| 徉 | 9 | 彳 | 左右 | TUDH | 形声 |
| 笔顺 | 丿 彡 彳 彳 彳 彳 彳 彳 徉 | | | | |

【解　释】见 89 页"徜"。

| yáng | 笔画 | 部首 | 结构 | 五笔 | 造字法 |
| --- | --- | --- | --- | --- | --- |
| 洋 | 9 | 氵 | 左右 | IUDH | 形声 |
| 笔顺 | 丶 冫 氵 氵 氵 氵 氵 氵 洋 | | | | |

【解　释】❶地球上最大的水域。❷盛大;众多。❸外国的;外国来的。❹现代化的。❺银元。

【组　词】洋葱 洋气 海洋 洋娃娃

【造　句】洋洋得意——一看她举着成绩单洋洋得意的样子,就知道她这次考试考得不错。

【同音字】羊(山羊) 杨(杨柳)

【形近字】样(模样)

【成　语】洋洋得意 洋洋洒洒 洋洋大观

【近义词】洋洋得意/怡然自得

【英　语】海洋 ocean [ˈəuʃən]

| yǎng | 笔画 | 部首 | 结构 | 五笔 | 造字法 |
| --- | --- | --- | --- | --- | --- |
| 仰 | 6 | 亻 | 左右 | WQBH | 形声 |
| 笔顺 | 丿 亻 亻 亻 仰 仰 | | | | |

【解　释】❶脸向上;抬头。❷尊敬;羡慕。❸依仗;依靠。❹姓。

【组　词】仰面 仰望 仰慕 信仰 俯仰

【造　句】仰人鼻息——林黛玉因为父母早丧,不得不寄居贾府,过着仰人鼻息的生活。

【辨　音】不读 yì。

【同音字】养(养病)

【形近字】抑(压抑)

【成　语】前仰后合 仰人鼻息

【反义词】仰望/俯视

【近义词】仰视/仰望

【歇后语】仰着脖吹喇叭——起高调。

【谚　语】仰面求人,不如低头求己。

【英　语】仰慕 admire [ədˈmaiə]

| yǎng | 笔画 | 部首 | 结构 | 五笔 | 造字法 |
| --- | --- | --- | --- | --- | --- |
| 养 | 9 | 丷 | 上下 | UDYJ | 形声 |
| 笔顺 | 丶 丷 䒑 兰 兰 关 关 养 养 | | | | |

【解　释】❶养育;供给生活费用。❷喂养;饲养。❸种植;培植。❹生育。❺非亲生的。❻使身体得到滋补或休息。❼保护;维修。❽扶植。

甲骨文 金文 小篆 隶书 楷书

【字源释义】甲骨文和金文"养"字都是一只手持鞭牧羊的样子。本义是牧养牲畜。后来引申为"生育"、"繁殖"、"供养"、"疗养"等义。
【组　词】养殖　抚养　养花　调养
【造　句】养精蓄锐——决赛前夕，双方都在养精蓄锐，准备最后一搏。
【同音字】仰(仰面)
【形近字】美(美丽)
【成　语】养精蓄锐　养尊处优
【反义词】养尊处优/娇生惯养
【近义词】养精蓄锐/休养生息
【歇后语】小本生意赚薄利——养家糊口。
【谚　语】养兵千日，用兵一时。
【英　语】供养　support [səˈpɔːt]

| yǎng | 笔画 | 部首 | 结构 | 五笔 | 造字法 |
|---|---|---|---|---|---|
| 氧 | 10 | 气 | 半包围 | RNUD | 形声 |
| 笔顺 | ノ 𠂉 ⺊ 气 气 氕 氧 氧 氧 氧 | | | | |

【解　释】气体元素，符号 O，无色无味，广泛应用于工业。也是动植物和人呼吸所必需的气体。
【组　句】氧化　氧气　臭氧
【造　句】氧气——动植物和人的生存都需要氧气。
【同音字】痒(手痒)
【形近字】氢(氢气)
【英　语】氧气　oxygen [ˈɔksidʒən]

| yǎng | 笔画 | 部首 | 结构 | 五笔 | 造字法 |
|---|---|---|---|---|---|
| 痒 | 11 | 疒 | 半包围 | UUDK | 形声 |
| 笔顺 | 丶 亠 广 广 疒 疒 疒 疒 痒 痒 痒 | | | | |

【解　释】皮肤受到刺激而产生的想挠的感觉。
【组　词】抓痒　搔痒　手痒　痛痒
【造　句】手痒——他看到别人打球就禁不住手痒，也想上场过过球瘾。
【同音字】养(养生)
【成　语】无关痛痒
【谚　语】痒要自己抓，好要别人夸。
【英　语】痒　itch [itʃ]

| yàng | 笔画 | 部首 | 结构 | 五笔 | 造字法 |
|---|---|---|---|---|---|
| 样 | 10 | 木 | 左右 | SU | 形声 |
| 笔顺 | 一 十 才 木 木 木 栏 栏 栏 样 | | | | |

【解　释】❶模子；形状。❷作为标准供他人观看或模仿的。❸量词。
【组　词】模样　样子　榜样　同样　抽样　样稿
【造　句】榜样——她不但学习好，对同学也好，是我们大家学习的榜样。
【同音字】漾(荡漾)
【形近字】洋(洋气)
【成　语】大模大样
【反义词】大模大样/蹑手蹑脚
【近义词】大模大样/趾高气扬
【谚　语】样样都通，样样稀松。
【英　语】样式　pattern [ˈpætn]

| yàng | 笔画 | 部首 | 结构 | 五笔 | 造字法 |
|---|---|---|---|---|---|
| 恙 | 10 | 心 | 上下 | UGNU | 形声 |
| 笔顺 | 丶 丷 䒑 兰 羊 羊 羊 恙 恙 恙 | | | | |

Y

【解　释】病;生病。
【组　词】微恙　无恙
【造　句】安然无恙——妈妈看见失踪两天的小妹安然无恙地回来了,这才放下一颗悬着的心。
【同音字】样(样子)
【形近字】羔(羊羔)
【成　语】安然无恙
【近义词】安然无恙/平安无事
【英　语】恙　illness [ˈilnis]

| yàng | 笔画 | 部首 | 结构 | 五笔 | 造字法 |
|---|---|---|---|---|---|
| 漾 | 14 | 氵 | 左右 | IUGI | 形声 |
| 笔顺 | 丶 丶 氵 氵 氵 氵 氵 氵 氵 洋 洋 洋 漾 漾 | | | | |

【解　释】❶水波动荡;流动。❷液体溢出来。
【组　词】荡漾　漾出
【造　句】荡漾——昆明湖碧波荡漾,游客如云。
【同音字】样(模样)
【英　语】荡漾　ripple [ˈripl]

## YAO 丨幺

| yāo | 笔画 | 部首 | 结构 | 五笔 | 造字法 |
|---|---|---|---|---|---|
| 夭 | 4 | 丿 | 独体 | TDI | 指事 |
| 笔顺 | 一 二 チ 夭 | | | | |

【解　释】❶茂盛。❷指没有成年就死亡的。
【组　词】夭折　夭亡
【造　句】逃之夭夭——一见这势头,他便逃之夭夭了。
【同音字】腰(腰疼)
【形近字】天(天亮)
【成　语】逃之夭夭
【反义词】逃之夭夭/插翅难飞
【近义词】逃之夭夭/溜之大吉
【英　语】夭折　die young [dai jʌŋ]

| yāo | 笔画 | 部首 | 结构 | 五笔 | 造字法 |
|---|---|---|---|---|---|
| 吆 | 6 | 口 | 左右 | KXY | 形声 |
| 笔顺 | 丨 口 口 口 吆 吆 | | | | |

【解　释】高声喊叫。
【组　词】吆喝
【造　句】吆喝——在市场上,吆喝声最高的并不见得都是卖真货的。
【同音字】腰(细腰)
【形近字】幺(幺麽)　幼(幼儿)
【近义词】吆喝/叫喊
【谚　语】干什么嚷嚷什么,卖什么吆喝什么。
【英　语】吆喝　cry out [krai aut]

| yāo | 笔画 | 部首 | 结构 | 五笔 | 造字法 |
|---|---|---|---|---|---|
| 妖 | 7 | 女 | 左右 | VTDY | 形声 |
| 笔顺 | く 女 女 女 女 妖 妖 | | | | |

【解　释】❶神话传说中有本领而且害人的怪物。❷邪恶而迷惑人的。❸装束怪异,举止神态不庄重。❹艳丽;妖媚。
【组　词】妖艳　妖怪　妖精　妖娆
【造　句】妖艳——在某些场合,打扮得过分妖艳不太合适。
【同音字】腰(腰身)
【形近字】沃(肥沃)
【成　语】妖言惑众
【近义词】妖言惑众/蛊惑人心
【歇后语】妖魔对丑怪——一对坏。
【谚　语】妖不胜德,邪不压正。

【英 语】妖怪 monster [ˈmɔnstə]

| yāo | 笔画 | 部首 | 结构 | 五笔 | 造字法 |
|---|---|---|---|---|---|
| 要 | 9 | 覀 | 上下 | SVF | 会意 |
| 笔顺 | 一 冖 冂 襾 覀 覀 要 要 要 | | | | |

【解 释】❶求;要求。❷强迫。
【组 词】要求 要挟
【造 句】要求——我们合理的要求,爸妈是会理解的。
【同音字】妖(妖精)
【近义词】要求/请求
【英 语】要求 require [riˈkwaiə]
【多音字】yào(见831页)

| yāo | 笔画 | 部首 | 结构 | 五笔 | 造字法 |
|---|---|---|---|---|---|
| 腰 | 13 | 月 | 左右 | ESVG | 形声 |
| 笔顺 | 丿 月 月 月 月一 肟 肟 肟 腰 腰 腰 腰 腰 | | | | |

【解 释】❶胯上胁下的部位,在身体的中部。❷指动物的肾脏。❸裤裙等围腰的部分。❹指腰包或衣兜。❺像腰部的地势。❻姓。
【组 词】腰板 腰包 腰围 腰果 腰带 腰身 腰鼓
【造 句】腰板——他六十多岁了,腰板倒还挺硬朗。
【同音字】邀(邀请) 妖(妖怪)
【形近字】膘(肥膘)
【成 语】腰缠万贯
【反义词】腰缠万贯/一文不名
【近义词】腰缠万贯/万贯家财
【谚 语】腰缠万贯,不如一艺在身|腰骨痛,大雨频。

【英 语】腰 waist [weist]

| yāo | 笔画 | 部首 | 结构 | 五笔 | 造字法 |
|---|---|---|---|---|---|
| 邀 | 16 | 辶 | 半包围 | RYTP | 形声 |
| 笔顺 | ′ 亻 白 白 白 白 皀 皀 皀 皀 皀 敫 敫 敫 激 邀 | | | | |

【解 释】❶相约;请人来。❷希求;求得。❸迎候;阻拦。
【组 词】邀请 邀功 邀集 应邀 相邀 特邀
【造 句】邀请——爸爸邀请了一些朋友在家里聚会。
【辨 音】不读 áo。
【同音字】妖(妖精) 腰(腰板)
【形近字】遨(遨游)
【成 语】邀功求赏
【英 语】邀请 invite [inˈvait]

| yáo | 笔画 | 部首 | 结构 | 五笔 | 造字法 |
|---|---|---|---|---|---|
| 窑 | 11 | 穴 | 上下 | PWRM | 会意 |
| 笔顺 | 丶 丶 宀 宀 宀 宀 空 空 窑 窑 窑 | | | | |

【解 释】❶烧制砖瓦、陶瓷、石灰等的建筑物。❷指土法生产的煤矿。❸窑洞,在土山的山崖挖的供人居住的洞。
【组 词】砖窑 瓦窑 窑洞 窑坑 煤窑
【辨 音】不读 jiào。
【同音字】摇(摇头)
【形近字】空(空气)
【歇后语】窑里的泥砖——越烧越硬。
【英 语】窑 kiln [kiln]

| yáo | 笔画 | 部首 | 结构 | 五笔 | 造字法 |
|---|---|---|---|---|---|
| 谣 | 12 | 讠 | 左右 | YERM | 形声 |
| 笔顺 | 丶 讠 … 谣 | | | | |

【解　释】❶民间流传的短小精练、言简意赅的有韵的歌。❷谣言,凭空捏造的不可信的话。

【组　词】歌谣　民谣　谣言　谣传　童谣

【造　句】童谣——我的小侄女刚刚两岁,已经会背五首童谣了。

【同音字】肴(佳肴)

【形近字】摇(摇头)

【谚　语】谣言腿短,理亏嘴软|谣言不可信,信了能杀人。

【英　语】谣言　rumor [ˈruːmə]

| yáo | 笔画 | 部首 | 结构 | 五笔 | 造字法 |
|---|---|---|---|---|---|
| 摇 | 13 | 扌 | 左右 | RERM | 形声 |
| 笔顺 | 一 十 扌 … 摇 | | | | |

【解　释】❶摇摆;摆动。❷转动。

【组　词】摇头　摇手　摇篮　摇荡　摇摆

【造　句】摇头摆尾——那黄狗见主人回来了,摇头摆尾地迎了上去。

【同音字】肴(佳肴)

【形近字】谣(歌谣)

【成　语】摇头晃脑　地动山摇　摇身一变　摇头摆尾　摇摇欲坠

【反义词】摇头/点头

【近义词】摇摇欲坠/岌岌可危

【歇后语】摇着扇子聊天——谈笑风生。

【英　语】摇摆　shake [ʃeik]

| yáo | 笔画 | 部首 | 结构 | 五笔 | 造字法 |
|---|---|---|---|---|---|
| 遥 | 13 | 辶 | 半包围 | ERMP | 形声 |
| 笔顺 | … 遥 | | | | |

【解　释】很远。

【组　词】遥远　遥控　遥测　遥望　遥感　遥遥相对

【造　句】遥遥相对——北京城南的天坛与城北的地坛遥遥相对。

【同音字】肴(佳肴)

【形近字】摇(摇头)

【成　语】遥相呼应　遥遥无期　遥遥相对

【反义词】遥遥无期/指日可待

【歇后语】十比零——遥遥领先。

【英　语】遥远　distant [ˈdistənt]

| yǎo | 笔画 | 部首 | 结构 | 五笔 | 造字法 |
|---|---|---|---|---|---|
| 咬 | 9 | 口 | 左右 | KUQY | 形声 |
| 笔顺 | 丨 ㄇ 口 … 咬 | | | | |

【解　释】❶上下牙相对用力压碎或夹住东西的动作。❷钳子等夹住或齿轮、螺丝等互相卡住。❸狗叫。❹牵扯他人。❺对说过的话不改变,紧抓不放。❻正确地读出;过分地计较;挑剔。❼紧跟不放。

【组　词】咬牙　咬住　咬定　咬字　咬耳朵　咬字眼

【造　句】咬牙切齿——这两个坏家伙变着法儿克扣工人工资,工人们恨得咬牙切齿。

【同音字】舀(舀水)

【形近字】姣(姣好)

【成　语】咬牙切齿　咬文嚼字
【谚　语】咬人的狗不露齿。
【英　语】咬伤　bite［bait］

| yǎo | 笔画 | 部首 | 结构 | 五笔 | 造字法 |
|---|---|---|---|---|---|
| 舀 | 10 | 爫 | 上下 | EVF | 会意 |
| 笔顺 | 丿 ⺈ ⺈ 爫 ⺥ ⺥ 𦥑 舀 舀 舀 | | | | |

【解　释】用瓢、勺等盛、取东西。
【组　词】舀子　舀水
【同音字】咬(咬破)
【形近字】滔(滔滔)
【英　语】舀子　dipper［'dipə］

| yào | 笔画 | 部首 | 结构 | 五笔 | 造字法 |
|---|---|---|---|---|---|
| 药 | 9 | 艹 | 上下 | AX | 形声 |
| 笔顺 | 一 十 艹 艹 芍 芍 芗 药 药 | | | | |

【解　释】❶可以防病、治病的物质。❷某些能产生化学作用的物质。❸用药物治疗。
【组　词】药品　中药　西药　药片　农药
【造　句】灵丹妙药——搞好这项工作没有什么灵丹妙药，只能依靠大家的共同努力。
【同音字】要(需要)
【形近字】约(相约)　芍(芍药)
【成　语】对症下药　灵丹妙药
【近义词】对症下药/有的放矢
【歇后语】药店里的抹布——苦透了|药里的甘草——少不了的一位(味)。
【谚　语】药对症一口汤，不对症一缸水。
【英　语】药物　medicine［'medisin］

| yào | 笔画 | 部首 | 结构 | 五笔 | 造字法 |
|---|---|---|---|---|---|
| 要 | 9 | 覀 | 上下 | SVF | 会意 |
| 笔顺 | 一 冖 丙 襾 襾 西 要 要 要 | | | | |

【解　释】❶希望得到。❷索要；取得。❸请求；叫；让。❹应该；必须。❺表示做某件事的愿望。❻即将。❼如果。❽要么。❾重要。❿重要内容。
【组　词】要点　纲要　首要　主要　摘要　需要　紧要　要职　要害　要闻
【造　句】要言不烦——鲁迅先生的杂文真是要言不烦，百读不厌。
【同音字】钥(钥匙)　药(药品)
【形近字】耍(玩耍)
【成　语】要言不烦
【近义词】要言不烦/言简意赅
【歇后语】要公鸡下蛋——故意刁难。
【谚　语】要学惊人艺，须下苦工夫|要想懂得一门知识，先得承认自己无知|要想学到很多东西，就不要一下子学很多东西。
【英　语】重要　important［im'pɔːtənt］
【多音字】yāo(见829页)

| yào | 笔画 | 部首 | 结构 | 五笔 | 造字法 |
|---|---|---|---|---|---|
| 钥 | 9 | 钅 | 左右 | QEG | 形声 |
| 笔顺 | 丿 𠂉 𠂉 ⺧ 钅 钔 钥 钥 钥 | | | | |

【解　释】开锁的用具。
【组　词】钥匙
【辨　音】不读 yuè。

Y

【同音字】要(要职)
【形近字】锁(开锁)
【歇后语】胸前挂钥匙——开心。
【谚　语】一把钥匙开一把锁。
【英　语】钥匙　key［kiː］
【多音字】yuè(见 879 页)

| yào | 笔画 | 部首 | 结构 | 五笔 | 造字法 |
|---|---|---|---|---|---|
| 耀 | 20 | ⺌ | 左右 | IQNY | 形声 |
| 笔顺 | 丨 丨丨 丷 业 光 光 光ᄀ 光ᄀ 光ᄏ 光ᄏ 光ᄏ 光ᄏ 光ᄏ 光ᄏ 光ᄏ 光ᄏ 耀 耀 耀 耀 | | | | |

【解　释】❶光线强烈地照射。❷荣耀;光荣。❸显示;炫耀。❹光辉;光芒。
【组　词】照耀　耀眼　光耀　荣耀　显耀　夸耀
【造　句】耀眼——夏天正午的阳光白晃晃的,十分耀眼。
【同音字】要(要领)　钥(钥匙)
【形近字】戳(戳穿)
【成　语】耀武扬威
【近义词】耀武扬威/招摇过市
【英　语】耀眼　dazzling［'dæzliŋ］

## YE 丨せ

| yē | 笔画 | 部首 | 结构 | 五笔 | 造字法 |
|---|---|---|---|---|---|
| 椰 | 12 | 木 | 左右 | SBBH | 形声 |
| 笔顺 | 一 十 才 木 木 村 枂 枂 椰 椰 椰 椰 | | | | |

【解　释】椰子,常绿乔木,树干直立不分枝,叶子丛生在顶部。核果椭圆形。果肉可吃,果汁可做饮料,果皮纤维可制船缆和刷子。
【组　词】椰子　椰汁　椰枣　椰蓉
【辨　音】不读 yé。
【形近字】梆(梆子)
【英　语】椰子　coconut［'kəukənʌt］

| yé | 笔画 | 部首 | 结构 | 五笔 | 造字法 |
|---|---|---|---|---|---|
| 爷 | 6 | 父 | 上下 | WQBJ | 形声 |
| 笔顺 | ノ 八 グ 父 斧 爷 | | | | |

【解　释】❶(方)指父亲。❷祖父。❸尊称年长的男子。❹旧时对有钱、有势的人的称呼。❺迷信的人对神的称呼。
【组　词】爷爷　爷孙　少爷　姑爷　土地爷　财神爷
【形近字】斧(斧头)
【英　语】爷爷　grandfather［'grændfɑːðə］

| yě | 笔画 | 部首 | 结构 | 五笔 | 造字法 |
|---|---|---|---|---|---|
| 也 | 3 | 乛 | 独体 | BN | 象形 |
| 笔顺 | ㇆ 力 也 | | | | |

【解　释】❶副词。表示同样。❷叠用,表示并列。❸叠用,表示不以条件而改变。❹表示转折或让步,常与上文"虽然"、"即使"等相呼应。❺表示强调。❻文言助词。用在句末表示判断或解释。❼文言助词。表示疑问或反诘。
【组　词】也许　也行　也能　也罢　也可
【造　句】也许——你仔细找找,也许能找到。
【同音字】冶(冶金)　野(野花)
【形近字】乜(乜斜)
【成　语】空空如也　之乎者也　莫予毒也
【英　语】也许　perhaps［pə'hæps］

| yě | 笔画 | 部首 | 结构 | 五笔 | 造字法 |
|---|---|---|---|---|---|
| 冶 | 7 | 冫 | 左右 | UCK | 形声 |
| 笔顺 | 丶 冫 冫 冫 冶 冶 冶 | | | | |

【解　释】❶熔炼金属。❷形容女子装饰好看。❸姓。
【组　词】冶金　冶炼　陶冶
【造　句】陶冶——经常听音乐能陶冶人的情操。
【辨　音】不读 zhì。
【同音字】野(野花)　也(也许)
【形近字】治(治理)
【英　语】冶金　metallurgy［meˈtæləʤi］

| yě | 笔画 | 部首 | 结构 | 五笔 | 造字法 |
|---|---|---|---|---|---|
| 野 | 11 | 里 | 左右 | JFCB | 形声 |
| 笔顺 | 丨 冂 日 日 甲 甲 里 里 野 野 野 | | | | |

【解　释】❶郊外空旷的地方。❷范围；界限。❸指不当政的地位(跟"朝"相对)。❹不是人工驯养或培植的。❺蛮横；粗暴。❻不受约束。

甲骨文　金文　小篆　隶书　楷书

【字源释义】本义是"郊外"、"田野"。甲骨文和金文"野"字由"林"、"土"构成，是会意字。小篆则以"里"("田"加"土")为义旁，以"予"(古音"予"、"野"相近)为声旁，成了形声字。
【组　词】野外　野菜　野牛　野禽　野猪　荒野　野心　野味　粗野
【造　句】野外——每年春天，我们全家人都要到野外郊游。
【同音字】冶(冶金)
【形近字】舒(舒服)　埋(埋下)
【成　语】野心勃勃
【近义词】野心勃勃/狼子野心
【歇后语】野蜂飞进渔网里——专找空子钻。
【谚　语】野花不种年年有，烦恼无根日日生。
【英　语】野草　weed［wiːd］

| yè | 笔画 | 部首 | 结构 | 五笔 | 造字法 |
|---|---|---|---|---|---|
| 业 | 5 | 业 | 独体 | OG | 象形 |
| 笔顺 | 丨 丨丨 丬丨 业 业 | | | | |

【解　释】❶所从事的工作。❷行业；工作类别。❸学业。❹事业。❺家产；财产。❻从事某种行业。❼已经。❽姓。
【组　词】职业　业余　农业　行业　家业　开业　业内　业绩
【造　句】兢兢业业——王老师从教十年，勤勤恳恳，兢兢业业。
【同音字】夜(黑夜)　叶(树叶)
【形近字】亚(亚洲)
【成　语】业精于勤　兢兢业业
【反义词】兢兢业业/敷衍塞责
【近义词】兢兢业业/小心谨慎
【英　语】业余　spare time［ˈspeə taim］

| yè | 笔画 | 部首 | 结构 | 五笔 | 造字法 |
|---|---|---|---|---|---|
| 叶 | 5 | 口 | 左右 | KFH | 会意 |
| 笔顺 | 丨 ㄇ 口 口一 叶 | | | | |

【解　释】❶叶子，植物的营养器官之一。❷形状、功能像叶子的东西。❸姓。
【组　词】叶子　叶片　叶柄　树叶
【造　句】叶落归根——小明爷爷侨居国外多年，他盼望着早日叶落归根，回到祖国的怀抱。
【同音字】夜（夜晚）
【形近字】汁（果汁）
【成　语】叶公好龙　叶落归根
【歇后语】树叶掉在树底下——叶落归根。
【谚　语】叶黄草衰，发白人衰。
【英　语】叶子　leaf ［liːf］

| yè | 笔画 | 部首 | 结构 | 五笔 | 造字法 |
|---|---|---|---|---|---|
| 页 | 6 | 页 | 独体 | DMU | 象形 |
| 笔顺 | 一 丆 丆 百 页 页 | | | | |

【解　释】❶张。❷量词。
【组　词】页码　插页　扉页
【同音字】夜(夜晚)　叶(树叶)
【形近字】贝（贝壳）
【英　语】页码　page number ［peidʒ 'nʌmbə］

| yè | 笔画 | 部首 | 结构 | 五笔 | 造字法 |
|---|---|---|---|---|---|
| 夜 | 8 | 亠 | 上下 | YWTY | 形声 |
| 笔顺 | 丶 亠 广 广 产 夜 夜 夜 | | | | |

【解　释】❶从天黑到天亮的一段时间（跟“日”、“昼”相对）。❷量词。用于计算夜。
【组　词】夜晚　夜空　夜宵　夜明珠
【造　句】夜以继日——为了早日通车，修桥的工人们夜以继日地工作。
【同音字】叶（叶片）
【形近字】液（液体）
【成　语】夜郎自大　夜以继日　夜长梦多
【反义词】夜郎自大/妄自菲薄
【近义词】夜以继日/通宵达旦
【歇后语】夜明珠喘气——活宝。
【谚　语】夜间布谷叫，大雨就来到。
【英　语】夜晚　night ［nait］

| yè | 笔画 | 部首 | 结构 | 五笔 | 造字法 |
|---|---|---|---|---|---|
| 咽 | 9 | 口 | 左右 | KLDY | 形声 |
| 笔顺 | 丨 ㄇ 口 叮 叨 呵 咽 咽 咽 | | | | |

【解　释】因悲伤哭泣，声音阻塞。
【组　词】悲咽　呜咽
【造　句】悲咽——说到伤心处，她不禁悲咽起来。
【辨　音】不读 yīn。
【同音字】夜（夜晚）
【英　语】呜咽　sob ［sɔb］
【多音字】yān（见 816 页）
【多音字】yàn（见 822 页）

| yè | 笔画 | 部首 | 结构 | 五笔 | 造字法 |
|---|---|---|---|---|---|
| 液 | 11 | 氵 | 左右 | IYWY | 形声 |
| 笔顺 | 丶 丶 氵 氵 汁 汸 汸 汸 液 液 液 | | | | |

【解　释】液体，流动的、有一定体积而没有一定形状的物质。

【组　词】液体　血液　液晶　汗液　浆液　液态　液化
【同音字】夜(夜晚)
【形近字】腋(腋窝)
【英　语】液体　liquid [ˈlikwid]

| yè | 笔画 | 部首 | 结构 | 五笔 | 造字法 |
|---|---|---|---|---|---|
| 腋 | 12 | 月 | 左右 | EYWY | 形声 |
| 笔顺 | 丿 刀 月 月 月丶 月亠 月亠 月亣 月亣 月亣 月亣 腋 | | | | |

【解　释】❶上肢与肩膀连接处偏下且向内凹进的部分。❷其他生物体上与腋相类似的部分。
【组　词】腋窝　腋芽
【造　句】腋芽——我们大家一起来观察一下这株植物的腋芽。
【同音字】夜(夜晚)
【形近字】液(液体)
【成　语】变生肘腋
【英　语】腋窝　armpit [ˈɑːmpit]

## YI 丨

| yī | 笔画 | 部首 | 结构 | 五笔 | 造字法 |
|---|---|---|---|---|---|
| 一 | 1 | 一 | 独体 | G | 指事 |
| 笔顺 | 一 | | | | |

【解　释】❶数词。最小的正整数。❷相同。❸都；满；全。❹别的；另外的。❺纯；专。❻用在动词之后，动、量词之前，表示动作是一次或是短暂的。❼用在动词或动、量词之前，表示先做某个动作。❽助词。用在某些词前，加强语气。

甲骨文　金文　小篆　隶书　楷书

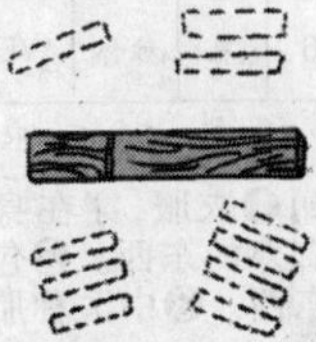

【字源释义】"一"字用一横画(一根用于计数的小棍的样子)来表示。
【组　词】一样　一般　一定　一度　一边　一旦　一半
【造　句】一尘不染——驻守香港、澳门的解放军战士身居闹市，严守军纪，一尘不染。
【同音字】衣(衣服)　医(医生)
【成　语】一波三折　一尘不染
【反义词】一鼓作气/半途而废
【近义词】一挥而就/一气呵成
【歇后语】一二五——丢三落四。
【谚　语】一把钥匙开一把锁。
【英　语】一　one [wʌn]

| yī | 笔画 | 部首 | 结构 | 五笔 | 造字法 |
|---|---|---|---|---|---|
| 伊 | 6 | 亻 | 左右 | WVTT | 会意 |
| 笔顺 | 丿 亻 亻フ 亻ヨ 伊 伊 | | | | |

【解　释】❶他或她。❷文言助词。
【组　词】伊人　伊始
【造　句】伊始——新年伊始，气象万千。
【同音字】衣(衣衫)
【英　语】伊始　at the beginning of [æt ðə biˈginiŋ əv]

Y

| yī | 笔画 | 部首 | 结构 | 五笔 | 造字法 |
|---|---|---|---|---|---|
| 衣 | 6 | 衣 | 独体 | YE | 象形 |
| 笔顺 | 丶 亠 ナ 衤 衣 衣 | | | | |

【解　释】❶衣服,穿在身上遮蔽身体和御寒的东西。❷包在物体外面的东西。❸中医称胎盘和胎膜。❹姓。

甲骨文　金文　小篆　隶书　楷书

【字源释义】本义是“上衣”。字形像一件上衣,最上端是衣领,两侧开口的地方是衣袖,下端是衣服的下摆。
【组　词】衣服　衬衣　上衣　内衣　衣襟
【造　句】衣不解带——母亲病重,她衣不解带地服侍了十几天。
【同音字】医(医生)
【形近字】夜(夜晚)
【成　语】衣钵相传　衣冠楚楚　丰衣足食　衣不解带
【反义词】衣不蔽体/衣冠楚楚
【近义词】衣冠禽兽/人面兽心
【英　语】衣服　clothing [ˈkləuðiŋ]

| yī | 笔画 | 部首 | 结构 | 五笔 | 造字法 |
|---|---|---|---|---|---|
| 医 | 7 | 匚 | 半包围 | ATDI | 会意 |
| 笔顺 | 一 ㄱ 𠂉 𠂊 𠂋 医 医 | | | | |

【解　释】❶医生,精通医药知识、以治病为业的人。❷医学,预防和治疗疾病、保护和增进健康的科学。❸医治;治疗。
【组　词】医生　医学　医师　医术
【造　句】医生——医生把母亲的病治好了。
【同音字】衣(衣服)
【形近字】匡(匡正)
【成　语】讳疾忌医
【近义词】讳疾忌医/文过饰非
【英　语】医生　doctor [ˈdɔktə]

| yī | 笔画 | 部首 | 结构 | 五笔 | 造字法 |
|---|---|---|---|---|---|
| 依 | 8 | 亻 | 左右 | WYEY | 形声 |
| 笔顺 | ノ 亻 亻 亻 伫 伫 依 依 | | | | |

【解　释】❶凭靠;依仗。❷依从;同意。❸依次;按照。❹姓。
【组　词】依仗　依靠　依次　依附　依旧　依从　偎依
【造　句】依靠——女儿是老人唯一的依靠。
【同音字】医(医生)　衣(衣服)
【形近字】液(液体)　衣(衣服)
【成　语】依山傍水　依依不舍
【近义词】依依不舍/恋恋不舍
【歇后语】依山傍水——有靠|依葫芦画瓢——照样去做。
【谚　语】依着大树不缺柴|依靠别人的权势享福,不如随自己的心愿受苦。
【英　语】依靠　depend on [diˈpend ɔn]

| yī | 笔画 | 部首 | 结构 | 五笔 | 造字法 |
|---|---|---|---|---|---|
| 壹 | 12 | 士 | 上中下 | FPGU | 形声 |
| 笔顺 | 一 十 士 𡈼 声 壳 壳 壳 壹 壹 壹 壹 | | | | |

【解　释】数目字“一”的大写。
【组　词】壹分　壹元　壹角
【同音字】衣(衣服)
【形近字】壶(水壶)
【英　语】壹　one [wʌn]

| yí | 笔画 | 部首 | 结构 | 五笔 | 造字法 |
| --- | --- | --- | --- | --- | --- |
| 仪 | 5 | 亻 | 左右 | WYQY | 形声 |
| 笔顺 | 丿 亻 亻 仅 仪 | | | | |

【解　释】❶人的容貌举止。❷按程序进行的礼节。❸仪器。❹向往;倾心。❺礼物。❻姓。
【组　词】仪表　仪器　仪式　礼仪　司仪　地动仪
【造　句】礼仪——中国自古以来就是礼仪之邦。
【同音字】宜(便宜)
【形近字】议(议论)
【成　语】仪态万千
【英　语】仪式　ceremony ['seriməni]

| yí | 笔画 | 部首 | 结构 | 五笔 | 造字法 |
| --- | --- | --- | --- | --- | --- |
| 夷 | 6 | 大 | 独体 | GXWI | 会意 |
| 笔顺 | 一 ㇇ 彐 弓 弗 夷 | | | | |

【解　释】❶我国古代对东部各少数民族的统称。❷平坦;平安。❸旧时泛称外国或外国人。❹消灭;杀尽。

甲骨文　金文　小篆　隶书　楷书

【字源释义】“夷”原是古代民族名。甲骨文用“尸”字作“夷”字;金文“夷”字是一个人形,身上带着矰(zēng),表现了游牧民族的特征。
【组　词】东夷　夷族　夷灭
【同音字】仪(仪态)
【形近字】吏(官吏)
【成　语】化险为夷
【近义词】化险为夷/转危为安
【英　语】夷灭　wipe out [waip aut]

| yí | 笔画 | 部首 | 结构 | 五笔 | 造字法 |
| --- | --- | --- | --- | --- | --- |
| 怡 | 8 | 忄 | 左右 | NCKG | 形声 |
| 笔顺 | 丶 丷 忄 忙 怡 怡 怡 怡 | | | | |

【解　释】快乐;愉快。
【组　词】怡然　怡人
【造　句】心旷神怡——雨过天晴,走在乡间的路上,闻着清新的泥土芳香,令人产生一种心旷神怡的感觉。
【同音字】宜(适宜)
【形近字】贻(贻害)

Y

【成　语】心旷神怡
【反义词】心旷神怡/心烦意乱
【近义词】心旷神怡/怡然自得
【英　语】怡然　happy and contented [ˈhæpi ænd kənˈtentid]

| yí | 笔画 | 部首 | 结构 | 五笔 | 造字法 |
|---|---|---|---|---|---|
| 宜 | 8 | 宀 | 上下 | PEGF | 会意 |
| 笔顺 | 丶 丶 宀 宀 宁 宜 宜 宜 | | | | |

【解　释】❶合适；适当。❷应当。❸当然；无怪。❹姓。
【组　词】相宜　适宜　便宜
【造　句】便宜——因为促销，商场里许多商品便宜了很多。
【辨　音】不读 yì。
【同音字】移（移动）
【形近字】且（而且）
【成　语】事不宜迟　权宜之计
【歇后语】宜兴的茶壶——好嘴。
【谚　语】宜未雨绸缪，毋临渴掘井。
【英　语】宜人　pleasant [ˈplezənt]

| yí | 笔画 | 部首 | 结构 | 五笔 | 造字法 |
|---|---|---|---|---|---|
| 姨 | 9 | 女 | 左右 | VGXW | 形声 |
| 笔顺 | 𡿨 女 女 女 奵 奵 姨 姨 姨 | | | | |

【解　释】❶母亲的姐妹。❷妻子的姐妹。❸泛称与母亲同辈或年龄相仿的女性。
【组　词】小姨　姨妈　阿姨
【同音字】宜（便宜）
【形近字】胰（胰岛素）
【谚　语】姨娘亲，死了姨娘断了亲。
【英　语】姨母　aunt [ɑːnt]

| yí | 笔画 | 部首 | 结构 | 五笔 | 造字法 |
|---|---|---|---|---|---|
| 蛇 | 11 | 虫 | 左右 | JPXN | 形声 |
| 笔顺 | 丶 口 口 中 虫 虫 虫 虫 虫 蛇 蛇 | | | | |

【解　释】[委蛇]（wēiyí）❶形容山脉、河流、道路等弯曲绵延的样子。❷形容随便。
【组　词】委蛇
【同音字】遗（遗传）
【多音字】shé（见 635 页）

| yí | 笔画 | 部首 | 结构 | 五笔 | 造字法 |
|---|---|---|---|---|---|
| 移 | 11 | 禾 | 左右 | TQQY | 形声 |
| 笔顺 | 一 二 千 禾 禾 秒 移 移 移 移 移 | | | | |

【解　释】❶挪动。❷改变；变动。
【组　词】迁移　转移　移动　移居
【造　句】移居——小明全家移居加拿大，我们去机场为他们送行。
【同音字】姨（阿姨）
【成　语】移花接木　移风易俗　移樽就教
【反义词】移风易俗/因循守旧
【近义词】移花接木/偷梁换柱
【英　语】移动　move [muːv]

| yí | 笔画 | 部首 | 结构 | 五笔 | 造字法 |
|---|---|---|---|---|---|
| 遗 | 12 | 辶 | 半包围 | KHGP | 形声 |
| 笔顺 | 丶 口 口 中 虫 冉 贵 贵 贵 遗 遗 遗 | | | | |

【解　释】❶丢失。❷丢失的东西。❸漏下；遗漏。❹留下。❺专指死人留下的。❻不自觉的排泄。
【组　词】遗传　遗言　遗憾　遗忘
【造　句】遗忘——他现在迷上了

电脑动画制作，小时候的玩具早就被遗忘在角落里。
【同音字】仪（仪式）
【形近字】遣（派遣）
【成　语】遗臭万年
【近义词】遗臭万年/臭名昭著
【英　语】遗憾　regret [ri'gret]

| yí | 笔画 | 部首 | 结构 | 五笔 | 造字法 |
|---|---|---|---|---|---|
| 疑 | 14 | 疋 | 左右 | XTDH | 形声 |
| 笔顺 | 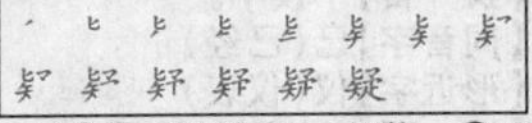 | | | | |

【解　释】❶不能确定；不相信。❷不能解决的；不能确定的。

甲骨文　金文　小篆　隶书　楷书

【字源释义】本义是"迷惑"、"犹豫不定"。甲骨文的字形是一个人扶着拐杖，站在路口，左顾右盼似乎迷路的样子。金文加"牛"字，表示这人因丢失了牛而疑惑徘徊。古文又通"凝"。
【组　词】怀疑　疑问　疑难　疑凶　疑虑　疑团　疑案　疑点　疑犯　疑惑
【造　句】怀疑——我们不能随便怀疑别人。
【同音字】怡（怡然）
【形近字】凝（凝结）
【成　语】疑神疑鬼　半信半疑
【反义词】怀疑/信任
【近义词】将信将疑/半信半疑
【谚　语】疑人不用，用人不疑｜疑人心不正，心正不疑人。
【英　语】疑心　suspicion [sə's-piʃən]

| yǐ | 笔画 | 部首 | 结构 | 五笔 | 造字法 |
|---|---|---|---|---|---|
| 乙 | 1 | 乙 | 独体 | NNLL | 象形 |
| 笔顺 | 乙 | | | | |

【解　释】❶天干的第二位。❷表示第二。❸我国民族音乐音阶上的一级。❹姓。
【组　词】乙方　乙班
【同音字】以（以毒攻毒）
【形近字】乞（乞求）

| yǐ | 笔画 | 部首 | 结构 | 五笔 | 造字法 |
|---|---|---|---|---|---|
| 已 | 3 | 已 | 独体 | NNNN | 象形 |
| 笔顺 |  | | | | |

【解　释】❶停止。❷已经（跟"未"相对）。❸后来。❹太过。
【组　词】而已　已经　已往
【辨　音】不读 jǐ。
【同音字】蚁（蚂蚁）
【形近字】己（自己）
【近义词】已往/过去
【谚　语】已枯之木，逢春不发。
【英　语】已经　already [ɔ:l'redi]

| yǐ | 笔画 | 部首 | 结构 | 五笔 | 造字法 |
|---|---|---|---|---|---|
| 以 | 4 | 人 | 左右 | C | 会意 |
| 笔顺 | 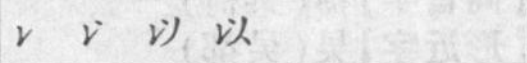 | | | | |

【解　释】❶用；拿。❷依；依照。❸因为。❹为了；目的在于。❺于；在。❻连词。和“而”相同。❼在方位词前，表时间、方位、数量的界限。
【组　词】以便　以备　以往　以致
【造　句】可以——上课的时候，思想不可以开小差。
【同音字】倚（倚傍）
【形近字】似（相似）
【成　语】持之以恒　以德报怨
【反义词】以德报怨/恩将仇报
【近义词】以己度人/推己及人
【歇后语】以卵击石——自不量力。
【谚　语】以责人之心责己，以恕己之心恕人。
【英　语】以后　after [ˈɑːftə]

| yǐ | 笔画 | 部首 | 结构 | 五笔 | 造字法 |
|---|---|---|---|---|---|
| 尾 | 7 | 尸 | 半包围 | NTFN | 会意 |
| 笔顺 | ㇇ ㇇ 尸 尸 𡰱 𡰲 尾 | | | | |

【解　释】❶马尾上的长毛。❷蟋蟀等尾（wěi）部的针状物。
【组　词】马尾儿
【造　句】马尾儿——她经常扎一个马尾儿辫。
【同音字】以（可以）
【多音字】wěi（见740页）

| yǐ | 笔画 | 部首 | 结构 | 五笔 | 造字法 |
|---|---|---|---|---|---|
| 矣 | 7 | 厶 | 上下 | CTDU | 形声 |
| 笔顺 | ㇜ 厶 ㇜ 𠫔 㐅 𠫓 矣 | | | | |

【解　释】文言助词。❶用在句末，相当于“了”。❷表示感叹。
【同音字】椅（桌椅）
【形近字】吴（吴都）

| yǐ | 笔画 | 部首 | 结构 | 五笔 | 造字法 |
|---|---|---|---|---|---|
| 蚁 | 9 | 虫 | 左右 | JYQY | 形声 |
| 笔顺 | 丶 口 口 中 虫 虫 虫 虬 蚁 | | | | |

【解　释】❶昆虫一科，种类很多，一般体形小，有触角，腹部球状，腰细。❷姓。
【组　词】蚂蚁　白蚁
【辨　音】不读 yì。
【同音字】已（已经）
【形近字】仪（仪表）
【谚　语】蚁能测水，马可识途。
【英　语】蚂蚁　ant [ænt]

| yǐ | 笔画 | 部首 | 结构 | 五笔 | 造字法 |
|---|---|---|---|---|---|
| 倚 | 10 | 亻 | 左右 | WDSK | 形声 |
| 笔顺 | 丿 亻 仁 仧 伕 佧 倚 倚 倚 倚 | | | | |

【解　释】❶靠着。❷仗恃。❸偏；歪。
【组　词】倚傍　倚靠
【造　句】倚财仗势——解放前，许多土豪劣绅倚财仗势，鱼肉百姓。
【辨　音】不读 qí。
【同音字】以（以及）
【形近字】椅（桌椅）
【成　语】倚老卖老　倚财仗势
【近义词】倚财仗势/仗势欺人
【英　语】倚靠　rely on [riˈlai ɔn]

| yǐ | 笔画 | 部首 | 结构 | 五笔 | 造字法 |
|---|---|---|---|---|---|
| 椅 | 12 | 木 | 左右 | SDSK | 形声 |
| 笔顺 | 一 十 才 木 木 杧 柞 椅 椅 椅 椅 椅 | | | | |

【解　释】有腿、有靠背的坐具。
【组　词】竹椅　桌椅　藤椅
【同音字】蚁(蚂蚁)
【形近字】倚(倚傍)
【英　语】椅子　chair [tʃɛə]

| yì | 笔画 | 部首 | 结构 | 五笔 | 造字法 |
|---|---|---|---|---|---|
| 亿 | 3 | 亻 | 左右 | WNN | 形声 |
| 笔顺 | ノ 亻 亿 | | | | |

【解　释】❶数目，一万万。❷古时指十万。❸形容非常多。
【组　词】亿万
【同音字】义(意义)
【形近字】忆(回忆)
【成　语】亿万斯年
【英　语】亿万　hundreds of millions [ˈhʌndrədz əv ˈmiliəns]

| yì | 笔画 | 部首 | 结构 | 五笔 | 造字法 |
|---|---|---|---|---|---|
| 义 | 3 | 丶 | 独体 | YQ | 会意 |
| 笔顺 | 丶 ノ 义 | | | | |

【解　释】❶公正的道理。❷情谊。❸意思。❹合乎正义或公益的。❺因抚养或拜认而成为亲属的。❻人工制造的。❼姓。
【组　词】意义　义务　义举　义仓　义工　义勇　义演
【造　句】义务——保护环境是我们每一个人应尽的义务。
【同音字】亿(亿万)
【成　语】义正辞严　忘恩负义　义愤填膺
【反义词】舍生取义/苟且偷生
【近义词】大义灭亲/铁面无私
【谚　语】义重如山，恩深似海|义理之勇不可无，血气之勇不可有。
【英　语】正义　justice [ˈdʒʌstis]

| yì | 笔画 | 部首 | 结构 | 五笔 | 造字法 |
|---|---|---|---|---|---|
| 艺 | 4 | 艹 | 上下 | ANB | 形声 |
| 笔顺 | 一 十 艹 艺 | | | | |

【解　释】❶技能；技术。❷艺术，用形象来反映现实生活的社会意识形态。
【组　词】手艺　工艺　艺术　技艺　文艺　艺人　球艺　艺员
【造　句】多才多艺——他是一位多才多艺的演员。
【同音字】忆(回忆)
【形近字】亿(亿万)
【成　语】多才多艺
【谚　语】艺多不压身|艺到用时方恨少。
【英　语】艺术　art [ɑːt]

| yì | 笔画 | 部首 | 结构 | 五笔 | 造字法 |
|---|---|---|---|---|---|
| 忆 | 4 | 忄 | 左右 | NNN | 形声 |
| 笔顺 | 丶 丷 忄 忆 | | | | |

【解　释】❶回想；思念。❷记得。
【组　词】记忆　回忆　忆旧　思忆
【造　句】记忆——这孩子记忆力惊人。
【辨　音】不读 yǐ。
【同音字】艺(艺术)
【形近字】亿(亿万)
【近义词】回忆/回想
【英　语】回忆　recall [riˈkɔːl]

| yì | 笔画 | 部首 | 结构 | 五笔 | 造字法 |
|---|---|---|---|---|---|
| 亦 | 6 | 亠 | 上下 | YOU | 指事 |
| 笔顺 | 丶 亠 广 亣 亦 亦 | | | | |

Y

【解　释】❶也；也是。❷不过；只是。
【组　词】亦然
【成　语】亦步亦趋　不亦乐乎　人云亦云
【反义词】亦步亦趋/狭辟蹊径
【近义词】亦步亦趋/人云亦云

| yì | 笔画 | 部首 | 结构 | 五笔 | 造字法 |
|---|---|---|---|---|---|
| 艾 | 5 | 艹 | 上下 | AQU | 形声 |
| 笔顺 | 一 十 艹 艹 艾 | | | | |

【解　释】惩治。
【造　句】自怨自艾——与其在这里自怨自艾，还不如当面向他承认错误，他会原谅你的。
【同音字】意(意义)
【近义词】自怨自艾/引咎自责
【多音字】ài(见5页)

| yì | 笔画 | 部首 | 结构 | 五笔 | 造字法 |
|---|---|---|---|---|---|
| 议 | 5 | 讠 | 左右 | YYQ | 形声 |
| 笔顺 | 丶 讠 讠 议 议 | | | | |

【解　释】❶意见。❷商量；讨论。❸议论；评说。
【组　词】议案　议程　议论　议席
【同音字】艺(手艺)
【形近字】仪(仪式)
【近义词】无可非议/无可厚非
【英　语】议论　comment [ˈkɔment]

| yì | 笔画 | 部首 | 结构 | 五笔 | 造字法 |
|---|---|---|---|---|---|
| 屹 | 6 | 山 | 左右 | MTNN | 形声 |
| 笔顺 | 丨 山 山 山' 山⺈ 屹 | | | | |

【解　释】山峰高耸的样子。
【组　词】屹立
【造　句】屹立——人民英雄纪念碑屹立在天安门广场上。
【辨　音】不读 qǐ。
【同音字】忆(回忆)
【形近字】乞(乞求)
【英　语】屹然　towering [ˈtauəriŋ]

| yì | 笔画 | 部首 | 结构 | 五笔 | 造字法 |
|---|---|---|---|---|---|
| 异 | 6 | 廾 | 上下 | NAJ | 形声 |
| 笔顺 | ㇐ ㇆ 巳 巳 㔾 异 | | | | |

【解　释】❶不相同；有区别。❷特别的；奇异的。❸奇怪；惊奇。❹另外的；别的。❺分开。
【组　词】异常　异国　异类　异样
【同音字】艺(艺人)　忆(记忆)
【形近字】导(领导)
【成　语】异曲同工　异口同声
【反义词】异口同声/众说纷纭
【近义词】异曲同工/殊途同归
【谚　语】异乡逢故人，不亲也是亲。
【英　语】异常　unusual [ʌnˈjuːʒuəl]

| yì | 笔画 | 部首 | 结构 | 五笔 | 造字法 |
|---|---|---|---|---|---|
| 抑 | 7 | 扌 | 左右 | RQBH | 会意 |
| 笔顺 | 一 十 扌 扌 扌 扣 抑 | | | | |

【解　释】❶向下压；遏止。❷或是、还是，表选择。❸可是、但是，表转折。
【组　词】抑扬　抑止　抑制
【造　句】抑制——她抑制不住内心的喜悦，不由得跳了起来。
【辨　音】不读 yǎng。
【同音字】异(异同)

【形近字】仰(仰头)
【成　语】抑扬顿挫
【反义词】抑制/放纵
【近义词】压抑/抑制
【英　语】抑止 restrain [ri'strein]

| yì | 笔画 | 部首 | 结构 | 五笔 | 造字法 |
|---|---|---|---|---|---|
| 邑 | 7 | 邑 | 上下 | KCB | 象形 |
| 笔顺 | 丶 ㄇ 口 另 吕 吕 邑 | | | | |

【解　释】(书)城市。
【组　词】城邑　都邑

| yì | 笔画 | 部首 | 结构 | 五笔 | 造字法 |
|---|---|---|---|---|---|
| 役 | 7 | 彳 | 左右 | TMCY | 会意 |
| 笔顺 | ノ ク 彳 彳 彸 役 役 | | | | |

【解　释】❶战争。❷强迫的劳动;需要出劳力的事。❸军役。❹旧时供使唤的人。
【组　词】役使　奴役　劳役　战役
【造　句】战役——三大战役是打败国民党反动统治的关键战役。
【同音字】易(容易)　忆(回忆)
【形近字】没(没有)
【英　语】战役 battle ['bætl]

| yì | 笔画 | 部首 | 结构 | 五笔 | 造字法 |
|---|---|---|---|---|---|
| 译 | 7 | 讠 | 左右 | YCFH | 形声 |
| 笔顺 | 丶 讠 讠 讶 译 译 译 | | | | |

【解　释】翻译,把一种语言文字照原意翻成另一种语言文字。
【组　词】翻译　译文　译者　口译
【造　句】译文——这本书有两种译文。
【辨　音】不读 zé。
【同音字】意(意义)　异(异同)
【形近字】泽(沼泽)
【英　语】译者 translator [træns'leitə]

| yì | 笔画 | 部首 | 结构 | 五笔 | 造字法 |
|---|---|---|---|---|---|
| 驿 | 8 | 马 | 左右 | CCFH | 形声 |
| 笔顺 | ㇇ 马 马 驴 驿 驿 驿 驿 | | | | |

【解　释】驿站,古代供传递公文或中途换马、歇宿的地方。现多用于地名。
【组　词】驿站　驿道
【造　句】驿站——这家饭馆是旧时的驿站改建的。
【同音字】译(翻译)　役(退役)
【形近字】泽(沼泽)　译(翻译)
【英　语】驿站 posthouse ['pəusthaus]

| yì | 笔画 | 部首 | 结构 | 五笔 | 造字法 |
|---|---|---|---|---|---|
| 易 | 8 | 日 | 上下 | JQRR | 象形 |
| 笔顺 | 丨 ㄇ 日 日 月 昜 易 易 | | | | |

【解　释】❶不费力;容易(跟"难"相对)。❷温和。❸交换。❹改变。❺姓。
【组　词】容易　轻易　贸易　交易
【造　句】容易——这篇散文写得很通俗,容易理解。
【同音字】意(意义)　异(异同)
【形近字】谒(谒见)
【成　语】易如反掌　平易近人
【反义词】平易近人/盛气凌人
【近义词】平易近人/和蔼可亲
【英　语】容易 easy ['i:zi]

| yì | 笔画 | 部首 | 结构 | 五笔 | 造字法 |
|---|---|---|---|---|---|
| 诣 | 8 | 讠 | 左右 | YXJG | 形声 |
| 笔顺 | 丶 讠 讠 讵 讵 诣 诣 诣 | | | | |

【解　释】❶前往某人所在的地方。❷指学问或技术等达到的程度。
【组　词】造诣
【造　句】造诣——他在古文字上有很深的造诣。
【同音字】易(交易)　译(口译)
【形近字】脂(脂肪)
【成　语】苦心孤诣
【英　语】造诣　attainments [ə'teinmənts]

| yì | 笔画 | 部首 | 结构 | 五笔 | 造字法 |
|---|---|---|---|---|---|
| 疫 | 9 | 疒 | 半包围 | UMCI | 形声 |
| 笔顺 | 丶 亠 广 疒 疒 疒 疒 疒 疫 | | | | |

【解　释】流行性急性传染病的总称。
【组　词】疫苗　疫情　检疫　免疫瘟疫
【造　句】瘟疫——洪水过后，瘟疫随之而来。
【同音字】抑(抑制)。
【形音字】役(役使)。
【英　语】疫苗　vaccine ['væksiːn]

| yì | 笔画 | 部首 | 结构 | 五笔 | 造字法 |
|---|---|---|---|---|---|
| 益 | 10 | 皿 | 上下 | UWLF | 会意 |
| 笔顺 | 丶 丷 䒑 兰 并 并 옥 益 益 益 | | | | |

【解　释】❶增加；增添。❷有好处的；有益的。❸好处(跟"害"相对)。❹更加。❺姓。

甲骨文　金文　小篆　隶书　楷书

【字源释义】"溢"的本字，水高出了"皿"当然要满溢出来。"富裕"、"富足"、"增加"、"更加"、"好处"等义都是从"水漫出来"的本义引申而来的。
【组　词】益处　益鸟　公益　利益
【造　句】集思广益——集思广益，走群众路线，这是干好事业的基本保证。
【同音字】意(意思)　异(异邦)
【形近字】盏(一盏灯)
【成　语】开卷有益　集思广益　精益求精　多多益善
【反义词】集思广益/独断专行
【近义词】集思广益/群策群力
【英　语】益处　benefit ['benifit]

| yì | 笔画 | 部首 | 结构 | 五笔 | 造字法 |
|---|---|---|---|---|---|
| 谊 | 10 | 讠 | 左右 | YPEG | 形声 |
| 笔顺 | 丶 讠 讠 讠 讠 诈 诈 谊 谊 谊 | | | | |

【解　释】交情；友情。
【组　词】友谊　情谊　联谊　交谊
【造　句】深情厚谊——礼物虽轻，里面却包含着他对咱们的深情厚谊呀！
【辨　音】不读 yí。
【同音字】意（意趣）
【形近字】宜（宜昌）
【成　语】深情厚谊
【反义词】深情厚谊/虚情假意
【近义词】深情厚谊/真情实意
【英　语】友谊　friendship [ˈfrendʃip]

| yì | 笔画 | 部首 | 结构 | 五笔 | 造字法 |
|---|---|---|---|---|---|
| 逸 | 11 | 辶 | 半包围 | QKQP | 会意 |
| 笔顺 | ノ ㇇ ⺈ 𠂊 ⺈ 刍 免 免 逸 逸 逸 | | | | |

【解　释】❶逃跑；奔逃。❷安闲；休闲。❸失传；散失。❹超出一般。
【组　词】逸事　安逸　飘逸　逸闻
【造　句】逸事——这本书中讲述了很多名人逸事。
【同音字】谊（友谊）　益（益处）
【形近字】谗（谗言）
【成　语】一劳永逸　好逸恶劳
【近义词】好逸恶劳/游手好闲
【英　语】逸事　anecdote [ˈænikdəut]

| yì | 笔画 | 部首 | 结构 | 五笔 | 造字法 |
|---|---|---|---|---|---|
| 裔 | 13 | 衣 | 上下 | YEMK | 形声 |
| 笔顺 | 丶 亠 𠫓 产 衣 衣 衣 裔 裔 裔 裔 裔 裔 | | | | |

【解　释】❶后代。❷指边远的地方。
【组　词】后裔　华裔　四裔
【造　句】后裔——他们都是中国人的后裔。
【同音字】意（意思）
【形近字】商（商人）

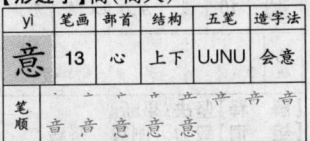

| yì | 笔画 | 部首 | 结构 | 五笔 | 造字法 |
|---|---|---|---|---|---|
| 意 | 13 | 心 | 上下 | UJNU | 会意 |
| 笔顺 | 丶 亠 立 产 音 音 音 音 音 音 意 意 意 | | | | |

【解　释】❶含义；意思。❷愿望；心愿。❸估计；料想。
【组　词】意义　意思　意念　得意
【造　句】意气风发——来自各行各业的劳动模范欢聚一堂，个个意气风发，斗志昂扬。
【同音字】异（异同）
【形近字】音（音乐）
【成　语】意气风发　意味深长　意在言外　心满意足　一心一意
【反义词】意味深长/索然无味
【近义词】意气风发/朝气蓬勃
【英　语】意思　meaning [ˈmiːniŋ]

| yì | 笔画 | 部首 | 结构 | 五笔 | 造字法 |
|---|---|---|---|---|---|
| 溢 | 13 | 氵 | 左右 | IUWL | 形声 |
| 笔顺 | 丶 丶 氵 氵 氵 氵 氵 氵 氵 溢 溢 溢 溢 | | | | |

【解　释】❶液体或气体因充满流出来。❷过分。❸超过。
【组　词】充溢　溢出　溢美　洋溢
【造　句】充溢——欢乐充溢着整个房间。
【同音字】意（意思）　逸（逃逸）
【形近字】益（益处）
【成　语】溢于言表　才华横溢

【反义词】才华横溢/才疏学浅
【近义词】溢于言表/淋漓尽致
【英　语】溢出　overflow [ˌəuvəˈfləu]

| yì | 笔画 | 部首 | 结构 | 五笔 | 造字法 |
|---|---|---|---|---|---|
| 毅 | 15 | 殳 | 左右 | UEMC | 形声 |
| 笔顺 | 丶 亠 亠 立 立 产 豸 豸 豙 豙 豙 豙 豙 毅 毅 | | | | |

【解　释】坚决；果断。
【组　词】毅力　刚毅　坚毅
【造　句】毅力——做这件事需要有很大的毅力。
【同音字】异(异同)　忆(回忆)
【形近字】颜(颜色)
【成　语】毅然决然
【英　语】毅然　resolutely [ˈrezəlu:tli]

| yì | 笔画 | 部首 | 结构 | 五笔 | 造字法 |
|---|---|---|---|---|---|
| 翼 | 17 | 羽 | 上中下 | NLAW | 形声 |
| 笔顺 | 𠃌 习 习 羽 羽 羽 羽 羽 羽 羽 翌 翌 翼 翼 翼 翼 翼 | | | | |

【解　释】❶翅膀。❷像翅膀的东西。❸侧面。❹帮助；辅佐。❺二十八星宿之一。❻姓。

【字源释义】字形像鸟的一翼，上面的线条表示鸟翅膀上羽毛的条纹。古文“翼”与“翌”（意思是“明天”）、“翊”（意思是“辅佐”、“帮助”）常通用。
【组　词】左翼　右翼　机翼　鸟翼　鼻翼　小心翼翼
【造　句】小心翼翼——刑侦人员小心翼翼地把犯罪嫌疑人吸过的烟头夹入纸袋内。
【辨　音】不读jì。
【同音字】抑(抑止)　驿(驿站)
【形近字】冀(希冀)
【成　语】如虎添翼
【反义词】小心翼翼/粗心大意
【近义词】小心翼翼/谨小慎微
【英　语】翼翅　wing [wiŋ]

## YIN　丨ㄣ

| yīn | 笔画 | 部首 | 结构 | 五笔 | 造字法 |
|---|---|---|---|---|---|
| 因 | 6 | 口 | 全包围 | LDI | 会意 |
| 笔顺 | 丨 冂 冂 円 因 因 | | | | |

【解　释】❶缘故；原因。❷由于；因为。❸依凭；根据。❹依照；沿袭。

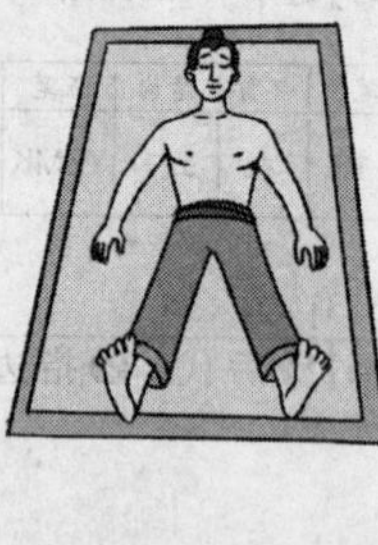

字源释义】“因”是“茵”的本字,意思是“褥子”或“垫子”。字形是一个人平躺在一张褥子上的样子。后来“因”字假借为虚字,就又另造“茵”字。
组 词】原因 成因 因而 因果 因为 因素 因特网
造 句】因为——因为下起了雨,所以我们郊游的计划不得不取消。
辨 音】韵母是 in,不是 ing。
同音字】音(音乐) 阴(阴天)
形近字】困(困难)
成 语】因地制宜 因材施教 因陋就简 因人而异 因循守旧
反义词】因祸得福/乐极生悲
近义词】因材施教/对症下药
谚 语】因荷能得藕,有杏不须梅。
英 语】原因 cause [kɔːz]

| yīn | 笔画 | 部首 | 结构 | 五笔 | 造字法 |
|---|---|---|---|---|---|
| 阴 | 6 | 阝 | 左右 | BE | 形声 |
| 笔顺 | ㇋ 阝 阝 阴 阴 阴 | | | | |

解 释】❶黑暗。❷指月亮。❸天空被云遮住,没有阳光。❹不见阳光的地方。❺山的北面;水的南面。❻隐藏的;不露在外面的。❼阴险;不光明正大的。❽迷信者指关于鬼神的。❾带负电的。❿姓。
组 词】阴天 阴暗 阴险 阴毒 阴沟 阴冷 光阴 阴极 阴森 阴沉
造 句】阴沉——他阴沉着脸,强忍着心中的怒火。
辨 音】不读 yīng。

【同音字】音(音乐) 因(因为)
【形近字】阳(阳光)
【成 语】阴错阳差 阴谋诡计
【反义词】阴暗/明亮
【近义词】阴冷/寒冷
【歇后语】阴沟里的泥鳅——翻不起大浪|阴沟里撑船——施展不开。
【谚 语】阴山不绝行路客,恶水仍有渡船人。
【英 语】阴暗 dark [dɑːk]

| yīn | 笔画 | 部首 | 结构 | 五笔 | 造字法 |
|---|---|---|---|---|---|
| 茵 | 9 | 艹 | 上下 | ALDU | 形声 |
| 笔顺 | 一 十 艹 艹 芀 苚 苪 茵 茵 | | | | |

【解 释】垫子或褥子。
【组 词】绿草如茵
【造 句】绿草如茵——孩子们在绿草如茵的广场上嬉戏追逐着。
【辨 音】不读 yīng。
【同音字】因(原因) 阴(阴天)
【形近字】菌(细菌)
【成 语】绿草如茵
【英 语】茵 mattress [ˈmætris]

| yìn | 笔画 | 部首 | 结构 | 五笔 | 造字法 |
|---|---|---|---|---|---|
| 荫 | 9 | 艹 | 上下 | ABEF | 形声 |
| 笔顺 | 一 十 艹 艹 芀 芦 荫 荫 荫 | | | | |

【解 释】❶树荫。❷姓。
【组 词】荫庇 树荫 绿树成荫
【造 句】绿树成荫——夏天的公园里绿树成荫,花香袭人。
【同音字】阴(光阴)
【英 语】树荫 shade of a tree [ʃeid əv ə triː]

Y

Y

【多音字】yìn(见 851 页)

| yīn | 笔画 | 部首 | 结构 | 五笔 | 造字法 |
| --- | --- | --- | --- | --- | --- |
| 音 | 9 | 音 | 上下 | UJF | 指事 |
| 笔顺 | 丶 亠 亠 立 立 产 音 音 音 | | | | |

【解　释】❶声音。❷消息。❸指读音。
【组　词】音乐　音调　读音　音色　音信　清音　鼻音　佳音　音容笑貌
【造　句】音容笑貌——老朋友已去世多年,但他的音容笑貌还时常浮现在我们的眼前。
【辨　音】韵母是 in,不是 ing。
【同音字】阴(光阴)
【形近字】意(意义)
【英　语】声音　sound [saund]

| yīn | 笔画 | 部首 | 结构 | 五笔 | 造字法 |
| --- | --- | --- | --- | --- | --- |
| 姻 | 9 | 女 | 左右 | VLDY | 形声 |
| 笔顺 | ㄑ 女 女 女 奵 奵 姻 姻 姻 | | | | |

【解　释】❶婚姻。❷因婚姻而产生的亲戚关系。
【组　词】婚姻　姻亲　姻缘　联姻
【同音字】音(音乐)
【形近字】烟(烟火)
【英　语】婚姻　marriage ['mæridʒ]

| yīn | 笔画 | 部首 | 结构 | 五笔 | 造字法 |
| --- | --- | --- | --- | --- | --- |
| 殷 | 10 | 殳 | 左右 | RVNC | 会意 |
| 笔顺 | ′ 丿 户 户 户 自 身 舟 殷 殷 | | | | |

【解　释】❶丰盛;富足。❷深厚。❸热情周到。❹朝代名,商朝由盘庚迁都于殷。❺姓。
【组　词】殷勤　殷实　殷切　殷墟
【造　句】殷切——父母殷切的期望使他从小就立志做一名科学家。
【同音字】音(音色)　茵(绿茵)
【形近字】没(没有)
【近义词】殷勤/勤快
【英　语】殷实　well off [wel ɔːf]
【多音字】yān(见 816 页)

| yín | 笔画 | 部首 | 结构 | 五笔 | 造字法 |
| --- | --- | --- | --- | --- | --- |
| 吟 | 7 | 口 | 左右 | KWYN | 形声 |
| 笔顺 | 丨 口 口 叫 吖 吟 吟 | | | | |

【解　释】❶用抑扬顿挫的声调读。❷古诗的名称。❸呻吟;叹息。❹鸣叫。
【组　词】吟诵　吟咏　沉吟　呻吟
【造　句】呻吟——她强忍着手术时的剧痛,没有呻吟一声。
【辨　音】不读 jīn。
【同音字】银(银行)
【形近字】冷(冷风)
【成　语】吟风弄月
【近义词】吟风弄月/吟花咏柳
【英　语】吟咏　chant [tʃɑːnt]

| yín | 笔画 | 部首 | 结构 | 五笔 | 造字法 |
| --- | --- | --- | --- | --- | --- |
| 垠 | 9 | 土 | 左右 | FVEY | 形声 |
| 笔顺 | 一 十 土 土 坦 坦 坦 垠 垠 | | | | |

【解　释】界限;边际。
【组　词】一望无垠
【造　句】一望无垠——秋天到了,金黄的稻田一望无垠。
【同音字】吟(呻吟)
【形近字】银(银白)
【成　语】一望无垠

| yín | 笔画 | 部首 | 结构 | 五笔 | 造字法 |
| --- | --- | --- | --- | --- | --- |
| 银 | 11 | 钅 | 左右 | QVEY | 形声 |
| 笔顺 | 丿 𠂉 𠂉 𠂉 钅 钅 钅 钅 钽 钽 银 | | | | |

【解　释】❶金属元素，符号 Ag，白色，导热性能好，化学性质稳定，用途广泛。❷像银的颜色。❸与货币有关的。

【组　词】银河　银狐　水银　银行

【造　句】银白——一场大雪把大地变成了银白世界。

【同音字】吟（吟诵）

【形近字】垠（无垠）

【歇后语】银弹打鸟——因小失大。

【谚　语】银河纵隔断，自有鹊桥通。

【英　语】银　silver [ˈsilvə]

| yǐn | 笔画 | 部首 | 结构 | 五笔 | 造字法 |
| --- | --- | --- | --- | --- | --- |
| 引 | 4 | 弓 | 左右 | XHH | 会意 |
| 笔顺 | ㇕ ㇕ 弓 引 | | | | |

【解　释】❶引起；使出现。❷伸着。❸离开。❹牵；拉。❺用作证据或理由。❻带领。❼长度单位。

【组　词】引导　引进　引用　吸引

【造　句】引人注目——会场前台幕布上的“校庆”两个字格外引人注目。

【同音字】饮（饮水）

【形近字】张（张开）

【成　语】引经据典　引狼入室　引人入胜　引人注目

【反义词】引以为戒/重蹈覆辙

【近义词】引蛇出洞/诱敌深入

【歇后语】引狼入室——自取灭亡。

【谚　语】引船靠掌舵，理家靠节约。

【英　语】牵引　draw [drɔː]

| yǐn | 笔画 | 部首 | 结构 | 五笔 | 造字法 |
| --- | --- | --- | --- | --- | --- |
| 饮 | 7 | 饣 | 左右 | QNQ | 会意 |
| 笔顺 | 丿 𠂉 饣 饣 饣 饮 饮 | | | | |

【解　释】❶喝，有时特指喝酒。❷指能喝的东西。❸心中含忍着。

甲骨文　金文　小篆　隶书　楷书

【字源释义】甲骨文像一个人手扶酒坛，俯首张口，伸出舌头喝酒的样子；金文将其简化，又加“今”为声符。

【组　词】饮水　饮恨　冷饮　饮誉

【造　句】饮誉——他的文学作品饮誉全球。

【同音字】隐（隐约）　引（引出）

【形近字】饭（吃饭）

【成　语】饮水思源　饮鸩止渴

【反义词】饮水思源/得鱼忘筌

【近义词】饮泣吞声/顿足捶胸

【谚　语】饮食贵有节，运动贵有恒。

【英　语】饮料 drink [driŋk]
【多音字】yìn(见 851 页)

| yǐn | 笔画 | 部首 | 结构 | 五笔 | 造字法 |
|---|---|---|---|---|---|
| 蚓 | 10 | 虫 | 左右 | JXHH | 形声 |
| 笔顺 | 丨 口 口 中 虫 虫 虫ˊ 虫ˊ 蚓 蚓 | | | | |

【解　释】见 591 页“蚯”。

| yǐn | 笔画 | 部首 | 结构 | 五笔 | 造字法 |
|---|---|---|---|---|---|
| 隐 | 11 | 阝 | 左右 | BQVN | 形声 |
| 笔顺 | ㇇ 阝 阝ˊ 阝 阝 阝 隐 隐 隐 隐 隐 | | | | |

【解　释】❶藏着;不显露。❷潜伏着;藏在深处的。❸指隐秘的事。
【组　词】隐蔽　隐居　隐瞒　隐匿　隐情
【造　句】隐姓埋名——早年为躲避仇家,他举家南迁,隐姓埋名过了一辈子。
【同音字】引(引导)　饮(饮酒)
【形近字】稳(稳当)
【成　语】隐姓埋名　隐恶扬善
【反义词】隐约其辞/言之凿凿
【谚　语】隐恶扬善,执其两端。
【英　语】隐蔽 conceal [kən'siːl]

| yǐn | 笔画 | 部首 | 结构 | 五笔 | 造字法 |
|---|---|---|---|---|---|
| 瘾 | 16 | 疒 | 半包围 | UBQN | 形声 |
| 笔顺 | 丶 亠 广 广 疒 疒 疒 疒 疒 疒 疒 疒 瘾 瘾 瘾 瘾 | | | | |

【解　释】❶习惯性爱好(多指不良的)。❷特别浓厚的兴趣。
【组　词】过瘾　酒瘾　上瘾
【造　句】过瘾——昨天去游乐场玩得太过瘾了。
【同音字】隐(隐约)
【英　语】瘾 addiction [ə'dikʃən]

| yìn | 笔画 | 部首 | 结构 | 五笔 | 造字法 |
|---|---|---|---|---|---|
| 印 | 5 | 卩 | 左右 | QGBH | 会意 |
| 笔顺 | ′ ⺁ 𠂉 ⺕ 印 | | | | |

【解　释】❶图章。❷痕迹。❸印刷。把文字或图画等印在纸张或别的东西上。❹符合。❺姓。

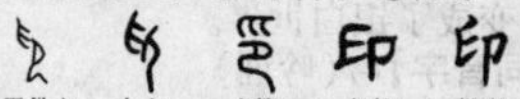

甲骨文　金文　小篆　隶书　楷书

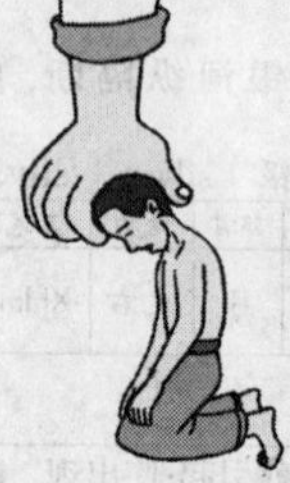

【字源释义】“印”是“抑”的本字。意思是“向下按压”。字形像一只大手把一个跪着的人强按下去。后来引申为印章的“印”。
【组　词】印章　印刷　印象　脚印
【造　句】印象——他的举动给老师们留下很深的印象。
【辨　音】韵母是 in,不是 ing。
【同音字】荫(荫庇)
【形近字】仰(仰面)
【成　语】心心相印
【近义词】心心相印/情投意合

歇后语】印板上的话——天天如此。
英　语】印刷 printing [ˈprintiŋ]

| yìn | 笔画 | 部首 | 结构 | 五笔 | 造字法 |
|---|---|---|---|---|---|
| 饮 | 7 | 饣 | 左右 | QNQ | 会意 |
| 笔顺 | 丿 ㇒ 饣 饣 饣 饮 饮 | | | | |

解　释】给牲口喝水。
组　词】饮马　饮牛
同音字】印(印象)
多音字】yǐn(见 849 页)

| yìn | 笔画 | 部首 | 结构 | 五笔 | 造字法 |
|---|---|---|---|---|---|
| 荫 | 9 | 艹 | 上下 | ABEF | 形声 |
| 笔顺 | 一 十 艹 艹 艹 荫 荫 荫 荫 | | | | |

解　释】❶没有阳光;又凉又潮。❷荫庇。❸封建时代由于父祖有功而给予子孙入学或做官的权利。
组　词】荫庇　荫凉
造　句】荫凉——这屋子荫凉得很,正适合夏天避暑。
同音字】印(印象)
英　语】荫凉 shady and cool ˈʃeidi ænd kuːl]
多音字】yīn(见 847 页)

## YING ㄧㄥ

| yīng | 笔画 | 部首 | 结构 | 五笔 | 造字法 |
|---|---|---|---|---|---|
| 应 | 7 | 广 | 半包围 | YID | 形声 |
| 笔顺 | 丶 亠 广 广 广 应 应 | | | | |

解　释】❶该;当。❷答应;允许。❸姓。
组　词】应该　应允　应当

【造　句】应有尽有——这个商店的商品应有尽有。
【同音字】英(英雄)
【形近字】庆(庆祝)
【成　语】应有尽有
【英　语】应该 should [ʃud]
【多音字】yìng(见 855 页)

| yīng | 笔画 | 部首 | 结构 | 五笔 | 造字法 |
|---|---|---|---|---|---|
| 英 | 8 | 艹 | 上下 | AMDU | 形声 |
| 笔顺 | 一 十 艹 艹 芇 苂 英 英 | | | | |

【解　释】❶花。❷才华出众的人。❸指英国。❹姓。
【组　词】英杰　英豪　英国　英雄
【造　句】英雄——他们心中充满了对抗震救灾英雄的崇敬与爱戴。
【同音字】婴(婴儿)　莺(黄莺)
【形近字】央(中央)
【成　语】英姿飒爽　英姿勃发
【反义词】英姿飒爽/其貌不扬
【近义词】英姿勃发/雄姿英发
【谚　语】英雄自古出少年。
【英　语】英雄 hero [ˈhiərəu]

| yīng | 笔画 | 部首 | 结构 | 五笔 | 造字法 |
|---|---|---|---|---|---|
| 莺 | 10 | 艹 | 上中下 | APQG | 形声 |
| 笔顺 | 一 十 艹 芢 芢 芢 莺 莺 莺 莺 | | | | |

【解　释】鸟名,身体小,嘴短而尖,鸣声清脆,吃昆虫,对农林业有益。
【组　词】黄莺　夜莺　莺歌燕舞
【造　句】莺歌燕舞——四月的江南,到处繁花似锦、莺歌燕舞,吸引着海内外的游客。
【同音字】婴(婴儿)　应(应该)

Y

【近义词】莺歌燕舞/鸟语花香
【英　语】黄莺　oriole [ˈɔːriəul]

| yīng | 笔画 | 部首 | 结构 | 五笔 | 造字法 |
|---|---|---|---|---|---|
| 婴 | 11 | 女 | 上下 | MMVF | 会意 |
| 笔顺 | 丨 冂 贝 贝 贝 贝丨 贝冂 贝贝 贝贝 婴 婴 | | | | |

【解　释】婴儿，刚出生不久的小孩。
【组　词】婴儿　妇婴　弃婴　溺婴
【辨　音】韵母是 ing，不是 in。
【同音字】英（英杰）
【形近字】樱（樱花）
【英　语】婴儿　baby [ˈbeibi]

| yīng | 笔画 | 部首 | 结构 | 五笔 | 造字法 |
|---|---|---|---|---|---|
| 樱 | 15 | 木 | 左右 | SMMV | 形声 |
| 笔顺 | 一 十 才 木 木丨 木冂 木贝 木贝 木贝 木贝丨 木贝冂 木贝贝 木贝贝 樱 樱 | | | | |

【解　释】❶樱桃，落叶乔木，开白色或浅红色的小花，果实红色，球状，味甜可吃。木材坚硬，可制器具。❷樱花。原产日本，落叶乔木，春季开花，花白色或浅红色，供观赏。
【组　词】樱桃　樱花
【辨　音】韵母是 ing，不是 in。
【同音字】应（应该）
【形近字】缨（红缨）
【谚　语】樱桃好吃树难栽，小曲好唱口难开。
【英　语】樱桃　cherry [ˈtʃeri]

| yīng | 笔画 | 部首 | 结构 | 五笔 | 造字法 |
|---|---|---|---|---|---|
| 鹦 | 16 | 鸟 | 左右 | MMVG | 形声 |
| 笔顺 | 丨 冂 贝 贝 贝 贝丨 贝冂 贝贝 婴 婴 婴 婴 婴 婴 鹦 鹦 | | | | |

【解　释】鹦鹉，鸟名，头部圆，上嘴大，呈钩状，下嘴短小，羽毛美丽。能模仿人说话的声音，主要供人饲养赏玩。
【组　词】鹦鹉　鹦哥
【同音字】婴（婴儿）
【形近字】缨（红缨）
【成　语】鹦鹉学舌
【近义词】鹦鹉学舌/随声附和
【谚　语】鹦鹉能言仍是飞禽，猩猩能站还是走兽。
【英　语】鹦鹉　parrot [ˈpærət]

| yīng | 笔画 | 部首 | 结构 | 五笔 | 造字法 |
|---|---|---|---|---|---|
| 鹰 | 18 | 广 | 半包围 | YWWG | 形声 |
| 笔顺 | 丶 亠 广 广 疒 庐 庐 庐 庐 庐 庐 庐 庐 庐 鹰 鹰 鹰 鹰 | | | | |

【解　释】鸟类的一科，嘴弯曲而锐利，脚有利爪，性凶猛，捕食小兽及其他鸟类。
【组　词】山鹰　老鹰　苍鹰　秃鹰
【同音字】莺（夜莺）
【形近字】赝（赝品）
【谚　语】黄鹰抓住鹞子的脚——扣了环了。
【英　语】鹰　hawk [hɔːk]

| yíng | 笔画 | 部首 | 结构 | 五笔 | 造字法 |
|---|---|---|---|---|---|
| 迎 | 7 | 辶 | 半包围 | QBPK | 形声 |
| 笔顺 | ノ 𠂆 卬 卬 卬 迎 迎 | | | | |

【解　释】❶迎接。❷对着；向着。❸投合。
【组　词】欢迎　迎候　迎击　迎面　逢迎　迎头赶上
【造　句】迎头赶上——我的学习成绩还不够理想，但我有决心向先进看齐，奋起直追，迎头赶上。
【同音字】盈（喜盈盈）
【形近字】仰（仰面）
【成　语】迎刃而解　迎头赶上　迎风招展
【反义词】曲意逢迎/刚直不阿
【近义词】曲意逢迎/阿谀奉承
【歇后语】迎风吃炒面——张不得嘴。
【谚　语】迎新走千里，送故不出门。
【英　语】迎接　meet [miːt]

| yíng | 笔画 | 部首 | 结构 | 五笔 | 造字法 |
|---|---|---|---|---|---|
| 荧 | 9 | 艹 | 上中下 | APOU | 会意 |
| 笔顺 | 一 十 艹 艹 芦 芦 芦 茕 荧 | | | | |

【解　释】❶形容光亮很微弱。❷眼光迷乱；疑惑。
【组　词】荧光　荧屏　荧光灯
【造　句】荧屏——电视荧屏对眼睛有害，我们要尽量少看电视。
【同音字】迎（迎接）　盈（丰盈）
【形近字】萤（萤火虫）
【英　语】荧光　fluorescence [ˌfluəˈresəns]

| yíng | 笔画 | 部首 | 结构 | 五笔 | 造字法 |
|---|---|---|---|---|---|
| 盈 | 9 | 皿 | 上下 | ECLF | 形声 |
| 笔顺 | 乃 乃 乃 乃 乃 乃 乃 盈 盈 | | | | |

【解　释】❶充满。❷多余；多出（跟"亏"相对）。❸美好。
【组　词】盈利　盈余　丰盈　充盈
【造　句】盈千累万——参观这次画展的人盈千累万。
【同音字】营（营地）
【形近字】盘（盘子）　益（有益）
【成　语】恶贯满盈　盈千累万
【反义词】盈利/亏本
【近义词】恶贯满盈/罪大恶极
【英　语】盈余　surplus [ˈsəːp-ləs]

| yíng | 笔画 | 部首 | 结构 | 五笔 | 造字法 |
|---|---|---|---|---|---|
| 莹 | 10 | 艹 | 上中下 | APGY | 形声 |
| 笔顺 | 一 十 艹 艹 芦 芦 芦 芦 莹 莹 | | | | |

【解　释】❶像玉一样光洁的石头。❷光亮透明。
【组　词】莹石　晶莹　莹洁
【造　句】晶莹——荷叶上滚动着晶莹的露珠。
【同音字】营（营地）
【形近字】萤（萤火虫）
【英　语】莹石　lustrous stone [ˈlʌstrəs stəun]

| yíng | 笔画 | 部首 | 结构 | 五笔 | 造字法 |
|---|---|---|---|---|---|
| 萤 | 11 | 艹 | 上中下 | APJU | 形声 |
| 笔顺 | 一 十 艹 艹 芦 芦 芦 芦 芦 萤 萤 | | | | |

【解　释】萤火虫，一种昆虫，身体黄褐色，腹部末端有发光的器官，能发带绿色的光。白天伏在草丛里，夜晚飞出来。
【组　词】萤火虫
【造　句】萤窗雪案——古人萤窗雪案刻苦学习的精神是值得我们学习的。
【辨　音】不读 yīng。
【同音字】盈（丰盈）
【形近字】荧（荧光灯）

Y

【成　语】萤窗雪案
【歇后语】萤火虫的屁股——亮堂堂。
【谚　语】萤火之光,照人不亮。
【英　语】萤火虫　firefly [ˈfaiəflai]

| yíng | 笔画 | 部首 | 结构 | 五笔 | 造字法 |
| --- | --- | --- | --- | --- | --- |
| 营 | 11 | 艹 | 上中下 | APKK | 形声 |
| 笔顺 | 一 十 艹 艹 芦 芦 苎 苎 苎 营 营 | | | | |

【解　释】❶军队驻扎的地方。❷军队中团和连之间的编制单位。❸某些集体外出工作或游乐时所设的临时性驻地。❹谋求。❺管理。❻姓。
【组　词】营地　营生　营长　运营　宿营　营销　营养　营业　夏令营
【造　句】营业——新商场从国庆节开始营业。
【同音字】盈(丰盈)
【形近字】萤(萤火虫)
【成　语】营私舞弊　步步为营　安营扎寨
【反义词】步步为营/轻举妄动
【近义词】步步为营/稳扎稳打
【英　语】营养　nutrition [njuːˈtriʃən]

| yíng | 笔画 | 部首 | 结构 | 五笔 | 造字法 |
| --- | --- | --- | --- | --- | --- |
| 萦 | 11 | 艹 | 上中下 | APXI | 形声 |
| 笔顺 | 一 十 艹 艹 芦 芦 苎 苎 萦 萦 萦 | | | | |

【解　释】围绕,缠绕。
【组　词】萦怀　萦绕　萦系
【造　句】萦绕——那袅袅的歌声依然萦绕在我的耳边。
【同音字】营(营地)
【形近字】索(索要)

| yíng | 笔画 | 部首 | 结构 | 五笔 | 造字法 |
| --- | --- | --- | --- | --- | --- |
| 蝇 | 14 | 虫 | 左右 | JKJN | 会意 |
| 笔顺 | 丨 口 口 中 虫 虫 虫 虫 蚆 蚆 蜗 蝇 蝇 蝇 | | | | |

【解　释】苍蝇,一种昆虫,种类多,常落在粪便、垃圾上产卵,爬在食物上留下细菌,能传播各种疾病,害处极大。
【组　词】苍蝇
【造　句】蝇头微利——做人不能把眼光停留在蝇头微利上,应该把眼光放远点。
【同音字】营(营养)　盈(盈利)
【形近字】绳(绳子)
【成　语】蝇头微利　蝇营狗苟
【谚　语】蝇子不抱没缝的鸡蛋。
【英　语】苍蝇　fly [flai]

| yíng | 笔画 | 部首 | 结构 | 五笔 | 造字法 |
| --- | --- | --- | --- | --- | --- |
| 赢 | 17 | 亠 | 上中下 | YNKY | 形声 |
| 笔顺 | 丶 亠 亡 亡 亡 言 言 言 言 言 言 言 言 嬴 嬴 赢 赢 | | | | |

【解　释】❶胜。❷获利;赚了钱。❸因成功而获得。
【组　词】赢利　输赢　赢方　赢得　赢家　赢钱
【造　句】输赢——我们不应该太在乎比赛的输赢,而应以"友谊第一,比赛第二"为原则。
【同音字】营(军营)
【形近字】嬴(姓嬴)
【反义词】赢/输
【近义词】赢/胜

【英 语】赢 win [win]

| yǐng | 笔画 | 部首 | 结构 | 五笔 | 造字法 |
|---|---|---|---|---|---|
| 颖 | 13 | 页 | 左右 | XTDM | 形声 |
| 笔顺 | … 颖 颖 | | | | |

【解 释】❶麦子、稻子等带芒的外壳。❷某些细长东西的尖头。❸聪明。
【组 词】聪颖 新颖 颖壳
【造 句】聪颖——这个孩子小小年纪,却聪颖过人。
【同音字】影(电影)
【成 语】脱颖而出
【反义词】聪颖/愚蠢
【近义词】聪颖/聪明
【英 语】聪颖 clever ['klevə]

| yǐng | 笔画 | 部首 | 结构 | 五笔 | 造字法 |
|---|---|---|---|---|---|
| 影 | 15 | 彡 | 左右 | JYIE | 形声 |
| 笔顺 | 丨 … 景 景 影 影 | | | | |

【解 释】❶影子。❷照片。❸形象。❹电影的简称。❺描摹。
【组 词】影子 影院 影片 倒影 摄影 剪影 电影 影影绰绰
【造 句】影影绰绰——天刚亮,影影绰绰地可以看见墙外的槐树梢儿。
【同音字】颖(聪颖)
【形近字】憬(憧憬)
【成 语】形影相吊 形影不离 刀光剑影
【反义词】影影绰绰/一清二楚
【近义词】形影不离/如影随形
【谚 语】影子时长时短,人事有对有错。
【英 语】影响 influence ['influəns]

| yìng | 笔画 | 部首 | 结构 | 五笔 | 造字法 |
|---|---|---|---|---|---|
| 应 | 7 | 广 | 半包围 | YID | 形声 |
| 笔顺 | 丶 亠 广 … 应 | | | | |

【解 释】❶回答。❷对应;对付。❸供给。❹适合;适应。❺接受;参加。
【组 词】应急 应试 应承 应聘 报应 反应 理应 相应 里应外合 得心应手 随机应变
【造 句】理应——奶奶病了,妈妈理应去照顾。
【近义词】里应外合/内外夹攻
【谚 语】应天时,顺物性。
【英 语】应时 in season [in 'si:zn]
【多音字】yīng(见851页)

| yìng | 笔画 | 部首 | 结构 | 五笔 | 造字法 |
|---|---|---|---|---|---|
| 映 | 9 | 日 | 左右 | JMDY | 形声 |
| 笔顺 | 丨 … 映 | | | | |

【解 释】❶因光线照射而显出物体的影像。❷照;照映。
【组 词】映射 掩映 反映 倒映 映山红
【造 句】倒映——垂柳倒映在水里,就像少女在洗头发。
【同音字】硬(硬化)
【形近字】秧(秧田)
【成 语】映雪读书
【英 语】反映 reflect [ri'flekt]

Y

| yìng | 笔画 | 部首 | 结构 | 五笔 | 造字法 |
| --- | --- | --- | --- | --- | --- |
| 硬 | 12 | 石 | 左右 | DGJ | 形声 |
| 笔顺 | 一 丆 丆 石 石 石 石 石 石 石 硬 硬 | | | | |

【解　释】❶物体坚实紧密（跟“软”相对）。❷坚强；坚定。❸顽固；固执。❹勉强。❺能力强；质量高。

【组　词】硬币　硬汉　硬朗　生硬　坚硬　强硬　硬邦邦

【造　句】硬邦邦——馒头放两天，就变得硬邦邦的。

【同音字】应（应试）

【形近字】便（便宜）

【成　语】欺软怕硬

【反义词】硬/软　坚硬/柔软

【近义词】欺软怕硬/欺善怕恶

【歇后语】硬拿麻秆当扁担——那还不折 | 硬棒槌打铜锣——响当当的。

【谚　语】硬树要靠大家砍，难事要靠大家做。

【英　语】硬币　coin [kɔin]

## YO　ㄧㄛ

| yo | 笔画 | 部首 | 结构 | 五笔 | 造字法 |
| --- | --- | --- | --- | --- | --- |
| 哟 | 9 | 口 | 左右 | KXQY | 形声 |
| 笔顺 | 丨 ㄇ 口 ... 哟 哟 | | | | |

【解　释】助词。❶用在句末表示语气。❷用在歌词里做衬字。

【形近字】约（相约）

## YONG　ㄩㄥ

| yōng | 笔画 | 部首 | 结构 | 五笔 | 造字法 |
| --- | --- | --- | --- | --- | --- |
| 佣 | 7 | 亻 | 左右 | WEH | 形声 |
| 笔顺 | ノ 亻 ... 佣 佣 | | | | |

【解　释】❶出钱买劳动力。❷受雇的人。

【组　词】雇佣　佣人　女佣　男佣　佣工

【同音字】拥（拥护）

【形近字】拥（拥有）

【英　语】佣人　servant [ˈsəːvənt]

【多音字】yòng（见859页）

| yōng | 笔画 | 部首 | 结构 | 五笔 | 造字法 |
| --- | --- | --- | --- | --- | --- |
| 拥 | 8 | 扌 | 左右 | REH | 形声 |
| 笔顺 | 一 十 扌 ... 拥 拥 | | | | |

【解　释】❶抱。❷围着。❸聚在一起走；靠着走。❹拥护，表示赞同，全力支持。❺拥有；具有。

【组　词】拥抱　拥护　拥戴　拥挤　拥有　拥堵

【造　句】蜂拥而至——戏台还没搭好，来看戏的村民们已蜂拥而至。

【辨　音】不读 yòng。

【同音字】庸（平庸）

【形近字】佣（佣人）

【成　语】前呼后拥　蜂拥而至

【反义词】拥护/反对

【近义词】拥护/赞同

【英　语】拥有　possess [pəˈzes]

| ōng | 笔画 | 部首 | 结构 | 五笔 | 造字法 |
|---|---|---|---|---|---|
| 庸 | 11 | 广 | 半包围 | YVEH | 形声 |
| 笔顺 | 丶 亠 广 户 户 户 户 肩 肩 肩 庸 | | | | |

解　释】❶平常；不高明；无作为。
用、须，用于否定句。❸疑问词。
道、怎么，表示反问。❹姓。
组　词】平庸　庸人　庸碌　庸俗
庸
造　句】庸庸碌碌——年轻人要
事业为重，切不可庸庸碌碌，虚
年华。
同音字】拥（拥有）
形近字】康（健康）
成　语】庸庸碌碌
反义词】庸庸碌碌/雄心壮志
近义词】庸庸碌碌/碌碌无为
谚　语】庸医治标，名医治本。
英　语】平庸　commonplace [ˈkɔ-
npleis]

| ǒng | 笔画 | 部首 | 结构 | 五笔 | 造字法 |
|---|---|---|---|---|---|
| 永 | 5 | 丶 | 独体 | YNII | 会意 |
| 笔顺 | 丶 亅 刁 汁 永 | | | | |

解　释】❶长。❷永远；长久。

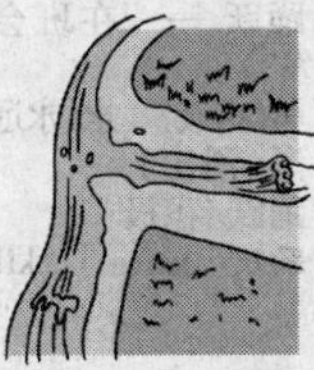

【字源释义】一条大河派生出一条小河。“永”、“𠂢”（“派”的本字）原为同一个字，“派”意思是“支流”。这条有支流的河很长，故有“水流长”义。
【组　词】永远　永恒　永别　永久
【造　句】永垂不朽——为解放事业而献身的英雄们永垂不朽。
【同音字】勇（勇敢）
【形近字】水（水边）
【成　语】永垂不朽　永无止境
【反义词】永垂不朽/遗臭万年
【近义词】永垂不朽/流芳百世
【英　语】永远　forever [fəˈrevə]

| yǒng | 笔画 | 部首 | 结构 | 五笔 | 造字法 |
|---|---|---|---|---|---|
| 咏 | 8 | 口 | 左右 | KYNI | 形声 |
| 笔顺 | 丨 口 口 口' 叮 叻 咏 咏 | | | | |

【解　释】❶用抑扬顿挫的声调来朗诵。❷用诗、词等来叙述。
【组　词】咏叹　咏雪　歌咏　咏怀
【造　句】歌咏——她在这次歌咏比赛中取得了第一名的好成绩。
【同音字】永（永远）
【形近字】泳（游泳）
【英　语】咏叹　intone [inˈtəun]

| yǒng | 笔画 | 部首 | 结构 | 五笔 | 造字法 |
|---|---|---|---|---|---|
| 泳 | 8 | 氵 | 左右 | IYNI | 形声 |
| 笔顺 | 丶 丶 氵 氵 汀 汈 泳 泳 | | | | |

【解　释】在水中游动。
【组　词】游泳　仰泳　蛙泳　蝶泳　泳池　泳衣　自由泳
【同音字】永（永远）　勇（勇敢）
【形近字】咏（咏梅）
【英　语】游泳　swim [swim]

| yǒng | 笔画 | 部首 | 结构 | 五笔 | 造字法 |
|---|---|---|---|---|---|
| 俑 | 9 | 亻 | 左右 | WCEH | 形声 |
| 笔顺 | 丿 亻 亻 亻 亻 俑 俑 俑 俑 | | | | |

【解　释】古代殉葬的偶像。
【组　词】兵马俑　陶俑
【造　句】兵马俑——秦陵兵马俑具有很高的艺术价值。
【同音字】涌(涌动)
【形近字】佣(佣人)

| yǒng | 笔画 | 部首 | 结构 | 五笔 | 造字法 |
|---|---|---|---|---|---|
| 勇 | 9 | 力 | 上下 | CEL | 形声 |
| 笔顺 | 乛 乛 了 丙 丙 甬 甬 勇 勇 | | | | |

【解　释】❶有胆量;不怕困难和危险。❷指士兵。❸姓。
【组　词】勇士　勇气　勇敢
【造　句】勇冠三军——小强读了《三国演义》,非常喜欢赵云、马超这些勇冠三军的人物。
【同音字】咏(咏叹)
【形近字】甬(甬道)
【成　语】勇冠三军　勇往直前
【反义词】勇往直前/畏缩不前
【近义词】勇往直前/一往无前
【谚　语】勇士责己,懦夫怨人。
【英　语】勇气　courage [ˈkʌridʒ]

| yǒng | 笔画 | 部首 | 结构 | 五笔 | 造字法 |
|---|---|---|---|---|---|
| 涌 | 10 | 氵 | 左右 | ICEH | 形声 |
| 笔顺 | 丶 丶 氵 氵 氵 氵 涌 涌 涌 涌 | | | | |

【解　释】❶向上升起或冒出❷像水冒出一样。
【组　词】涌出　涌流　汹涌　喷涌
【造　句】涌出——一轮明月从大海中涌出。
【同音字】勇(勇敢)　永(永远)
【形近字】踊(踊跃)
【英　语】涌流　pour [pɔː]

| yǒng | 笔画 | 部首 | 结构 | 五笔 | 造字法 |
|---|---|---|---|---|---|
| 蛹 | 13 | 虫 | 左右 | JCEH | 形声 |
| 笔顺 | 丶 口 口 中 虫 虫 虫 虫 虫 蛹 蛹 蛹 蛹 | | | | |

【解　释】一些昆虫从幼虫变为成虫的过渡形态。
【组　词】蚕蛹
【造　句】蚕蛹——东东养的蚕吐丝结茧后变成了蚕蛹。
【同音字】永(永远)
【形近字】踊(踊跃)
【英　语】蚕蛹　silkworm chrysalis [ˈsilkwəːm ˈkrisəlis]

| yǒng | 笔画 | 部首 | 结构 | 五笔 | 造字法 |
|---|---|---|---|---|---|
| 踊 | 14 | 𧾷 | 左右 | KHCE | 形声 |
| 笔顺 | 丶 口 口 𧾷 𧾷 𧾷 𧾷 𧾷 𧾷 𧾷 踊 踊 踊 踊 | | | | |

【解　释】往上跳。
【组　词】踊跃
【造　句】踊跃——在班会上,同学们踊跃发言。
【同音字】勇(勇气)　永(永远)
【形近字】涌(涌出)
【近义词】踊跃/积极
【英　语】踊跃　active [ˈæktiv]

| yòng | 笔画 | 部首 | 结构 | 五笔 | 造字法 |
|---|---|---|---|---|---|
| 用 | 5 | 冂 | 半包围 | ET | 象形 |
| 笔顺 | 丿 冂 月 月 用 | | | | |

【解　释】❶使用。❷花销；费用；开支。❸用途；用处；功用。❹吃、喝的敬辞。❺需要。

甲骨文　金文　小篆　隶书　楷书

【字源释义】"用"是"甬"的本字，意思是"大钟"。字形像一座钟。通"镛"。"甬"又通"桶"，一种古量器。

【组　词】用处　用功　用心　使用

【造　句】用兵如神——诸葛亮深入南中，七擒孟获，用兵如神，传为美谈。

【同音字】佣(佣金)

【形近字】月(月亮)

【成　语】用兵如神

【英　语】使用　use [juːz]

| yòng | 笔画 | 部首 | 结构 | 五笔 | 造字法 |
|---|---|---|---|---|---|
| 佣 | 7 | 亻 | 左右 | WEH | 形声 |
| 笔顺 | 丿 亻 们 们 们 佣 佣 | | | | |

【解　释】佣金，买卖东西时给介绍人的钱。

【组　词】佣金　佣钱

【同音字】用(使用)

【英　语】佣金　commission [kəˈmiʃn]

【多音字】yōng(见856页)

## YOU｜又

| yōu | 笔画 | 部首 | 结构 | 五笔 | 造字法 |
|---|---|---|---|---|---|
| 优 | 6 | 亻 | 左右 | WDN | 形声 |
| 笔顺 | 丿 亻 仁 仕 优 优 | | | | |

【解　释】❶优良；良好(跟"劣"相对)。❷充足；富裕。❸安逸；悠闲。

【组　词】优点　优秀　优美　择优

【造　句】优秀——他是一名优秀的室内设计室。

【同音字】幽(幽谷)

【形近字】忧(担忧)

【成　语】优柔寡断　优胜劣汰

【反义词】优柔寡断/斩钉截铁

【近义词】优良/优秀

【英　语】优秀　excellent [ˈeksələnt]

| yōu | 笔画 | 部首 | 结构 | 五笔 | 造字法 |
|---|---|---|---|---|---|
| 忧 | 7 | 忄 | 左右 | NDN | 形声 |
| 笔顺 | 丶 丷 忄 忄 忄 忧 忧 | | | | |

【解　释】❶忧愁；苦闷；担心。❷使人担心发愁的事。❸指父母的丧事。

【组　词】忧愁　忧虑　忧郁　担忧

【造　句】忧心如焚——一看到棉铃虫又肆虐起来，村里技术员们个个忧心如焚。

【同音字】幽(幽静)

Y

【形近字】优(优点)
【成　语】忧国忧民　忧患余生　忧心忡忡　忧心如焚
【反义词】忧心忡忡/无忧无虑
【近义词】忧心忡忡/喜气洋洋
【谚　语】忧令人老,想能伤身|忧愁多病,心宽体健。
【英　语】忧伤　distress [di'stres]

| yōu | 笔画 | 部首 | 结构 | 五笔 | 造字法 |
|---|---|---|---|---|---|
| 幽 | 9 | 山 | 半包围 | XXM | 会意 |
| 笔顺 | 丨 ㄐ 幺 幺 幽 幽 幽 幽 幽 | | | | |

【解　释】❶隐蔽的;秘密的。❷深远;僻静。❸阴暗。❹恬适;沉静。❺囚禁;关闭。❻迷信的人指所谓的阴间。❼古州名。❽姓。
【组　词】幽静　幽默　幽寂　幽雅
【造　句】曲径通幽——走入别墅区,草木葱茏,曲径通幽,几座欧式建筑隐约可见。
【同音字】忧(忧虑)
【形近字】函(信函)
【成　语】曲径通幽
【英　语】幽默　humorous ['hjuːmərəs]

| yōu | 笔画 | 部首 | 结构 | 五笔 | 造字法 |
|---|---|---|---|---|---|
| 悠 | 11 | 心 | 上下 | WHTN | 形声 |
| 笔顺 | ノ 亻 亻 亻 攸 攸 攸 攸 悠 悠 悠 | | | | |

【解　释】❶远;长久。❷闲适;闲散。❸在空中摆动。
【组　词】悠久　悠长　悠荡　悠然　悠闲　悠扬
【造　句】悠然自得——假日里他常约几个朋友去郊游,在那里悠然自得地欣赏大自然的美丽风光。
【同音字】优(优秀)　忧(担忧)
【形近字】修(修理)
【成　语】悠然自得　悠闲自在
【近义词】悠然自得/怡然自得
【英　语】悠长　long [lɔŋ]

| yóu | 笔画 | 部首 | 结构 | 五笔 | 造字法 |
|---|---|---|---|---|---|
| 尤 | 4 | 尢 | 独体 | DNV | 指事 |
| 笔顺 | 一 ナ 九 尤 | | | | |

【解　释】❶特别的;突出的。❷格外;尤其。❸过失;错误。❹怨恨;归咎。❺姓。
【组　词】尤其　尤物　尤为　尤甚　尤异　罪尤
【造　句】尤其——我喜欢油画,尤其喜欢印象派的油画。
【同音字】油(油水)　犹(犹豫)
【形近字】龙(恐龙)
【成　语】无耻之尤　怨天尤人
【英　语】尤其　especially [i'speʃəli]

| yóu | 笔画 | 部首 | 结构 | 五笔 | 造字法 |
|---|---|---|---|---|---|
| 由 | 5 | 丨 | 独体 | MHNG | 指事 |
| 笔顺 | 丨 冂 曰 由 由 | | | | |

【解　释】❶原因;缘故。❷经过。❸听从;顺从。❹介词。表示凭借。❺介词。自;从。❻介词。引进动作的对象。❼姓。
【组　词】由于　缘由　理由　来由　事由　自由
【造　句】由于——由于昨晚睡得太晚,我早晨上学迟到了。
【同音字】尤(尤其)

【形近字】甲(甲子) 申(申请)
【成　语】由此及彼 由衷之言
【反义词】由衷之言/违心之论
【谚　语】由俭入奢易,由奢入俭难|由浅及深,由近及远。
【英　语】由于 because [bi'kɔz]

| yóu | 笔画 | 部首 | 结构 | 五笔 | 造字法 |
|---|---|---|---|---|---|
| 邮 | 7 | 阝 | 左右 | MB | 形声 |
| 笔顺 | 丨 冂 日 由 由 由⁷ 邮 | | | | |

【解　释】❶通过邮局寄送信件或钱物等。❷有关邮务的。
【组　词】邮件 邮编 邮递 邮票 邮购 集邮 邮资 邮品 邮电局
【造　句】集邮——我们班几位集邮爱好者经常互相交换各自收藏的邮票。
【同音字】尤(尤其)
【形近字】油(油水)
【歇后语】邮递员进门——带信儿的来了。
【英　语】邮寄 post [pəust]

| yóu | 笔画 | 部首 | 结构 | 五笔 | 造字法 |
|---|---|---|---|---|---|
| 犹 | 7 | 犭 | 左右 | QTDN | 形声 |
| 笔顺 | ノ 犭 犭 犭 犷 犹 犹 | | | | |

【解　释】❶就像;如同。❷还;尚且。
【组　词】犹如
【造　句】过犹不及——任何事情,过犹不及就会产生反作用。
【同音字】邮(邮局)
【形近字】忧(忧虑)
【成　语】记忆犹新 犹豫不决 过犹不及
【反义词】过犹不及/恰如其分
【近义词】记忆犹新/历历在目
【英　语】犹豫 hesitate ['heziteit]

| yóu | 笔画 | 部首 | 结构 | 五笔 | 造字法 |
|---|---|---|---|---|---|
| 油 | 8 | 氵 | 左右 | IMG | 形声 |
| 笔顺 | 丶 氵 氵 氵 汩 沺 油 油 | | | | |

【解　释】❶从动植物体内提炼出来的可供食用的液态物质。❷由地下开采出来的可作燃料等的液态物质。❸用桐油、油漆等涂抹。❹被油弄脏。❺像油一样有光泽的。❻圆滑;世故;不诚实。
【组　词】油菜 油层 油滑 油画 油亮 油漆 奶油 煤油
【造　句】油腔滑调——他的油腔滑调引得大家一阵哄笑。
【同音字】由(由于)
【形近字】邮(邮票)
【成　语】油腔滑调 油然而生
【反义词】油腔滑调/一本正经
【近义词】油头粉面/涂脂抹粉
【歇后语】油滴落水——浮在上面。
【谚　语】油多了不香,蜜多了不甜|油足灯亮,肥足苗壮。
【英　语】油 oil [ɔil]

| yóu | 笔画 | 部首 | 结构 | 五笔 | 造字法 |
|---|---|---|---|---|---|
| 游 | 12 | 氵 | 左中右 | IYTB | 形声 |
| 笔顺 | 丶 氵 氵 氵 氵 汸 汸 汸 汸 游 游 游 | | | | |

【解　释】❶人或动物在水中行动。❷闲逛;四处悠闲从容地行走。❸相互交往。❹移动的;不固定的。❺飘荡的。❻河流的一段。❼姓。
【组　词】游泳 游牧 游民 游玩

【造　句】游玩——秋天到了，我们准备去香山游玩，看看红叶。
【同音字】油（奶油）
【成　语】游手好闲
【反义词】游刃有余/力不从心
【近义词】游手好闲/好逸恶劳
【歇后语】游方的道士——四海为家。
【谚　语】游手好闲，倾家荡产｜游泳知河深，谈话知人心。
【英　语】游客　visitor　[ˈvizitə]

| yǒu | 笔画 | 部首 | 结构 | 五笔 | 造字法 |
|---|---|---|---|---|---|
| 友 | 4 | 又 | 半包围 | DCU | 会意 |
| 笔顺 | 一 ナ 方 友 | | | | |

【解　释】❶朋友；彼此有交情的人。❷相好。❸有良好关系的。

甲骨文　金文　小篆　隶书　楷书

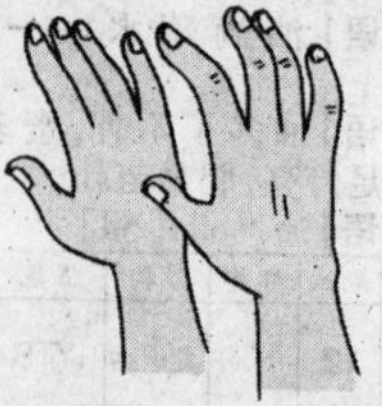

【字源释义】两只手（都是右手，显然是属于两个人的）靠拢在一起，表示“朋友”的意思。
【组　词】友谊　友好　友情　亲友　交友　访友　工友
【造　句】良师益友——他把每一本好书都视为良师益友。
【同音字】有（拥有）
【形近字】灰（灰色）
【成　语】良师益友　酒肉朋友
【反义词】良师益友/狐朋狗友
【近义词】良师益友/严师畏友
【英　语】朋友　friend　[frend]

| yǒu | 笔画 | 部首 | 结构 | 五笔 | 造字法 |
|---|---|---|---|---|---|
| 有 | 6 | 月 | 半包围 | E | 会意 |
| 笔顺 | 一 ナ 才 冇 有 有 | | | | |

【解　释】❶表示拥有（跟“无”相对）。❷表示存在。❸表示发生或出现。❹表示估量或比较。❺表示多，大。❻表示泛指，与“某”相近。❼表示部分。❽用在某些动词前表示客气。❾姓。

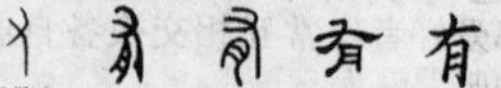

甲骨文　金文　小篆　隶书　楷书

【字源释义】甲骨文以“又”为“有”；又以“㞢”为“有”。金文在“又”下方加“月”（就是“肉”）旁，表示“取得”、“占有”的本义。引申为“存在”、“发生”等义。
【组　词】有力　有关　有利　有名　有钱　富有　占有
【造　句】有头无尾——由于缺乏方方面面的必要支持，这件事办得有头无尾。

【同音字】友(朋友)
【形近字】右(左右)
【成　语】有口皆碑　有口无心　有名无实　有目共睹　有气无力　有求必应　有声有色　有始有终　有恃无恐　有条不紊　有头无尾　有血有肉　有勇无谋
【反义词】有口皆碑/怨声载道
【近义词】有口无心/信口开河
【歇后语】有了肉吃嫌豆腐——贪得无厌。
【谚　语】有理走遍天下，无理寸步难行|有志者，自有千方百计；无志者，只有千难万难。
【英　语】有理　reasonable [ˈriːzənəbl]
【多音字】yòu(见864页)

| yǒu | 笔画 | 部首 | 结构 | 五笔 | 造字法 |
|---|---|---|---|---|---|
| 黝 | 17 | 黑 | 左右 | LFOL | 形声 |
| 笔顺 | 丨 冂 冂 冂 旦 甲 甲 里 里 黑 黑 黑 黑 黝 黝 黝 黝 | | | | |

【解　释】黑色。
【组　词】黝黑　黝黯　黑黝黝
【造　句】黝黑——他在烈日下干了几天农活，胳膊被晒得黝黑。
【同音字】有(拥有)
【形近字】默(默写)
【反义词】黝黑/雪白
【近义词】黝黑/黢黑
【英　语】黝黑　dark [daːk]

| yòu | 笔画 | 部首 | 结构 | 五笔 | 造字法 |
|---|---|---|---|---|---|
| 又 | 2 | 又 | 独体 | CCCC | 象形 |
| 笔顺 | ㇇ 又 | | | | |

【解　释】❶副词。表示重复或连续。❷表示多种情况或性质并列。❸表示意思上更进一层。❹再加上；还有。❺表示整数之外再加零。❻表示有矛盾的两件事情。❼表示转折，有“可是”的意思。❽在否定句或反问句中用，表示加强语气。
【组　词】又青又红　又及　又惊又喜
【造　句】又惊又喜——见到几年没回家的小姑，奶奶又惊又喜。
【同音字】右(右边)
【形近字】叉(鱼叉)
【歇后语】又敲锣鼓又放炮——想(响)在一起了。
【谚　语】又想吃鱼，又怕沾腥|又要马儿好，又要马儿不吃草。
【英　语】又　again [əˈgein]

| yòu | 笔画 | 部首 | 结构 | 五笔 | 造字法 |
|---|---|---|---|---|---|
| 右 | 5 | 口 | 半包围 | DK | 会意 |
| 笔顺 | 一 ナ 右 右 右 | | | | |

【解　释】❶方位词。面向北时靠东的一边(跟“左”相对)。❷西边。❸古时以右为上，表示重要、尊贵。❹思想上保守的。
【组　词】右边　右手　右派　右倾　左右　右翼　右首
【造　句】右首——那天开会，她就坐在我的右首。
【同音字】又(又及)
【形近字】石(石头)
【反义词】右/左
【英　语】右　right [rait]

| yòu | 笔画 | 部首 | 结构 | 五笔 | 造字法 |
|---|---|---|---|---|---|
| 幼 | 5 | 幺 | 左右 | XLN | 会意 |
| 笔顺 | ㄥ 幺 幺 幻 幼 | | | | |

Y

【解　释】❶年纪小；未成年的（跟“老”相对）。❷小孩子。
【组　词】幼儿　幼年　幼苗　幼稚
【造　句】扶老携幼——听说红军来了，山寨里的人们扶老携幼，全都出来相迎。
【辨　音】不读 huàn。
【同音字】右（右边）
【形近字】幻（幻想）
【成　语】扶老携幼
【反义词】幼年/老年
【谚　语】幼怕丧父，老怕丧子|幼年学的好比石头上刻的。
【英　语】幼小　immature [ˌiməˈtjuə]

| yòu | 笔画 | 部首 | 结构 | 五笔 | 造字法 |
| --- | --- | --- | --- | --- | --- |
| 有 | 6 | 月 | 半包围 | E | 会意 |
| 笔顺 | 一 ナ 才 有 有 有 | | | | |

【解　释】又。
【同音字】佑（保佑）
【多音字】yǒu（见 862 页）

| yòu | 笔画 | 部首 | 结构 | 五笔 | 造字法 |
| --- | --- | --- | --- | --- | --- |
| 佑 | 7 | 亻 | 左右 | WDK | 形声 |
| 笔顺 | ノ 亻 仁 什 佇 佑 佑 | | | | |

【解　释】❶保佑；保护。❷帮助；辅助。
【组　词】保佑　庇佑　辅佑
【造　句】辅佑——有诸葛亮的辅佑，刘禅便可安安稳稳地当他的皇帝了。
【同音字】右（右手）
【形近字】拓（开拓）
【英　语】保佑　help [help]

| yòu | 笔画 | 部首 | 结构 | 五笔 | 造字法 |
| --- | --- | --- | --- | --- | --- |
| 诱 | 9 | 讠 | 左右 | YTEN | 形声 |
| 笔顺 | 丶 讠 讠 讠 讦 诉 诱 诱 诱 | | | | |

【解　释】❶引导；诱导。❷用手段引人上钩。
【组　词】诱导　诱发　诱惑　引诱　利诱
【造　句】利诱——江姐被捕后，敌人对她威逼利诱，也不能令她投降。
【辨　音】不读 xiù。
【同音字】佑（保佑）
【形近字】锈（铁锈）
【成　语】威逼利诱　循循善诱
【近义词】威逼利诱/软硬兼施
【谚　语】诱饵藏钓钩。
【英　语】诱导　guide [gaid]

## YU　ㄩ

| yū | 笔画 | 部首 | 结构 | 五笔 | 造字法 |
| --- | --- | --- | --- | --- | --- |
| 迂 | 6 | 辶 | 半包围 | GFPK | 形声 |
| 笔顺 | 一 二 于 讦 讦 迂 | | | | |

【解　释】❶曲折。❷迂腐。
【组　词】迂腐　迂回　迂曲
【造　句】迂回——这部小说情节迂回曲折，非常吸引人。
【同音字】淤（淤积）
【形近字】过（过程）
【近义词】迂回/回旋
【反义词】迂回/笔直
【英　语】迂回　roundabout [ˈraundəbaut]

| yū | 笔画 | 部首 | 结构 | 五笔 | 造字法 |
|---|---|---|---|---|---|
| 淤 | 11 | 氵 | 左右 | IYWU | 形声 |
| 笔顺 | 丶 丶 氵 氵 氵 汸 汸 汸 淤 淤 淤 | | | | |

【解　释】❶水道被泥沙阻塞；不流通。❷沉积起来的泥沙。❸阻塞；不流通。
【组　词】淤泥　淤积　淤血　淤塞　淤滞
【造　句】淤积——大雨过后，院子里淤积了一层泥。
【形近字】游（游泳）
【英　语】淤泥　silt　[silt]

| yú | 笔画 | 部首 | 结构 | 五笔 | 造字法 |
|---|---|---|---|---|---|
| 于 | 3 | 一 | 独体 | GFK | 会意 |
| 笔顺 | 一 二 于 | | | | |

【解　释】❶在。❷自；从。❸至；到。❹向。❺对；对于。❻给。❼依照。❽过，表示比较。❾后缀，用在动词之后。❿后缀，用在形容词之后。
【组　词】于是　便于　敢于　过于　鉴于　苦于　限于　以至于
【造　句】于是——出门前看到天空布满乌云，我于是带上雨伞以防下雨。
【同音字】鱼（鱼虫）
【形近字】干（干净）
【英　语】于是　thereupon　[ðɛərə'pɔn]

| yú | 笔画 | 部首 | 结构 | 五笔 | 造字法 |
|---|---|---|---|---|---|
| 予 | 4 | 乛 | 独体 | CBJ | 象形 |
| 笔顺 | 乛 龴 龴 予 | | | | |

【解　释】人称代词。我。
【多音字】yǔ（见 754 页）

| yú | 笔画 | 部首 | 结构 | 五笔 | 造字法 |
|---|---|---|---|---|---|
| 余 | 7 | 人 | 上下 | WTU | 形声 |
| 笔顺 | 丿 人 亼 亼 今 佘 余 | | | | |

【解　释】❶剩下。❷整数之后的零头。❸某种情况之外的另一种或一些情况。❹姓。
【组　词】余额　多余　其余　业余
【造　句】业余——他是业余组的选手。
【同音字】娱（娱乐）
【形近字】于（于是）
【近义词】余额/空额
【成　语】一览无余
【英　语】余数　remainder　[ri'meində]

| yú | 笔画 | 部首 | 结构 | 五笔 | 造字法 |
|---|---|---|---|---|---|
| 鱼 | 8 | 鱼 | 独体 | QGF | 象形 |
| 笔顺 | 丿 ⺈ ⺈ 鱼 鱼 鱼 鱼 鱼 | | | | |

【解　释】❶生活在水中的脊椎动物，有鳞和鳍，用鳃呼吸，用鳍游泳。大部分可供食用。❷姓。

甲骨文　金文　小篆　隶书　楷书

Y

Y

【字源释义】“鱼”原是一个十分形象的象形字，鱼的头、身、鳞、鳍俱全。后来逐渐变成了不象形的象形字，鱼的尾部竟与“灬”（火）混同起来。
【组　词】鱼肉　鱼苗　草鱼　带鱼
【造　句】鱼肉——据说春天的鱼肉味道最美。
【同音字】于（于是）
【形近字】画（画笔）
【成　语】鱼目混珠　鱼贯而入
【谚　语】鱼多水不清，星多月不明|鱼靠水，箭靠弓，人民自古是英雄。
【英　语】鱼　fish [fiʃ]

| yú | 笔画 | 部首 | 结构 | 五笔 | 造字法 |
|---|---|---|---|---|---|
| 娱 | 10 | 女 | 左右 | VKGD | 形声 |
| 笔顺 | ㇛ 女 女 女 妒 妒 妒 娱 娱 娱 | | | | |

【解　释】❶使快乐；高兴。❷欢乐；快乐。
【组　词】欢娱　文娱　娱乐
【造　句】娱乐——下象棋是他爱好的娱乐活动之一。
【辨　音】不读 yù。
【同音字】鱼（鱼肉）
【形近字】蜈（蜈蚣）
【英　语】娱乐　entertainment [entə'teinmənt]

| yú | 笔画 | 部首 | 结构 | 五笔 | 造字法 |
|---|---|---|---|---|---|
| 渔 | 11 | 氵 | 左右 | IQGG | 形声 |
| 笔顺 | 丶 氵 氵 氵 氵 氵 渔 渔 渔 渔 渔 | | | | |

【解　释】❶捕鱼。❷用不正当的手段去谋取。
【组　词】渔业　渔民　渔船　渔利
【造　句】渔业——改革开放以来，我国渔业生产发展很快。
【同音字】于（于是）
【形近字】鱼（鱼饵）
【英　语】渔民　fisherman ['fiʃəmən]

| yú | 笔画 | 部首 | 结构 | 五笔 | 造字法 |
|---|---|---|---|---|---|
| 逾 | 12 | 辶 | 半包围 | WGEP | 形声 |
| 笔顺 | ノ 人 亼 今 俞 俞 俞 俞 俞 逾 逾 逾 | | | | |

【解　释】❶超越；越过。❷更加；更。
【组　词】逾期　逾越
【造　句】逾越——他和她之间好像有着一道不可逾越的鸿沟。
【同音字】余（余数）
【形近字】愉（愉快）
【成　语】年逾古稀
【英　语】逾越　exceed [ik'siːd]

| yú | 笔画 | 部首 | 结构 | 五笔 | 造字法 |
|---|---|---|---|---|---|
| 愉 | 12 | 忄 | 左右 | NWGJ | 形声 |
| 笔顺 | 丶 ㇀ 忄 忄 忄 忄 忄 愉 愉 愉 愉 愉 | | | | |

【解　释】高兴；快乐。
【组　词】愉快　愉悦
【造　句】愉快——他们在山村教书，条件虽艰苦，但心情很愉快。
【辨　音】不读 yù。
【同音字】于（敢于）
【形近字】榆（榆树）
【近义词】愉快/高兴
【英　语】愉快　happy ['hæpi]

| yú | 笔画 | 部首 | 结构 | 五笔 | 造字法 |
|---|---|---|---|---|---|
| 瑜 | 13 | 王 | 左右 | GWGJ | 形声 |
| 笔顺 | 一 二 F 王 王' 玠 玠 玠 瑜 瑜 瑜 瑜 瑜 | | | | |

【解　释】❶美玉。❷玉的光彩,比喻优点。
【成　语】瑕不掩瑜　瑕瑜互见

| yú | 笔画 | 部首 | 结构 | 五笔 | 造字法 |
|---|---|---|---|---|---|
| 榆 | 13 | 木 | 左右 | SWGJ | 形声 |
| 笔顺 | 一 十 才 木 木' 术 朴 柃 榆 榆 榆 榆 榆 | | | | |

【解　释】榆树,落叶乔木,叶子卵形,木材纹理直,结构稍粗,可作建筑材料,可制家具。果实叫榆钱,可吃或做饲料。
【组　词】榆树　榆钱
【同音字】愉(愉快)
【形近字】愉(愉快)
【英　语】榆树　elm [elm]

| yú | 笔画 | 部首 | 结构 | 五笔 | 造字法 |
|---|---|---|---|---|---|
| 愚 | 13 | 心 | 上下 | JMHN | 形声 |
| 笔顺 | 丨 口 日 日 日 吕 禺 禺 禺 禺 愚 愚 愚 | | | | |

【解　释】❶笨;无知。❷欺骗;愚弄。❸自称的谦辞。
【组　词】愚笨　愚昧　愚弄
【造　句】愚公移山——如果没有愚公移山的坚毅精神,取得成功是不可能的。
【同音字】渔(渔业)
【成　语】愚公移山　愚不可及
【近义词】愚公移山/精卫填海
【歇后语】愚公之居——开门见山。
【谚　语】愚者千虑,必有一得|愚蠢的人偏说别人愚蠢。
【英　语】愚蠢　stupid ['stjuːpid]

| yǔ | 笔画 | 部首 | 结构 | 五笔 | 造字法 |
|---|---|---|---|---|---|
| 与 | 3 | 一 | 独体 | GN | 会意 |
| 笔顺 | 一 与 与 | | | | |

【解　释】❶介词。跟。❷连词。和。❸给予。❹交往;友好。❺帮助;赞许。
【组　词】与人　施与　参与　送与
【造　句】与日俱增——随着年龄的增长、事业的发展,这位海外游子对家乡的眷恋也与日俱增。
【同音字】屿(岛屿)
【形近字】写(写字)
【成　语】与日俱增　与众不同
【近义词】与世长辞/寿终正寝
【多音字】yù(见869页)

| yǔ | 笔画 | 部首 | 结构 | 五笔 | 造字法 |
|---|---|---|---|---|---|
| 予 | 4 | 乛 | 独体 | CBJ | 象形 |
| 笔顺 | 乛 マ 孑 予 | | | | |

【解　释】给;给以。
【组　词】予以　赐予　赋予　给予
【造　句】给予——对于小明在竞赛中的表现,队长给予了肯定。
【同音字】宇(宇宙)
【形近字】矛(矛盾)
【近义词】给予/赐予
【成　语】予人口实
【英　语】给予　give [giv]
【多音字】yú(见752页)

| yǔ | 笔画 | 部首 | 结构 | 五笔 | 造字法 |
|---|---|---|---|---|---|
| 屿 | 6 | 山 | 左右 | MGNG | 形声 |
| 笔顺 | 丨 山 山 山⁻ 屿 屿 | | | | |

【解　释】小岛。
【组　词】岛屿
【同音字】与(与其)
【英　语】岛屿　island　[ ˈailənd ]

| yǔ | 笔画 | 部首 | 结构 | 五笔 | 造字法 |
|---|---|---|---|---|---|
| 宇 | 6 | 宀 | 上下 | PGF | 形声 |
| 笔顺 | 丶 丶 宀 宁 宇 宇 | | | | |

【解　释】❶房檐,泛指房屋。❷上下四方,所有的空间。❸风度;气质。❹姓。
【组　词】宇宙　宇航　天宇　楼宇
【造　句】宇宙——宇宙给我们留下了很多谜,我们只有学好科学知识才能一一解开。
【同音字】羽(羽毛)
【形近字】字(字典)
【成　语】琼楼玉宇
【近义词】宇宙/太空
【英　语】宇宙　universe　[ ˈjuːnivəːs ]

| yǔ | 笔画 | 部首 | 结构 | 五笔 | 造字法 |
|---|---|---|---|---|---|
| 羽 | 6 | 羽 | 左右 | NNYG | 象形 |
| 笔顺 | 𠃌 习 习 羽 羽 羽 | | | | |

【解　释】❶泛指鸟类身体表面所长的毛。❷鸟类的代称。❸量词。用于鸟类。❹古代五音之一。

甲骨文　金文　小篆　隶书　楷书

【字源释义】甲骨文很形象地是两根羽毛的形状。本义是鸟翅膀上的长毛。引申为鸟虫的翅膀。再引申为鸟类。又指箭翎。
【组　词】羽毛　羽翼　羽缎　羽毛球
【同音字】宇(宇宙)
【形近字】扇(扇子)　习(习惯)
【谚　语】羽毛不丰,不可高飞。
【英　语】羽毛　feather　[ ˈfeðə ]

| yǔ | 笔画 | 部首 | 结构 | 五笔 | 造字法 |
|---|---|---|---|---|---|
| 雨 | 8 | 雨 | 独体 | FGHY | 形声 |
| 笔顺 | 一 丆 冂 币 币 雨 雨 雨 | | | | |

【解　释】❶从云层中降落到地面上的水滴。❷像雨样降落得多而密。

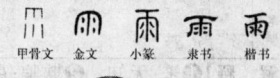

甲骨文　金文　小篆　隶书　楷书

【字源释义】甲骨文的“雨”字上端一横表示天空，下面的小竖点表示雨点。金文以后字形逐渐有了变化。到了楷书，除四个点外就看不出原义来了。
【组　词】雨点　雨丝　雨雾　雨伞　雨靴　阵雨　雨意
【造　句】雨意——天空万里无云，没有一丝雨意。
【同音字】宇（宇宙）
【形近字】两（两个）
【成　语】雨过天晴　雨后春笋
【近义词】雨过天晴/云消雾散
【谚　语】雨后出长虹，事后有结果。
【英　语】雨　rain ［rein］

| yǔ | 笔画 | 部首 | 结构 | 五笔 | 造字法 |
|---|---|---|---|---|---|
| 语 | 9 | 讠 | 左右 | YGK | 形声 |
| 笔顺 | 丶 讠 讠 讠 讠 讠 讠 语 语 | | | | |

【解　释】❶与人说话。❷话。❸谚语；成语。❹代替语言的动作。
【组　词】语言　语法　语句　手语
【造　句】语无伦次——由于过于激动，她讲话有些语无伦次。
【同音字】宇（宇宙）
【形近字】悟（悟出）
【成　语】语无伦次　语重心长
【谚　语】语不惊人，貌不压众。
【英　语】语法　grammar ［'græmə］

| yù | 笔画 | 部首 | 结构 | 五笔 | 造字法 |
|---|---|---|---|---|---|
| 与 | 3 | 一 | 独体 | GN | 会意 |
| 笔顺 | 一 与 与 | | | | |

【解　释】参加。
【组　词】参与　与会
【造　句】参与——这件事他也参与了，要奖励就连他一起奖励吧。
【同音字】玉（玉石）
【英　语】参与　take part in ［teik pa:t in］
【多音字】yǔ（见 867 页）

| yù | 笔画 | 部首 | 结构 | 五笔 | 造字法 |
|---|---|---|---|---|---|
| 玉 | 5 | 王 | 独体 | GY | 象形 |
| 笔顺 | 一 二 干 王 玉 | | | | |

【解　释】❶一种贵重的矿物，质地细而有光泽，可以用来制造装饰品或做雕刻的材料。❷比喻洁白或美丽。❸比喻完美贵重。❹对人的敬辞。❺姓。

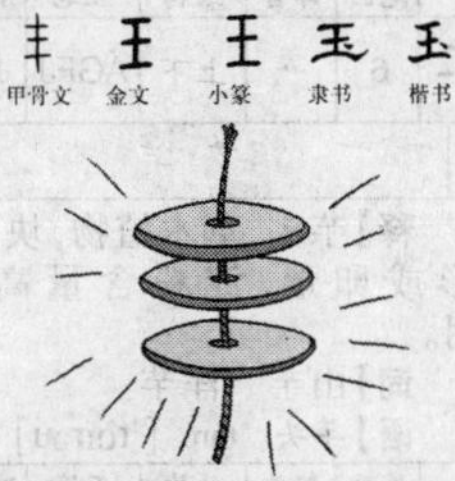


【字源释义】甲骨文“玉”字像用一根绳子穿着几块玉石。金文和小篆作三横一竖，与“王”字相似；它们的区别是“玉”字三横等距，而“王”字不是而已。隶书以后“玉”字才加点。
【组　词】玉石　玉佩　美玉　宝玉
【造　句】玉石——这座观音雕像是玉石的。
【同音字】育（教育）
【形近字】王（大王）

【成　语】玉石俱焚　抛砖引玉
【反义词】小家碧玉/大家闺秀
【近义词】玉石俱焚/同归于尽
【谚　语】玉碎不改白，竹焚不改节。
【英　语】玉石　jade [dʒeid]

| yù | 笔画 | 部首 | 结构 | 五笔 | 造字法 |
|---|---|---|---|---|---|
| 驭 | 5 | 马 | 左右 | CCY | 会意 |
| 笔顺 | ㇇ 马 马 马フ 驭 | | | | |

【解　释】❶驾驭。❷统率;控制。
【组　词】驾驭　驭手
【造　句】驾驭——这匹马很好驾驭。
【英　语】驭手　horseman [ˈhɔːsmən]

| yù | 笔画 | 部首 | 结构 | 五笔 | 造字法 |
|---|---|---|---|---|---|
| 芋 | 6 | 艹 | 上下 | AGFJ | 形声 |
| 笔顺 | 一 十 艹 艹 芏 芋 | | | | |

【解　释】芋头，草木植物，块茎椭圆形或卵形，淀粉含量高，供食用。
【组　词】山芋　洋芋
【英　语】芋头　taro [ˈtɑːrəu]

| yù | 笔画 | 部首 | 结构 | 五笔 | 造字法 |
|---|---|---|---|---|---|
| 吁 | 6 | 口 | 左右 | KGFH | 形声 |
| 笔顺 | 丨 ㇆ 口 口一 吁 吁 | | | | |

【解　释】为某种要求而呼喊。
【组　词】吁请　吁求　呼吁
【造　句】呼吁——学校呼吁我们捐款赈济地震灾区。
【同音字】驭(驾驭)
【英　语】呼吁　appeal [əˈpiːl]

| yù | 笔画 | 部首 | 结构 | 五笔 | 造字法 |
|---|---|---|---|---|---|
| 郁 | 8 | 阝 | 左右 | DEBH | 形声 |
| 笔顺 | 一 ナ 才 有 有 有 有阝 郁 | | | | |

【解　释】❶草木茂盛。❷香气浓。❸姓。
【组　词】浓郁　忧郁　抑郁　郁闷
【造　句】郁郁葱葱——从远处望去，大兴安岭的千里林海郁郁葱葱。
【同音字】欲(欲望)
【成　语】郁郁葱葱　郁郁寡欢
【反义词】郁郁寡欢/兴高采烈
【近义词】郁郁寡欢/忧心忡忡
【英　语】郁闷　gloomy [ˈgluːmi]

| yù | 笔画 | 部首 | 结构 | 五笔 | 造字法 |
|---|---|---|---|---|---|
| 育 | 8 | 月 | 上下 | YCEF | 会意 |
| 笔顺 | 丶 亠 士 云 产 育 育 育 | | | | |

【解　释】❶生育。❷培育。❸教导。

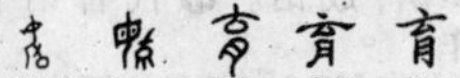

【字源释义】一个妇女，身边有一个孩子，旁边有一些液体，表示“生育”。“育”和“毓”原是同一个字，后来才分化为两字。

【组　词】育婴　育苗　德育　教育　美育　生育　体育　育人
【同音字】裕(宽裕)
【形近字】肓(肓人)
【英　语】教育　educate　['edjukeit]

| yù | 笔画 | 部首 | 结构 | 五笔 | 造字法 |
|---|---|---|---|---|---|
| 狱 | 9 | 犭 | 左中右 | QTYD | 会意 |
| 笔顺 | 丿 犭 犭 犭 犭 犭 犭 狱 狱 | | | | |

【解　释】❶监狱。❷罪案；官司；讼事。
【组　词】监狱　出狱　牢狱　冤狱
【同音字】玉(玉石)
【英　语】监狱　prison　['prizən]

| yù | 笔画 | 部首 | 结构 | 五笔 | 造字法 |
|---|---|---|---|---|---|
| 峪 | 10 | 山 | 左右 | MWWK | 形声 |
| 笔顺 | 丨 山 山 山 山 山 山 山 峪 峪 | | | | |

【解　释】山谷(多用于地名)。
【组　词】嘉峪关
【造　句】嘉峪关——嘉峪关位于我国的甘肃省。
【同音字】欲(欲望)
【形近字】浴(沐浴)

| yù | 笔画 | 部首 | 结构 | 五笔 | 造字法 |
|---|---|---|---|---|---|
| 浴 | 10 | 氵 | 左右 | IWWK | 形声 |
| 笔顺 | 丶 丶 氵 氵 氵 氵 氵 氵 浴 浴 | | | | |

【解　释】❶洗澡。❷浑身浸染。

甲骨文　金文　小篆　隶书　楷书

【字源释义】甲骨文的字形是一个人站在大盆里洗澡。金文未见“浴”字。战国楚帛书初见左形(“水”)右声(“谷”)的形声。
【组　词】浴池　浴盆　浴室　浴巾
【造　句】浴池——我们小区新开了一家浴池。
【同音字】育(教育)
【形近字】峪(嘉峪关)
【英　语】浴盆　bathtub　['bɑːθ tʌb]

| yù | 笔画 | 部首 | 结构 | 五笔 | 造字法 |
|---|---|---|---|---|---|
| 预 | 10 | 页 | 左右 | CBDM | 形声 |
| 笔顺 | ㇇ 龴 予 予 予 予 予 预 预 预 | | | | |

【解　释】❶事先。❷干预；参与。
【组　词】预计　预先　干预　预演
【造　句】预演——我们明天在礼堂预演，然后就赴省里演出。
【同音字】育(育人)
【形近字】项(项目)
【英　语】预示　betoken　[bi'təukən]

| yù | 笔画 | 部首 | 结构 | 五笔 | 造字法 |
|---|---|---|---|---|---|
| 域 | 11 | 土 | 左右 | FAKG | 形声 |
| 笔顺 | 一 十 土 土 土 坷 坷 垣 域 域 域 | | | | |

Y

【解　释】❶在一定疆界内的地方。❷泛指某种范围。
【组　词】区域　域中　领域　海域
【同音字】郁(浓郁)
【形近字】或(或者)
【英　语】领域　territory [ˈteritəri]

| yù | 笔画 | 部首 | 结构 | 五笔 | 造字法 |
|---|---|---|---|---|---|
| 欲 | 11 | 欠 | 左右 | WWKW | 形声 |
| 笔顺 | ノ ハ ケ 尖 谷 谷 谷 谷 谷 谷 欲 | | | | |

【解　释】❶欲望;欲念。❷想要。❸将要;快要。❹需要。
【组　词】欲望　欲念　贪欲　食欲
【造　句】欲说还休——看见他欲说还休、满脸委屈的样子,我们知道他可能有些事情没讲出来。
【同音字】育(育人)
【形近字】浴(沐浴)
【成　语】随心所欲　欲说还休
【近义词】欲罢不能/不由自主
【谚　语】欲得真学问,须下苦功夫。
【英　语】欲望　desire [diˈzaiə]

| yù | 笔画 | 部首 | 结构 | 五笔 | 造字法 |
|---|---|---|---|---|---|
| 谕 | 11 | 讠 | 左右 | YWGJ | 形声 |
| 笔顺 | 丶 讠 讠 计 计 论 谕 谕 谕 谕 谕 | | | | |

【解　释】告诉;吩咐,用于上级对下级或长辈对晚辈。
【组　词】手谕　面谕　谕旨　上谕
【同音字】玉(玉石)
【形近字】榆(榆树)

| yù | 笔画 | 部首 | 结构 | 五笔 | 造字法 |
|---|---|---|---|---|---|
| 尉 | 11 | 寸 | 左右 | NFIF | 会意 |
| 笔顺 | ㇇ コ 尸 尸 尸 尸 尽 尉 尉 尉 尉 | | | | |

【解　释】❶尉犁,地名,在新疆维吾尔自治区。❷尉迟,姓。
【组　词】尉迟　尉犁
【造　句】尉犁——尉犁县有着悠久的历史。

| yù | 笔画 | 部首 | 结构 | 五笔 | 造字法 |
|---|---|---|---|---|---|
| 遇 | 12 | 辶 | 半包围 | JMHP | 形声 |
| 笔顺 | 丨 冂 日 日 旦 早 禺 禺 禺 禺 遇 遇 | | | | |

【解　释】❶相逢;碰见。❷对待;款待。❸遭到。❹机会。❺姓。
【组　词】遇见　遇难　机遇　巧遇
【造　句】机遇——这个机遇太难得了,你一定要把握住。
【同音字】预(预习)
【形近字】寓(寓言)
【成　语】不期而遇　遇事生风
【谚　语】遇方便时行方便,得饶人处且饶人。
【英　语】遇见　meet [miːt]

| yù | 笔画 | 部首 | 结构 | 五笔 | 造字法 |
|---|---|---|---|---|---|
| 喻 | 12 | 口 | 左右 | KWGJ | 形声 |
| 笔顺 | 丨 ㄇ 口 口' 吖 吣 吣 吣 喻 喻 喻 喻 | | | | |

【解　释】❶比方。❷说明;告知;使人知道。❸明白;了解。❹姓。
【组　词】喻示　比喻　明喻　暗喻
【造　句】比喻——人们常把老师

比喻成蜡烛。
【辨　音】不读 yì。
【同音字】玉(宝玉)
【形近字】谕(上谕)
【成　语】不可理喻　不言而喻
【反义词】不可理喻/通情达理
【近义词】不可理喻/蛮不讲理
【英　语】比喻　metaphor [ˈmetəfə]

| yù | 笔画 | 部首 | 结构 | 五笔 | 造字法 |
|---|---|---|---|---|---|
| 御 | 12 | 彳 | 左右 | TRHB | 会意 |
| 笔顺 | 丿 彳 彳 彳 彳 彳 彳 彳 彳 彳 彳 御 | | | | |

【解　释】❶驾驶车马。❷抵挡。❸治理;统治。❹封建社会指与皇帝有关的。

甲骨文　金文　小篆　隶书　楷书

【字源释义】字形像一个人拿着马鞭,本义是驾驭车马,同“驭”。引申为与皇帝有关的事物。又作“抵御”讲,这个意义后来多写作“禦”。现又将“御”、“禦”合并为“御”。
【组　词】御车　御赐　御寒　抵御　御驾　防御
【造　句】抵御——你穿得这么单薄,怎能抵御这刺骨的寒风呢?
【同音字】喻(明喻)
【形近字】街(街道)
【谚　语】御寒莫如重裘,止谤莫如自修。
【英　语】御赐　bestowed [biˈs-təud]

| yù | 笔画 | 部首 | 结构 | 五笔 | 造字法 |
|---|---|---|---|---|---|
| 寓 | 12 | 宀 | 上下 | PJMY | 形声 |
| 笔顺 | 丶 丶 宀 宀 宀 宀 宀 宀 寓 寓 寓 寓 | | | | |

【解　释】❶寄居;居住。❷住的地方;寓所。❸寄托;隐含 。
【组　词】寓言　寓意　公寓　寓所　寓居
【造　句】寓意——这则小故事寓意深长。
【同音字】玉(美玉)
【形近字】愚(愚蠢)
【英　语】寓言　fable [ˈfeibl]

| yù | 笔画 | 部首 | 结构 | 五笔 | 造字法 |
|---|---|---|---|---|---|
| 裕 | 12 | 衤 | 左右 | PUWK | 形声 |
| 笔顺 | 丶 ラ 衤 衤 衤 衤 衤 衤 衿 衿 裕 裕 | | | | |

【解　释】❶富余;宽绰。❷使富足。❸姓。
【组　词】富裕　充裕　宽裕　裕固族
【造　句】富裕——改革开放以来,农民逐渐富裕起来了。
【同音字】育(教育)
【形近字】浴(沐浴)
【反义词】富裕/贫穷
【英　语】富裕　abundant [əˈb-ʌndənt]

| yù | 笔画 | 部首 | 结构 | 五笔 | 造字法 |
|---|---|---|---|---|---|
| 愈 | 13 | 心 | 上下 | WGEN | 形声 |
| 笔顺 | ノ 人 亼 今 俞 俞 俞 俞 俞 俞 俞 愈 愈 愈 | | | | |

【解　释】❶(病)好;痊。❷较好;胜过。❸越;更加。
【组　词】愈合　愈加　痊愈
【造　句】愈合——多休息几天,这样有利于伤口的愈合。
【同音字】誉(荣誉)
【近义词】愈加/更加
【英　语】愈合　heal up [hiːl ʌp]

| yù | 笔画 | 部首 | 结构 | 五笔 | 造字法 |
|---|---|---|---|---|---|
| 誉 | 13 | 言 | 上下 | IWYF | 形声 |
| 笔顺 | 丶 丷 兴 兴 兴 兴 誉 誉 誉 誉 誉 誉 誉 | | | | |

【解　释】❶名声。❷称赞;赞美。
【组　词】名誉　称誉　信誉　荣誉　赞誉
【造　句】荣誉——运动健儿在奥运赛场上为国家争得了荣誉。
【同音字】育(教育)
【形近字】举(高举)
【成　语】沽名钓誉
【近义词】誉满天下/驰名中外
【英　语】名誉　reputation [ˌrepju'teiʃən]

| yù | 笔画 | 部首 | 结构 | 五笔 | 造字法 |
|---|---|---|---|---|---|
| 蔚 | 14 | 艹 | 上下 | ANFF | 形声 |
| 笔顺 | 一 十 艹 艹 艹 芦 芦 蔚 蔚 蔚 蔚 蔚 蔚 蔚 | | | | |

【解　释】蔚县,在河北省。
【同音字】玉(玉米)

【多音字】wèi(见 646 页)

## YUAN ㄩㄢ

| yuān | 笔画 | 部首 | 结构 | 五笔 | 造字法 |
|---|---|---|---|---|---|
| 冤 | 10 | 冖 | 上下 | PQKY | 会意 |
| 笔顺 | 丶 冖 冖 冖 冖 冖 冖 冖 冤 冤 | | | | |

【解　释】❶受屈;冤枉。❷上当;吃亏。❸仇恨。❹欺骗。
【组　词】冤案　冤气　冤枉　冤家　含冤　叫冤
【造　句】冤枉——把这个过错加在她头上,真是冤枉她了。
【同音字】渊(深渊)
【形近字】兔(兔子)
【成　语】冤家路窄
【近义词】冤家路窄/狭路相逢
【谚　语】冤家宜解不宜结。
【英　语】冤枉　wrong [rɔŋ]

| yuān | 笔画 | 部首 | 结构 | 五笔 | 造字法 |
|---|---|---|---|---|---|
| 渊 | 11 | 氵 | 左右 | ITOH | 形声 |
| 笔顺 | 丶 丶 氵 氵 氵 氵 氵 氵 渊 渊 渊 | | | | |

【解　释】❶深水,潭。❷深。❸姓。

甲骨文　金文　小篆　隶书　楷书

【字源释义】甲骨文“渊”字像一个大水潭，三条曲线表示水。金文以后加“水”字旁。本义是“深潭”或“有漩涡的水”。引申为“深远”，例如“渊博”。
【组 词】深渊 渊源 临渊 渊博
【造 句】临渊羡鱼——不把美好的愿望见之于行动，临渊羡鱼，又有何用？
【同音字】冤（冤枉）
【形近字】洲（大洲）
【反义词】渊博/浅薄
【近义词】渊博/广博
【成 语】临渊羡鱼
【英 语】渊源 origin [ˈɔridʒin]

| yuán | 笔画 | 部首 | 结构 | 五笔 | 造字法 |
|---|---|---|---|---|---|
| 元 | 4 | 儿 | 上下 | FQB | 指事 |
| 笔顺 | 一 二 テ 元 | | | | |

【解 释】❶开始的；第一。❷居首的；为首的。❸根本；主要。❹元素。❺构成一个整体的。❻货币单位，同“圆”。❼朝代名。❽姓。
【组 词】元旦 元月 元勋 元首 单元 公元 银元
【同音字】原（原来）
【形近字】无（无论）
【歇后语】元旦翻日历——第一回。
【英 语】元帅 marshal [ˈmɑːʃl]

| yuán | 笔画 | 部首 | 结构 | 五笔 | 造字法 |
|---|---|---|---|---|---|
| 园 | 7 | 口 | 全包围 | LFQV | 形声 |
| 笔顺 | 丨 冂 冂 冃 冃 冋 园 | | | | |

【解 释】❶种植树木、花草、蔬菜的地方。❷供人游览娱乐的地方。
【组 词】花园 菜园 公园 园林 家园 校园 动物园
【同音字】元（元月）
【形近字】圆（圆圈）
【歇后语】园里的葵花——永远向阳。
【谚 语】园丁爱自己种下的花朵，牧人爱自己放牧的羊群。
【英 语】园丁 gardener [ˈgɑːdnə]

| yuán | 笔画 | 部首 | 结构 | 五笔 | 造字法 |
|---|---|---|---|---|---|
| 员 | 7 | 口 | 上下 | KMU | 会意 |
| 笔顺 | 丶 ㄇ 口 户 月 员 员 | | | | |

【解 释】❶指工作或学习的人。❷团体或组织里的成员。❸量词。用于武将。
【组 词】教员 艺员 员工 复员 演员 党员 团员 队员 减员
【造 句】减员——本公司从元月份开始减员。
【同音字】圆（圆满）
【形近字】贡（贡献）
【歇后语】员外郎穿葛布——爽利（吏）。
【英 语】员工 staff [stɑːf]

| yuán | 笔画 | 部首 | 结构 | 五笔 | 造字法 |
|---|---|---|---|---|---|
| 袁 | 10 | 土 | 上中下 | FKEU | 形声 |
| 笔顺 | 一 十 土 土 吉 吉 声 声 声 袁 | | | | |

【解 释】姓。
【同音字】原（原来）
【形近字】哀（悲哀）

Y

| yuán | 笔画 | 部首 | 结构 | 五笔 | 造字法 |
|---|---|---|---|---|---|
| 原 | 10 | 厂 | 半包围 | DRI | 会意 |
| 笔顺 | 一 厂 厂 厂 historia 厂 戸 盾 原 原 原 | | | | |

【解　释】❶最初的；开始的。❷根本；原来。❸没有加工的。❹原谅。❺宽广的地方。❻推求；察究。

【组　词】原始　原因　原本　原意　原料　原谅　高原　草原　原创

【造　句】原始——距我家100公里就是原始森林了。

【同音字】元(元件)

【形近字】愿(愿意)

【成　语】原形毕露　原封不动　情有可原

【反义词】原始/文明

【近义词】原形毕露/暴露无遗

【歇后语】原子弹炸鸟——大材小用。

【谚　语】原钥匙开原锁，原汤化原食。

【英　语】原谅　excuse［ik'skjuːz］

| yuán | 笔画 | 部首 | 结构 | 五笔 | 造字法 |
|---|---|---|---|---|---|
| 圆 | 10 | 口 | 全包围 | LKMI | 形声 |
| 笔顺 | 丨 冂 冂 冋 冋 冋 员 圆 圆 圆 | | | | |

【解　释】❶圆周的简称，有时也指圆周所包围的平面。❷像球的形状。❸完满；周到。❹使周全。

【组　词】圆圈　圆满　桂圆　汤圆

【造　句】圆满——这次会议圆满结束。

【同音字】原(原来)

【形近字】园(花园)

【成　语】花好月圆

【近义词】圆满/完满

【歇后语】圆珠笔蘸墨水——多事。

【英　语】圆规　compasses［'kʌmpəsis］

| yuán | 笔画 | 部首 | 结构 | 五笔 | 造字法 |
|---|---|---|---|---|---|
| 援 | 12 | 扌 | 左右 | REFC | 形声 |
| 笔顺 | 一 十 扌 扌 扌 扌 扌 扌 扌 护 捋 援 | | | | |

【解　释】❶用手向上攀。❷帮助；援助。❸引用。

【组　词】援救　援军　援助　救援　后援　外援　支援

【造　句】支援——我们呼吁全国人民支援长江沿岸的灾区人民。

【同音字】原(原始)

【形近字】暖(暖和)

【英　语】援助　help［help］

| yuán | 笔画 | 部首 | 结构 | 五笔 | 造字法 |
|---|---|---|---|---|---|
| 缘 | 12 | 纟 | 左右 | XXE | 形声 |
| 笔顺 | 𠃋 纟 纟 纟 纟 纟 纟 纟 缘 缘 缘 缘 | | | | |

【解　释】❶原因；缘故。❷因为。❸边。❹沿着；顺着。❺缘分；机缘。

【组　词】缘故　缘由　人缘　血缘　机缘　化缘　缘分

【造　句】缘故——他到现在还没来，不知道是什么缘故。

【同音字】元(元件)

【形近字】橼(橼子)

【成　语】缘木求鱼

【近义词】缘故/缘由

【谚　语】缘木求鱼空自守。
【英　语】缘故　reason [ˈriːzən]

| yuán | 笔画 | 部首 | 结构 | 五笔 | 造字法 |
|---|---|---|---|---|---|
| 猿 | 13 | 犭 | 左右 | QTFE | 形声 |
| 笔顺 | 丿 犭 犭 犭 犭 犴 犴 猜 猜 猜 猿 猿 猿 | | | | |

【解　释】哺乳动物，形状像猴而比猴大，种类很多，有的形状跟人类相似。生活在森林中。
【组　词】猿猴　猿人
【同音字】元（元月）
【英　语】猿人　apeman [ˈeipmæn]

| yuán | 笔画 | 部首 | 结构 | 五笔 | 造字法 |
|---|---|---|---|---|---|
| 源 | 13 | 氵 | 左右 | IDRI | 形声 |
| 笔顺 | 丶 丶 氵 氵 沥 沥 沥 源 源 源 源 源 源 | | | | |

【解　释】❶水流开始的地方。❷事物的根本；来路。❸姓。
【组　词】源泉　源头　本源　能源　起源　资源
【造　句】源源不绝——内地生产的蔬菜源源不绝地运往香港，保证了那里市民的日常生活供应。
【同音字】圆（方圆）
【形近字】原（原来）
【成　语】源远流长　源源不绝
【反义词】源源不绝/断断续续
【近义词】源源不绝/绵绵不绝
【英　语】源泉　source [sɔːs]

| yuǎn | 笔画 | 部首 | 结构 | 五笔 | 造字法 |
|---|---|---|---|---|---|
| 远 | 7 | 辶 | 半包围 | FQPV | 形声 |
| 笔顺 | 一 二 テ 元 沅 远 远 | | | | |

【解　释】❶距离长（跟“近”相对）。❷时间长。❸疏远；不亲近。❹差距大。❺不接近。❻姓。
【组　词】远大　远古　远眺　远洋　远航　长远　久远　绕远
【造　句】远见卓识——领导干部对国家地区的发展战略应有远见卓识，决不能鼠目寸光。
【形近字】选（选择）
【成　语】远见卓识　远走高飞　远交近攻
【反义词】远见卓识/孤陋寡闻
【近义词】远见卓识/目光远大
【歇后语】远路人踏水——不知深浅。
【谚　语】远水解不了近渴｜远路从近处开始，大事从小处开始。
【英　语】远虑　foresight [ˈfɔːsait]

| yuàn | 笔画 | 部首 | 结构 | 五笔 | 造字法 |
|---|---|---|---|---|---|
| 苑 | 8 | 艹 | 上下 | AQBB | 形声 |
| 笔顺 | 一 十 艹 艹 苂 苑 苑 苑 | | | | |

【解　释】❶养鸟兽、种树木的地方，多指帝王花园。❷学术、艺术荟萃之处。❸姓。
【组　词】鹿苑　御苑　文苑　艺苑
【同音字】院（院子）
【形近字】碗（碗筷）

| yuàn | 笔画 | 部首 | 结构 | 五笔 | 造字法 |
|---|---|---|---|---|---|
| 怨 | 9 | 心 | 上下 | QBNU | 形声 |
| 笔顺 | 丿 ク 夕 夗 夗 夗 怨 怨 怨 | | | | |

【解　释】❶仇恨；怨恨。❷责怪；责备；不满。
【组　词】怨言　怨恨　哀怨　结怨
【造　句】怨恨——我对谁也不怨

恨,只恨自己不争气。
【同音字】院(院子)
【形近字】怒(怒气)
【成 语】怨天尤人 怨声载道
【反义词】怨声载道/有口皆碑
【近义词】怨气冲天/民怨沸腾
【谚 语】怨亲不怨疏。
【英 语】怨恨 resentment [ri'zentmənt]

| yuàn | 笔画 | 部首 | 结构 | 五笔 | 造字法 |
|---|---|---|---|---|---|
| 院 | 9 | 阝 | 左右 | BPFQ | 形声 |
| 笔顺 | ⺻ 阝 阝' 阝'' 阝宀 阝宀 院 院 院 | | | | |

【解 释】❶房屋前后用墙或栅栏围起来的空地。❷某些单位和公共场所的名称。❸姓。
【组 词】院子 院墙 院门 场院
【同音字】愿(愿意)
【形近字】浣(浣纱)
【英 语】院子 courtyard ['kɔːtjaːd]

| yuàn | 笔画 | 部首 | 结构 | 五笔 | 造字法 |
|---|---|---|---|---|---|
| 愿 | 14 | 心 | 半包围 | DRIN | 形声 |
| 笔顺 | 一 厂 厂 厂 历 戶 戶 原 原 原 原 愿 愿 愿 | | | | |

【解 释】❶乐意。❷希望。❸迷信的人对神佛有所祈求时许下的酬谢。
【组 词】愿望 志愿 祝愿 如愿
【造 句】天遂人愿——真是天遂人愿,他终于与失散多年的弟弟团聚了。
【同音字】怨(怨言)
【形近字】原(原来)
【成 语】一相情愿 天遂人愿
【近义词】天遂人愿/如愿以偿
【英 语】愿望 desire [di'zaiə]

## YUE ㄩㄝ

| yuē | 笔画 | 部首 | 结构 | 五笔 | 造字法 |
|---|---|---|---|---|---|
| 约 | 6 | 纟 | 左右 | XQYY | 形声 |
| 笔顺 | ㇜ 纟 纟 纟' 约 约 | | | | |

【解 释】❶拘束;限制。❷事先商定。❸邀请。❹俭省。❺简单;简要。❻大概;大约。❼约会。
【组 词】约定 约会 约摸 约束
【造 句】约法三章——开学前,他跟父母约法三章,不许他们再打麻将了。
【形近字】灼(灼热)
【成 语】不约而同 约法三章
【英 语】约会 appointment [ə'pɔintmənt]

| yuè | 笔画 | 部首 | 结构 | 五笔 | 造字法 |
|---|---|---|---|---|---|
| 月 | 4 | 月 | 独体 | EEEE | 形声 |
| 笔顺 | 丿 月 月 月 | | | | |

【解 释】❶月亮。❷月份,一年为十二个月。❸形状像月亮的;圆的。

甲骨文 金文 小篆 隶书 楷书

【字源释义】字形原来像一弯新月。由于月亮都是在晚上才出现的，所以又表示“夕”。在甲骨文和金文中，“月”、“夕”常通用；到小篆以后两字才有明显的区别。
【组 词】月亮 岁月 月饼 明月
【造 句】成年累月——由于成年累月的超负荷劳作，他的身体渐渐垮了。
【同音字】乐（音乐）
【形近字】目（目的）
【反义词】成年累月/一朝一夕
【近义词】披星戴月/栉风沐雨
【歇后语】月亮跟着太阳走——借光。
【谚 语】月满则亏，水满则溢。
【英 语】月光 moonlight [ˈmuːnlait]

| yuè | 笔画 | 部首 | 结构 | 五笔 | 造字法 |
|---|---|---|---|---|---|
| 乐 | 5 | 丿 | 独体 | QI | 会意 |
| 笔顺 | 一 𠂇 乍 乐 乐 | | | | |

【解 释】❶指音乐。❷姓。
【组 词】乐队 乐曲 音乐 声乐
【同音字】悦（喜悦）
【英 语】音乐 music [ˈmjuːzik]
【多音字】lè（见 424 页）

| yuè | 笔画 | 部首 | 结构 | 五笔 | 造字法 |
|---|---|---|---|---|---|
| 岳 | 8 | 山 | 上下 | RGMJ | 会意 |
| 笔顺 | 丿 𠂉 𠂇 斤 岳 岳 岳 岳 | | | | |

【解 释】❶高大的山岭。❷称妻的父母或叔伯。❸姓。
【组 词】岳父 岳母 五岳
【同音字】月（月亮）
【形近字】兵（当兵）
【歇后语】岳丈给郎拜年——搞反了调。

| yuè | 笔画 | 部首 | 结构 | 五笔 | 造字法 |
|---|---|---|---|---|---|
| 钥 | 9 | 钅 | 左右 | QEG | 形声 |
| 笔顺 | 丿 𠂉 𠂉 𠂉 钅 钅 钊 钥 钥 | | | | |

【解 释】锁或开锁的用具。
【同音字】锁钥
【造 句】锁钥——外语是了解世界的锁钥。
【英 语】锁钥 key [kiː]
【多音字】yào（见 831 页）

| yuè | 笔画 | 部首 | 结构 | 五笔 | 造字法 |
|---|---|---|---|---|---|
| 说 | 9 | 讠 | 左右 | YUKQ | 形声 |
| 笔顺 | 丶 讠 讠 讠 讠 讠 讠 讠 说 | | | | |

【解 释】同“悦”。
【同音字】乐（乐器）
【多音字】shuì（见 670 页）
【多音字】shuō（见 672 页）

| yuè | 笔画 | 部首 | 结构 | 五笔 | 造字法 |
|---|---|---|---|---|---|
| 阅 | 10 | 门 | 半包围 | UUK | 形声 |
| 笔顺 | 丶 门 门 门 门 门 门 门 阅 阅 | | | | |

【解 释】❶看。❷检查；检阅。❸经历；经过。
【组 词】阅览 阅历 阅兵 阅卷 参阅 审阅 评阅
【造 句】审阅——老师正在审阅

同学们的作文。
【形近字】闷(烦闷)
【英　语】阅读 read [riːd]

| yuè | 笔画 | 部首 | 结构 | 五笔 | 造字法 |
|---|---|---|---|---|---|
| 悦 | 10 | 忄 | 左右 | NUKQ | 形声 |
| 笔顺 | 丶 丷 忄 忄 忄 忄 忄 忄 悦 悦 | | | | |

【解　释】❶愉快;高兴。❷使人愉快。❸姓。
【组　词】悦耳　愉悦　喜悦　取悦
【造　句】悦耳——她那悦耳的琴声使全场观众陶醉了。
【同音字】月(月份)
【形近字】脱(脱身)
【成　语】心悦诚服　赏心悦目　和颜悦色
【近义词】心悦诚服/心服口服
【英　语】喜悦 happy [ˈhæpi]

| yuè | 笔画 | 部首 | 结构 | 五笔 | 造字法 |
|---|---|---|---|---|---|
| 跃 | 11 | 𧾷 | 左右 | KHTD | 形声 |
| 笔顺 | 丶 口 口 𧾷 … 跃 | | | | |

【解　释】跳。
【组　词】跳跃　跃进　雀跃　跃升
【造　句】跃跃欲试——看到校运会的报名单,同学们都跃跃欲试。
【辨　音】不读 yào。
【同音字】月(月份)
【形近字】沃(肥沃)
【成　语】跃跃欲试
【反义词】跃跃欲试/无动于衷
【近义词】跃然纸上/栩栩如生
【英　语】跳跃 leap [liːp]

| yuè | 笔画 | 部首 | 结构 | 五笔 | 造字法 |
|---|---|---|---|---|---|
| 越 | 12 | 走 | 半包围 | FHA | 形声 |
| 笔顺 | 一 十 土 丰 丰 走 走 走 走 越 越 越 | | | | |

【解　释】❶跨过去;跳过去。❷超出;超过。❸(声音、感情)昂扬。❹叠用。表示程度的进展。
【组　词】越过　越位　跨越　卓越
【造　句】越发——细雨中的昆仑山越发显得巍峨。
【同音字】月(月光)
【形近字】趋(趋势)
【近义词】超越/逾超
【成　语】越俎代疱
【英　语】越过 surmount [səˈmaunt]

## YUN ㄩㄣ

| yūn | 笔画 | 部首 | 结构 | 五笔 | 造字法 |
|---|---|---|---|---|---|
| 晕 | 10 | 日 | 上下 | JPL | 形声 |
| 笔顺 | 丨 冂 日 日 旦 昌 昌 昌 晕 晕 | | | | |

【解　释】❶头脑发昏;感觉周围物体好像在旋转。❷昏迷。
【组　词】晕倒　晕厥　晕头转向
【造　句】晕头转向——一声炮响,敌人的后路被切断了,我军里外夹击,一齐动手,打得敌人晕头转向。
【辨　音】不读 hūn。
【形近字】军(军队)
【英　语】眩晕 dizzy [ˈdizi]
【多音字】yùn(见 882 页)

| yún | 笔画 | 部首 | 结构 | 五笔 | 造字法 |
|---|---|---|---|---|---|
| 云 | 4 | 一 | 上下 | FCU | 形声 |
| 笔顺 | 一 二 云 云 | | | | |

【解　释】❶说。❷由水滴、冰晶聚集形成的在空中悬浮的物体。❸比喻多。❹指云南省。

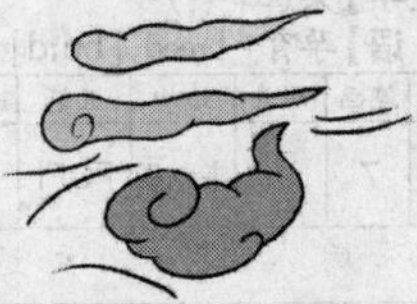

【字源释义】象形字。两横画表示天上横向的云层，弯钩表示卷状的云团。"云"借为"说"等义之后，就另造"雲"字。简化字其实是恢复了古字。

【组　词】云海　云集　云烟　云彩　风云　青云　乌云　黑云

【造　句】云淡风轻——春游这天，阳光明媚，云淡风轻，适宜越野登山。

【同音字】芸（芸芸众生）

【形近字】去（过去）

【成　语】九霄云外　云淡风轻

【近义词】云集/聚集

【谚　语】云罩中秋月，雨打上元灯。

【英　语】云彩　cloud [klaud]

| yún | 笔画 | 部首 | 结构 | 五笔 | 造字法 |
|---|---|---|---|---|---|
| 匀 | 4 | 勹 | 半包围 | QU | 会意 |
| 笔顺 | ノ 勹 匀 匀 | | | | |

【解　释】❶均匀；平均。❷使平均。❸抽出一部分给别人或做他用。

【组　词】均匀　匀称　匀净　匀整

【造　句】匀称——瞧，那姑娘身材多匀称。

【辨　音】不读 jūn。

【同音字】云（云雨）

【形近字】勺（勺子）

【英　语】均匀　even [ˈiːvən]

| yún | 笔画 | 部首 | 结构 | 五笔 | 造字法 |
|---|---|---|---|---|---|
| 芸 | 7 | 艹 | 上下 | AFCU | 形声 |
| 笔顺 | 一 十 艹 艹 芒 芸 芸 | | | | |

【解　释】❶芸香，草本植物，茎直立，叶子互生，花黄色。全草有香气，可入药。❷芸薹（tái），二年生草本植物，花黄色，种子可榨油。也叫油菜。

【组　词】芸香　芸豆

【造　句】芸芸众生——我们不过是芸芸众生中的一员。

【同音字】云（云雨）

【形近字】昙（昙花）

【成　语】芸芸众生

【反义词】芸芸众生/凤毛麟角

【近义词】芸芸众生/凡夫俗子

【英　语】芸芸　numerous [ˈnjuːmərəs]

| yún | 笔画 | 部首 | 结构 | 五笔 | 造字法 |
|---|---|---|---|---|---|
| 耘 | 10 | 耒 | 左右 | DIFC | 形声 |
| 笔顺 | 一 二 三 丰 耒 耒 耒 耒 耘 耘 | | | | |

Y

Y

【解　释】在田间除草。
【组　词】耕耘
【造　句】耕耘——不经过辛勤的耕耘,怎能有收获?
【同音字】云(云雾)
【形近字】耕(耕耘)
【英　语】耕耘　weed [wiːd]

| yǔn | 笔画 | 部首 | 结构 | 五笔 | 造字法 |
|---|---|---|---|---|---|
| 允 | 4 | 儿 | 上下 | CQB | 形声 |
| 笔顺 | 𠃋 厶 𠫔 允 | | | | |

【解　释】❶同意;允许。❷公平;恰当。
【组　词】允许　应允　允诺　允准
【造　句】允许——我得到妈妈的允许,可以去公园玩一会儿。
【同音字】吮(吮吸)
【形近字】兄(兄弟)
【反义词】允许/禁止
【近义词】允许/容许
【英　语】允许 permit [pəˈmit]

| yǔn | 笔画 | 部首 | 结构 | 五笔 | 造字法 |
|---|---|---|---|---|---|
| 陨 | 9 | 阝 | 左右 | BKMY | 形声 |
| 笔顺 | 阝 阝 阝 阝 阝 阝 阝 阝 陨 | | | | |

【解　释】从高空掉下;坠落。
【组　词】陨落　陨灭　陨石　陨铁
【造　句】陨星——流星经过大气层,没有完全燃烧而落在地面上的部分叫做陨星。
【同音字】允(允许)
【形近字】殒(殒身)
【英　语】陨星　meteorite [ˈmiː-tiərait]

| yùn | 笔画 | 部首 | 结构 | 五笔 | 造字法 |
|---|---|---|---|---|---|
| 孕 | 5 | 子 | 上下 | EBF | 会意 |
| 笔顺 | 乃 乃 乃 孕 孕 | | | | |

【解　释】❶怀胎;怀孕。❷身孕。
【组　词】身孕　孕妇　受孕　孕育
【造　句】孕育——海洋是孕育原始生命的摇篮。
【同音字】运(运气)
【形近字】朵(耳朵)
【英　语】孕育　breed [briːd]

| yùn | 笔画 | 部首 | 结构 | 五笔 | 造字法 |
|---|---|---|---|---|---|
| 运 | 7 | 辶 | 半包围 | FCPI | 形声 |
| 笔顺 | 一 二 云 云 运 运 运 | | | | |

【解　释】❶运行;运动。❷搬运;运输。❸应用;运用。❹运气。❺命运。❻姓。
【组　词】运气　运行　运动
【造　句】运用自如——他开始不会双手击键,速度较慢,三个月下来,就运用自如了。
【同音字】孕(身孕)
【形近字】边(一边)
【成　语】运用自如　运筹帷幄
【近义词】运用自如/得心应手
【谚　语】运到时来,铁树开花。
【英　语】运动　motion [ˈməuʃən]

| yùn | 笔画 | 部首 | 结构 | 五笔 | 造字法 |
|---|---|---|---|---|---|
| 晕 | 10 | 日 | 上下 | JPL | 形声 |
| 笔顺 | 丨 冂 日 日 旦 昌 昌 昌 昌 晕 | | | | |

【解　释】❶太阳和月亮周围的光圈。❷用于"晕车"、"晕船"等词。

组 词】日晕 月晕 晕车
同音字】运(运气)
英 语】晕船 seasick [ˈsiːsik]
多音字】yūn(见 880 页)

| yùn | 笔画 | 部首 | 结构 | 五笔 | 造字法 |
|---|---|---|---|---|---|
| 酝 | 11 | 酉 | 左右 | SGFC | 形声 |
| 笔顺 | 一 厂 万 丙 丙 两 酉 酉一 酉二 酝 酝 | | | | |

解 释】❶酿酒。❷酒。
组 词】酝酿 佳酝
造 句】酝酿——大家酝酿一下,好充分发表意见。
同音字】运(运动)
形近字】配(分配)
英 语】酝酿 brew [bruː]

| yùn | 笔画 | 部首 | 结构 | 五笔 | 造字法 |
|---|---|---|---|---|---|
| 韵 | 13 | 音 | 左右 | UJQU | 形声 |
| 笔顺 | 丶 亠 亠 ⺌ 立 产 音 音 音 音 韵 韵 韵 | | | | |

解 释】❶指词曲诗文的一个读音收尾部分的音。❷和悦优雅的声音。❸情调;趣味。❹气派;风度。❺姓。
组 词】韵律 韵母 韵味 词韵
造 句】韵味——他的唱腔很有韵味。

【同音字】运(运气)
【形近字】匀(均匀)
【英 语】韵味 charm [tʃɑːm]

| yùn | 笔画 | 部首 | 结构 | 五笔 | 造字法 |
|---|---|---|---|---|---|
| 蕴 | 15 | 艹 | 上下 | AXJL | 形声 |
| 笔顺 | 一 十 艹 艹 芗 芗 芗 菂 菂 菂 菂 蕰 蕴 蕴 蕴 | | | | |

【解 释】❶积聚;包含。❷事理深奥之处。
【组 词】蕴含 蕴藉 内蕴 意蕴
【造 句】蕴藏——我国近海蕴藏着丰富的石油资源。
【同音字】韵(韵律)
【近义词】蕴积/蓄积
【英 语】蕴藏 contain [kənˈtein]

| yùn | 笔画 | 部首 | 结构 | 五笔 | 造字法 |
|---|---|---|---|---|---|
| 熨 | 15 | 火 | 上下 | NFIO | 形声 |
| 笔顺 | ㇇ ㇆ 尸 尸 尸 尸 居 层 层 尉 尉 尉 尉 尉 熨 | | | | |

【解 释】用烙铁或熨斗把衣服烫平。
【组 词】熨斗
【同音字】运(命运)
【形近字】烫(烫伤)
【英 语】熨斗 flat iron [flæt ˈairən]

# Z

## ZA ㄗㄚ

| zā | 笔画 | 部首 | 结构 | 五笔 | 造字法 |
|---|---|---|---|---|---|
| 扎 | 4 | 扌 | 左右 | RNN | 形声 |
| 笔顺 | 一 十 扌 扎 | | | | |

【解　释】❶束；捆；系（jì）。❷量词。用于捆成把的东西。
【英　语】捆扎　tie [tai]
【多音字】zhā（见 894 页）
【多音字】zhá（见 895 页）

| zā | 笔画 | 部首 | 结构 | 五笔 | 造字法 |
|---|---|---|---|---|---|
| 臜 | 20 | 月 | 左右 | ETFM | 形声 |
| 笔顺 | 丿 刀 月 月 月 ⺼ 肝 肝 肝 肝 肝 肝 肝 肝 肝 肝 臜 臜 臜 臜 | | | | |

【解　释】见 1 页“腌（ā）”。

| zá | 笔画 | 部首 | 结构 | 五笔 | 造字法 |
|---|---|---|---|---|---|
| 杂 | 6 | 木 | 上下 | VSU | 形声 |
| 笔顺 | 丿 九 九 卆 杂 杂 | | | | |

【解　释】❶多种多样的；混合的。❷混合在一起。
【组　词】杂念　杂技　杂质　杂乱
【造　句】杂乱——这些木料、砖头堆在院子里，使院子看上去很杂乱。
【辨　音】不读 zhá。
【同音字】砸（砸碎）
【形近字】染（染色）
【成　语】杂乱无章　错综复杂
【反义词】杂乱无章/井井有条
【近义词】杂乱无章/乱七八糟
【英　语】杂志　magazine [ˌmagə'ziːn]

| zá | 笔画 | 部首 | 结构 | 五笔 | 造字法 |
|---|---|---|---|---|---|
| 砸 | 10 | 石 | 左右 | DAMH | 形声 |
| 笔顺 | 一 丆 丆 石 石 石 石 石 砸 砸 | | | | |

【解　释】❶用重力撞、打。❷打破。❸失败。
【组　词】砸破　砸烂　砸坏　砸门
【同音字】杂（杂乱）
【英　语】砸碎　break [breik]

| zǎ | 笔画 | 部首 | 结构 | 五笔 | 造字法 |
|---|---|---|---|---|---|
| 咋 | 8 | 口 | 左右 | KTHF | 形声 |
| 笔顺 | 丨 ㄇ 口 口丿 口𠂉 咋 咋 咋 | | | | |

【解　释】（方）表示疑问，相当于“怎么”。
【组　词】咋办
【造　句】咋了——你这是咋了？
【多音字】zé（见 893 页）
【多音字】zhā（见 894 页）

## ZAI ㄗㄞ

| zāi | 笔画 | 部首 | 结构 | 五笔 | 造字法 |
|---|---|---|---|---|---|
| 灾 | 7 | 宀 | 上下 | POU | 会意 |
| 笔顺 | 丶 丶 宀 宀 宀 宊 灾 | | | | |

【解　释】❶各种自然或人为的祸害。❷个人遭遇的不幸。
【组　词】灾难　灾害　灾年　虫灾　洪灾　抗灾　灾情
【造　句】灾情——今夏，东南沿

每地区普降暴雨,灾情特别严重。
【同音字】栽(栽树)
【形近字】灰(灰色)
【成　语】无妄之灾
【近义词】无妄之灾/飞来横祸
【英　语】灾难　suffering [ˈsʌfəriŋ]

| zāi | 笔画 | 部首 | 结构 | 五笔 | 造字法 |
| --- | --- | --- | --- | --- | --- |
| 栽 | 10 | 戈 | 半包围 | FAS | 形声 |
| 笔顺 | 一 十 土 土 丰 丰 丰 栽 栽 栽 | | | | |

【解　释】❶种植;栽种。❷插上。❸硬性地给安上。❹跌倒。❺秧子。
【组　词】栽培　栽赃　栽种　移栽
【造　句】栽培——虽然我已年过五十,但我从没忘记老师们对我的栽培。
【辨　音】不读 zǎi。
【同音字】灾(灾难)
【形近字】载(载客)
【近义词】栽赃/诬陷
【谚　语】栽起葡萄搭不起架。
【英　语】栽种　plant [plɑːnt]

| zǎi | 笔画 | 部首 | 结构 | 五笔 | 造字法 |
| --- | --- | --- | --- | --- | --- |
| 仔 | 5 | 亻 | 左右 | WBG | 会意 |
| 笔顺 | 丿 亻 仔 仔 仔 | | | | |

【解　释】❶同"崽(zǎi)"。❷(方)小伙子。
【组　词】猪仔　打工仔
【同音字】宰(宰相)
【多音字】zǐ(见 954 页)

| zǎi | 笔画 | 部首 | 结构 | 五笔 | 造字法 |
| --- | --- | --- | --- | --- | --- |
| 载 | 10 | 戈 | 半包围 | FALK | 形声 |
| 笔顺 | 一 十 土 土 去 丰 丰 载 载 载 | | | | |

【解　释】❶年。❷记录;刊登。
【组　词】记载　登载　连载　一年半载
【造　句】记载——他将每天所做的工作都记载在备忘录上。
【辨　音】不读 cái。
【同音字】宰(宰割)
【英　语】刊载　publish [ˈpʌbliʃ]
【多音字】zài(见 887 页)

| zǎi | 笔画 | 部首 | 结构 | 五笔 | 造字法 |
| --- | --- | --- | --- | --- | --- |
| 宰 | 10 | 宀 | 上下 | PUJ | 会意 |
| 笔顺 | 丶 丷 宀 宀 宀 宀 宀 宀 宰 宰 | | | | |

【解　释】❶杀。❷主管;主持。❸古代官名。❹比喻向买东西或接受服务的人索取高价。

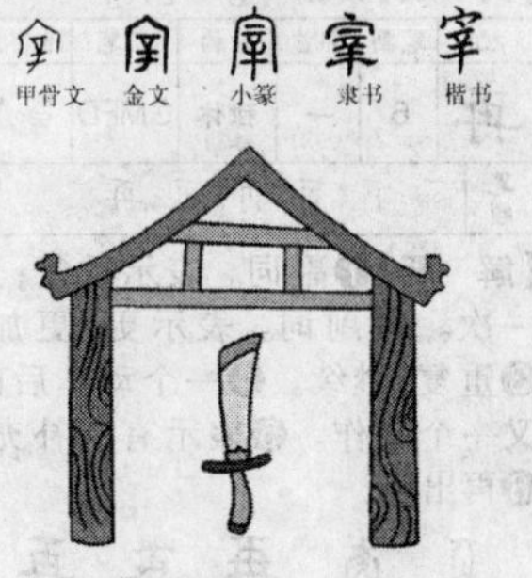


【字源释义】在屋里有一把刑刀,表

示被刺上记号的奴隶在屋里劳动。本义是"奴隶"。也指奴隶主家中的奴隶总管。

【组 词】宰杀 宰割 宰相 主宰

【造 句】宰杀——任意宰杀耕牛的行为是明文禁止的。

【同音字】崽(崽子)

【形近字】辛(辛苦)

【谚 语】宰相肚里能行船。

【英 语】宰割 cut up [kʌt ʌp]

| zǎi | 笔画 | 部首 | 结构 | 五笔 | 造字法 |
|---|---|---|---|---|---|
| 崽 | 12 | 山 | 上下 | MLNU | 形声 |
| 笔顺 | 丨 山 山 屵 岀 岜 岜 岜 崽 崽 崽 崽 | | | | |

【解 释】❶(方)儿子。❷幼小的动物。

【组 词】崽子 猪崽 鸡崽

【同音字】宰(主宰)

【形近字】思(思考)

【英 语】猪崽 piglet [ˈpiglit]

| zài | 笔画 | 部首 | 结构 | 五笔 | 造字法 |
|---|---|---|---|---|---|
| 再 | 6 | 一 | 独体 | GMFD | 会意 |
| 笔顺 | 一 丆 万 币 冄 再 | | | | |

【解 释】❶副词。表示重复;又一次。❷副词。表示更;更加。❸重复;继续。❹一个动作后的又一个动作。❺表示有所补充。❻再出现。

甲骨文 金文 小篆 隶书 楷书

【字源释义】甲骨文的"再"字是在一条鱼的头尾处各加一横画,表示"1+1"。本义是"两次"或"第二次"。金文以后字形逐渐变化就难以"望文生义"了。

【组 词】再见 再说 再版 再会

【造 句】再说——这件事先搁一搁,过两天再说。

【同音字】在(存在)

【形近字】冉(冉冉)

【成 语】再接再厉 再造之恩

【近义词】再三/反复

【谚 语】再好的刀伤药,也不如不拉口。

【英 语】再三 repeated [riˈpiːtid]

| zài | 笔画 | 部首 | 结构 | 五笔 | 造字法 |
|---|---|---|---|---|---|
| 在 | 6 | 土 | 半包围 | D | 形声 |
| 笔顺 | 一 ナ 𠂇 𠂇 在 在 | | | | |

【解 释】❶存在;活着。❷存在于某个地点。❸留在;处在。❹参加属于。❺介词。表示事情的时间、处所、情形、范围等。❻正在,表示动作的进行。❼和"所"连用,表示强调。

【组 词】在意 在乎 在场 在家

座 健在 现在 自在 实在
造 句】在意——这些小事,他不太在意的。
同音字】载(载重)
形近字】存(存在)
成 语】在所不辞
谚 语】在家千日好,出外事难。
英 语】在场 be present [bi: 'prənt]

| zài | 笔画 | 部首 | 结构 | 五笔 | 造字法 |
|---|---|---|---|---|---|
| 载 | 10 | 戈 | 半包围 | FALK | 形声 |
| 笔顺 | 一 十 土 去 圭 幸 幸 栽 载 载 | | | | |

解 释】❶用车、船等装运。❷充满。❸又;且。❹姓。
组 词】载客 载运 满载
造 句】载歌载舞——国庆节那天,天安门广场红旗如林,歌声如潮,人们载歌载舞,尽情欢乐。
同音字】再(再见)
形近字】栽(栽树)
成 语】载歌载舞
近义词】载歌载舞/轻歌曼舞
英 语】载重 load [ləud]
多音字】zǎi(见 885 页)

## ZAN ㄗㄢ

| zán | 笔画 | 部首 | 结构 | 五笔 | 造字法 |
|---|---|---|---|---|---|
| 咱 | 9 | 口 | 左右 | KTHG | 会意 |
| 笔顺 | 丨 ㄇ 口 口′ 口ʹ 咱 咱 咱 咱 | | | | |

解 释】❶(方)我。❷咱们;我们。

【组 词】咱俩 咱们
【辨 音】不读 zá 或 zhán。
【形近字】自(自己)
【英 语】咱们 we [wi:]

| zǎn | 笔画 | 部首 | 结构 | 五笔 | 造字法 |
|---|---|---|---|---|---|
| 攒 | 19 | 扌 | 左右 | RTFM | 形声 |
| 笔顺 | 一 亅 扌 扌 扌 扌 扌 扌 扌 扌 扌 扌 扌 扌 扌 攒 攒 攒 攒 | | | | |

【解 释】积着;存着。
【组 词】攒钱 积攒
【造 句】攒钱——她准备自己攒钱为奶奶买个家庭治疗仪。
【辨 音】不读 zàn。
【形近字】赞(赞同)
【英 语】攒钱 save up money [seiv ʌp 'mʌni]
【多音字】cuán(见 130 页)

| zàn | 笔画 | 部首 | 结构 | 五笔 | 造字法 |
|---|---|---|---|---|---|
| 暂 | 12 | 日 | 上下 | LRJF | 形声 |
| 笔顺 | 一 𠂉 车 车 车′ 斩 斩 斩 斩 斩 暂 暂 | | | | |

【解 释】❶时间短促(跟"久"相对)。❷短时间内。
【组 词】暂时 暂且 暂停 暂用 暂住 短暂 暂缓
【造 句】暂时——万泉河路修路,车辆暂时停止通行。
【辨 音】不读 zǎn。
【同音字】赞(赞同)
【形近字】斩(斩断)
【英 语】暂时 temporarily ['tempərərəli]

| zàn | 笔画 | 部首 | 结构 | 五笔 | 造字法 |
|---|---|---|---|---|---|
| 赞 | 16 | 贝 | 上下 | TFQM | 会意 |
| 笔顺 | 丶 ㇇ 𠂉 ⺧ 先 先 𫞖 𫞖 𫞖 𫞖 𫞖 𫞖 𫞖 𫞖 赞 赞 | | | | |

【解　释】❶帮助。❷夸奖;称扬。❸旧时的文体,内容是称赞人或物的。

【组　词】赞助　赞成　赞叹　赞美　赞同　礼赞　称赞

【造　句】赞不绝口——他对秋桐的文章十分欣赏,常常赞不绝口。

【同音字】暂(暂时)

【形近字】攒(攒钱)

【成　语】赞不绝口

【近义词】赞不绝口/交口称誉

【谚　语】赞人用口,扶人用手。

【英　语】赞美　praise [preiz]

## ZANG　ㄗㄤ

| zāng | 笔画 | 部首 | 结构 | 五笔 | 造字法 |
|---|---|---|---|---|---|
| 赃 | 10 | 贝 | 左右 | MYFG | 形声 |
| 笔顺 | 丨 冂 贝 贝 贝丶 贝亠 贝广 贝广 贝庄 赃 | | | | |

【解　释】通过贪污受贿或偷盗所得的财物。

【组　词】赃物　赃款　赃官　分赃　贪赃　追赃　栽赃

【造　句】赃物——公安人员迅速出击,终于把赃物追缴回来了。

【同音字】脏(脏活)

【形近字】脏(弄脏)

【谚　语】赃官不打送礼人。

【英　语】赃物　bribes [braibz]

| zāng | 笔画 | 部首 | 结构 | 五笔 | 造字 |
|---|---|---|---|---|---|
| 脏 | 10 | 月 | 左右 | EYFG | 形 |
| 笔顺 | 丿 刀 月 月 月丶 月亠 月广 月 … 月庄 脏 | | | | |

【解　释】不干净;有尘土、汗渍等

【组　词】脏水　脏手　肮脏

【同音字】赃(赃物)

【形近字】赃(赃款)

【反义词】肮脏/干净

【英　语】脏　dirty ['də:ti]

【多音字】zàng(见 888 页)

| zàng | 笔画 | 部首 | 结构 | 五笔 | 造字 |
|---|---|---|---|---|---|
| 脏 | 10 | 月 | 左右 | EYFG | 形 |
| 笔顺 | 丿 刀 月 月 月丶 月亠 月广 月 … 月庄 脏 | | | | |

【解　释】身体内部各器官统称。

【组　词】内脏　五脏六腑

【造　句】五脏六腑——一望那天茫茫、空明澄碧的景色,真可把你的五脏六腑都洗得干干净

【同音字】葬(葬礼)

【形近字】桩(树桩)

【英　语】内脏　entrails ['entreilz

【多音字】zāng(见 888 页)

| zàng | 笔画 | 部首 | 结构 | 五笔 | 造字 |
|---|---|---|---|---|---|
| 葬 | 12 | 艹 | 上中下 | AGQA | 会 |
| 笔顺 | 一 十 艹 艹 芦 芦 苑 … 苑 葬 葬 葬 | | | | |

【解　释】❶掩埋死者。❷泛指各地各民族风俗习惯处理死者体的方式。

词】葬礼 埋葬 安葬 火葬
葬
音字】脏（内脏）
近字】毙（枪毙）
语】葬身 be buried [biː 'b-
d]

| ng | 笔画 | 部首 | 结构 | 五笔 | 造字法 |
| --- | --- | --- | --- | --- | --- |
| 藏 | 17 | 艹 | 上下 | ADNT | 形声 |
| 笔顺 | 一 十 艹 艹 产 产 产 产 产 萨 萨 萨 萨 蔵 藏 藏 藏 | | | | |

释】❶储存许多东西的地
。❷西藏自治区的简称。❸佛
、道教经典的总称。
词】西藏 藏青 宝藏
音字】葬（埋葬）
语】藏青 dark blue [dɑːk
ː]
音字】cáng（见74页）

## ZAO ㄗㄠ

| āo | 笔画 | 部首 | 结构 | 五笔 | 造字法 |
| --- | --- | --- | --- | --- | --- |
| 遭 | 14 | 辶 | 半包围 | GMAP | 形声 |
| 笔顺 | 一 丆 冂 冃 冄 冊 曲 曲 曲 曹 曹 遭 遭 遭 | | | | |

释】❶遇到；碰到。❷量词。
；次。❸周；圈。
词】遭遇 遭到 遭受 遭劫
罪 遭难 遭殃 遭逢
句】遭遇——他的遭遇很值
我们同情。
音】不读 cáo。
音字】糟（糟糕）
近字】糟（酒糟）
义词】遭遇/遇到

【谚　语】遭蛇咬一口，见绳都发抖。
【英　语】遭受 suffer [ˈsʌfə]

| zāo | 笔画 | 部首 | 结构 | 五笔 | 造字法 |
| --- | --- | --- | --- | --- | --- |
| 糟 | 17 | 米 | 左右 | OGMJ | 形声 |
| 笔顺 | 丶 丷 丷 半 米 米 米 米 米 米 米 米 米 米 糟 糟 糟 | | | | |

【解　释】❶做酒剩下的渣子。❷用酒或糟腌制食物。❸腐烂。❹坏；不好。
【组　词】糟糕 糟糠 糟粕 糟蹋 酒糟 米糟
【造　句】糟糕——真糟糕，我把钥匙锁在屋里，进不去了。
【辨　音】不读 cáo。
【同音字】遭（遭遇）
【形近字】遭（遭到）
【成　语】乱七八糟
【反义词】乱七八糟/井井有条
【近义词】乱七八糟/杂乱无章
【英　语】糟蹋 waste [weist]

| záo | 笔画 | 部首 | 结构 | 五笔 | 造字法 |
| --- | --- | --- | --- | --- | --- |
| 凿 | 12 | 业 | 上下 | OGUB | 会意 |
| 笔顺 | 丨 丨丨 丨丨丨 业 业 业 业 业 丵 丵 凿 凿 | | | | |

【解　释】❶木工打孔挖槽的工具。❷打孔；挖掘。❸确实。
【组　词】凿井 凿孔 凿洞 开凿 凿枘
【造　句】凿壁偷光——古人凿壁偷光的苦学精神，将激励我们更加勤奋地读书学习。
【辨　音】不读 zuó。
【成　语】凿壁偷光
【近义词】凿凿有据/言之凿凿

Z

【谚 语】凿不休则沟深，斧不止则薪多。
【英 语】凿子 chisel [ˈtʃizl]

| zǎo | 笔画 | 部首 | 结构 | 五笔 | 造字法 |
|---|---|---|---|---|---|
| 早 | 6 | 日 | 上下 | JH | 会意 |
| 笔顺 | 丨 冂 日 日 旦 早 | | | | |

【解 释】❶早晨。❷先前；比一定的时间提前。❸早晨的问候话。❹很久以前。❺时间在先的。
【组 词】早晨 早操 早春 早年 早退 早到 提早 过早 趁早
【造 句】早晨——爷爷每天早晨5时准时起床晨练。
【辨 音】不读 zhǎo。
【同音字】枣（枣树）
【形近字】草（花草）
【反义词】早/晚
【歇后语】武大郎卖烧饼——早出晚归。
【谚 语】早知今日，何必当初｜早晨起得早，一天精神好。
【英 语】早餐 breakfast [ˈbrekfəst]

| zǎo | 笔画 | 部首 | 结构 | 五笔 | 造字法 |
|---|---|---|---|---|---|
| 枣 | 8 | 一 | 上下 | GMIU | 会意 |
| 笔顺 | 一 𠂉 𠂇 市  朿 朿 枣 枣 | | | | |

【解 释】枣树，落叶乔木，枝上有成对的刺，开小黄花。果实叫枣子，成熟后暗红色，味甜，可吃，也可做药。
【组 词】枣子 枣树 枣花
【同音字】早（早安）
【形近字】束（束缚）
【谚 语】枣到季节自然红｜枣树开花花，赶快种棉花。
【英 语】枣子 jujube [ˈdʒuːb]

| zǎo | 笔画 | 部首 | 结构 | 五笔 | 造字 |
|---|---|---|---|---|---|
| 蚤 | 9 | 虫 | 上下 | CYJU | 会 |
| 笔顺 | ㇇ 又 叉 叉 叉 圣 圣 蚤 蚤 | | | | |

【解 释】跳蚤，昆虫，身体小，有翅膀，善于跳跃，寄生在人、身上，吸血液，能传染疾病。
【组 词】跳蚤
【同音字】早（早上）
【形近字】蚕（春蚕）
【英 语】跳蚤 flea [fliː]

| zǎo | 笔画 | 部首 | 结构 | 五笔 | 造字 |
|---|---|---|---|---|---|
| 澡 | 16 | 氵 | 左右 | IKKS | 形 |
| 笔顺 | 丶 冫 氵 氵 沪 沪 沪 沪 沪 淠 淠 澡 澡 | | | | |

【解 释】洗身体。
【组 词】洗澡 澡盆 澡池
【辨 音】不读 zào。
【同音字】早（早晨）
【形近字】噪（噪音）
【歇后语】澡堂搬家——不让人（洗）。
【谚 语】澡盆里学不会游泳。
【英 语】澡堂 bathhouse [ˈbaːhaus]

| zǎo | 笔画 | 部首 | 结构 | 五笔 | 造字 |
|---|---|---|---|---|---|
| 藻 | 19 | 艹 | 上下 | AIKS | 形 |
| 笔顺 | 一 十 艹 艹 艹 艹 艹 艹 艹 艹 艹 艹 艹 艹 藻 藻 | | | | |

【解　释】❶生活在水中的绿色植
]。❷藻类植物。❸华丽的文辞。
【组　词】藻类　海藻　蓝藻　辞藻
【造　句】辞藻——这本书词句朴
无华,没有过多华丽的辞藻。
【辨　音】不读 cāo。
【同音字】早(早退)
【形近字】澡(洗澡)
【英　语】藻类　algae [ˈældʒiː]

| zào | 笔画 | 部首 | 结构 | 五笔 | 造字法 |
|---|---|---|---|---|---|
| 皂 | 7 | 白 | 上下 | RAB | 形声 |
| 笔顺 | ノ 亻 白 白 白 皁 皂 | | | | |

【解　释】❶黑色。❷肥皂,用碱
油脂等制成的去污用品。❸旧
衙门的差役。
【组　词】肥皂　皂白　药皂　香皂
【造　句】青红皂白——你怎么能
问青红皂白地乱下结论!
【同音字】造(制造)
【形近字】毛(毛发)
【成　语】青红皂白
【谚　语】皂鹏追紫燕,猛虎啖羊羔。
【英　语】肥皂　soap [səup]

| zào | 笔画 | 部首 | 结构 | 五笔 | 造字法 |
|---|---|---|---|---|---|
| 灶 | 7 | 火 | 左右 | OFG | 会意 |
| 笔顺 | 丶 丷 少 火 火一 灶 灶 | | | | |

【解　释】❶用砖土等物垒成的做
的设备。❷借指厨房。
【组　词】灶台　灶膛　灶门　火灶
灶　炉灶　土灶
【造　句】炉灶——他聘了一些
,另起炉灶,自己开了家公司。
【辨　音】不读 dù 或 shè。
【同音字】造(造船)

【形近字】灿(灿烂)　杜(杜鹃)
【成　语】另起炉灶
【歇后语】灶上的抹布——酸甜苦辣尝尽了。
【英　语】炉灶　cooking stove [ˈkukiŋ stəuv]

| zào | 笔画 | 部首 | 结构 | 五笔 | 造字法 |
|---|---|---|---|---|---|
| 造 | 10 | 辶 | 半包围 | TFKP | 形声 |
| 笔顺 | ノ 𠂉 𠂇 生 牛 告 告 诰 诰 造 | | | | |

【解　释】❶做;制作。❷瞎编;弄虚作假。❸到;去。❹培养。❺农作物收成的次数。
【组　词】造就　造反　创造　造船　造型　造谣　改造
【造　句】造型——这些玩具造型简单,生动有趣。
【同音字】灶(炉灶)
【形近字】浩(浩大)
【近义词】造谣生事/无中生有
【歇后语】造房子请来箍桶匠——找错了人。
【谚　语】造烛求明,读书求理。
【英　语】制造　make [meik]

| zào | 笔画 | 部首 | 结构 | 五笔 | 造字法 |
|---|---|---|---|---|---|
| 噪 | 16 | 口 | 左右 | KKKS | 形声 |
| 笔顺 | 丨 冂 口 口丶 口口 吅 吅 吅 吅 品 品 品 喿 喿 噪 噪 | | | | |

【解　释】❶鸟、虫的叫声。❷大声喊叫。❸名声广为传扬。
【组　词】噪音　聒噪　噪鸣　噪声　雀噪
【造　句】噪音——他劳累了一天,刚躺下睡了一会儿就被一阵刺耳的噪音惊醒了。
【同音字】造(制造)
【形近字】噪(嗓子)
【英　语】噪声　noise [nɔiz]

| zào | 笔画 | 部首 | 结构 | 五笔 | 造字法 |
| --- | --- | --- | --- | --- | --- |
| 燥 | 17 | 火 | 左右 | OKKS | 形声 |
| 笔顺 | 丶 丷 火 火 灬 灬 灬 灬 灬 灬 灬 灬 灬 灬 燥 燥 燥 | | | | |

【解　释】缺少水分;干燥。
【组　词】燥热　干燥　枯燥
【造　句】燥热——这里冬天干冷,夏天燥热。
【同音字】造(造就)
【形近字】躁(浮躁)
【反义词】干燥/潮湿
【英　语】干燥　dry [drai]

| zào | 笔画 | 部首 | 结构 | 五笔 | 造字法 |
| --- | --- | --- | --- | --- | --- |
| 躁 | 20 | 𧾷 | 左右 | KHKS | 形声 |
| 笔顺 | 丨 ㄇ 口 ⻊ ⻊ ⻊ 足 足 足 足 足 足 足 足 足 足 足 躁 躁 躁 | | | | |

【解　释】着急;不安静。
【组　词】躁动　急躁　烦躁　浮躁
【造　句】躁动——他一听这话,心中顿时躁动起来,一时间坐立不安。
【同音字】造(制造)
【形近字】噪(噪音)
【英　语】急躁　rash [ræʃ]

## ZE　ㄗㄜ

| zé | 笔画 | 部首 | 结构 | 五笔 | 造字法 |
| --- | --- | --- | --- | --- | --- |
| 则 | 6 | 贝 | 左右 | MJH | 会意 |
| 笔顺 | 丨 冂 贝 贝 贝 则 | | | | |

【解　释】❶标准;规范。❷制度;程。❸量词。用于分项或自成段的文字的条数。❹连词。就。❺词。却。❻是;乃是。❼用在“一“二”、“三”等后面,列举原因或理由
【组　词】规则　守则　税则　通则
【同音字】责(责任)
【形近字】败(战败)
【成　语】穷则思变　以身作则
【英　语】准则　criterion [kraitiəriən]

| zé | 笔画 | 部首 | 结构 | 五笔 | 造字法 |
| --- | --- | --- | --- | --- | --- |
| 责 | 8 | 贝 | 上下 | GMU | 形声 |
| 笔顺 | 一 二 丰 丰 丰 青 责 责 | | | | |

【解　释】❶责任;分内应做的事❷要求;督促。❸质问;追问。❹评;责备。
【组　词】责任　责备　责怪　责
【造　句】责无旁贷——追求真与传播真理是作家责无旁贷的使命
【同音字】则(规则)
【形近字】贡(贡献)
【成　语】责无旁贷
【近义词】责无旁贷/义不容辞
【谚　语】责人要宽,责己要严。
【英　语】责骂　scold [skəuld]

| zé | 笔画 | 部首 | 结构 | 五笔 | 造字法 |
| --- | --- | --- | --- | --- | --- |
| 择 | 8 | 扌 | 左右 | RCFH | 形声 |
| 笔顺 | 一 十 扌 扌 扠 择 择 择 | | | | |

【解　释】挑选;挑拣。
【组　词】选择　择优　择日
【造　句】择优——公务员考试持采用择优录用的原则。
【辨　音】不读 zái。

【同音字】则(规则)
【形近字】泽(沼泽)
【成　语】不择手段　饥不择食
【谚　语】择其善者而从之。
【英　语】选择　choose [ʧu:z]
【多音字】zhái(见898页)

| zé | 笔画 | 部首 | 结构 | 五笔 | 造字法 |
|---|---|---|---|---|---|
| 咋 | 8 | 口 | 左右 | KTHF | 形声 |
| 笔顺 | 丨 冂 口 口' 口𠂉 吖 咋 咋 | | | | |

【解　释】咬住。
【组　词】咋舌
【造　句】咋舌——整件事情的发生真是令人咋舌。
【多音字】zǎ(见884页)
【多音字】zhā(见894页)

| zé | 笔画 | 部首 | 结构 | 五笔 | 造字法 |
|---|---|---|---|---|---|
| 泽 | 8 | 氵 | 左右 | ICFH | 形声 |
| 笔顺 | 丶 丶 氵 汀 汉 泾 泾 泽 | | | | |

【解　释】❶水聚积的地方。❷湿润。❸金属、珠宝的光泽。❹恩惠。
【组　词】沼泽　色泽　光泽　湖泽
【造　句】光泽——爸爸从杭州给妈妈买回一条珍珠项链,很有光泽。
【同音字】则(规则)
【形近字】译(翻译)
【英　语】泽　pool [pu:l]

## ZEI　ㄗㄟ

| zéi | 笔画 | 部首 | 结构 | 五笔 | 造字法 |
|---|---|---|---|---|---|
| 贼 | 10 | 贝 | 左右 | MADT | 形声 |
| 笔顺 | 丨 冂 贝 贝 贝一 贝二 贝二 贼 贼 贼 | | | | |

【解　释】❶称偷东西的人。❷做大坏事,严重危害国家、民族和人民利益的人。❸邪的;不正规的。❹狡猾。❺伤害。❻副词。很。
【组　词】贼赃　贼心　飞贼　窃贼
【造　句】窃贼——这个小区治安很好,几乎没有窃贼入室行窃。
【形近字】诫(告诫)
【歇后语】贼娃子说梦话——不打自招|贼佬进学堂——碰的尽是输(书)。
【英　语】窃贼　thief [θi:f]

## ZEN　ㄗㄣ

| zěn | 笔画 | 部首 | 结构 | 五笔 | 造字法 |
|---|---|---|---|---|---|
| 怎 | 9 | 心 | 上下 | THFN | 形声 |
| 笔顺 | 丿 𠂉 午 乍 乍 乍 怎 怎 怎 | | | | |

【解　释】疑问词。怎么。
【组　词】怎么　怎样　怎奈　怎地　怎么着　怎么样
【辨　音】不读zá。
【形近字】昨(昨天)
【英　语】怎样　how [hau]

## ZENG　ㄗㄥ

| zēng | 笔画 | 部首 | 结构 | 五笔 | 造字法 |
|---|---|---|---|---|---|
| 曾 | 12 | 丷 | 上下 | ULJF | 会意 |
| 笔顺 | 丶 丷 ⺍ 肖 肖 曽 曽 曽 曽 曽 曾 曾 | | | | |

【解　释】❶中间隔两代的亲属。❷姓。
【组　词】曾孙　曾祖父
【英　语】曾孙　greatgrandson [gre-

Z

it ˈgrændsʌn]
【多音字】céng(见 78 页)

| zēng | 笔画 | 部首 | 结构 | 五笔 | 造字法 |
|---|---|---|---|---|---|
| 增 | 15 | 土 | 左右 | FU | 形声 |
| 笔顺 | 一 十 土 土 土 土 土 土 土 土 土 増 增 增 增 | | | | |

【解　释】❶添;多加。❷姓。
【组　词】增加　增进　增强　增长
【造　句】增加——今年在校学生比去年增加了 300 余人。
【辨　音】不读 zhēng。
【同音字】曾(曾孙)
【形近字】憎(憎恶)
【成　语】与日俱增
【反义词】增加/减少
【谚　语】增产好似摇钱树,节约犹如聚宝盆。
【英　语】增加　increase [inˈkriːs]

| zēng | 笔画 | 部首 | 结构 | 五笔 | 造字法 |
|---|---|---|---|---|---|
| 憎 | 15 | 忄 | 左右 | NULJ | 形声 |
| 笔顺 | 丶 丶 忄 忄 忄 忄 忄 忄 忄 忄 忄 憎 憎 憎 憎 | | | | |

【解　释】厌恶;恨。
【组　词】憎恨　憎恶　可憎
【造　句】面目可憎——这个人面目可憎,我们要提防一点。
【辨　音】不读 zèng。
【同音字】增(增加)
【形近字】赠(赠送)
【成　语】爱憎分明　面目可憎
【反义词】爱憎分明/是非不分
【近义词】爱憎分明/黑白分明
【英　语】憎恶　abhor [əbˈhɔː]

| zèng | 笔画 | 部首 | 结构 | 五笔 | 造字法 |
|---|---|---|---|---|---|
| 赠 | 16 | 贝 | 左右 | MU | 形声 |
| 笔顺 | 丨 冂 贝 贝 贝 贝 贝 贝 贝 贝 贝 贝 贝 赠 赠 赠 | | | | |

【解　释】赠送;送给。
【组　词】赠送　赠品　赠言　捐赠
【造　句】赠言——临近毕业了,同学们都相互写赠言,以作留念。
【辨　音】不读 zhèng。
【近义词】赠送/赠予
【英　语】赠送　present [priˈzent]

## ZHA　ㄓㄚ

| zhā | 笔画 | 部首 | 结构 | 五笔 | 造字法 |
|---|---|---|---|---|---|
| 扎 | 4 | 扌 | 左右 | RNN | 形声 |
| 笔顺 | 一 扌 扌 扎 | | | | |

【解　释】❶刺。❷(方)钻进去。❸行军后住下来。
【组　词】扎实　扎根　扎营　扎堆
【造　句】扎实——他的文字基本功扎实,驾驭语言的能力很强。
【同音字】楂(山楂)
【形近字】轧(轧钢)
【近义词】扎实/踏实
【英　语】扎实　sturdy [ˈstəːdi]
【多音字】zā(见 884 页)
【多音字】zhá(见 895 页)

| zhā | 笔画 | 部首 | 结构 | 五笔 | 造字法 |
|---|---|---|---|---|---|
| 咋 | 8 | 口 | 左右 | KTHF | 形声 |
| 笔顺 | 丨 口 口 口 口 咋 咋 咋 | | | | |

【解　释】❶咋呼,大声喊叫。❷吹嘘;炫耀。

【组 词】咋呼
【造 句】咋呼——你瞎咋呼什么?
【英 语】咋呼 shout blusteringly [ʃaut 'blʌstəriŋli]
【多音字】zǎ(见 884 页)
【多音字】zé(见 895 页)

| zhā | 笔画 | 部首 | 结构 | 五笔 | 造字法 |
|---|---|---|---|---|---|
| 查 | 9 | 木 | 上下 | SJGF | 形声 |
| 笔顺 | 一 十 才 木 木 杳 杳 杳 查 | | | | |

【解 释】姓。
【同音字】楂(山楂)
【多音字】chá(见 81 页)

| zhā | 笔画 | 部首 | 结构 | 五笔 | 造字法 |
|---|---|---|---|---|---|
| 喳 | 12 | 口 | 左右 | KSJG | 形声 |
| 笔顺 | 丨 口 口 口一 叶 吋 咔 咔 咘 喳 喳 喳 | | | | |

【解 释】象声词。形容鸟叫的声音。
【组 词】叽叽喳喳
【同音字】楂(山楂)
【多音字】chā(见 80 页)

| zhā | 笔画 | 部首 | 结构 | 五笔 | 造字法 |
|---|---|---|---|---|---|
| 渣 | 12 | 氵 | 左右 | ISJG | 形声 |
| 笔顺 | 丶 丶 氵 氵一 汁 汴 沐 沐 渣 渣 渣 渣 | | | | |

【解 释】❶物质经提炼而剩下的东西。❷碎屑。
【组 词】渣子 沉渣 钢渣 废渣
【造 句】废渣——不要随地倾倒废渣。
【同音字】扎(扎紧)
【形近字】楂(山楂)

【英 语】渣滓 dregs [dregz]

| zhā | 笔画 | 部首 | 结构 | 五笔 | 造字法 |
|---|---|---|---|---|---|
| 楂 | 13 | 木 | 左右 | SSJG | 形声 |
| 笔顺 | 一 十 才 木 木 木 朩 杧 杧 杏 楂 楂 楂 | | | | |

【解 释】山楂,落叶乔木,果实也叫山楂,球形,深红色,味酸,可吃,也可以入药。
【组 词】山楂
【同音字】扎(扎实)
【英 语】山楂 hawthorn ['hɔːθɔːn]
【多音字】chá(见 81 页)

| zhá | 笔画 | 部首 | 结构 | 五笔 | 造字法 |
|---|---|---|---|---|---|
| 扎 | 4 | 扌 | 左右 | RNN | 形声 |
| 笔顺 | 一 十 扌 扎 | | | | |

【解 释】挣扎,尽力支撑或摆脱。
【造 句】挣扎——这条鱼被钓上来后,挣扎了半天才死。
【同音字】炸(炸鱼)
【英 语】挣扎 struggle ['strʌgl]
【多音字】zā(见 884 页)
【多音字】zhā(见 894 页)

| zhá | 笔画 | 部首 | 结构 | 五笔 | 造字法 |
|---|---|---|---|---|---|
| 轧 | 5 | 车 | 左右 | LNN | 形声 |
| 笔顺 | 一 𠂊 车 车 轧 | | | | |

【解 释】压钢坯,使成一定形状的钢材。
【组 词】轧钢 轧机
【造 句】轧钢——中国轧钢业要振兴,路还很长。
【英 语】轧钢 steel rolling [stiːl 'rəulig]

Z

【多音字】yà(见 815 页)

| zhá | 笔画 | 部首 | 结构 | 五笔 | 造字法 |
|---|---|---|---|---|---|
| 闸 | 8 | 门 | 半包围 | ULK | 形声 |
| 笔顺 | 丶 丨 门 闩 闩 闩 闸 闸 | | | | |

【解　释】❶水闸，可以开关、调控水流的建筑物。❷把水截住。❸制动器的通称。❹电路开关。
【组　词】闸门　闸口　闸坝　船闸
【辨　音】不读 zá。
【同音字】炸(油炸)
【英　语】闸门　sluice gate [sluːs geit]

| zhá | 笔画 | 部首 | 结构 | 五笔 | 造字法 |
|---|---|---|---|---|---|
| 炸 | 9 | 火 | 左右 | OTHF | 形声 |
| 笔顺 | 丶 丷 火 火 炸 炸 炸 炸 炸 | | | | |

【解　释】烹调方法，把食物放在煮沸的油里弄熟。
【组　词】炸糕　炸鱼　油炸
【同音字】闸(闸门)
【英　语】炸糕　fried cake [fraid keik]
【多音字】zhà(见 897 页)

| zhá | 笔画 | 部首 | 结构 | 五笔 | 造字法 |
|---|---|---|---|---|---|
| 铡 | 11 | 钅 | 左右 | QMJH | 形声 |
| 笔顺 | 丿 𠂉 𠂉 乍 钅 钔 钔 钡 钡 铡 铡 | | | | |

【解　释】❶铡刀，切草用的刀。❷用铡刀切。
【组　词】铡刀　铡草
【辨　音】不读 zá。
【同音字】炸(油炸)
【英　语】铡草　cut hay [kʌt hei]

| zhǎ | 笔画 | 部首 | 结构 | 五笔 | 造字法 |
|---|---|---|---|---|---|
| 眨 | 9 | 目 | 左右 | HTPY | 形声 |
| 笔顺 | 丨 冂 冃 月 目 盯 盯 眨 眨 | | | | |

【解　释】眼睛一闭一睁。
【组　词】眨眼　眨巴　一眨眼
【造　句】一眨眼——一眨眼的功夫，他就跑得看不见了。
【辨　音】不读 zǎ。
【形近字】泛(广泛)　贬(贬义)
【英　语】眨眼　blink [bliŋk]

| zhà | 笔画 | 部首 | 结构 | 五笔 | 造字法 |
|---|---|---|---|---|---|
| 乍 | 5 | 丿 | 独体 | THF | 会意 |
| 笔顺 | 丿 𠂉 个 乍 乍 | | | | |

【解　释】❶刚开始；起初。❷忽然。❸张开；撑开。
【组　词】乍看　乍明乍暗
【造　句】乍看——他乍看不怎么起眼，其实是个很有深度的人。
【同音字】炸(炸开)
【成　语】乍暖还寒　初来乍到
【英　语】乍　first [fəːst]

| zhà | 笔画 | 部首 | 结构 | 五笔 | 造字法 |
|---|---|---|---|---|---|
| 诈 | 7 | 讠 | 左右 | YTHF | 形声 |
| 笔顺 | 丶 讠 讠 诈 诈 诈 诈 | | | | |

【解　释】❶欺骗；欺蒙。❷假装；佯装。❸用假话试探，迫使对方说出实情。
【组　词】诈骗　诈降　欺诈　狡诈
【造　句】狡诈——这人太狡诈，我们最好离他远一点。

【同音字】炸(炸弹)
【成　语】兵不厌诈
【英　语】诈骗　defraud [di'frɔːd]

| zhà | 笔画 | 部首 | 结构 | 五笔 | 造字法 |
|---|---|---|---|---|---|
| 栅 | 9 | 木 | 左右 | SMMG | 形声 |
| 笔顺 | 一 十 才 木 木 村 相 相 栅 | | | | |

【解　释】栅栏,用铁条、木条或竹条等做成的类似篱笆而较坚固的阻挡物。
【组　词】栅栏　木栅　铁栅
【同音字】炸(炸弹)　蚱(蚱蜢)
【形近字】珊(珊瑚)
【英　语】栅栏　barrier ['bæriə]
【多音字】shān(见627页)

| zhà | 笔画 | 部首 | 结构 | 五笔 | 造字法 |
|---|---|---|---|---|---|
| 咤 | 9 | 口 | 左右 | KPTA | 形声 |
| 笔顺 | 丨 口 口 口' 口'' 口宀 口宀 口宀 咤 | | | | |

【解　释】叱咤,发怒吆喝。
【组　词】叱咤
【造　句】叱咤风云——他当年是个叱咤风云的人物。
【同音字】炸(炸弹)　栅(栅栏)
【形近字】吒(哪吒)
【成　语】叱咤风云
【英　语】叱咤　flare up and shout [flɛə ʌp ænd ʃaut]

| zhà | 笔画 | 部首 | 结构 | 五笔 | 造字法 |
|---|---|---|---|---|---|
| 炸 | 9 | 火 | 左右 | OTHF | 形声 |
| 笔顺 | 丶 丷 少 火 火' 火𠂉 炸 炸 炸 | | | | |

【解　释】❶突然破裂。❷用作炸弹、炸药爆破。❸发怒。
【组　词】爆炸　轰炸
【同音字】诈(欺诈)
【英　语】炸弹　bomb [bɔm]
【多音字】zhá(见896页)

| zhà | 笔画 | 部首 | 结构 | 五笔 | 造字法 |
|---|---|---|---|---|---|
| 蚱 | 11 | 虫 | 左右 | JTHF | 形声 |
| 笔顺 | 丨 口 口 中 虫 虫 虫' 虫𠂉 蚱 蚱 蚱 | | | | |

【解　释】蚱蜢(měng),昆虫,像蝗虫,危害禾本科、豆科等植物,是害虫。
【组　词】蚱蜢
【同音字】炸(炸弹)
【形近字】昨(昨天)
【英　语】蚱蜢　grasshopper ['grɑːsˌhɔpə]

| zhà | 笔画 | 部首 | 结构 | 五笔 | 造字法 |
|---|---|---|---|---|---|
| 榨 | 14 | 木 | 左右 | SPWF | 形声 |
| 笔顺 | 一 十 才 木 木' 木' 木宀 木穴 榨 榨 榨 榨 榨 榨 | | | | |

【解　释】❶压出、挤出物体里的汁液。❷压出物体里的汁液的器具。
【组　词】榨菜　榨取　榨糖　压榨　油榨
【造　句】榨取——资本家致富源于榨取工人的劳动。
【辨　音】不读zà。
【同音字】蚱(蚱蜢)
【形近字】炸(炸糕)
【近义词】榨取/搜刮
【谚　语】榨油磨面,富了不见。

Z

【英　语】榨取　squeeze [skwiːz]

## ZHAI　ㄓㄞ

| zhāi | 笔画 | 部首 | 结构 | 五笔 | 造字法 |
|---|---|---|---|---|---|
| 斋 | 10 | 文 | 上下 | YDMJ | 形声 |
| 笔顺 | 丶 亠 ナ 文 文 文 齐 齐 斋 斋 | | | | |

【解　释】❶屋子，常用作书房、商店的名称。❷斋戒，指古人祭祀前洗澡、换衣服、不喝酒、不吃荤的行为。❸信仰佛教、道教等宗教的人所吃的素食。
【组　词】斋戒　斋饭　吃斋　书斋
【同音字】摘（摘花）
【形近字】瑞（瑞雪）
【歇后语】斋公失掉一块腊肉——不好作声。
【英　语】斋戒　fast [fɑːst]

| zhāi | 笔画 | 部首 | 结构 | 五笔 | 造字法 |
|---|---|---|---|---|---|
| 摘 | 14 | 扌 | 左右 | RUMD | 形声 |
| 笔顺 | 一 扌 扌 扌 扩 扩 护 护 摘 摘 摘 摘 摘 摘 | | | | |

【解　释】❶采取；拿下。
❷选取。
【组　词】摘要　摘花　摘菜　摘记　摘编　采摘　文摘　摘牌　摘录
【造　句】摘录——这篇文章很好，我特意摘录了几段。
【辨　音】不读 zé 或 zhái。
【同音字】斋（斋戒）
【形近字】滴（滴水）
【英　语】摘抄　take passages [teik ˈpæsidʒiz]

| zhái | 笔画 | 部首 | 结构 | 五笔 | 造字法 |
|---|---|---|---|---|---|
| 宅 | 6 | 宀 | 上下 | PTA | 形声 |
| 笔顺 | 丶 丶 宀 宀 宅 宅 | | | | |

【解　释】住所；住处。
【组　词】宅院　宅第　住宅
【造　句】宅第——这座宅第是恭亲王的王府。
【同音字】择（择菜）
【形近字】咤（叱咤）
【英　语】住宅　residence [ˈrezidəns]

| zhái | 笔画 | 部首 | 结构 | 五笔 | 造字法 |
|---|---|---|---|---|---|
| 择 | 8 | 扌 | 左右 | RCFH | 形声 |
| 笔顺 | 一 十 扌 扌 扠 择 择 择 | | | | |

【解　释】挑选，用于口语。
【组　词】择菜　择床　择席
【造　句】择席——他睡觉择席，所以一般不在外留宿。
【同音字】宅（宅院）
【多音字】zé（见 892 页）

| zhái | 笔画 | 部首 | 结构 | 五笔 | 造字法 |
|---|---|---|---|---|---|
| 翟 | 14 | 羽 | 上下 | NWYF | 会意 |
| 笔顺 | ㇆ ㇆ 习 习 羽 羽 羽 羽 翟 翟 翟 翟 翟 翟 | | | | |

【解　释】姓。
【同音字】宅（住宅）
【多音字】dí（见 156 页）

| zhǎi | 笔画 | 部首 | 结构 | 五笔 | 造字法 |
|---|---|---|---|---|---|
| 窄 | 10 | 穴 | 上下 | PWTF | 形声 |
| 笔顺 | 丶 丶 宀 宀 穴 穸 穸 窄 窄 窄 | | | | |

【解 释】❶狭小(跟“宽”相对)。❷心胸不开朗;气量小。❸生活不宽裕。
【组 词】窄小 宽窄 心窄 狭窄
【造 句】狭窄——道路狭窄容易引发交通事故。
【辨 音】不读 zǎi。
【形近字】榨(榨菜)
【成 语】冤家路窄
【英 语】狭窄 narrow [ˈnærəu]

| zhài | 笔画 | 部首 | 结构 | 五笔 | 造字法 |
|---|---|---|---|---|---|
| 债 | 10 | 亻 | 左右 | WGMY | 形声 |
| 笔顺 | 丿 亻 亻 亻 亻 佳 佳 倩 倩 债 | | | | |

【解 释】欠别人的钱物。
【组 词】债务 债主 债券 债权 公债 躲债 借债 还债 欠债
【造 句】债台高筑——这个厂的经济早就有出无进,债台高筑,濒于绝境。
【辨 音】不读 zài。
【同音字】寨(山寨)
【形近字】渍(汗渍)
【成 语】债台高筑
【近义词】债台高筑/负债累累
【英 语】债务 debt [det]

| zhài | 笔画 | 部首 | 结构 | 五笔 | 造字法 |
|---|---|---|---|---|---|
| 寨 | 14 | 宀 | 上下 | PFJS | 形声 |
| 笔顺 | 丶 丶 宀 宀 宀 宀 宙 宙 宙 宙 寒 寒 寨 寨 | | | | |

【解 释】❶防守用的栅栏。❷旧时驻兵的地方。❸旧指村落周围防卫用的栅栏,现用作村镇名。
【组 词】寨门 山寨 边寨
【造 句】安营扎寨——打井队在茫茫沙漠中安营扎寨,一干就是半年。
【辨 音】不读 zài。
【同音字】债(债务)
【形近字】赛(赛跑)
【成 语】安营扎寨
【英 语】寨子 stockaded village [stɔˈkeidid ˈviliʤ]

## ZHAN ㄓㄢ

| zhān | 笔画 | 部首 | 结构 | 五笔 | 造字法 |
|---|---|---|---|---|---|
| 占 | 5 | ⺊ | 上下 | HKF | 会意 |
| 笔顺 | 丨 ⺊ ⺊ 占 占 | | | | |

【解 释】❶占卜,古代迷信者用铜钱等物来推断祸福。❷姓。
【组 词】占卜 占卦 占课
【同音字】沾(沾边)
【形近字】古(古代)
【英 语】占卜 divine [diˈvain]
【多音字】zhàn(见 902 页)

| zhān | 笔画 | 部首 | 结构 | 五笔 | 造字法 |
|---|---|---|---|---|---|
| 沾 | 8 | 氵 | 左右 | IHKG | 形声 |
| 笔顺 | 丶 丶 氵 氵 氵 氵 沾 沾 | | | | |

【解 释】❶因接触而浸湿。❷稍微碰上或挨上。❸因接触而被东西附着上。❹因发生关系而得到好处。
【组 词】沾边 沾染 沾手 沾水 沾湿 沾光
【造 句】沾沾自喜——他为人谦虚,不会因为取得一点成绩就沾沾自喜。
【同音字】瞻(瞻仰)

Z

【形近字】粘(粘连)
【成　语】沾沾自喜
【反义词】沾沾自喜/垂头丧气
【近义词】沾沾自喜/自鸣得意
【英　语】沾　dip [dip]

| zhān | 笔画 | 部首 | 结构 | 五笔 | 造字法 |
|---|---|---|---|---|---|
| 毡 | 9 | 毛 | 半包围 | TFNK | 形声 |
| 笔顺 | ノ ニ 三 毛 毛 毛 毡 毡 毡 | | | | |

【解　释】毡子,用羊毛等压成的像厚呢子或粗毯子似的东西。
【组　词】毡子　毡条　毡房
【同音字】粘(粘上)
【形近字】毯(毯子)
【歇后语】毡上失根毛——没关系。
【谚　语】毡袋子的灰尘多,学问浅薄的人傲气大。
【英　语】毡帽　felt hat [felt hæt]

| zhān | 笔画 | 部首 | 结构 | 五笔 | 造字法 |
|---|---|---|---|---|---|
| 粘 | 11 | 米 | 左右 | OHKG | 形声 |
| 笔顺 | 丶 丷 丷 半 米 米 米 籵 籵 粘 粘 | | | | |

【解　释】❶胶合。❷贴上。
【组　词】粘连　粘贴
【造　句】粘贴——她将自己的感想写在纸条上,然后粘贴在文章后面。
【同音字】沾(沾湿)
【形近字】沾(沾边)
【英　语】粘贴　paste [peist]
【多音字】nián(见520页)

| zhān | 笔画 | 部首 | 结构 | 五笔 | 造字法 |
|---|---|---|---|---|---|
| 詹 | 13 | ⺈ | 半包围 | QDWY | 形声 |
| 笔顺 | ノ ⺈ ⺈ 产 产 产 产 产 詹 詹 詹 詹 詹 | | | | |

【解　释】姓。
【同音字】沾(沾水)
【形近字】瞻(瞻仰)

| zhān | 笔画 | 部首 | 结构 | 五笔 | 造字法 |
|---|---|---|---|---|---|
| 瞻 | 18 | 目 | 左右 | HQDY | 形声 |
| 笔顺 | 丨 冂 冂 冃 目 目 目 目 目 瞻 瞻 瞻 瞻 瞻 瞻 瞻 瞻 瞻 | | | | |

【解　释】❶向上或向前看。❷姓。
【组　词】瞻仰　瞻礼　瞻念　瞻顾　瞻望
【造　句】瞻前顾后——他是个谨慎的人,做事总是瞻前顾后。
【同音字】沾(沾水)
【形近字】檐(屋檐)
【成　语】瞻前顾后　高瞻远瞩
【反义词】瞻前顾后/勇往直前
【近义词】瞻前顾后/左顾右盼
【英　语】瞻望　look forward [luk 'fɔːwəd]

| zhǎn | 笔画 | 部首 | 结构 | 五笔 | 造字法 |
|---|---|---|---|---|---|
| 斩 | 8 | 车 | 左右 | LR | 会意 |
| 笔顺 | 一 𠃊 车 车 车 斩 斩 斩 | | | | |

【解　释】❶砍断。❷比喻敲竹杠;讹诈。
【组　词】斩首　斩断
【造　句】斩钉截铁——爷爷斩钉截铁地说:“要么不做,要做就一定做好!”

【辨　音】不读 zǎn。
【同音字】盏(一盏灯)
【形近字】软(柔软)
【成　语】先斩后奏　斩草除根　斩钉截铁
【反义词】斩草除根/养虎遗患
【近义词】斩草除根/除恶务尽
【谚　语】斩草除根,萌芽不发。
【英　语】斩断　chop off [tʃɔp ɔ:f]

| zhǎn | 笔画 | 部首 | 结构 | 五笔 | 造字法 |
|---|---|---|---|---|---|
| 盏 | 10 | 皿 | 上下 | GLF | 形声 |
| 笔顺 | 一 = 戋 戋 戋 戋 盏 盏 盏 盏 | | | | |

【解　释】❶小杯子。❷量词。
【组　词】酒盏　茶盏　油盏
【同音字】展(展出)
【形近字】盘(盘子)

| zhǎn | 笔画 | 部首 | 结构 | 五笔 | 造字法 |
|---|---|---|---|---|---|
| 展 | 10 | 尸 | 半包围 | NAEI | 形声 |
| 笔顺 | ㇕ コ 尸 尸 尸 屏 屈 展 展 展 | | | | |

【解　释】❶放开。❷扩大。❸推迟;放缓。❹陈列;展览。❺发展;施展。❻姓。
【组　词】展览　展现　展出　展示　展销　画展　书展　扩展　展区　展位
【造　句】画展——为庆祝国庆节,我们单位举办了画展。
【同音字】斩(斩断)
【形近字】辗(辗转)
【成　语】愁眉不展　一筹莫展
【反义词】一筹莫展/大显神通
【近义词】一筹莫展/束手无策
【英　语】展示　show [ʃəu]

| zhǎn | 笔画 | 部首 | 结构 | 五笔 | 造字法 |
|---|---|---|---|---|---|
| 崭 | 11 | 山 | 上下 | MLRJ | 形声 |
| 笔顺 | 丨 山 山 岂 岸 岸 崭 崭 崭 崭 崭 | | | | |

【解　释】❶高出;突出。❷优异;好。
【组　词】崭新　崭然
【造　句】崭新——今年就要过去了,崭新的一年即将开始。
【同音字】展(展出)
【形近字】斩(斩首)
【成　语】崭露头角
【反义词】崭露头角/不露圭角
【近义词】崭新/全新
【英　语】崭新　brandnew [ˌbrænd-ˈnjuː]

| zhǎn | 笔画 | 部首 | 结构 | 五笔 | 造字法 |
|---|---|---|---|---|---|
| 辗 | 14 | 车 | 左右 | LNAE | 形声 |
| 笔顺 | 一 七 车 车 车 轩 轩 轩 轩 轩 辗 辗 辗 辗 | | | | |

【解　释】[辗转]❶身体翻来覆去地转动。❷经过很多人的手或经过许多地方。
【组　词】辗转
【造　句】辗转反侧——躺在床上,想起一连串的烦心事,他辗转反侧,难以入睡。
【同音字】展(展出)
【形近字】碾(碾米)
【成　语】辗转反侧
【近义词】辗转反侧/转侧不安

Z

| zhàn | 笔画 | 部首 | 结构 | 五笔 | 造字法 |
|---|---|---|---|---|---|
| 占 | 5 | ⺊ | 上下 | HKF | 会意 |
| 笔顺 | 丨 ⺊ ⺊ 占 占 | | | | |

【解　释】❶据有；强取。❷处于。
【组　词】占有　占领　攻占　侵占　占先　霸占　独占　强占
【造　句】占有——我们不要只想占有，而不问付出。
【同音字】战（战斗）
【近义词】攻占/占领
【谚　语】占小便宜吃大亏。
【英　语】占据　occupy ['ɔkjupai]
【多音字】zhān（见 899 页）

| zhàn | 笔画 | 部首 | 结构 | 五笔 | 造字法 |
|---|---|---|---|---|---|
| 战 | 9 | 戈 | 左右 | HKA | 形声 |
| 笔顺 | 丨 ⺊ ⺊ 占 占 占 战 战 战 | | | | |

【解　释】❶战争；打仗。❷进行战争或战斗。❸泛指争胜负；比高低。❹发抖。❺姓。
【组　词】战争　战斗　战场　战役　战术　战栗　笔战　备战　决战
【造　句】战役——我军在这次战役中缴获了大批物资。
【同音字】站（站立）
【形近字】站（站队）
【成　语】战无不胜
【反义词】战无不胜/不堪一击
【近义词】战战兢兢/诚惶诚恐
【歇后语】战争贩子讲和平——口蜜腹剑。
【谚　语】战马拴在槽头上要掉膘，刀枪放在仓库里会生锈。
【英　语】战胜　defeat [di'fiːt]

| zhàn | 笔画 | 部首 | 结构 | 五笔 | 造字法 |
|---|---|---|---|---|---|
| 站 | 10 | 立 | 左右 | UH | 形声 |
| 笔顺 | 丶 亠 亠 亣 立 立 立 站 站 站 | | | | |

【解　释】❶立；直立。❷在行进中停下来；停留。❸供乘客上下或货物装卸用的指定停车点。❹为某种业务而设立的机构。
【组　词】站住　站立　站台　站稳　车站　粮站　货站　进站　站岗　站长　记者站
【造　句】记者站——我家楼下就是《人民日报》的一个记者站。
【同音字】战（战斗）
【形近字】战（战争）
【谚　语】站得高，看得远|站有站相，坐有坐相。
【英　语】车站　station ['steiʃən]

| zhàn | 笔画 | 部首 | 结构 | 五笔 | 造字法 |
|---|---|---|---|---|---|
| 绽 | 11 | 纟 | 左右 | XPGH | 形声 |
| 笔顺 | 𠃋 纟 纟 纟 纟 纟 纟 纟 绽 绽 绽 | | | | |

【解　释】裂开；破裂。
【组　词】绽开　绽放　破绽　绽露　皮开肉绽
【造　句】绽放——昨天还是一树的花骨朵，今天一看，满树鲜花绽放。
【辨　音】不读 dìng。
【同音字】战（战争）
【形近字】淀（海淀）
【成　语】皮开肉绽
【英　语】绽开　split [split]

| zhàn | 笔画 | 部首 | 结构 | 五笔 | 造字法 |
|---|---|---|---|---|---|
| 颤 | 19 | 页 | 左右 | YLKM | 形声 |
| 笔顺 | 丶 亠 亡 亩 亩 亩 亩 亶 亶 亶 亶 亶 亶 亶 亶 颤 颤 颤 颤 | | | | |

【解　释】发抖；哆嗦。
【同音字】战（战争）
【英　语】颤　tremble[ˈtrembl]
【多音字】chàn（见 87 页）

## ZHANG　ㄓㄤ

| zhāng | 笔画 | 部首 | 结构 | 五笔 | 造字法 |
|---|---|---|---|---|---|
| 张 | 7 | 弓 | 左右 | XT | 形声 |
| 笔顺 | ㇕ ㇕ 弓 引 弡 张 张 | | | | |

【解　释】❶分开；放开。❷陈设；铺设。❸扩大；夸张。❹看；望。❺商店开业。❻量词。用于纸、皮子或床、桌、椅等。❼量词。用于嘴、脸等。❽量词。用于弓。❾二十八宿之一。❿姓。
【组　词】张大　张罗　张望　紧张
【造　句】紧张——老师每次让小亮回答问题，他一站起来就紧张。
【同音字】章（章程）
【形近字】怅（怅然）
【成　语】张冠李戴　张口结舌　张牙舞爪　东张西望　虚张声势
【反义词】张皇失措/泰然自若
【近义词】张冠李戴/移花接木
【歇后语】张飞穿针——粗中有细。
【英　语】张贴　put up［put ʌp］

| zhāng | 笔画 | 部首 | 结构 | 五笔 | 造字法 |
|---|---|---|---|---|---|
| 章 | 11 | 立 | 上下 | UJJ | 会意 |
| 笔顺 | 丶 亠 亠 立 立 产 音 音 音 竟 章 | | | | |

【解　释】❶诗文、歌曲的段落。❷成篇的文字。❸条目；法规。❹条理。❺奏章。❻图章。❼佩带在身上的标志。❽姓。
【组　词】章法　章节　盖章　篇章　乐章　规章　简章　公章
【造　句】章法——他虽然老练，这时候也难免乱了章法。
【辨　音】不读 zāng。
【同音字】张（张开）
【形近字】意（意见）
【成　语】杂乱无章
【歇后语】章鱼自己吃自己的爪子——只顾眼前饱。
【谚　语】章必循，规必守。
【英　语】章程　rules［ruːlz］

| zhāng | 笔画 | 部首 | 结构 | 五笔 | 造字法 |
|---|---|---|---|---|---|
| 彰 | 14 | 彡 | 左右 | UJET | 形声 |
| 笔顺 | 丶 亠 亠 立 立 产 音 音 音 竟 章 章 彰 彰 | | | | |

【解　释】❶明显。❷表扬；称颂。
【组　词】表彰　昭彰
【造　句】表彰——王力代表初一年级全体学生参加了市优秀共青团员表彰大会。
【同音字】张（张扬）
【形近字】章（印章）
【近义词】表彰/表扬
【成　语】相得益彰
【英　语】表彰　commend［kəˈme-

Z

nd]

| zhāng | 笔画 | 部首 | 结构 | 五笔 | 造字法 |
|---|---|---|---|---|---|
| 蟑 | 17 | 虫 | 左右 | JUJH | 形声 |
| 笔顺 | 丨 口 口 中 虫 虫 虫 虫 虫 虫 虫 虫 蟑 蟑 蟑 蟑 蟑 | | | | |

【解　释】[蟑螂]昆虫,体扁平,能发出臭气,常在夜里偷吃食物,咬坏衣物,能传播疾病,是害虫。
【组　词】蟑螂
【同音字】张(开张大吉)
【形近字】樟(樟木)
【英　语】蟑螂　roach [rəutʃ]

| zhǎng | 笔画 | 部首 | 结构 | 五笔 | 造字法 |
|---|---|---|---|---|---|
| 长 | 4 | 丿 | 独体 | TA | 象形 |
| 笔顺 | 丿 𠂉 长 长 | | | | |

【解　释】❶辈分高或年纪大的。❷生;发育。❸增长;增加。❹排行中居第一的。❺机关、团体等单位的负责人。
【组　词】增长　长大　长辈
【造　句】增长——去一趟延安,我们增长了不少知识。
【同音字】涨(涨潮)
【谚　词】长一分精神,消一分嫩性。
【英　语】生长　grow up [grəu ʌp]
【多音字】cháng(见 88 页)

| zhǎng | 笔画 | 部首 | 结构 | 五笔 | 造字法 |
|---|---|---|---|---|---|
| 涨 | 10 | 氵 | 左右 | IXTY | 形声 |
| 笔顺 | 丶 冫 氵 氵 沪 沪 涨 涨 涨 涨 | | | | |

【解　释】水位升高;物价提高。
【组　词】涨潮　涨价　高涨　上涨
【造　句】上涨——这次物价局调价,商品价格上涨不多。
【同音字】掌(手掌)
【形近字】张(张开)
【成　语】水涨船高
【反义词】涨价/降价
【谚　语】涨潮吃鲜,落潮吃盐。
【英　语】涨价　go up [gəu ʌp]
【多音字】zhàng(见 906 页)

| zhǎng | 笔画 | 部首 | 结构 | 五笔 | 造字法 |
|---|---|---|---|---|---|
| 掌 | 12 | 手 | 上下 | IPKR | 形声 |
| 笔顺 | 丨 丨 丨 丨 丨 丨 丨 丨 堂 堂 堂 掌 | | | | |

【解　释】❶手掌;巴掌。❷用手掌打人。❸主持;掌管;把握。❹某些动物的脚。❺钉在马、骡等蹄下的铁片。❻鞋底打补丁。❼姓。
【组　词】掌心　掌握　掌管　掌灯　拍掌　鞋掌　马掌　巴掌　前掌
【造　句】掌上明珠——她是父母的掌上明珠。
【同音字】涨(涨水)
【形近字】常(常在)
【成　语】掌上明珠
【反义词】掌上明珠/视如敝屣
【歇后语】掌磅秤的报数儿——句句实话。
【谚　语】掌舵的不慌,乘船的稳当。
【英　语】掌握　grasp [grɑːsp]

| zhàng | 笔画 | 部首 | 结构 | 五笔 | 造字法 |
|---|---|---|---|---|---|
| 丈 | 3 | 一 | 独体 | DYI | 会意 |
| 笔顺 | 一 ナ 丈 | | | | |

【解　释】❶长度单位,1 丈约等于 3.33米。❷丈量土地。❸对老年人的称呼。❹岳父。❺[丈夫]1. 对成年男子的称呼。2. 妇女的配偶。
【组　词】丈夫　丈量　丈人
【同音字】帐(帐子)
【形近字】大(大小)
【歇后语】丈二的豆芽——老嫩。
【谚　语】丈二和尚摸不着头脑。
【英　语】丈夫　husband [ˈhʌzbənd]

| zhàng | 笔画 | 部首 | 结构 | 五笔 | 造字法 |
|---|---|---|---|---|---|
| 仗 | 5 | 亻 | 左右 | WDYY | 形声 |
| 笔顺 | 丿 亻 仁 仕 仗 | | | | |

【解　释】❶战争;战斗。❷兵器的总称。❸凭借;依赖。❹拿着。
【组　词】倚仗　打仗　仗义　胜仗
【造　句】仗义执言——他为人正直,做事认真,敢于仗义执言。
【同音字】帐(帐幕)
【形近字】伏(伏击)
【成　语】仗势欺人　仗义疏财　仗义执言
【反义词】仗义疏财/见利忘义
【近义词】仗势欺人/狐假虎威
【英　语】倚仗　depend on [diˈpend ɔn]

| zhàng | 笔画 | 部首 | 结构 | 五笔 | 造字法 |
|---|---|---|---|---|---|
| 杖 | 7 | 木 | 左右 | SDYY | 形声 |
| 笔顺 | 一 十 才 木 木一 杖 杖 | | | | |

【解　释】❶拐杖,拄在手里挟着走路的棍子。❷泛指棍棒。
【组　词】杖子　杖罚　杖刑　拐杖
【同音字】帐(帐子)
【形近字】仗(打仗)
【英　语】拐杖　cane [kein]

| zhàng | 笔画 | 部首 | 结构 | 五笔 | 造字法 |
|---|---|---|---|---|---|
| 帐 | 7 | 巾 | 左右 | MHTY | 形声 |
| 笔顺 | 丨 冂 巾 巾丿 巾𠂉 帐 帐 | | | | |

【解　释】❶用织物制成的遮蔽用的帷幕。❷同“账”。
【组　词】帐幕　蚊帐
【同音字】仗(打仗)
【形近字】账(账本)　怅(怅然)
【歇后语】帐子里放风筝——飞不高。
【英　语】帐篷　canopy [ˈkænəpi]

| zhàng | 笔画 | 部首 | 结构 | 五笔 | 造字法 |
|---|---|---|---|---|---|
| 账 | 8 | 贝 | 左右 | MTAY | 形声 |
| 笔顺 | 丨 冂 贝 贝 贝丿 贝𠂉 账 账 | | | | |

【解　释】❶关于财物进出的记载。❷债务。❸指账簿。
【组　词】账本　账单　记账　账房　查账　认账　还账
【造　句】记账——妈妈每天都有记账的习惯。
【同音字】仗(打仗)
【形近字】帐(蚊帐)
【谚　语】账要勤算,书要勤念。
【英　语】账单　bill [bil]

| zhàng | 笔画 | 部首 | 结构 | 五笔 | 造字法 |
|---|---|---|---|---|---|
| 胀 | 8 | 月 | 左右 | ETA | 形声 |
| 笔顺 | 丿 刀 月 月 月丿 月𠂉 胀 胀 | | | | |

【解　释】❶膨胀;体积变大(跟“缩”相对)。❷体内一种发胀的感觉。

Z

【组　词】胀痛　头胀　膨胀
【造　句】胀痛——我这几天胃有些不舒服，时时有胀痛的感觉。
【同音字】仗(打仗)
【形近字】帐(帐子)
【反义词】膨胀/收缩
【英　语】肿胀　swollen [ˈswəulən]

| zhàng | 笔画 | 部首 | 结构 | 五笔 | 造字法 |
|---|---|---|---|---|---|
| 涨 | 10 | 氵 | 左右 | IXTY | 形声 |
| 笔顺 | 丶 丶 氵 氵 氵 氵 氵 氵 涨 涨 | | | | |

【解　释】❶体积增大。❷弥漫；充满。
【组　词】涨血　涨鼓　涨红
【造　句】涨红——她这一生气，脸都涨红了。
【英　语】涨大　swell [swel]
【多音字】zhǎng(见904页)

| zhàng | 笔画 | 部首 | 结构 | 五笔 | 造字法 |
|---|---|---|---|---|---|
| 障 | 13 | 阝 | 左右 | BUJH | 形声 |
| 笔顺 | 阝 阝 阝 阝 阝 阝 阝 阝 障 障 障 障 障 | | | | |

【解　释】❶阻碍；遮挡。❷用来遮挡、防卫的东西。
【组　词】障碍　障蔽　屏障　风障　白内障
【造　句】障碍——清洁工人一大早就来到马路上清除垃圾，以免为交通带来障碍。
【辨　音】不读zhāng。
【同音字】账(账本)
【形近字】蟑(蟑螂)
【近义词】障碍/阻碍
【英　语】障碍　hinder [ˈhində]

## ZHAO　ㄓㄠ

| zhāo | 笔画 | 部首 | 结构 | 五笔 | 造字法 |
|---|---|---|---|---|---|
| 钊 | 7 | 钅 | 左右 | QJH | 会意 |
| 笔顺 | 丿 𠂉 𠂉 𠂉 钅 钅 钊 钊 | | | | |

【解　释】勉励。多用于人名。
【同音字】招(招手)
【形近字】利(利益)

| zhāo | 笔画 | 部首 | 结构 | 五笔 | 造字法 |
|---|---|---|---|---|---|
| 招 | 8 | 扌 | 左右 | RVKG | 形声 |
| 笔顺 | 一 十 扌 扌 扨 扨 招 招 | | | | |

【解　释】❶用手势叫人或致意。❷用广告或通知的方式使人来。❸惹；引来。❹传染。❺承认所犯的错误。❻办法；计策；手段。❼姓。
【组　词】招手　招标　招摇　招兵　绝招　花招　招商
【造　句】招商——这座大楼已装修好并开始招商。
【同音字】昭(昭著)
【形近字】沼(沼泽)
【成　语】招兵买马　招摇过市
【反义词】招降纳叛/招贤纳士
【歇后语】招亲招来了猪八戒——自找难看。
【谚　语】招之即来，挥之即去｜招待客人之前，先喂好客人的马。
【英　语】招待　receive [riˈsiːv]

| zhāo | 笔画 | 部首 | 结构 | 五笔 | 造字法 |
|---|---|---|---|---|---|
| 昭 | 9 | 日 | 左右 | JVKG | 形声 |
| 笔顺 | 丨 冂 日 日 日 昭 昭 昭 昭 | | | | |

【解　释】明显；显著。
【组　词】昭雪　昭然　昭著　昭示　昭彰　昭告
【造　句】昭雪——十年后，他的冤案终于昭雪。
【同音字】招（招手）
【形近字】看（查看）
【形近字】招（招摇）
【成　语】昭然若揭　昭德塞违　昭聋发聩
【反义词】昭然若揭/若明若暗
【近义词】昭然若揭/显而易见
【英　语】昭然　obvious［ˈɔbviəs］

| zhāo | 笔画 | 部首 | 结构 | 五笔 | 造字法 |
|---|---|---|---|---|---|
| 着 | 11 | 𦍌 | 半包围 | UDHF | 形声 |
| 笔顺 | 丶 丷 䒑 䒑 𦍌 𦍌 羊 着 着 着 着 | | | | |

【解　释】❶下棋时下一子或走一步。❷计策；手段。❸用于应答；表示同意。
【组　词】高着　棋着　着数　支着　着法
【造　句】高着——下棋要想提高水平，就得有高着。
【同音字】招（招手）
【英　语】着数　trick［trik］
【多音字】zháo（见 907 页）
【多音字】zhe（见 912 页）
【多音字】zhuó（见 952 页）

| zhāo | 笔画 | 部首 | 结构 | 五笔 | 造字法 |
|---|---|---|---|---|---|
| 朝 | 12 | 月 | 左右 | FJEG | 会意 |
| 笔顺 | 一 十 𠂇 古 古 吉 直 卓 朝 朝 朝 朝 | | | | |

【解　释】❶早晨。❷日；天。
【组　词】朝阳　朝霞
【造　句】朝气蓬勃——一群朝气蓬勃的孩子准备向香山“进军”。
【同音字】招（招手）
【成　语】朝不保夕　朝气蓬勃
【反义词】朝气蓬勃/死气沉沉
【近义词】朝令夕改/反复无常
【谚　语】朝霞升起不是因为公鸡的报晓。
【英　语】朝气　youthful spirit［ˈjuːθful ˈspirit］
【多音字】cháo（见 93 页）

| zháo | 笔画 | 部首 | 结构 | 五笔 | 造字法 |
|---|---|---|---|---|---|
| 着 | 11 | 𦍌 | 半包围 | UDHF | 形声 |
| 笔顺 | 丶 丷 䒑 䒑 𦍌 𦍌 羊 着 着 着 着 | | | | |

【解　释】❶接触；挨上。❷火燃烧；灯亮了。❸受到。❹用在动词后表示动作的结果。
【组　词】着火　着急　着凉　着迷　着魔　着慌
【造　句】着迷——他对学外语太着迷了，说梦话都念 ABC。
【英　语】着凉　catch cold［kætʃ kəuld］
【多音字】zhāo（见 907 页）
【多音字】zhe（见 912 页）
【多音字】zhuó（见 952 页）

| zhǎo | 笔画 | 部首 | 结构 | 五笔 | 造字法 |
|---|---|---|---|---|---|
| 爪 | 4 | 爪 | 独体 | RHYI | 象形 |
| 笔顺 | 丿 厂 爪 爪 | | | | |

【解　释】动物的脚或趾甲。

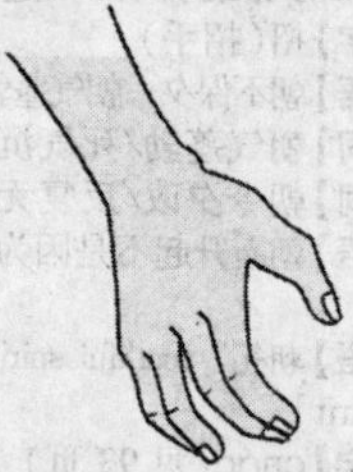

【字源释义】“爪”的字形像一只正在抓物的人手，只是简化了些。后来指人的指甲或趾甲和鸟兽的脚。
【组　词】爪牙　前爪　鸡爪　虎爪
【造　句】爪牙——经过警方几个月的抓捕，这个犯罪团伙的主犯及其爪牙全部落网。
【同音字】沼(沼泽)
【形近字】瓜(瓜子)
【成　语】张牙舞爪
【英　语】爪牙　lackey [ˈlæki]
【多音字】zhuǎ(见945页)

| zhǎo | 笔画 | 部首 | 结构 | 五笔 | 造字法 |
|---|---|---|---|---|---|
| 找 | 7 | 扌 | 左右 | RAT | 会意 |
| 笔顺 | 一 十 扌 扌 找 找 找 | | | | |

【解　释】❶寻求；寻觅。❷把多余的部分退回。
【组　词】找事　找寻　查找　自找　找辙
【造　句】找事——他是故意来找事的，别理他。
【辨　音】不读 zǎo。
【同音字】沼(沼泽)
【形近字】划(划船)
【谚　语】找朋友的最好方法，就是先去做别人的朋友。
【英　语】找寻　look for [luk fɔː]

| zhǎo | 笔画 | 部首 | 结构 | 五笔 | 造字法 |
|---|---|---|---|---|---|
| 沼 | 8 | 氵 | 左右 | IVKG | 形声 |
| 笔顺 | 丶 丶 氵 氵 汈 沼 沼 沼 | | | | |

【解　释】天然的水池子。
【组　词】沼泽　沼气　沼池　水沼　湖沼
【辨　音】不读 zhāo 或 zhào。
【同音字】找(寻找)
【形近字】昭(昭雪)
【英　语】沼泽　marsh [mɑːʃ]

| zhào | 笔画 | 部首 | 结构 | 五笔 | 造字法 |
|---|---|---|---|---|---|
| 召 | 5 | 口 | 上下 | VKF | 形声 |
| 笔顺 | ㇆ 刀 刀 召 召 | | | | |

【解　释】❶召唤；呼唤。❷傣族姓。❸寺庙。多用于地名。

【字源释义】这是一个形声字：以“口”为形旁，以“刀”为声旁。本义是“呼唤”。金文有繁体，像两

手从器皿中取“酉”(酒)、“月”(肉)以招待客人。又通“招”、“诏”。

【组　词】召唤　号召　召见　召集　召回　感召　召开

【造　句】号召——党号召我们支援新疆等地的边区建设。

【辨　音】不读 zhāo。

【同音字】照(照明)

【形近字】昭(昭雪)

【英　语】召集　convene [kən'vi:n]

| zhào | 笔画 | 部首 | 结构 | 五笔 | 造字法 |
|---|---|---|---|---|---|
| 兆 | 6 | 丿 | 左右 | IQV | 象形 |
| 笔顺 | 丿 丿 丬 兆 兆 兆 | | | | |

【解　释】❶预兆,事先出现的迹象。❷预示。❸数词。一百万。❹姓。

【组　词】兆头　预兆　前兆　先兆　征兆　吉兆　凶兆

【造　句】预兆——今冬的瑞雪,预兆着明年的大丰收。

【同音字】照(照相)

【形近字】北(北方)

【英　语】预兆　sign [sain]

| zhào | 笔画 | 部首 | 结构 | 五笔 | 造字法 |
|---|---|---|---|---|---|
| 诏 | 7 | 讠 | 左右 | YVKG | 形声 |
| 笔顺 | 丶 讠 讠 讱 讱 诏 诏 | | | | |

【解　释】❶告诉。❷皇帝发布的命令。

【组　词】诏告　诏书　下诏

【同音字】照(照明)

【形近字】昭(昭雪)

【英　语】诏书　imperial edict [im'piəriəl 'i:dikt]

| zhào | 笔画 | 部首 | 结构 | 五笔 | 造字法 |
|---|---|---|---|---|---|
| 赵 | 9 | 走 | 半包围 | FHQI | 形声 |
| 笔顺 | 一 十 土 丰 丰 走 走 赵 赵 | | | | |

【解　释】❶周代诸侯国名,在今山西省北部、中部和河北省西部、南部一带。❷姓。

【组　词】赵国

【造　句】完璧归赵——我对李明说:“借书可以,但一定要准时完璧归赵。”

【同音字】罩(笼罩)

【形近字】起(起来)

【成　语】完璧归赵

【反义词】完璧归赵/据为己有

【近义词】完璧归赵/物归原主

【歇后语】赵匡胤掉落井里——不敢劳(捞)你金身大驾|赵匡胤卖包子——御驾亲(清)征(蒸)|赵子龙带兵——一世不打败仗。

| zhào | 笔画 | 部首 | 结构 | 五笔 | 造字法 |
|---|---|---|---|---|---|
| 照 | 13 | 灬 | 上下 | JVKO | 形声 |
| 笔顺 | 丨 冂 日 日 日フ 昭 昭 昭 昭 照 照 照 照 | | | | |

【解　释】❶照耀;照射。❷对着镜子看自己。❸拍摄相片、电影等。❹相片。❺执照;政府发的某种凭证。❻料理;配合。❼通知。❽对比;查看。❾依从;按照。

【组　词】照片　照相　照射　照常　照办　剧照　关照

【造　句】照办——请放心,您吩咐的事我会一一照办的。

【同音字】诏(诏书)

【形近字】昭(昭雪)
【成　语】照本宣科
【反义词】照猫画虎/别出心裁
【近义词】照本宣科/生搬硬套
【歇后语】照相底片 —— 颠倒黑白|照样画葫芦——生搬硬套。
【英　语】照射 shine [ʃain]

| zhào | 笔画 | 部首 | 结构 | 五笔 | 造字法 |
|---|---|---|---|---|---|
| 罩 | 13 | 罒 | 上下 | LHJJ | 形声 |
| 笔顺 | 丨 冂 冂 罒 罒 罒 罒 罒 罟 罟 罟 罩 罩 | | | | |

【解　释】❶遮住;套在外面。❷罩子,遮盖用的东西。❸外罩;罩衣。❹养鸡的小笼子。❺捕鱼的竹器。
【组　词】罩住　罩衫　罩衣　纱罩　衣罩　灯罩　笼罩
【造　句】笼罩——傍晚后,天空笼罩着乌云,看样子是要下雨了。
【辨　音】不读 zào。
【同音字】赵(赵国)
【形近字】置(布置)　桌(桌子)
【英　语】罩子 cover [ˈkʌvə]

## ZHE　ㄓㄜ

| zhē | 笔画 | 部首 | 结构 | 五笔 | 造字法 |
|---|---|---|---|---|---|
| 折 | 7 | 扌 | 左右 | RR | 会意 |
| 笔顺 | 一 十 扌 扌 扩 扩 折 | | | | |

【解　释】❶翻转。❷倒过来倒过去。
【组　词】折跟头　折腾
【同音字】遮(遮盖)
【英　语】折腾 toss about [tɔs əˈbaut]
【多音字】shé(见 635 页)
【多音字】zhé(见 910 页)

| zhē | 笔画 | 部首 | 结构 | 五笔 | 造字法 |
|---|---|---|---|---|---|
| 遮 | 14 | 辶 | 半包围 | YAOP | 形声 |
| 笔顺 | 丶 亠 广 广 庐 庐 庐 庐 庶 庶 庶 庶 遮 遮 | | | | |

【解　释】❶遮住;盖起来。❷掩饰。
【组　词】遮阳　遮挡　遮盖　遮掩　遮蔽
【造　句】遮天蔽日——沿着石砌的山路,两旁满是古松古柏,遮天蔽日的。
【辨　音】不读 zhě。
【形近字】蔗(甘蔗)
【成　语】遮天蔽日
【英　语】遮蔽 shade [ʃeid]

| zhé | 笔画 | 部首 | 结构 | 五笔 | 造字法 |
|---|---|---|---|---|---|
| 折 | 7 | 扌 | 左右 | RR | 会意 |
| 笔顺 | 一 十 扌 扌 扩 扩 折 | | | | |

【解　释】❶断。❷损失。❸曲折;弯曲。❹死亡。❺佩服。❻换成;抵作。❼按成数减少。❽用纸折叠而成的本子。❾汉字的笔形。❿叠。

甲骨文　金文　小篆　隶书　楷书

【字源释义】一把大斧（“斤”）把一棵树（“木”）砍断，这就是“折”的本义——“折断”。
【组　词】折断　折价　折旧　折磨　折扇　折扣　转折　挫折
【造　句】折断——他真有力气，那么粗的木棍轻易就折断了。
【同音字】哲（哲学）
【形近字】拆（拆开）
【成　语】百折不挠
【英　语】折断　break off [breik ɔːf]
【多音字】shé（见 635 页）
【多音字】zhē（见 910 页）

| zhé | 笔画 | 部首 | 结构 | 五笔 | 造字法 |
|---|---|---|---|---|---|
| 哲 | 10 | 口 | 上下 | RRKF | 形声 |
| 笔顺 | 一 十 扌 扌 扩 扩 折 折 哲 哲 | | | | |

【解　释】❶聪明；有智慧。❷指聪明；有智慧的人。
【组　词】哲学　先哲　哲人　哲理　哲言　圣哲
【造　句】哲理——这篇小说不但语言生动活泼，还很有哲理。
【同音字】辙（车辙）
【形近字】蜇（海蜇）
【英　语】哲学　philosophy [fi'lɔsəfi]

| zhé | 笔画 | 部首 | 结构 | 五笔 | 造字法 |
|---|---|---|---|---|---|
| 蛰 | 12 | 虫 | 上下 | RVYJ | 形声 |
| 笔顺 | 一 十 扌 扎 执 执 执 执 蛰 蛰 蛰 蛰 | | | | |

【解　释】❶蛰伏，动物冬眠。❷比喻人长期躲在家里，不出头露面。
【组　词】蛰伏　蛰居　惊蛰
【同音字】折（打折）
【形近字】哲（哲学）
【英　语】蛰伏　dormancy ['dɔːmənsi]

| zhé | 笔画 | 部首 | 结构 | 五笔 | 造字法 |
|---|---|---|---|---|---|
| 辙 | 16 | 车 | 左中右 | LYCT | 形声 |
| 笔顺 | 一 𠀆 车 车 车 轩 轩 轩 轩 辅 辅 辅 辙 辙 辙 辙 | | | | |

【解　释】❶车轮碾过的痕迹。❷歌词、戏曲、杂曲所押的韵。❸办法；主意。❹车行的一定路线。
【组　词】辙口　车辙　离辙　改辙　没辙
【造　句】如出一辙——中国绘画和书法在用笔的方法上如出一辙。
【同音字】折（打折）
【形近字】撤（撤退）
【成　语】如出一辙　重蹈覆辙
【反义词】如出一辙/迥然不同
【近义词】如出一辙/一模一样
【英　语】车辙　rut [rʌt]

| zhě | 笔画 | 部首 | 结构 | 五笔 | 造字法 |
|---|---|---|---|---|---|
| 者 | 8 | 耂 | 半包围 | FTJF | 形声 |
| 笔顺 | 一 十 土 耂 耂 者 者 者 | | | | |

【解　释】❶代词。表示人物或事物。❷助词。表示语气稍微停顿。
【组　词】学者　作者　记者　患者　长者　笔者　编者　读者
【造　句】记者——小丽是报社记者。
【形近字】昔（昔日）
【英　语】读者　reader ['riːdə]

Z

| zhè | 笔画 | 部首 | 结构 | 五笔 | 造字法 |
|---|---|---|---|---|---|
| 这 | 7 | 辶 | 半包围 | P | 形声 |
| 笔顺 | 丶 亠 亣 文 这 这 这 | | | | |

【解　释】❶指示代词。指较近的时间、地点、事物(跟“那”相对)。❷立刻;马上。
【组　词】这天　这时　这里　这样　这个　这些
【造　句】这个——这个箱子里装的东西太多了。
【同音字】浙(浙江)
【形近字】边(边沿)
【谚　语】这山望着那山高|这事未完,那事又起,按下葫芦瓢又起。
【英　语】这般　such [sʌtʃ]

| zhè | 笔画 | 部首 | 结构 | 五笔 | 造字法 |
|---|---|---|---|---|---|
| 浙 | 10 | 氵 | 左右 | IRRH | 形声 |
| 笔顺 | 丶 丶 氵 氵 汁 汁 浙 浙 浙 浙 | | | | |

【解　释】浙江省的简称。
【组　词】浙江
【辨　音】不读 zhé。
【同音字】这(这个)
【形近字】逝(逝去)

| zhè | 笔画 | 部首 | 结构 | 五笔 | 造字法 |
|---|---|---|---|---|---|
| 蔗 | 14 | 艹 | 上下 | AYAO | 形声 |
| 笔顺 | 一 十 艹 艹 艹 产 芦 芦 芦 芦 芦 芦 蔗 蔗 | | | | |

【解　释】甘蔗,多年生草本植物,茎含大量甜汁,可生吃和制糖。
【组　词】甘蔗　蔗糖　蔗渣　蔗农
【同音字】这(这个)
【形近字】遮(遮盖)
【英　语】蔗糖　sucrose [ˈsuːkrəus]

| zhe | 笔画 | 部首 | 结构 | 五笔 | 造字法 |
|---|---|---|---|---|---|
| 着 | 11 | 𦍌 | 半包围 | UDHF | 形声 |
| 笔顺 | 丶 丷 䒑 兰 差 差 着 着 着 着 着 | | | | |

【解　释】表示动作或状态在持续。
【组　词】停着　放着　看着
【多音字】zhāo(见 907 页)
【多音字】zháo(见 907 页)
【多音字】zhuó(见 952 页)

## ZHEN　ㄓㄣ

| zhēn | 笔画 | 部首 | 结构 | 五笔 | 造字法 |
|---|---|---|---|---|---|
| 贞 | 6 | ⺊ | 上下 | HMU | 会意 |
| 笔顺 | 丨 ⺊ 亠 占 贞 贞 | | | | |

【解　释】❶忠于原则与操守;坚定不变。❷封建社会指女子死了丈夫不改嫁等道德。

【字源释义】本义是"占卜"。甲骨文以"鼎"为"贞";金文加"卜"旁,表示占卜之事。"贞节"、"坚贞"等义都是后起义。
【组　词】坚贞　贞洁　贞烈　贞女　贞观
【造　句】坚贞不屈——井冈山的毛竹同井冈山人一样坚贞不屈。
【同音字】侦(侦察)
【形近字】贝(宝贝)
【成　语】坚贞不屈
【谚　语】贞姬守节,侠女怜才。
【英　语】贞节　virginity [və'dʒinəti]

| zhēn | 笔画 | 部首 | 结构 | 五笔 | 造字法 |
|---|---|---|---|---|---|
| 针 | 7 | 钅 | 左右 | QFH | 会意 |
| 笔顺 | 丿 𠂉 𠂇 乍 钅 钅一 针 | | | | |

【解　释】❶缝织用的工具。❷像针的东西。❸针剂,注射用的东西。❹注射用具。
【组　词】针对　针线　针眼　针尖　钢针　打针　吊针　银针
【造　句】针线——我拿来针线,让妈妈帮我缝衣服。
【同音字】珍(珍贵)
【形近字】钉(钉子)
【成　语】针锋相对
【反义词】针锋相对/逆来顺受
【近义词】针锋相对/唇枪舌剑
【歇后语】针尖上落芝麻——难顶|针挑黄连——挖苦。
【谚　语】针无两头尖,蔗无两头甜|针越用越明,脑越用越灵。
【英　语】针对　be aimed at [bi:eimd æt]

| zhēn | 笔画 | 部首 | 结构 | 五笔 | 造字法 |
|---|---|---|---|---|---|
| 侦 | 8 | 亻 | 左右 | WHMY | 形声 |
| 笔顺 | 丿 亻 亻丨 亻卜 亻⺊ 侦 侦 侦 | | | | |

【解　释】暗中察看;探查。
【组　词】侦破　侦探　侦缉
【造　句】侦破——这是一个没有线索、难于侦破的案件。
【辨　音】不读 zhēng。
【同音字】珍(珍重)
【形近字】贞(坚贞)
【近义词】侦察/侦探
【英　语】侦查　investigate [in'vestigeit]

| zhēn | 笔画 | 部首 | 结构 | 五笔 | 造字法 |
|---|---|---|---|---|---|
| 珍 | 9 | 王 | 左右 | GWET | 形声 |
| 笔顺 | 一 二 干 王 玐 玠 玠 珍 珍 | | | | |

【解　释】❶宝贵的东西。❷宝贵;贵重的。❸看重;重视。
【组　词】珍重　珍贵　奇珍异宝
【造　句】奇珍异宝——故宫博物院里收藏着数不清的奇珍异宝。
【同音字】贞(坚贞)　针(针对)
【形近字】诊(诊断)
【反义词】奇珍异宝/破铜烂铁
【近义词】奇珍异宝/稀世珍宝
【歇后语】珍珠落在玉盘里——响当当。
【谚　语】珍珠虽小值千金|珍珠挂在颈上,友谊嵌在心上。
【英　语】珍宝　jewellery ['dʒu:əlri]

Z

| zhēn | 笔画 | 部首 | 结构 | 五笔 | 造字法 |
|---|---|---|---|---|---|
| 真 | 10 | 十 | 上下 | FHWU | 会意 |
| 笔顺 | 一 十 𠂇 冇 冇 育 直 直 真 真 | | | | |

【解　释】❶真实(跟“假”、“伪”相对)。❷清楚确实。❸的确;实在。❹人或事物的原样。❺书法中指楷书。❻姓。
【组　词】真实　真诚　真心　真理　天真　认真　当真　失真
【造　句】真相大白——经过调查取证,他的冤案终于真相大白,得到了平反。
【同音字】珍(珍贵)
【形近字】直(直接)
【成　语】真才实学　真凭实据　真相大白　真心实意
【反义词】真心实意/假仁假义
【近义词】真心实意/诚心诚意
【谚　语】真金不怕火炼,真理不怕诡辩|真朋友,同打虎,同吃肉;假朋友,见利来,见害走。
【英　语】真实　true [tru:]

| zhēn | 笔画 | 部首 | 结构 | 五笔 | 造字法 |
|---|---|---|---|---|---|
| 砧 | 10 | 石 | 左右 | DHKG | 形声 |
| 笔顺 | 一 丆 丆 石 石 石 砧 砧 砧 砧 | | | | |

【解　释】捶或砸东西时垫在底下的器具。
【组　词】砧板　石砧　砧木
【辨　音】不读 zhān。
【同音字】真(真实)
【英　语】砧板　chopping block [ˈtʃɔpiŋ blɔk]

| zhen | 笔画 | 部首 | 结构 | 五笔 | 造字法 |
|---|---|---|---|---|---|
| 斟 | 13 | 斗 | 左右 | ADWF | 形声 |
| 笔顺 | 一 十 卄 卄 甘 甘 其 其 甚 甚 甚 甚 斟 | | | | |

【解　释】❶往杯子等容器里倒酒。❷仔细思考。
【组　词】斟酌　斟酒　斟茶
【造　句】斟酌——这件事你自己斟酌着办吧。
【同音字】真(真实)
【英　语】斟酌　discretion [diˈskreʃən]

| zhěn | 笔画 | 部首 | 结构 | 五笔 | 造字法 |
|---|---|---|---|---|---|
| 诊 | 7 | 讠 | 左右 | YWE | 形声 |
| 笔顺 | 丶 讠 讠 讠 诊 诊 诊 | | | | |

【解　释】医生检查病情。
【组　词】诊断　诊治　诊所　诊疗
【造　句】诊治——有病应及早去医院诊治。
【同音字】枕(枕头)
【形近字】珍(珍珠)
【近义词】诊断/检查
【英　语】诊断　diagnose [ˈdaiəgnəuz]

| zhěn | 笔画 | 部首 | 结构 | 五笔 | 造字法 |
|---|---|---|---|---|---|
| 枕 | 8 | 木 | 左右 | SPQN | 形声 |
| 笔顺 | 一 十 才 木 木 朾 枕 枕 | | | | |

【解　释】❶枕头,躺着时垫头的用具。❷躺着时把头放在枕头或别的东西上。
【组　词】枕头　枕巾　枕席　枕木
【辨　音】不读 zhèn。

同音字】诊(诊断)
形近字】沈(沈阳)
成 语】枕戈待旦
英 语】枕头 pillow ['piləu]

| zhèn | 笔画 | 部首 | 结构 | 五笔 | 造字法 |
|---|---|---|---|---|---|
| 圳 | 6 | 土 | 左右 | FKH | 形声 |
| 笔顺 | 一 十 土 圴 圳 圳 | | | | |

解 释】(方)田野间的水沟。多
于地名。
组 词】深圳
同音字】阵(阵亡)
形近字】川(四川)

| zhèn | 笔画 | 部首 | 结构 | 五笔 | 造字法 |
|---|---|---|---|---|---|
| 阵 | 6 | 阝 | 左右 | BLH | 会意 |
| 笔顺 | ⺋ 阝 阝 阵 阵 阵 | | | | |

解 释】❶古代指作战队伍的行
或组合方式;专指军队作战时
兵力布置。❷量词。表示事情
动作经过的段落。❸阵地;战
。❹一段时间。
组 词】阵雨 阵地 阵营 阵容
造 句】阵势——面对这种阵
,他惊得目瞪口呆。
同音字】震(震动)
形近字】陈(陈列)
成 语】冲锋陷阵 严阵以待
近义词】冲锋陷阵/出生入死
英 语】阵雨 shower ['ʃauə]

| zhèn | 笔画 | 部首 | 结构 | 五笔 | 造字法 |
|---|---|---|---|---|---|
| 振 | 10 | 扌 | 左右 | RDFE | 形声 |
| 笔顺 | 一 扌 扌 扌 扩 扩 扩 振 振 振 | | | | |

【解 释】❶摇动;挥动。❷奋发;奋起。
【组 词】振动 振作 振兴
【造 句】振振有词——明明是他的错,他倒振振有词地说了一大堆道理来教训别人。
【同音字】镇(镇静)
【形近字】赈(赈灾)
【成 语】振振有词 萎靡不振
【近义词】振振有词/理直气壮
【英 语】振奋 inspire [in'spaiə]

| zhèn | 笔画 | 部首 | 结构 | 五笔 | 造字法 |
|---|---|---|---|---|---|
| 赈 | 11 | 贝 | 左右 | MDFE | 形声 |
| 笔顺 | 丨 冂 贝 贝 贝 贝 贝 贝 赈 赈 赈 | | | | |

【解 释】用钱、物、粮等救济灾民。
【组 词】赈济 赈灾 赈款
【造 句】赈济——灾情严重,应广泛开展赈济活动。
【同音字】镇(镇静)
【形近字】振(振动)
【英 语】赈济 relieve [ri'li:v]

| zhèn | 笔画 | 部首 | 结构 | 五笔 | 造字法 |
|---|---|---|---|---|---|
| 震 | 15 | 雨 | 上下 | FDFE | 象形 |
| 笔顺 | 一 ⼀ 冖 雨 雨 雨 雨 雨 雨 霄 霄 霄 霄 震 震 | | | | |

【解 释】❶震动;剧烈地颤动。❷情绪过分激动。❸八卦之一,代表雷。
【组 词】震撼 震惊 震怒 地震
【造 句】震耳欲聋——震耳欲聋的开山炮宣告隧道挖掘工作正式开始。
【同音字】振(振振有词)

Z

【形近字】雷(雷雨)
【近义词】震耳欲聋/惊天动地
【成　语】震耳欲聋
【英　语】震惊　shock [ʃɔk]

| zhèn | 笔画 | 部首 | 结构 | 五笔 | 造字法 |
|---|---|---|---|---|---|
| 镇 | 15 | 钅 | 左右 | QFHW | 形声 |
| 笔顺 | ノ ㇉ ㇉ 乍 钅 钅 钅 钅 钅 钅 钅 钅 镇 镇 镇 | | | | |

【解　释】❶压抑;压住。❷安定。❸用武力维持安定;把守。❹镇守的地方。❺行政区划单位。❻较大的集市。❼把瓜果、饮料等同冰块一起放在冰箱里使凉。❽时常。❾表示整个一段时间。❿姓。
【组　词】镇定　冰镇　集镇　市镇
【造　句】镇定——他做人很稳重,遇事很镇定。
【同音字】阵(阵势)
【形近字】缜(缜密)
【近义词】镇定/镇静
【英　语】镇定　calm [kɑːm]

## ZHENG　ㄓㄥ

| zhēng | 笔画 | 部首 | 结构 | 五笔 | 造字法 |
|---|---|---|---|---|---|
| 丁 | 2 | 一 | 独体 | SGH | 形声 |
| 笔顺 | 一 丁 | | | | |

【解　释】象声词。形容伐木、弹琴、下棋等的声音。
【组　词】伐木丁丁
【同音字】征(征途)
【多音字】dīng(见167页)

| zhēng | 笔画 | 部首 | 结构 | 五笔 | 造字法 |
|---|---|---|---|---|---|
| 正 | 5 | 一 | 独体 | GHD | 指事 |
| 笔顺 | 一 丅 下 正 正 | | | | |

【解　释】农历年的第一个月。
【组　词】正月
【同音字】争(争取)
【谚　语】正月寒,二月温,大好光三月春。
【英　语】正月　the first month of lunar year [ðə fəːst mʌnθ əv ðə 'ljuːə jiə]
【多音字】zhèng(见918页)

| zhēng | 笔画 | 部首 | 结构 | 五笔 | 造字法 |
|---|---|---|---|---|---|
| 争 | 6 | ⺈ | 上下 | QVH | 会意 |
| 笔顺 | ノ ⺈ ⺈ 刍 刍 争 | | | | |

【解　释】❶力求获得或达到;不相让。❷因意见不一致而辩。❸差。❹怎么。
【组　词】争论　争议　争先　争
【造　句】争先恐后——孩子们听到锣鼓声响,知道是舞龙的了,都争先恐后地跑去看。
【同音字】征(征求)
【形近字】筝(风筝)
【成　语】争强好胜　争妍斗奇　争先恐后
【反义词】争分夺秒/蹉跎岁月
【近义词】争先恐后/不甘示弱
【谚　语】争得上游莫骄傲,还英雄在前头|争论问题不在声高低,而在道理多少。
【英　语】争吵　quarrel ['kwɔrəl]

| zhēng | 笔画 | 部首 | 结构 | 五笔 | 造字法 |
|---|---|---|---|---|---|
| 征 | 8 | 彳 | 左右 | TGHG | 形声 |
| 笔顺 | 丿 彡 彳 彳一 彳丅 彳𠂉 彳正 征 | | | | |

【解　释】❶远行。❷用武力讨伐,征讨。❸政府召集人民服务。❹征收。❺征求。❻证明。❼表露出来的迹象,现象。
【组　词】征集　征兵　征询　征召　征稿　征服　象征　征求　特征　征管
【造　句】征调——政府紧急征调粮食及医务人员支援灾区。
【同音字】争(争夺)　睁(睁开)
【形近字】证(证明)
【英　语】征服　conquer [ˈkɔŋkə]

| zhēng | 笔画 | 部首 | 结构 | 五笔 | 造字法 |
|---|---|---|---|---|---|
| 挣 | 9 | 扌 | 左右 | RQVH | 形声 |
| 笔顺 | 一 亅 扌 扌 扌 扌 扌 扌 挣 | | | | |

【解　释】用力支撑。
【组　词】挣扎
【造　句】挣扎——他挣扎着从病床上爬了起来。
【同音字】征(征收)
【形近字】峥(峥嵘)
【成　语】垂死挣扎
【近义词】垂死挣扎/负隅顽抗
【英　语】挣扎　struggle [ˈstrʌgl]
【多音字】zhèng(见919页)

| zhēng | 笔画 | 部首 | 结构 | 五笔 | 造字法 |
|---|---|---|---|---|---|
| 症 | 10 | 疒 | 半包围 | UGHD | 形声 |
| 笔顺 | 丶 亠 广 疒 疒 疒 疒 疒 症 症 | | | | |

【解　释】中医指腹腔内结块的病。
【组　词】症结
【多音字】zhèng(见920页)

| zhēng | 笔画 | 部首 | 结构 | 五笔 | 造字法 |
|---|---|---|---|---|---|
| 睁 | 11 | 目 | 左右 | HQVH | 形声 |
| 笔顺 | 丨 冂 冃 冃 目 目 目 目 睁 睁 睁 | | | | |

【解　释】张开眼睛。
【组　词】睁开　睁眼　睁大
【造　句】睁开——早上睁开眼就看见奶奶已经做好了早餐。
【辨　音】不读 zēng。
【同音字】争(争夺)
【形近字】峥(峥嵘)
【反义词】睁开/闭上
【近义词】睁开/张开
【歇后语】睁大眼睛睡觉——昏了头了|睁大眼睛打呼噜——装睡。
【谚　语】睁一只眼,闭一只眼。
【英　语】睁眼　open one's eyes [ˈəupən wʌnz aiz]

| zhēng | 笔画 | 部首 | 结构 | 五笔 | 造字法 |
|---|---|---|---|---|---|
| 筝 | 12 | ⺮ | 上下 | TQVH | 形声 |
| 笔顺 | 丿 𠂉 ⺮ ⺮ ⺮ ⺮ ⺮ ⺮ 筝 筝 筝 筝 | | | | |

【解　释】❶古筝,一种拨弦乐器。❷风筝,一种玩具,用竹篾做架,糊上纸,牵线放到空中,可以飞得很高。
【组　词】古筝　风筝
【辨　音】不读 zhèng。
【同音字】争(争取)
【形近字】睁(睁眼)

【英　语】风筝　kite [kait]

| zhēng | 笔画 | 部首 | 结构 | 五笔 | 造字法 |
|---|---|---|---|---|---|
| 蒸 | 13 | 艹 | 上中下 | ABIO | 形声 |
| 笔顺 | 一 十 艹 艹 艿 芓 芓 茏 蒸 蒸 蒸 蒸 蒸 | | | | |

【解　释】❶热气上升。❷利用水蒸气的热力使食物变熟、变热。
【组　词】蒸气　蒸馏　蒸发　蒸笼
【造　句】蒸蒸日上——他的事业蒸蒸日上,前途一片光明。
【同音字】争(争夺)
【形近字】丞(丞相)
【成　语】蒸蒸日上
【反义词】蒸蒸日上/每况愈下
【近义词】蒸蒸日上/欣欣向荣
【歇后语】蒸熟了的鸭子——飞不了。
【英　语】蒸气　steam [sti:m]

| zhěng | 笔画 | 部首 | 结构 | 五笔 | 造字法 |
|---|---|---|---|---|---|
| 拯 | 9 | 扌 | 左右 | RBIG | 形声 |
| 笔顺 | 一 十 扌 扌 打 扨 扨 拯 拯 | | | | |

【解　释】救;帮助人脱离危险或苦难。
【组　词】拯救　拯民
【造　句】拯救——只有中国共产党才能把中国人民从水深火热的旧社会拯救出来。
【同音字】整(整个)
【形近字】丞(丞相)
【反义词】拯救/加害
【近义词】拯救/搭救
【英　语】拯救　save [seiv]

| zhěng | 笔画 | 部首 | 结构 | 五笔 | 造字法 |
|---|---|---|---|---|---|
| 整 | 16 | 攵 | 上下 | GKIH | 会意 |
| 笔顺 | 一 𠃌 冖 宀 申 束 束 剌 敕 敕 敕 敕 整 整 整 整 | | | | |

【解　释】❶有秩序;有条理;不凌乱。❷全部包容;没有漏掉的。❸使有秩序;使健全。❹修理。❺使吃苦头。❻弄;搞。
【组　词】整月　整理　整体　整顿　整容　整形　修整　平整　严整　整合　整治
【造　句】整顿——经过整顿,这个厂的工作效率明显提高。
【同音字】拯(拯救)
【形近字】警(警察)
【成　语】整装待发
【反义词】整齐/凌乱
【近义词】整齐/齐整
【歇后语】整串儿不使——零捋了。
【谚　语】一瓶子不满半瓶子晃。
【英　语】整体　whole [həul]

| zhèng | 笔画 | 部首 | 结构 | 五笔 | 造字法 |
|---|---|---|---|---|---|
| 正 | 5 | 一 | 独体 | GHD | 指事 |
| 笔顺 | 一 丅 下 正 正 | | | | |

【解　释】❶不偏斜(跟"歪"、"斜"相对)。❷正面(跟"反"相对)。❸用于时间,指正在那一点或正中。❹正面。❺纯;不杂。❻合乎法度。❼基本的;主要的。❽大于零的(跟"负"相对)。❾改正偏差或错误。❿恰恰。⓫表示动作在进行中。⓬姓。
【组　词】正面　正当　正直　正确　正本　正电　正好　正版　正大光明

造 句】正大光明——他为人坦
,对谁有意见都正大光明地当
讲清,从不背后说人长短。
同音字】证(证人)
形近字】止(停止)
成 语】正中下怀 正言厉色
反义词】正气凛然/卑躬屈膝
近义词】正大光明/光明磊落
谚 词】正路不走,偏绕邪道|正
战无不胜,真理高于一切。
英 语】正式 formal [ˈfɔːml]
多音字】zhēng(见 916 页)

| èng | 笔画 | 部首 | 结构 | 五笔 | 造字法 |
|---|---|---|---|---|---|
| 证 | 7 | 讠 | 左右 | YGHG | 形声 |
| 笔顺 | 丶 讠 订 订 讦 证 证 | | | | |

释】❶用人或事物来表明或
定。❷证据;凭证。
组 词】证明 证件 证人 证据
证 验证 凭证 实证
造 句】验证——通过实习,课
学习的知识可以得到验证。
辨 音】不读 zhèn。
同音字】政(政治)
形近字】征(征兵)
反义词】证明/证实
英 语】证明 prove [pruːv]

| èng | 笔画 | 部首 | 结构 | 五笔 | 造字法 |
|---|---|---|---|---|---|
| 郑 | 8 | 阝 | 左右 | UDBH | 形声 |
| 笔顺 | 丶 丷 䒑 兰 关 关 关阝 郑 | | | | |

释】❶周朝国名。❷严肃认
,用于"郑重"。❸姓。
组 词】郑重 郑国
造 句】郑重——父亲郑重地将
随了他几十年的怀表交给我。

【辨 音】不读 zhèn。
【同音字】证(证明)
【成 语】郑重其事
【反义词】郑重其事/满不在乎
【近义词】郑重/严肃
【英 语】郑重 serious [ˈsiəriəs]

| zhèng | 笔画 | 部首 | 结构 | 五笔 | 造字法 |
|---|---|---|---|---|---|
| 政 | 9 | 攵 | 左右 | GHTY | 会意 |
| 笔顺 | 一 丅 下 正 正 正 正 政 政 | | | | |

【解 释】❶政治;国家大事。❷国家某一部门主管的业务。❸家庭或团体的事。❹姓。
【组 词】政治 政法 政府 政务 政绩 家政 执政 政权 财政 内政 时政 专政
【造 句】政府——社会主义国家的政府是人民的政府。
【辨 音】不读 zhèn。
【同音字】郑(郑重)
【形近字】改(改正)
【成 语】各自为政
【谚 词】政策对了头,一步一层楼。
【英 语】政府 government [ˈgʌvənmənt]

| zhèng | 笔画 | 部首 | 结构 | 五笔 | 造字法 |
|---|---|---|---|---|---|
| 挣 | 9 | 扌 | 左右 | RQVH | 形声 |
| 笔顺 | 一 十 扌 扌 扌 扌 扌 扌 挣 | | | | |

【解 释】❶用力摆脱。❷用劳动换取。
【组 词】挣钱 挣脱 挣命
【造 句】挣钱——他 15 岁就被迫辍学,挣钱养家。

Z

【同音字】正(正确)
【近义词】挣脱/摆脱
【谚　语】挣钱犹如针挑土，用钱犹如水推沙。
【英　语】挣钱　earn money　[ əːn ˈmʌni]
【多音字】zhēng(见917页)

| zhèng | 笔画 | 部首 | 结构 | 五笔 | 造字法 |
|---|---|---|---|---|---|
| 症 | 10 | 疒 | 半包围 | UGHD | 形声 |
| 笔顺 | 丶 亠 广 广 疒 疒 疔 疔 疔 症 症 | | | | |

【解　释】❶指病的症候。❷病；疾病。
【组　词】症状　急症　病症　绝症　炎症
【造　句】绝症——看着这些唱着跳着的身影，谁能想到他们是一群患有绝症的病人呢？
【辨　音】不读 zhèn。
【形近字】病(病人)
【成　语】对症下药
【反义词】对症下药/无的放矢
【英　语】症状　symptom　[ ˈsimptəm]
【多音字】zhēng(见917页)

## ZHI　ㄓ

| zhī | 笔画 | 部首 | 结构 | 五笔 | 造字法 |
|---|---|---|---|---|---|
| 之 | 3 | 丶 | 独体 | PPPP | 指事 |
| 笔顺 | 丶 ㇇ 之 | | | | |

【解　释】❶助词。表示修饰关系，用在形容词或名词后。❷助词。表示领有、连属等关系，用在名词或代词后。❸代词。代替人或事物，限于宾语。❹这个。❺往；到。

【字源释义】甲骨文“之”字的上是一只脚，下面的横画表示出的地方。本义是“往”、“到…去”。后多借为虚词。
【组　词】之后　之前　取之　听之用之
【造　句】不了了之——这件事最后谁也不管，只好不了了之。
【同音字】知(知道)
【形近字】乏(乏力)
【成　语】敬而远之　言外之意　不了了之
【近义词】不了了之/敷衍了事

| zhī | 笔画 | 部首 | 结构 | 五笔 | 造字 |
|---|---|---|---|---|---|
| 支 | 4 | 十 | 上下 | FCU | 会 |
| 笔顺 | 一 十 步 支 | | | | |

【解　释】❶撑；顶住。❷伸出起。❸支持；援助。❹调派；配。❺领取或支付。❻从总体出来的。❼量词。❽地支。
【组　词】支撑　支持　支架　支流　支取　开支　收支　预支付　支援

【造　句】支支吾吾——他似乎在隐瞒什么,说话支支吾吾的。
【辨　音】不读 zī。
【同音字】知(知道)
【形近字】枝(树枝)
【成　语】支离破碎　支支吾吾
【反义词】支支吾吾/畅所欲言
【近义词】支离破碎/残缺不全
【英　语】支付　pay [pei]

| zhī | 笔画 | 部首 | 结构 | 五笔 | 造字法 |
|---|---|---|---|---|---|
| 氏 | 4 | 氏 | 独体 | QAV | 象形 |
| 笔顺 | ㇒ 𠂆 𠂉 氏 | | | | |

【解　释】用于"月氏",汉朝西域国名。
【同音字】知(知识)
【多音字】shì(见 651 页)

| zhī | 笔画 | 部首 | 结构 | 五笔 | 造字法 |
|---|---|---|---|---|---|
| 只 | 5 | 口 | 上下 | KW | 指事 |
| 笔顺 | 丶 ㄇ 口 尸 只 | | | | |

【解　释】❶一个或很少。❷量词。
【组　词】只身　只字不提　只言片语
【造　句】只言片语——他走了,只留下只言片语。
【同音字】知(知识)
【英　语】只身　alone [ə'ləun]
【多音字】zhǐ(见 925 页)

| zhī | 笔画 | 部首 | 结构 | 五笔 | 造字法 |
|---|---|---|---|---|---|
| 汁 | 5 | 氵 | 左右 | IFH | 形声 |
| 笔顺 | 丶 丶 氵 氵 汁 | | | | |

【解　释】含有某种物质的液体。
【组　词】乳汁　果汁　墨汁　胆汁
【同音字】知(知道)
【形近字】汗(汗水)
【英　语】汁水　sweat [swet]

| zhī | 笔画 | 部首 | 结构 | 五笔 | 造字法 |
|---|---|---|---|---|---|
| 芝 | 6 | 艹 | 上下 | APU | 形声 |
| 笔顺 | 一 十 艹 艹 芝 芝 | | | | |

【解　释】❶芝麻,草本植物,种子小而扁平,含油率高,可做芝麻油、芝麻酱。❷灵芝,菌类植物,赤褐色,可入药。
【组　词】灵芝　芝麻　芝麻官
【造　句】芝麻——我们的生活一天比一天好,真是"芝麻开花——节节高"。
【同音字】知(知道)
【形近字】之(之前)
【歇后语】芝麻开花——节节高|芝麻做饼——点子多。
【谚　语】芝麻不打叶,打叶就不结|芝麻是个怪,又怕雨来又怕晒。
【英　语】芝麻　sesame ['sesəmi]

| zhī | 笔画 | 部首 | 结构 | 五笔 | 造字法 |
|---|---|---|---|---|---|
| 吱 | 7 | 口 | 左右 | KFCY | 形声 |
| 笔顺 | 丶 ㄇ 口 叶 叶 吱 吱 | | | | |

【解　释】象声词。形容两物相挤压的声音。
【组　词】咯吱　嘎吱
【同音字】支(支持)
【形近字】枝(树枝)
【多音字】zī(见 953 页)

| zhī | 笔画 | 部首 | 结构 | 五笔 | 造字法 |
|---|---|---|---|---|---|
| 枝 | 8 | 木 | 左右 | SFCY | 形声 |
| 笔顺 | 一 十 才 木 木 朼 枝 枝 | | | | |

Z

【解　释】❶树木主干分出的杈条。❷量词。
【组　词】枝节　枝条　枝杈　枝叶　侧枝　剪枝　树枝
【造　句】剪枝——这棵果树该剪枝了。
【辨　音】不读 zī。
【同音字】知(知道)
【形近字】肢(肢体)
【成　语】节外生枝
【英　语】枝条　branch [brɑːntʃ]

| zhī | 笔画 | 部首 | 结构 | 五笔 | 造字法 |
|---|---|---|---|---|---|
| 知 | 8 | 矢 | 左右 | TDKG | 会意 |
| 笔顺 | 丿 𠂉 𠂉 午 矢 矢丨 知 知 | | | | |

【解　释】❶知道；晓得。❷使人知道。❸知识。
【组　词】知道　知识　知名　知趣　深知　通知
【造　句】一知半解——我们对学习的内容不能一知半解，应该弄熟弄透。
【同音字】支(支持)
【形近字】短(短小)
【成　语】温故知新　一知半解　知己知彼　知难而进
【反义词】一知半解/融会贯通
【近义词】一知半解/似懂非懂
【歇后语】知了上树——一步登天。
【谚　语】知错改错不算错，知错不改错中错｜知道一分钟如此可贵，就应该珍惜每一秒钟。
【英　语】知识　knowledge [ˈnɔlidʒ]

| zhī | 笔画 | 部首 | 结构 | 五笔 | 造字法 |
|---|---|---|---|---|---|
| 肢 | 8 | 月 | 左右 | EFCY | 形声 |
| 笔顺 | 丿 月 月 月 月一 月十 肢 肢 | | | | |

【解　释】手、脚、胳膊、腿的统称
有时也指躯干。
【组　词】肢体　上肢　四肢　腰肢
【造　句】肢体——张教授讲课时
肢体语言特别丰富。
【同音字】知(知道)
【形近字】枝(树枝)
【英　语】四肢　limbs [limz]

| zhī | 笔画 | 部首 | 结构 | 五笔 | 造字法 |
|---|---|---|---|---|---|
| 织 | 8 | 纟 | 左右 | XKWY | 形声 |
| 笔顺 | 𠃋 𠃊 纟 纟 纟口 纟口 织 织 | | | | |

【解　释】❶使丝、棉、麻、毛等的纱
或线交叉穿进，制成布料。❷用针
棉纱或毛线等使互相套住，制成
衣物。
【组　词】织布　织品　纺织　针织　组织　编织　棉织
【同音字】知(知道)
【形近字】识(认识)
【英　语】织布　weave cloth [wiː
klɔːθ]

| zhī | 笔画 | 部首 | 结构 | 五笔 | 造字法 |
|---|---|---|---|---|---|
| 脂 | 10 | 月 | 左右 | EXJG | 形声 |
| 笔顺 | 丿 月 月 月 月𠂉 月匕 脂 脂 脂 脂 | | | | |

【解　释】❶动物体内的油质。❷
妆品。
【组　词】脂肪　脂膏　脂粉　香脂
松脂　油脂
【造　句】松脂——松脂皮上粘了
许多松脂。
【辨　音】不读 zhǐ。
【同音字】知(知道)
【形近字】指(指甲)

谚　语】脂粉两般迷眼药，笙歌-路败家声。
英　语】脂肪　fat [fæt]

| zhī | 笔画 | 部首 | 结构 | 五笔 | 造字法 |
|---|---|---|---|---|---|
| 蜘 | 14 | 虫 | 左右 | JTDK | 形声 |
| 笔顺 | 丨 ㇑ 口 中 虫 虫 虫 虫 蚆 蚗 蚨 蜘 蜘 蜘 | | | | |

解　释】[蜘蛛]节肢动物，有的能分泌黏液，织网捕捉飞虫。
组　词】蜘蛛
同音字】知（知道）
形近字】知（知了）
谚　语】蜘蛛虽巧不如蚕|蜘蛛结网，久雨必晴|蜘蛛也得张网，才能捕虫子。
英　语】蜘蛛 spider ['spaidə]

| zhí | 笔画 | 部首 | 结构 | 五笔 | 造字法 |
|---|---|---|---|---|---|
| 执 | 6 | 扌 | 左右 | RVYY | 会意 |
| 笔顺 | 一 十 扌 扎 执 执 | | | | |

解　释】❶拿着。❷掌管。❸实行。❹坚持。❺捉住。❻凭证；单据。❼姓。

甲骨文　金文　小篆　隶书　楷书

【字源释义】甲骨文“执”字这是一个人的双手被枷锁扣住的样子。字的本义是“拘捕”。
【组　词】执拗　执行　执掌
【造　句】执法如山——新来的法官真是清如水，明如镜，刚正不阿，执法如山。
【辨　音】不读 chí。
【同音字】直（直接）
【形近字】热（热烈）
【成　语】执迷不悟　执法如山
【反义词】执迷不悟/迷途知返
【近义词】执迷不悟/死不改悔
【英　语】执行　carry out ['kæri aut]

| zhí | 笔画 | 部首 | 结构 | 五笔 | 造字法 |
|---|---|---|---|---|---|
| 直 | 8 | 十 | 上下 | FHF | 指事 |
| 笔顺 | 一 十 亣 冇 冇 有 直 直 | | | | |

【解　释】❶不弯曲（跟“曲”相对）。❷挺直；使不弯曲。❸垂直的（跟“横”相对）。❹汉字的笔形。❺公正；正义。❻直爽。❼一直。❽简直。❾姓。

甲骨文　金文　小篆　隶书　楷书

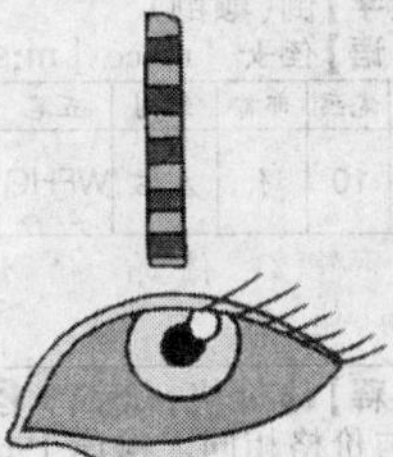

Z

【字源释义】甲骨文“直”字的字形,是一只眼睛上面有一条直线,用视线的“直”来表示字义“直”。小篆在“目”下加了一折笔。古文有时也用“直”代“值”。
【组　词】直接　笔直　耿直　简直　垂直　直角
【造　句】直截了当——他一进门就直截了当地说明来意,希望大家能帮他搜集信息。
【同音字】执(执著)
【形近字】真(认真)
【成　语】直截了当　直言不讳
【反义词】直抒己见/旁敲侧击
【近义词】直截了当/开门见山
【歇后语】直尺量曲线——没准儿。
【谚　语】直干的树木用处多,直心的人儿朋友多。
【英　语】直接　direct　[di'rekt]

| zhí | 笔画 | 部首 | 结构 | 五笔 | 造字法 |
|---|---|---|---|---|---|
| 侄 | 8 | 亻 | 左右 | WGCF | 形声 |
| 笔顺 | 丿 亻 亻 仛 仛 侄 侄 侄 | | | | |

【解　释】兄弟的儿子或女儿。
【组　词】侄子　侄儿　侄女
【同音字】值(值钱)
【形近字】倒(颠倒)
【英　语】侄女　niece　[niːs]

| zhí | 笔画 | 部首 | 结构 | 五笔 | 造字法 |
|---|---|---|---|---|---|
| 值 | 10 | 亻 | 左右 | WFHG | 形声 |
| 笔顺 | 丿 亻 亻 仁 什 佑 佰 值 值 值 | | | | |

【解　释】❶价格;价钱。❷货物价值与价格相同。❸逢上;遇上。❹轮流在某一岗位上担任职务。❺做某事有意义或价值。❻数学上的演算结果。
【组　词】价值　值日　比值　增值　超值
【造　句】值日——今天班长生病了,我替他值日。
【同音字】侄(侄儿)
【形近字】植(植树)
【反义词】值班/休息
【近义词】不值一提/不足挂齿
【谚　语】值得自豪的是劳动,而不是漂亮的脸蛋儿。
【英　语】值得　be worth　[biː wəːθ]

| zhí | 笔画 | 部首 | 结构 | 五笔 | 造字法 |
|---|---|---|---|---|---|
| 职 | 11 | 耳 | 左右 | BK | 形声 |
| 笔顺 | 一 丆 丌 丌 耳 耳 耶 耶 职 职 职 | | | | |

【解　释】❶所在的工作岗位。❷职员的简称。
【组　词】职能　职守　职业　就职　辞职
【造　句】职业——教师是天底下最光荣的职业。
【同音字】执(执掌)
【形近字】耻(羞耻)
【近义词】职责/责任
【英　语】职位　position　[pə'ziʃən]

| zhí | 笔画 | 部首 | 结构 | 五笔 | 造字法 |
|---|---|---|---|---|---|
| 植 | 12 | 木 | 左右 | SFHG | 形声 |
| 笔顺 | 一 十 木 木 木 杧 杧 柿 柿 植 植 植 | | | | |

【解　释】❶栽种。❷培育。❸连接。❹树立。❺姓。
【组　词】植被　植树　种植　移植

植 植物
造 句】种植——我和妹妹在后的一片小空地里种植了一些花生。
同音字】职(职位)
形近字】值(值班)
反义词】扶植/压制
近义词】培植/培育
谚 语】植树把林造，抗旱又防|植树造林，富国富民。
英 语】植物 plant [plɑːnt]

| zhí | 笔画 | 部首 | 结构 | 五笔 | 造字法 |
|---|---|---|---|---|---|
| 殖 | 12 | 歹 | 左右 | GQFH | 形声 |
| 笔顺 | 一 ㄏ 歹 歹 歹 歼 歼 殖 殖 殖 殖 殖 | | | | |

解 释】繁育；滋生；生育。
组 词】生殖 繁殖 殖民地
造 句】繁殖——生物繁殖的方式多种多样。
辨 音】不读 zhī。
同音字】侄(侄子)
形近字】植(植物)
近义词】生殖/生育
英 语】繁殖 multiply [ˈmʌltiplai]

| zhǐ | 笔画 | 部首 | 结构 | 五笔 | 造字法 |
|---|---|---|---|---|---|
| 止 | 4 | 止 | 独体 | HH | 象形 |
| 笔顺 | 丨 ト 止 止 | | | | |

解 释】❶停住不前。❷使停止。❸只；仅。
组 词】停止 静止 制止 废止 阻止 止血 禁止
造 句】禁止——这片海域禁止捕鱼。
形近字】正(正月)
成 语】适可而止

【反义词】停止/继续
【近义词】学无止境/学海无涯
【英 语】止境 end [end]

| zhǐ | 笔画 | 部首 | 结构 | 五笔 | 造字法 |
|---|---|---|---|---|---|
| 只 | 5 | 口 | 上下 | KW | 指事 |
| 笔顺 | 丶 口 口 尸 只 | | | | |

【解 释】❶副词。表示限于某个范围。❷仅仅；仅有。
【组 词】只要 只是 只好 只顾
【同音字】止(停止)
【成 语】只争朝夕
【谚 语】只要你追求真理，真理就会在你胸中燃烧|只有努力攀登顶峰的人，才能把顶峰踩在脚下。
【英 语】只好 have to [hæv tuː]
【多音字】zhī(见 921 页)

| zhǐ | 笔画 | 部首 | 结构 | 五笔 | 造字法 |
|---|---|---|---|---|---|
| 旨 | 6 | 日 | 上下 | XJF | 形声 |
| 笔顺 | 一 匕 匕 旨 旨 旨 | | | | |

【解 释】❶意思；目的。❷封建时代称帝王的命令。❸滋味美。

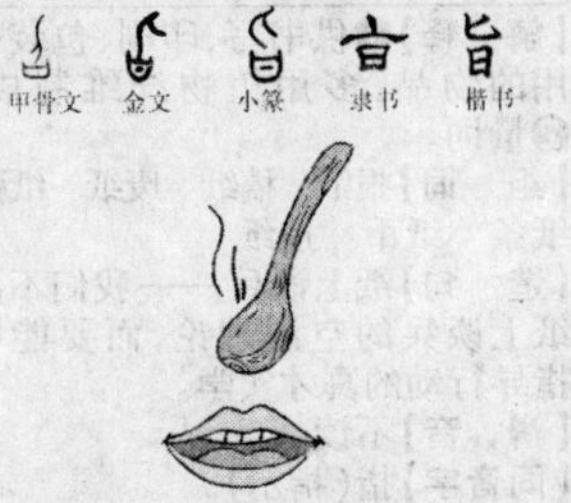


【字源释义】本义是“味美”，字形是一把勺和一张口，表示把美味的食物放进嘴里。又有“意义”、

"意思"、"主张"等义。
【组　词】宗旨　圣旨　意旨　主旨　要旨　旨趣　遵旨　旨酒
【造　句】宗旨——我们的宗旨是团结奋斗，共创美好未来。
【同音字】址（地址）
【形近字】沓（拖沓）　昔（昔日）
【近义词】主旨/宗旨
【英　语】宗旨　purpose　[ˈpəːpəs]

| zhǐ | 笔画 | 部首 | 结构 | 五笔 | 造字法 |
|---|---|---|---|---|---|
| 址 | 7 | 土 | 左右 | FHG | 形声 |
| 笔顺 | 一 十 土 圵 圵 址 址 | | | | |

【解　释】地基；地点。
【组　词】住址　地址　校址
【辨　音】不读 chě。
【同音字】只（只是）
【形近字】扯（扯皮）
【英　语】地址　address　[əˈdres]

| zhǐ | 笔画 | 部首 | 结构 | 五笔 | 造字法 |
|---|---|---|---|---|---|
| 纸 | 7 | 纟 | 左右 | XQAN | 形声 |
| 笔顺 | 𠃋 纟 纟 纟 纟 纸 纸 | | | | |

【解　释】❶供书写、印刷、包装等用的物品，多用植物纤维制成。❷量词。
【组　词】报纸　稿纸　废纸　纸张　纸条　纸币　造纸
【造　句】纸上谈兵——我们不要纸上谈兵的空洞理论，而要能够指导行动的真才实学。
【辨　音】不读 zǐ。
【同音字】指（指示）
【形近字】低（低等）
【成　语】纸上谈兵　纸醉金迷
【歇后语】纸人骑马——不压众（重）｜纸扎灵屋——哄鬼。
【谚　语】纸里包不住火｜纸人纸马过不了江。
【英　语】纸张　paper　[ˈpeipə]

| zhǐ | 笔画 | 部首 | 结构 | 五笔 | 造字法 |
|---|---|---|---|---|---|
| 指 | 9 | 扌 | 左右 | RXJ | 形声 |
| 笔顺 | 一 十 扌 扌 扌 指 指 指 指 | | | | |

【解　释】❶手指。❷一个手指头的宽度叫"一指"。❸对着；向着。❹竖立起来。❺依靠；仰仗。❻点明；使人知道。❼斥责。❽向；意思上针对。
【组　词】指导　手指　指示　指挥　指望　指责　指点　指证
【造　句】指导——老师正在指导学生做实验。
【辨　音】不读 zhī、zhí 或 zǐ。
【同音字】纸（白纸）
【形近字】脂（脂肪）
【成　语】指手画脚　首屈一指　指日可待　指桑骂槐
【反义词】指责/赞许
【近义词】指导/指点
【歇后语】指头抹蜜——饱不了｜指鹿为马——不看事实。
【谚　语】指亲戚，望知己，不如自己立志气｜指头分长短，人不分高低。
【英　语】指头　finger　[ˈfiŋgə]

| zhǐ | 笔画 | 部首 | 结构 | 五笔 | 造字法 |
|---|---|---|---|---|---|
| 趾 | 11 | 𧾷 | 左右 | KHHG | 形声 |
| 笔顺 | 丶 口 口 早 早 𧾷 𧾷 𧾷 趴 趴 趾 | | | | |

【解　释】脚指头，也指脚。
【组　词】趾骨　趾甲
【造　句】趾高气扬——工作中有了成绩，不必趾高气扬；遇到挫折，也不必垂头丧气。
【同音字】指（指责）
【形近字】此（此刻）
【成　语】趾高气扬
【反义词】趾高气扬/垂头丧气
【近义词】趾高气扬/神气活现
【谚　语】趾高气扬的人，双脚会落进陷阱。
【英　语】趾甲　toenail［ˈtəuneil］

| zhì | 笔画 | 部首 | 结构 | 五笔 | 造字法 |
|---|---|---|---|---|---|
| 至 | 6 | 土 | 上下 | GCFF | 指事 |
| 笔顺 | 一 ㄧ 𠫓 𠫔 至 至 | | | | |

【解　释】❶到达；到。❷极；最。

甲骨文　金文　小篆　隶书　楷书

【字源释义】字的上部是一支箭，下面的横画是箭所射到的地方。本义是“到达”。
【组　词】至于　甚至　至多　至今　至诚　至少　至交
【造　句】自始至终——她坐在那里自始至终没说一句话。
【同音字】志（志向）
【形近字】侄（侄女）
【成　语】至理名言　无微不至　至高无上　自始至终　至亲骨肉
【歇后语】皇帝的交椅——至高无上。
【谚　语】至诚金石为开。
【英　语】至今　so far［səu fɑː］

| zhì | 笔画 | 部首 | 结构 | 五笔 | 造字法 |
|---|---|---|---|---|---|
| 志 | 7 | 心 | 上下 | FN | 形声 |
| 笔顺 | 一 十 士 士 志 志 志 | | | | |

【解　释】❶理想；决心。❷标记；记号。❸记载的文字。❹记住。
【组　词】志趣　志向　志愿　标志
【造　句】志向——我们从小要树立远大的志向。
【同音字】至（至今）
【形近字】忘（忘怀）
【成　语】志同道合　志大才疏
【反义词】志愿/强迫
【近义词】志向/志愿
【谚　语】志高品高，志下品下。
【英　语】志趣　bent［bent］

| zhì | 笔画 | 部首 | 结构 | 五笔 | 造字法 |
|---|---|---|---|---|---|
| 识 | 7 | 讠 | 左右 | YKWY | 形声 |
| 笔顺 | 丶 讠 讠 订 识 识 识 | | | | |

【解　释】❶记住。❷标志；记号。
【组　词】款识
【同音字】志（志气）
【多音字】shí（见648页）

| zhì | 笔画 | 部首 | 结构 | 五笔 | 造字法 |
|---|---|---|---|---|---|
| 帜 | 8 | 巾 | 左右 | MHKW | 形声 |
| 笔顺 | 丨 冂 巾 巾 帄 帜 帜 帜 | | | | |

Z

【解　释】旗子；旗帜。
【组　词】旗帜
【造　句】独树一帜——他的表演手法在整个演艺界是独树一帜的。
【同音字】制（制造）
【形近字】织（织布）
【成　语】独树一帜
【近义词】帜/旗
【英　语】旗帜　flag［flæg］

| zhì | 笔画 | 部首 | 结构 | 五笔 | 造字法 |
|---|---|---|---|---|---|
| 制 | 8 | 刂 | 左右 | RMHJ | 会意 |
| 笔顺 | ′ 𠂉 ⺧ 𠂤 𠂤 𠂤 制 | | | | |

【解　释】❶规定；订立。❷做；造。❸限定；约束。❹规则；法规。
【组　词】制造　制度　制约　制作　限制　节制　体制　制裁
【造　句】制定——我在新的学年制定了一个新的学习计划。
【同音字】致（精致）
【形近字】刺（刺杀）
【成　语】出奇制胜　因地制宜
【反义词】制止/纵容
【近义词】制止/禁止
【英　语】制品　product［ˈprɔdʌkt］

| zhì | 笔画 | 部首 | 结构 | 五笔 | 造字法 |
|---|---|---|---|---|---|
| 质 | 8 | 贝 | 半包围 | RFMI | 会意 |
| 笔顺 | 一 厂 户 斤 斤 质 质 质 | | | | |

【解　释】❶事物的本性；本体。❷用作抵押的人或物。❸产品或工作的优劣。❹责问；询问。❺单纯；朴实。❻物理学上称物体所含物质的量。
【组　词】质疑　质朴　质问　质量　性质　实质　气质　本质
【造　句】气质——那位女孩有着优雅的气质。
【同音字】制（制造）
【形近字】盾（矛盾）
【成　语】文质彬彬
【反义词】质朴/浮华
【近义词】质朴/朴实
【英　语】质量　quality［ˈkwɔləti］

| zhì | 笔画 | 部首 | 结构 | 五笔 | 造字法 |
|---|---|---|---|---|---|
| 炙 | 8 | 火 | 上下 | QOU | 会意 |
| 笔顺 | ノ ク 夕 夕 夕 炙 炙 炙 | | | | |

【解　释】❶烘；烤。❷烤熟的肉。
【组　词】炙热
【造　句】炙热——炙热的太阳灼烤着大地，街上一个人也没有。
【同音字】治（治理）
【形近字】灵（灵验）
【成　语】炙手可热

| zhì | 笔画 | 部首 | 结构 | 五笔 | 造字法 |
|---|---|---|---|---|---|
| 治 | 8 | 氵 | 左右 | ICKG | 形声 |
| 笔顺 | 丶 氵 氵 氵 氵 汁 治 治 | | | | |

【解　释】❶管理；处理。❷医疗。❸研究。❹整修。❺惩办。❻社会安定；太平。❼办理。❽消灭。❾姓。
【组　词】治理　整治　政治　治丧　惩治　防治　救治　治安
【造　句】治安——近年来社会治安大有改善，人们外出也少了一些担忧。
【辨　音】不读 yě。
【同音字】帜（旗帜）
【形近字】冶（冶炼）
【成　语】治病救人

【反义词】治标/治本
【近义词】治疗/医治
【谚　语】治穷先治愚，治愚办教育。
【英　语】治理　govern [ˈgʌvən]

| zhì | 笔画 | 部首 | 结构 | 五笔 | 造字法 |
|---|---|---|---|---|---|
| 挚 | 10 | 扌 | 左右 | RVYR | 形声 |
| 笔顺 | 一 扌 扌 扎 执 执 执 垫 垫 挚 | | | | |

【解　释】诚恳的；出于真心的。
【组　词】挚爱　诚挚　真挚
【造　句】诚挚——我诚挚地邀请你加入我们的团队。
【同音字】质（质问）
【形近字】贽（贽见）
【近义词】诚挚/趋势
【英　语】挚爱　sincere love [sinˈsiə lʌv]

| zhì | 笔画 | 部首 | 结构 | 五笔 | 造字法 |
|---|---|---|---|---|---|
| 致 | 10 | 攵 | 左右 | GCFT | 形声 |
| 笔顺 | 一 工 工 五 至 至 至 致 致 致 | | | | |

【解　释】❶送达；给予。❷使达到。❸把全部精力集中在某方面。❹招引。❺情趣。❻细密；精细。
【组　词】致使　致谢　细致　精致
【造　句】细致——这篇文章对景物描写得很细致。
【辨　音】不读 dào。
【同音字】置（位置）
【形近字】到（报到）　放（开放）
【成　语】专心致志
【近义词】致谢/道谢
【英　语】致使　cause [kɔːz]

| zhì | 笔画 | 部首 | 结构 | 五笔 | 造字法 |
|---|---|---|---|---|---|
| 秩 | 10 | 禾 | 左右 | TRWY | 形声 |
| 笔顺 | 一 二 千 禾 禾 禾 秒 秒 秩 秩 | | | | |

【解　释】❶有次序；有条理。❷十年。❸俸禄，也指官的品级。
【组　词】秩序
【造　句】秩序——我们必须遵守课堂秩序。
【辨　音】不读 shī。
【同音字】质（质疑）
【形近字】铁（铁器）　秧（插秧）
【近义词】秩序/次序
【英　语】秩序　order [ˈɔːdə]

| zhì | 笔画 | 部首 | 结构 | 五笔 | 造字法 |
|---|---|---|---|---|---|
| 掷 | 11 | 扌 | 左右 | RUDB | 形声 |
| 笔顺 | 一 扌 扌 扌 扌 扌 扌 挡 挨 掷 掷 | | | | |

【解　释】扔；投。
【组　词】投掷　抛掷　掷还
【造　句】投掷——校运动会上，小军投掷铁饼得了冠军。
【辨　音】不读 zhèng。
【同音字】制（制度）
【成　语】孤注一掷　掷地有声
【近义词】掷/投　扔　抛
【英　语】投掷　throw [θrəu]

| zhì | 笔画 | 部首 | 结构 | 五笔 | 造字法 |
|---|---|---|---|---|---|
| 智 | 12 | 日 | 上下 | TDKJ | 形声 |
| 笔顺 | 丿 ト 上 乡 矢 矢 知 知 知 智 智 智 | | | | |

【解　释】❶聪明。❷有见识。❸姓。
【组　词】智力　智谋　智慧　机智
【造　句】机智——他是一个机智的小伙子。
【同音字】秩(秩序)
【形近字】皙(白皙)
【成　语】急中生智　足智多谋
【近义词】机智/机灵
【谚　语】智者千虑,必有一失。
【英　语】智慧　wisdom [ˈwizdəm]

| zhì | 笔画 | 部首 | 结构 | 五笔 | 造字法 |
|---|---|---|---|---|---|
| 滞 | 12 | 氵 | 左右 | IGKH | 形声 |
| 笔顺 | 丶 丷 氵 氵一 汁 汼 汼 泄 滞 滞 滞 滞 | | | | |

【解　释】❶停留。❷流通不畅。
【组　词】滞留
【造　句】滞留——大量旅客滞留于此地。
【英　语】停滞　stagnation [stæɡˈneiʃən]

| zhì | 笔画 | 部首 | 结构 | 五笔 | 造字法 |
|---|---|---|---|---|---|
| 置 | 13 | 罒 | 上下 | LFHF | 形声 |
| 笔顺 | 丨 冂 罒 罒 罒 罒 罒 罟 罟 罟 置 置 置 | | | | |

【解　释】❶安放;搁。❷设立;配备。❸购买。
【组　词】置换　置办　设置　安置　装置　布置　购置
【造　句】布置——同学们把教室布置得井井有条。
【同音字】志(立志)
【形近字】真(认真)　署(部署)
【成　语】本末倒置　置身事外
【反义词】闲置/重用
【近义词】安置/装置
【谚　语】置之死地而后生。
【英　语】置信　believe [biˈliːv]

| zhì | 笔画 | 部首 | 结构 | 五笔 | 造字法 |
|---|---|---|---|---|---|
| 稚 | 13 | 禾 | 左右 | TWYG | 形声 |
| 笔顺 | 丿 二 千 禾 禾 禾 利 秒 秒 秣 秣 稚 稚 | | | | |

【解　释】幼小;年幼。
【组　词】稚气　稚嫩　稚弱　幼稚　童稚
【造　句】稚气——小波都上高中了,仍然稚气十足。
【辨　音】不读 zhù。
【同音字】质(本质)
【形近字】雅(文雅)
【反义词】幼稚/成熟
【近义词】稚弱/脆弱
【英　语】稚气　childishness [ˈtʃaildiʃnis]

## ZHONG　ㄓㄨㄥ

| zhōng | 笔画 | 部首 | 结构 | 五笔 | 造字法 |
|---|---|---|---|---|---|
| 中 | 4 | 丨 | 独体 | K | 指事 |
| 笔顺 | 丨 冂 口 中 | | | | |

【解　释】❶跟四周距离相等。❷位置或等级在两端之间的。❸内;里。❹合适。❺为双方作介绍、调解或见证的人。❻正在进行的过程中。❼指中国。

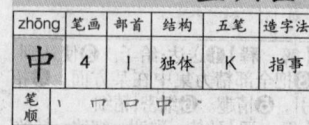

Z

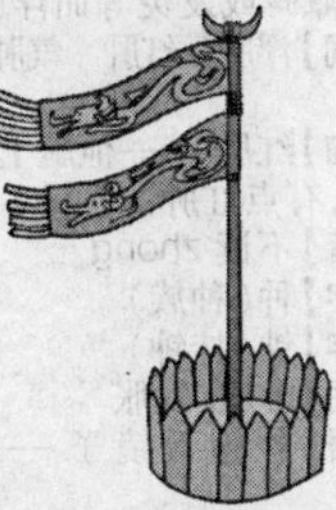

【字源释义】字形像一根旗杆，上面迎风飘着长条的旗帜，旗杆正插在一个圆圈的中间，表示“中间”、“中央”的意思。只是后来旗形被简略掉了。
【组　词】中心　中断　中国　中文
【造　句】集中——同学们在课堂上应集中注意力听讲。
【同音字】终(终于)
【形近字】甲(甲虫)
【成　语】中流砥柱　中原逐鹿
【歇后语】中伏天的霖雨——有钱难买|中秋又兼闰八月——团圆过了又团圆。
【谚　语】中原逐鹿，捷足先登|中秋月明，霜雪腾腾。
【英　语】中途 halfway [hɑːf'wei]
【多音字】zhòng(见932页)

| zhōng | 笔画 | 部首 | 结构 | 五笔 | 造字法 |
|---|---|---|---|---|---|
| 忠 | 8 | 心 | 上下 | KHNU | 形声 |
| 笔顺 | 丶 冂 口 中 中 忠 忠 忠 | | | | |

【解　释】赤诚无私；尽心竭力。
【组　词】忠心　忠诚　忠告　忠实　忠厚　效忠
【造　句】忠诚——他对革命事业无限忠诚。
【同音字】中(中间)
【形近字】盅(茶盅)
【成　语】忠心耿耿　忠言逆耳　忠贞不渝
【反义词】忠诚/奸诈
【近义词】忠诚/忠实
【谚　语】忠言逆耳，良药苦口|忠实的人，对人处处关心；虚伪的人，对人当面奉承。
【英　语】忠诚 loyal ['lɔiəl]

| zhōng | 笔画 | 部首 | 结构 | 五笔 | 造字法 |
|---|---|---|---|---|---|
| 终 | 8 | 纟 | 左右 | XTUY | 形声 |
| 笔顺 | 𠃋 乡 纟 纟 纟 终 终 终 | | | | |

【解　释】❶末尾；结束(跟“始”相对)。❷指人死。❸到底；毕竟。❹姓。
【组　词】终于　终止　终生　终年
【造　句】终究——人的生命终究是有限的，而知识是无穷无尽的。
【同音字】中(中央)
【成　语】自始至终　有始有终
【反义词】终止/开始
【近义词】终点/尽头
【歇后语】终天躺在危墙下——自找死路。
【谚　语】终身打雁，叫雁啄眼|终身让路，不枉百步；终身让畔，不失一段。
【英　语】终于 finally ['fainəli]

| zhōng | 笔画 | 部首 | 结构 | 五笔 | 造字法 |
|---|---|---|---|---|---|
| 钟 | 9 | 钅 | 左右 | QKHH | 形声 |
| 笔顺 | 丿 𠂉 𠂉 乍 钅 钅 钔 钔 钟 | | | | |

【解　释】❶金属制的响器。❷计时

的器具。❸钟点；时间。❹专注；专一。
【组　词】钟表　钟爱　钟点　时钟　闹钟　挂钟
【造　句】闹钟——早晨他被闹钟铃声给吵醒了。
【同音字】中(中学)
【形近字】忠(忠诚)
【成　语】老态龙钟
【反义词】老态龙钟/朝气蓬勃
【近义词】钟情/中意
【歇后语】钟馗开店——鬼都不上门|钟鼓楼上摆案子——架子不小。
【谚　语】钟不敲不响，人不学不灵|钟不打不响，话不说不明。
【英　语】闹钟　clock [klɔk]

| zhōng | 笔画 | 部首 | 结构 | 五笔 | 造字法 |
|---|---|---|---|---|---|
| 衷 | 10 | 亠 | 上中下 | YKHE | 形声 |
| 笔顺 | 丶 亠 亡 亩 亩 申 申 衷 衷 衷 | | | | |

【解　释】❶内心。❷姓。
【组　词】衷心　衷情　衷肠
【造　句】衷心——我们衷心地感谢解放军叔叔的无私帮助。
【辨　音】不读 āi。
【同音字】钟(钟情)
【形近字】衰(衰弱)　裹(包裹)
【成　语】言不由衷　无动于衷
【近义词】衷心/真诚
【英　语】衷心　heartfelt [ˈhɑːtfelt]

| zhǒng | 笔画 | 部首 | 结构 | 五笔 | 造字法 |
|---|---|---|---|---|---|
| 肿 | 8 | 月 | 左右 | EKHH | 形声 |
| 笔顺 | 丿 月 月 月 肀 肀 肀 肿 | | | | |

【解　释】皮肉或内脏由于局部循环发生障碍或发炎等而浮肿起来。
【组　词】浮肿　红肿　气肿　肿胀　肿瘤
【造　句】红肿——他腿上的伤口感染了，有点红肿。
【辨　音】不读 zhòng。
【同音字】种(种族)
【形近字】钟(挂钟)
【近义词】肿胀/发胀
【歇后语】肿脸看镜子——自找难看。
【英　语】肿胀　swelling [ˈsweliŋ]

| zhǒng | 笔画 | 部首 | 结构 | 五笔 | 造字法 |
|---|---|---|---|---|---|
| 种 | 9 | 禾 | 左右 | TKHH | 形声 |
| 笔顺 | 丿 二 千 才 禾 和 和 和 种 | | | | |

【解　释】❶泛指生物传代繁殖的物质。❷人和其他生物的族类。❸指物的种子。❹事物的类别。❺胆量；骨气。❻姓。
【组　词】稻种　种类　人种　种族　品种　有种　播种
【造　句】种类——百货大楼的商品货色齐全，种类繁多。
【同音字】肿(肿痛)
【形近字】钟(钟表)
【谚　语】种强苗壮，母胖儿肥|种子年年选，产量年年高。
【英　语】种类　kind [kaind]
【多音字】zhòng(见 933 页)

| zhòng | 笔画 | 部首 | 结构 | 五笔 | 造字法 |
|---|---|---|---|---|---|
| 中 | 4 | 丨 | 独体 | K | 指事 |
| 笔顺 | 丨 冂 口 中 | | | | |

【解　释】❶恰好对上或合上。

受到。
【组 词】猜中 打中 中毒 中伤 计 命中 中肯
【造 句】中肯——杨老师的话中肯。
【同音字】种(种树)
【成 语】谈言微中 言必有中
【英 语】中伤 slander ['slɑːndə]
【多音字】zhōng(见 930 页)

| hòng | 笔画 | 部首 | 结构 | 五笔 | 造字法 |
|---|---|---|---|---|---|
| 众 | 6 | 人 | 上下 | WWW | 会意 |
| 笔顺 | 丿 人 𠆢 仌 介 众 | | | | |

【解 释】❶许多(跟"寡"相对)。❷很多的人。

甲骨文 金文 小篆 隶书 楷书

【字源释义】本义是"许多人"。又有"众人"、"大家"义。
【组 词】众人 众多 听众 群众
【造 句】众多——我国人口众多,资源丰富。
【辨 音】不读 cóng。
【同音字】重(重要)
【形近字】从(从容)
【成 语】寡不敌众 万众一心 众志成城 众目睽睽 众怒难犯 众叛亲离 众所周知 众望所归
【反义词】出众/一般 众/寡
【近义词】出众/超群
【歇后语】众人数星星——没个准数|练兵场上的靶子——众矢之的。
【谚 语】众人拾柴火焰高|众人的眼睛是杆秤。
【英 语】大众 masses ['mæsiz]

| zhòng | 笔画 | 部首 | 结构 | 五笔 | 造字法 |
|---|---|---|---|---|---|
| 种 | 9 | 禾 | 左右 | TKHH | 形声 |
| 笔顺 | 一 二 千 禾 禾 和 和 和 种 | | | | |

【解 释】❶把种子或秧苗埋在土里使生长。❷把痘苗接种在人体上。
【组 词】种植 种田 栽种 耕种
【造 句】栽种——爷爷在菜园里栽种了几行葱。
【同音字】众(群众)
【形近字】钟(闹钟)
【歇后语】种过芝麻下大雨—难出。
【谚 语】种不好庄稼一年穷,治不好水害穷上穷|种瓜人吃瓜瓜更甜,养花人赏花花更香。
【英 语】种植 plant [plɑːnt]
【多音字】zhǒng(见 932 页)

| zhòng | 笔画 | 部首 | 结构 | 五笔 | 造字法 |
|---|---|---|---|---|---|
| 重 | 9 | 丿 | 独体 | TGJF | 会意 |
| 笔顺 | 一 二 千 亓 亩 亩 亩 重 重 | | | | |

【解 释】❶分量大(跟"轻"相对)。❷分量。❸紧要。❹不轻率。❺程度深。❻数量多。❼不轻视;尊敬。

Z

【组　词】重担　珍重　超重　重要　重任　庄重　严重　重视　尊重　重量

【造　句】尊重——只有尊重别人，别人才会尊重你。

【同音字】众（公众）

【形近字】量（质量）

【成　语】举足轻重

【反义词】庄重/轻浮

【近义词】重要/紧要

【谚　语】重赏之下，必有勇夫。

【英　语】重量　weight [weit]

【多音字】chóng（见 109 页）

## ZHOU　ㄓㄡ

| zhōu | 笔画 | 部首 | 结构 | 五笔 | 造字法 |
|---|---|---|---|---|---|
| 舟 | 6 | 舟 | 独体 | TEI | 象形 |
| 笔顺 | ′ 丿 月 月 舟 舟 | | | | |

【解　释】船。

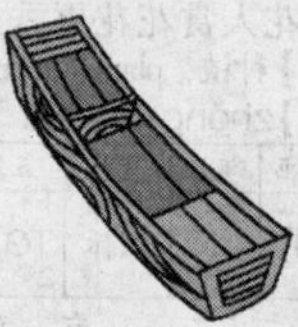

【字源释义】这是一个象形字，像一只弯弯的小船，船上还有横木，十分逼真。本义是"船"。汉字中有"舟"旁的字大多与船有关。

【组　词】泛舟　小舟　扁舟　龙舟　轻舟　舟楫

【造　句】风雨同舟——解放军和人民群众风雨同舟，取得了抗险救灾的胜利。

【同音字】周（周全）

【形近字】丹（牡丹）

【成　语】同舟共济　顺水推舟　刻舟求剑　风雨同舟

【英　语】泛舟　go boating [gə 'bəutiŋ]

| zhōu | 笔画 | 部首 | 结构 | 五笔 | 造字法 |
|---|---|---|---|---|---|
| 州 | 6 | 丶 | 独体 | YTYH | 象形 |
| 笔顺 | 丶 丿 少 州 州 州 | | | | |

【解　释】❶旧时行政区划的一种，现还保留在地名里。❷少数民族的行政区划单位。

【字源释义】"州"是"洲"的本字。本义是水中的陆地。字形是一道河流，水流中间的小圆圈就是一小片地。后来"州"字用作古代行政区域名，于是另造"洲"字。

【组　词】州县　苏州　杭州　神州　九州　自治州

【辨　音】不读 chuān。
【同音字】舟(龙舟)　周(周围)
【形近字】洲(亚洲)
【谚　语】州官随意放火，禁止百姓点灯。

| zhōu | 笔画 | 部首 | 结构 | 五笔 | 造字法 |
|---|---|---|---|---|---|
| 周 | 8 | 冂 | 半包围 | MFKD | 会意 |
| 笔顺 | 丿 冂 月 円 用 周 周 周 | | | | |

【解　释】❶圈子。❷全；普遍。❸星期。❹完备。❺绕一圈。❻接济。
【组　词】周围　周刊　周到　周密　周岁　周身　周济　周旋　周全　周期性
【造　句】周围——我家院子的周围种满了花草。
【辨　音】不读 tóng。
【同音字】粥(米粥)
【形近字】同(同意)　用(用途)
【成　语】周而复始
【反义词】周密/疏漏
【近义词】周密/周详
【歇后语】周文王请姜太公——尽找明白人｜周瑜打黄盖——一个愿打，一个愿挨｜地球绕着太阳转——周而复始。
【谚　语】周仓武艺虽高，还得给关公扛刀｜周郎妙计安天下，赔了夫人又折兵。
【英　语】周末　weekend　[ˈwiːkend]

| zhōu | 笔画 | 部首 | 结构 | 五笔 | 造字法 |
|---|---|---|---|---|---|
| 洲 | 9 | 氵 | 左右 | IYTH | 形声 |
| 笔顺 | 丶 丶 氵 氵 洲 洲 洲 洲 洲 | | | | |

【解　释】❶水中的陆地。❷大陆及其附近岛屿的总称。
【组　词】沙洲　亚洲　欧洲　绿洲　非洲
【造　句】亚洲——亚洲是地球上七大洲中最大的一洲。
【同音字】周(周密)　舟(小舟)
【形近字】州(神州)
【英　语】洲　continent　[ˈkɔntinənt]

| zhōu | 笔画 | 部首 | 结构 | 五笔 | 造字法 |
|---|---|---|---|---|---|
| 粥 | 12 | 弓 | 左中右 | XOXN | 会意 |
| 笔顺 | 乛 乛 弓 弓 弓 弜 弜 弜 粥 粥 粥 粥 | | | | |

【解　释】用粮食或粮食加其他东西煮成的半流质食物。
【组　词】稀粥　煮粥　喝粥
【造　句】粥少僧多——全班五十多个同学，电影票只有十来张，真是粥少僧多，不好分配。
【辨　音】不读 bì。
【同音字】洲(亚洲)
【形近字】弼(辅弼)
【成　语】粥少僧多
【谚　语】粥越煮越烂，力越练越强。
【英　语】粥　gruel　[gruəl]

| zhóu | 笔画 | 部首 | 结构 | 五笔 | 造字法 |
|---|---|---|---|---|---|
| 轴 | 9 | 车 | 左右 | LMG | 形声 |
| 笔顺 | 一 𠂉 左 车 车 轩 轨 轴 轴 | | | | |

【解　释】❶穿在轮子中间的圆柱形物体。❷用来缠绕东西的圆柱形物体。❸把平面或立体分成对

Z

称部分的直线。❹量词。用于缠在轴上或卷在轴上的东西。

【组　词】轮轴　线轴　轴承　轴心　车轴　转轴

【造　句】轴心——我们要以课本为轴心，开展课外阅读，以扩大知识面。

【辨　音】不读 yóu。

【形近字】油（汽油）

【谚　语】轴承脖子，弹簧腰，头上插个辨风标。

【英　语】车轴　axle [ˈæksl]

【多音字】zhòu（见 937 页）

| zhǒu | 笔画 | 部首 | 结构 | 五笔 | 造字法 |
|---|---|---|---|---|---|
| 肘 | 7 | 月 | 左右 | EFY | 会意 |
| 笔顺 | 丿　刀　月　月　月一　肘　肘 | | | | |

【解　释】❶上臂与前臂相接处向外凸起的部分。❷猪腿的上半部。

【组　词】肘子　肘腋　肘窝　拐肘　酱肘子

【造　句】捉襟见肘——孩子生病，妻子工作调动，弄得他顾此失彼，捉襟见肘。

【同音字】帚（扫帚）

【形近字】对（对应）

【成　语】捉襟见肘

【英　语】肘　elbow [ˈelbəu]

| zhǒu | 笔画 | 部首 | 结构 | 五笔 | 造字法 |
|---|---|---|---|---|---|
| 帚 | 8 | ヨ | 上下 | VPMH | 会意 |
| 笔顺 | ㇇　ㇺ　ヨ　⺕　⺕冖　⺕冖丨　帚　帚 | | | | |

【解　释】扫除或清理垃圾、尘土的用具。

甲骨文　金文　小篆　隶书　楷书

【字源释义】象形字。甲骨文的字形是一把扫帚的形状：上部是帚苗，下部是帚把；有的在扫帚中间还有绳索扎捆的样子。小篆“帚”字的下部作“巾”，这是由帚把形变来的。

【组　词】扫帚　笤帚

【造　句】扫帚——扫帚和簸箕在门后，你去把地扫一扫。

【同音字】肘（肘窝）

【形近字】寻（寻找）

【英　语】扫帚　broom [bru:m]

| zhòu | 笔画 | 部首 | 结构 | 五笔 | 造字法 |
|---|---|---|---|---|---|
| 咒 | 8 | 口 | 上下 | KKMB | 会意 |
| 笔顺 | 丨　冂　口　口丨　口冂　吅　罒　咒 | | | | |

【解　释】❶宗教或迷信的人称可以除灾降妖的口诀。❷用恶毒的话骂人。❸誓言。

【组　词】咒语　咒骂　诅咒　咒术

【造　句】咒术——我们不应该相信那些荒唐的咒术。

【辨　音】不读 zòu。

【同音字】皱（皱纹）

【形近字】骂（打骂）

Z

【英　语】咒骂 curse [kə:s]

| zhòu | 笔画 | 部首 | 结构 | 五笔 | 造字法 |
|---|---|---|---|---|---|
| 宙 | 8 | 宀 | 上下 | PMF | 形声 |
| 笔顺 | 丶 丶' 宀 宀 宁 宙 宙 宙 | | | | |

【解　释】时间的总称，即古往今来所有的时间。
【组　词】宇宙
【造　句】宇宙——宇宙的奥妙是无穷的。
【辨　音】不读 shěn。
【同音字】咒(咒语)
【形近字】审(审问)
【英　语】宇宙 universe ['ju:nivə:s]

| zhòu | 笔画 | 部首 | 结构 | 五笔 | 造字法 |
|---|---|---|---|---|---|
| 轴 | 9 | 车 | 左右 | LMG | 形声 |
| 笔顺 | 一 𠀎 车 车 车 轫 轫 轴 轴 | | | | |

【解　释】演戏排在最后的一场戏叫大轴子，排在倒数第二场戏叫压轴子。
【同音字】宙(宇宙)
【多音字】zhóu(见 935 页)

| zhòu | 笔画 | 部首 | 结构 | 五笔 | 造字法 |
|---|---|---|---|---|---|
| 昼 | 9 | 尸 | 上下 | NYJG | 会意 |
| 笔顺 | 乛 コ 尸 尺 尺 尽 昼 昼 昼 | | | | |

【解　释】白天；从天亮到天黑的整段时间(跟"夜"相对)。
【组　词】白昼　昼夜　昼夜不停
【造　句】昼夜不停——机房里的机器昼夜不停地运转。
【同音字】宙(宇宙)
【成　语】昼夜兼程
【反义词】白昼/黑夜
【近义词】昼夜/日夜
【谚　语】昼之所为，夜之所梦。
【英　语】昼夜 day and night [dei ænd nait]

| zhòu | 笔画 | 部首 | 结构 | 五笔 | 造字法 |
|---|---|---|---|---|---|
| 皱 | 10 | 皮 | 左右 | QVHC | 形声 |
| 笔顺 | ノ ク 刍 刍 刍 刍 刍 刍 皱 皱 | | | | |

【解　释】❶因收缩或折叠而起的纹路或痕迹。❷收拢；起纹路。
【组　词】皱纹　皱眉　褶皱　皱痕　起皱
【造　句】皱纹——奶奶已经老的满脸都是皱纹了。
【辨　音】不读 zòu。
【同音字】宙(宇宙)
【英　语】皱纹 wrinkle ['riŋkl]

| zhòu | 笔画 | 部首 | 结构 | 五笔 | 造字法 |
|---|---|---|---|---|---|
| 骤 | 17 | 马 | 左右 | CBCI | 形声 |
| 笔顺 | 乛 马 马 马 马 马 马 马 马 马 马 马 马 马 骤 骤 骤 | | | | |

【解　释】❶(马)快跑；奔驰。❷快的；急速的。❸突然。
【组　词】骤变　骤然　步骤
【造　句】步骤——做事要讲究步骤，不可任意而行。
【同音字】昼(昼夜)
【近义词】骤然/突然
【成　语】暴风骤雨

【英　语】骤然 suddenly [ˈsʌdənli]

## ZHU ㄓㄨ

| zhū | 笔画 | 部首 | 结构 | 五笔 | 造字法 |
|---|---|---|---|---|---|
| 朱 | 6 | 丿 | 独体 | RII | 指事 |
| 笔顺 | ノ 𠂉 𠂉 牛 牜 朱 | | | | |

【解　释】❶鲜红色。❷朱砂,矿物名,鲜红色,可做颜料和药。❸姓。
【组　词】朱砂　朱漆　朱门
【造　句】朱漆——我的书桌涂的是朱漆。
【同音字】珠(珍珠)
【成　语】朱唇皓齿
【谚　语】朱门酒肉臭,路有冻死骨。
【英　语】朱砂 cinnabar [ˈsinəbɑː]

| zhū | 笔画 | 部首 | 结构 | 五笔 | 造字法 |
|---|---|---|---|---|---|
| 茱 | 9 | 艹 | 上下 | ARIU | 形声 |
| 笔顺 | 一 十 艹 艹 芒 芒 苎 茱 茱 | | | | |

【解　释】[茱萸(yú)]乔木,叶子对生,花黄色。有山茱萸、吴茱萸、食茱萸等种类,果实可入药。
【组　词】茱萸
【造　句】茱萸——"遍插茱萸少一人"的意思,你明白了吧?
【同音字】珠(珍珠)
【英　语】茱萸 cornel [ˈkɔːnel]

| zhū | 笔画 | 部首 | 结构 | 五笔 | 造字法 |
|---|---|---|---|---|---|
| 珠 | 10 | 王 | 左右 | GR | 形声 |
| 笔顺 | 一 二 干 王 玎 玝 珄 玞 珠 珠 | | | | |

【解　释】❶珍珠,蚌壳里形成的光滑的圆粒,乳白色,光泽度强,可作贵重装饰品,也可入药。❷像珠子的东西。
【组　词】眼珠　泪珠　珠宝　水珠
【造　句】汗珠——妈妈忙着割麦子,脸上的汗珠大滴大滴地往下淌。
【同音字】朱(朱砂)
【形近字】株(守株待兔)
【成　语】珠光宝气　有眼无珠　掌上明珠　买椟还珠
【英　语】泪珠 teardrop [ˈtiədrɔp]

| zhū | 笔画 | 部首 | 结构 | 五笔 | 造字法 |
|---|---|---|---|---|---|
| 株 | 10 | 木 | 左右 | SRIY | 形声 |
| 笔顺 | 一 十 才 木 木 朾 杧 杵 株 株 | | | | |

【解　释】❶露在地面上的树干、树桩或树根。❷植物体。❸量词。表示植物数量,同"棵"。
【组　词】株连　幼株　植株　株距
【造　句】守株待兔——我们要靠自己的劳动创造财富,不能守株待兔。
【同音字】猪(肥猪)
【形近字】珠(珠宝)
【成　语】守株待兔
【英　语】株连 implicate [ˈimplikeit]

| zhū | 笔画 | 部首 | 结构 | 五笔 | 造字法 |
|---|---|---|---|---|---|
| 诸 | 10 | 讠 | 左右 | YFTJ | 形声 |
| 笔顺 | 丶 讠 讠 讠 计 诂 诘 诸 诸 诸 | | | | |

【解　释】❶众;各;许多。❷"之于"的合音。❸姓。
【组　词】诸如　诸多　诸侯

【造　句】诸如——诸如此类的事情大家见得多了，就不感到奇怪了。
【辨　音】不读 zhú。
【同音字】朱（朱红）
【形近字】猪（猪肉）
【反义词】诸多/少量
【近义词】诸多/许多
【歇后语】诸葛亮皱眉头——计上心来｜诸葛亮征孟获——收收放放｜诸葛亮当军师——名副其实｜诸侯称王——各自为政｜诸葛亮吊孝——假的。
【谚　语】诸恶莫做，众善奉行。
【英　语】诸如　such as［sʌtʃ æz］

| zhū | 笔画 | 部首 | 结构 | 五笔 | 造字法 |
|---|---|---|---|---|---|
| 猪 | 11 | 犭 | 左右 | QTFJ | 形声 |
| 笔顺 | ノ 犭 犭 犭 犭 犭 犭 犭 猪 猪 猪 | | | | |

【解　释】哺乳动物，杂食，体肥肉多，肉可吃，皮可制革，鬃毛可做刷子等。内脏可制药，粪是很好的肥料。
【组　词】猪排　猪肉　猪圈　猪食　野猪　乳猪　母猪　小猪
【造　句】小猪——我家喂着两头胖乎乎的小猪。
【同音字】蛛（蜘蛛）
【形近字】诸（诸多）　猎（猎犬）
【歇后语】猪八戒戴花——自觉自美｜猪血煮豆腐——黑白分明。
【谚　语】猪是农家宝，种地离不了。
【英　语】猪　pig［pig］

| zhū | 笔画 | 部首 | 结构 | 五笔 | 造字法 |
|---|---|---|---|---|---|
| 蛛 | 12 | 虫 | 左右 | JRIY | 形声 |
| 笔顺 | 丨 冂 口 中 虫 虫 虫 虫 虫 蚌 蛛 蛛 | | | | |

【解　释】见 923 页［蜘蛛］。
【组　词】蛛网　蛛眼　蜘蛛
【造　句】蛛丝马迹——刑侦人员仔细勘察案发现场，不放过任何蛛丝马迹，为破案提供了极有价值的线索。
【辨　音】不读 zū。
【同音字】诸（诸位）
【形近字】珠（珍珠）
【成　语】蛛丝马迹
【歇后语】墙上的蛛网，草原上的脚印——蛛丝马迹。
【英　语】蜘蛛　spider［'spaidə］

| zhú | 笔画 | 部首 | 结构 | 五笔 | 造字法 |
|---|---|---|---|---|---|
| 术 | 5 | 木 | 独体 | SYI | 形声 |
| 笔顺 | 一 十 才 木 术 | | | | |

【解　释】植物名，有白术、苍术，都是多年生草本植物，均可入药。
【组　词】白术　苍术
【同音字】竹（毛竹）
【多音字】shù（见 664 页）

| zhú | 笔画 | 部首 | 结构 | 五笔 | 造字法 |
|---|---|---|---|---|---|
| 竹 | 6 | 竹 | 左右 | TTGH | 象形 |
| 笔顺 | ノ 𠂉 ケ 竹 竹 竹 | | | | |

【解　释】❶竹子，常绿植物，茎圆柱形，中空，有节，茎可供建筑或做器具用，又可造纸。嫩芽叫"笋"，可做菜。用途很广。❷姓。

【组　词】竹筒　竹笋　竹简　竹鞭　毛竹　腐竹

【造　句】竹笋——一场春雨过后，山上的竹笋都露头了。

【辨　音】不读 zú。

【同音字】逐（追逐）

【成　语】竹篮打水　胸有成竹　竹报平安

【反义词】胸有成竹/茫无头绪

【近义词】胸有成竹/十拿九稳

【歇后语】竹篙打水平平过——不分高低|竹竿撑排——捅到底。

【谚　语】竹有低头叶，梅无仰面花|竹篮打水，劳而无效。

【英　语】竹子　bamboo [bæm'buː]

| zhú | 笔画 | 部首 | 结构 | 五笔 | 造字法 |
|---|---|---|---|---|---|
| 逐 | 10 | 辶 | 半包围 | EPI | 会意 |
| 笔顺 | 一 丆 丂 丂 豕 豕 豕 豕 豕 逐 逐 | | | | |

【解　释】❶追赶。❷赶走。❸挨着次序。

甲骨文　金文　小篆　隶书　楷书

【字源释义】本义是“追赶”。甲骨文的字形上部是一只猪（“豕”），下面是一只脚（“止”），表示人正跑着追赶猪。金文在“止”上加“彳”，构成表示跑动的义符“辵”（音 chuò）。

【组　词】追逐　驱逐　逐渐　逐步　逐条　放逐　逐客

【造　句】逐步——我们学雷锋小组的工作逐步开展起来了。

【辨　音】不读 zhù。

【同音字】竹（竹竿）

【形近字】遂（遂心）

【成　语】逐鹿中原

【反义词】驱逐/挽留

【近义词】驱逐/驱赶

【英　语】逐步　step by step [step bai step]

| zhú | 笔画 | 部首 | 结构 | 五笔 | 造字法 |
|---|---|---|---|---|---|
| 烛 | 10 | 火 | 左右 | OJY | 形声 |
| 笔顺 | 丶 丷 火 火 火 灯 灯 炖 烛 烛 | | | | |

【解　释】❶用蜡油做的照明用品。❷照亮。

【组　词】蜡烛　花烛　烛泪　红烛　烛台　烛光

【造　句】烛光——圣诞节，我们开了个烛光宴会。

【辨　音】不读 dú。

【同音字】逐（逐步）

【形近字】独（独自）

【成　语】风烛残年

【近义词】风烛残年/风中之烛

【英　语】蜡烛　candle ['kændl]

| zhǔ | 笔画 | 部首 | 结构 | 五笔 | 造字法 |
|---|---|---|---|---|---|
| 主 | 5 | 丶 | 独体 | Y | 象形 |
| 笔顺 | 丶 亠 ㇀ 王 主 | | | | |

【解　释】❶接待宾客的人。❷财物或权力的所有者。❸事件的当事人。❹从自身出发的。❺负主要责任的。❻对事情的确定见解。❼作决定;拿意见。❽重要的;根本的。❾姓。

【组　词】主人　主题　主见　做主

【造　句】主持——今年我们班的元旦晚会由我主持。

【同音字】煮(煮汤)

【形近字】王(王国)　丰(丰收)

【成　语】不由自主　先入为主

【反义词】主要/次要

【近义词】主要/首要

【谚　语】主将无能,累死三军。

【英　语】主办　direct [di'rekt]

| zhǔ | 笔画 | 部首 | 结构 | 五笔 | 造字法 |
|---|---|---|---|---|---|
| 拄 | 8 | 扌 | 左右 | RYGG | 形声 |
| 笔顺 | 一 十 扌 扌 扌 扌 扌 拄 | | | | |

【解　释】用拐棍或手杖支持身体以保持平衡。

【组　词】拄杖　拄棍

【造　句】拄杖——奶奶年纪大了,出外串门总要拄杖。

【辨　音】不读 zhù。

【同音字】主(主办)

【形近字】住(住所)

【英　语】拄着　lean on [li:n ɔn]

| zhǔ | 笔画 | 部首 | 结构 | 五笔 | 造字法 |
|---|---|---|---|---|---|
| 煮 | 12 | 灬 | 上下 | FTJO | 形声 |
| 笔顺 | 一 十 土 耂 耂 者 者 者 者 者 者 煮 | | | | |

【解　释】把食品或器物放在有水的锅里烧。

【组　词】煮饭　煮粥　烧煮

【造　句】煮饭——学会了煮饭,我非常高兴。

【同音字】嘱(嘱托)

【形近字】熏(熏风)

【成　语】煮豆燃萁

【谚　语】煮饭要放米,讲话讲道理。

【英　语】煮　cook [kuk]

| zhǔ | 笔画 | 部首 | 结构 | 五笔 | 造字法 |
|---|---|---|---|---|---|
| 属 | 12 | 尸 | 半包围 | NTKY | 形声 |
| 笔顺 | 一 コ 尸 尸 尸 居 居 居 属 属 属 属 | | | | |

【解　释】❶连接;连续。❷专注;集中在一点上。

【组　词】属望　属意

【同音字】嘱(叮嘱)

【英　语】属望　hope [həup]

【多音字】shǔ(见 663 页)

| zhǔ | 笔画 | 部首 | 结构 | 五笔 | 造字法 |
|---|---|---|---|---|---|
| 嘱 | 15 | 口 | 左右 | KNT | 形声 |
| 笔顺 | 丨 口 口 口 口 呎 呎 呎 呢 呢 呢 嘱 嘱 嘱 嘱 | | | | |

【解　释】口头托付。

【组　词】嘱托　嘱咐　叮嘱　医嘱

【造　句】嘱咐——爸爸再三嘱咐我在学校要好好学习。

Z

【辨　音】不读 shǔ。
【同音字】主(六神无主)
【形近字】瞩(举世瞩目)
【近义词】嘱咐/嘱托
【英　语】嘱咐 enjoin [in'dʒɔin]

| zhǔ | 笔画 | 部首 | 结构 | 五笔 | 造字法 |
|---|---|---|---|---|---|
| 瞩 | 17 | 目 | 左右 | HNT | 形声 |
| 笔顺 | 丨 冂 冃 目 目 目ᐨ 目ᐨ 眀 眀 眀 瞩 瞩 瞩 瞩 瞩 瞩 瞩 | | | | |

【解　释】注视;注目。
【组　词】瞩目　瞩望
【造　句】瞩目——中国成功举办了一届令人瞩目的高水平的奥运会。
【同音字】属(属意)
【形近字】嘱(嘱托)
【成　语】高瞻远瞩

| zhù | 笔画 | 部首 | 结构 | 五笔 | 造字法 |
|---|---|---|---|---|---|
| 伫 | 6 | 亻 | 左右 | WPGG | 会意 |
| 笔顺 | ノ 亻 亻 亻' 伫 伫 | | | | |

【解　释】伫立,长时间地站着。
【组　词】伫立　伫候
【造　句】伫候——请在此伫候佳音吧!
【同音字】住(居住)
【英　语】伫候 stand waiting [stænd 'weitiŋ]

| zhù | 笔画 | 部首 | 结构 | 五笔 | 造字法 |
|---|---|---|---|---|---|
| 助 | 7 | 力 | 左右 | EGL | 形声 |
| 笔顺 | 丨 冂 月 月 且 助 助 | | | | |

【解　释】帮。
【组　词】帮助　助手　资助　补助
【造　句】助人为乐——我们应当学习王倩助人为乐的精神。
【同音字】注(注视)
【形近字】肋(肋骨)
【成　语】助人为乐
【近义词】援助/帮助
【谚　语】助人要及时,帮人要诚心。
【英　语】帮助 help [help]

| zhù | 笔画 | 部首 | 结构 | 五笔 | 造字法 |
|---|---|---|---|---|---|
| 住 | 7 | 亻 | 左右 | WYGG | 形声 |
| 笔顺 | ノ 亻 亻' 亻' 仁 住 住 | | | | |

【解　释】❶居住。❷停下;停止。❸用在动词后做补语,表示牢固或停顿。
【组　词】住宿　站住　居住　拦住
【造　句】居住——在这个地区居住的是一些少数民族。
【辨　音】不读 wǎng。
【同音字】助(助兴)
【形近字】注(备注)　柱(圆柱)
【近义词】住所/处所
【谚　语】住要好邻,行要好伴。
【英　语】住口 stop talking [stɔp 'tɔːkiŋ]

| zhù | 笔画 | 部首 | 结构 | 五笔 | 造字法 |
|---|---|---|---|---|---|
| 注 | 8 | 氵 | 左右 | IY | 形声 |
| 笔顺 | 丶 冫 氵 氵' 汁 汴 注 注 | | | | |

【解　释】❶灌或倒进去。❷集中在一处或一点。❸赌博时下的本钱。❹用文字解释字句。❺解释字句所用的文字。❻记载;登记。
【组　词】注射　注定　关注　注视
【造　句】全神贯注——同学们在全神贯注地听老师讲课。

辨 音】不读 zhǔ。
同音字】祝(祝福)
形近字】住(截住)
成 语】全神贯注 孤注一掷
近义词】注目/注视
英 语】注意 pay attention to pei ə'tenʃən tuː]

| zhù | 笔画 | 部首 | 结构 | 五笔 | 造字法 |
|---|---|---|---|---|---|
| 驻 | 8 | 马 | 左右 | CY | 形声 |
| 笔顺 | ㇇ 马 马 马 马 驴 驻 驻 | | | | |

解 释】❶停留;停止。❷住在某处;设在某地。
组 词】驻足 驻扎 驻军 驻地 驻防 驻守 驻京 留驻
造 句】驻守——边防军驻守在祖国边疆,守卫着祖国大门。
辨 音】不读 zhǔ。
同音字】著(名著)
形近字】柱(水柱)
反义词】驻防/撤防
近义词】驻扎/驻守
英 语】驻守 garrison ['gærisn]

| zhù | 笔画 | 部首 | 结构 | 五笔 | 造字法 |
|---|---|---|---|---|---|
| 柱 | 9 | 木 | 左右 | SYGG | 形声 |
| 笔顺 | 一 十 才 木 木 杧 杧 柱 柱 | | | | |

解 释】❶建筑物中起支撑作用的柱子,比喻集体中的骨干力量。❷像柱子的东西。
组 词】支柱 矿柱 柱石 水柱 冰柱 柱子 脊柱 柱头 顶梁柱 水银柱
造 句】柱子——大殿由四根柱子支撑着。

【辨 音】不读 zhǔ。
【同音字】祝(祝愿)
【形近字】驻(驻守)
【成 语】中流砥柱 偷梁换柱
【近义词】柱石/基石
【英 语】水柱 water column ['wɔːtə 'kɔləm]

| zhù | 笔画 | 部首 | 结构 | 五笔 | 造字法 |
|---|---|---|---|---|---|
| 祝 | 9 | 礻 | 左右 | PYKQ | 会意 |
| 笔顺 | 丶 ㇇ 礻 礻 礻 祀 祀 祝 祝 | | | | |

【解 释】❶削;断绝。❷对人或事由衷地表示良好的愿望。❸姓。

甲骨文 金文 小篆 隶书 楷书

【字源释义】本义指祭祀时主持祷告的人,也用作动词,表示"祷祝"义。字形是一个人在祭祀的石桌旁跪着,张大嘴巴在祷告的样子。
【组 词】祝贺 祝愿 祝酒 祝寿 庆祝 预祝 祝词 祝福 祝告 祝祷
【造 句】祝愿——大家共同祝愿伟大的祖国繁荣昌盛。
【同音字】助(帮助)

【形近字】视(重视)
【反义词】祝福/诅咒
【近义词】祝福/祝愿
【歇后语】节日祝寿——重庆。
【英　语】祝贺 congratulate [kən'grætjuleit]

| zhù | 笔画 | 部首 | 结构 | 五笔 | 造字法 |
|---|---|---|---|---|---|
| 著 | 11 | 艹 | 上下 | AFTJ | 形声 |
| 笔顺 | 一 十 廾 艹 芏 芏 茅 茅 著 著 著 | | | | |

【解　释】❶显露。❷明显。❸写出来的作品。❹写作。
【组　词】著名　显著　著述　编著　著作　名著　著称
【造　句】著称——杭州的西湖以其浓妆淡抹总相宜的风景著称。
【同音字】祝(庆祝)
【形近字】暑(寒暑)
【成　语】著书立说
【反义词】臭名昭著/流芳百世
【近义词】编著/编写
【英　语】著名 famous ['feiməs]
【多音字】zhuó(见952页)

| zhù | 笔画 | 部首 | 结构 | 五笔 | 造字法 |
|---|---|---|---|---|---|
| 蛀 | 11 | 虫 | 左右 | JYGG | 形声 |
| 笔顺 | 丶 口 口 中 虫 虫 虫 虫 蛀 蛀 蛀 | | | | |

【解　释】❶咬衣物或木器的害虫。❷东西被蛀虫咬坏。
【组　词】虫蛀　蛀齿　蛀蚀　蛀牙
【造　句】虫蛀——这箱书长时间没有翻动,都被虫蛀了。
【辨　音】不读zhǔ。

【同音字】筑(建筑)
【形近字】注(注意)
【谚　语】蛀虫能伤树根,忧愁能伤人心。
【英　语】蛀齿 decayed tooth [di'keid tu:θ]

| zhù | 笔画 | 部首 | 结构 | 五笔 | 造字法 |
|---|---|---|---|---|---|
| 铸 | 12 | 钅 | 左右 | QDTF | 形声 |
| 笔顺 | 丿 𠂉 𠂉 乍 钅 钅 钅 钅 铸 铸 铸 铸 | | | | |

【解　释】❶把金属加热熔化后倒在模子里冷凝制成器物。❷造成
【组　词】铸造　浇铸　铸工　铸铁　铸件　熔铸
【造　句】铸造—中国古代的鼎大多是由青铜铸造的。
【辨　音】不读dǎo。
【同音字】住(记住)
【形近字】祷(祈祷)
【近义词】铸造/制造
【歇后语】见钟不打铸钟敲——舍近求远。
【英　语】铸造 casting ['ka:stiŋ]

| zhù | 笔画 | 部首 | 结构 | 五笔 | 造字法 |
|---|---|---|---|---|---|
| 筑 | 12 | ⺮ | 上下 | TAMY | 会意 |
| 笔顺 | 丿 𠂉 𠂉 𠂉 𥫗 𥫗 𥫗 筑 筑 筑 筑 筑 | | | | |

【解　释】❶建造;修建。❷贵州省贵阳市的别称。
【组　词】建筑　筑路　修筑　筑堤　筑墙　构筑
【造　句】修筑——我国新修筑的京九铁路给人们带来了很大

的方便。
【同音字】注(注重)
【形近字】巩(巩固)
【成　语】筑室道谋
【近义词】筑造/建造
【英　语】建筑 building ['bildiŋ]

## ZHUA ㄓㄨㄚ

| zhuā | 笔画 | 部首 | 结构 | 五笔 | 造字法 |
|---|---|---|---|---|---|
| 抓 | 7 | 扌 | 左右 | RRHY | 形声 |
| 笔顺 | 一 十 扌 扌 扩 扒 抓 | | | | |

【解　释】❶挠;搔。❷用手或爪拿取。❸捉拿;捕捉。❹吸引。❺着重于某方面。
【组　词】抓药　抓阄　抓痒　抓贼　狠抓　抓紧
【造　句】抓紧——同学们一定要抓紧时间复习,争取考出好成绩。
【辨　音】不读 zhuǎ。
【形近字】狐(狐狸)　孤(孤单)
【成　语】抓耳挠腮
【反义词】抓紧/放松　抓获/释放
【近义词】抓痒/搔痒
【歇后语】抓住荷叶摸到藕——追根刨底|抓了芝麻,丢了西瓜——因小失大。
【谚　语】抓住今天,胜似两个明天|抓住现实的一分钟,胜过想象中的一年。
【英　语】抓住 catch [kætʃ]

| zhuǎ | 笔画 | 部首 | 结构 | 五笔 | 造字法 |
|---|---|---|---|---|---|
| 爪 | 4 | 爪 | 独体 | RHYI | 象形 |
| 笔顺 | 一 厂 爪 爪 | | | | |

【解　释】❶鸟兽的脚(多用于口语)。❷像爪的东西。
【组　词】爪子　爪儿　鸡爪
【造　句】爪子——猫的爪子非常尖利。
【歇后语】黄鼠狼烤火——爪儿干毛净。
【英　语】爪子 claw [klɔː]
【多音字】zhǎo(见 907 页)

## ZHUAI ㄓㄨㄞ

| zhuāi | 笔画 | 部首 | 结构 | 五笔 | 造字法 |
|---|---|---|---|---|---|
| 拽 | 9 | 扌 | 左右 | RJXT | 形声 |
| 笔顺 | 一 十 扌 扌 扣 扣 扣 拽 拽 | | | | |

【解　释】(方)用力扔。
【多音字】zhuài(见 945 页)

| zhuài | 笔画 | 部首 | 结构 | 五笔 | 造字法 |
|---|---|---|---|---|---|
| 拽 | 9 | 扌 | 左右 | RJXT | 形声 |
| 笔顺 | 一 十 扌 扌 扣 扣 扣 拽 拽 | | | | |

【解　释】拉;拔。
【组　词】拽住
【造　句】拽住——第一天上幼儿园,小丽死死拽住妈妈的衣角。
【多音字】zhuāi(见 945 页)

## ZHUAN ㄓㄨㄢ

| zhuān | 笔画 | 部首 | 结构 | 五笔 | 造字法 |
|---|---|---|---|---|---|
| 专 | 4 | 一 | 独体 | FNYI | 会意 |
| 笔顺 | 一 二 专 专 | | | | |

【解　释】❶单一；集中在一方面。❷在某方面有特长。❸独自享有；占有；独做。❹姓。
【组　词】专心　专题　专业　专利　专权　专断　专长　专制　专家　专科
【造　句】专心——同学们上课要专心听讲。
【同音字】砖（砖瓦）
【形近字】去（去向）
【成　语】专心致志　专横跋扈
【反义词】专心致志/心不在焉
【近义词】专心致志/一心一意
【谚　语】专心事必成，勤劳长才能。
【英　语】专门　special [ˈspeʃəl]

| zhuān | 笔画 | 部首 | 结构 | 五笔 | 造字法 |
|---|---|---|---|---|---|
| 砖 | 9 | 石 | 左右 | DFNY | 形声 |
| 笔顺 | 一 丆 丆 石 石 石 砑 砖 砖 | | | | |

【解　释】❶黏土等经高温烧制而成的建筑材料。❷外形像砖的东西。
【组　词】砖头　瓷砖　砖窑　砖茶
【造　句】抛砖引玉——我的文章只希望能起到抛砖引玉的作用。
【同音字】专（专权）
【形近字】传（自传）
【成　语】抛砖引玉
【歇后语】砖头砌墙——后来居上。
【谚　语】砖连砖成墙，瓦连瓦成房。
【英　语】砖头　brick [brik]

| zhuǎn | 笔画 | 部首 | 结构 | 五笔 | 造字法 |
|---|---|---|---|---|---|
| 转 | 8 | 车 | 左右 | LFNY | 形声 |
| 笔顺 | 一 𠂉 车 车 车一 车二 转 转 | | | | |

【解　释】❶改变或改换方向、位置、形势等。❷间接地。
【组　词】转变　转换　转告　转交
【造　句】转交——你放心走吧，我一定把你的信转交给他。
【形近字】砖（砖厂）
【成　语】转弯抹角
【近义词】转换/改换
【英　语】转变　change [tʃeindʒ]
【多音字】zhuàn（见946页）

| zhuàn | 笔画 | 部首 | 结构 | 五笔 | 造字法 |
|---|---|---|---|---|---|
| 传 | 6 | 亻 | 左右 | WFNY | 形声 |
| 笔顺 | 丿 亻 亻一 亻二 传 传 | | | | |

【解　释】❶记叙人物一生事迹的文字。❷叙述历史故事的作品。❸古代解释儒家经书的文字。
【组　词】传记　外传　自传　经传
【造　句】自传——他为自己写了一本自传。
【辨　音】不读 zhuān。
【同音字】转（转动）
【英　语】传记　biography [baiˈɔɡrəfi]
【多音字】chuán（见118页）

| zhuàn | 笔画 | 部首 | 结构 | 五笔 | 造字法 |
|---|---|---|---|---|---|
| 转 | 8 | 车 | 左右 | LFNY | 形声 |
| 笔顺 | 一 𠂉 车 车 车一 车二 转 转 | | | | |

【解　释】绕圈；绕着中心运动。
【组　词】转动　转向
【造　句】转向——北京的胡同可真多，弄得我晕头转向。
【形近字】砖（砖厂）
【英　语】旋转　rotate [rəuˈteit]
【多音字】zhuǎn（见946页）

| zhuàn | 笔画 | 部首 | 结构 | 五笔 | 造字法 |
|---|---|---|---|---|---|
| 赚 | 14 | 贝 | 左右 | MUVO | 形声 |
| 笔顺 | 丨 冂 贝 贝 贝 贝 贝 贝 赚 赚 赚 赚 赚 赚 | | | | |

【解　释】❶做生意获得利润(跟"赔"相对)。❷利润。❸挣钱。
【组　词】赚钱　赚头
【辨　音】不读 qiān。
【造　句】赚钱——全家靠他一个人赚钱养活。
【同音字】传(传记)
【形近字】谦(谦让)
【近义词】赚钱/获利
【谚　语】赚钱得学艺,学艺能赚钱。
【英　语】赚钱　make money [meik mʌni]

## ZHUANG　ㄓㄨㄤ

| zhuāng | 笔画 | 部首 | 结构 | 五笔 | 造字法 |
|---|---|---|---|---|---|
| 庄 | 6 | 广 | 半包围 | YFD | 会意 |
| 笔顺 | 丶 亠 广 广 庄 庄 | | | | |

【解　释】❶田舍;村子。❷严肃;端正。❸规模较大的商店的名称。❹姓。
【组　词】庄园　庄严　庄稼　庄重　庄家　端庄
【造　句】端庄——姐姐举止端庄,是个人见人夸的女孩。
【同音字】装(军装)
【形近字】床(铺床)
【反义词】庄重/轻浮
【近义词】庄重/庄严
【谚　语】庄稼要好,犁深肥饱|庄家靠雨水长得葱绿,人们靠劳动获得幸福。
【英　语】村庄　village [ˈvilidʒ]

| zhuāng | 笔画 | 部首 | 结构 | 五笔 | 造字法 |
|---|---|---|---|---|---|
| 妆 | 6 | 丬 | 左右 | UVG | 形声 |
| 笔顺 | 丶 冫 丬 丬 妆 妆 | | | | |

【解　释】❶打扮;修饰。❷嫁妆,女子出嫁时从娘家带到丈夫家的东西。
【组　词】妆饰　妆新　梳妆　嫁妆　卸妆　化妆
【造　句】梳妆——姐姐梳妆打扮得那么漂亮,是为了参加同学的生日晚会。
【同音字】庄(庄严)
【形近字】壮(健壮)
【近义词】妆饰/打扮
【英　语】妆饰　adorn [əˈdɔːn]

| zhuāng | 笔画 | 部首 | 结构 | 五笔 | 造字法 |
|---|---|---|---|---|---|
| 桩 | 10 | 木 | 左右 | SYFG | 形声 |
| 笔顺 | 一 十 才 木 木 木 杧 杧 桩 桩 | | | | |

【解　释】❶一端或全部插进地里的柱形物。❷量词。指事情,相当于"件"。
【组　词】木桩　桥桩　树桩
【同音字】妆(化妆)
【形近字】杜(杜鹃)
【英　语】打桩　drive piles [draiv pailz]

| zhuāng | 笔画 | 部首 | 结构 | 五笔 | 造字法 |
|---|---|---|---|---|---|
| 装 | 12 | 衣 | 上下 | UFYE | 形声 |
| 笔顺 | 丶 冫 丬 丬 壮 壮 壮 装 装 装 装 装 | | | | |

【解　释】❶衣服。❷修饰；打扮。❸安置；安放。❹假意做作。❺将零件安在一起，构成整体。❻行李，出门所带的衣服、被褥等。❼把东西放进去。
【组　词】时装　装备　装饰　伪装　假装　装配　装订　行装
【造　句】装饰——这家新开业的商场装饰得真漂亮。
【同音字】妆（化妆）
【形近字】袋（口袋）
【成　语】装腔作势　装模作样
【反义词】装腔作势/实实在在
【近义词】装腔作势/装模作样
【歇后语】演戏的装官儿——乐一回是一回。
【谚　语】装病的人瞒不过医生｜装满水的瓶子摇动也不出声。
【英　语】装备　equip　[i'kwip]

| zhuàng | 笔画 | 部首 | 结构 | 五笔 | 造字法 |
|---|---|---|---|---|---|
| 壮 | 6 | 丬 | 左右 | UFG | 形声 |
| 笔顺 | 丶 冫 丬 丬一 丬十 壮 | | | | |

【解　释】❶强健有力。❷宏伟；强大。❸加强；增加。❹特指壮族。
【组　词】健壮　壮志　壮阔　壮胆　壮族　壮观　壮实　壮丽
【造　句】壮丽——南京长江大桥雄伟壮丽。
【同音字】撞（撞见）
【形近字】状（奖状）
【成　语】理直气壮　身强力壮　壮志凌云
【反义词】壮士/懦夫
【近义词】壮观/壮丽
【歇后语】壮锦上的花——美而不香。
【谚　语】壮士阵前打仗，不死要带伤。
【英　语】壮丽　magnificent　[mæg'nifisənt]

| zhuàng | 笔画 | 部首 | 结构 | 五笔 | 造字法 |
|---|---|---|---|---|---|
| 状 | 7 | 丬 | 左右 | UDY | 形声 |
| 笔顺 | 丶 冫 丬 丬一 丬ナ 壮 状 | | | | |

【解　释】❶样子。❷情形；情况形态。❸有特定作用的证件❹打官司；诉状。
【组　词】形状　状态　状况　现状　告状　奖状　状语　状元
【造　句】奖状——小云家的墙上贴满了奖状。
【同音字】壮（壮大）
【形近字】伏（埋伏）　壮（壮志）
【成　语】不可名状　奇形怪状
【近义词】状况/情形
【歇后语】状元关在门背后——埋没了人才｜状元府内吃蟠桃——贵人吃贵物。
【谚　语】状元原是人间子，帝王亦非天上儿。
【英　语】状况　condition　[kən'diʃən]

| zhuàng | 笔画 | 部首 | 结构 | 五笔 | 造字法 |
|---|---|---|---|---|---|
| 撞 | 15 | 扌 | 左右 | RUJF | 形声 |
| 笔顺 | 一 亅 扌 扌 扩 扩 扩 护 护 掊 掊 掊 撞 撞 撞 | | | | |

【解　释】❶冲击；敲打。❷碰❸鲁莽地行动。
【组　词】相撞　撞见　撞击　顶撞　碰撞　撞车　冲撞
【造　句】冲撞——他冲撞老师

是太不应该了。
【辨　音】不读 chuàng。
【同音字】状(状元)
【形近字】憧(憧憬)
【成　语】横冲直撞　招摇撞骗
【反义词】顶撞/服从
【近义词】莽撞/鲁莽
【英　语】撞击　strike [straik]

| zhuàng | 笔画 | 部首 | 结构 | 五笔 | 造字法 |
|---|---|---|---|---|---|
| 幢 | 15 | 巾 | 左右 | MHUF | 形声 |
| 笔顺 | 丨 冂 巾 巾 巾 巾 巾 巾 忙 帣 帣 幢 幢 幢 幢 | | | | |

【解　释】量词。房屋一座叫一幢。
【辨　音】不读 chuàng。
【同音字】撞(碰撞)
【多音字】chuáng(见 120 页)

## ZHUI　ㄓㄨㄟ

| zhuī | 笔画 | 部首 | 结构 | 五笔 | 造字法 |
|---|---|---|---|---|---|
| 追 | 9 | 辶 | 半包围 | WNNP | 形声 |
| 笔顺 | ′ 亻 𠂆 户 阜 自 ˋ自 追 追 | | | | |

【解　释】❶赶;紧跟着。❷查究;探求。❸补办。❹回顾过去的事。
【组　词】追赶　追随　追究　追查　追认　追念　追寻　追求　追踪
【造　句】追问——他不停地追问我有没有看见王老师。
【同音字】锥(圆锥)
【形近字】迫(逼迫)
【成　语】追根究底　追魂夺魄
【反义词】追求/放弃
【近义词】追踪/跟踪
【英　语】追究　look into [luk 'intu]

| zhuī | 笔画 | 部首 | 结构 | 五笔 | 造字法 |
|---|---|---|---|---|---|
| 椎 | 12 | 木 | 左右 | SWYG | 形声 |
| 笔顺 | 一 十 才 木 朩 杧 杧 杧 柞 椎 椎 椎 | | | | |

【解　释】椎骨,构成人或动物背部中央脊柱的短骨。
【组　词】颈椎　腰椎　胸椎　尾椎　椎骨　脊椎
【造　句】脊椎——他的脊椎被砸伤了,现正在医院治疗。
【同音字】追(追查)
【形近字】准(准备)
【英　语】椎骨　vertebra ['vəːtibrə]
【多音字】chuí(见 121 页)

| zhuī | 笔画 | 部首 | 结构 | 五笔 | 造字法 |
|---|---|---|---|---|---|
| 锥 | 13 | 钅 | 左右 | QWYG | 形声 |
| 笔顺 | 丿 𠂉 𠂉 钅 钅 钋 针 针 针 钋 锥 锥 锥 | | | | |

【解　释】❶锥子,一头尖锐用来钻孔的工具。❷像锥子的东西。❸用锥子一类的工具钻。
【组　词】圆锥　改锥　锥体　冰锥
【辨　音】不读 nán。
【同音字】追(追求)
【形近字】难(难过)
【成　语】锥处囊中
【歇后语】锥子剃头——另一个传授|锥子头上加枚针——利上加利。
【英　语】锥子　awl [ɔːl]

| zhuì | 笔画 | 部首 | 结构 | 五笔 | 造字法 |
|---|---|---|---|---|---|
| 坠 | 7 | 土 | 上下 | BWFF | 形声 |
| 笔顺 | 阝 阝 阝 队 队 坠 坠 | | | | |

Z

【解　释】❶落下；掉下。❷往下垂。❸坠儿，往下垂着的东西。
【组　词】坠落　耳坠　下坠
【辨　音】不读 duò。
【同音字】缀（补缀）
【形近字】堕（堕落）
【成　语】摇摇欲坠
【反义词】坠落/上升
【近义词】坠落/跌落
【英　语】坠落　fall [fɔːl]

| zhuì | 笔画 | 部首 | 结构 | 五笔 | 造字法 |
|---|---|---|---|---|---|
| 缀 | 11 | 纟 | 左右 | XCCC | 形声 |
| 笔顺 | | | | | |

【解　释】❶缝合。❷连接；组合。❸装饰。
【组　词】补缀　缀句　点缀　缀合
【造　句】点缀——房间里用几盆花点缀一下，显得温馨了许多。
【辨　音】不读 chuò 或 duō。
【同音字】坠（坠落）
【形近字】辍（辍学）
【英　语】点缀　embellish [im'beliʃ]

## ZHUN　ㄓㄨㄣ

| zhūn | 笔画 | 部首 | 结构 | 五笔 | 造字法 |
|---|---|---|---|---|---|
| 屯 | 4 | 一 | 独体 | GBNV | 会意 |
| 笔顺 | | | | | |

【解　释】困难。
【组　词】屯钝
【多音字】tún（见 723 页）

| zhǔn | 笔画 | 部首 | 结构 | 五笔 | 造字法 |
|---|---|---|---|---|---|
| 准 | 10 | 冫 | 左右 | UWYG | 形声 |
| 笔顺 | | | | | |

【解　释】❶同意；准许。❷法则。❸正确；精确。❹一定；有把握。
【组　词】准许　批准　准则　标准
【造　句】批准——经不住我的软磨硬泡，妈妈终于批准我去游泳了。
【辨　音】不读 huái。
【形近字】淮（淮河）
【英　语】准备　prepare [pri'peə]

## ZHUO　ㄓㄨㄛ

| zhuō | 笔画 | 部首 | 结构 | 五笔 | 造字法 |
|---|---|---|---|---|---|
| 拙 | 8 | 扌 | 左右 | RBMH | 形声 |
| 笔顺 | | | | | |

【解　释】❶笨；不灵巧。❷对人自称的谦辞。
【组　词】笨拙　拙见　拙劣　眼拙
【造　句】拙劣——我觉得这篇习作文笔并不拙劣。
【辨　音】不读 zhuó 或 chū。
【同音字】桌（桌子）　捉（捉弄）
【形近字】出（出来）
【成　语】勤能补拙　弄巧成拙
【反义词】笨拙/灵巧
【英　语】笨拙　clumsy ['klʌmzi]

| zhuō | 笔画 | 部首 | 结构 | 五笔 | 造字法 |
|---|---|---|---|---|---|
| 捉 | 10 | 扌 | 左右 | RKHY | 形声 |
| 笔顺 | | | | | |

解 释】❶抓;逮。❷握;持。
组 词】捉贼 捉笔 捉摸 捉弄
造 句】捉摸——三月天一会儿一会儿暖,让人捉摸不定。
同音字】拙(拙作) 桌(桌椅)
形近字】提(提拔)
成 语】捉襟见肘
近义词】捉拿/逮捕
歇后语】捉鱼的捞虾——不务业。
谚 语】捉虎容易纵虎难。
英 语】捉住 catch [kætʃ]

| zhuō | 笔画 | 部首 | 结构 | 五笔 | 造字法 |
|---|---|---|---|---|---|
| 桌 | 10 | 木 | 上中下 | HJSU | 形声 |
| 笔顺 | 丨 ⺊ 𠂊 占 占 卢 卓 卓 桌 桌 | | | | |

解 释】❶桌子,一种日用家具,面可以摆放东西。❷量词。
组 词】书桌 饭桌 课桌 桌灯
辨 音】不读 zhuó。
同音字】捉(捉弄) 拙(拙劣)
形近字】卓(卓越)
歇后语】桌子板凳一样高——平平坐。
谚 语】桌子不宜多放书,肚里能没有书。
英 语】课桌 desk [desk]

| zhuó | 笔画 | 部首 | 结构 | 五笔 | 造字法 |
|---|---|---|---|---|---|
| 灼 | 7 | 火 | 左右 | OQYY | 形声 |
| 笔顺 | 丶 丷 火 火 灲 灼 灼 | | | | |

解 释】❶火烧;火烫。❷明亮。透彻。
组 词】灼伤 灼热
造 句】真知灼见——听了教授的一番真知灼见,大家都觉得很有收获。
【辨 音】不读 shuò。
【同音字】酌(斟酌) 茁(茁壮)
【形近字】约(约会)
【成 语】真知灼见
【近义词】灼热/火热
【英 语】灼伤 burn [bəːn]

| zhuó | 笔画 | 部首 | 结构 | 五笔 | 造字法 |
|---|---|---|---|---|---|
| 茁 | 8 | 艹 | 上下 | ABMJ | 形声 |
| 笔顺 | 一 十 艹 芒 芒 苎 茁 茁 | | | | |

【解 释】动植物生长得旺盛;健壮。
【组 词】茁壮 茁实 茁长
【造 句】茁壮——托儿所的孩子们在老师的教导下茁壮成长。
【同音字】酌(小酌) 灼(灼热)
【形近字】拙(拙劣)
【近义词】茁壮/健壮
【英 语】茁壮 sturdy ['stəːdi]

| zhuó | 笔画 | 部首 | 结构 | 五笔 | 造字法 |
|---|---|---|---|---|---|
| 卓 | 8 | 十 | 上下 | HJJ | 会意 |
| 笔顺 | 丨 ⺊ 𠂊 占 占 卢 卓 卓 | | | | |

【解 释】❶又高又直。❷高超;不平凡。❸姓。
【组 词】卓越 卓绝 卓见 卓著
【造 句】卓越——西昌航天发射站的科学家们为我国航天科技的发展做出了卓越的贡献。
【辨 音】不读 zhuò。
【同音字】茁(茁壮) 酌(斟酌)
【形近字】桌(课桌)
【成 语】卓有成效
【反义词】卓越/平凡
【近义词】卓越/杰出

Z

【英　语】卓越　preeminent [ˌpriː'-eminənt]

| zhuó | 笔画 | 部首 | 结构 | 五笔 | 造字法 |
|---|---|---|---|---|---|
| 浊 | 9 | 氵 | 左右 | IJY | 形声 |
| 笔顺 | 丶 冫 氵 氵 沪 沪 沖 浊 浊 | | | | |

【解　释】❶水混沌不清(跟"清"相对)。❷声音低沉粗重。❸混乱。
【组　词】浑浊　浊音　浊世　污浊　浊流　浊酒
【造　句】浑浊——经过治理,浑浊的河水变清了。
【辨　音】不读 zhú。
【同音字】卓(卓越)　拙(拙劣)
【形近字】独(孤独)
【反义词】浑浊/清澈
【近义词】浑浊/污浊
【歇后语】浊水摸鱼——趁乱。
【英　语】污浊　dirty ['dəːti]

| zhuó | 笔画 | 部首 | 结构 | 五笔 | 造字法 |
|---|---|---|---|---|---|
| 酌 | 10 | 酉 | 左右 | SGQY | 形声 |
| 笔顺 | 一 丆 丙 丙 丙 两 西 酉 酌 酌 | | | | |

【解　释】❶斟酒;喝酒。❷酒饭。❸考虑;思量。
【组　词】对酌　小酌　斟酌　酌量　酌情
【造　句】斟酌——最后一道题很难,大家都要仔细斟酌一下。
【同音字】灼(灼热)　卓(卓越)
【形近字】酒(喝酒)
【近义词】斟酌/思量
【英　语】斟酌　consider [kən'sidə]

| zhuó | 笔画 | 部首 | 结构 | 五笔 | 造字法 |
|---|---|---|---|---|---|
| 著 | 11 | 艹 | 上下 | AFTJ | 形声 |
| 笔顺 | 一 十 艹 苎 芏 苤 茅 著 著 著 著 | | | | |

【解　释】同"着(zhuó)"。
【组　词】执著
【同音字】琢(琢磨)
【多音字】zhù (见 944 页)

| zhuó | 笔画 | 部首 | 结构 | 五笔 | 造字法 |
|---|---|---|---|---|---|
| 啄 | 11 | 口 | 左右 | KEYY | 形声 |
| 笔顺 | 丨 口 口 口一 口丆 吁 吁 啄 啄 啄 啄 | | | | |

【解　释】鸟类用嘴取食。
【组　词】啄食　啄虫　啄米　啄木鸟
【造　句】啄食——鸟儿在树上啄食害虫,我们要好好保护它。
【辨　音】不读 zuó。
【同音字】卓(卓越)
【形近字】琢(琢磨)
【歇后语】啄木鸟治病——全仗嘴硬。
【谚　语】啄木鸟有硬嘴,花喜鹊有长尾。
【英　语】啄　peck [pek]

| zhuó | 笔画 | 部首 | 结构 | 五笔 | 造字法 |
|---|---|---|---|---|---|
| 着 | 11 | 𦍌 | 半包围 | UDHF | 形声 |
| 笔顺 | 丶 丷 丷 䒑 兰 羊 羊 着 着 着 着 | | | | |

【解　释】❶穿上。❷接触;挨上。❸附上;加上;留下。❹把力量放上去。❺下落。❻派遣。
【组　词】衣着　着陆　着重　着色

着落 着意 着想 着力

【造 句】着重——培养人才，要着重抓紧素质教育。

【同音字】茁(茁壮) 浊(浑浊)

【形近字】看(看见)

【谚 语】着意栽花花不发，等闲插柳柳成荫。

【多音字】zhāo(见 907 页)

【多音字】zháo(见 907 页)

【多音字】zhe(见 912 页)

| zhuó | 笔画 | 部首 | 结构 | 五笔 | 造字法 |
|---|---|---|---|---|---|
| 琢 | 12 | 王 | 左右 | GEY | 形声 |
| 笔顺 | 一 二 千 王 玎 玎 玡 玡 琢 琢 琢 琢 | | | | |

【解 释】雕刻或加工玉石。

【组 词】琢磨 雕琢 细琢

【造 句】细琢——这块粗玉经过他的精雕细琢，成了一件艺术品。

【辨 音】不读 zhú。

【同音字】浊(浑浊) 茁(茁壮)

【形近字】啄(啄食)

【成 语】精雕细琢

【近义词】琢磨/推敲

【英 语】琢磨 ponder ['pɔndə]

【多音字】zuó(见 962 页)

| zhuó | 笔画 | 部首 | 结构 | 五笔 | 造字法 |
|---|---|---|---|---|---|
| 缴 | 16 | 纟 | 左中右 | XRYT | 形声 |
| 笔顺 | 乚 乡 纟 纟 纟 纟 纟 纟 纟 纟 纟 纟 纟 缴 缴 缴 | | | | |

【解 释】系在箭上的丝绳，射鸟用。

【同音字】浊(浑浊)

【多音字】jiǎo(见 351 页)

## ZI ㄗ

| zī | 笔画 | 部首 | 结构 | 五笔 | 造字法 |
|---|---|---|---|---|---|
| 吱 | 7 | 口 | 左右 | KFCY | 形声 |
| 笔顺 | 丶 口 口 口一 口十 吱 吱 | | | | |

【解 释】象声词。形容小动物的叫声。

【同音字】咨(咨询)

【多音字】zhī(见 921 页)

| zī | 笔画 | 部首 | 结构 | 五笔 | 造字法 |
|---|---|---|---|---|---|
| 咨 | 9 | 口 | 上下 | UQWK | 形声 |
| 笔顺 | 丶 冫 冫 冫 次 次 次 咨 咨 | | | | |

【解 释】与他人商议；询问。

【组 词】咨询

【造 句】咨询——你可以向律师咨询相关问题。

【同音字】滋(滋味)

【形近字】姿(姿态)

【近义词】咨询/询问

【英 语】咨询 consult [kən'sʌlt]

| zī | 笔画 | 部首 | 结构 | 五笔 | 造字法 |
|---|---|---|---|---|---|
| 姿 | 9 | 女 | 上下 | UQWV | 形声 |
| 笔顺 | 丶 冫 冫 冫 次 次 次 姿 姿 | | | | |

【解 释】❶容貌。❷身体的体态。

【组 词】姿态 姿势 姿容 英姿

【造 句】雄姿——国庆节阅兵时，每个军人都是雄姿勃勃。

【同音字】资(资产) 咨(咨文)

【形近字】咨(咨询)

【近义词】姿态/姿势

Z

【英　语】姿容　looks［luks］

| zī | 笔画 | 部首 | 结构 | 五笔 | 造字法 |
|---|---|---|---|---|---|
| 资 | 10 | 贝 | 上下 | UQWM | 形声 |
| 笔顺 | 丶 冫 冫 冫 次 次 次 咨 资 资 | | | | |

【解　释】❶财物；费用。❷智慧；能力。❸出身；经历。❹供给。❺帮助。❻姓。

【组　词】资历　资质　资本　资格　资助　天资　资源　资费　资深　资金

【造　句】资助——老人拿出退休金资助了两名边远地区的贫困儿童上学。

【同音字】姿(姿态)　咨(咨询)

【形近字】咨(咨询)

【近义词】资产/财产

【英　语】资金　fund［fʌnd］

| zī | 笔画 | 部首 | 结构 | 五笔 | 造字法 |
|---|---|---|---|---|---|
| 滋 | 12 | 氵 | 左右 | IUXX | 形声 |
| 笔顺 | 丶 冫 氵 氵 氵 氵 氵 氵 浐 滋 滋 滋 | | | | |

【解　释】❶生长。❷增益；加多。❸喷射。

【组　词】滋长　滋补　滋味　滋润

【造　句】滋润——湖水滋润着附近的牧场和农田。

【辨　音】不读 cí。

【同音字】资(资格)

【形近字】磁(磁铁)

【近义词】滋生/滋长

【英　语】滋长　develop［di'veləp］

| zǐ | 笔画 | 部首 | 结构 | 五笔 | 造字法 |
|---|---|---|---|---|---|
| 子 | 3 | 子 | 独体 | BBBB | 象形 |
| 笔顺 | 乛 了 子 | | | | |

【解　释】❶古代指儿女，现在指儿子。❷古代对有学问男子的美称。❸古代对对方的敬称。❹对一般人的称呼。❺动植物卵子或种子。❻幼嫩的。❼小且坚硬的块状物或粒状物。❽古代图书四部分类法(经史子集)中的第三类。❾封建五等爵位的第四等。❿十二地支的第一位。⓫姓。

【组　词】子女　子夜　子弹　孝子　君子　浪子　松子　子弟　子目　才子

【造　句】子女——家长对子女不要溺爱，应当严格要求。

【同音字】籽(菜籽)

【形近字】于(于是)

【近义词】子夜/半夜

【谚　语】子孝双亲乐，家和万事兴。

【英　语】儿子　son［sʌn］

【多音字】zi(见 956 页)

| zǐ | 笔画 | 部首 | 结构 | 五笔 | 造字法 |
|---|---|---|---|---|---|
| 仔 | 5 | 亻 | 左右 | WBG | 形声 |
| 笔顺 | 丿 亻 仔 仔 仔 | | | | |

【解　释】❶幼小的。❷俭省。❸细心。❹小心。

【组　词】仔猪　仔鸡　仔细

【造　句】仔细——每次做完习题，她都要仔细地检查一遍。

【同音字】子(子孙)

【形近字】籽(花籽)

【反义词】仔细/马虎
【近义词】仔细/细心
【谚　语】仔细考虑一天，胜过蛮干十天。
【英　语】仔细　be careful [biː ˈkɛəful]
【多音字】zǎi(见885页)

| zǐ | 笔画 | 部首 | 结构 | 五笔 | 造字法 |
|---|---|---|---|---|---|
| 籽 | 9 | 米 | 左右 | OB | 形声 |
| 笔顺 | 丶 丷 䒑 半 米 米 籽 籽 籽 | | | | |

【解　释】植物的种子。
【组　词】松籽　瓜籽　菜籽　棉籽
【造　句】油菜籽——油菜籽在北方的种植也很广泛。
【同音字】紫(紫色)
【形近字】仔(仔细)
【谚　语】春种一粒粟，秋收万颗籽。
【英　语】籽　seed [siːd]

| zǐ | 笔画 | 部首 | 结构 | 五笔 | 造字法 |
|---|---|---|---|---|---|
| 紫 | 12 | 糸 | 上下 | HXXI | 形声 |
| 笔顺 | 丨 卜 ⺊ 止 止 此 此 紫 紫 紫 紫 紫 | | | | |

【解　释】❶红蓝相配的颜色。❷姓。
【组　词】紫色　紫红　紫菜　淡紫　青紫
【造　句】万紫千红——世界博览园简直是一个万紫千红的世界。
【同音字】子(天子)
【形近字】些(些许)　柴(干柴)
【成　语】万紫千红
【歇后语】紫苏当柴烧——不识货。
【英　语】紫红　mauve [məuv]

| zì | 笔画 | 部首 | 结构 | 五笔 | 造字法 |
|---|---|---|---|---|---|
| 自 | 6 | 自 | 独体 | THD | 象形 |
| 笔顺 | ノ 亻 介 白 自 自 | | | | |

【解　释】❶个体本身。❷由；从。❸当然。
【组　词】自己　自新　擅自　自立　自尊　自由　自从　自学　自负　自觉　自信　自如　亲自
【造　句】自己——我为自己是中国人而感到自豪。
【同音字】字(文字)
【形近字】白(白天)
【成　语】自力更生　自暴自弃　自不量力　自高自大　自告奋勇　自给自足　自命不凡　自强不息　自生自灭　自食其果
【反义词】自负/谦虚
【近义词】自负/自傲
【歇后语】自行车追汽车——望尘莫及｜自鸣钟的摆——左右摇晃｜自由市场做买卖——讨价还价。
【谚　语】自知之明量自己，实事求是对别人｜自大的人，为自己的无知筑起高墙；谦虚的人，为自己的探索敞开门窗。
【英　语】自从　since [sins]

| zì | 笔画 | 部首 | 结构 | 五笔 | 造字法 |
|---|---|---|---|---|---|
| 字 | 6 | 宀 | 上下 | PB | 会意 |
| 笔顺 | 丶 丶 宀 宁 字 字 | | | | |

【解　释】❶记录语言的符号。❷凭据。❸词。❹书法。❺根据人名字义，另起的别名叫"字"。❻字体。
【组　词】字典　字帖　字句　生字　题字　汉字　文字　名字　字眼

Z

【造　句】字眼——我找不到合适的字眼来形容高兴的心情。
【同音字】自(独自)
【形近字】宇(宇宙)　宁(宁静)
【歇后语】字写出了格——不在行。
【谚　语】字怕习,马怕骑|字是读书人的招牌。
【英　语】字帖　copybook　['kɔpibuk]

| zi | 笔画 | 部首 | 结构 | 五笔 | 造字法 |
|---|---|---|---|---|---|
| 子 | 3 | 子 | 独体 | BBBB | 象形 |
| 笔顺 | ㇇ 了 子 | | | | |

【解　释】❶用在名词、形容词、动词后面作后缀。❷个别量词的后缀。
【组　词】胖子　帽子　裤子　日子　孩子
【多音字】zǐ(见954页)

## ZONG　ㄗㄨㄥ

| zōng | 笔画 | 部首 | 结构 | 五笔 | 造字法 |
|---|---|---|---|---|---|
| 宗 | 8 | 宀 | 上下 | PFIU | 会意 |
| 笔顺 | 丶 丶 宀 宀 宀 宇 宗 宗 | | | | |

【解　释】❶祖先。❷同一家族的。❸主要目的、意图。❹派别。❺为人所师法的人物。❻量词。❼姓。
【组　词】祖宗　宗派　宗师　宗族　宗旨　正宗　文宗
【造　句】宗师——启功是我国书法界的一代宗师。
【同音字】综(综合)
【形近字】宇(宇宙)
【俗　语】万变不离其宗。
【近义词】宗旨/主旨
【英　语】宗教　religion　[ri'lidʒən]

| zōng | 笔画 | 部首 | 结构 | 五笔 | 造字法 |
|---|---|---|---|---|---|
| 综 | 11 | 纟 | 左右 | XPFI | 形声 |
| 笔顺 | ㄥ 乡 纟 纟 纟 纟 纩 纩 综 综 综 | | | | |

【解　释】总合在一起。
【组　词】综观　综合　综述　综计　错综　综艺
【造　句】错综——本案案情错综复杂,很难理出头绪。
【同音字】宗(正宗)
【形近字】踪(追踪)
【成　语】错综复杂
【反义词】综合/分解
【近义词】综合/汇总
【英　语】综　述　summarize　['sʌməraiz]

| zōng | 笔画 | 部首 | 结构 | 五笔 | 造字法 |
|---|---|---|---|---|---|
| 棕 | 12 | 木 | 左右 | SPFI | 形声 |
| 笔顺 | 一 十 才 木 木 朩 杧 杧 棕 棕 棕 棕 | | | | |

【解　释】❶棕榈。❷指棕毛。❸像棕毛一样的颜色。
【组　词】棕绳　棕床　棕色　棕树　棕榈　棕毛
【造　句】棕色——妈妈给我织了一件棕色毛衣作为我的生日礼物。
【同音字】综(综观)
【形近字】踪(跟踪)
【英　语】棕色　brown　[braun]

Z

| zōng | 笔画 | 部首 | 结构 | 五笔 | 造字法 |
|---|---|---|---|---|---|
| 踪 | 15 | ⻊ | 左右 | KHPI | 形声 |
| 笔顺 | 丶 口 口 ⻊ ⻊ ⻊ ⻊ ⻊ ⻊ 踪 踪 踪 踪 踪 踪 | | | | |

【解　释】脚印，行走时所留下的痕迹。
【组　词】踪影　踪迹　失踪　追踪　跟踪
【造　句】踪影——我已经好几天没看到她的踪影了。
【同音字】棕（棕色）
【形近字】综（错综）
【反义词】失踪/出现
【近义词】追踪/跟踪
【英　语】踪迹　track [træk]

| zǒng | 笔画 | 部首 | 结构 | 五笔 | 造字法 |
|---|---|---|---|---|---|
| 总 | 9 | 心 | 上下 | UKNU | 形声 |
| 笔顺 | 丶 丷 ⺍ 𠂇 总 总 总 总 总 | | | | |

【解　释】❶聚集在一起；聚合。❷全面的；全部的。❸毕竟；终归。❹向来；一直。❺概括全部的；为首的。
【组　词】总之　总体　总和　总计　总理　总统　总部　总务　汇总　总结
【造　句】总结——老师在我们班的班会上作了总结发言。
【辨　音】不读 zhǒng。
【形近字】兑（兑换）
【成　语】总而言之
【反义词】总体/个别
【近义词】总体/全面
【谚　语】总想毁灭别人的人，自己必将毁灭。
【英　语】总共　in all [in ɔːl]

| zòng | 笔画 | 部首 | 结构 | 五笔 | 造字法 |
|---|---|---|---|---|---|
| 纵 | 7 | 纟 | 左右 | XWWY | 形声 |
| 笔顺 | ㇴ 纟 纟 纠 纵 纵 纵 | | | | |

【解　释】❶放走。❷纵使；即使。❸起皱纹。❹放任；不加约束。❺身体猛然向上或向前。❻地理上南北走向的（跟“横”相对）。
【组　词】纵使　纵然　纵身　纵队　纵火　纵容　放纵　操纵
【造　句】纵横交错——铁路纵横交错，像蜘蛛网似的。
【辨　音】不读 zōng 或 cóng。
【形近字】枞（枞树）
【成　语】纵横交错　纵横驰骋　纵虎归山
【反义词】纵容/约束
【近义词】纵然/纵使
【谚　语】纵虎归山，必有后患。
【英　语】纵使　even if [ˈiːvən if]

## ZOU　ㄗㄡ

| zǒu | 笔画 | 部首 | 结构 | 五笔 | 造字法 |
|---|---|---|---|---|---|
| 走 | 7 | 走 | 独体 | FHU | 会意 |
| 笔顺 | 一 十 土 丰 丰 走 走 | | | | |

【解　释】❶跑。❷人或禽兽双脚交替向前移动。❸去；离开。❹移动；挪动。❺改变或失去原样。❻由；通过。❼漏出。
【组　词】走路　走棋　出走　走访　走味　走调　走神　走失　逃走　竞走　走读　走俏　走失
【造　句】走访——记者走访了市

Z

里的劳动模范。
【形近字】足(足球)
【成　语】走马看花　走投无路　走南闯北
【反义词】走运/倒霉
【近义词】走神/出神
【歇后语】走江湖的卖假药——招摇撞骗。
【谚　语】走不尽的路,读不完的书|走得勤的人,比活得长的人见识广。
【英　语】走路　walk [wɔːk]

| zòu | 笔画 | 部首 | 结构 | 五笔 | 造字法 |
|---|---|---|---|---|---|
| 奏 | 9 | 一 | 上下 | DWGD | 会意 |
| 笔顺 | 一 二 三 夫 夫 夫 奏 奏 奏 | | | | |

【解　释】❶按照曲谱弹吹乐器。❷封建时代臣子对皇帝陈述意见或说明事情。❸取得;呈现。
【组　词】演奏　奏效　伴奏　奏章　奏乐　奏折
【造　句】演奏——小姑娘为我们演奏了一首曲子。
【辨　音】不读 còu。
【同音字】揍(揍人)
【形近字】春(春天)
【成　语】先斩后奏
【近义词】奏效/见效
【英　语】奏乐　play music [plei 'mjuːzik]

| zòu | 笔画 | 部首 | 结构 | 五笔 | 造字法 |
|---|---|---|---|---|---|
| 揍 | 12 | 扌 | 左右 | RDWD | 形声 |
| 笔顺 | 一 扌 扌 扌 扌 扌 扌 扌 扌 揍 揍 揍 | | | | |

【解　释】❶打。❷打碎。
【组　词】揍人　狠揍　挨揍
【辨　音】不读 zhòu。
【同音字】奏(奏乐)
【形近字】凑(凑合)
【英　语】揍　beat [biːt]

## ZU　ㄗㄨ

| zū | 笔画 | 部首 | 结构 | 五笔 | 造字法 |
|---|---|---|---|---|---|
| 租 | 10 | 禾 | 左右 | TEGG | 形声 |
| 笔顺 | 丿 二 千 禾 禾 利 和 和 租 租 | | | | |

【解　释】❶出代价借用别人的东西。❷出租收来的钱或实物。
【组　词】租房　出租　租金　租用
【造　句】租用——我们学校租用了一个大礼堂来开新年联欢会。
【辨　音】不读 zǔ。
【形近字】组(组合)
【近义词】租借/租赁
【谚　语】租用的马用不乏。
【英　语】租约　lease [liːs]

| zú | 笔画 | 部首 | 结构 | 五笔 | 造字法 |
|---|---|---|---|---|---|
| 足 | 7 | 足 | 独体 | KHU | 象形 |
| 笔顺 | 丨 口 口 㔾 㔾 尸 足 | | | | |

【解　释】❶脚。❷器物下部的支撑部分;像腿的东西。❸充分;丰富。❹值得。❺够得上某种数量或程度。
【组　词】足迹　足球　充足　满足
【造　句】满足——大家这么信任我,我已经很满足了。
【辨　音】不读 zhú。
【同音字】族(民族)

Z

【形近字】走(行走)
【成　语】不足挂齿　心满意足
【反义词】丰足/贫乏
【近义词】满足/知足
【歇后语】诸葛亮当军师——足智多谋。
【谚　语】足寒伤心,民怨伤国|足底踩擀杖,自知不稳当。
【英　语】足迹　footmark [ˈfutmɑːk]

| zú | 笔画 | 部首 | 结构 | 五笔 | 造字法 |
|---|---|---|---|---|---|
| 卒 | 8 | 亠 | 上中下 | YWWF | 指事 |
| 笔顺 | 丶 亠 广 广 ⺈ 㐅 卒 卒 | | | | |

【解　释】❶士兵。❷姓。❸差役。❹完毕。❺到底;终于。❻死。
【组　词】士卒　兵卒　走卒　狱卒
【辨　音】不读 cù。
【成　语】身先士卒　丢卒保车
【近义词】士卒(士兵)
【谚　语】卒子过河能吃车马炮。
【英　语】兵卒　pawn [pɔːn]

| zú | 笔画 | 部首 | 结构 | 五笔 | 造字法 |
|---|---|---|---|---|---|
| 族 | 11 | 方 | 左右 | YTTD | 会意 |
| 笔顺 | 丶 亠 亍 方 方 方 方 方 方 族 族 | | | | |

【解　释】❶聚居而有血统关系的人群。❷民族。❸事物按共性分类。
【组　词】家族　民族　汉族　水族　贵族　异族　外族
【造　句】家族——我们都是中华民族这个大家庭中的成员。
【辨　音】不读 cú。
【同音字】足(足迹)
【形近字】旅(旅行)
【英　语】民族　nation [ˈneiʃən]

| zǔ | 笔画 | 部首 | 结构 | 五笔 | 造字法 |
|---|---|---|---|---|---|
| 诅 | 7 | 讠 | 左右 | YEGG | 形声 |
| 笔顺 | 丶 讠 讠 诃 诃 诅 诅 | | | | |

【解　释】❶诅咒。❷盟誓。
【组　词】诅咒
【造　句】诅咒——为了解开这个恶毒的诅咒,王子历经了千辛万苦。
【同音字】组(组织)
【英　语】诅咒　swear [swɛə]

| zǔ | 笔画 | 部首 | 结构 | 五笔 | 造字法 |
|---|---|---|---|---|---|
| 阻 | 7 | 阝 | 左右 | BEGG | 形声 |
| 笔顺 | 了 阝 阝 阝 阝 阻 阻 | | | | |

【解　释】❶挡住;拦住。❷险要的地方。
【组　词】险阻　阻挡　阻力　阻碍
【造　句】阻塞——拥挤的车辆阻塞了道路。
【辨　音】不读 zū。
【同音字】祖(祖先)
【形近字】租(租借)
【反义词】阻碍/促进
【近义词】阻碍/妨碍
【英　语】阻挠　thwart [θwɔːt]

| zǔ | 笔画 | 部首 | 结构 | 五笔 | 造字法 |
|---|---|---|---|---|---|
| 组 | 8 | 纟 | 左右 | XEGG | 形声 |
| 笔顺 | 𠃋 纟 纟 纟 纟 纽 纽 组 | | | | |

【解　释】❶结合。❷由若干人员组成的小单位。❸编在一起的文艺作品。❹量词。
【组　词】组织　组合　组歌　小组

Z

【同音字】阻(阻挡)
【形近字】诅(诅咒)
【反义词】组合/分散
【近义词】组合/组装
【英　语】组成　form [fɔːm]

| zǔ | 笔画 | 部首 | 结构 | 五笔 | 造字法 |
|---|---|---|---|---|---|
| 祖 | 9 | 礻 | 左右 | PYEG | 形声 |
| 笔顺 | 丶 ⺀ 礻 礻 礽 祁 祖 祖 祖 | | | | |

【解　释】❶父母的上一辈。❷先人的通称。❸事业或派别的创始人。❹姓。
【组　词】祖母　祖宗　祖传　祖先
【造　句】祖师——鲁班是木匠的祖师。
【辨　音】不读 zū。
【同音字】组(改组)
【形近字】租(租界)
【歇后语】祖孙回家——返老还童。
【英　语】祖国　motherland [ˈmʌðəlænd]

## ZUAN　ㄗㄨㄢ

| zuān | 笔画 | 部首 | 结构 | 五笔 | 造字法 |
|---|---|---|---|---|---|
| 钻 | 10 | 钅 | 左右 | QHKG | 形声 |
| 笔顺 | ノ ㇐ 𠂉 𠂊 钅 钊 钋 钻 钻 钻 | | | | |

【解　释】❶穿孔;打眼。❷穿过;进入。❸深入研究。
【组　词】钻探　钻研　钻劲　钻营
【造　句】钻研——李老师刻苦钻研教学方法,教学水平提高很快。
【辨　音】不读 zhàn。
【形近字】沾(沾沾自喜)
【近义词】刁钻/刻薄
【谚　语】钻进钱眼过日子。
【英　语】钻研　delve [delv]
【多音字】zuàn(见 960 页)

| zuàn | 笔画 | 部首 | 结构 | 五笔 | 造字法 |
|---|---|---|---|---|---|
| 钻 | 10 | 钅 | 左右 | QHKG | 形声 |
| 笔顺 | ノ ㇐ 𠂉 𠂊 钅 钊 钋 钻 钻 钻 | | | | |

【解　释】❶穿孔打眼的工具。❷指钻石。
【组　词】电钻　钻机　钻戒　钻石
【造　句】钻机——工地上停放着几台新购的钻机。
【辨　音】不读 zhàn。
【谚　语】没有金刚钻,别揽瓷器活。
【英　语】钻头　drill [dril]
【多音字】zuān(见 960 页)

## ZUI　ㄗㄨㄟ

| zuǐ | 笔画 | 部首 | 结构 | 五笔 | 造字法 |
|---|---|---|---|---|---|
| 嘴 | 16 | 口 | 左右 | KHXE | 形声 |
| 笔顺 | 丨 ㄇ 口 口' 口⺊ 口ᅡ 口止 口止' 口此 口此 口觜 口觜 嘴 嘴 嘴 嘴 | | | | |

【解　释】❶口的通称。❷形状或作用像嘴的东西。❸说话。
【组　词】嘴巴　闭嘴　多嘴　吵嘴
【造　句】嘴甜——这小姑娘嘴甜,特招人喜欢。
【形近字】紫(青紫)
【谚　语】嘴甜心苦,两面三刀|嘴和手是两回事,叫得响的不一定做得好。
【英　语】嘴唇　lip [lip]

| zuì | 笔画 | 部首 | 结构 | 五笔 | 造字法 |
|---|---|---|---|---|---|
| 最 | 12 | 日 | 上下 | JB | 会意 |
| 笔顺 | | | | | |

【解　释】极；顶；无比的。表示在某方面超过所有同类的人或物。
【组　词】最好　最初　最终　最近
【造　句】最近——这部电影最近准备上演。
【辨　音】不读 zhuì。
【同音字】罪(罪过)
【形近字】敢(敢作敢为)
【谚　语】最甜的瓜在蔓尖上|最大的错误就是认为自己从来不犯错误。
【英　语】最初　at first [æt fəːst]

| zuì | 笔画 | 部首 | 结构 | 五笔 | 造字法 |
|---|---|---|---|---|---|
| 罪 | 13 | 罒 | 上下 | LDJD | 形声 |
| 笔顺 | | | | | |

【解　释】❶犯法的行为。❷过失。❸苦难。❹刑罚。❺把过失归到某人身上。
【组　词】罪犯　罪行　罪过　死罪　受罪　怪罪　谢罪　恕罪　得罪　犯罪　赎罪　赔罪
【造　句】罪行——他开始觉悟时，已犯下了严重的罪行。
【辨　音】不读 zhuì。
【同音字】醉(沉醉)
【形近字】菲(芳菲)　罚(惩罚)
【成　语】罪有应得　罪大恶极
【反义词】罪过/功劳
【近义词】罪行/罪恶
【英　语】罪行　crime [kraim]

| zuì | 笔画 | 部首 | 结构 | 五笔 | 造字法 |
|---|---|---|---|---|---|
| 醉 | 15 | 酉 | 左右 | SGYF | 形声 |
| 笔顺 | | | | | |

【解　释】❶喝酒过量而神志不清。❷过分沉迷；爱好。❸用酒泡制的。❹注射麻药，暂时失去知觉。
【组　词】醉鬼　醉意　醉话　醉心　醉虾　麻醉　陶醉　迷醉　沉醉　醉拳　醉醺醺
【造　句】沉醉——我们完全沉醉在这美妙的音乐中。
【同音字】最(最初)
【形近字】粹(纯粹)
【成　语】醉生梦死
【近义词】沉醉/陶醉
【歇后语】醉汉走路——东倒西歪|醉汉扶门帘——靠不住。
【谚　语】醉翁之意不在酒。
【英　语】醉酒　be drunk [biː drʌŋk]

## ZUN ㄗㄨㄣ

| zūn | 笔画 | 部首 | 结构 | 五笔 | 造字法 |
|---|---|---|---|---|---|
| 尊 | 12 | 寸 | 上下 | USGF | 会意 |
| 笔顺 | | | | | |

【解　释】❶地位或辈分高。❷敬重。❸敬辞，称呼对方及有关的人或事物。❹量词。用于炮或神佛塑像。
【组　词】尊长　尊严　尊敬　尊重

Z

尊容 尊姓

【造 句】尊重——人民教师越来越受到世人的尊重。

【辨 音】不读 zōng。

【同音字】遵(遵照)

【形近字】遵(遵命)

【成 语】唯我独尊

【反义词】尊重/轻视

【近义词】尊重/尊敬

【谚 语】尊师学手艺,爱徒授技能。

【英 语】尊敬 respect [ri'spekt]

| zūn | 笔画 | 部首 | 结构 | 五笔 | 造字法 |
|---|---|---|---|---|---|
| 遵 | 15 | 辶 | 半包围 | USGP | 形声 |
| 笔顺 | 丶 丷 丷 䒑 产 酋 酋 酋 酋 酋 尊 尊 尊 遵 遵 | | | | |

【解 释】按照;依从。

【组 词】遵守 遵行 遵命 遵循 遵照

【造 句】遵守——董冬是一名遵守纪律的好学生。

【辨 音】不读 zōng。

【同音字】尊(尊严)

【形近字】尊(尊重)

【反义词】遵守/违背

【近义词】遵守/依照

【英 语】遵照 obey [ə'bei]

## ZUO ㄗㄨㄛ

| zuō | 笔画 | 部首 | 结构 | 五笔 | 造字法 |
|---|---|---|---|---|---|
| 作 | 7 | 亻 | 左右 | WT | 形声 |
| 笔顺 | ノ 亻 亻 竹 作 作 作 | | | | |

【解 释】作坊;手工业工场。

【组 词】作坊

【造 句】作坊——他从小在作坊里当学徒。

【辨 音】不读 zhuō。

【英 语】作坊 workshop ['wəːkʃ-ɔp]

【多音字】zuò(见 963 页)

| zuó | 笔画 | 部首 | 结构 | 五笔 | 造字法 |
|---|---|---|---|---|---|
| 昨 | 9 | 日 | 左右 | JTHF | 形声 |
| 笔顺 | 丨 冂 日 日 旷 旷 昨 昨 昨 | | | | |

【解 释】❶昨天,今天的前一天。❷泛指过去。

【组 词】昨天 昨日

【辨 音】不读 zuò。

【同音字】琢(琢磨)

【形近字】炸(油炸)

【歇后语】昨日剩的干饭——吵(炒)起来。

【谚 语】昨日花开满树红,今日花落一场空。

【英 语】昨天 yesterday ['jestə-dei]

| zuó | 笔画 | 部首 | 结构 | 五笔 | 造字法 |
|---|---|---|---|---|---|
| 琢 | 12 | 王 | 左右 | GEY | 形声 |
| 笔顺 | 一 二 于 王 玎 玎 玎 玎 琢 琢 琢 琢 | | | | |

【解 释】用于"琢磨",意思是反复思考。

【造 句】琢磨——我们琢磨了半天,才弄明白这道题的简便解法。

【辨 音】不读 zhuó。

【同音字】昨(昨天)

【近义词】琢磨/推敲

【英 语】琢磨 ponder ['pɔndə]

【多音字】zhuó(见953页)

| zuǒ | 笔画 | 部首 | 结构 | 五笔 | 造字法 |
|---|---|---|---|---|---|
| 左 | 5 | 工 | 半包围 | DA | 会意 |
| 笔顺 | 一 ナ 𠂇 左 左 | | | | |

【解 释】❶面向北时靠西的一边(跟"右"相对)。❷历史上以东为左。❸错;不对头。❹相反。❺偏;邪;不正常。❻进步的;革命的。❼姓。
【组 词】左边 左手 左邻右舍
【造 句】左邻右舍——我们家住平房,虽然艰苦点,但左邻右舍关系很好。
【同音字】撮(撮子)
【形近字】在(现在)
【成 语】左右逢源 左顾右盼 左右开弓 左右为难
【反义词】左右为难/左右逢源
【近义词】左右为难/进退两难
【歇后语】左手写字——格外别扭|左撇子划拳——又(右)来。
【谚 语】左说左有理,右说右有理。
【英 语】左边 left [left]

| zuǒ | 笔画 | 部首 | 结构 | 五笔 | 造字法 |
|---|---|---|---|---|---|
| 佐 | 7 | 亻 | 左右 | WDAG | 形声 |
| 笔顺 | 丿 亻 亻 什 佐 佐 佐 | | | | |

【解 释】❶辅助。❷辅佐他人的人。
【组 词】辅佐 佐证
【造 句】辅佐——这些事情全部由他辅佐处理。
【同音字】左(左边)
【英 语】辅佐 adjuvant ['ædʒuvənt]

| zuǒ | 笔画 | 部首 | 结构 | 五笔 | 造字法 |
|---|---|---|---|---|---|
| 撮 | 15 | 扌 | 左右 | RJB | 形声 |
| 笔顺 | 一 十 扌 扌 扣 把 担 担 捍 揖 捍 捍 揖 撮 撮 | | | | |

【解 释】量词。用于毛发。
【多音字】cuō(见134页)

| zuò | 笔画 | 部首 | 结构 | 五笔 | 造字法 |
|---|---|---|---|---|---|
| 作 | 7 | 亻 | 左右 | WT | 形声 |
| 笔顺 | 丿 亻 亻 化 作 作 作 | | | | |

【解 释】❶兴起。❷做;干。❸写出的文艺作品。❹写作;创作。❺装。❻当作;认为。❼发作。
【组 词】作对 作假 作风 作家
【造 句】作风——认真踏实是我们一贯提倡的工作作风。
【同音字】坐(坐下)
【形近字】昨(昨天)
【成 语】作恶多端 作威作福
【近义词】作茧自缚/自食其果
【歇后语】作家的皮包——里面大有文章。
【谚 语】作恶降殃,作善降祥。
【英 语】作者 author ['ɔ:θə]
【多音字】zuō(见962页)

| zuò | 笔画 | 部首 | 结构 | 五笔 | 造字法 |
|---|---|---|---|---|---|
| 坐 | 7 | 土 | 独体 | WWFF | 会意 |
| 笔顺 | 丿 人 从 从 丛 华 坐 | | | | |

【解 释】❶坐下,把臀部放在物体上,支撑身体重量。❷乘;搭。❸坐落。❹把锅、壶放在炉火上。❺物体向后向下施压力;下。❻瓜果等植物结果。❼旧指定罪。❽因。❾懒;不

Z

行动。⑩守在某处。⑪同"座"。
【组　词】坐视　坐牢　坐席　打坐　静坐
【造　句】坐立不安——他一个人在房间里左思右想,坐立不安。
【同音字】作(作法)
【形近字】座(座位)
【成　语】坐吃山空　坐以待毙　坐井观天　坐立不安　坐视不救　坐享其成
【反义词】坐井观天/见多识广
【近义词】坐井观天/管中窥豹
【歇后语】坐飞机写文章——高论|坐火箭上月球——远走高飞。
【谚　语】坐要正,站挺胸,走起路来脚生风。
【英　语】坐下　sit down [sitdaun]

| zuò | 笔画 | 部首 | 结构 | 五笔 | 造字法 |
|---|---|---|---|---|---|
| 座 | 10 | 广 | 半包围 | YWWF | 形声 |
| 笔顺 | 丶 亠 广 广 広 庐 庐 座 座 座 | | | | |

【解　释】❶座位,供人坐、休息的位置。❷物体上垫的支架。❸量词。用于体积较大或固定的物体。❹星座。
【组　词】座机　座钟　座谈　茶座　满座　讲座
【造　句】满座——今天是柏林爱乐乐团的演出,音乐厅里已经满座了。
【同音字】作(作法)
【形近字】坐(坐下)
【成　语】座无虚席
【近义词】座无虚席/济济一堂
【英　语】座位　seat [siːt]

| zuò | 笔画 | 部首 | 结构 | 五笔 | 造字法 |
|---|---|---|---|---|---|
| 做 | 11 | 亻 | 左右 | WDTY | 形声 |
| 笔顺 | 丿 亻 亻 什 什 估 估 做 做 做 做 | | | | |

【解　释】❶进行工作或活动。❷制作。❸写作。❹充当;担任。❺装;扮。
【组　词】做工　做诗　做作　做法　做梦　做主
【造　句】做法——我们都很赞成边学习、边打工这种锻炼能力的做法。
【同音字】作(作业)
【形近字】故(故事)
【近义词】做法/方法
【歇后语】做梦考试——空紧张一阵|做好的棉絮——谈(弹)过了。
【英　语】做工　work [wəːk]

# 附　录

## 西文字母开头的词语①

【AA 制】AA zhì 指聚餐结账时各人平摊出钱或各人算各人账的做法。

【AB 制】AB zhì 剧团排演某剧时，其中的同一主要角色由两个演员担任，演出时如 A 角不能上场则由 B 角上场，这种安排叫做 AB 制。

【ABC】A、B、C 是拉丁字母中的前三个。用来指一般常识或浅显的道理（有时也用于书名）：连音乐的～也不懂，还作什么曲？|《股市交易～》。

【ADSL】非对称数字用户线路。[英 asymmetrical digital subscriber line 的缩写]

【APC】复方阿司匹林。由阿司匹林、非那西丁和咖啡因制成的一种解热镇痛药。[英 aspirin, phenacetin and caffeine 的缩略形式]

【APEC】亚太经济合作组织。[英 Asia Pacific Economic Co-operation 的缩写]

【API】空气污染指数。[英 air pollution index 的缩写]

【ATM 机】ATM jī 自动柜员机。[ATM，英 automated teller machine 的缩写]

【B 超】B chāo ❶B 型超声诊断的简称：做～。❷B 型超声诊断仪的简称，利用超声脉冲回波幅度调制荧光屏辉度分布而显示人体断面像并从中获得临床诊断信息的装置。

【B 淋巴细胞】B línbā xìbāo 一种免疫细胞，起源于骨髓，禽类在腔上囊发育成熟，人和

① 这里收录的常见西文字母开头的词语，有的是借词，有的是外语缩略语。在汉语中西文字母是按西文的音读的，这里就不用汉语拼音标注读音，词目中的汉字部分仍用汉语拼音标注读音。

附录

哺乳动物在骨髓中发育成熟，再分布到周围淋巴器官和血液中去，占血液中淋巴细胞的15% ~30%，能够产生循环抗体。简称B细胞。[B，英 bone marrow（骨髓）的第一个字母]

【B细胞】B xìbāoB 淋巴细胞的简称。

【BBS】❶电子公告牌系统。[英 bulletin board system 的缩写]❷电子公告牌服务。[英 bulletin board service 的缩写]

【BP机】BP jī 无线寻呼机。[BP，英 beeper 的缩写]

【CAD】计算机辅助设计。[英 computeraided design 的缩写]

【CBD】中央商务区。[英 central business district 的缩写]

【CD】激光唱盘。[英 compact disc 的缩写]

【CDMA】码分多址。它是在数字技术的分支——扩频通信技术上发展起来的一种无线通信技术。[英 code division multiple access 的缩写]

【CD-R】可录光盘。[英 compact discrecordable 的缩写]

【CD-ROM】只读光盘。[英 compact discread only memory 的缩写]

【CEO】首席执行官。[英 chief executive officer 的缩写]

【CFO】首席财务官。[英 chief finance officer 的缩写]

【CIO】首席信息官。[英 chief information officer 的缩写]

【CIP】在版编目；预编目录。在图书出版前，由图书编目部门根据出版商提供的校样先行编目，编目后将著录内容及标准格式交出版机构，将它印于图书的版权页上。[英 cataloguing in publication 的缩写]

【CPA】注册会计师。[英 certified public accountant 的缩写]

【CPU】中央处理器。[英 central processing unit 的缩写]

【DIY】自已动手做。[英 do it yourself 的缩写]

【DNA】脱氧核糖核酸。[英 deoxyribonucleic acid 的缩写]

【DNA芯片】DNA xīnpiàn 基因芯片。

【DOS】磁盘操作系统。[英 disk operating system 的缩写]

【DVD】数字激光视盘。[英 digital video disc 的缩写]

【e化】e huà 电子化。[e，英 electronic 的第一个字母]

e-mail】电子邮件。[e,英 e-
ectronic 的第一个字母]
EMS】邮政特快专递。[英
xpress mail service 的缩写]
EQ】情商。[英 emotional
quotient 的缩写]
FAX】❶传真件。❷用传真
机传送。❸传真系统。[英
acsimile 的缩写]
【GDP】国内生产总值。[英
gross domestic product 的缩写]
【GNP】国民生产总值。[英
gross national product 的缩写]
【GPS】全球定位系统。[英
Global Positioning System 的缩
写]
【GRE】(美国等国家)研究生
入学资格考试。[英 Graduate
Record Examination 的缩写]
【GSM】全球移动通信系统。
[英 Global System for Mobile
的缩写]
【HDTV】高清晰度电视。[英
high definition television 的缩
写]
【HIV】人类免疫缺陷病毒;艾
滋病病毒。[英 human immu-
nodeficiency virus 的缩写]
【HSK】汉语水平考试。[汉语
拼音 hàn yǔ shuǐ píng kǎo
shì 的缩写]

【IC 卡】IC kǎ 集成电路卡。
[IC,英 integrated circuit 的缩
写]
【ICP】因特网信息提供商。
[英 Internet content provider 的
缩写]
【ICQ】一种国际网络通迅软
件。[英 I seek you(我找你)
的谐音]
【ICU】重病监护病房。[英 in-
tensive - care unit 的缩写]
【IDC】互联网数据中心。[英
internet data center 的缩写]
【internet】互联网。
【Internet】因特网。
【IP 地址】IP dì zhǐ 网际协议
地址。因特网使用 IP 地址作
为主机的标识。[IP,英 Inter-
net protocol 的缩写]
【IP 电话】IP diàn huà 网络电
话。[IP,英 Internet protocol
的缩写]
【IP 卡】IP kǎ IP 电话卡。
[IP,英 Internet protocol 的缩
写]
【IQ】智商。[英 intelligence
quotient 的缩写]
【ISP】因特网服务提供商。
[英 Internet services provider
的缩写]
【IT】信息技术。[英 informa-

附录

tion technology 的缩写]

【KTV】指配有卡拉 OK 和电视设备的包间。[K,指卡拉 OK;TV,英 television 的缩写]

【LD】激光视盘。[英 laser disc 的缩写]

【MBA】工商管理硕士。[英 Master of Business Administration 的缩写]

【MP3】一种常用的数字音频压缩格式。[英 MPEG 1 audio layer 3 的缩写]

【MPA】公共管理硕士。[英 Master of Public Administration 的缩写]

【MTV】音乐电视,一种用电视画面配合歌曲演唱的艺术形式。[英 music television 的缩写]

【NC】网络计算机。[英 network computer 的缩写]

【OA】办公自动化。[英 office automation 的缩写]

【OEM】原始设备制造商。[英 original equipment manufacturer 的缩写]

【OPEC】石油输出国组织。[英 Organization of Petroleum Exporting Countries 的缩写]

【PC】个人计算机。[英 personal computer 的缩写]

【PDA】个人数字助理。[英 personal digital assistant 的缩写]

【pH 值】pH zhí 氢离子浓度指数。[pH,法 potentiel d'hydrogène 的缩写]

【PT】特别转让。[英 particular transfer 的缩写]

【QC】质量管理。[英 quality control 的缩写]

【RAM】随机存取存储器。[英 randomaccess memory 的缩写]

【RMB】人民币。[汉语拼音 rén mín bì 的缩写]

【ROM】只读存储器。[英 read-only memory 的缩写]

【SIM 卡】SIM kǎ 用户身份识别卡。移动通信数字手机中的一种 IC 卡,该卡存储有用户的电话号码和详细的服务资料。[SIM,英 subscriber identification module 的缩写]

【SOS】国际上曾通用的紧急呼救信号,也用于一般的求救或求助。[英 save our souls 的缩写]

【SOS 儿童村】SOS ér tóngcūn 一种专门收养孤儿的慈善机构。[SOS,英 save our souls 的缩写]

【T淋巴细胞】T lín bā xì bāo 一种免疫细胞,起源于骨髓,在胸腺中发育成熟,再分布到周围淋巴器官和血液中去,占血液中淋巴细胞的50%–70%。可分化为辅助细胞、杀伤细胞和抑制细胞。简称T细胞。[T,拉thymus(胸腺)的首字母]

【T细胞】T xì bāoT淋巴细胞的简称。

【T型台】T xíng tái呈T形的表演台,多用于时装表演。

【T恤衫】T xù shān 一种短袖套头上衣,因略呈T形而得名。恤,英语shirt的粤语音译。也称T恤。

【Tel】电话(号码)。[英telephone的缩写]

【TMD】战区导弹防御系统。[英Theater Missile Defense的缩写]

【TV】电视。[英television的缩写]

【UFO】不明飞行物。[英unidentified flying object的缩写]

【VCD】激光视盘。[英video compact disc的缩写]

【VDR】光盘录像机。[英video disc recorder的缩写]

【WC】盥洗室;厕所。[英water closet的缩写]

【WTO】世界贸易组织。[英World Trade Organization的缩写]

【WWW】万维网[英World Wide Web的缩写]

【X光】X guāngX射线。

# 造字法

## 怎样识字

汉字里形声字居多。我们识字大部分是识形声字。

形声字是由两个单体字合成的合体字,一半表义,一半表音。一般说来,认识了这两个单体字,那么这个合体字念什么音,表什么义,大体上就可以猜着了。比如认识了"氵"、"巾"、"木"、"艹"这几个表义的偏旁,又认识了"气"、"冒"、"象"、"采"这几个表音的字,看到"汽"、"帽"、"橡"、"菜"这几个形声字,就知道它念什么音,表示什么意思。如果再把它组成复音词"汽车"、"帽子"、"橡皮"、"青菜",那就更好理解了。这样识字的确方便。

但是,不是所有的形声字都那么简单。下面看几个表音的例子:

"求"念 qiú,"球"跟"求"同音,好认;但"救"念 jiù,跟"求"不同音。

"前"念 qián,"煎"、"剪"、"箭"都不念 qián,"煎"念 jiān,"剪"念 jiǎn,"箭"念 jiàn。

"包"念 bāo,"胞"、"苞"都跟"包"同音,而"雹"、"饱"、"抱"也念 bao,只是声调不同。用"包"表音还有"袍"、"炮"、"泡"、"跑",但都不念 bao 而念 pao;而"刨"念 bào,又念 páo。

"每 měi"有"梅"、"霉"、"莓"几个不同义的形声字,还有"海"念 hǎi,"悔"念 huǐ,"诲"、"晦"念 huì。而"敏 mǐn"、"侮 wǔ",跟"每"的音差得更远了。

又如:"万"、"厉"、"迈","兄"、"祝"、"况","害"、"割"、"瞎",每一组里的字音都不同。

上面只说到形声字的表音部分,表义的部分也很复杂,这里不说了。这种复杂的情况是由于汉字使用的历史很长,音、义逐渐有了许多变化。所以,靠形声字的半边念音,有的能念得对,有的就会念错。我们有时听到把"破绽 zhàn"念成"破定

dìng”，把“造诣 yì”念成“造旨 zhǐ ”，都是念半边音念错的。

识字是不容易的，要下功夫学。怎样学？一要在课堂上认真学，二是利用字典。遇到生字不要随便念，要勤查字典。同学们平时看书、看报，有些字是在课堂上没有学过的，语文课本里也不可能把所有的字都教给学生。有的教是教了，可是过后又忘了。所以字典是不可缺少的，它是随时跟在我们身边的一位好老师。

## 汉字的特点

古人有“六书”的说法。“六书”是：象形、指事、会意、形声、假借、转注。意思是，汉字的构造有六种。后来，有人认为前四种才是汉字在构造上的特点，后两种是汉字的使用，不是汉字的构造。

**象形字** 用一个图形表示一个字。象形字和下面的指事字都是独体字。如：

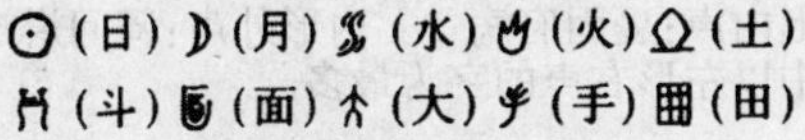

(日) (月) (水) (火) (土)

(斗) (面) (大) (手) (田)

这些象形字在甲骨文和金文中还可以看出来，在篆书里稍微变了模样，在隶书和楷书里就变得面目全非，看不出像什么形了。

**指事字** 有的是用抽象的符号表示抽象的意义，有的是在图画象形的基础上加上如指事的符号来表示意义。如：

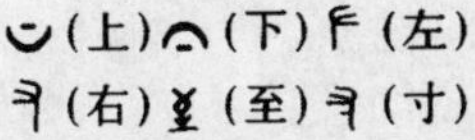

(上) (下) (左)

(右) (至) (寸)

画一横在曲线上表示“上”字，画一横在曲线下表示“下”字；一只手的指头朝右表示“左”字，指头朝左表示“右”字；上像鸟飞下的形状，一即地，飞鸟从高处飞到地面为“至”；右手的下边加“一”表示“寸”字。现在，这种字的意思，有一些还能看出一点，但大多数都看不出来了。

**会意字** 是用几个象形符号拼成一个字。会意字是合体字。如：

(采)(走)(赤)(黑)

手(爪)在木上是“采”字;上为甩两臂的人,下为一只脚(止),即“走”字;人被火烤得通红,故从人(大)从火,即“赤”字;上为烟囱,下为两火,即“烟火把烟囱熏黑了”,即“黑”字。

**形声字** 人们的语言越来越复杂,用上面几种方法造字满足不了记录语言的需要,于是想出形声的造字方法。

形声字也是合体字。一部分是“形符”或“形旁”,表示字义;一部分是“声符”或“声旁”,表示字音。这种造字法造字能力很强,现在用的汉字,十个有八九个是形声字。

形声字主要有六种类型:

左形右声:城梅描帽　　右形左声:领功战期
上形下声:宇花篱雾　　下形上声:想裘梨盒
外形内声:裹固府病　　内形外声:闷问辫辩

其中以左形右声的字为最多。

# 汉语拼音方案

## 一、字母表

| 字母 | Aa | Bb | Cc | Dd | Ee | Ff | Gg |
|---|---|---|---|---|---|---|---|
| 名称 | ㄚ | ㄅㄝ | ㄘㄝ | ㄉㄝ | ㄜ | ㄝㄈ | ㄍㄝ |
| | Hh | Ii | Jj | Kk | Ll | Mm | Nn |
| | ㄏㄚ | ㄧ | ㄐㄧㄝ | ㄎㄝ | ㄝㄌ | ㄝㄇ | ㄋㄝ |
| | Oo | Pp | Qq | Rr | Ss | Tt | |
| | ㄛ | ㄆㄝ | ㄑㄧㄡ | ㄚㄦ | ㄝㄙ | ㄊㄝ | |
| | Uu | Vv | Ww | Xx | Yy | Zz | |
| | ㄨ | ㄪㄝ | ㄨㄚ | ㄒㄧ | ㄧㄚ | ㄗㄝ | |

V 只用来拼写外来语、少数民族语言和方言。
字母的手写体依照拉丁字母的一般书写习惯。

## 二、声母表

| b | p | m | f | d | t | n | l |
|---|---|---|---|---|---|---|---|
| ㄅ玻 | ㄆ坡 | ㄇ摸 | ㄈ佛 | ㄉ得 | ㄊ特 | ㄋ讷 | ㄌ勒 |

| g | k | h | j | q | x |
|---|---|---|---|---|---|
| ㄍ哥 | ㄎ科 | ㄏ喝 | ㄐ基 | ㄑ欺 | ㄒ希 |

| zh | ch | sh | r | z | c | s |
|---|---|---|---|---|---|---|
| ㄓ知 | ㄔ蚩 | ㄕ诗 | ㄖ日 | ㄗ资 | ㄘ雌 | ㄙ思 |

在给汉字注音的时候,为了使拼式简短,zh ch sh 可以省作 ẑ ĉ ŝ。

## 三、韵母表

| | i<br>ㄧ 衣 | u<br>ㄨ 乌 | ü<br>ㄩ 迂 |
|---|---|---|---|
| Xa<br>ㄚ 啊 | ia<br>ㄧㄚ 呀 | ua<br>ㄨㄚ 蛙 | |
| o<br>ㄛ 喔 | | uo<br>ㄨㄛ 窝 | |
| e<br>ㄜ 鹅 | ie<br>ㄧㄝ 耶 | | üe<br>ㄩㄝ 约 |
| ai<br>ㄞ 哀 | | uai<br>ㄨㄞ 歪 | |
| ei<br>ㄟ 欸 | | uei<br>ㄨㄟ 威 | |
| ao<br>ㄠ 熬 | iao<br>ㄧㄠ 腰 | | |
| ou<br>ㄡ 欧 | iou<br>ㄧㄡ 忧 | | |
| an<br>ㄢ 安 | ian<br>ㄧㄢ 烟 | uan<br>ㄨㄢ 弯 | üan<br>ㄩㄢ 冤 |

| | | | |
|---|---|---|---|
| en<br>ㄣ 恩 | in<br>丨ㄣ 因 | uen<br>ㄨㄣ 温 | ün<br>ㄩㄣ 晕 |
| ang<br>ㄤ 昂 | iang<br>丨ㄤ 央 | uang<br>ㄨㄤ 汪 | |
| eng<br>ㄥ 亨的韵母 | ing<br>丨ㄥ 英 | ueng<br>ㄨㄥ 翁 | |
| ong<br>（ㄨㄥ）轰的韵母 | iong<br>ㄩㄥ 雍 | | |



（1）“知、蚩、诗、日、资、雌、思”等七个音节的韵母用 i，即：知、蚩、诗、日、资、雌、思等字拼作 zhi，chi，shi，ri，zi，ci，si。

（2）韵母儿写成 er，用作韵尾的时候写成 r。例如：“儿童”拼作 ertong，“花儿”拼作 huar。

（3）韵母ㄝ单用的时候写成 ê。

（4）i 行的韵母，前面没有声母的时候，写成 yi（衣），ya（呀），ye（耶），yao（腰），you（忧），yan（烟），yin（因），yang（央），ying（英），yong（雍）。

u 行的韵母，前面没有声母的时候，写成 wu（乌），wa（蛙），wo（窝），wai（歪），wei（威），wan（弯），wen（温），wang（汪），weng（翁）。

ü 行的韵母，前面没有声母的时候，写成 yu（迂），yue（约），yuan（冤），yun（晕）；ü 上两点省略。

ü 行的韵母跟声母 j，q，x 拼的时候，写成 ju（居），qu（区），xu（虚），ü 上两点也可省略；但是跟声母 n，l 拼的时候，仍然写成 nü（女），lü（吕）。

（5）iou，uei，uen 前面加声母的时候，写成 iu，ui，un，例如 niu（牛），gui（归），lun（论）。

（6）在给汉字注音的时候，为了使拼式简短，ng 可以省作 ŋ。

## 四、声调符号

| 阴平 | 阳平 | 上声 | 去声 |
|---|---|---|---|
| ˉ | ˊ | ˇ | ˋ |

声调符号标在音节的主要母音上。轻声不标。例如：

| 妈 mā | 麻 má | 马 mǎ | 骂 mà | 吗 ma |
|---|---|---|---|---|
| （阴平） | （阳平） | （上声） | （去声） | （轻声） |

## 五、隔 音 符 号

a，o，e 开头的音节连接在其他音节后面的时候，如果音节的界限发生混淆，用隔音符号（'）隔开，例如：pi'ao（皮袄）。

### 附：拼音字母歌

1 = C 4/4

3 · 2 3 1 | 5 6 5 — | 6 · 5 3 5 | 2 3 2 —

a b c d e f g, h i j k l m n,

a bê cê dê e êf gê ha i jie kê êl êm nê

5 3 5 0 | i 5 6 0 | 5 6 3 — | 2 3 1 —

o p q r s t, u v w x y z。

o pê qiu ar ês tê u vê wa xi ya zê

# 汉字笔画名称表

| 笔画 | 名称 | 例字 |
|---|---|---|
| 丶 | 点 | 六 |
| 一 | 横 | 十 |
| 丨 | 竖 | 中 |
| 丿 | 撇 | 八 |
| ⺍ | 捺 | 人 |
| 八 | 提 | 虫 |
| 丷 | 竖钩 | 小 |
| 佯 | 弯钩 | 狂 |
| 俨 | 斜钩 | 民 |
| 伫 | 卧钩 | 心 |
| ハ | 竖弯 | 四 |
| ヨ | 竖弯钩 | 儿 |
| 艮 | 竖提 | 衣 |
| ㅋ | 横钩 | 皮 |

附录

| 笔画 | 名称 | 例字 |
| --- | --- | --- |
| ㇕ | 横折 | 口 |
| ㇆ | 横折钩 | 月 |
| ㇇ | 横撇 | 水 |
| ㇜ | 撇折 | 去 |
| ㇛ | 撇点 | 女 |
| ㇈ | 横折弯钩 | 九 |
| ㇗ | 竖折 | 山 |
| ㇉ | 竖折折钩 | 马 |
| ㇊ | 横折提 | 话 |
| ㇋ | 横折折撇 | 及 |
| ㇌ | 横撇弯钩 | 阵 |
| ㇡ | 横折折折钩 | 奶 |
| ㇍ | 横折弯 | 船 |
| ㄣ | 竖折撇 | 专 |

# 汉字笔顺规则表

| 规则 | 例字 | 笔顺 |
|---|---|---|
| 先横后竖 | 十 | 一 十 |
|  | 下 | 一 丅 下 |
| 先撇后捺 | 八 | 丿 八 |
|  | 天 | 于 天 |
| 从上到下 | 三 | 一 二 三 |
|  | 京 | 丶 亠 亩 京 |
| 从左到右 | 地 | 土 地 |
|  | 做 | 亻 估 做 |
| 从外到内 | 月 | ⺆ 月 |
|  | 向 | 门 向 |
| 先外后里再封口 | 日 | 冂 冃 日 |
|  | 国 | 冂 国 国 |
| 先中间后两边 | 小 | 亅 𡭔 小 |
|  | 水 | 亅 𣱱 水 |

# 常见部首名称和笔顺

| 部首 | 名称 | 例字 | 笔顺 |
|---|---|---|---|
| 匚 | 区字框 | 巨医 | 一匚 |
| ⺊ | 上字头 | 占贞 | 丨⺊ |
| 刂 | 立刀旁 | 刑刚 | 丨刂 |
| 冂(⺆) | 同字框 | 同周 | 丨冂 |
| 亻 | 单立人 | 化仇 | 丿亻 |
| 厂 | 偏厂 | 后质 | 丿厂 |
| ⺈ | 危字头 | 争负 | 丿⺈ |
| 勹 | 包字头 | 句勿 | 丿勹 |
|  | 凤字头 | 风凰 | 丿几 |
| 亠 | 京字头 | 亡交 | 丶亠 |
| 冫 | 两点水 | 冲次 | 丶冫 |
| 丷 | 兰字头 | 并关 | 丶丷 |
| 冖 | 秃宝盖 | 写军 | 丶冖 |
| 讠 | 言字旁 | 订认 | 丶讠 |
| 凵 | 凶字框 | 画函 | 𠃊凵 |
| 卩 | 单耳旁 | 印卸 | 𠃌卩 |

| 部首 | 名称 | 例字 | 笔顺 |
| --- | --- | --- | --- |
| 阝 | 左耳刀 | 阳际 | 了阝 |
| 阝 | 右耳刀 | 邦那 | 了阝 |
| 厶 | 私字 | 允么 | ㄥ厶 |
| 廴 | 建字旁 | 廷延 | 乛廴 |
| 艹 | 草字头 | 艺节 | 一十艹 |
| 廾 | 弄字底 | 异弄 | 一𠂇廾 |
| 尢 | 尤字旁 | 尤尬 | 一𠂇尢 |
| 兀 | 尧字底 | 尧虺 | 一丆兀 |
| 扌 | 提手旁 | 扔扫 | 一扌扌 |
| 弋 | 式字框 | 式忒 | 一七弋 |
| 囗 | 国字框 | 回困 | 丨冂囗 |
| ⺌ | 光字头 | 当尚 | 丨⺍⺌ |
| 彳 | 双立人 | 往很 | ノ彡彳 |
| 彡 | 三撇 | 形影 | ノ彡彡 |
| 犭 | 反犬旁 | 犯狼 | ノ犭犭 |
| 夂 | 折文 | 务复 | ノ夂夂 |
| 饣 | 食字旁 | 饥饭 | ノ𠂉饣 |
| 丬 | 将字旁 | 壮状 | 丶冫丬 |
| 忄 | 竖心旁 | 忙怀 | 丶丷忄 |

附录

| 部首 | 名称 | 例字 | 笔顺 |
|---|---|---|---|
| 宀 | 宝盖 | 安完 | 丶 丷 宀 |
| 氵 | 三点水 | 汉汗 | 丶 冫 氵 |
| 辶 | 走之 | 进远 | 丶 ㇋ 辶 |
| 彐 | 录字头 | 绿碌 | ㇕ ⺕ 彐 |
| 彐 | 寻字头 | 归灵 | ㇕ ⺕ 彐 |
| 纟 | 绞丝旁 | 红级 | 𠃋 幺 纟 |
| 幺 | 幼字旁 | 幻玄 | 𠃋 幺 幺 |
| 巛 | 三拐 | 巢 | 𡿨 巜 巛 |
| 耂 | 老字头 | 孝考 | 一 十 土 耂 |
| ⺗ | 竖心底 | 恭添 | 亅 小 小 ⺗ |
| 攵 | 反文旁 | 故救 | 丿 𠂉 攵 攵 |
| 爫 | 采字头 | 妥受 | 丿 ⺤ ⺤ 爫 |
| 火 | 火字旁 | 炸炮 | 丶 丷 火 火 |
| 灬 | 四点 | 煮照 | 丶 ⺀ 灬 灬 |
| 礻 | 示字旁 | 视祥 | 丶 ⺈ 礻 礻 |
| 皿 | 皿字底 | 盐监 | 丨 冂 冂 罒 皿 |
| 钅 | 金字旁 | 钉针 | 丿 𠂉 𠂉 钅 钅 |
| 疒 | 病字旁 | 疮疯 | 丶 亠 广 疒 疒 |
| 衤 | 衣字旁 | 补被 | 丶 ⺈ 礻 衤 衤 |

| 部首 | 名称 | 例字 | 笔顺 |
|---|---|---|---|
| 癶 | 登字头 | 凳蹬 | ㇇ ㇇ ㇇ 癶 癶 |
| 虍 | 虎字头 | 虑虚 | 丨 ⺊ 卢 广 卢 虍 |
| ⺮ | 竹字头 | 第策 | ノ ⺈ ⺈ ⺮ ⺮ ⺮ |
| 𦍌 | 羊字旁 | 差着 | 丶 丷 兰 兰 𦍌 |
| ⺶ | 羊字头 | 美羔 | 丶 丷 兰 兰 羊 ⺶ |
| 聿 | 建字里 | 健肆 | ㇕ ⺕ 彐 ⺔ ⺻ 聿 |
| 艮 | 垦字头 | 恳良 | ㇕ ⺕ 彐 艮 艮 艮 |
| ⻊ | 足字旁 | 跌跑 | 丨 ⼝ 口 ⻊ ⻊ ⻊ ⻊ |
| 釆 | 番字头 | 悉番 | 一 ⺍ 丷 平 平 釆 釆 |
| 豸 | 豹字旁 | 豺豹 | 一 ⺍ ⺍ 豸 豸 豸 豸 |
| 𠦝 | 朝字旁 | 韩戟 | 一 十 𠂇 古 古 吉 直 𠦝 |
| 隹 | 隹字旁 | 雄雌 | ノ 亻 亻 亻 仁 仁 住 隹 |

附录

# 常用标点符号用法简表

| 名称 | 符号 | 用法说明 | 举　例 |
|---|---|---|---|
| 句号 | 。 | 表示一句话完了之后的停顿。 | 中国是世界上历史最悠久的国家之一。 |
| 逗号 | ， | 表示一句话中间的停顿。 | 春天像小姑娘,花枝招展的,笑着,走着。 |
| 顿号 | 、 | 表示句中并列的词或词组之间的停顿。 | 燕子、雁、布谷、夜莺都是定期迁徙的候鸟。 |
| 分号 | ； | 表示一句话中并列分句之间的停顿。 | 小鹰向往那白云、蓝天,一心想飞到太阳身旁;小鸡只求找点剩饭、碎米,填饱肚肠。 |
| 冒号 | ： | 用来提示下文。 | 静寂的草原热闹起来:欢呼声,车声,马蹄声,响成一片。 |
| 问号 | ？ | 用在问句之后。 | 如果冬天来了,春天还会远吗? |
| 叹号 | ！ | 表示强烈的感情。 | 啊! 黄河! 你是我们民族的摇篮。 |

| 名称 | 符号 | 用法说明 | 举例 |
| --- | --- | --- | --- |
| 引号① | “ ” ‘ ’ 『 』 「 」 | 1. 表示引用的部分。 | 人们都说：“桂林山水甲天下。” |
| | | 2. 表示特定的称谓。 | 全国少年儿童欢度“六一”国际儿童节。 |
| | | 3. 表示要着重指出的部分。 | 一颗种子可能发出来的“力”，简直超越一切。 |
| | | 4. 表示讽刺或否定的意思。 | 人，不能低下高贵的头，只有怕死鬼才乞求“自由”。 |
| 括号② | （ ） | 表示文中注释的部分。 | 鲁迅（1881～1936），本名周树人（鲁迅是笔名），浙江绍兴人，我国现代伟大的无产阶级文学家、思想家和革命家。 |
| 省略号③ | …… | 表示文中省略的部分。 | 爱迪生发明了电影、留声机……他一生中发明的东西有一千多种。 |

附录

| 名称 | 符号 | 用法说明 | 举例 |
|---|---|---|---|
| 破折号④ | —— | 1. 表示后面是解释说明的部分,有括号的作用。 | 他们终于翻过了第一座大雪山——夹金山。 |
| | | 2. 表示意思的递进。 | 团结——批评和自我批评——团结 |
| | | 3. 表示意思的转折。 | 我们嚷着,跑着,笑着。——然而他其实已经和我一样,早已有了胡子了。 |
| 连接号⑤ | — | 1. 表示时间、地点、数目等的起止。 | 抗日战争时期(1937年～1945年)<br>"北京—上海"直达快车 |
| | | 2. 表示相关的人或事物的联系。 | 亚洲—太平洋地区 |
| 书名号⑥ | 《 》<br>〈 〉 | 表示书籍、报刊、文章等的名称。 | 我喜欢看《中国少年报》、《我们爱科学》、《儿童画报》和《安徒生童话选》等。 |
| 间隔号 | · | 1. 表示月份和日期之间的分界。 | 一二·九运动 |
| | | 2. 表示有些民族人名中的音界。 | 诺尔曼·白求恩 |

| 名称 | 符号 | 用法说明 | 举例 |
| --- | --- | --- | --- |
| 着重号 | . | 表示文中需要强调的部分。 | 我们不仅要认识世界，而且要改造世界。 |
| 专名号 | ____ | 表示人名、地名、朝代名等，一般用于古籍或某些文史著作中。 | 司马相如者，汉蜀郡成都人也，字长卿。 |

附录

附注：

①“ ”『』叫双引号，‘ ’「」叫单引号。“ ”‘ ’用于横行文字，『』「」用于竖行文字。只需要一种引号时，横行文字用“”，竖行文字用『』或「」都可以。引号中再用引号时，一般双引号在外，单引号在内。

②常见的括号还有几种，如〔 〕［ ］，多用于文章注释的标号或根据需要作为某种标记。

③④占两个字的位置。

⑤占一个字的位置。

⑥书名号内再用书名号时，双书名号《 》在外，单书名号〈 〉在内。为了和专名号配合，在古籍或某些文史著作里面书名号可以用“﹏﹏﹏”。

# 第一批异形词整理表①

（2001年12月19日中华人民共和国教育部、国家语言文字工作委员会发布，2002年3月31日起试行）

A

按捺—按纳
按语—案语

B

百废俱兴—百废具兴
百叶窗—百页窗
斑白—班白、颁白
斑驳—班驳
孢子—胞子
保镖—保镳
保姆—保母、褓姆
辈分—辈份
本分—本份
笔画—笔划
毕恭毕敬—必恭必敬
编者按—编者案
扁豆—萹豆、稨豆、藊豆
标志—标识
鬓角—鬓脚
秉承—禀承
补丁—补靪、补钉

C

参与—参预
惨淡—惨澹
差池—差迟
掺和—搀和
掺假—搀假
掺杂—搀杂
铲除—刬除
徜徉—倘佯
车厢—车箱
彻底—澈底
沉思—沈思
称心—趁心
成分—成份
澄澈—澄彻
侈靡—侈糜
筹划—筹画
筹码—筹马
踌躇—踌蹰
出谋划策—出谋画策
喘吁吁—喘嘘嘘
瓷器—磁器
赐予—赐与
粗鲁—粗卤

D

搭档—搭当、搭挡
搭讪—搭赸、答讪
答复—答覆
戴孝—带孝
担心—耽心
担忧—耽忧
耽搁—担搁
淡泊—澹泊
淡然—澹然
倒霉—倒楣
低回—低徊
凋敝—雕敝、雕弊

---

① 异形词是指普通话书面语中并存并用的同音、同义而书写形式不同的词语。

凋零—雕零
凋落—雕落
凋谢—雕谢
跌宕—跌荡
跌跤—跌交
喋血—蹀血
叮咛—丁宁
订单—定单
订户—定户
订婚—定婚
订货—定货
订阅—定阅
斗拱—枓拱、枓栱
逗留—逗遛
逗趣儿—斗趣儿
独角戏—独脚戏
端午—端五

E

二黄—二簧
二心—贰心

F

发酵—酦酵
发人深省—发人深醒
繁衍—蕃衍
吩咐—分付
分量—份量
分内—份内
分外—份外
分子—份子
愤愤—忿忿
丰富多彩—丰富多采
风瘫—疯瘫
疯癫—疯颠
锋芒—锋铓
服侍—伏侍、服事
服输—伏输
服罪—伏罪
负隅顽抗—负嵎顽抗
附会—傅会
复信—覆信
覆辙—复辙

G

干预—干与
告诫—告戒
耿直—梗直、鲠直
恭维—恭惟
勾画—勾划
勾连—勾联
孤苦伶仃—孤苦零丁
辜负—孤负
古董—骨董
股份—股分
骨瘦如柴—骨瘦如豺
关联—关连
光彩—光采
归根结底—归根结柢
规诫—规戒
鬼哭狼嚎—鬼哭狼嗥
过分—过份

H

蛤蟆—虾蟆
含糊—含胡
含蓄—涵蓄
寒碜—寒伧
喝彩—喝采
喝倒彩—喝倒采
轰动—哄动
弘扬—宏扬
红彤彤—红通通
宏论—弘论
宏图—弘图、鸿图
宏愿—弘愿
宏旨—弘旨
洪福—鸿福
狐臭—胡臭
蝴蝶—胡蝶
糊涂—胡涂
琥珀—虎魄
花招—花着
划拳—豁拳、搳拳
恍惚—恍忽
辉映—晖映
溃脓—殨脓
浑水摸鱼—混水摸鱼
伙伴—火伴

J

机灵—机伶
激愤—激忿
计划—计画
纪念—记念
寄予—寄与
夹克—茄克
嘉宾—佳宾

附录

驾驭—驾御
架势—架式
嫁妆—嫁装
简练—简炼
骄奢淫逸—骄奢淫佚
角门—脚门
狡猾—狡滑
脚跟—脚根
叫花子—叫化子
精彩—精采
纠合—鸠合
纠集—鸠集
就座—就坐
角色—脚色

K

克期—刻期
克日—刻日
刻画—刻划
阔佬—阔老

L

褴褛—蓝缕
烂漫—烂缦、烂熳
狼藉—狼籍
榔头—狼头、鎯头
累赘—累坠
黧黑—黎黑
连贯—联贯
连接—联接
连绵—联绵
连缀—联缀
联结—连结
联袂—连袂
联翩—连翩
踉跄—踉蹡
嘹亮—嘹喨
缭乱—撩乱
伶仃—零丁
囹圄—囹圉
溜达—蹓跶
流连—留连
喽啰—喽罗、偻ㄌ
鲁莽—卤莽
录像—录象、录相
络腮胡子—落腮胡子
落寞—落漠、落莫

M

麻痹—痳痹
麻风—痳风
麻疹—痳疹
马蜂—蚂蜂
马虎—马糊
门槛—门坎
靡费—糜费
绵连—绵联
腼腆—靦覥
模仿—摹仿
模糊—模胡
模拟—摹拟
摹写—模写
摩擦—磨擦
摩拳擦掌—磨拳擦掌
磨难—魔难
脉脉—眽眽
谋划—谋画

N

那么—那末
内讧—内哄
凝练—凝炼
牛仔裤—牛崽裤
纽扣—钮扣

P

扒手—掱手
盘根错节—蟠根错节
盘踞—盘据、蟠踞、蟠据
盘曲—蟠曲
盘陀—盘陁
磐石—盘石、蟠石
蹒跚—盘跚
彷徨—旁皇
披星戴月—披星带月
疲沓—疲塌
漂泊—飘泊
漂流—飘流
飘零—漂零
飘摇—飘颻
凭空—平空

Q

牵连—牵联
憔悴—蕉萃
清澈—清彻
情愫—情素
拳拳—惓惓

劝诫—劝戒

R

热乎乎—热呼呼

热乎—热呼

热衷—热中

人才—人材

日食—日蚀

入座—入坐

S

色彩—色采

杀一儆百—杀一警百

鲨鱼—沙鱼

山楂—山查

舢板—舢舨

艄公—梢公

奢靡—奢糜

申雪—伸雪

神采—神彩

湿漉漉—湿渌渌

什锦—十锦

收服—收伏

首座—首坐

书简—书柬

双簧—双锁

思维—思惟

死心塌地—死心踏地

T

踏实—塌实

甜菜—菾菜

铤而走险—挺而走险

透彻—透澈

图像—图象

推诿—推委

W

玩意儿—玩艺儿

魍魉—蝄蜽

诿过—委过

乌七八糟—污七八糟

无动于衷—无动于中

毋宁—无宁

毋庸—无庸

五彩缤纷—五采缤纷

五劳七伤—五痨七伤

X

息肉—瘜肉

稀罕—希罕

稀奇—希奇

稀少—希少

稀世—希世

稀有—希有

翕动—噏动

洗练—洗炼

贤惠—贤慧

香醇—香纯

香菇—香菰

相貌—像貌

潇洒—萧洒

小题大做—小题大作

卸载—卸儎

信口开河—信口开合

惺忪—惺松

秀外慧中—秀外惠中

序文—叙文

序言—叙言

训诫—训戒

Y

压服—压伏

押韵—压韵

鸦片—雅片

扬琴—洋琴

要么—要末

夜宵—夜消

一锤定音—一槌定音

一股脑儿—一古脑儿

衣襟—衣衿

衣着—衣著

义无反顾—义无返顾

淫雨—霪雨

盈余—赢余

影像—影象

余晖—余辉

渔具—鱼具

渔网—鱼网

与会—预会

与闻—预闻

驭手—御手

预备—豫备

原来—元来

原煤—元煤

原原本本—源源本本、元元本本

缘故—原故

缘由—原由

附录

月食—月蚀
月牙—月芽
芸豆—云豆

Z

杂沓—杂遝
再接再厉—再接再砺
崭新—斩新
辗转—展转
战栗—颤栗
账本—帐本
折中—折衷
这么—这末
正经八百—正经八摆
芝麻—脂麻
肢解—支解、枝解
直截了当—直捷了当、直接了当
指手画脚—指手划脚
周济—赒济
转悠—转游
装潢—装璜
孜孜—孳孳
姿势—姿式
仔细—子细
自个儿—自各儿
佐证—左证

# 汉语词类表(实词)

| 词类 | 意　义 | 举　例 |
|---|---|---|
| 名词 | 表示人或事物(包括具体事物、抽象事物、时间、处所、方位等)的名称。 | 这是闰土的父亲所传授的方法。<br>冬天的百草园比较的无味;雪一下,可就两样了。<br>出门向东,不上半里,走过一道石桥,便是我的先生的家了。 |
| 动词 | 表示动作行为、发展变化、心理活动、可能意愿等意义。 | 母亲送 出来 吩咐"要小心"的时候,我们已经点开船,在桥石上一磕,退后几尺,即又上前 出了桥。 |
| 形容词 | 表示事物的形状、性质、状态等。 | 他是一个高而瘦的老人,须发都花白了,还戴着大眼镜。我对他很恭敬,因为我早听到,他是本城中极方正、质朴、博学的人。 |

| 词类 | 意义 | 举例 |
|---|---|---|
| 数词 | 表示数目(包括确数、概数和序数)。 | 赵庄是离平桥村五里的较大的村庄。<br>这十多个少年,委实没有一个不会凫水的,而且两三个还是弄潮的好手。 |
| 量词 | 表示事物或动作、行为的单位。 | 在停船的匆忙中,看见台上有一个黑的长胡子的背上插着四张旗,捏着长枪,和一群赤膊的人正打仗。<br>忽然,教堂的钟敲了十二下。 |
| 代词 | 代替人和事物的名称,或起区别指示作用,或用来提问。 | 我听了这几句话,心里万分难过。啊,那些坏家伙,他们贴在镇公所布告牌上的,原来就是这么一回事!<br>我也不停步,只在心里思量:“又出了什么事啦?” |

# 我国法定计量单位简表

## 一、长度单位换算表

| 单位名称 | 单位符号 | 单位之间的关系 |
|---|---|---|
| 微米 | μm | 1 微米 =1/1000000 米 |
| 毫米 | mm | 1 毫米 =1000 微米 |
| 厘米 | cm | 1 厘米 =10 毫米 |
| 分米 | dm | 1 分米 =10 厘米 |
| 米 | m | 1 米 =10 分米 =100 厘米 |
| 十米 | dam | 1 十米 =10 米 |
| 百米 | hm | 1 百米 =100 米 |
| 千米(公里) | km | 1 千米(公里) =1000 米 |
| 1 毫米 =3 市厘<br>1 厘米 =3 市分<br>1 分米 =3 市寸 | | |
| 1 米 =3 市尺 =3.2808 英尺<br>1 千米(公里) =2 市里 =0.6214 英里 | | |
| 1 英尺 =0.3048 米 =0.9144 市尺<br>1 里 =0.500 千米(公里) =0.3107 英里 | | |
| 1 英尺 =0.3048 米 =12 英寸<br>1 英里 =1.609 3 千米(公里) =5280 英尺 | | |
| 1 海里 =1852 米 =1.8520 千米(公里) =3.7040 市里 | | |

附录

## 二、面积单位换算表

| 单位名称 | 单位符号 | 单位之间的关系 |
|---|---|---|
| 平方毫米 | $mm^2$ | |
| 平方厘米 | $cm^2$ | 1 平方厘米 =100 平方毫米 |
| 平方分米 | $dm^2$ | 1 平方分米 =100 平方厘米 |
| 平方米 | $m^2$ | 1 平方米 =100 平方分米 =10000 平方厘米 |
| 平方米 | $m^2$ | 1 平方米 =0.0015 市亩 =9 平方市尺 |
| 公亩 | a | 1 公亩 =100 平方米 =0.15 市亩 |
| 公顷 | ha | 1 公顷 =15 市亩 =100 公亩 =10000 平方米 |
| 平方千米（平方公里） | $km^2$ | 1 平方千米（平方公里）=100 公顷 =1000000 平方米 |
| 1 亩≈666.7 平方米 =6.667 公亩 | | |

## 三、体积、容积单位换算表

| 单位名称 | 单位符号 | 单位之间的关系 |
|---|---|---|
| 立方毫米 | $mm^3$ | |
| 立方厘米 | $cm^3$ | 1 立方厘米 =1000 立方毫米 |
| 立方分米 | $dm^3$ | 1 立方分米 =1000 立方厘米 |
| 立方米 | $m^3$ | 1 立方米 =1000 立方分米 =1000000 立方厘米 |

| 单位名称 | 单位符号 | 单位之间的关系 |
|---|---|---|
| 毫升 | ml | 1 毫升 =1 立方厘米 |
| 厘升 | cl | 1 厘升 =10 毫升 |
| 分升 | dl | 1 分升 =10 厘升 |
| 升 | l | 1 升 =10 分升 =1 立方分米 =1000 毫升 |
| 十升 | dal | 1 十升 =10 升 |
| 百升 | hl | 1 百升 =100 升 |
| 千升 | kl | 1 千升 =1000 升 =1 立方米 |
| 立方米 | $m^3$ | 1 立方米 =27 立方尺 |
| 升 | l | 1 升 =0.220 英加仑 |

## 四、质量单位换算表

| 单位名称 | 单位符号 | 单位之间的关系 |
|---|---|---|
| 毫克 | mg | |
| 厘克 | cg | 1 厘克 =10 毫克 |
| 分克 | dg | 1 分克 =10 厘克 |
| 克 | g | 1 克 =10 分克 =1000 毫克 =0.02 两 |
| 十克 | dag | 1 十克 =10 克 |
| 百克 | hg | 1 百克 =100 克 |
| 千克(公斤) | kg | 1 千克(公斤) =1000 克 =2 斤 =2.205 英镑 |

附录

| 单位名称 | 单位符号 | 单位之间的关系 |
| --- | --- | --- |
| 吨 | t | 1 吨 =1000 千克(公斤) |
| 斤 | jin | 1 斤 =0.500 千克(公斤)<br>=1.102 英镑 |

* 质量单位就是日常所说的重量单位。在物理学中,重量和质量是两个不同的概念,单位也不相同。重量单位是牛顿,质量单位是克、千克(公斤)等。

## 五、时间单位表

| 单位名称 | 单位符号 | 单位之间的关系 |
| --- | --- | --- |
| 秒 | s | |
| 分 | min | 1 分 =60 秒 |
| (小)时 | h | 1 小时 =60 分 |
| 天(日) | d | 1 天 =24 小时 |
| 月 | | 1 个月 =31 日(1、3、5、7、8、10、12 月)<br>=30 日(4、6、9、11 月)<br>=28 日(2 月)(闰年 29 日) |
| 季 | | 1 季 =3 个月 |
| 年 | | 1 年 =12 个月 =365 天(闰年 366 天) |
| 世纪 | | 1 世纪 =100 年 |

# 六、市制计量单位表

| | | |
|---|---|---|
| 长度单位 | 〔市〕分 | |
| | 寸 | 1 寸 =10 分 |
| | 尺 | 1 尺 =10 寸 |
| | 丈 | 1 丈 =10 尺 |
| | 〔市〕里 | 1 里 =150 丈 |
| 面积单位 | 平方分 | |
| | 平方寸 | 1 平方寸 =100 平方分 |
| | 平方尺 | 1 平方尺 =100 平方寸 |
| | 平方丈 | 1 平方丈 =100 平方尺 |
| | 〔市〕厘 | |
| | 〔市〕分 | 1 分 =10 厘 =6 平方丈 |
| | 亩 | 1 亩 =10 分 =60 平方丈 |
| | | |
| 质量(重量)单位 | 〔市〕分 | |
| | 钱 | 1 钱 =10 分 |
| | 两 | 1 两 =10 钱 |
| | 斤 | 1 斤 =10 两 |

# 小学生数学名词术语解释

| 名　称 | 定　　义 |
| --- | --- |
| 乘法结合律 | 三个数相乘，先把前两个数相乘，再乘以第三个数；或者先把后两个数相乘，再和第一个数相乘，它们的积不变。即：$(ab)c=a(bc)$。 |
| 乘法分配律 | 两个数的和与一个数相乘，可以先把两个加数分别与这个数相乘，再把两个积相加。即：$(a+b)c=ac+bc$。 |
| 小数的性质 | 小数的末尾添上“0”或者去掉“0”，小数的大小不变。 |
| 循环小数 | 一个数的小数部分，从某一位起，一个数字或者几个数字依次不断地重复出现，这个数叫做循环小数。如：$10\div3=3.33\cdots\cdots$ |
| 锐　角 | 小于90°的角叫做锐角。 |
| 周角 | 角的一边旋转一周，与另一边重合，这时所成的角叫做周角。周角是360°。 |
| 平行线 | 在同一个平面内永不相交的两条直线叫做平行线。 |
| 等腰三角形 | 两条边相等的三角形叫做等腰三角形。 |
| 平行四边形 | 两组对边分别平行的四边形叫做平行四边形。 |
| 梯形 | 只有一组对边平行的四边形叫做梯形。 |

| 名　称 | 定　　义 |
| --- | --- |
| 方程 | 含有未知数的等式叫做方程。如:5x =40。 |
| 自然数 | 用来表示物体个数的 1、2、3、4……叫做自然数(0 不是自然数)。 |
| 偶数 | 能被 2 整除的数叫做偶数。如 2、4、6…… |
| 奇数 | 不能被 2 整除的数叫做奇数。如 1、3、5…… |
| 质数 | 一个数除了 1 和它本身,不再有别的约数,这个数叫质数。如:5、7、11…… |
| 合数 | 一个数除了 1 和它本身,还有别的约数,这个数叫合数。如:4、6、8、9…… |
| 最大公约数 | 几个数公有的约数,其中最大的一个,叫做这个数的最大公约数。如:16 的约数有 1、2、4、8、16;20 的约数有 1、2、4、5、10、20。16、20 的最大公约数是 4。 |
| 最小公倍数 | 几个数公有的倍数,其中最小的一个叫做这几个数的最小公倍数。如 6 的倍数有:6、12、18、24……;12 的倍数有 12、24、48……;6、12 的最小公倍数是 12。 |
| 射线 | 把线段的一端无限延长,就得到一条射线。 |
| 真分数 | 分子比分母小的分数叫做真分数。真分数小于1。如:$\frac{4}{5}$。 |

附录

附录

| 名　称 | 定　　义 |
|---|---|
| 假分数 | 分子比分母大或者分子和分母相等的分数，叫假分数。假分数大于 1 或者等于 1。如：$\frac{7}{6}$，$\frac{6}{6}$。 |
| 带分数 | 一个整数和一个真分数合成的数，叫做带分数。如：$1\frac{7}{8}$。 |
| 分数的基本性质 | 分数的分子和分母都乘以或者除以相同的数（零除外），分数的大小不变。即：$\frac{a}{b}=\frac{a\cdot c}{b\cdot c}=\frac{a\div c}{b\div c}(b\neq0)(c\neq0)$。 |
| 百分数 | 表示一个数是另一个数的百分之几的数，叫做百分数。百分数也叫做百分率或百分比。如：百分之七十通常写作 70%。 |
| 比 | 两个数相除又叫做两个数的比。即：$a\div b=\frac{a}{b}$。 |
| 正比 | 一个数对另一个数的比叫做正比。如 2 与 7 的正比是 $2:7=\frac{2}{7}$。 |
| 反比 | 把比的前项和后项调换位置，所得的比叫做原来的比的反比。<br>如：9:8 的反比是 8:9。 |
| 比的基本性质 | 比的前项和后项都乘以或者除以相同的数（零除外），比值不变。即：$a:b=(a\cdot c):(b\cdot c)=(a\div c):(b\div c)\ (c\neq0)$。 |

| 名称 | | 定义 |
|---|---|---|
| 比例 | | 表示两个比相等的式子叫做比例。即：a∶b = c∶d。 |
| 比例的基本性质 | | 在比例里，两个外项的积等于两个内项的积。即：由 a∶b = c∶d ⇒ ad = bc。 |
| 正比例 | 定义 | 两种相关联的量，一种量变化，另一种量也随之变化，如果这两种量中相对应的两个数的比值（也就是商）一定，这两种量就叫做成正比例的量，它们的关系叫做正比例关系。即：$\frac{Y}{X}=K$（一定）。 |
| | 性质 | 如果两种量成正比例，那么一种量中任意两个数值的比等于另一种量的两个相对应数值的比。 |
| 反比例 | 定义 | 两种相关联的量，一种量变化，另一种量也随之变化，如果这两种量中相对应的两个数的积一定，这两种量就叫做成反比例的量，它们的关系叫做反比例关系。即：$x \cdot y = k$（一定）。 |
| | 性质 | 如果两种量成反比例，那么一种量中任意两个数值的比，等于另一种量中相对应的两个数值的比的反比。 |

# 小学生数学图形计算公式

| | |
|---|---|
| 正方形 | c:周长 s:面积 a:边长<br>(1)周长=边长×4 $c=4a$<br>(2)面积=边长×边长 $s=a^2$ |
| 长方形 | c:周长 s:面积 a:长 b:宽<br>(1)周长=(长+宽)×2 $c=2(a+b)$<br>(2)面积=长×宽 $s=ab$ |
| 三角形 | s:面积 a:底 h:高<br>面积=底×高÷2 $s=\frac{ah}{2}$ |
| 平行四边形 | s:面积 a:底 h:高<br>面积=底×高 $s=ah$ |
| 梯形 | s:面积 a:上底 b:下底 h:高<br>面积=(上底+下底)×高÷2 $s=\frac{1}{2}(a+b)h$ |
| 圆形 | s:面积 c:周长 π(圆周率)<br>d:直径 r=半径<br>(1)周长=直径×圆周率=半径×2×圆周率<br>$c=\pi d=2\pi r$<br>(2)面积=半径×半径×圆周率<br>$s=\pi r^2$ |
| 扇形 | s:面积 r:半径 n:圆心角<br>面积=$\frac{圆面积}{360}$×圆心角 $s=\frac{\pi r^2}{360}\times n$ |

| | |
|---|---|
| 正方体 | v:体积 s:面积 a:棱长<br>(1)表面积=棱长×棱长×6 $s_{表}=6a^2$<br>(2)体积=棱长×棱长×棱长 $v=a^3$ |
| 长方体 | r:体积 s:面积 a:长 b:宽 h:高<br>(1)表面积=(长×宽+长×高+宽×高)×2<br>$s=2(ab+ah+bh)$<br>(2)体积=长×宽×高<br>$r=abh$ |
| 圆柱体 | v:体积 h:高 s:底面积 r:底面半径 c:底面周长<br>(1)侧面积=底面周长×高 $S_{侧}=ch$<br>(2)表面积=侧面积+底面积×2 $S_{表}=ch+2\pi r^2$<br>(3)体积=底面积×高 $v=\pi r^2 h$ |
| 圆锥体 | v:体积 s:底面积 r:底圆面半径 h:高<br>体积$=\frac{底面积\times高}{3}$ $V=\frac{1}{3}sh=\frac{1}{3}\pi r^2 h$ |
| 土石方工程 | v:土(石)数 a:上底面长<br>b:下底面长 h:高 l:长(米)<br>土(石)方数=横截面积×长 $v=\frac{1}{2}(a+b)hl$ |

# 常见别字举例

（按音序排列，括号里的是别字）

A

唉（哀）声叹气
暮霭（蔼）
和蔼（霭）
安（按）排
安（按）装
黯（暗）然
桀骜（傲）不驯

B

飞扬跋（拔）扈
甘拜（败）下风
略见一斑（般）
磕磕绊绊（拌拌）
班（搬）门弄斧
班（搬）师回朝
自暴（抱）自弃
暴（爆）发户
炮（爆）羊肉
奴颜婢（卑）膝
勇气倍（备）增
关怀备（倍）至
并行不悖（背）
金碧（壁）辉煌
完璧（壁）归赵
凋敝（蔽）
原形毕（必）露
裨（俾）益
心胸褊（扁）狭
针砭（贬）时弊
辨（辩）证施治
辩（辨）证法
明辨（辩）是非
辨（辩）析
治标（表）不治本
濒（频）临
赌博（搏）
脉搏（博、膊）
按部（步）就班
战略部（布）署

C

璀璨（灿）
粲（灿）然一笑
察（查）言观色
检察（查）院
河汊（叉）
惊诧（咤）
一刹（霎）那
兴高采（彩）烈
听信谗（馋）言
万古长（常）青
好景不常（长）
杀人偿（尝）命
瞠（膛）目结舌
墨守成（陈）规
松弛（驰）
不齿（耻）于人类
忧心忡忡（冲）
一筹（愁）莫展
川（穿）流不息
串（窜）门
吹毛求疵（刺）
催（摧）化剂
精粹（萃）

D

戴（带）罪立功
以逸待（代）劳
责无旁贷（代）
虎视眈眈（耽）
殚（惮）精竭虑
档（挡）案
循规蹈（导）矩
中流砥（抵）柱
真谛（缔）
玷（沾）污
沽名钓（钩）誉

通谍(牒)
间牒(谍)
大名鼎鼎(顶顶)
装订(钉)
纱锭(绽)
度(渡)假
渡(度)河
咄咄(拙)逼人

F

砝(法)码
先发(法)制人
举一反(返)三
成绩斐(蜚)然
奋(愤)发图强
手无缚(搏)鸡之力
辐(幅)射
深孚(负)众望
辐(幅)射
翻来覆(复)去

G

气概(慨)
竹竿(杆)
麦秆(杆)
格格(隔隔)不入
隔(膈)膜
卑躬(恭)屈膝
沟(勾)通信息
汩汩(汨汨)
变卦(挂)
灌(贯)输

全神贯(灌)注
一贯(惯)
诡(鬼)计多端
走上正轨(规)

H

震撼(憾)
浩瀚(翰)
汗(汉)牛充栋
引吭(亢)高歌
秋毫(豪)无犯
和(合)盘托出
随声附和(合)
哄(轰)堂大笑
候(后)补委员
变幻(换)莫测
黄(皇)帝内经
病入膏肓(盲)
彗(慧)星
融会(汇)贯通
风雨如晦(诲)
诨(浑)号

J

亟(急)待
通缉(辑)
籍(藉)贯
迫不及(急)待
汗流浃(夹)背
戛(嘎)然而止
不假(加)思索
草菅(管)人命
精简(减)机构
佼佼(姣姣)者
挖墙脚(角)
截(接)长补短
噤(禁)若寒蝉
弱不禁(经)风
陷阱(井)
不胫(径)而走
针灸(炙)
既往不咎(究)
龙盘虎踞(据)
家具(俱)
万事俱(具)备
抉(决)择
诀(决)别
竣(峻)工

K

同仇敌忾(慨)
戡(堪)乱
不落窠(巢)臼
抠(扣)字眼

L

腊(蜡)染
腊(蜡)肉
蜡(腊)烛
味同嚼蜡(腊)
丢三落(拉)四
陈词滥(烂)调
粗制滥(乱)造
羸(赢)弱

附录

同等学力(历)
再接再厉(励)
变本加厉(利)
火中取栗(粟)
黄连(莲)
连(联)锁反应
锻炼(练)
训练(炼)
黄粱(梁)美梦
栋梁(粱)
潦(缭)草
寥寥(廖廖)无几
瞭(了)望
鳞(麟)次栉比
蒸馏(溜)水
流(留)芳百世
孪(挛)生
螺(罗)丝钉

M

蔓(漫)延
轻歌曼(慢)舞
贸(冒)然
笑眯眯(咪咪)
弥(迷)漫
弥(迷)天大谎
风靡(糜)
甜言蜜(密)语
沉湎(缅)酒色
一文不名(明)
温情脉脉(默默)
没(末)落
墨(默)守成规

N

恼(脑)羞成怒
掂(沾)轻怕重
唯唯诺诺(喏喏)

O

斗殴(欧)
呕(沤)心沥血
怄(呕)气

P

如法炮(泡)制
赔(陪)礼道歉
帐篷(蓬)
癖(僻)好
浮想联翩(篇)
平(凭)添
平(凭)心而论
居心叵(颇)测
前仆(扑)后继
风尘仆仆(扑扑)
一曝(爆)十寒

Q

星罗棋(旗)布
误入歧(岐)途
大器(气)晚成
气(汽)球
修葺(茸)
山清(青)水秀
青(清)山绿水
屈(曲)指可数
委曲(屈)求全
并驾齐驱(趋)
稳操胜券(卷)
一阕(阙)词
声名鹊(雀)起
望而却(怯)步

R

饶(绕)有兴趣
当仁(人)不让
水乳交融(溶)
雍容(荣)华贵
杂糅(揉)
矫揉(糅)造作
繁文缛(褥)节

S

霎(刹)时
姗姗(跚跚)来迟
礼尚(上)往来
少(稍)安毋躁
威慑(摄)
引申(伸)
延伸(申)
舍生(身)取义
革命圣(胜)地
各行其是(事)
共商国是(事)
招工启事(示)
有恃(持)无恐
首(手)屈一指

各抒(书)己见
署(暑)名
漱(嗽)口
精神矍铄(烁)
耸(怂)人听闻
追溯(朔)
鬼鬼祟祟(崇崇)
名落孙(深)山
繁琐(锁)

T

鞭挞(鞑)
糟蹋(塌)
一摊(滩)泥
袒(坦)护
煤炭(碳)
前提(题)
提(题)纲
恬(括)不知耻
字帖(贴)
出人头(投)地
走投(头)无路
如火如荼(茶)
蜕(脱)化变质

W

名门望(旺)族
任人唯(为)贤
文(纹)过饰非
趋之若鹜(骛)
魁梧(武)
好高骛(鹜)远

X

嬉(嘻)戏
安详(祥)
端详(祥)
销(消)声匿迹
元宵(霄)节
云霄(宵)
宵(霄)夜
威胁(协)
排泄(泻)
别出心(新)裁
不省(醒)人事
气势汹汹(凶凶)
锦绣(秀)河山
戊戌(戍)变法
栩栩(诩诩)如生
寒暄(喧)
宣(渲)泄
主旋(弦)律
徇(循)私

Y

赝(膺)品
集腋(掖)成裘
谒(竭)见
贻(遗)笑大方
倚(以)老卖老
不能自已(己)
神采奕奕(弈弈)
肄(肆)业
演绎(译)
心心相印(映)
荧(莹)光屏
蜂拥(涌)而出
优(忧)柔寡断
怨天尤(忧)人
滥竽(芋)充数
负隅(偶)顽抗
向隅(偶)而泣
始终不渝(逾)
源(渊)远流长
世外桃源(园)
圆明园(圆)
晕(昏)头转向
芸芸(纭纭)众生
孕(蕴)育

Z

暴躁(燥)
书札(扎)
敲诈(榨)勒索
破绽(锭)
退回赃(脏)款
层峦叠嶂(障)
明火执仗(杖)
膨胀(涨)
浅尝辄(则)止
车辙(辄)
蛰(蜇)伏
缜(慎)密
旁征(证)博引
支吾(吱唔)
仗义执(直)言

附录

附录

养殖(植)业
趾(指)高气扬
学以致(至)用
卷铁(秩)浩繁
脍炙(灸)人口

文绉绉(诌诌)
高瞻远瞩(嘱)
一炷(柱)香
惴惴(喘喘)不安
谆谆(淳淳)告诫

恣(姿)意妄为
诅(咀)咒
编纂(篡)

# 五笔字型输入法

## 编码字根键位分布图

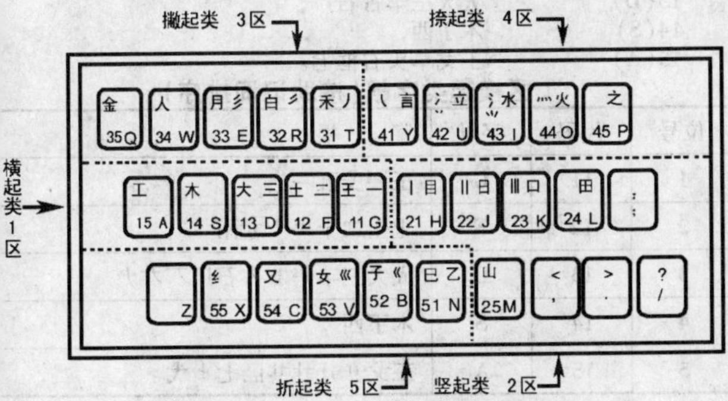


## 字根键盘的区位号、键名和笔画字根

| 区号 \ 位号 | 1 | 2 | 3 | 4 | 5 |
|---|---|---|---|---|---|
| 横 1 | G 王 一 | F 土 二 | D 大 三 | S 木 | A 工 |
| 竖 2 | H 目 丨 | J 日 刂 | K 口 川 | L 田 | M 山 |
| 撇 3 | T 禾 丿 | R 白 ㇀ | E 月 彡 | W 人 | Q 金 |
| 捺 4 | Y 言 丶 | U 立 冫 | I 水 氵 | O 火 灬 | P 之 |
| 折 5 | N 巳 乙 | B 子 《 | V 女 巛 | C 又 | X 纟 |

附录

# 字根助记词及排序

## 1 区字根的助记词

11(G) 王旁青头戋(兼)五一,
12(F) 土士二干十寸雨。
13(D) 大犬三羊古石厂,
14(S) 木丁西,
15(A) 工戈草头右框七。

### 1 区横起类字根(按助记词排序)

| 位号 | 代码 | 字母 | 字　根 |
|---|---|---|---|
| 1 | 11 | G | 王龶戋五一 |
| 2 | 12 | F | 土士二干𠂕十寸雨 |
| 3 | 13 | D | 大犬三𡗗𦍌镸古石厂𠂇ナ𠂇 |
| 4 | 14 | S | 木丁西 |
| 5 | 15 | A | 工戈艹廾廿龷匚七𠤎弋 |

## 2 区字根的助记词

21(H) 目具上止卜虎皮,
22(J) 日早两竖与虫依。
23(K) 口与川,字根稀,
24(L) 田甲方框四车力。
25(M) 山由贝,下框几。

### 2 区竖起类字根(按助记词排序)

| 位号 | 代码 | 字母 | 字　根 |
|---|---|---|---|
| 1 | 21 | H | 目且上止𣥂卜丨⺊虍⺁ |
| 2 | 22 | J | 日曰⺜早刂刂刂刂虫 |
| 3 | 23 | K | 口川川 |
| 4 | 24 | L | 田甲口四皿罒车力 |

| 位号 | 代码 | 字母 | 字　根 |
|---|---|---|---|
| 5 | 25 | M | 山由贝冂𠂉几 |

## 区字根的助记词

31(T)　　禾竹一撇双人立，
　　　　反文条头共三一。
32(R)　　白手看头三二斤，
33(E)　　月彡(衫)乃用家衣底。
34(W)　　人和八，三四里。
35(Q)　　金勺缺点无尾鱼，
　　　　犬旁留乂儿一点夕。
　　　　氏无七(妻)。

## 3 区撇起类字根(按助记词排序)

| 位号 | 代码 | 字母 | 字　根 |
|---|---|---|---|
| 1 | 31 | T | 禾(⺲)竹丿𠂉彳攵夂 |
| 2 | 32 | R | 白手扌𢀖𠂉厂𠂉斤⺁ |
| 3 | 33 | E | 月(⺼)彡⺥乃用豕(𧰨⺨)𧘇⻝丹 |
| 4 | 34 | W | 人亻八𠆢(癶) |
| 5 | 35 | Q | 金(钅)勹(𠂊)鱼犭乂儿(⺇)夕(⺊)<br>⺁ |

## 区字根的助记词

41(Y)　　言文方广在四一，
　　　　高头一捺谁人去。
42(U)　　立辛两点六门疒，
43(I)　　水旁兴头小倒立。
44(O)　　火业头，四点米，
45(P)　　之字军盖建道底，
　　　　摘礻(示)衤(衣)。

附录

4 区捺起类字根(按助记词排序)

| 位号 | 代码 | 字母 | 字根 |
|---|---|---|---|
| 1 | 41 | Y | 言讠文方广亠訁丶圭 |
| 2 | 42 | U | 立辛冫丬丷丷六门疒亣 |
| 3 | 43 | I | 水氺氵⺌⺍小(⺌)氺氺⺍ |
| 4 | 44 | O | 火业(⺌)灬米 |
| 5 | 45 | P | 之宀冖廴辶礻 |

## 5 区字根的助记词

51(N) 已半巳满不出己，
左框折尸心和羽。
52(B) 子耳了也框向上，
53(V) 女刀九臼山朝西。
54(C) 又巴马，丢矢矣，
55(X) 慈母无心弓和匕，
幼无力。

5 区折起类字根(按助记词排序)

| 位号 | 代码 | 字母 | 字根 |
|---|---|---|---|
| 1 | 51 | N | 已巳己乙尸(𠃜)心忄(⺗)羽 |
| 2 | 52 | B | 子耳阝卩(㔾)了也凵巜孑 |
| 3 | 53 | V | 女刀九臼彐巛 |
| 4 | 54 | C | 又マ巴马厶ス |
| 5 | 55 | X | 纟幺母弓匕(⺊)幺彑 |

## 末笔字型交叉识别码

| 位号 / 区号 | | 左右型 | 上下型 | 杂合型 |
|---|---|---|---|---|
| | | 1 | 2 | 3 |
| 横 | 1 | 11G | 12F | 13D |
| 竖 | 2 | 21H | 22J | 23K |
| 撇 | 3 | 31T | 32R | 33E |
| 捺 | 4 | 41Y | 42U | 43I |
| 折 | 5 | 51N | 52B | 53V |

# 国际音标简介

英语共有 48 个音素,分元音和辅音两种。元音有 20 个,分双元音和单元音两大类。单元音中,按发音部位可分为前元音、中元音、后元音;按发音时间长短可分为长元音和短元音。辅音有 28 个。按声带振动与否可分为清辅音和浊辅音两大类;按不同的发音方式可分为爆破音、摩擦音、破擦音、鼻音、舌边音、半元音。

**元音(20 个)**

[iː] [i] [æ] [e] [əː] [ə] [ɑː] [ʌ] [ɔː]
[ɔ] [uː] [u] [ai] [ei] [au] [əu] [iə]
[ɛə] [uə] [ɔi]

**辅音(28 个)**

[p] [b] [t] [d] [k] [g] [s] [z] [f] [v] [w]
[ʃ] [ʒ] [h] [j] [l] [r] [m] [n] [ŋ] [θ] [ð]
[tʃ] [dʒ] [tr] [dr] [ts] [dz]

# 国际音标发音简表

| 元音(Vowels) | | | | | |
|---|---|---|---|---|---|
| | 音标 | 例词和读音 | | 音标 | 例词和读音 |
| 前元音 | iː | see[siː] | | | |
| | i | give[giv] | | | |
| | e | ten[ten] | | | |
| | æ | back[bæk] | 双元音 | ai | five[faiv] |
| 后元音 | ɑː | calm[kɑːm] | | ei | late[leit] |
| | ʌ | up[ʌp] | | au | now[nau] |
| | ɔ | stop[stɔp] | | əu | go[gəu] |
| | ɔː | all[ɔːl] | | iə | dear[diə] |
| | u | book[buk] | | ɛə | where[wɛə,hwɛə] |
| | uː | too[tuː] | | uə | tour[tuə] |
| 中元音 | əː | bird[bəːd] | | ɔi | boy[bɔi] |
| | ə | ago[ə'gəu] | | | |

| 辅音(Consonants) | | | | | | | | |
|---|---|---|---|---|---|---|---|---|
| | 音标 | 例词和读音 | | 音标 | 例词和读音 | | 音标 | 例词和读 |
| 爆破音 | p | peace[piːs] | 摩擦音 | f | farm[fɑːm] | 破擦音 | tʃ | child[tʃaild |
| | b | boat[bəut] | | v | vase[vɑːz] | | dʒ | jeep[dʒiːp |
| | t | take[teik] | | θ | thing[θiŋ] | | tr | train[trein |
| | d | dog[dɔg] | | ð | then[ðen] | | dr | drum[drʌm |
| | k | come[kʌm] | | s | six[siks] | | ts | carts[kɑːts |
| | g | go[gəu] | | z | zoo[zuː] | | dz | birds[bəːdz |
| 鼻音 | m | my[mai] | | ʃ | ship[ʃip] | 半元音 | w | wait[weit] |
| | n | not[nɔt] | | ʒ | pleasure ['pleʒə] | | j | yes[jes] |
| | ŋ | bring[briŋ] | | h | hat[hæt] | | | |
| 舌边音 | l | life[laif] | | r | red[red] | | | |

# 英语字母

英语中的任何一个单词,从最短的不定冠词 a 到诸如 dic-nary(字典)、temperature(温度)之类较长的单词均由字母组。英语 26 个字母的名称中包含有 24 个英语的音素,占全部语音素的一半。同时,日常生活中出现了越来越多的缩略语,如 VCD、CCTV 等。准确朗读 26 个字母对学好英语无疑是至重要的。

## 字母表

| 大写 | 小写 | 读音 | 大写 | 小写 | 读音 |
|---|---|---|---|---|---|
| A | a | [ei] | N | n | [en] |
| B | b | [biː] | O | o | [əu] |
| C | c | [siː] | P | p | [piː] |
| D | d | [diː] | Q | q | [kjuː] |
| E | e | [iː] | R | r | [ɑː] |
| F | f | [ef] | S | s | [es] |
| G | g | [dʒiː] | T | t | [tiː] |
| H | h | [eitʃ] | U | u | [juː] |
| I | i | [ai] | V | v | [viː] |
| J | j | [dʒei] | W | w | [ˈdʌbljuː] |
| K | k | [kei] | X | x | [eks] |
| L | l | [el] | Y | y | [wai] |
| M | m | [em] | Z | z | [zed] |

# 我国历史朝代公元对照简表

| | | |
|---|---|---|
| 夏 | | 约前2070～前1600 |
| 商 | | 前1600～前1046 |
| 周 | 西周 | 前1046～前771 |
| | 东周<br>春秋时代<br>战国时代① | 前770～前256<br>前770～前476<br>前475～前221 |
| 秦 | | 前221～前206 |
| 汉 | 西汉② | 前206～公元23 |
| | 东汉 | 25～220 |
| 三国 | 魏 | 220～265 |
| | 蜀 | 221～263 |
| | 吴 | 222～280 |
| 西晋 | | 265～317 |
| 东晋十六国 | 东晋 | 317～420 |
| | 十六国③ | 304～439 |

| | | | |
|---|---|---|---|
| 南北朝 | 南朝 | 宋 | 420～479 |
| | | 齐 | 479～502 |
| | | 梁 | 502～557 |
| | | 陈 | 557～589 |
| | 北朝 | 北魏 | 386～534 |
| | | 东魏 | 534～550 |
| | | 北齐 | 550～577 |
| | | 西魏 | 535～556 |
| | | 北周 | 557～581 |
| 隋 | | | 581～618 |
| 唐 | | | 618～907 |
| 五代十国 | 后梁 | | 907～923 |
| | 后唐 | | 923～936 |
| | 后晋 | | 936～947 |
| | 后汉 | | 947～950 |
| | 后周 | | 951～960 |
| | 十国④ | | 902～979 |

| | | |
|---|---|---|
| 宋 | 北宋 | 960～1127 |
| | 南宋 | 1127～1279 |
| 辽 | | 916～1125⑤ |
| 西夏 | | 1038～1227 |
| 金 | | 1115～1234 |
| 元 | | 1271～1368⑥ |
| 明 | | 1368～1644 |
| 清 | | 1644～1911 |
| 中华民国 | | 1912～1949 |
| 中华人民共和国 1949 年 10 月 1 日成立 | | |

附注：

①这时期，主要有秦、魏、韩、赵、楚、燕、齐等国。

②包括王莽建立的“新”王朝（公元 8 年～23 年）。王莽时期，爆发大规模的农民起义，建立了农民政权。公元 23 年，新莽王朝灭亡。公元 25 年，东汉王朝建立。

③这时期，在我国北方和巴蜀，先后存在过一些封建割据政权，其中有：汉（前赵）、成（成汉）、前凉、后赵（魏）、前燕、前秦、后燕、后秦、西秦、后凉、南凉、北凉、南燕、西凉、北燕、夏等国，历史上叫做“十六国”。

④这时期，除后梁、后唐、后晋、后汉、后周外，还先后存在过一些封建割据政权，其中有：吴、前蜀、吴越、楚、闽、南汉、荆南(南平)、后蜀、南唐、北汉等国，历史上叫做“十国”。

⑤辽建国于公元907年，国号契丹，916年始建年号，938年(一说947年)改国号为辽，983年复称契丹，1066年仍称辽。

⑥铁木真于公元1206年建国；公元1271年忽必烈定国号为元，1279年灭南宋。

## 附：我国历史朝代顺序歌

夏商与西周，东周分两段。
春秋和战国，一统秦两汉。
三分魏蜀吴，二晋前后延。
南北朝并立，隋唐五代传。
宋元明清后，皇朝至此完。

# 我国省、自治区、特别行政区、直辖市简表

| 省、市、自治区名 | 简称（或别称） | 省会（或首府）名 | 省、市、自治区名 | 简称（或别称） | 省会（或首府）名 |
|---|---|---|---|---|---|
| 北京市 | 京 | | 湖南省 | 湘 | 长沙 |
| 天津市 | 津 | | 广东省 | 粤 | 广州 |
| 河北省 | 冀 | 石家庄 | 广西壮族自治区 | 桂 | 南宁 |
| 山西省 | 晋 | 太原 | 海南省 | 琼 | 海口 |
| 内蒙古自治区 | 蒙 | 呼和浩特 | 重庆市 | 渝 | |
| 辽宁省 | 辽 | 沈阳 | 四川省 | 川（蜀） | 成都 |
| 吉林省 | 吉 | 长春 | 贵州省 | 贵（黔） | 贵阳 |
| 黑龙江省 | 黑 | 哈尔滨 | 云南省 | 云（滇） | 昆明 |
| 上海市 | 沪（申） | | 西藏自治区 | 藏 | 拉萨 |
| 江苏省 | 苏 | 南京 | 陕西省 | 陕（秦） | 西安 |
| 浙江省 | 浙 | 杭州 | 甘肃省 | 甘（陇） | 兰州 |
| 安徽省 | 皖 | 合肥 | 青海省 | 青 | 西宁 |
| 福建省 | 闽 | 福州 | 宁夏回族自治区 | 宁 | 银川 |
| 江西省 | 赣 | 南昌 | 新疆维吾尔自治区 | 新 | 乌鲁木齐 |

| 省、市、自治区名 | 简称（或别称） | 省会（或首府）名 | 省、市、自治区名 | 简称（或别称） | 省会（或首府）名 |
|---|---|---|---|---|---|
| 山东省 | 鲁 | 济南 | 香港特别行政区 | 港 | |
| 河南省 | 豫 | 郑州 | 澳门特别行政区 | 澳 | |
| 湖北省 | 鄂 | 武汉 | 台湾省 | 台 | 台北 |

## 附：我国省级行政区简称别称歌

京津沪渝，辽吉黑，冀鲁豫，晋陕甘，
闽粤桂，川滇黔，苏浙皖，湘鄂赣，
青新宁，蒙藏琼，港澳台，好河山。

# 我国的主要山脉、河流、湖泊

## 我国的主要山脉

| 名称 | 高度 | 位置 | 备注 |
|---|---|---|---|
| 喜马拉雅山 | 平均海拔 6000 米 | 西藏自治区及巴基斯坦、印度、尼泊尔、不丹 | 主峰珠穆朗玛峰,海拔 8844.43 米 |
| 喀喇昆仑山 | 平均海拔 6000 米以上 | 新疆维吾尔自治区西南部及克什米尔东北部,东延入西藏自治区北部 | 主峰乔戈里峰海拔 8611 米 |
| 冈底斯山 | 平均海拔约 6000 米 | 西藏自治区西南部 | |
| 念青唐古拉山 | 平均海拔 4500～5000 米 | 西藏自治区 | |
| 昆仑山 | 平均海拔约 6000 米 | 新疆维吾尔自治区、西藏自治区 | 主峰慕孜塔格山,海拔 7723 米 |
| 巴颜喀拉山 | 平均海拔 5000～6000 米 | 青海省 | |

| 名称 | 高度 | 位置 | 备注 |
| --- | --- | --- | --- |
| 唐古拉山 | 海拔5000~6000米 | 西藏自治区、青海省 | |
| 天山 | 海拔3000~5000米以上 | 新疆维吾尔自治区 | 主峰之一托木尔,海拔7435米 |
| 阿尔泰山 | 海拔2000~3000米以上 | 新疆维吾尔自治区及俄罗斯西伯利亚地区 | |
| 祁连山 | 平均海拔4000米以上 | 甘肃省、青海省 | |
| 横断山脉 | 海拔2000~6000米 | 四川省、云南省、西藏自治区 | |
| 贺兰山 | 海拔2000~2500米 | 宁夏回族自治区、内蒙古自治区 | |
| 阴山 | 海拔1500~2000米 | 内蒙古自治区 | |
| 大兴安岭 | 海拔1100~1400米 | 黑龙江省 | |
| 小兴安岭 | 海拔600~1000米 | 黑龙江省 | |

附录

| 名　称 | 高　度 | 位　置 | 备　注 |
|---|---|---|---|
| 长白山 | 海拔200～2000米 | 辽宁省、吉林省及中朝边境 | 主峰白头山，海拔2744米 |
| 太行山 | 海拔1000～2000米 | 山西省、河北省 | 主峰小五台山，海拔2870米 |
| 吕梁山 | 海拔1500～2000米 | 山西省 | |
| 秦岭 | 海拔2000米以上 | 陕西省 | 主峰太白山，海拔3767米 |
| 大巴山 | 海拔2000～2500米 | 四川省、甘肃省、陕西省、湖北省 | |
| 大别山 | 平均海拔1000米左右 | 湖北省、河南省、安徽省 | |
| 武陵山 | 海拔1000米左右 | 湖南省、湖北省、贵州省 | |
| 武夷山 | 海拔1000米左右 | 江西省、福建省 | 主峰黄冈山，海拔2158米 |
| 南岭 | 海拔1000米以上 | 湖南省、江西省、广西壮族自治区、广东省 | |

附录

## 我国的主要河流

| 名称 | 长度（千米） | 流域面积（平方千米） | 流经地域 |
|---|---|---|---|
| 长江 | 6300 | 1808500 | 青海、西藏、四川、云南、重庆、湖北、湖南、江西、安徽、江苏、上海 |
| 黄河 | 5464 | 752400 | 青海、四川、甘肃、宁夏、内蒙古、陕西、山西、河南、山东 |
| 黑龙江 | 4350 | 1843000 | 内蒙古、黑龙江，蒙古、俄罗斯 |
| 珠江 | 2197 | 440000 | 云南、贵州、广西、广东、湖南、江西 |
| 汉水 | 1532 | 170000 | 陕西、湖北 |
| 淮河 | 约1000 | 187000 | 河南、湖北、安徽、江苏 |
| 松花江 | 1840 | 545600 | 吉林、黑龙江 |
| 鸭绿江 | 795 | 62000 | 吉林、辽宁，朝鲜 |
| 辽河 | 1430 | 192000 | 吉林、辽宁 |
| 澜沧江 | 4500 | | 青海、西藏、云南，缅甸、老挝、泰国、柬埔寨、越南 |
| 怒江 | 3200 | | 青海、西藏、云南，缅甸 |
| 雅鲁藏布江 | 2900 | | 西藏，印度、孟加拉 |
| 大运河 | 1794 | | 河北、天津、山东、江苏、浙江 |

附录

## 我国的主要湖泊

| 名称 | 面积(平方千米) | 位置 | 备注 |
|---|---|---|---|
| 鄱阳湖 | 5050 | 江西省北部 | 中国最大的淡水湖 |
| 洞庭湖 | 3915 | 湖南省北部 | |
| 洪泽湖 | 3780 | 江苏省北部 | |
| 太湖 | 2213 | 江苏省南部 | |
| 巢湖 | 782 | 安徽省中部 | |
| 兴凯湖 | 4380 | 黑龙江省东南部和俄罗斯边境上 | 北部属中国，南部属俄罗斯 |
| 青海湖 | 4427 | 青海省东北部 | 中国最大的咸水湖 |
| 纳木错 | 1993 | 西藏中部 | 西藏最大的内陆湖 |
| 微山湖 | 1266 | 山东省西南部 | 中国北方最大的淡水湖 |

# 世界各大洲

| 名　称 | 面　积（平方千米） | 占世界陆地面积 | 人口(亿) | 占总人口比例 |
|---|---|---|---|---|
| 亚洲(亚细亚洲) | 44000000 | 29.4% | 35.13 | 60.6% |
| 非洲（阿非利加洲） | 30200000 | 20.2% | 7.7 | 13% |
| 北美洲（北亚美利加洲） | 24228000 | 16.2% | 4.7 | 7.9% |
| 南美洲（南亚美利加洲） | 17970000 | 12% | 3.3 | 5.6% |
| 欧洲(欧罗巴洲) | 10160000 | 6.8% | 7.28 | 12.4% |
| 大洋洲及太平洋岛屿 | 8970000 | 6% | 0.3 | 0.5% |
| 南极洲 | 14051000 | 9.4% | | |

# 世界各大洋

| 名　称 | 面积（万平方千米） | 最深度(米) | 平均深度(米) |
|---|---|---|---|
| 太平洋 | 17968 | 11034 | 4028 |
| 大西洋 | 9336 | 9219 | 3627 |
| 印度洋 | 7492 | 7729 | 3897 |
| 北冰洋 | 1310 | 5449 | 1200 |

# 世界各大海

| 名　称 | 面积（平方千米） | 最深度（米） | 位　置 |
|---|---|---|---|
| 珊瑚海 | 4791000 | 9174 | 太平洋 |
| 南　海 | 3560000 | 5567 | 太平洋 |
| 白令海 | 2304000 | 4420 | 太平洋 |
| 鄂霍次克海 | 1590000 | 3521 | 太平洋 |
| 日本海 | 1060000 | 3742 | 太平洋 |
| 东　海 | 794800 | 2717 | 太平洋 |
| 加勒比海 | 2754000 | 7100 | 大西洋 |
| 地中海 | 2505000 | 4594 | 大西洋 |
| 北　海 | 575000 | 617 | 大西洋 |
| 波罗的海 | 386000 | 459 | 大西洋 |
| 黑　海 | 411000 | 2244 | 大西洋 |
| 爱尔兰海 | 103000 | 265 | 大西洋 |
| 爱琴海 | 179000 | 2524 | 大西洋 |
| 亚速海 | 38000 | 14 | 大西洋 |
| 阿拉伯海 | 3863000 | 5803 | 印度洋 |
| 安达曼海 | 602000 | 4171 | 印度洋 |
| 红　海 | 450000 | 2604 | 印度洋 |
| 巴伦支海 | 1405000 | 600 | 北冰洋 |

| 名称 | 面积(平方千米) | 最深度(米) | 位置 |
|---|---|---|---|
| 格陵兰海 | 1205000 | 4846 | 北冰洋 |
| 东西伯利亚海 | 901000 | 160 | 北冰洋 |
| 喀拉海 | 883000 | 620 | 北冰洋 |
| 拉普帖夫海 | 650000 | 2350 | 北冰洋 |
| 白海 | 90000 | 330 | 北冰洋 |

# 我国少数民族名称表

我国是统一的多民族的社会主义国家，除汉族外，有五十五个少数民族，约占全国总人口的6.7%，分布在我国总面积50%～60%的土地上。

| 民族名称 | 主要分布地区 |
| --- | --- |
| 蒙古族 | 内蒙古、辽宁、新疆、黑龙江、吉林、青海、甘肃、河北、宁夏、河南等地 |
| 回族 | 宁夏、甘肃、河南、新疆、青海、云南、河北、山东、安徽、辽宁、北京、内蒙古、天津、黑龙江、陕西、吉林、江苏、贵州等地 |
| 藏族 | 西藏及四川、青海、甘肃、云南等地 |
| 维吾尔族 | 新疆 |
| 苗族 | 贵州、云南、湖南、重庆、四川、广西、湖北等地 |
| 彝〔yí〕族 | 云南、四川、贵州等地 |
| 壮族 | 广西及云南、广东等地 |
| 布依族 | 贵州 |
| 朝鲜族 | 吉林、黑龙江、辽宁等地 |
| 满族 | 辽宁及黑龙江、吉林、河北、内蒙古、北京等地 |
| 侗〔dòng〕族 | 贵州、湖南、广西等地 |
| 瑶族 | 广西、湖南、云南、广东、贵州等地 |
| 白族 | 云南、贵州、湖南等地 |
| 土家族 | 湖北、湖南、重庆、四川、贵州等地 |

| 民族名称 | 主要分布地区 |
|---|---|
| 哈尼族 | 云南 |
| 哈萨克族 | 新疆、甘肃等地 |
| 傣〔dǎi〕族 | 云南 |
| 黎族 | 海南 |
| 傈僳〔lì sù〕族 | 云南、四川等地 |
| 佤〔wǎ〕族 | 云南 |
| 畲〔shē〕族 | 福建、浙江、江西等地 |
| 高山族 | 台湾及福建等地 |
| 拉祜族 | 云南 |
| 水族 | 贵州 |
| 东乡族 | 甘肃、新疆、宁夏等地 |
| 纳西族 | 云南 |
| 景颇族 | 云南 |
| 柯尔克孜族 | 新疆、黑龙江等地 |
| 土族 | 青海、甘肃、云南、贵州等地 |
| 达斡〔wò〕尔族 | 内蒙古、黑龙江、新疆等地 |
| 仫佬〔mù lǎo〕族 | 广西 |
| 羌〔qiāng〕族 | 四川 |
| 布朗族 | 云南 |
| 撒拉族 | 青海 |
| 毛南族 | 广西 |
| 仡佬〔gē lǎo〕族 | 贵州 |
| 锡伯族 | 辽宁、新疆、黑龙江等地 |

附录

| 民族名称 | 主要分布地区 |
| --- | --- |
| 阿昌族 | 云南 |
| 塔吉克族 | 新疆 |
| 普米族 | 云南 |
| 怒族 | 云南 |
| 乌孜别克族 | 新疆 |
| 俄罗斯族 | 新疆、黑龙江、内蒙古、辽宁、北京等地 |
| 鄂温克族 | 内蒙古和黑龙江、北京等地 |
| 德昂族(崩龙族) | 云南 |
| 保安族 | 甘肃 |
| 裕固族 | 甘肃 |
| 京族 | 广西 |
| 塔塔尔族 | 新疆 |
| 独龙族 | 云南 |
| 鄂伦春族 | 内蒙古和黑龙江等地 |
| 赫哲族 | 黑龙江 |
| 门巴族 | 西藏 |
| 珞巴族 | 西藏 |
| 基诺族 | 云南 |

# 二十四节气表

（按公元月日计算）

| | | | |
|---|---|---|---|
| 春季 | 立春<br>2月3—5日 | 雨水<br>2月18—20日 | 惊蛰<br>3月5—7日 |
| | 春分<br>3月20—22日 | 清明<br>4月4—6日 | 谷雨<br>4月19—21日 |
| 夏季 | 立夏<br>5月5—7日 | 小满<br>5月20—22日 | 芒种<br>6月5—7日 |
| | 夏至<br>6月21—22日 | 小暑<br>7月6—8日 | 大暑<br>7月22—24日 |
| 秋季 | 立秋<br>8月7—9日 | 处暑<br>8月22—24日 | 白露<br>9月7—9日 |
| | 秋分<br>9月22—24日 | 寒露<br>10月8—9日 | 霜降<br>10月23—24日 |
| 冬季 | 立冬<br>11月7—8日 | 小雪<br>11月22—23日 | 大雪<br>12月6—8日 |
| | 冬至<br>12月21—23日 | 小寒<br>1月5—7日 | 大寒<br>1月20—21日 |

## 附：二十四节气歌

春雨惊春清谷天，　夏满芒夏暑相连，
秋处露秋寒霜降，　冬雪雪冬小大寒。
每月两节不变更，　最多相差一两天，
上半年来六、廿一，　下半年是八、廿三。

# 中外重要节日简表

| 节名 | 时间 | 说明 |
| --- | --- | --- |
| 元旦 | 公历1月1日 | 原在农历正月的第一天，中华人民共和国成立后改以公元纪年，便以公历1月1日为"元旦"，农历正月初一为"春节"。 |
| 春节 | 农历正月初一 | 又名"农历新年"，是中国最主要的传统节日。有拜年的习俗，长辈会给孩子封红包。又有舞狮、放爆竹、贴门神及挥春等活动，以示驱邪求福。 |
| 元宵节 | 农历正月十五 | 也叫"元夜"、"元夕"、"上元"、"灯节"。 |
| 国际妇女节 | 公历3月8日 | 也叫"三八节"、"妇女节"。1910年8月在丹麦召开的第二次国际社会主义妇女代表会上确定。 |
| 清明节 | 公历4月5日前后 | 二十四节气之一。有插柳及扫墓的风俗。人们在这日对死去的亲人表示思念及尊敬。 |
| 复活节 | 公历3月21日至4月25日之间 | 基督教纪念耶稣复活的节日。公元325年在尼西亚会议上决定。 |
| 国际劳动节 | 公历5月1日 | 也叫"劳动节"。1889年7月在巴黎召开的第二国际成立大会上决定。 |

| 节名 | 时间 | 说明 |
|---|---|---|
| 五四青年节 | 公历5月4日 | 为纪念1919年5月4日中国学生爱国运动而设立的节日。 |
| 母亲节 | 公历5月的第二个星期日 | 原为美国的节日。 |
| 端午节 | 农历五月初五 | 也叫“端阳节”。相传为纪念爱国诗人屈原投江殉国。有赛龙舟及吃粽子的习俗。 |
| 国际儿童节 | 公历6月1日 | 也叫“儿童节”。1949年11月在国际民主妇女联会莫斯科会议上决定。 |
| 父亲节 | 公历6月的第三个星期日 | 原为美国的节日。 |
| 七一建党节 | 公历7月1日 | 中国共产党成立纪念日。 |
| 乞巧节 | 农历七月初七 | 也叫“乞巧节”、“七夕”、“女儿节”。相传是牛郎织女鹊桥相会之期。 |
| 八一建军节 | 公历8月1日 | 中国人民解放军建军纪念日。 |
| 中秋节 | 农历八月十五日 | 也叫“八月半”。这夜月圆如镜,象征团圆。有吃月饼、玩灯笼和赏月的习俗。民间亦流传不少有关嫦娥的神话故事。 |

附录

| 节名 | 时间 | 说明 |
| --- | --- | --- |
| 重阳节 | 农历九月初九 | 也叫“重九节”、“菊花节”。相传古人桓景于当日带家人登山避难。古人有登高、插茱萸、赏菊及饮菊酒的习俗,其中登高仍保留至今。 |
| 教师节 | 公历9月10日 | 1985年1月21日,全国人大委员会作出决议,将每年的9月10日定为我国的教师节。 |
| 国庆节 | 公历10月1日 | 1949年10月1日,毛泽东代表中央政府宣布中华人民共和国成立。现为开国纪念日。 |
| 感恩节 | 公历11月的第4个星期四 | 由华盛顿、林肯决定的美国全国性民俗节日,主要为丰收而感谢上帝恩惠。 |
| 圣诞节 | 今多定于公历12月25日 | 也叫“主降生节”,基督教纪念耶稣为世人而诞生的日子。今已流传为世界性民俗节日。 |
| 除夕 | 农历年的最后一天 | 也叫“除夜”、“年夜”、“大年夜”、“年三十晚”。全家人会在此日庆团圆,一同吃年夜饭。 |

# 八荣八耻

以热爱祖国为荣，以危害祖国为耻。

以服务人民为荣，以背离人民为耻。

以崇尚科学为荣，以愚昧无知为耻。

以辛勤劳动为荣，以好逸恶劳为耻。

以团结互助为荣，以损人利己为耻。

以诚实守信为荣，以见利忘义为耻。

以遵纪守法为荣，以违法乱纪为耻。

以艰苦奋斗为荣，以骄奢淫逸为耻。

# 小学生日常行为规范(修订)

1. 尊敬国旗、国徽,会唱国歌,升降国旗、奏唱国歌时立、脱帽、行注目礼,少先队员行队礼。

2. 尊敬父母,关心父母身体健康,主动为家庭做力所能的事。听从父母和长辈的教导,外出或回到家要主动打招呼

3. 尊敬老师,见面行礼,主动问好,接受老师的教导,与师交流。

4. 尊老爱幼,平等待人。同学之间友好相处,互相关心互相帮助。不欺负弱小,不讥笑、戏弄他人。尊重残疾人。重他人的民族习惯。

5. 待人有礼貌,说话文明,讲普通话,会用礼貌用语。骂人,不打架。到他人房间先敲门,经允许再进入,不随意动别人的物品,不打扰别人的工作、学习和休息。

6. 诚实守信,不说谎话,知错就改,不随意拿别人的东西借东西及时归还,答应别人的事努力做到,做不到时表示意。考试不作弊。

7. 虚心学习别人的长处和优点,不嫉妒别人。遇到挫和失败不灰心,不气馁,遇到困难努力克服。

8. 爱惜粮食和学习、生活用品。节约水电,不比吃穿,乱花钱。

9. 衣着整洁,经常洗澡,勤剪指甲,勤洗头,早晚刷牙,饭便后要洗手。自己能做的事自己做,衣物用品摆放整齐,学收拾房间、洗衣服、洗餐具等家务劳动。

10. 按时上学,不迟到,不早退,不逃学,有病有事要请假,学后按时回家。参加活动守时,不能参加事先请假。

11. 课前准备好学习用品,上课专心听讲,积极思考,大胆问,回答问题声音清楚,不随意打断他人发言。课间活动有序。

12. 课前预习,课后认真复习,按时完成作业,书写工整,面整洁。

13. 坚持锻炼身体,认真做广播体操和眼保健操,坐、立、、读书、写字姿势正确。积极参加有益的文体活动。

14. 认真做值日,保持教室、校园整洁。保护环境,爱护花树木、庄稼和有益动物,不随地吐痰,不乱扔果皮纸屑等废物。

15. 爱护公物,不在课桌椅、建筑物和文物古迹上涂抹刻。损坏公物要赔偿。拾到东西归还失主或交公。

16. 积极参加集体活动,认真完成集体交给的任务,少先员服从队的决议,不做有损集体荣誉的事,集体成员之间相尊重,学会合作。积极参加学校组织的各种劳动和社会实活动,多观察,勤动手。

17. 遵守交通法规,过马路走人行横道,不乱穿马路,不在公路、铁路、码头玩耍和追逐打闹。

18. 遵守公共秩序，在公共场所不拥挤，不喧哗，礼让人。乘公共车、船等主动购票，主动给老幼病残孕让座。不法律禁止的事。

19. 珍爱生命，注意安全，防火、防溺水、防触电、防盗、中毒，不做有危险的游戏。

20. 阅读、观看健康有益的图书、报刊、音像和网上信息收听、收看内容健康的广播电视节目。不吸烟、不喝酒、不博，远离毒品，不参加封建迷信活动，不进入网吧等未成年不宜入内的场所。敢于斗争，遇到坏人坏事主动报告。

# 三字经(节选)

[宋]王应麟撰

之初
本善
相近
相远
不教
乃迁
之道
以专
孟母
邻处
不学
机杼
燕山
义方
五子
俱扬
不教
之过
不严
之惰
不学
所宜

幼不学
老何为
玉不琢
不成器
人不学
不知义
为人子
方少时
亲师友
习礼仪
香九龄
能温席
孝于亲
所当执
融四岁
能让梨
弟于长
宜先知
首孝悌
次见闻
知某数
识某文

一而十
十而百
百而千
千而万
三才者
天地人
三光者
日月星
三纲者
君臣义
父子亲
夫妇顺
曰春夏
曰秋冬
此四时
运不穷
曰南北
曰西东
此四方
应乎中
曰水火
木金土

此五行
本乎数
十干者
甲至癸
十二支
子至亥
曰黄道
日所躔
曰赤道
当中权
赤道下
温暖极
我中华
在东北
曰江河
曰淮济
此四渎
水之纪
曰岱华
嵩恒衡
此五岳
山之名

附录

曰士农
曰工商
此四民
国之良
曰仁义
礼智信
此五常
不容紊
稻粱菽
麦黍稷
此六谷
人所食
马牛羊
鸡犬豕
此六畜
人所饲
曰喜怒
曰哀惧
爱恶欲
七情具
青赤黄
乃黑白
此五色
目所识
酸苦甘
及辛咸
此五味
口所含
膻焦香
乃腥朽
此五臭
鼻所嗅
宫商角
及徵羽
此五音
耳听取
匏土革
木石金
丝与竹
乃八音
曰平上
曰去入
此四声
宜调叶
九族者
序宗亲
高曾祖
父而身
身而子
子而孙
自子孙
至玄曾
五伦者
始夫妇
父子先
君臣后
次兄弟
及朋友
当顺叙
勿违负
有伯叔
有舅甥
婿归翁
三党名
斩齐衰
大小功
至缌麻
五服终
凡训蒙
须讲究
详训诂
明句读
礼乐射
御书数
古文艺
今不具
惟书学
人共遵
既识字
讲说文
有古文
大小篆
隶草继
不可乱
若广学
惧其繁
但略说
能知原
为学者
必有初
《小学》终
至“四书”
《论语》者
二十篇
群弟子
记善言
《孟子》者
七篇止
辩王霸
说仁义
作《中庸》
子思笔
中不偏
庸不易
作《大学》
学之程
自修齐
至治平
此二篇
在《礼记》
今单行
本元晦

| | | | |
|---|---|---|---|
| 经》通 | 大小戴 | 古九流 | 汤伐夏 |
| 书"熟 | 集礼记 | 多亡佚 | 国号商 |
| 六经 | 述圣言 | 取五种 | 六百载 |
| 可读 | 礼法备 | 修文质 | 至纣亡 |
| 经者 | 王迹息 | 五子者 | 周武王 |
| 儒术 | 春秋作 | 有荀扬 | 始诛纣 |
| 周作 | 寓褒贬 | 文中子 | 八百载 |
| 子述 | 别善恶 | 及老庄 | 最长久 |
| 诗书 | 三传者 | 经子通 | 周共和 |
| 春秋 | 有公羊 | 读诸史 | 始纪年 |
| 经亡 | 有左氏 | 考世系 | 历宣幽 |
| 可求 | 有谷梁 | 知终始 | 遂东迁 |
| 连山 | 尔雅者 | 自羲农 | 周道衰 |
| 归藏 | 善辩言 | 至黄帝 | 王纲坠 |
| 周易 | 求经训 | 并顼喾 | 逞干戈 |
| 易详 | 此莫先 | 在上世 | 尚游说 |
| 典谟 | 注疏备 | 尧舜兴 | 始春秋 |
| 训诰 | 十三经 | 禅尊位 | 终战国 |
| 誓命 | 惟大戴 | 号唐虞 | 五霸强 |
| 之奥 | 疏未成 | 为二帝 | 七雄出 |
| 国风 | 左传外 | 夏有禹 | 嬴秦氏 |
| 雅颂 | 有国语 | 商有汤 | 始兼并 |
| 四诗 | 合群经 | 周文武 | 传二世 |
| 讽诵 | 数十五 | 称三王 | 楚汉争 |
| 礼者 | 经既明 | 夏传子 | 高祖兴 |
| 六官 | 方读子 | 家天下 | 汉业建 |
| 礼者 | 撮其要 | 四百载 | 至孝平 |
| 七篇 | 记其事 | 迁夏社 | 王莽篡 |

光武兴
为东汉
四百年
终于献
魏蜀吴
争汉鼎
号三国
迄两晋
宋齐继
梁陈承
为南朝
都金陵
北元魏
分东西
宇文周
与高齐
迨至隋
一土宇
不再传
失统绪
唐高祖
起义师
除隋乱
创国基
二十传
三百载
梁灭之
国乃改

梁唐晋
及汉周
称五代
皆有由
赵宋兴
受周禅
十八传
南北混
辽与金
皆夷裔
元灭金
绝宋世
莅中国
兼戎狄
九十年
返沙碛
太祖兴
称太明
纪洪武
都金陵
迨成祖
迁宛平
十七世
至崇祯
权阉肆
流寇起
自成入
神器毁

清太祖
兴辽东
金之后
受明封
至世祖
乃大同
十二世
清祚终
凡正史
廿四部
益以清
成廿成
史虽繁
读有次
史记一
汉书二
后汉三
国志四
此四史
最精致
先四史
兼证经
考通鉴
约而精
历代事
全在兹
载治乱
知兴衰

读史者
考实录
通古今
若亲目
汉贾董
及许郑
皆经师
能述圣
宋周程
张朱陆
明王氏
皆道学
屈原赋
本风人
逮邹枚
暨卿云
韩与柳
并文雄
李若杜
为诗宗
凡学者
宜兼通
翼圣教
振民风
口而诵
心而惟
朝于斯
夕于斯

尼
橐
圣贤
勤学
令
鲁论
既仕
且勤
蒲编
竹简
无书
知勉
悬梁
刺股
不教
勤苦
囊萤
映雪
虽贫
不辍
负薪
挂角

身虽劳
犹苦卓
苏明允
二十七
始发愤
读书籍
彼既老
犹悔迟
尔小生
宜早思
若荀卿
年五十
游稷下
习儒业
彼既成
众称异
尔小生
宜立志
莹八岁
能咏诗
泌七岁
能赋棋

彼颖悟
人称奇
尔幼学
当效之
蔡文姬
能辨琴
谢道韫
能咏吟
彼女子
且聪明
尔男子
当自警
唐刘晏
方七岁
举神童
作正字
彼虽幼
身已仕
尔幼学
勉而致
犬守夜
鸡司晨

苟不学
曷为人
蚕吐丝
蜂酿蜜
人不学
不如物
幼习业
壮致身
上匡国
下利民
扬名声
显父母
光于前
裕于后
人遗子
金满籯
我教子
惟一经
勤有功
戏无益
戒之哉
宜勉力

附录

# 百家姓

## [清]增广定型本

赵钱孙李
周吴郑王
冯陈褚卫
蒋沈韩杨
朱秦尤许
何吕施张
孔曹严华
金魏陶姜
戚谢邹喻
柏水窦章
云苏潘葛
奚范彭郎
鲁韦昌马
苗凤花方
俞任袁柳
酆鲍史唐
费廉岑薛
雷贺倪汤
滕殷罗毕
郝邬安常
乐于时傅
皮卞齐康

伍余元卜
顾孟平黄
和穆萧尹
姚邵湛汪
祁毛禹狄
米贝明臧
计伏成戴
谈宋茅庞
熊纪舒屈
项祝董梁
杜阮蓝闵
席季麻强
贾路娄危
江童颜郭
梅盛林刁
钟徐邱骆
高夏蔡田
樊胡凌霍
虞万支柯
昝管卢莫
经房裘缪
干解应宗

丁宣贲邓
郁单杭洪
包诸左石
崔吉钮龚
程嵇邢滑
裴陆荣翁
荀羊於惠
甄曲家封
芮羿储靳
汲邴糜松
井段富巫
乌焦巴弓
牧隗山谷
车侯宓蓬
全郗班仰
秋仲伊宫
宁仇栾暴
甘钭厉戎
祖武符刘
景詹束龙
叶幸司韶
郜黎蓟薄

印宿白怀
蒲邰从鄂
索咸籍赖
卓蔺屠蒙
池乔阴郁
胥能苍双
闻莘党翟
谭贡劳逢
姬申扶堵
冉宰郦雍
郤璩桑桂
濮牛寿通
边扈燕冀
郏浦尚农
温别庄晏
柴瞿阎充
慕连茹习
宦艾鱼容
向古易慎
戈廖庾终
暨居衡步
都耿满弘

| | | | |
|---|---|---|---|
| 国文寇 | 万俟司马 | 鲜于闾丘 | 呼延归海 |
| 禄阙东 | 上官欧阳 | 司徒司空 | 羊舌微生 |
| 殳沃利 | 夏侯诸葛 | 亓官司寇 | 岳帅缑亢 |
| 越夔隆 | 闻人东方 | 仉督子车 | 况后有琴 |
| 巩厍聂 | 赫连皇甫 | 颛孙端木 | 梁丘左丘 |
| 勾敖融 | 尉迟公羊 | 巫马公西 | 东门西门 |
| 訾辛阚 | 澹台公冶 | 漆雕乐正 | 商牟佘佴 |
| 简饶空 | 宗政濮阳 | 壤驷公良 | 伯赏南宫 |
| 母沙乜 | 淳于单于 | 拓拔夹谷 | 墨哈谯笪 |
| 鞠须丰 | 太叔申屠 | 宰父谷梁 | 年爱阳佟 |
| 关蒯相 | 公孙仲孙 | 晋楚阎法 | 第五言福 |
| 后荆红 | 轩辕令狐 | 汝鄢涂钦 | 百家姓终 |
| 竺权逯 | 钟离宇文 | 段干百里 | |
| 益桓公 | 长孙慕容 | 东郭南门 | |

# 千字文

[五代·后梁]周兴嗣撰

天地玄黄，宇宙洪荒。
日月盈昃，辰宿列张。
寒来暑往，秋收冬藏。
闰余成岁，律吕调阳。
云腾致雨，露结为霜。
金生丽水，玉出昆冈。
剑号巨阙，珠称夜光。
果珍李柰，菜重芥姜。
海咸河淡，鳞潜羽翔。
龙师火帝，鸟官人皇。
始制文字，乃服衣裳。
推位让国，有虞陶唐。
吊民伐罪，周发殷汤。
坐朝问道，垂拱平章。
爱育黎首，臣伏戎羌。
遐迩一体，率宾归王。
鸣凤在竹，白驹食场。
化被草木，赖及万方。
盖此身发，四大五常。
恭惟鞠养，岂敢毁伤。
女慕贞洁，男效才良。
知过必改，得能莫忘。
罔谈彼短，靡恃己长。
信使可覆，器欲难量。
墨悲丝染，诗赞羔羊。
景行维贤，克念作圣。
德建名立，形端表正。
空谷传声，虚堂习听。
祸因恶积，福缘善庆。
尺璧非宝，寸阴是竞。
资父事君，曰严与敬。
孝当竭力，忠则尽命。
临深履薄，夙兴温凊。
似兰斯馨，如松之盛。
川流不息，渊澄取映。
容止若思，言辞安定。
笃初诚美，慎终宜令。
荣业所基，籍甚无竟。
学优登仕，摄职从政。
存以甘棠，去而益咏。
乐殊贵贱，礼别尊卑。
上和下睦，夫唱妇随。
外受傅训，入奉母仪。
诸姑伯叔，犹子比儿。

怀兄弟,同气连枝。
友投分,切磨箴规。
慈隐恻,造次弗离。
义廉退,颠沛匪亏。
静情逸,心动神疲。
真志满,逐物意移。
持雅操,好爵自縻。
邑华夏,东西二京。
邙面洛,浮渭据泾。
殿盘郁,楼观飞惊。
写禽兽,画彩仙灵。
舍旁启,甲帐对楹。
筵设席,鼓瑟吹笙。
阶纳陛,弁转疑星。
通广内,左达承明。
集坟典,亦聚群英。
稿钟隶,漆书壁经。
罗将相,路侠槐卿。
封八县,家给千兵。
冠陪辇,驱毂振缨。
禄侈富,车驾肥轻。
功茂实,勒碑刻铭。
溪伊尹,佐时阿衡。
宅曲阜,微旦孰营。
公匡合,济弱扶倾。
回汉惠,说感武丁。
乂密勿,多士寔宁。
楚更霸,赵魏困横。

假途灭虢,践土会盟。
何遵约法,韩弊烦刑。
起翦颇牧,用军最精。
宣威沙漠,驰誉丹青。
九州禹迹,百郡秦并。
岳宗泰岱,禅主云亭。
雁门紫塞,鸡田赤诚。
昆池碣石,巨野洞庭。
旷远绵邈,岩岫杳冥。
治本于农,务兹稼穑。
俶载南亩,我艺黍稷。
税熟贡新,劝赏黜陟。
孟轲敦素,史鱼秉直。
庶几中庸,劳谦谨敕。
聆音察理,鉴貌辨色。
贻厥嘉猷,勉其祗植。
省躬讥诫,宠增抗极。
殆辱近耻,林皋幸即。
两疏见机,解组谁逼。
索居闲处,沉默寂寥。
求古寻论,散虑逍遥。
欣奏累遣,戚谢欢招。
渠荷的历,园莽抽条。
枇杷晚翠,梧桐蚤凋。
陈根委翳,落叶飘摇。
游鹍独运,凌摩绛霄。
耽读玩市,寓目囊箱。
易輶攸畏,属耳垣墙。

具膳餐饭，适口充肠。
饱饫烹宰，饥厌糟糠。
亲戚故旧，老少异粮。
妾御绩纺，侍巾帷房。
纨扇圆絜，银烛炜煌。
昼眠夕寐，篮笋象床。
弦歌酒宴，接杯举觞。
矫手顿足，悦豫且康。
嫡后嗣续，祭祀烝尝。
稽颡再拜，悚惧恐惶。
笺牒简要，顾答审详。
骸垢想浴，执热愿凉。
驴骡犊特，骇跃超骧。
诛斩贼盗，捕获叛亡。
布射僚丸，嵇琴阮啸。
恬笔伦纸，钧巧任钓。
释纷利俗，并皆佳妙。
毛施淑姿，工颦妍笑。
年矢每催，曦晖朗曜。
璇玑悬斡，晦魄环照。
指薪修祜，永绥吉劭。
矩步引领，俯仰廊庙。
束带矜庄，徘徊瞻眺。
孤陋寡闻，愚蒙等诮。
谓语助者，焉哉乎也。

# 小学生必背古诗词80首



## bié dǒng dà
## 别董大

gāo shì
[唐]高适

qiān lǐ huáng yún bái rì xūn
千里黄云白日曛，

běi fēng chuī yàn xuě fēn fēn
北风吹雁雪纷纷。

mò chóu qián lù wú zhī jǐ
莫愁前路无知己，

tiān xià shuí rén bù shí jūn
天下谁人不识君？

**【译文】**

这千里的黄云将太阳遮得同黄昏一样昏暗，
北风呼啸，大雁南飞，雪花纷飞。
你不用担心前方没有能谈得来的好朋友，
这世上哪有不认识你的呢？

**【赏析】**

这是一首送别诗，诗人在送别时不但表达了离别之情，而且劝慰友人，情感直率而亲切，使人感到格外温暖。

bó chuán guā zhōu
# 泊船瓜洲

wáng ān shí
［宋］王安石

jīng kǒu guā zhōu yì shuǐ jiān
京口瓜洲一水间，
zhōng shān zhǐ gé shù chóng shān
钟山只隔数重山。
chūn fēng yòu lǜ jiāng nán àn
春风又绿江南岸，
míng yuè hé shí zhào wǒ huán
明月何时照我还。

**【译文】**

京口和瓜洲隔江遥遥相望，
而和钟山也只相隔几座山。
春风又一次把长江南岸吹绿了，
这明月什么时候能照着我回到家乡呢？

**【赏析】**

这首广为传诵的抒情小诗，写于 1075 年初，当时王安石接到皇帝的命令，第二次要他担任宰相，他即乘船从京口渡江到瓜洲。此诗抒发的是他上京赴任途中到达瓜洲时的心情。

# cháng gē xíng
# 长 歌 行

hàn yuè fǔ
汉 乐 府

qīng qīng yuán zhōng kuí
青 青 园 中 葵，

zhāo lù dài rì xī
朝 露 待 日 晞，

yáng chūn bù dé zé
阳 春 布 德 泽，

wàn wù shēng guāng huī
万 物 生 光 辉。

cháng kǒng qiū jié zhì
常 恐 秋 节 至，

kūn huáng huá yè shuāi
焜 黄 华 叶 衰；

bǎi chuān dōng dào hǎi
百 川 东 到 海，

hé shí fù xī guī
何 时 复 西 归？

shào zhuàng bù nǔ lì
少 壮 不 努 力，
lǎo dà tú shāng bēi
老 大 徒 伤 悲！

【译文】

花园中翠绿的葵花，
期待着早晨露水的滋润和阳光的照耀。
温暖的春天把阳光雨露带给大地，
世界上万物生长，光彩照人。
害怕秋天来得太早，
花草树木凋谢枯黄。
所有的河流向东流入大海，
却不知什么时候才能向西倒流。
年少时不知道努力，
等到老了才感叹时间过得太快。

【赏析】

这是一首汉乐府民歌，从园中葵花说起，说到万物生长，再用水流到海不复回打比方，说明光阴如流水，一去不再回。希望发愤努力，不要荒废青春。

chí shàng èr jué qí èr
## 池上二绝(其二)

bái jū yì
[唐]白居易

xiǎo wá chēng xiǎo tǐng
小娃撑小艇,
tōu cǎi bái lián huí
偷采白莲回。
bù jiě cáng zōng jì
不解藏踪迹,
fú píng yí dào kāi
浮萍一道开。

**【译文】**

小娃娃独自撑着一艘小船儿,
偷偷地划到荷塘中,摘回许多白莲蓬。
高兴得不知道隐藏自己的身影,
重叠的浮萍被他的小船冲开了一道波痕。

**【赏析】**

这是一首描写儿童生活的诗。诗人以他特有的通俗笔触将诗中的小娃描写得非常可爱、可亲、可信。整首诗如同大白话,但极富韵味,令人读后忍俊不禁。

附录

# chì lè gē
# 敕勒歌

běi cháo mín gē
北朝民歌

chì lè chuān
敕勒川，

yīn shān xià
阴山下。

tiān sì qióng lú
天似穹庐，

lǒng gài sì yě
笼盖四野。

tiān cāng cāng
天苍苍，

yě máng máng
野茫茫，

fēng chuī cǎo dī xiàn niú yáng
风吹草低见牛羊。

【译文】
美丽富饶的敕勒大草原啊，
铺展在阴山脚下多么宽广。
天空像一顶巨大的圆帐篷，
笼罩着大草原的四面八方。
啊！蓝蓝的天空广阔无边，
辽阔的草原绿茫茫，
风儿吹过草低伏，
哦，现出了一群群肥壮的牛羊。

【赏析】

这首民歌反映的是阴山一带祖国山川的壮丽景色和敕勒族的游牧生活，意境开阔，感情真挚，呈现出一幅辽阔、富饶而壮美的草原画卷。

chūn xiǎo
## 春晓

mèng hào rán
［唐］孟浩然

chūn mián bù jué xiǎo
春眠不觉晓，

chù chù wén tí niǎo
处处闻啼鸟。

yè lái fēng yǔ shēng
夜来风雨声，

huā luò zhī duō shǎo
花落知多少？

【译文】

令人酣睡的春夜不知不觉已到天亮，
耳畔四处都可以听到鸟儿的鸣唱。
依稀记起昨夜里淅淅沥沥的风雨声，
不知道又会有多少花被吹落地上。

【赏析】

这首诗描写了一夜风雨后的春日清晨，表现了诗人悠闲的生活情趣。

附录

# chūn yè xǐ yǔ
# 春夜喜雨

dù fǔ
[唐]杜甫

hǎo yǔ zhī shí jié
好雨知时节，

dāng chūn nǎi fā shēng
当春乃发生。

suí fēng qián rù yè
随风潜入夜，

rùn wù xì wú shēng
润物细无声。

yě jìng yún jù hēi
野径云俱黑，

jiāng chuán huǒ dú míng
江船火独明。

xiǎo kàn hóng shī chù
晓看红湿处，

huā zhòng jǐn guān chéng
花重锦官城。

**【译文】**

春雨好像知道时节需要似的，
到了春天，它就自然地应时而降。
随着风儿在夜里悄悄飘洒，
无声地滋润着万物。
原野的小路上空被乌云遮得一片漆黑，
只有那江面小船上的灯火在独自亮着。

清晨起来观看细雨后的春花，
沉甸甸的花枝已经开遍锦官城。

【赏析】

这首诗是说在一个春天的夜里，诗人对春雨的到来感到欢喜。全诗没有一个“喜”字，但句句都洋溢着喜悦之情，描写非常生动形象，好似一幅绝妙的春雨图。

cóng jūn xíng
## 从军行

wáng chāng líng
［唐］王昌龄

qīng hǎi cháng yún àn xuě shān
青海长云暗雪山，

gū chéng yáo wàng yù mén guān
孤城遥望玉门关。

huáng shā bǎi zhàn chuān jīn jiǎ
黄沙百战穿金甲，

bù pò lóu lán zhōng bù huán
不破楼兰终不还。

【译文】

青海湖上空的乌云使雪山变得阴暗，
从这座孤独的城池可以远远望见玉门关。
在沙漠上久经征战的铠甲被磨穿了，
但是不打败敌军决不返回。

【赏析】

这首诗描写了守边将士在艰苦环境中的英勇顽强，表现他们坚持战斗，直到胜利的坚定决心。

附录

## cūn jū
## 村 居

gāo dǐng
［清］高 鼎

cǎo zhǎng yīng fēi èr yuè tiān
草 长 莺 飞 二 月 天，

fú dī yáng liǔ zuì chūn yān
拂 堤 杨 柳 醉 春 烟。

ér tóng sàn xué guī lái zǎo
儿 童 散 学 归 来 早，

máng chèn dōng fēng fàng zhǐ yuān
忙 趁 东 风 放 纸 鸢。

**【译文】**

江南的二月正是草木繁茂黄莺飞舞的季节，
拂堤的杨柳陶醉在春风中。
儿童们放学后都急急忙忙地跑回家，
争先恐后地趁着东风放起了风筝。

**【赏析】**

这首诗情景交融，既写出了江南农村春光明媚的景象，也充满了孩童愉快的生活气息。整首诗将春日的情致描绘得非常美，有人有景，有情有趣，有静有动，是清代儿童诗篇中的佳作。

## dēng guàn què lóu
## 登 鹳 雀 楼

wáng zhī huàn
[唐] 王 之 涣

bái rì yī shān jìn
白 日 依 山 尽，

huáng hé rù hǎi liú
黄 河 入 海 流。

yù qióng qiān lǐ mù
欲 穷 千 里 目，

gèng shàng yì céng lóu
更 上 一 层 楼。

【译文】

夕阳挨着群山落下去了，
滚滚的黄河水流入了大海。
如果想要看得更远，
那就再登上一层楼。

【赏析】

这首诗写日落黄昏之时，诗人登上鹳雀楼，极目四望：夕阳落山，黄河入海。诗人向人们展示了一幅雄伟壮丽的图画，表现了豪迈开阔的胸襟。

# 独坐敬亭山
dú zuò jìng tíng shān

[唐]李白
lǐ bái

zhòng niǎo gāo fēi jìn
众鸟高飞尽，

gū yún dú qù xián
孤云独去闲。

xiāng kàn liǎng bú yàn
相看两不厌，

zhǐ yǒu jìng tíng shān
只有敬亭山。

**【译文】**

林中所有的鸟儿都已高高地飞去了，
一片白云独自悠闲地飘走。
此时此刻和我相互久久凝视而不厌倦的，
只有眼前这座敬亭山了。

**【赏析】**

这首诗是李白被排挤出朝廷，居于安徽时写下的。这时的诗人心情比较苦闷，看到山中的美景，心灵获得了暂时的宁静，于是便发出了"相看两不厌，只有敬亭山"的感叹。

fēng
# 风

lǐ qiáo
[唐]李峤

jiě luò sān qiū yè
解落三秋叶，

néng kāi èr yuè huā
能开二月花。

guò jiāng qiān chǐ làng
过江千尺浪，

rù zhú wàn gān xié
入竹万竿斜。

**【译文】**

它吹落了秋天的树叶，
它吹开了春天二月的花朵。
吹过江河时它能掀起千尺浪涛，
进入竹林中它能将所有枝竿吹斜。

**【赏析】**

这是一首借物咏怀的诗，描写的是自然景象中的风。诗人以风喻人，托物言志，着意赞美风不分四季、不惧任何艰难险阻，不辞辛劳地奏响着大自然的雄浑乐章，这种高尚的风格和勤奋的精神，不正是有为之士的写照吗？

附
录

fēng qiáo yè bó
# 枫桥夜泊

zhāng jì
［唐］张 继

yuè luò wū tí shuāng mǎn tiān
月 落 乌 啼 霜 满 天，
jiāng fēng yú huǒ duì chóu mián
江 枫 渔 火 对 愁 眠。
gū sū chéng wài hán shān sì
姑 苏 城 外 寒 山 寺，
yè bàn zhōng shēng dào kè chuán
夜 半 钟 声 到 客 船。

**【译文】**

月儿西沉乌鸦啼叫寒霜满天，
面对着江枫渔火更愁烦难眠。
姑苏城外著名的寒山寺院里，
半夜里悠扬钟声飘送到客船。

**【赏析】**

这是唐代诗人张继写的一首脍炙人口的山水诗名作。诗中通过色彩鲜明的景物描写，抒发客旅的愁怀，营造了幽深的意境。远景有霜天、残月与树鸦、山寺相衬，近景有江枫、渔火与泊船、客旅“对愁”，突出地渲染了一种清冷孤寂的气氛，而且寂静的氛围幽静浓烈，扣人心弦。该诗是情景交融之古典诗歌的佼佼者，所以被誉为千古绝唱。

fēng

# 蜂

luó yǐn

［唐］罗　隐

bú lùn píng dì yǔ shān jiān

不论平地与山尖，

wú xiàn fēng guāng jìn bèi zhàn

无限风光尽被占。

cǎi dé bǎi huā chéng mì hòu

采得百花成蜜后，

wèi shuí xīn kǔ wèi shuí tián

为谁辛苦为谁甜？

**【译文】**

不管是平原田野还是群山密林，
凡是鲜花盛开之处都被它占据。
辛勤采集百花酿成甜甜的蜂蜜，
究竟为谁能得甜蜜而自甘辛苦？

**【赏析】**

小蜜蜂为酿蜜而劳苦一生，积累多享受少。诗人着眼于此，轻轻说出了一个深刻的人生感喟。诗人在诗里寄寓了辛苦归自己、甜蜜给别人的高尚品格。全诗抓住小蜜蜂的特点，不做作，不雕饰，不用华丽词句，平淡中见深意，是一首影响很大的寓言诗。

féng xuě sù fú róng shān zhǔ rén

## 逢雪宿芙蓉山主人

liú cháng qīng

［唐］刘长卿

rì mù cāng shān yuǎn
日暮苍山远，

tiān hán bái wū pín
天寒白屋贫。

chái mén wén quǎn fèi
柴门闻犬吠，

fēng xuě yè guī rén
风雪夜归人。

**【译文】**

临近傍晚，使人更觉青山遥远，
天气寒冷，雪中的茅屋更显得贫寒。
敲响柴门，引起阵阵狗叫，
风雪的夜晚，我前来投宿。

**【赏析】**

这首诗写诗人傍晚遇雪投宿山中贫穷农家的所见所闻。诗歌按时间顺序来写，先写大雪天旅客傍晚在山路上行走时的心中感受，紧接着写诗人投宿的情景。刚走近柴门，引起狗叫，具有山村的特征；而风雪之夜得以投宿，真如回家一样感到特别亲切、温暖，所以说“夜归人”。简单几笔，就烘托出当时的情景、气氛，读后让人身临其境。

附录

fú róng lóu sòng xīn jiàn
# 芙蓉楼送辛渐

wáng chāng líng
[唐]王 昌 龄

hán yǔ lián jiāng yè rù wú
寒雨连江夜入吴，

píng míng sòng kè chǔ shān gū
平明送客楚山孤。

luò yáng qīn yǒu rú xiāng wèn
洛阳亲友如相问，

yí piàn bīng xīn zài yù hú
一片冰心在玉壶。

**【译文】**

在冷雨洒满江面的夜晚我来到吴地，
天明的时候送走好友只留下楚山孤影。
到了洛阳，如果有亲友向您打听我的情况，
就请转告他们，我的心依然像玉壶里的冰一样纯洁。

**【赏析】**

本诗的前两句将惜别的凄楚氛围凝聚在楚山上，写出了诗人心中的惆怅。后两句表明自己藐视庸俗的功名利禄，不向排挤陷害的势力屈服的气节。

附录

fù dé gǔ yuán cǎo sòng bié
# 赋得古原草送别

bái jū yì
［唐］白居易

lí lí yuán shàng cǎo
离离原上草，
yí suì yì kū róng
一岁一枯荣。
yě huǒ shāo bú jìn
野火烧不尽，
chūn fēng chuī yòu shēng
春风吹又生。
yuǎn fāng qīn gǔ dào
远芳侵古道，
qíng cuì jiē huāng chéng
晴翠接荒城。
yòu sòng wáng sūn qù
又送王孙去，
qī qī mǎn bié qíng
萋萋满别情。

【译文】

原野上的青草繁密茂盛，
一年一度枯了又茂盛。
野火烧也烧不尽，

春风吹来遍地又再重生。

远处的芳草长满古道，

阳光照耀下一片翠绿色连接荒城。

我今天又为朋友来送别，

连这青青的草儿也满怀离别的情绪。

**【赏析】**

这是一首描写古原草的特点而又兼及送别之意的诗。这作者没有直接说出人们送别时那种难舍难分的心情，而采用拟人的手法来加以表现。这样写既扣住了题，写活了草，又使诗歌很有韵味。

## gǔ lǎng yuè xíng
## 古 朗 月 行

lǐ bái
［唐］李 白

xiǎo shí bù shí yuè
小 时 不 识 月，

hū zuò bái yù pán
呼 作 白 玉 盘。

yòu yí yáo tái jìng
又 疑 瑶 台 镜，

fēi zài qīng yún duān
飞 在 青 云 端。

xiān rén chuí liǎng zú
仙 人 垂 两 足，

guì shù hé tuán tuán
桂 树 何 团 团。
bái tù dǎo yào chéng
白 兔 捣 药 成,
wèn yán yǔ shéi cān
问 言 与 谁 餐?

【译文】

我小的时候不认识月亮,
错把月亮当作白玉做的盘子。
又怀疑是瑶台仙境的明镜,
遥挂在白云间。
月宫中的神仙垂着双脚,
桂树长得圆圆的。
白兔把仙药捣好,
问给谁去品尝?

【赏析】

这是从全诗中节选的前半部分。诗中描写了诗人儿童时代想象月中神奇的景象。诗文先描写月亮,充满儿童的稚气,想象力丰富;接着运用神话传说,写月亮中的仙人、桂树和玉兔。诗中比喻形象生动,恰当地运用神话传说,充分表现了儿童好奇的天性,使文章充满童趣。

hán shí
# 寒 食

hán hóng
[唐]韩 翃

chūn chéng wú chù bù fēi huā
春 城 无 处 不 飞 花，

hán shí dōng fēng yù liǔ xiá
寒 食 东 风 御 柳 斜。

rì mù hàn gōng chuán là zhú
日 暮 汉 宫 传 蜡 烛，

qīng yān sàn rù wǔ hóu jiā
轻 烟 散 入 五 侯 家。

**【译文】**

暮春的长安城，没有一处不是飘着洁白的柳絮，
寒食节的时候，东风吹得皇家的柳枝飞舞。
傍晚，皇宫中点蜡烛恩赐给臣子，
轻烟飘散进了王侯的家中。

**【赏析】**

这是一首描绘寒食节的诗。全诗以“飞花”、“柳斜”、“日暮”、“轻烟”构成一幅春日黄昏的美妙图景，充满诗情画意。诗人借寒食赐火之事，讽刺皇帝对宦官外戚的宠幸。诗人将严肃的政治委婉地隐藏在轻盈优美的诗境中。

附录

huáng hè lóu sòng mèng hào rán zhī guǎng líng
# 黄鹤楼送孟浩然之广陵

lǐ bái
[唐]李 白

gù rén xī cí huáng hè lóu
故人西辞黄鹤楼，
yān huā sān yuè xià yáng zhōu
烟花三月下扬州。
gū fān yuǎn yǐng bì kōng jìn
孤帆远影碧空尽，
wéi jiàn cháng jiāng tiān jì liú
唯见长江天际流。

【译文】

老朋友在黄鹤楼就要与我告别了，
去那阳春三月，繁花似锦的扬州。
小船渐渐远去，消失在水天相接的蔚蓝天空里，
只看见长江水滚滚东去，流向天边。

【赏析】

这是一首送别诗，表达了诗人对即将分别的友人的依依不舍之情。

# huí xiāng ǒu shū
# 回乡偶书

hè zhī zhāng
［唐］贺知章

shào xiǎo lí jiā lǎo dà huí
少 小 离 家 老 大 回，
xiāng yīn wú gǎi bìn máo cuī
乡 音 无 改 鬓 毛 衰。
ér tóng xiāng jiàn bù xiāng shí
儿 童 相 见 不 相 识，
xiào wèn kè cóng hé chù lái
笑 问 客 从 何 处 来。

**【译文】**

小的时候离开家乡，老了才回来，
家乡的口音没有改变，但两鬓的头发都已变白了。
家乡的小孩见了我都不认识，
笑着问我是从哪里来的。

**【赏析】**

这首诗写的是作者老年返回故乡时所见的景象。几十年岁月流逝，人世变迁，作者的心情又悲又喜，百感交集。全诗捕捉诗人年岁、乡音和容貌变化，从而发出无限感慨，情感真挚深沉；从儿童跟自己的问答，又幽默而风趣地加深了这种感情，进一步表达了作者回到家乡的喜悦心情。

## huì chóng chūn jiāng wǎn jǐng
## 惠崇《春江晚景》

sū shì
[宋]苏轼

zhú wài táo huā sān liǎng zhī
竹外桃花三两枝，
chūn jiāng shuǐ nuǎn yā xiān zhī
春江水暖鸭先知。
lóu hāo mǎn dì lú yá duǎn
蒌蒿满地芦芽短，
zhèng shì hé tún yù shàng shí
正是河豚欲上时。

**【译文】**

竹林外的桃花有两三枝已开放了，
春天江水是否变暖，鸭子应最早知道。
蒌蒿满地都是，芦苇才刚刚发芽，
这正是河豚肉最美味的时节。

**【赏析】**

这首题图诗，着意描绘了一派初春的景象。

## jǐ hài zá shī
## 己亥杂诗

gōng zì zhēn
[清]龚自珍

jiǔ zhōu shēng qì shì fēng léi
九州生气恃风雷，
wàn mǎ qí yīn jiū kě āi
万马齐喑究可哀。
wǒ quàn tiān gōng chóng dǒu sǒu
我劝天公重抖擞，
bù jū yì gé jiàng rén cái
不拘一格降人才。

【译文】
要使中国兴旺发达，
就得依靠像风雷一样能振奋人心的思想言论。
全国一片死气沉沉的局面，实在是太可悲了。
我希望老天爷重新振作起精神来，
不要拘泥于一种规格，为人间降下各种各样有用的人才。

【赏析】
这是诗人辞官南归经过江苏镇江时，恰逢当地举行祈祷玉皇、风神、雷神的庙会，有道士请他撰写祈祷文字，他借题发挥，写下了这首名作。诗的语言简明，比喻生动，情感热烈，言辞恳切、激烈，震撼人心。

# jiāng nán chūn
# 江 南 春

dù mù
［唐］杜 牧

qiān lǐ yīng tí lǜ yìng hóng
千 里 莺 啼 绿 映 红，
shuǐ cūn shān guō jiǔ qí fēng
水 村 山 郭 酒 旗 风。
nán cháo sì bǎi bā shí sì
南 朝 四 百 八 十 寺，
duō shǎo lóu tái yān yǔ zhōng
多 少 楼 台 烟 雨 中。

**【译文】**

千里江南到处黄莺啼叫，绿叶映衬着红花，
水边村庄，靠山的城镇到处飘扬着酒旗。
南朝所建的四百八十座寺庙，
有多少都在烟雨的笼罩之下呢。

**【赏析】**

这首诗主要描绘了江南春天的景色。四句诗写出江南春景的丰富多彩，也写出了江南春的广阔、深邃与迷离。

jiāng pàn dú bù xún huā

# 江畔独步寻花

dù fǔ

[唐]杜甫

huáng sì niáng jiā huā mǎn xī
黄四娘家花满蹊，
qiān duǒ wàn duǒ yā zhī dī
千朵万朵压枝低。
liú lián xì dié shí shí wǔ
留连戏蝶时时舞，
zì zài jiāo yīng qià qià tí
自在娇莺恰恰啼。

【译文】

通往黄四娘家的小路上开满了鲜花，
千万朵鲜花把花枝都压低了。
戏闹的蝴蝶在花丛中飞舞。
自由自在的小黄莺叫声婉转动人。

【赏析】

唐上元元年(760)，杜甫居住于成都草堂。在饱经离乱之后，开始有了安身的处所，杜甫的心情是愉快的。在一个春光明媚的日子里，他散步于江边，情随景生，一连写了七首诗，这首诗是其中的第六首。其中记录了在黄四娘家赏花时的场面和感触。描写了春花之美，表现了人与自然的亲切与和谐。

jiāng xuě
# 江雪

liǔ zōng yuán
［唐］柳宗元

qiān shān niǎo fēi jué
千山鸟飞绝，
wàn jìng rén zōng miè
万径人踪灭。
gū zhōu suō lì wēng
孤舟蓑笠翁，
dú diào hán jiāng xuě
独钓寒江雪。

【译文】

上千座山中的鸟好像都飞尽了，
上万条小路上寻不见人的踪迹。
只有一条孤独的小船上坐着一位戴笠披蓑的老人，
在大雪的江中独自钓鱼。

【赏析】

这首诗描绘了一幅雪天垂钓图，塑造了一个在雪天独自钓鱼的老渔翁形象。这是一首即景抒情的名篇，通过对画面的寒冷、寂静的描写，突出了老渔翁的孤独，借此比喻作者的寂寞情怀，也表现了作者不畏严寒、勇于抗争的精神。

# jìng yè sī
# 静夜思

lǐ bái
［唐］李 白

chuáng qián míng yuè guāng
床 前 明 月 光，

yí shì dì shàng shuāng
疑 是 地 上 霜。

jǔ tóu wàng míng yuè
举 头 望 明 月，

dī tóu sī gù xiāng
低 头 思 故 乡。

**【译文】**

床前映着一片皎洁的月光，
初看以为是一层白霜铺在地上。
抬头望见窗外一轮明月高高地挂在天上，
不禁让人低下头思念起故乡的亲人来。

**【赏析】**

这是一首家喻户晓而又脍炙人口的小诗，抒写了诗人客居他乡的思乡之情。

jiǔ yuè jiǔ rì yì shān dōng xiōng dì

## 九月九日忆山东兄弟

wáng wéi

［唐］王 维

dú zài yì xiāng wéi yì kè
独在异乡为异客，

měi féng jiā jié bèi sī qīn
每逢佳节倍思亲。

yáo zhī xiōng dì dēng gāo chù
遥知兄弟登高处，

biàn chā zhū yú shǎo yì rén
遍插茱萸少一人。

**【译文】**

我独自作客在异地他乡，
每逢佳节来临就更加思念家乡的亲人。
今日重阳，我猜想，
在遥远的故乡，兄弟们登高望远时，
他们头上都插着茱萸，
也在念想着身边唯独缺少了我一个人。

**【赏析】**

人们思念不在一处的亲人，这是一种很自然的亲情，尤在节日，这种感情会更加浓烈。“每逢佳节倍思亲”堪称千绝唱，具有永久的生命力。这种不写自己离开亲人而是借于想象兄弟们重阳登高而惟独少我一人的别致写法，更反了诗人独自在外的孤寂，把佳节思亲之情表达得更真挚。

附录

## jué jù
## 绝 句

dù fǔ
[唐]杜 甫

liǎng gè huáng lí míng cuì liǔ
两 个 黄 鹂 鸣 翠 柳，

yì háng bái lù shàng qīng tiān
一 行 白 鹭 上 青 天。

chuāng hán xī lǐng qiān qiū xuě
窗 含 西 岭 千 秋 雪，

mén bó dōng wú wàn lǐ chuán
门 泊 东 吴 万 里 船。

**【译文】**

两只黄鹂在翠绿的柳树上鸣叫着，
一行白鹭飞上蔚蓝的天空。
从窗口可以望见西岭覆盖着千年不化的积雪，
门外停泊着来自东吴一带的万里航船。

**【赏析】**

这首诗通过对大地回春时生机勃勃景象的描写，表现了自己对春天的无限热爱和悠然自得的情怀。

# 绝句

jué jù

dù fǔ
［唐］杜甫

chí rì jiāng shān lì
迟日江山丽，
chūn fēng huā cǎo xiāng
春风花草香。
ní róng fēi yàn zi
泥融飞燕子，
shā nuǎn shuì yuān yāng
沙暖睡鸳鸯。

**【译文】**

春天的山水美丽如画，
春风送来花草的清香。
冰雪融化，大地复苏，燕子在天空飞翔，
温暖的沙滩上一对鸳鸯在甜甜地睡觉。

**【赏析】**

这首诗描写了春天美好动人的景色。前两句描写了大自然的美丽风景，后两句生动地描写了燕子的飞舞和鸳鸯甜睡，真是动静搭配，相映成趣。这首诗意境优美，格调清新，自然流畅。

# 浪淘沙
làng táo shā

[唐]刘禹锡
liú yǔ xī

九曲黄河万里沙，
jiǔ qū huáng hé wàn lǐ shā

浪淘风簸自天涯。
làng táo fēng bǒ zì tiān yá

如今直上银河去，
rú jīn zhí shàng yín hé qù

同到牵牛织女家。
tóng dào qiān niú zhī nǚ jiā

【译文】

弯曲的黄河汹涌奔腾夹带着万里泥沙，
那巨浪滔天狂风怒卷仿佛来自天涯。
如今好像直飞上高空的银河，
跟我一同去拜访牛郎织女的家。

【赏析】

这首诗写得很有气势。诗人从一个极其宏大的空间背景着笔，将流经万里的九曲黄河尽收眼底。在这里，诗人运用了夸张的手法，他把黄河写成从遥远的天际汹涌而来，携风卷浪，夹泥带沙，奔腾入海，景色非常壮阔。不仅如此，诗人还展开想象的翅膀，创造了一个奇特的景观：黄河携狂风、踏巨浪，溯流而上，直达天河，去与天上的牵牛、织女相会。想象美丽新奇，气势非凡。

# liáng zhōu cí
# 凉州词

wáng zhī huàn
[唐]王之涣

huáng hé yuǎn shàng bái yún jiān
黄河远上白云间，
yí piàn gū chéng wàn rèn shān
一片孤城万仞山。
qiāng dí hé xū yuàn yáng liǔ
羌笛何须怨杨柳，
chūn fēng bú dù yù mén guān
春风不度玉门关。

**【译文】**

远望黄河，仿佛自天空的白云间流下，
孤独的城池耸立在群山之间。
羌笛不必吹奏哀伤的曲调，
春风从不吹过玉门关。

**【赏析】**

这首诗描写边塞苍凉雄浑的景象，抒发作者同情边关将士的心情，批评统治者、当权者不关心边关将士，具有深刻的意义。

liù yuè èr shí qī rì wàng hú lóu zuì shū
# 六月二十七日望湖楼醉书

sū shì
[宋]苏轼

hēi yún fān mò wèi zhē shān
黑云翻墨未遮山，

bái yǔ tiào zhū luàn rù chuán
白雨跳珠乱入船。

juǎn dì fēng lái hū chuī sàn
卷地风来忽吹散，

wàng hú lóu xià shuǐ rú tiān
望湖楼下水如天。

**【译文】**

黑云汹涌像把墨汁泼翻，还未遮住青山，
白色的雨点好似蹦跳着的珍珠，打入船内。
地面忽然刮来一阵大风，将乌云吹散，
望湖楼下平静的湖面，如同辽阔的蓝天。

**【赏析】**

这首诗写夏天西湖下阵雨时的景象。诗人抓住夏日阵雨时的特点，写出雨前、雨中、雨后的不同情景。全诗描写生动逼真，使读者有身临其境的感觉。

lù zhài

# 鹿 柴

wáng wéi

［唐］王 维

kōng shān bú jiàn rén
空 山 不 见 人，

dàn wén rén yǔ xiǎng
但 闻 人 语 响。

fǎn jǐng rù shēn lín
返 景 入 深 林，

fù zhào qīng tái shàng
复 照 青 苔 上。

**【译文】**

空旷的山中不见一个人，
但却听见有人说话的声音。
阳光经过反射照入树林，
又照在翠绿的苔藓上。

**【赏析】**

这首诗是王维的后期山水诗的代表作，描写夕阳西下时深林中的幽静景色。

附录

# méi huā
# 梅 花

wáng ān shí
[宋] 王 安 石

qiáng jiǎo shù zhī méi
墙 角 数 枝 梅，

líng hán dú zì kāi
凌 寒 独 自 开。

yáo zhī bú shì xuě
遥 知 不 是 雪，

wéi yǒu àn xiāng lái
为 有 暗 香 来。

**【译文】**

墙角有几枝美丽的梅花，
不畏严寒独自开放着。
从远处看去就知道不是白雪，
因为有一阵阵幽香扑面而来。

**【赏析】**

这是一首咏梅的诗，赞赏了梅花不畏严寒的顽强精神，表达出诗人坚贞不屈的品格。

附录

## 悯农（之一）

mǐn nóng
悯 农（之一）

lǐ shēn
［唐］李 绅

chú hé rì dāng wǔ
锄禾日当午，
hàn dī hé xià tǔ
汗滴禾下土。
shuí zhī pán zhōng cān
谁知盘中餐，
lì lì jiē xīn kǔ
粒粒皆辛苦。

**【译文】**

烈日当空，农民还在田里锄草，
汗水流淌着，滴进禾苗下的泥土。
谁知道这盘中的饭食是怎么来的吗？
这每一粒粮食都饱含着农民的辛苦！

**【赏析】**

这首诗以明白如话的语言，鲜明而形象地描写了农民在烈日炙烤下，挥汗锄地的劳动场景。诗中深深感叹粮食来之不易，劝导人们要珍惜粮食，表现了作者对农民的深深的同情和怜悯。

## mǐn nóng
## 悯 农（之二）

lǐ shēn
［唐］李 绅

chūn zhòng yí lì sù
春 种 一 粒 粟，

qiū shōu wàn kē zǐ
秋 收 万 颗 子。

sì hǎi wú xián tián
四 海 无 闲 田，

nóng fū yóu è sǐ
农 夫 犹 饿 死。

**【译文】**

农夫们在春天种下一粒种子，
秋天就可以收获很多粮食。
四海之内都种满了庄稼，
可是种田的农夫们却依然会饿死。

**【赏析】**

这是一首揭露社会不平、同情农民疾苦的诗，着重描写封建社会农民所受的残酷剥削。

附录

## 墨梅

[元] 王冕

我家洗砚池头树，
朵朵花开淡墨痕。
不要人夸颜色好，
只留清气满乾坤。

**【译文】**

我家洗砚台的池塘边有一棵梅树，
树上开的梅花每朵都带着淡淡的墨痕。
不希望人人都夸它的颜色漂亮，
只希望把清香的气味永留人间。

**【赏析】**

这首题画诗赞美梅花高贵纯洁的品格和梅花不同凡俗的精神，抒发了作者高尚纯洁的追求。这首诗以物喻人，画中墨梅的气质，正是作者人品和节操的反映。

# péi jīn líng fǔ xiàngzhōng táng yè yàn
# 陪金陵府相中堂夜宴

wéi zhuāng
[唐]韦　庄

mǎn ěr shēng gē mǎn yǎn huā
满耳笙歌满眼花，

mǎn lóu zhū cuì shèng wú wá
满楼珠翠胜吴娃。

yīn zhī hǎi shàng shén xiān kū
因知海上神仙窟，

zhǐ shì rén jiān fù guì jiā
只是人间富贵家。

xiù hù yè cuán hóng zhú shì
绣户夜攒红烛市，

wǔ yī qíng yè bì tiān xiá
舞衣晴曳碧天霞。

què chóu yàn bà qīng é sàn
却愁宴罢青蛾散，

yáng zǐ jiāng tóu yuè bàn xié
扬子江头月半斜。

【译文】

满耳是美妙的音乐，满眼是美丽的花，满楼盛妆的少女胜过那美丽的吴娃。这才晓得那无限美好的天上神仙窟，也不过像这无比豪华的人间富贵家。绣幕里夜间闪烁着的红烛就像闹市，白天里拖着的舞裙活像天空的彩霞。担心的是宴会罢了美女也随之而星散，扬子江边那一轮皓月已经西斜。

【赏析】

这首诗句句夸耀主人府中的豪华生活，又句句讽刺唐末上层人物的腐朽本质。墨光所射，正是当时那些权豪势要之家穷奢极欲的生活图景。

pú sà mán shū jiāng xī zào kǒu bì

## 菩萨蛮·书江西造口壁

xīn qì jí

［宋］辛弃疾

yù gū tái xià qīng jiāng shuǐ
郁孤台下清江水，

zhōng jiān duō shǎo xíng rén lèi
中间多少行人泪。

xī běi wàng cháng ān
西北望长安，

kě lián wú shù shān
可怜无数山。

qīng shān zhē bú zhù
青山遮不住，

bì jìng dōng liú qù
毕竟东流去。

jiāng wǎn zhèng chóu yú
江 晚 正 愁 余，

shān shēn wén zhè gū
山 深 闻 鹧 鸪。

【译文】

郁孤台下日夜奔腾的大江呵，
有多少难民的泪水在江中流淌！
抬头北望沦陷的故都汴京开封，
可惜无数山峦把我的视线阻隔。
青山哪能阻止滔滔江流，
江水终究汹涌奔向东方。
江边的黄昏我正在忧愁，
又听到鹧鸪哀怨的啼唱。

【赏析】

这首词写诗人登台望远，忧国忧民，表现出对沦亡国土的深切思念之情，同时表达了作者不能实现驱敌救国理想的苦闷。

# qī bù shī
# 七 步 诗

cáo zhí
［三国 · 魏］曹 植

zhǔ dòu chí zuò gēng
煮 豆 持 作 羹，
lù shū yǐ wéi zhī
漉 菽 以 为 汁。
qí zài fǔ xià rán
萁 在 釜 下 燃，
dòu zài fǔ zhōng qì
豆 在 釜 中 泣。
běn zì tóng gēn shēng
本 自 同 根 生，
xiāng jiān hé tài jí
相 煎 何 太 急？

**【译文】**

煮豆子用来做成豆粥，
过滤掉豆子的残渣而留下豆汁。
豆秸在锅下面燃烧，
豆子在锅中不停地哭泣。
我们本来是同根生的，
为什么你迫害我这么急？

**【赏析】**

这首诗成功地运用了比喻、拟人手法，诗中用同根生的“萁”

和"豆"来比喻兄弟关系,用"萁"和"豆"相煎来比喻曹丕对曹植的迫害。这首诗反映了封建统治阶级内部为了争权夺利连手足情都不顾的丑恶本质。这首诗因生动的比喻而流传不衰。

## qīng míng<br>清明

dù mù<br>[唐]杜牧

qīng míng shí jié yǔ fēn fēn<br>清明时节雨纷纷,<br>lù shàng xíng rén yù duàn hún<br>路上行人欲断魂。<br>jiè wèn jiǔ jiā hé chù yǒu<br>借问酒家何处有,<br>mù tóng yáo zhǐ xìng huā cūn<br>牧童遥指杏花村。

**【译文】**

清明节这一天,细雨绵绵,

我走在异乡的路上怀念着已故的亲人,心情极度哀伤、烦乱。

问一声附近哪里有酒馆,

放牛的小孩用手指着远处的杏花村。

**【赏析】**

清明时节,民间习俗要在这一天为死去的亲人扫墓,祭奠亡魂,诗人远离故乡又逢细雨绵绵,悲愁之情油然而生。

这首诗写得清丽可人,语言通俗易懂,意境含蓄优美。写雨中行人的忧愁，笼罩着淡淡的情思，又不令人消沉，千百年来一直被人们传诵。

## 秋夕
qiū xī

[唐]杜牧
dù mù

yín zhú qiū guāng lěng huà píng
银烛秋光冷画屏，
qīng luó xiǎo shàn pū liú yíng
轻罗小扇扑流萤。
tiān jiē yè sè liáng rú shuǐ
天阶夜色凉如水，
zuò kàn qiān niú zhī nǚ xīng
坐看牵牛织女星。

【译文】

秋天的夜晚，白色蜡烛发出的微光映照着屏风，
一位孤独的宫女用轻罗小扇扑打着飞来飞去的萤火虫。
夜深了，宫中的石阶像水一样冰凉，
宫女却依旧坐在那儿，
仰望着天河两岸的牵牛星和织女星。

【赏析】

红烛秋光相映，构成了一幅清丽的夜景，美妙而又神奇。看似一首写景的诗，但诗人本意却是表现景中之人孤独、凄苦的心情。

qiū yè jiāng xiǎo chū lí mén yíng liáng yǒu gǎn

## 秋夜将晓出篱门迎凉有感

lù yóu

[南宋]陆　游

sān wàn lǐ hé dōng rù hǎi
三万里河东入海，
wǔ qiān rèn yuè shàng mó tiān
五千仞岳上摩天。
yí mín lèi jìn hú chén lǐ
遗民泪尽胡尘里，
nán wàng wáng shī yòu yì nián
南望王师又一年。

【译文】

漫长的黄河滚滚向东流入大海，
巍峨的华山高耸，与天相接。
被敌人统治的中原百姓，眼泪都流干了，
年年向南望，希望朝廷的军队收复失地。

【赏析】

这首诗是诗人回乡定居时写的，时年 68 岁。全诗表达了诗人希望尽快收复失地，实现统一祖国的愿望。

qiū pǔ gē

# 秋浦歌

lǐ bái

［唐］李白

bái fà sān qiān zhàng

白发三千丈，

yuán chóu sì gè cháng

缘愁似个长。

bù zhī míng jìng lǐ

不知明镜里，

hé chù dé qiū shuāng

何处得秋霜。

**【译文】**

我满头的白发长达三千丈，

这是因为我的愁绪也这么长啊。

对镜自照，我怎么会衰老成这个样子，

是何处得来的这秋霜似的白发？

**【赏析】**

诗人是一个政治上有理想有抱负的人，少年离家，到长安游历，想为国家建功立业有所作为，但是他终究没有被统治者重用。壮年时被排挤离开长安，开始了十年的漫游生活。这首诗就是他流浪到秋浦时写的。诗里抒发了他心中强烈的苦闷和愁思。他既为当时已陷入内乱的国家、百姓而愁，也为自己一生坎坷、怀才不遇而愁，感情特别深沉忧郁。

## shāng shān zǎo xíng
## 商 山 早 行

wēn tíng yún
［唐］温 庭 筠

chén qǐ dòng zhēng duó
晨 起 动 征 铎，
kè xíng bēi gù xiāng
客 行 悲 故 乡。
jī shēng máo diàn yuè
鸡 声 茅 店 月，
rén jì bǎn qiáo shuāng
人 迹 板 桥 霜。
hú yè luò shān lù
槲 叶 落 山 路，
zhǐ huā míng yì qiáng
枳 花 明 驿 墙。
yīn sī dù líng mèng
因 思 杜 陵 梦，
fú yàn mǎn huí táng
凫 雁 满 回 塘。

【译文】
清早起来就听到了车马行动的铃声，
旅客又要上路了，离家的人怎能不为怀念故乡而悲伤？
雄鸡正在报晓，天空中挂着一轮残月，
行人的足迹留在了板桥的晨霜上。

附录

槲叶铺满了山间的小路，枳花映白了驿站的围墙。
因眼前的旅途早行情景，
而想到昨夜梦中出现的故乡杜陵那弯弯曲曲的池塘，
春来水暖，野鸭自由自在地在水里游来游去。

【赏析】

这是一首写旅途生活与感受的诗。诗人抒发了远行在外的思乡之情。

## 石灰吟

shí huī yín

yú qiān

［明］于谦

qiān chuí wàn záo chū shēn shān
千锤万凿出深山，
liè huǒ fén shāo ruò děng xián
烈火焚烧若等闲。
fěn shēn suì gǔ hún bú pà
粉身碎骨浑不怕，
yào liú qīng bái zài rén jiān
要留清白在人间。

【译文】

千锤万凿从大山深处将它开采出来，
经过烈火焚烧也仿佛只是很平常的事。
即使粉身碎骨也不害怕，
只要把清白留在人间。

附

录

【赏析】

这是一首借物咏志的诗篇，传说是于谦 12 岁时的作品。中借咏石灰，表现了自己不畏艰难、坚贞不屈的高尚品格。

shì ér
## 示 儿

lù yóu
[南宋]陆 游

sǐ qù yuán zhī wàn shì kōng
死 去 原 知 万 事 空，
dàn bēi bú jiàn jiǔ zhōu tóng
但 悲 不 见 九 州 同。
wáng shī běi dìng zhōng yuán rì
王 师 北 定 中 原 日，
jiā jì wú wàng gào nǎi wēng
家 祭 毋 忘 告 乃 翁。

【译文】

原知道人死去万事都成空，
只是我伤心看不到祖国河山统一。
待到宋朝军队收复中原的日子，
家祭时不要忘记把好消息告诉你父亲。

【赏析】

这是南宋爱国诗人陆游的诗作。这首诗是陆游的绝笔。诗充满了爱国热情，表达了诗人一心希望收复失土，统一祖的坚定信念。语言感情真挚，既深沉悲壮，又充满乐观精。

附录

# 书湖阴先生壁

shū hú yīn xiān shēng bì

wáng ān shí

[宋] 王安石

máo yán cháng sǎo jìng wú tái
茅檐长扫静无苔，

huā mù chéng qí shǒu zì zāi
花木成畦手自栽。

yì shuǐ hù tián jiāng lǜ rào
一水护田将绿绕，

liǎng shān pái tà sòng qīng lái
两山排闼送青来。

【译文】

经常打扫的屋檐前干净得没有一点儿青苔，
茂盛的花木一畦一畦都是主人亲手栽种。
弯弯曲曲的小溪环绕着绿油油的田地，
两座青山像推开的两扇门送来一片青翠。

【赏析】

这是王安石题在杨德逢家墙壁上的一首诗。诗人赞美杨家屋前的清幽，给人一种身临其境的感觉。

sì shí tián yuán zá xìng

# 四时田园杂兴

fàn chéng dà

[宋]范 成 大

zhòu chū yún tián yè jì má
昼 出 耘 田 夜 绩 麻，
cūn zhuāng ér nǚ gè dāng jiā
村 庄 儿 女 各 当 家。
tóng sūn wèi jiě gòng gēng zhī
童 孙 未 解 供 耕 织，
yě bàng sāng yīn xué zhòng guā
也 傍 桑 阴 学 种 瓜。

**【译文】**

白天出去耕田,晚上纺线织布,
农村的男女各自承担自己的任务。
儿童不懂得耕田纺线,
但也在桑树阴凉里学着种瓜。

**【赏析】**

这首诗以朴实的语言描述了农民的劳动生活。前两句写村男耕女织,后两句生动地描写了农村儿童参加劳动的情。全诗突出了乡村男女老少对劳动的热爱,具有浓郁的生气息。

sòng yuán èr shǐ ān xī

## 送元二使安西

wáng wéi

［唐］王维

wèi chéng zhāo yǔ yì qīng chén
渭城朝雨浥轻尘，
kè shè qīng qīng liǔ sè xīn
客舍青青柳色新。
quàn jūn gèng jìn yì bēi jiǔ
劝君更尽一杯酒，
xī chū yáng guān wú gù rén
西出阳关无故人。

**【译文】**

清晨的小雨湿润了渭城路上的轻尘，
旅店旁的杨柳显得更加青翠。
劝你再干了这杯酒吧，
从此一别，往西出了阳关就很难遇到老朋友了。

**【赏析】**

这是一首久负盛名的送别诗，王维的好朋友元二，出使安西都护府。因路途遥远，难测归期，不免产生一种离别的伤感，含蓄地表达了诗人恋恋不舍之情。

## sù jiàn dé jiāng
## 宿建德江

mèng hào rán
[唐]孟浩然

yí zhōu bó yān zhǔ
移舟泊烟渚,

rì mù kè chóu xīn
日暮客愁新。

yě kuàng tiān dī shù
野旷天低树,

jiāng qīng yuè jìn rén
江清月近人。

**【译文】**

将船停靠在雾气笼罩的小洲边,
日暮时分的凄清景象引起我新的愁思。
原野空旷,放眼望去天空好像比树还低,
江水清澈,月亮倒映在水中,仿佛与人离得很近。

**【赏析】**

这是一首在旅途中写的诗。船儿在云雾缭绕的小洲上停泊,苍茫的暮色增添了思念家乡的愁绪。远望空旷辽阔的原野,好像天幕比树还低,似给人一种压抑孤独的感觉;近看清澈的江水,也只有映在水面的月亮像是在亲近自己,更衬托出诗人孤独寂寞的心情。

## suǒ jiàn
## 所　见

yuán méi
[清] 袁　枚

mù tóng qí huáng niú
牧童骑黄牛，

gē shēng zhèn lín yuè
歌声振林樾。

yì yù bǔ míng chán
意欲捕鸣蝉，

hū rán bì kǒu lì
忽然闭口立。

**【译文】**

牧童悠然地骑在黄牛的背上，
他嘹亮的歌声穿过树梢。
为了捕捉在树梢鸣叫的知了，
他忽然停了下来，一声不响地站在那里。

**【赏析】**

这是一首反映儿童生活的诗篇，作者在诗中刻画了小牧童充满童趣的生活画面。全诗纯用白描手法，紧紧抓住小牧童一刹那间的表现，逼真地写出小牧童非常机灵的特点，让人倍觉小牧童的纯真可爱。

tái chéng
# 台 城

wéi zhuāng
［唐］韦 庄

jiāng yǔ fēi fēi jiāng cǎo qí
江 雨 霏 霏 江 草 齐，

liù cháo rú mèng niǎo kōng tí
六 朝 如 梦 鸟 空 啼。

wú qíng zuì shì tái chéng liǔ
无 情 最 是 台 城 柳，

yī jiù yān lǒng shí lǐ dī
依 旧 烟 笼 十 里 堤。

**【译文】**

江上细雨纷飞，江边的绿草茂盛，
六朝像梦似的成为过去，只有鸟儿在鸣啼。
最没有感情的怕要算台城的杨柳，
淡淡的烟霭依旧笼罩着这十里长堤。

**【赏析】**

这是一首凭吊六朝遗迹的诗。但诗人采取烘云托月的手法，把自己的哀愁渗透到霏霏的江雨、萋萋的江草、断续的鸟啼、凄迷的烟柳中，形成深厚的历史感和强烈的现实感交织而成的悲剧氛围。让读者从这荒凉寂寞的画面中，从迂缓低沉的旋律中，去体会作者的深层情感。

附录

# tí lín ān dǐ
# 题临安邸

lín shēng
[南宋]林升

shān wài qīng shān lóu wài lóu
山外青山楼外楼，
xī hú gē wǔ jǐ shí xiū
西湖歌舞几时休？
nuǎn fēng xūn dé yóu rén zuì
暖风熏得游人醉，
zhí bǎ háng zhōu zuò biàn zhōu
直把杭州作汴州。

**【译文】**

青山之外有青山，高楼之外还有高楼，
西湖的歌舞不知何时能够罢休。
眼前的享乐之风把游人都熏醉了，
简直把杭州当作汴州了。

**【赏析】**

本诗表达了诗人对统治者的不满和愤慨，表现出他忧国忧民的情怀。

tí xī lín bì
# 题西林壁

sū shì
[宋]苏轼

héng kàn chéng lǐng cè chéng fēng
横看成岭侧成峰，

yuǎn jìn gāo dī gè bù tóng
远近高低各不同。

bù shí lú shān zhēn miàn mù
不识庐山真面目，

zhǐ yuán shēn zài cǐ shān zhōng
只缘身在此山中。

【译文】

横看是岭，侧看是峰，

远近高低，站在不同的地方观望形象都各不相同。

为什么认不清庐山的真正面目？

只是因为自身处在庐山的群峰当中。

【赏析】

这首诗不仅写出了庐山变幻多姿的风貌，而且将“当事者迷，旁观者清”的哲理寓于具体的形象之中，使感性与理性得到了完美的统一。

wàng tiān mén shān
# 望天门山

lǐ bái
[唐]李白

tiān mén zhōng duàn chǔ jiāng kāi
天门中断楚江开，
bì shuǐ dōng liú zhì cǐ huí
碧水东流至此回。
liǎng àn qīng shān xiāng duì chū
两岸青山相对出，
gū fān yì piàn rì biān lái
孤帆一片日边来。

**【译文】**

高高的天门被长江之水拦腰劈开，
碧绿的江水东流到此回旋澎湃。
两岸的青山相对耸立巍峨险峻，
一叶孤舟像从太阳旁边飞速飘来。

**【赏析】**

这首诗热情赞颂了祖国山河的雄伟壮丽，将天门山的巍峨险峻，长江的浩荡汹涌，展现在读者眼前。尤其是后两句，在耸峙的高山之间，在喷薄而出的红日映衬下，一叶孤舟急驶而来，形象鲜明而壮丽，给人的印象十分深刻。从中也充分展现了诗人自己那开阔的胸襟和热情豪放的性格。

wàng dòng tíng
# 望 洞 庭

liú yǔ xī
[唐]刘 禹 锡

hú guāng qiū yuè liǎng xiāng hé
湖 光 秋 月 两 相 和，

tán miàn wú fēng jìng wèi mó
潭 面 无 风 镜 未 磨。

yáo wàng dòng tíng shān shuǐ sè
遥 望 洞 庭 山 水 色，

bái yín pán lǐ yì qīng luó
白 银 盘 里 一 青 螺。

**【译文】**

湖水和秋月互相映照，十分和谐，
湖面平静得就像一面未磨过的镜子。
从远处望着洞庭湖的山水美景，
君山就像银色盘子里的一枚青螺。

**【赏析】**

这首诗描写的是洞庭湖美丽的景色。洞庭湖风平浪静，光粼粼，秋月与湖水相映，远望君山就好像那白银盘里托着青螺，表现了诗人闲适的心情和洞庭湖优美的景致。

wàng lú shān pù bù

# 望庐山瀑布

lǐ bái

[唐]李白

rì zhào xiāng lú shēng zǐ yān
日照香炉生紫烟，
yáo kàn pù bù guà qián chuān
遥看瀑布挂前川。
fēi liú zhí xià sān qiān chǐ
飞流直下三千尺。
yí shì yín hé luò jiǔ tiān
疑是银河落九天。

**【译文】**

阳光照耀在香炉峰上，升腾起紫色的烟云。
远远望去，瀑布像一条白链高高地挂在山前。
水流奔泻而下，好像有三千尺那么长，
不禁让人怀疑是银河从九天之上落了下来。

**【赏析】**

这是一首描写庐山瀑布壮丽景色的诗，表现出诗人开的胸襟和昂扬的气概。

附录

wén guān jūn shōu hé nán hé běi
# 闻官军收河南河北

dù fǔ
[唐]杜甫

jiàn wài hū chuán shōu jì běi
剑外忽传收蓟北，
chū wén tì lèi mǎn yī shang
初闻涕泪满衣裳。
què kàn qī zǐ chóu hé zài
却看妻子愁何在，
màn juǎn shī shū xǐ yù kuáng
漫卷诗书喜欲狂。
bái rì fàng gē xū zòng jiǔ
白日放歌须纵酒，
qīng chūn zuò bàn hǎo huán xiāng
青春作伴好还乡。
jí cóng bā xiá chuān wū xiá
即从巴峡穿巫峡，
biàn xià xiāng yáng xiàng luò yáng
便下襄阳向洛阳。

【译文】

剑门外忽然传说收复蓟北大片地方，
刚听说就止不住喜泪纵横洒满衣裳。
回头看妻子儿女哪里还有什么忧愁，
我信手胡乱卷起诗稿图书欣喜若狂。

白日里我放声高歌，更要开怀痛饮，
明媚的春光正好伴我一家返回故乡。
仿佛觉得，我已从巴峡穿过了巫峡，
很快便到了襄阳，旋即又奔向洛阳。

【赏析】

这首诗描写的是诗人在饱受战乱流离之苦后，突然听到胜利消息时的狂喜的情状。也非常概括地写出了所有遭遇祸离乱的家庭的共同感受，使这首诗成为千古名篇。

wū yī xiàng
# 乌衣巷

liú yǔ xī
［唐］刘禹锡

zhū què qiáo biān yě cǎo huā
朱雀桥边野草花，
wū yī xiàng kǒu xī yáng xié
乌衣巷口夕阳斜。
jiù shí wáng xiè táng qián yàn
旧时王谢堂前燕，
fēi rù xún cháng bǎi xìng jiā
飞入寻常百姓家。

【译文】

朱雀桥的两边野花盛开，
乌衣巷口夕阳斜照。
从前在宰相王、谢两家屋上做巢的燕子，

如今却飞进了寻常百姓的家中。

【赏析】

这是作者《金陵五题》组诗之一，是一首咏史诗，通过描写乌衣巷的变化，表现今昔沧桑和对豪门贵族的嘲讽。告诉现今权贵不要得意忘形，世事变化、社会变革在所难免，含有深刻的哲理。

## xià rì jué jù<br>夏日绝句

lǐ qīng zhào<br>[宋]李清照

shēng dāng zuò rén jié<br>生当作人杰，

sǐ yì wéi guǐ xióng<br>死亦为鬼雄。

zhì jīn sī xiàng yǔ<br>至今思项羽，

bù kěn guò jiāng dōng<br>不肯过江东。

【译文】

活着的时候要做人间的豪杰，<br>
死了也要做鬼中的英雄。<br>
直到现在仍很怀念项羽，<br>
崇敬他宁死不逃回江东的气概。

【赏析】

这首诗是在金兵南侵，南宋王朝不思抗敌时写的。借古

附录

讽今，借赞颂项羽宁死不屈的英雄气概，讽刺南宋统治者屈辱偷生、逃跑妥协的行径，表现了诗人的爱国情怀。

## 乡村四月

xiāng cūn sì yuè

[南宋] 翁卷

wēng juàn

绿遍山原白满川，
lǜ biàn shān yuán bái mǎn chuān

子规声里雨如烟。
zǐ guī shēng lǐ yǔ rú yān

乡村四月闲人少，
xiāng cūn sì yuè xián rén shǎo

才了蚕桑又插田。
cái liǎo cán sāng yòu chā tián

**【译文】**

葱翠的树木漫遍山野，潋滟波光撒满江河，
如烟的细雨中传来杜鹃的啼叫。
乡村在农历四月里闲人已经很少，
刚忙完养蚕采桑的工作又要忙插秧种田。

**【赏析】**

这是一首描写江南农村初夏风光的诗。整首诗有静有动，绘声绘色，鲜明如画，诗人对乡村生活的热爱之情跃然纸上。

xiǎo ér chuí diào
# 小儿垂钓

hú lìng néng
[唐]胡令能

péng tóu zhì zǐ xué chuí lún
蓬头稚子学垂纶，

cè zuò méi tái cǎo yìng shēn
侧坐莓苔草映身。

lù rén jiè wèn yáo niān shǒu
路人借问遥抬手，

kǒng wèi yú jīng bú yìng rén
恐畏鱼惊不应人。

【译文】

顶着乱糟糟头发的小孩子在湖边学钓鱼，

侧坐在草丛中被草遮挡了身影。

听见路过的行人询问，他老远就摆摆小手，

害怕把鱼吓跑所以不回答别人。

【赏析】

本诗情景交融、形神兼备，是一首描写儿童生活的佳作。

# 小池 (xiǎo chí)

yáng wàn lǐ
［宋］杨万里

quán yǎn wú shēng xī xì liú
泉眼无声惜细流，

shù yīn zhào shuǐ ài qíng róu
树阴照水爱晴柔。

xiǎo hé cái lù jiān jiān jiǎo
小荷才露尖尖角，

zǎo yǒu qīng tíng lì shàng tóu
早有蜻蜓立上头。

**【译文】**

泉眼里的水悄无声息地细细流着，
池边的树阴映照在明净的水面上。
小池中的莲荷才刚刚冒出了尖嫩的小芽，
就早有飞来的小蜻蜓，静静地停在上面了。

**【赏析】**

本诗描写初夏来临，地下泉水从泉眼里悄无声息地流淌出涓涓细流，树木在阳光的照耀下倒映在静静的水面上。池水上面，不知什么时候冒出了小荷花，还没来得及舒展开，它上面就早早站着飞来休憩的小蜻蜓。一切都显得那么寂静柔和。诗中选材紧扣题中的“小”字，池是小池，泉是细流，荷是小荷。一切都是小巧玲珑，符合小池的特色，充满生活情趣。

xiǎo chū jìng cí sì sòng lín zǐ fāng
# 晓出净慈寺送林子方

yáng wàn lǐ
[宋] 杨万里

bì jìng xī hú liù yuè zhōng
毕竟西湖六月中，

fēng guāng bù yǔ sì shí tóng
风光不与四时同；

jiē tiān lián yè wú qióng bì
接天莲叶无穷碧，

yìng rì hé huā bié yàng hóng
映日荷花别样红。

**【译文】**

毕竟是六月的西湖风光最美，

景色与其他时节不同。

连天的荷叶无穷无尽一片碧绿，

阳光映照下的荷花更是显得特别鲜红。

**【赏析】**

诗中描写了六月西湖清晨的美景。作者抓住西湖的荷花来写：碧绿的荷叶，广阔无边；艳红的荷花，在阳光照射下，格外光彩照人，突出了西湖的美丽风光。

# xún yǐn zhě bú yù
# 寻隐者不遇

jiǎ dǎo
［唐］贾 岛

sōng xià wèn tóng zǐ
松 下 问 童 子，
yán shī cǎi yào qù
言 师 采 药 去。
zhǐ zài cǐ shān zhōng
只 在 此 山 中，
yún shēn bù zhī chù
云 深 不 知 处。

【译文】

我在松树下面向小孩打听他师父的去向，
小孩说他师父采药去了，
就在这座山中，
可是山中白云深深，也不知道他在什么地方。

【赏析】

这首诗从访友未遇着笔，巧妙地通过小徒弟的描述，让我们去想象这位隐士的风采：他远离尘世，以深山为家，与松林作伴；似白云般洁身自爱，又如云雾般行踪不定。虽然没有直接描写隐士，但隐士的形象已展现在读者的眼前。同时我们还能从这清新的画面和平淡自然的言语里，看出诗人对隐士生活的倾慕与追求。

# yǐn hú shàng chū qíng hòu yǔ
# 饮湖上初晴后雨

sū shì
[宋]苏轼

shuǐ guāng liàn yàn qíng fāng hǎo
水光潋滟晴方好，
shān sè kōng méng yǔ yì qí
山色空蒙雨亦奇。
yù bǎ xī hú bǐ xī zǐ
欲把西湖比西子，
dàn zhuāng nóng mǒ zǒng xiāng yí
淡妆浓抹总相宜。

【译文】

西湖的水面上波光闪闪，天气晴朗时更显得美好，
山上的雾气迷茫，雨后也奇妙无比。
如果把西湖比为古代的美女西施是再恰当不过了，
因为无论是淡妆还是浓抹，总是那么美丽动人。

【赏析】

本诗表达了诗人对西湖的无限热爱，对祖国山河的无限赞美之情。

附录

# yǒng é
# 咏鹅

luò bīn wáng
[唐]骆宾王

é é é
鹅，鹅，鹅，
qū xiàng xiàng tiān gē
曲项向天歌，
bái máo fú lǜ shuǐ
白毛浮绿水，
hóng zhǎng bō qīng bō
红掌拨清波。

**【译文】**

在水中嬉戏的白鹅，
弯曲着脖子对天唱着歌，
一身雪白的羽毛浮在绿水上，
红掌拨动在清波中。

**【赏析】**

这首诗相传是骆宾王 7 岁时所写，他运用生动活泼的语言描写了白鹅在水中游戏欢叫的情景。

# yǒng liǔ
# 咏 柳

hè zhī zhāng
[唐]贺 知 章

bì yù zhuāng chéng yí shù gāo
碧玉妆成一树高，

wàn tiáo chuí xià lǜ sī tāo
万条垂下绿丝绦。

bù zhī xì yè shéi cái chū
不知细叶谁裁出，

èr yuè chūn fēng sì jiǎn dāo
二月春风似剪刀。

**【译文】**

碧绿的树木仿佛是用玉石装扮成的，
垂下的千万条柳枝仿佛是绿色的丝带。
不知绿叶是谁裁剪出来的，
原来是二月的春风如同神奇的剪刀。

**【赏析】**

这是一首咏物诗，诗人用新颖、奇妙的比喻，描绘了柳树的生动形象，赞美了春天的勃勃生机，使人们感受到春天的气息。

# yóu zǐ yín
# 游子吟

mèng jiāo
[唐]孟郊

cí mǔ shǒu zhōng xiàn
慈母手中线，
yóu zǐ shēn shàng yī
游子身上衣。
lín xíng mì mì féng
临行密密缝，
yì kǒng chí chí guī
意恐迟迟归。
shéi yán cùn cǎo xīn
谁言寸草心，
bào dé sān chūn huī
报得三春晖。

【译文】

慈祥的母亲手拿针线，
为即将出门的儿子缝制衣服。
她将衣服缝得严严实实的，
担心儿子出门太久，迟迟归来。
谁说那寸草的区区之心，
能够报答那像三春阳光一般的母爱。

【赏析】

这首诗表现了伟大的母爱。

临行缝衣的场景刻画，写出慈母为将出门远行的儿子细针密线缝制衣服的动作和心理。赞颂了朴素而伟大的母爱，比喻形象贴切，引起读者共鸣。

## yóu yuán bù zhí
## 游 园 不 值

yè shào wēng
[宋]叶 绍 翁

yīng lián jī chǐ yìn cāng tái
应 怜 屐 齿 印 苍 苔，
xiǎo kòu chái fēi jiǔ bù kāi
小 扣 柴 扉 久 不 开。
chūn sè mǎn yuán guān bú zhù
春 色 满 园 关 不 住，
yì zhī hóng xìng chū qiáng lái
一 枝 红 杏 出 墙 来。

**【译文】**

也许是主人怕来客的木屐齿踏坏了青苔，
我轻叩柴门，久久不见有人来开。
那满园的春色毕竟不能被关住，
你看，一枝红杏从墙内伸出来了。

**【赏析】**

这是一首赞美春光的诗，写得新颖别致。

在春光明媚的日子里，诗人兴致勃勃地到友人家去游园，可惜主人不在。诗中不说主人不在，而是猜测主人是怕他踩坏了园里的青苔而不肯开门。这种写法显得别致而富于情趣。游园不成，本是一件扫兴的事，但诗人却在无意之中发现了一枝伸出墙外的红杏，透露出园中姹紫嫣红的满园春光，使诗人于失落中感到一种意外的惊喜。

## yú gē zǐ
## 渔 歌 子

zhāng zhì hé
［唐］张 志 和

xī sài shān qián bái lù fēi
西 塞 山 前 白 鹭 飞，

táo huā liú shuǐ guì yú féi
桃 花 流 水 鳜 鱼 肥。

qīng ruò lì lǜ suō yī
青 箬 笠，绿 蓑 衣，

xié fēng xì yǔ bù xū guī
斜 风 细 雨 不 须 归。

**【译文】**

西塞山前，一行白鹭在天空中飞翔，
桃花盛开春水盛涨，这正是鳜鱼最肥的季节。
渔翁头戴斗笠身披蓑衣在垂钓，
虽有斜风细雨也不愿回去。

**【赏析】**

诗人选取水乡最富特色的景物和细节，用质朴欢快的笔调，将西塞山前白鹭飞翔、桃花盛开、流水潺潺、鳜鱼肥美、渔翁垂钓的景象巧妙地结合起来，有声有色地为我们勾画出一幅明艳新鲜、生动有趣的春景图。全诗反映了诗人陶醉于大自然的情怀及隐居江湖的乐趣。

# yuán rì
# 元日

wáng ān shí
[宋]王安石

bào zhú shēng zhōng yí suì chú
爆竹声中一岁除，
chūn fēng sòng nuǎn rù tú sū
春风送暖入屠苏。
qiān mén wàn hù tóng tóng rì
千门万户曈曈日，
zǒng bǎ xīn táo huàn jiù fú
总把新桃换旧符。

【译文】
在阵阵的爆竹声中，一年又过去了，
春风把暖意吹入了屠苏酒中。
家家户户阳光明媚，喜气洋洋，
都把用桃木做的旧符换成了新的。

【赏析】
诗歌从新春佳节的欢乐气氛入手，通过燃放鞭炮、喜饮屠苏酒和把旧桃符换成新桃符这三件事来表现春节的喜庆气氛和人们的喜悦心情。诗句简练，具有很强的概括力。这种欢乐气氛也与诗人开始推行新法、实行改革，希望取得成功的欢快心情完全一致。

zǎo fā bái dì chéng

# 早发白帝城

lǐ bái

［唐］李白

zhāo cí bái dì cǎi yún jiān
朝辞白帝彩云间，
qiān lǐ jiāng líng yí rì huán
千里江陵一日还。
liǎng àn yuán shēng tí bú zhù
两岸猿声啼不住，
qīng zhōu yǐ guò wàn chóng shān
轻舟已过万重山。

**【译文】**

早晨才离开彩云缭绕的白帝城，
只用一天时间就到了千里之外的江陵。
途中不时地听到长江两岸猿猴的啼叫声，
转眼之间小船已穿过层层叠叠的高山。

**【赏析】**

唐肃宗乾元二年(759)春天，李白被流放夜郎，取道四川。行至白帝城，他忽然听到了朝廷大赦的消息，惊喜之余他立刻从白帝城启程往江陵而去，这首诗便是在此心情下写出来的，所抒发的也就是那一份狂喜之情。全诗写得轻松明快，感情饱满，意境优美，充分表现了诗人重新获得自由时的兴奋、喜悦的感情。

zèng wāng lún
# 赠汪伦

lǐ bái
[唐]李白

lǐ bái chéng zhōu jiāng yù xíng
李白乘舟将欲行，
hū wén àn shàng tà gē shēng
忽闻岸上踏歌声。
táo huā tán shuǐ shēn qiān chǐ
桃花潭水深千尺，
bù jí wāng lún sòng wǒ qíng
不及汪伦送我情。

【译文】

我乘船准备出发时，
忽然听见岸上有人一边打着拍子一边唱歌。
桃花潭的水啊！纵然你有千尺深，
也比不上汪伦对我的情意深。

【赏析】

这是一首送别诗，是李白送给汪伦的，表现了诗人和汪伦之间深厚的友情。作者乘舟欲行时汪伦赶来送行的情景体现了一个普通村民对诗人的朴实、真诚的感情。

zèng huā qīng
# 赠花卿

dù fǔ
［唐］杜甫

jǐn chéng sī guǎn rì fēn fēn
锦城丝管日纷纷，
bàn rù jiāng fēng bàn rù yún
半入江风半入云。
cǐ qǔ zhǐ yīng tiān shàng yǒu
此曲只应天上有，
rén jiān néng dé jǐ huí wén
人间能得几回闻？

**【译文】**

锦官城里每天乐声纷纷扬扬，
随着轻风飞入云端飘到江上。
这种乐曲只该在仙宫里演奏，
人间能听到几次这样的乐章？

**【赏析】**

武将花敬定因平定叛乱有功，居功自傲，经常大宴宾客，笙歌管弦，奢侈淫靡。杜甫这首诗表面上看是在赞赏乐曲，实际上含讽刺、劝诫的意思。这首诗有虚有实，婉转含蓄，是一首耐人寻味的讽刺诗。

# zhú zhī cí
# 竹枝词

liú yǔ xī
［唐］刘禹锡

yáng liǔ qīng qīng jiāng shuǐ píng
杨柳青青江水平，

wén láng jiāng shàng tà gē shēng
闻郎江上踏歌声。

dōng biān rì chū xī biān yǔ
东边日出西边雨，

dào shì wú qíng què yǒu qíng
道是无晴却有晴。

**【译文】**

杨柳翠青，江面风平无波，
听见江上传来情郎的歌声。
东边太阳已经出来了，西边却还在下雨，
说是无晴（情），其实却又有晴（情）。

**【赏析】**

这首诗模拟民间情歌，写一位沉浸在初恋中的少女的心情。

# 竹里馆
zhú lǐ guǎn

wáng wéi
［唐］王 维

dú zuò yōu huáng lǐ
独坐幽篁里，
tán qín fù cháng xiào
弹琴复长啸。
shēn lín rén bù zhī
深林人不知，
míng yuè lái xiāng zhào
明月来相照。

**【译文】**

我独自坐在幽静的竹林里，
弹着琴唱着歌。
在这深林里，无人听到，
只有天上的明月将我照耀。

**【赏析】**

这首诗描绘了一个清幽绝俗的意境，诗人在园里弹琴唱歌的情景体现了诗人安闲自在的生活。这首诗语言自然平淡，意境深远。

## zhú shí
## 竹 石

zhèng xiè
［清］郑 燮

yǎo dìng qīng shān bú fàng sōng
咬定青山不放松，

lì gēn yuán zài pò yán zhōng
立根原在破岩中。

qiān mó wàn jī hái jiān jìn
千磨万击还坚劲，

rèn ěr dōng nán xī běi fēng
任尔东南西北风。

**【译文】**

紧紧地咬住青山，决不放松，
竹根深深地扎入石缝中。
一千次的磨难、一万次的打击也摧不垮它，
任凭你四面八方再刮起狂风。

**【赏析】**

这是一首题画诗，赞美生长在岩石上的竹子坚韧不拔，同时表现了诗人刚正不阿的品格。